lonely planet

Colombia

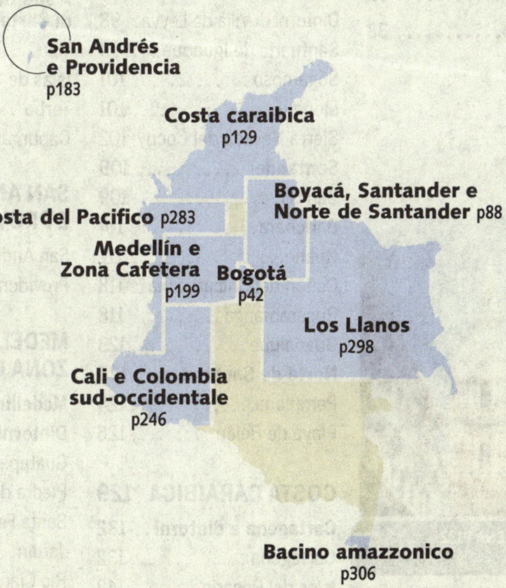

EDT

Jade Bremner, Alex Egerton, Tom Masters, Kevin Raub

PIANIFICARE IL VIAGGIO

JESS KRAFT/EYEEM/GETTY IMAGES ©

CARTAGENA P132

ALLEN CRAIG SCHLOSSMAN/LONELY PLANET ©

FERIA DE LAS FLORES, MEDELLÍN P207

ON THE ROAD

Sommario

CONOSCERE

GUIDA PRATICA

IN QUESTA GUIDA

Benvenuti in Colombia

Imponenti vette andine, coste caraibiche incontaminate, l'impenetrabile giungla amazzonica, enigmatici siti archeologici e cittadine coloniali con viuzze acciottolate. La Colombia possiede il fascino del Sud America e molto altro.

Paesaggi sempre diversi

La posizione sull'Equatore ha regalato alla Colombia una grande varietà di paesaggi. Salendo un po' di quota passerete dalle spiagge caraibiche baciate dal sole alle alture verde smeraldo della Zona Cafetera, costellata di piantagioni di caffè. Continuando a salire raggiungerete Bogotá, vivace culla della cultura colombiana e terza capitale più alta del mondo. Qualche centinaio di metri più in alto si stagliano le vette innevate, i laghi montani e la straordinaria vegetazione d'alta quota del *páramo*. Dalle cime andine si scende poi a Los Llanos, una prateria tropicale estesa su una superficie di 550.000 kmq, a cavallo del confine venezuelano.

Avventure all'aperto

Data la sua varietà, il territorio colombiano è adatto agli appassionati di immersioni, alpinismo, rafting, escursionismo e parapendio. San Gil è l'indiscussa capitale sportiva del paese, ma tutta la Colombia offre grandi opportunità. Con una spedizione nella giungla di alcuni giorni si raggiungono le rovine della Ciudad Perdida, mentre nel Parque Nacional Natural El Cocuy i più intrepidi possono scalare le vette più alte delle Ande. La barriera corallina di Providencia è un paradiso per i sub e al largo della costa del Pacifico si avvistano le megattere.

Antiche culture

Le civiltà antiche hanno lasciato ai posteri affascinanti siti archeologici e culturali disseminati in tutta la Colombia. Un tempo capitale della civiltà tayrona, la Ciudad Perdida fu costruita tra l'XI e il XIV secolo e oggi è considerata una delle città antiche più enigmatiche del Sud America, per molti seconda solo a Machu Picchu. Anche San Agustín è avvolta nel mistero, come si può notare dalle 500 arcane sculture a grandezza naturale disseminate nelle sue campagne. E poi c'è Tierradentro, le cui tombe scavate da popoli sconosciuti contribuiscono ad accrescere il fascino del passato della Colombia.

Atmosfera coloniale

In Colombia ci sono molti paesini e villaggi che sembrano essersi fermati in un'altra epoca – primo tra tutti il centro storico di Cartagena, meravigliosamente conservato – dove la vita quotidiana continua a scorrere tranquilla come ai tempi in cui la Colombia era una colonia spagnola. Stranamente ignorate dal progresso, l'intatta Barichara e la tranquilla Mompós sembrano quasi set cinematografici, mentre la bianca Villa de Leyva si è fermata al XVIII secolo. Gli splendidi *pueblos* della Colombia sono tra i meglio conservati del continente.

Perché amo la Colombia

Kevin Raub, autore

Quando la visitai per la prima volta, all'inizio del nuovo millennio, la Colombia era molto diversa, ma fui subito conquistato dalla straordinaria ospitalità della gente. Oggi la sicurezza è notevolmente aumentata, cosa che ha contribuito a rendere questo paese la fenice del Sud America, rinata dalle proprie ceneri. Conservo tuttavia l'impressione iniziale: essendo priva di grandi attrattive turistiche – come Machu Picchu, le cascate dell'Iguazú o la Patagonia – la Colombia deve impegnarsi di più per attrarre i viaggiatori. Grazie al calore dei colombiani, i visitatori lasciano questo paese con un'opinione diversa da quella che avevano all'arrivo.

Per ulteriori informazioni sugli autori, v. p416

Sopra: Chiosco sulla spiaggia, Providencia (p197)

Colombia

0 200 km
0 100 miles
14°N
12°N
10°N
8°N
6°N
80°W
76°W
74°W
72°W
70°W
68°W
Providencia (Colombia)
San Andrés (Colombia)
CARIBBEAN SEA
NETHERLANDS ANTILLES (NETHERLANDS)
Aruba
Curaçao
Bonaire
PNN Tayrona
Baie punteggiate di scogli e spiagge di sabbia bianca (p161)
Ciudad Perdida
Splendido trekking alle antiche rovine (p165)
Cartagena
Centro storico coloniale magnificamente conservato (p132)
Península de La Guajira
Il punto più settentrionale del Sud America (p169)
PNN El Cocuy
Trekking su cime maestose in un ambiente incontaminato (p107)
Barichara
Villaggio coloniale da cartolina e formiche fritte (p114)
Medellín
Raffinati ristoranti e vita notturna leggendaria (p202)
San Gil
Capitale colombiana delle attività ad alto tasso adrenalinico (p109)
Parque Nacional Natural Tayrona
La Guajira Península
RIOHACHA
SANTA MARTA
BARRANQUILLA
Ciudad Perdida
Guajira
Atlántico
CARTAGENA
VALLEDUPAR
Magdalena
Cesar
CORO
CARACAS
MARACAIBO
BARQUISIMETO
VALENCIA
Lago de Maracaibo
SAN CARLOS
TRUJILLO
GUANARE
MÉRIDA
BARINAS
VENEZUELA
COLÓN
PANAMA CITY
PANAMA
SINCELEJO
Mompós
El Banco
MONTERÍA
Sapzurro
Capurganá
Sucre
Bolívar
Turbo
Córdoba
Norte de Santander
CÚCUTA
SAN CRISTÓBAL
Río Atrato
Río Nechí
Río Magdalena
Río Cauca
Antioquia
BUCARAMANGA
Santander
Parque Nacional Natural El Cocuy
Río Arauca
ARAUCA
Arauca
Santa Fe de Antioquia
MEDELLÍN
Barichara
San Gil
Río Casanare
PUERTO CARREÑO
QUIBDÓ
Guachalito
Villa de Leyva
TUNJA
Boyocá
Casanare
YOPAL
PUERTO AYACUCHO
Chocó
Risaralda
Caldas
Cundinamarca

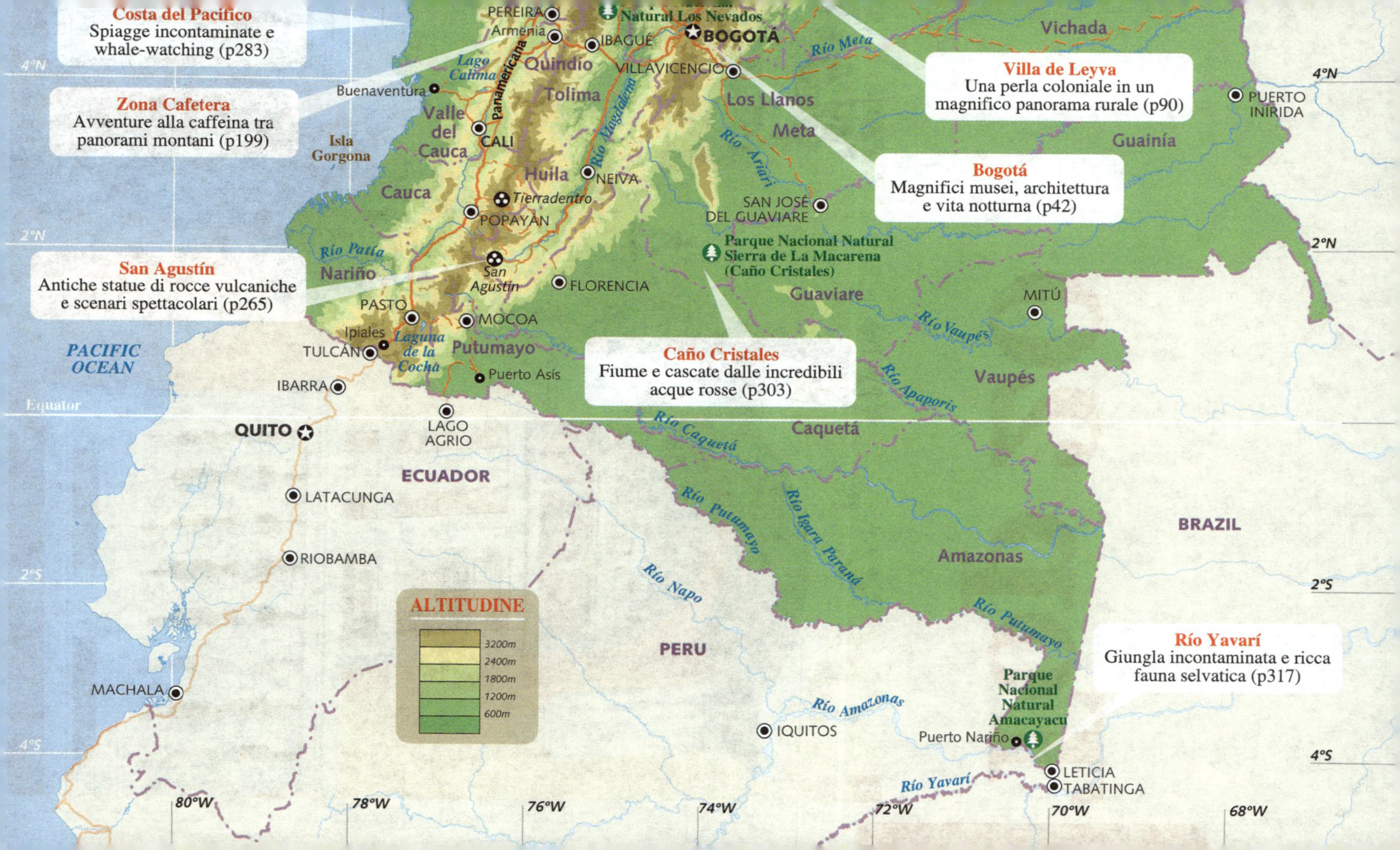
Costa del Pacifico
Spiagge incontaminate e whale-watching (p283)
Zona Cafetera
Avventure alla caffeina tra panorami montani (p199)
San Agustín
Antiche statue di rocce vulcaniche e scenari spettacolari (p265)
Villa de Leyva
Una perla coloniale in un magnifico panorama rurale (p90)
Bogotá
Magnifici musei, architettura e vita notturna (p42)
Caño Cristales
Fiume e cascate dalle incredibili acque rosse (p303)
Río Yavarí
Giungla incontaminata e ricca fauna selvatica (p317)
ALTITUDINE
3200m
2400m
1800m
1200m
600m
PACIFIC OCEAN
Equator
ECUADOR
PERU
BRAZIL
Natural Los Nevados
BOGOTÁ
PEREIRA
Armenia
IBAGUÉ
VILLAVICENCIO
Lago Calima
Buenaventura
Panamericana
Quindío
Tolima
Valle del Cauca
CALI
Isla Gorgona
Cauca
Huila
NEIVA
Río Magdalena
Tierradentro
POPAYÁN
Río Patía
Nariño
San Agustín
FLORENCIA
PASTO
Ipiales
TULCÁN
Laguna de la Cocha
MOCOA
Putumayo
Puerto Asís
IBARRA
QUITO
LAGO AGRIO
LATACUNGA
RIOBAMBA
MACHALA
Vichada
Río Meta
Los Llanos
Meta
Río Ariari
SAN JOSÉ DEL GUAVIARE
Parque Nacional Natural Sierra de La Macarena (Caño Cristales)
Guaviare
Guainía
PUERTO INÍRIDA
MITÚ
Río Vaupés
Vaupés
Río Apaporis
Río Caquetá
Caquetá
Río Putumayo
Río Igara Paraná
Amazonas
Río Napo
Río Amazonas
IQUITOS
Parque Nacional Natural Amacayacu
Puerto Nariño
LETICIA
TABATINGA
Río Yavarí
4°N
2°N
2°S
4°S
80°W
78°W
76°W
74°W
72°W
70°W
68°W

Top 20

1

La Città Vecchia di Cartagena

1 Le lancette dell'orologio situato sulla Puerta del Reloj tornano indietro di quattro secoli quando i viaggiatori oltrepassano le mura della vecchia Cartagena (p132). Una passeggiata tra le sue vie potrebbe farvi sentire come i protagonisti di un romanzo di Gabriel García Márquez. I balconi in tinte pastello traboccano di bougainvillee e i vicoli pieni di chioschi alimentari circondano magnifiche chiese coloniali, piazze e residenze storiche. È una città viva e operosa, che ha conservato in gran parte l'aspetto che aveva secoli fa.

Viaggio nella Ciudad Perdida

2 La visita alla Ciudad Perdida (p165) è un'emozionante spedizione nella giungla attraverso uno dei paesaggi tropicali più maestosi del paese e ha fama di essere uno dei migliori trekking di più giorni della Colombia. I torrenti scorrono impetuosi mentre li guadate immergendovi fino alla cintola, con la magnifica Sierra Nevada sullo sfondo. Il sito archeologico incute sempre un certo timore reverenziale – un'antica città perduta tra le montagne 'scoperta' da saccheggiatori di tombe e da avventurieri in cerca d'oro, che si estende silenziosa su misteriose terrazze – ma il viaggio per raggiungerlo è altrettanto affascinante.

KRZYSZTOF DYDYNSKI/GETTY IMAGES ©

2

PICTURE4YOU/SHUTTERSTOCK ©

3

4

Dune e deserto di La Guajira

3 Il viaggio verso questa penisola remota e deserta (p169) può essere divertente o faticoso – a seconda dei gusti – ma tutti coloro che visitano il punto più settentrionale del Sud America restano affascinati dalla sua straordinaria semplicità. Fenicotteri rosa, paludi di mangrovie, spiagge con dune di sabbia e minuscoli insediamenti wayuu punteggiano la vasta e desolata distesa di questo angolo magnifico e poco visitato della Colombia, dove potrete dimenticare il rumore delle città e immergervi nel maestoso silenzio della natura.

Caño Cristales

4 Il Parque Nacional Natural Sierra de la Macarena a Los Llanos, riuscita forma di turismo sostenibile gestita dalla comunità locale, ospita una delle meraviglie naturali più affascinanti della Colombia, i corsi d'acqua multicolori di Caño Cristales (p303). Per alcuni mesi, tra luglio e novembre, questa remota rete di fiumi si trasforma in uno straordinario mare rosso, un fenomeno unico al mondo, provocato dalle piante acquatiche che crescono qui. Le escursioni tra le cascate e le piscine naturali di questa zona sono un'esperienza veramente indimenticabile.

Le antiche statue di San Agustín

5 Disseminate tra dolci e verdi colline, le statue di San Agustín (p265) sono una magnifica testimonianza della civiltà precolombiana nonché uno dei siti archeologici più importanti del continente. Gli scavi hanno riportato alla luce oltre 500 monumenti scolpiti nella roccia vulcanica che ritraggono animali sacri e figure antropomorfe. Molte sculture sono raggruppate nel parco archeologico, ma la maggior parte è rimasta *in situ* e può essere ammirata percorrendo a piedi o a cavallo i sentieri del canyon.

Whale-watching sulla costa del Pacifico

6 Pochi eventi naturali suscitano l'emozione che si prova osservando una balena di 20 tonnellate che salta in acqua, con montagne ammantate di foreste sullo sfondo. Ogni anno centinaia di megattere percorrono oltre 8000 km dall'Antartico alle acque tranquille della Colombia per dare alla luce e allevare i loro piccoli. Questi spettacolari mammiferi si avvicinano talmente tanto alla costa del Parque Nacional Natural Ensenada de Utría (p290) che potrete vederli nuotare nelle vicine acque poco profonde mentre fate colazione.

Le *fincas* del caffè nella Zona Cafetera

7 Salite su una jeep della seconda guerra mondiale e partite per un giro di degustazioni di bevande a base di caffeina. Molte delle migliori *fincas* della Zona Cafetera (p222) hanno aperto le porte al turismo, organizzando visite in cui si spiega ai viaggiatori stranieri che cosa distingue il caffè colombiano da quello delle altre nazioni e si condivide una cultura basata sul duro lavoro. Mettetevi un cesto in spalla e andate a raccogliere il caffè che poi gusterete in una casa colonica tradizionale.

Trekking a El Cocuy

8 Il Parque Nacional Natural El Cocuy (p107) è giustamente una delle mete più ambite del Sud America per gli appassionati di trekking. Nella stagione giusta (da dicembre a febbraio), i cieli rossi dell'alba fanno risaltare le vette frastagliate delle montagne, le valli glaciali, i laghi e la rada vegetazione d'alta quota del *páramo*. Nelle giornate limpide è possibile ammirare vaste distese della regione di Los Llanos da uno degli innumerevoli punti panoramici a 5000 m di altitudine.

7

8

MICHEL PICCAYA/SHUTTERSTOCK ©

INGRID FIRMHOFER/ALAMY ©

DANAAN/SHUTTERSTOCK ©

I musei di Bogotá

9 Pochi posti al mondo consentono di provare che cosa significa scoprire un tesoro sepolto da secoli. Il Museo del Oro di Bogotá (foto in alto; p56), uno dei tanti musei presenti in città e uno dei più straordinari del Sud America, vi darà la sensazione di trovarvi in un film di Indiana Jones. Qualunque cosa cerchiate – le figure corpulente di Botero, elicotteri presidenziali, le armi dei boss della cocaina, le spade di Bolívar, bagni con magnifiche piastrelle o i resti di vasi antichi – Bogotá ha sicuramente il museo che fa per voi.

La salsa a Cali

10 Cali forse non ha inventato la salsa, ma questa città operosa si è sicuramente innamorata di questo genere musicale e lo ha fatto proprio. Per i *caleños* uscire la sera a Cali (p248) significa andare a ballare la salsa, che si tratti di farlo in minuscoli bar di quartiere con potenti amplificatori o nelle mega *salsatecas* (discoteche di salsa) di Juanchito. Questo ballo aiuta a superare le barriere sociali e a unire la popolazione di questa città in rapida espansione. Se sapete ballare, Cali è il posto giusto per esibirvi; in caso contrario, non troverete un posto migliore per imparare.

Barichara coloniale

11 C'è un che di eccezionale nella splendida Barichara (p114), ritenuta da molti il villaggio coloniale più pittoresco della Colombia: i tetti color ruggine, le simmetriche vie acciottolate, i muri bianchi e i balconi ornati da fiori colorati si stagliano sul paesaggio da cartolina delle verdi Ande. Barichara è un luogo molto tranquillo, il cui nome, nel dialetto locale guane, significa 'luogo in cui rilassarsi'. Mentre passeggiate nelle stradine resterete sopraffatti dalla sua bellezza.

12

JESS KRAFT/500PX ©

13

JESS KRAFT/SHUTTERSTOCK ©

14

Providencia: un'isola incantata

12 Anche se è un po' complicato raggiungerla, ne vale davvero la pena: prima ancora di mettere piede in questo splendido angolo di Caraibi, potrete ammirare un panorama fantastico dall'aereo o dal catamarano. Sebbene offra alcune delle spiagge più belle del paese, straordinari siti di immersioni e sentieri escursionistici, un'ottima cucina e una cultura anglo-creola unica, Providencia (p192) è poco visitata e non fa parte degli itinerari turistici più battuti. Non troverete nemmeno un resort all-inclusive.

Architettura coloniale a Villa de Leyva

13 L'immenso cielo blu sovrasta la valle ad alta quota che fa da sfondo alla magnifica Villa de Leyva (p90). Situata appena 165 km a nord di Bogotá, Villa de Leyva è un villaggio coloniale con una delle piazze più grandi e incantevoli delle Americhe. Questa cittadina tranquilla e il suo pittoresco centro storico sono una meta fantastica non solo per gli amanti della buona cucina, della storia, delle chiese antiche, dei musei e dei negozi di artigianato, ma anche per chi ha intenzione di praticare attività all'aperto nella campagna circostante.

Cañón de Río Claro

14 Con la sua maestosa gola scolpita nel marmo, la Reserva Natural Cañón de Río Claro (p222) è una delle maggiori mete naturali della Colombia, situata a soli 2 km dall'autostrada Bogotá–Medellín. Al suo interno scorre un fiume dalle acque cristalline che forma numerose pozze dove è possibile fare il bagno. Qui potrete percorrere la zip-line sul fiume, esplorare grotte popolate da pipistrelli, fare discese di rafting o anche solo prendere il sole sulle rocce levigate. Al tramonto, quando gli ultimi raggi del sole tingono le rocce di tonalità calde, arrivano gli stormi di uccelli e il canyon risuona dei rumori della giungla.

Spiagge del PNN Tayrona

15 Le spiagge del Parque Nacional Natural Tayrona (p160), situato nei pressi di Santa Marta, sulla costa caraibica, sono tra le più belle del paese. L'acqua limpidissima lambisce la giungla, che scende dalle vette della Sierra Nevada de Santa Marta, la catena costiera più alta del mondo. Queste spiagge di sabbia bianca sono orlate di palme e disseminate di grandi massi, alcuni dei quali spaccati a metà, come se fossero stati presi di mira da un gigante.

Escursionismo nel PNN Los Nevados

16 Sia gli abitanti del posto sia i turisti hanno sempre nutrito un profondo rispetto per i picchi innevati del Parque Nacional Natural Los Nevados (p231). Estesa su una superficie di 583 kmq, la riserva comprende alcuni dei paesaggi più suggestivi delle Ande colombiane. Nella parte meridionale si snodano fantastici sentieri che attraversano ecosistemi molto diversi tra loro, dalle foreste nebulari umide al raro *páramo*. Chi ama l'avventura potrà salire sulle vette del Nevado de Santa Isabel e del Nevado del Tolima.

JESS KRAFT/SHUTTERSTOCK ©

Desierto de la Tatacoa

17 Il Desierto de la Tatacoa (p274) è uno straordinario paesaggio di sabbie ocra e grigie, pareti rocciose scolpite dagli elementi e macchie di cactus. Circondato dalle montagne, questo deserto è situato in una zona secca al riparo dell'imponente Nevado de Huila e presenta un ecosistema che non ha eguali nel resto della Colombia. La mancanza di nuvole e di inquinamento luminoso rende questo deserto il luogo migliore del paese per osservare le stelle, a occhio nudo o con un telescopio.

I lodge nella natura selvaggia sul Río Yavarí

18 Non è facile rendersi conto delle dimensioni dell'Amazzonia – la sola parte colombiana è più grande della Germania – perciò troverete moltissimi luoghi dove pernottare nel corso del vostro viaggio. Quelli lungo il Río Yavarí (p317) sono i migliori per apprezzare la straordinaria varietà della fauna e gli ecosistemi della zona. Qui potrete nuotare con i delfini, pescare piranha e vedere da vicino alligatori, scimmie e rane. Saimiri

19

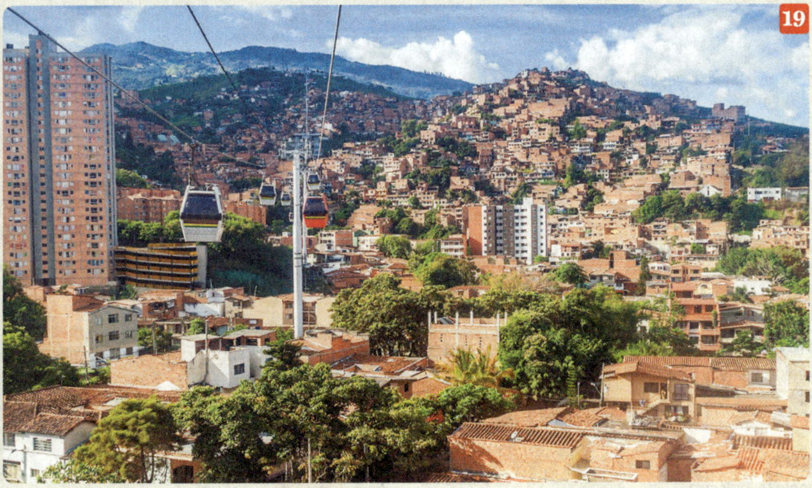

20

Alla scoperta di Medellín

19 Godetevi la vista panoramica sulla vera Medellín (p202) dalla famosa Metrocable, che sorvola i quartieri operai abbarbicati lungo i ripidi versanti delle montagne. Il labirinto di case in mattoni rossi che si estende sotto di voi è il cuore pulsante di una città capace di espandersi nonostante il terreno difficile da edificare. Dopo il tramonto andate alla scoperta dell'altra faccia della medaglia nei ristoranti raffinati, nei bar e nelle discoteche di El Poblado, fulcro della leggendaria vita notturna di Medellín, frequentati da gente ricca e alla moda.

Avventure all'aperto a San Gil

20 San Gil non possiede grandi bellezze naturali, ma compensa ampiamente questa sua carenza con una vasta offerta di attività ad alto tasso adrenalinico. Canoa, discese in corda doppia, esplorazione di grotte, bungee jumping o voli in parapendio – quali che siano le vostre preferenze, San Gil (p109) è la meta ideale per gli sport all'aperto, famosa soprattutto per le emozionanti rapide di IV e V grado sul Río Suárez. In acqua, in cielo o sulla terraferma, questa città metterà alla prova i vostri limiti.

In breve

Per ulteriori informazioni, v. Guida pratica (p347)

Moneta
Peso colombiano (COP$)

Lingua
Spagnolo (e inglese a San Andrés e a Providencia).

Visti
Non necessari per i cittadini italiani e svizzeri e di molte altre nazionalità che soggiornano nel paese per motivi turistici fino a 90 giorni.

Banche
Gli sportelli bancomat sono ampiamente diffusi e le carte di credito comunemente accettate.

Telefoni cellulari
La copertura dei telefoni cellulari e della trasmissione dati è eccellente. I cellulari dual-tri e quadri band sbloccati funzionano con una SIM locale.

Ora
La Colombia è 5 ore indietro rispetto al GMT/UTC (6 ore indietro rispetto all'Italia, 7 quando in Italia vige l'ora legale) e non adotta l'ora legale.

Quando andare

Alta stagione
(dic-feb)

- Sole e temperature miti in tutte le Ande.
- Clima secco ovunque, fatta eccezione per l'Amazzonia.
- San Andrés e Providencia sono fantastiche.
- Prezzi più alti in tutto il paese.

Media stagione
(marzo-set)

- Ad aprile e maggio a Bogotá, Medellín e Cali c'è la seconda stagione delle piogge.
- Sulla costa del Pacifico i mesi ideali per il whale-watching vanno da luglio a ottobre.
- A Cartagena ad aprile c'è il sole e a maggio iniziano le piogge.

Bassa stagione
(ott e nov)

- Acquazzoni nelle Ande, che spesso allagano le strade.
- A ottobre Cartagena e la costa caraibica sono umidissime.
- Il basso livello dei fiumi in Amazzonia regala splendide escursioni a piedi e spiagge di sabbia.
- I prezzi sono ovunque al minimo.

Siti web

This is Colombia (www.colombia.co/en) Eccellente sito che promuove la Colombia a livello internazionale.

Colombia Travel (www.colombia.travel/en) Portale ufficiale del governo per il turismo.

Colombia Reports (www.colombiareports.co) Ottimo notiziario in lingua inglese.

BBC News (www.bbc.com/news/world/latin_america) La BBC offre un'eccellente copertura in tutto il Sud America.

Parques Nacionales Naturales de Colombia (www.parquesnacionales.gov.co) Dettagliate informazioni sui parchi nazionali.

Lonely Planet Italia (www.lonelyplanetitalia.it/colombia) Informazioni, forum dei viaggiatori e molto altro.

Numeri utili

Per telefonare all'estero dalla Colombia digitate il prefisso di uscita internazionale, poi il prefisso della compagnia telefonica scelta, indicato qui con x (☎5, ☎7 o ☎9, ☎456, ☎444, ☎414, tra gli altri), quindi il codice del paese, e infine il prefisso della località, con o senza lo zero, seguito dal numero desiderato.

Prefisso di accesso internazionale	☎00
Prefisso di uscita internazionale	☎00+x (prefisso della compagnia telefonica) +39 (Italia) +41 (Svizzera)
Prefisso del paese	☎57
Ambulanza, polizia e vigili del fuoco	☎123
Elenco informazioni	☎113

Tassi di cambio

Area euro	€1	COP$3635
Bolivia	B$1	COP$462
Brasile	R$1	COP$833
Perú	S1	COP$943
Stati Uniti	US$1	COP$3189
Svizzera	Sfr1	COP$3204
Venezuela	VES1	COP$21

Cambio aggiornato al mese di dicembre 2018, con il dollaro a un valore di €0,87. Per i tassi di cambio correnti, v. www.xe.com.

Budget giornaliero

Meno di COP$60.000

➡ Letto in camerata: COP$20.000-40.000

➡ *Comida corriente* (pranzo a prezzo fisso): COP$6000-12.000

➡ Biglietto dell'autobus Bogotá–Villa de Leyva: COP$27.000

Medio: da COP$100 a COP$200.000

➡ Doppia in albergo di media categoria: COP$80.000-120.000

➡ Portate principali in un ristorante di buon livello: COP$20.000-30.000

Più di COP$200.000

➡ Camera doppia in albergo di lusso: a partire da COP$160.000

➡ Pasto a più portate con vino: a partire da COP$50.000

Orari di apertura

Banche 9-16 lun-ven, 9-12 sab

Bar 18-3

Caffè 8-22

Discoteche a partire dalle 21 gio-sab

Negozi 9-17 lun-ven, 9-12 o 9-17 sab; alcuni negozi chiudono per la pausa pranzo

Ristoranti Prima colazione a partire dalle 8, pranzo a partire dalle 12, cena fino alle 21 o alle 22

Arrivo

Aeropuerto Internacional El Dorado (Bogotá) Gli autobus (COP$2200) partono ogni 10 minuti dalle 4.30 alle 22.45; i taxi (COP$35.000) impiegano 45 minuti per raggiungere il centro.

Aeropuerto Internacional José María Córdoba (Medellín) Gli autobus (COP$9500) partono ogni 15 minuti 24 ore su 24; i taxi (COP$65.000) impiegano 45 minuti per arrivare in città.

Aeropuerto Internacional Rafael Núñez (Cartagena) Gli autobus (COP$1500) partono ogni 15 minuti dalle 6.50 alle 23.45; i taxi (COP$13.000) impiegano 15 minuti per raggiungere la città vecchia.

Trasporti interni

Aereo In Colombia i voli interni sono la soluzione migliore per coprire le lunghe distanze.

Autobus Tutte le principali città della Colombia sono collegate da autobus frequenti. I viaggi a lunga percorrenza sono serviti in genere da autobus confortevoli, mentre le tratte più brevi sono spesso coperte da minivan o addirittura da berline.

Imbarcazioni È l'unico mezzo di trasporto in gran parte dell'Amazzonia e della costa del Pacifico ed è molto più costoso di un viaggio in autobus di analoga durata.

Per saperne di più sui **trasporti interni**, v. p369

Se vi piace...

Parchi nazionali

La Colombia ha destinato il 12% del suo territorio ai parchi nazionali (Parques Nacionales Naturales, o PNN), che comprendono quasi 60 aree protette, dalle calde acque dei Caraibi alle vette andine, dalle praterie tropicali alla vasta giungla amazzonica.

PNN Tayrona Spiagge di sabbia bianca orlate di palme, ai piedi della Sierra Nevada de Santa Marta. (p160)

PNN El Cocuy Vette imponenti, laghi montani, ghiacciai e splendidi panorami sul Venezuela sono le principali attrattive dei trekking in giornata ad alta quota più belli della Colombia. (p107)

PNN Sierra de La Macarena Ospita un luogo davvero unico, Caño Cristales, un caleidoscopico mondo acquatico dalle sfumature rosse. (p303)

PNN El Tuparro Spiagge fluviali sabbiose, verdi praterie e circa 320 specie di uccelli, oltre a giaguari, tapiri e lontre. (p305)

Musei

L'affascinante connubio di culture indigene, colonizzazione e conflitti ha reso la Colombia un paese ricco di storia, che viene illustrata in numerosi musei.

Museo del Oro Ospita la più ricca collezione del mondo di oggetti d'oro preispanici. (p56)

Museo de Antioquia Uno dei migliori musei della Colombia per ammirare le corpulente opere del *paisa* Fernando Botero. (p205)

Museo Nacional Il museo nazionale della Colombia – in fase di restauro, ma ancora parzialmente aperto fino al 2023 – delinea un panorama esaustivo del patrimonio culturale del paese. (p57)

Palacio de la Inquisición Spaventosi strumenti di tortura esposti all'interno di un palazzo di Cartagena del 1776. (p133)

Fauna selvatica

L'incontaminata giungla amazzonica copre oltre un terzo del territorio colombiano ed è il posto migliore dove osservare la fauna nel suo habitat.

Río Yavarí Situati a cavallo tra il Brasile e il Perú, i lodge di questo affluente del Rio delle Amazzoni si raggiungono da Leticia e sono immersi in un ambiente ricco di fauna selvatica. (p317)

PNN Amacayacu Popolato da circa 500 specie di uccelli e 150 specie di mammiferi, ospita anche un eccellente centro di reinserimento delle scimmie. (p315)

PNN Ensenada de Utría Questa insenatura del Pacifico, visitata dalle megattere da luglio a ottobre, è una delle principali mete per il whale-watching in Colombia. (p290)

Santuario de Fauna y Flora Los Flamencos Nella stagione umida questa riserva di 700 ettari ospita una colonia di 10.000 fenicotteri rosa. (p170)

Escursionismo

Il paesaggio molto vario della Colombia consente di fare escursioni nella giungla, tra montagne altissime e vette andine innevate, nonché nel *páramo*, un ecosistema montano qui molto diffuso che si incontra in pochi altri paesi.

PNN El Cocuy Vette imponenti, laghi montani, ghiacciai e uno splendido panorama sul Venezuela caratterizzano queste escursioni in giornata ad alta quota. (p107)

Ciudad Perdida Trekking nella giungla di più giorni per raggiungere una delle più grandi città precolombiane delle Americhe. (p165)

PNN Los Nevados Impegnativa escursione in giornata attraver-

In alto: Parque Nacional Natural Tayrona (p160)
In basso: *Arepas* (focaccine di farina di mais)

so il *páramo* fino al ghiacciaio Nevado Santa Isabel. (p231)

Valle de Cocora Gigantesche palme della cera, valli verdissime e colline immerse nella foschia caratterizzano questa escursione di mezza giornata. (p245)

Tierradentro Escursione di un'intera giornata che consente di visitare le tombe sotterranee precolombiane di Tierradentro, circondate da splendide colline. (p270)

Gastronomia

I punti forti della cucina colombiana sono pesce freschissimo, bistecche succulente e molte specialità gastronomiche create riscoprendo ingredienti casalinghi.

Leo Cocina y Cava Scoprite raffinati piatti della cucina creativa colombiana in questo ristorante elegante e orgogliosamente tipico di Bogotá. (p70)

Punta Gallinas Da queste parti non ci sono ristoranti, ma che ne dite di farvi grigliare le aragoste appena pescate dai wayuu? (p172)

Mini-Mal L'arte culinaria nella sua forma migliore: ingredienti regionali in piatti da gourmet in questo ristorante di Bogotá molto di tendenza. (p71)

Prudencia Questo nuovo ristorante di cucina colombiana e americana a Bogotá propone piatti innovativi fortemente improntati alla ricchezza culinaria nazionale. (p69)

Asadero de Cuyes Pinzón Lanciatevi nella cultura di Pasto gustando la principale prelibatezza locale: il porcellino d'India alla griglia. (p279)

Mercagán Secondo alcuni questo ristorante serve le bistecche migliori di tutto il paese. (p121)

La Cevicheria Questa minuscola perla nascosta di Cartagena serve ottimi piatti a base di pesce. (p143)

Spiagge

La Colombia è più famosa per le montagne che per le spiagge, ma vanta comunque distese di sabbia assolate sia sulla costa del Pacifico sia su quella caraibica.

Playa Taroa Scivolate sulle grandi dune della spiaggia più bella – e deserta – della Colombia, a Punta Gallinas. (p172)

Playa Morromico Quest'appartata spiaggia privata, che orla cascate che scendono tumultuose dalle montagne ricoperte di giungla, è una delle mete più romantiche del Chocó. (p293)

PNN Tayrona Intatto e molto frequentato, questo parco nazionale vanta tranquille baie con spiagge di sabbia dorata e acque turchesi. (p160)

Providencia Questa minuscola e remota isola caraibica possiede spiagge di splendida sabbia dorata che si estendono sullo sfondo di una fitta giungla e palme imponenti. (p192)

Playa Guachalito Un paradiso di sabbia grigia sulla costa del Pacifico, con orchidee, eliconie e giungla selvaggia. (p294)

Playa Blanca Spiaggia di sabbia bianca situata sulla sponda di un lago a 3015 m di altitudine nel cuore delle Ande. (p100)

In alto: Una nuotata nelle acque di Providencia (p195)
In basso: Escursionismo nel Parque Nacional Natural El Cocuy (p107)

Mese per mese

IL MEGLIO

Carnaval de Barranquilla, febbraio

Feria de las Flores, agosto

Semana Santa a Popayán, marzo o aprile

Festival de Música del Pacífico Petronio Álvarez, agosto

Carnaval de Blancos y Negros, gennaio

Gennaio

La posizione equatoriale della Colombia fa sì che le sue temperature varino in base all'altitudine anziché alla stagione, per cui ogni periodo dell'anno è adatto per visitare il paese. Gennaio è perfetto: dopo le vacanze ci sono meno turisti, ma si tengono molte feste ed eventi.

Carnaval de Blancos y Negros

La chiassosa festa postnatalizia di Pasto risale ai tempi della schiavitù ed è un'occasione per ubriacarsi e lanciarsi addosso grasso, talco, farina e gesso fino a quando tutti tossiscono muco polveroso. Lasciate in albergo gli abiti migliori. (p277)

Febbraio

La regione andina ha ancora un clima piacevole e a Cartagena il tempo è secco, per cui questo mese è adatto per visitare le spiagge della costa caraibica. Gli studenti sono tornati a scuola, i festaioli al lavoro e il paese è *muy tranquilo*.

Fiesta de Nuestra Señora de la Candelaria

Il 2 febbraio a Cartagena si svolge una solenne processione in onore della santa patrona della città. I festeggiamenti sono preceduti da un periodo di nove giorni – chiamato Novenas – in cui numerosi pellegrini si recano al Convento de la Popa. (p139)

Carnaval de Barranquilla

Questo carnevale si svolge 40 giorni prima di Pasqua e nel continente è secondo solo a quello di Rio de Janeiro: una festa spettacolare, con quattro giorni di balli, sfilate, grandi bevute, costumi e musica colombiana, che terminano il Mardi Gras con il seppellimento simbolico di Joselito Carnaval, il pupazzo emblema della festa. (p154)

Marzo

In Colombia la Pasqua è una festa molto importante, che cade tra marzo e aprile e si celebra in tutto il paese, con folle numerose, prezzi elevati e tempo variabile.

Semana Santa a Popayán

La Semana Santa più famosa della Colombia ha luogo a Popayán, con processioni notturne il Giovedì e il Venerdì Santo. Migliaia di fedeli e di turisti partecipano a questa cerimonia religiosa e al festival di musica sacra che la accompagna. (p260)

Semana Santa a Mompós

Seconda in ordine di importanza, questa celebrazione pasquale ha luogo nella tranquilla cittadina fluviale di Mompós, situata nei pressi della costa caraibica. (p176)

Festival Iberoamericano de Teatro de Bogotá

Questo festival biennale dedicato al teatro dell'America Latina si svolge negli anni pari durante la Semana Santa ed è considerato il festival delle arti dello spettacolo più grande al mondo. (p62)

Giugno

Dopo la tregua in aprile e in maggio, tornano i temporali. Per Bogotá, invece, è il mese più secco, mentre sulla costa del Pacifico iniziano ad arrivare le megattere. Durante le vacanze scolastiche i prezzi aumentano.

Whale-watching

Il mese di giugno segna l'inizio della straordinaria stagione del whale-watching lungo la costa del Pacifico, con centinaia di megattere che arrivano dall'Antartide, dopo aver percorso circa 8500 km, per dare alla luce i piccoli nelle acque tropicali della Colombia. (p283)

Agosto

Questo mese dal clima relativamente mite può essere piovigginoso, ma le eccellenti manifestazioni compensano ampiamente l'umidità. Bogotá, Cali e Medellín sono immerse nell'atmosfera di fine estate, grazie ai numerosi eventi musicali e culturali.

Festival de Música del Pacífico Petronio Álvarez

Questo festival di Cali celebra la musica della costa del Pacifico, fortemente influenzata dai ritmi africani introdotti in Colombia dagli schiavi che popolavano questa regione. (p249)

Feria de las Flores

Questa feria di una settimana è l'evento più spettacolare di Medellín e culmina nel Desfile de Silleteros, una sfilata di 400 *campesinos* (contadini) che scendono dalle montagne nelle vie della città portando gerle di fiori. (p207)

Settembre

Tutto il paese è flagellato da acquazzoni, ma il livello dei fiumi amazzonici è basso, per cui il periodo è ideale per avvistare gli animali, fare escursioni a piedi o semplicemente rilassarsi su una spiaggia sulla sponda di un fiume.

Festival Mundial de Salsa

Questo festival di Cali è assolutamente imperdibile: nonostante il suo nome, non si tratta di un evento internazionale, ma potrete ammirare alcuni bravissimi ballerini e spettacoli di salsa gratuiti all'aperto. (p251)

Festival Internacional de Teatro

Inaugurato nel 1968, il festival teatrale di Manizales è il secondo della Colombia nel suo genere (dopo il Festival Iberoamericano de Teatro de Bogotá) e comprende alcuni spettacoli gratuiti in Plaza de Bolívar. (p225)

Mompós Jazz Festival

Questo festival, che si è svolto per la prima volta nel 2012, contribuisce a richiamare i visitatori a Mompós (nel 2014 vi ha partecipato anche il presidente colombiano), una bellissima ma remota cittadina coloniale della Colombia settentrionale. Il programma include concerti di jazzisti provenienti da tutto il mondo. (p176)

Ottobre

In genere ottobre è, insieme a novembre, uno dei mesi più piovosi per la Colombia. Bogotá, Cali, Medellín e Cartagena sono alla mercé del clima.

Rock al Parque

Tre giorni di rock, metal, pop, funk e reggae al Parque Simón Bolívar di Bogotá. Rock al Parque è un evento gratuito e molto popolare, diventato ormai il festival musicale più importante della Colombia. (p62)

Novembre

Novembre è un mese molto piovoso in tutta la Colombia. Rifugiatevi a Bogotá, ma preparatevi ad aprire spesso l'ombrello.

Reinado Nacional de Belleza

Chiamato anche Carnaval de Cartagena o Fiestas del 11 de Noviembre, questo concorso di bellezza – che celebra l'indipendenza della città e l'incoronazione di Miss Colombia con balli di strada, musica e sfilate in costume – è l'evento più importante del calendario annuale di Cartagena.

In alto: Feria de las Flores (p207), Medellín

In basso: Luminarie natalizie a Medellín

Dicembre

Le piogge diminuiscono e iniziano le vacanze, le luci spettacolari e le feste improvvisate: aspettatevi folle e allegria in tutta la Colombia.

Luci di Natale

Ogni anno a Natale le città colombiane fanno a gara per organizzare l'Alumbrado Navideño, lo spettacolo di luci più elaborato, lungo i rispettivi fiumi. Visto che spesso vince Medellín, vale proprio la pena di farci una deviazione.

Feria de Cali

Le attività commerciali si fermano a Cali in occasione dell'evento più importante del calendario cittadino. Le feste all'aperto invadono le strade, chioschi gastronomici e padiglioni della birra compaiono come per magia, danze spontanee animano l'atmosfera e il Río Cali si accende di luci spettacolari.

Itinerari

14 GIORNI Da Bogotá a Bogotá

Benvenuti in Colombia! In questo paese vi attendono città cosmopolite, montagne imponenti, villaggi coloniali, giungle lussureggianti e spiagge caraibiche. Seguire questo itinerario richiede resistenza e tanta caffeina – ma fortunatamente siete nella patria del caffè!

Dedicate un giorno o due a **Bogotá**, godendovi La Candelaria (il centro coloniale), i tanti musei, l'eccellente cucina e la vita notturna. Poi curate i postumi della sbornia con una visita di qualche ora nei tranquilli e pittoreschi villaggi coloniali di **Villa de Leyva** e **Barichara**, situati a nord ed entrambi ottimamente preservati. Percorrete per un giorno lo storico El Camino Real fino a **Guane**. Raggiungete San Gil in autobus per il lungo viaggio fino a **Santa Marta**, punto di accesso al **Parque Nacional Natural Tayrona**, dove potrete godervi per qualche giorno le sue spiagge paradisiache. Continuate l'itinerario a sud-ovest lungo la costa caraibica fino a **Cartagena**, una splendida città ricca di fascino coloniale, conosciuta come 'la perla della Colombia'. Con un altro lungo viaggio in autobus (o un volo, se andate di fretta) eccovi a **Medellín**, dove potrete di nuovo vivere la Colombia in tutta la sua pienezza: cultura, cucina e Pilsen, nel tipico stile *paisa*. Brindate all'El Dorado e tornate infine a casa ripassando da Bogotá, piacevolmente stupiti dall'ospitalità colombiana.

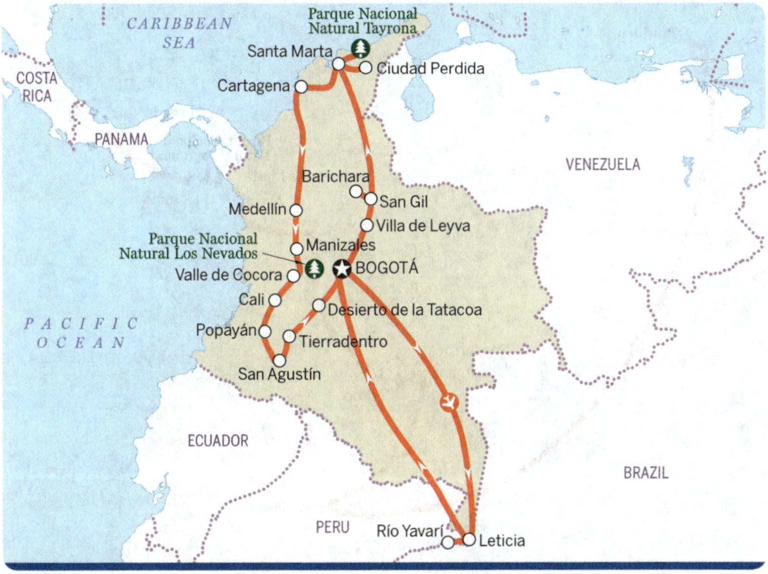

42 GIORNI Per vedere (quasi) tutto

Il piacere di un viaggio in Colombia consiste nella possibilità di godere appieno di uno solo dei suoi multiformi paesaggi – le spiagge caraibiche, la giungla e la sua fauna straordinaria o le altissime montagne andine – oppure di tutti quanti insieme. Iniziate con tre o quattro giorni nella capitale, **Bogotá**: non perdetevi il Museo del Oro, uno dei più affascinanti di tutto il continente, e il suggestivo centro coloniale, La Candelaria. Puntate poi a nord verso **Villa de Leyva** per esplorare le sue vie acciottolate e immergervi per un paio di giorni nel suo fascino coloniale, quindi visitate **San Gil** per fare un'escursione a piedi o una discesa di rafting, dedicando qualche ora alla vicina **Barichara**. Passate da Bucaramanga per prendere un autobus a lunga percorrenza per **Santa Marta**. Cercate di spostarvi il più velocemente possibile in modo da avere tempo da dedicare all'impegnativo trekking fino alla **Ciudad Perdida** o al relax sulle spiagge del **Parque Nacional Natural Tayrona**, il parco nazionale più popolare della Colombia. La tappa successiva è **Cartagena**, dove avrete bisogno di qualche giorno per ammirare le splendide architetture coloniali.

Dalla costa caraibica prendete un autobus o un volo verso sud e dedicate una settimana a **Medellín** e alla Zona Cafetera. Godetevi un po' di tempo nelle riserve naturali nei pressi di **Manizales** prima di testare la vostra forma fisica tra le spettacolari vette del **Parque Nacional Natural Los Nevados**. L'itinerario prosegue nell'affascinante **Valle de Cocora**, fuori Salento. Visitate una *finca* (piantagione) di caffè nei pressi di Armenia e fate scorta di chicchi monorigine direttamente dai produttori.

Trascorrete una notte a **Cali** per frequentare i suoi vivaci locali di salsa, poi proseguite verso la coloniale **Popayán** e le rovine di **San Agustín** e **Tierradentro**, due dei siti archeologici precolombiani più importanti del paese. Ritornate a Bogotá passando dal sorprendente **Desierto de la Tatacoa** e prendete un volo per **Leticia**, dove troverete una Colombia totalmente diversa. Dedicate qualche giorno all'esplorazione dei tre ecosistemi dell'Amazzonia – *terra firme*, *várzea* e *igapó* – lungo il **Río Yavarí**, che è anche il luogo migliore per osservare la fauna nel suo habitat. Prendete poi un volo per Bogotá, oppure attraversate il confine brasiliano da Leticia a Tabatinga e addentratevi in Amazzonia con un'avventurosa escursione in barca sul fiume fino a Manaus (Brasile) o Iquitos (Perú).

21 GIORNI Itinerario caraibico

È l'itinerario migliore per chi ama le spiagge: la costa e le isole settentrionali della Colombia regalano acque cristalline sullo sfondo di splendidi e variegati paesaggi.

Iniziate a est di Santa Marta, trascorrendo qualche giorno a **Cabo de la Vela** sulla magnifica Península de La Guajira, dove il deserto incontra il mare sulla punta del continente. Non perdetevi la parte più settentrionale del Sud America, **Punta Gallinas**, dove potrete dormire su un'amaca e gustare squisite aragoste vicino alle grandi dune su spiagge remote.

Proseguite poi a sud-ovest verso l'incantevole **Palomino**, dove un fiume cristallino scende dalla maestosa Sierra Nevada e muore su una spiaggia intatta e circondata di palme. Con un breve tragitto in auto si raggiunge il **Parque Nacional Natural Tayrona**, molto popolare tra gli amanti della vita da spiaggia, dove grandi scogli incorniciano baie deliziose ed è possibile andare a cavallo nella giungla e raggiungere le rovine di un insediamento preispanico. Dopo un paio di giorni spostatevi a **Santa Marta** e sfuggite alla calura con una breve deviazione nell'incantevole cittadina montana di **Minca**.

Una volta che avrete dedicato un paio di giorni allo splendore coloniale di **Cartagena**, tornate ad abbronzarvi a **Playa Blanca**. Ripartite e raggiungete **Tolú** per fare una gita tra le mangrovie prima di imbarcarvi per le **Islas de San Bernardo** e trascorrere tre giorni fra spiagge di sabbia bianca, acque limpide e piccolissimi villaggi di pescatori.

Dopo esservi rilassati, affrontate l'arduo viaggio verso sud-ovest per trascorrere qualche giorno a **Capurganá** e a **Sapzurro**, due graziose località costiere immerse nella giungla al confine con Panamá, che offrono la possibilità di fare bellissime immersioni.

Se tutto ciò ancora non vi basta, prendete un volo per **Medellín** e da lì per la pittoresca **San Andrés**, per scoprire la cultura raizal e le sue radici anglo-caraibiche. Il giorno dopo proseguite con un piccolo aereo o un movimentato passaggio in catamarano verso **Providencia** per godervi la tranquillità dell'isola sulle sue spiagge idilliache sorseggiando qualche Coco Loco.

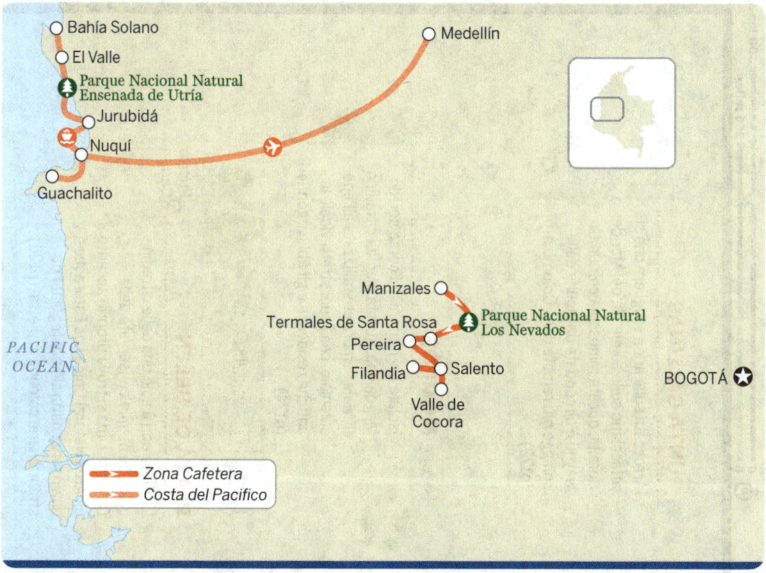

14 GIORNI Zona Cafetera

Nella regione delle piantagioni di caffè il cuore batte anche grazie alla caffeina. Iniziate dai parchi naturali nei dintorni di **Manizales** - Los Yarumos, il Recinto del Pensamiento e la Reserva Ecológica Río Blanco. Partecipate a un tour all'Hacienda Venecia, che offre un'eccellente panoramica sul mondo del caffè.

Tornate poi a Manizales per organizzare un trekking tra le vette innevate dei vulcani del **Parque Nacional Natural Los Nevados**. Dopo una notte nel *páramo* accanto alla magica Laguna de Otún, scendete a **Termales de Santa Rosa** per riposarvi. Proseguite alla volta di **Pereira** e poi trascorrete quattro giorni a **Salento**, pittoresca e incantevole cittadina con la passione del caffè e le tipiche case *bahareque* (in adobe e canne). Fate una gita in jeep nella suggestiva **Valle de Cocora**, una delle escursioni a piedi di mezza giornata più belle della Colombia. Infine percorrete un breve tratto della statale per dedicare un paio di giorni alla tranquilla **Filandia** e fare un brindisi al *mirador*, dal quale è possibile contemplare uno splendido panorama sulla regione del caffè.

10 GIORNI Costa del Pacifico

Questa regione poco nota della Colombia vanta giungle tropicali, siti di immersione e di whale-watching, ottime opportunità di pesca sportiva e spiagge di sabbia nera.

Raggiungete in aereo **Bahía Solano** per trascorrervi un paio di giorni e abituatevi al ritmo del Chocó rilassandovi su un'amaca a Punta Huína. Dopo un'immersione o un trekking nella giungla, prendete un taxi e dirigetevi verso sud per pernottare a **El Valle**, dove potrete vedere le tartarughe che depongono le uova nella stagione della riproduzione e nuotare sotto una fragorosa cascata. Camminate verso sud fino al **Parque Nacional Natural Ensenada de Utría** e prendete una barca a remi per raggiungere il centro visitatori, dove è possibile pernottare. Durante la stagione delle balene potrete vedere le loro spettacolari evoluzioni nella baia.

Sempre in barca, proseguite per l'accogliente villaggio di **Jurubidá** e le piscine termali nascoste nella giungla. Un'altra uscita in barca vi porterà a **Nuquí**, da dove proseguirete per **Guachalito**, una bella spiaggia munita di confortevoli ecolodge. Tre giorni dopo tornate a Nuquí e infine, con un breve volo, a **Medellín**.

Fuori dai percorsi più battuti

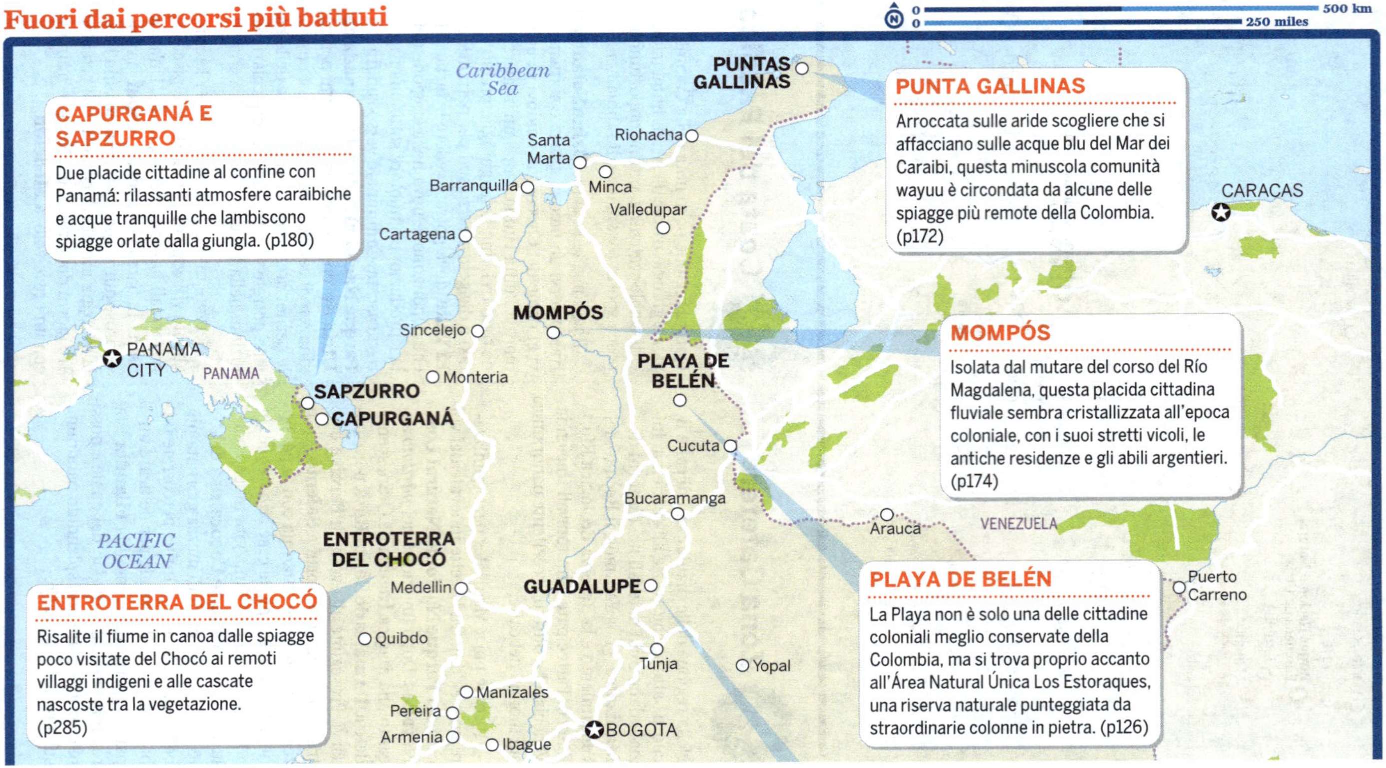

CAPURGANÁ E SAPZURRO

Due placide cittadine al confine con Panamá: rilassanti atmosfere caraibiche e acque tranquille che lambiscono spiagge orlate dalla giungla. (p180)

PUNTA GALLINAS

Arroccata sulle aride scogliere che si affacciano sulle acque blu del Mar dei Caraibi, questa minuscola comunità wayuu è circondata da alcune delle spiagge più remote della Colombia. (p172)

MOMPÓS

Isolata dal mutare del corso del Río Magdalena, questa placida cittadina fluviale sembra cristallizzata all'epoca coloniale, con i suoi stretti vicoli, le antiche residenze e gli abili argentieri. (p174)

ENTROTERRA DEL CHOCÓ

Risalite il fiume in canoa dalle spiagge poco visitate del Chocó ai remoti villaggi indigeni e alle cascate nascoste tra la vegetazione. (p285)

PLAYA DE BELÉN

La Playa non è solo una delle cittadine coloniali meglio conservate della Colombia, ma si trova proprio accanto all'Área Natural Única Los Estoraques, una riserva naturale punteggiata da straordinarie colonne in pietra. (p126)

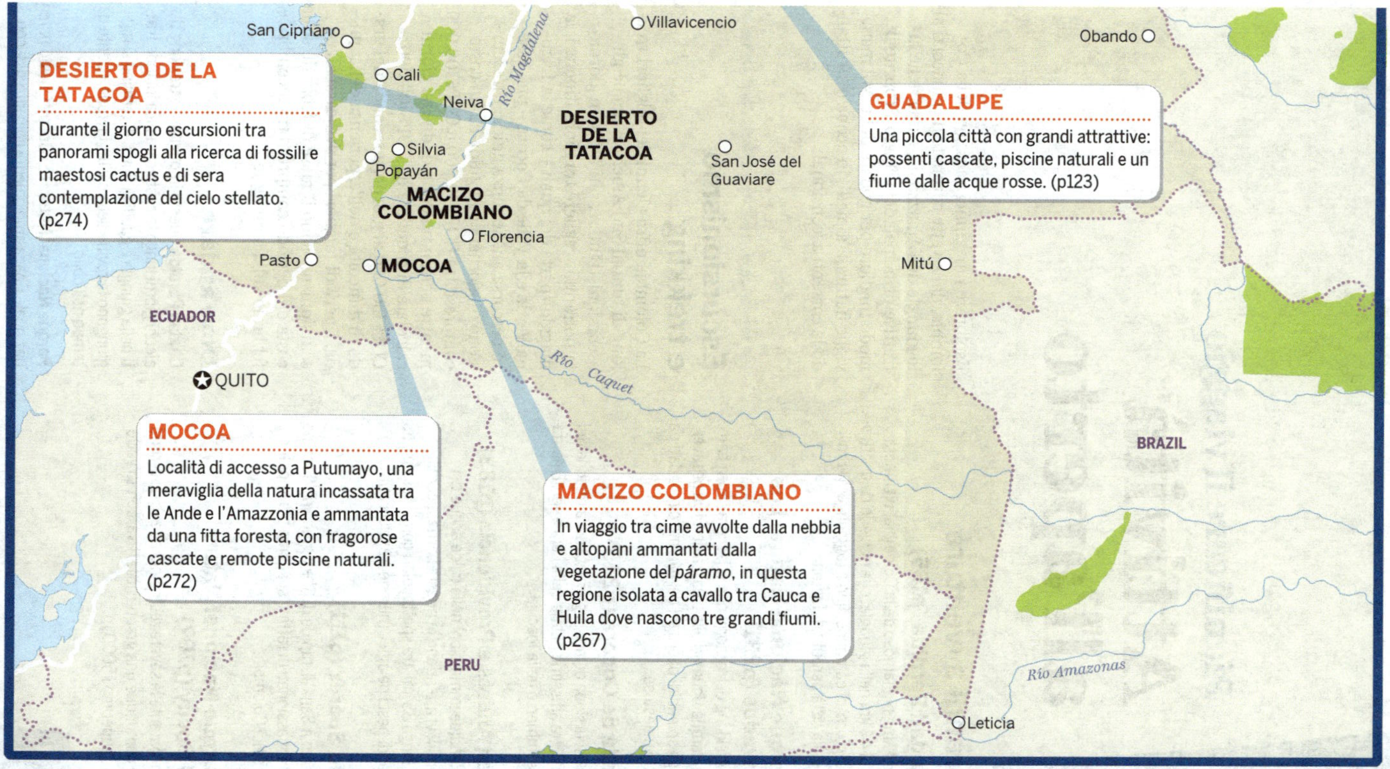
DESIERTO DE LA TATACOA
Durante il giorno escursioni tra panorami spogli alla ricerca di fossili e maestosi cactus e di sera contemplazione del cielo stellato. (p274)
GUADALUPE
Una piccola città con grandi attrattive: possenti cascate, piscine naturali e un fiume dalle acque rosse. (p123)
MOCOA
Località di accesso a Putumayo, una meraviglia della natura incassata tra le Ande e l'Amazzonia e ammantata da una fitta foresta, con fragorose cascate e remote piscine naturali. (p272)
MACIZO COLOMBIANO
In viaggio tra cime avvolte dalla nebbia e altopiani ammantati dalla vegetazione del *páramo*, in questa regione isolata a cavallo tra Cauca e Huila dove nascono tre grandi fiumi. (p267)
San Cipriano
Cali
Neiva
Río Magdalena
Villavicencio
Obando
DESIERTO DE LA TATACOA
Silvia
Popayán
San José del Guaviare
MACIZO COLOMBIANO
Florencia
Pasto
MOCOA
Mitú
ECUADOR
QUITO
Río Caquet
BRAZIL
PERU
Río Amazonas
Leticia

Pianificare il viaggio

Attività all'aperto

Grandi avventure

Ciudad Perdida (p165)

Il trekking più famoso della Colombia: un itinerario di 44 km nella giungla, che richiede da quattro a sei giorni di cammino, fino a raggiungere le rovine della città perduta di Tayrona.

Parque Nacional Natural Los Nevados (p231)

Un trekking di tre giorni che vi lascerà senza fiato: dal Parque Ucumari alla Laguna de Otún attraverso gli splendidi paesaggi del *páramo* circondati da vette maestose.

Valle de Cocora (p245)

Un'escursione di mezza giornata nella regione del caffè, tra altissime palme della cera e verdi montagne immerse nella foschia.

San Andrés e Providencia (p183)

Splendide immersioni nelle calde acque dei Caraibi vi attendono in questa barriera corallina lunga 35 km, tra spettacolari coralli variopinti, grandi pesci pelagici, murene e antichi relitti.

Río Suárez (p111)

Vicino a San Gil, rapide di IV e V grado richiamano gli appassionati di rafting sul fiume più impetuoso della Colombia.

Parque Nacional Natural El Cocuy (p107)

Nonostante le severe restrizioni all'accesso, rimane comunque una grande attrattiva, con 15 vette che superano i 5000 m.

Esplorare i magnifici paesaggi della Colombia, dalle vette coronate da ghiacciai alle giungle dell'Amazzonia, è una delle attrattive principali del viaggio. Scoprite il modo migliore per godere di queste meraviglie naturali: a piedi, in acqua o sfruttando le correnti ascensionali.

Escursionismo e trekking

La Colombia offre alcuni dei migliori trekking di tutto il Sud America. Anche gli escursionisti interessati a gite in giornata potranno scegliere tra molti itinerari, la maggior parte dei quali – come la Laguna Verde e la Valle de Cocora – può essere percorsa anche senza guida. Un'escursione in giornata con guida ha un costo compreso tra COP$40.000 e COP$100.000, mentre per un trekking di diversi giorni calcolate di spendere da COP$100.000 a COP$150.000 al giorno, a seconda del grado di difficoltà e dell'esperienza della guida. I periodi migliori per dedicarsi all'escursionismo sono il mese di febbraio sulla costa e il periodo compreso tra dicembre e febbraio sulle montagne.

Dove andare

Ciudad Perdida Questo impegnativo trekking di alcuni giorni lungo la costa caraibica include tratti nella giungla e guadi di fiumi. Al termine si raggiungono le rovine della civiltà Tayrona, cadute da tempo nell'oblio.

Parque Nacional Natural El Cocuy Questo parco nazionale ripaga ampiamente i più intrepidi con

15 vette oltre i 5000 m e sensazionali paesaggi montani. Da non perdere per chi è adeguatamente allenato.

Parque Nacional Natural Tayrona Passeggiate facili e brevi nella foresta tropicale secca, con la possibilità di rifocillarsi e di fare un bagno.

Valle de Cocora Questa escursione di mezza giornata nei pressi di Salento – la più bella della Colombia – porta nel cuore del parco nazionale in mezzo alle alte palme della cera.

Tierradentro Una spettacolare escursione in giornata nel sud attraversa una cresta triangolare e consente di visitare tutte le tombe nelle vicinanze.

Volcán Puracé Nei pressi di Popayán, questo vulcano può essere scalato in un solo giorno (tempo permettendo).

Parque Nacional Natural Farallones de Cali Vicino a Cali, offre un'escursione in giornata fino alla vetta del Pico de Loro.

Laguna Verde Questa escursione di cinque ore tra Pasto e Ipiales conduce a uno splendido lago verde nascosto nel cratere di un impervio vulcano.

Immersioni e snorkelling

La costa caraibica della Colombia offre acque cristalline e coralli variopinti, mentre quella del Pacifico consente di vedere da vicino i grandi animali marini.

Sulla costa caraibica è possibile effettuare immersioni a prezzi decisamente convenienti (immersione doppia a partire da circa COP$175.000), mentre in genere sul Pacifico si spende molto di più.

Dove andare

San Andrés e Providencia Classiche immersioni caraibiche con eccellente visibilità, belle barriere coralline e la possibilità di vedere molte specie di fauna marina. Ci sono persino due relitti e anche lo snorkelling è degno di nota, con moltissimi pesci in acque poco profonde.

Taganga A Taganga, sulla costa caraibica, si possono seguire corsi di immersione tra i più economici al mondo, ottenendo il brevetto PADI o NAUI con una spesa di circa COP$800.000 per un corso di quattro giorni. I siti non sono eccezionali, ma a queste tariffe non ci si può lamentare.

Cartagena Belle immersioni nelle zone di Bocachica, Tierrabomba e Punta Arena.

Islas de Rosario Famosa per le immersioni e lo snorkelling, anche se le correnti calde hanno un po' danneggiato la barriera corallina.

Capurganá e Sapzurro Queste cittadine situate sulla costa del Pacifico, a brevissima distanza dal confine con Panamá, offrono belle immersioni nelle limpide acque caraibiche.

Isla Malpelo Un'isoletta nel Pacifico 500 km a ovest del continente, le cui acque ospitano banchi di oltre un migliaio di squali. Si può raggiungere solo prendendo parte a una delle crociere per sub della durata di almeno otto giorni in partenza da Buenaventura, sulla costa colombiana del Pacifico, o da Panamá.

Playa Huína Vicino a Bahía Solano ci si può immergere nei pressi del relitto di una nave da guerra sopravvissuta a Pearl Harbor, che è stata affondata per creare una barriera corallina artificiale.

Camere iperbariche

Se necessario, in tutta la Colombia si trovano diverse camere iperbariche, tra cui quella dell'Hospital Naval (p145) a Cartagena. Altre camere iperbariche sono situate a Providencia, San Andrés, Bahía Málaga e Bahía Solano, nonché a Panamá.

In caso di emergenza bisogna chiamare il pronto soccorso locale (☎123), in modo da stabilizzare le condizioni del paziente e individuare la camera iperbarica più vicina. Per ulteriori informazioni contattate **Divers Alert Network** (☎centralino per le emergenze negli Stati Uniti 1-919-684-9111; www.diversalertnetwork.org). Nel capitolo Salute (p375) troverete ulteriori informazioni.

AVVENTURE ORGANIZZATE

Se visitando il paese vi è venuta voglia di unirvi agli appassionati locali della vita all'aperto, rivolgetevi alle associazioni senza scopo di lucro indicate di seguito, che organizzano escursioni nella natura.

Sal Si Puedes (p59) Propone passeggiate nelle zone rurali nei dintorni di Bogotá durante i weekend.

Ecoaventura (p249) Questo operatore di Cali propone molte attività in tutta la Colombia meridionale, tra cui passeggiate notturne e discese in corda doppia.

Rafting, canoa e kayak

La canoa e il kayak non godono di una particolare popolarità in Colombia, anche se la situazione sta cambiando. I più esperti possono noleggiare kayak per scendere sulle rapide a San Gil e a San Agustín. Il Río Suárez (accessibile da San Gil) ha rapide di IV e V grado tra le migliori del Sud America. Per un'avventura ad alta quota, noleggiate un kayak a Guatapé ed esplorate il grande lago artificiale.

Le tariffe delle uscite di rafting oscillano in genere tra COP$45.000 e COP$130.000, a seconda della durata e della difficoltà.

Dove andare

Ecco alcune delle migliori località della Colombia per il rafting:

San Gil È la capitale colombiana del rafting. Il Río Fonce è abbastanza facile, mentre il Río Suarez ha rapide impegnative di IV e V grado.

San Agustín Seconda solo a San Gil, questa località consente di fare discese di rafting sul Río Magdalena, uno dei fiumi principali della Colombia, con rapide di II e III grado, e spedizioni per esperti più lunghe e difficili.

Río Claro In questo fiume è possibile fare una tranquilla pagaiata nella giungla su rapide di I grado, ammirando la flora e la fauna circostanti anziché preoccuparsi di cadere in acqua.

Arrampicata su roccia e discesa in corda doppia

La culla dell'arrampicata in Colombia è Suesca, raggiungibile con una veloce gita in giornata da Bogotá, dove si trova una formazione di arenaria lunga 4 km e alta fino a 120 m che offre 300 vie di salita, sia classiche sia spittate. **Colombia Trek** (☎320-339-3839; www.colombiatrek.com), con sede a Suesca, offre corsi e/o uscite guidate a COP$250.000 (inclusa l'attrezzatura). A Medellín, Psiconautica (p206) gestisce una scuola di arrampicata su roccia, discesa in corda doppia e canyoning.

Se volete mettervi alla prova prima di lanciarvi in una scalata, la Gran Pared (p58) a Bogotá ha una parete impegnativa.

Canopy tour

Meglio conosciuto negli Stati Uniti come 'zip-line', quest'attività consiste nell'appendersi a una carrucola con un'imbragatura e sfrecciare lungo un cavo teso tra gli alberi. Si frena con la mano, che calza uno spesso guanto di pelle. Negli ultimi anni il canopy tour ha conosciuto un vero e proprio boom in Colombia, soprattutto nelle regioni montane.

Dove andare

Una delle località migliori per il canopy tour è Río Claro, a metà strada tra Medellín e Bogotá, dove sono stati tesi alcuni cavi sopra il fiume.

Tra gli altri posti dove ci si può dedicare a questa attività figurano Los Yarumos vicino a Manizales, le sponde dell'Embalse del Peñol, vicino a Medellín, Termales San Vicente vicino a Pereira e Peñon Guane vicino a San Gil. Ci sono diverse zip-line anche vicino a Villa de Leyva.

Parapendio

Le zone montuose della Colombia sono interessate da correnti ascensionali di aria calda particolarmente indicate per il parapendio (*parapentismo*). A Bucaramanga è possibile fare voli in tandem molto economici, a partire da soli COP$80.000. Ci sono anche corsi della durata di 10 giorni (COP$3.400.000), che consentono di diventare piloti con brevetto internazionale.

Dove andare

Bucaramanga Probabilmente è la capitale colombiana del parapendio e richiama un gran numero di appassionati da ogni parte del mondo.

Parque Nacional del Chicamocha Uno dei luoghi più spettacolari del paese, dove è possibile fare voli di durata compresa tra 30 e 45 minuti.

Medellín In periferia ci sono diverse scuole che organizzano voli in tandem e corsi.

BIRDWATCHING IN COLOMBIA

Con poco meno di 2000 specie di uccelli registrate fino a questo momento (ma ne vengono continuamente individuate di nuove), la Colombia è il paese che vanta la maggiore biodiversità di avifauna e tiene testa al Perú e al Brasile per le specie endemiche. Le montagne andine pullulano di colibrì (più di 160 specie), la giungla amazzonica è piena di tucani, pappagalli e are, e nel Parque Nacional Natural Puracé, nei pressi di Popayán, vivono i condor, che potrete vedere da vicino perché i guardaparco li attirano con il cibo. Lungo la costa del Pacifico volano stormi di pellicani, aironi e altri uccelli acquatici, mentre nella giungla si appostano i rari mangiaformiche.

Circa il 70% dell'avifauna colombiana vive nella foresta nebulare andina, uno degli ecosistemi più a rischio del mondo. Il miglior luogo per il birdwatching di tutto il paese è il Cerro Montezuma (Montezuma Peak), all'interno del Parque Nacional Natural Tatamá sulla Cordillera Occidental, tra i dipartimenti di Chocó, Valle del Cauca e Risaralda. Questo parco presenta la più grande varietà di uccelli andini, con molte specie endemiche e regionali e alcune varietà rarissime. L'accesso al parco nazionale viene spesso limitato, ma per fortuna Planes de San Rafael e Montezuma, vicino a Pueblo Rico (Risaralda), costituiscono una valida alternativa.

Altre località interessanti sono la Reserva Ecológica Río Blanco, situata sopra Manizales, e il Km 18 vicino a Cali. Il bacino amazzonico nei dintorni di Leticia è un altro luogo eccellente per avvistare gli uccelli della giungla, così come il Chocó. Nel territorio colombiano si estende anche la parte occidentale della regione di Los Llanos, condivisa con il Venezuela, un posto perfetto per osservare numerose specie. L'isolato massiccio di Santa Marta, nel nord, e i monti Perijá sono popolati da molte specie endemiche. Diverse nuove specie sono state scoperte di recente nella foresta di sabbia bianca del bacino amazzonico a Mitú e sul versante orientale delle Ande a Putumayo, dove oggi le guide locali possono aggirarsi liberamente grazie al miglioramento del livello di sicurezza nella regione.

La Colombia ha vinto il Global Big Day (www.ebird.org/ebird/globalbigday) del 2017, quando quasi 2000 birdwatcher hanno avvistato in un solo giorno ben 1487 specie di uccelli in tutto il paese, e anche quello del 2018, con 1546 specie avvistate.

ProAves (☎1-340-3229; www.proaves.org; Carrera 20 n. 36-61), un'organizzazione no profit colombiana impegnata nella conservazione degli habitat vitali per l'avifauna, gestisce alcune riserve private nelle Important Bird Areas (IBA) in tutto il paese.

In Colombia trovare guide di birdwatching non è più difficile come una volta. In molte zone remote la gente del posto potrà accompagnarvi nei luoghi dove si trovano gli uccelli, però dovrete individuarli da soli. Nelle Ande, specialmente nella Cordillera Occidental, potreste riuscire a trovare una guida tramite **Mapalina** (www.facebook.com/mapalinabirdingtrails), un ente no profit con sede a Cali. Un'agenzia affidabile è **Colombia Birding** (☎314-896-3151; www.colombiabirding.com), gestita da un colombiano bilingue che si avvale di guide locali per avvistare gli uccelli in molte delle zone più popolari. Organizza uscite per piccoli gruppi che costano circa US$100 per persona al giorno più le spese. Nel sito web troverete informazioni sull'avifauna suddivise per regione.

Birds of Northern South America (2007) di Robin Restall, corredato da immagini a colori delle specie che è più probabile incontrare, e *A Field Guide to the Birds of Colombia* (2014) di Fernando Ayerbe sono le guide di riferimento per il birdwatching in Colombia. Per informazioni online, consultate il portale dell'ente turistico nazionale, www.colombia.travel, ricco di notizie sul birdwatching.

Equitazione

Per via delle loro profonde radici rurali, i colombiani amano andare a cavallo, e in quasi tutte le città frequentate dai turisti locali troverete maneggi e agenzie che organizzano escursioni guidate, nella maggior parte dei casi uscite di mezza giornata per visitare la zona. Non mancano però anche alcune avventure della durata di diversi giorni, soprattutto nella parte meridionale del paese, dove le verdi colline e il clima temperato offrono splendide opportunità.

Dove andare

San Agustín Escursioni tra remoti monumenti precolombiani in uno splendido scenario. In genere i cavalli sono robusti e in ottime condizioni.

Jardín Ripidi e stretti sentieri di montagna conducono alla spettacolare Cueva del Esplendor.

Providencia Procuratevi un cavallo a Southwest Bay (Bahía Suroeste) per visitare le spiagge e i sentieri rurali di tutta l'isola.

Desierto de la Tatacoa Splendidi e aridi paesaggi dove le vostre fantasie western potranno prendere vita.

Laguna de Magdalena Da San Agustín è possibile fare una spedizione a cavallo della durata di diversi giorni nel *páramo* del Macizo Colombiano fino alle sorgenti del grande Río Magdalena.

Valle de Cocora Breve circuito sotto le palme della cera nella Reserva Natural Acaime.

Filandia Visita a cavallo delle piantagioni di caffè.

Mountain bike

La bicicletta gode di grandissima popolarità in Colombia, soprattutto su strada. I prezzi delle bici a noleggio variano da una regione all'altra e a seconda della qualità del mezzo – calcolate di spendere da COP$20.000 a COP$50.000 per mezza giornata.

Dove andare

Gli appassionati di bicicletta sono attratti dall'idea di conquistare le montagne. La mountain bike è molto popolare a San Gil e Villa de Leyva, dove si trovano diverse agenzie e centri di noleggio.

WHALE-WATCHING

Ogni anno le balene che vivono nelle acque antartiche cilene percorrono più di 8000 km per raggiungere la costa colombiana del Pacifico e dare alla luce i piccoli. Queste megattere (*yubartas*, talvolta chiamate *jorobadas*) possono raggiungere i 18 m di lunghezza e un peso di 25 tonnellate; al largo delle coste colombiane si è registrato il passaggio di oltre 800 esemplari. Avvistare un *ballenato* (un piccolo di balena, già grande come un furgone) che si affaccia a pelo d'acqua è uno spettacolo unico.

La stagione migliore per il whale-watching va da luglio a ottobre, ma le prime megattere arrivano già nel mese di giugno. Le balene si avvistano lungo tutta la costa del Pacifico, dove si trovano confortevoli resort in cui potrete rilassarvi prima e dopo l'escursione in barca. A volte le balene si avvicinano talmente alla costa che è facile vederle dalla spiaggia oppure dai punti panoramici sulle colline. La maggior parte delle uscite di whale-watching dura da un'ora e 30 minuti a due ore e costa da COP$80.000 a COP$100.000 per persona (tariffe che però variano molto a seconda dell'operatore).

Dove andare

Le megattere si avvistano lungo tutta la costa colombiana del Pacifico, ma non è sempre facile vederle dalla spiaggia. Di seguito riportiamo i luoghi dove è possibile fare un incontro ravvicinato.

Bahía Solano ed El Valle In questa zona è possibile vedere le balene dalla spiaggia, ma sulle colline ci sono diversi punti panoramici che consentono di avere una visuale migliore. In alternativa, organizzate un'uscita in barca per osservarle più da vicino.

Parque Nacional Natural Ensenada de Utría Questo stretto braccio di mare nel Chocó è uno dei posti migliori per osservare le megattere da vicino, rimanendo però sulla terraferma. Nel periodo della riproduzione i cetacei entrano nell'*ensenada* (insenatura) e giocano a poche centinaia di metri dalla riva.

Isla Gorgona Le balene si avvicinano moltissimo alla costa di quest'isola-parco nazionale, dove è possibile partecipare a un'escursione in barca.

Guachalito Su questa lunga spiaggia nei pressi di Nuquí ci sono diversi alberghi, da quelli rustici a quelli più lussuosi, che organizzano uscite di whale-watching.

Ecco alcuni eccellenti itinerari:

Minca Emozionanti percorsi di mountain bike tra le montagne della Sierra Nevada.

Da Coconuco a Popayán Immergetevi nelle piscine termali e poi scendete dalle montagne.

Da Otún Quimbaya a Pereira L'itinerario dal Santuario de Flora y Fauna Otún Quimbaya alla città regala panorami veramente spettacolari.

Salento Un'escursione di un'intera giornata risale lo spartiacque andino e ridiscende sul versante opposto fino alla foresta di palme della cera più grande della regione. I ciclisti vengono poi riportati in cima alla montagna in camion per la discesa fino a Salento.

Kitesurf e windsurf

Le grandi distese d'acqua e il clima tropicale rendono la Colombia un posto perfetto per gli appassionati di kitesurf e windsurf.

Il windsurf s'impara più facilmente del kitesurf e presenta il vantaggio di costare meno, anche se le tariffe variano notevolmente. Per un corso individuale di windsurf calcolate di spendere circa COP$100.000 all'ora e per uno di kitesurf da COP$120.000 a COP$145.000 all'ora (le tariffe scendono parecchio nel caso di gruppi). Il noleggio di una tavola da kitesurf costa circa COP$100.000 l'ora, mentre chi è in possesso della propria attrezzatura pagherà da COP$20.000 a COP$30.000 per ogni entrata in acqua.

La guida più esaustiva al kitesurf in Colombia è il sito www.colombiakite.com.

Dove andare

Sulla costa caraibica le condizioni di vento migliori si verificano da gennaio ad aprile. Ecco alcune delle località più indicate:

Lago Calima Il luogo più amato dagli appassionati di kitesurf è in realtà un bacino artificiale situato a 1800 m di altitudine 86 km a nord di Cali. Il suo punto di forza? I venti che soffiano per tutto l'anno a una velocità compresa tra 18 e 25 nodi. Nei mesi di agosto e settembre al Lago Calima si svolgono i campionati mondiali. Non c'è la spiaggia e si scende in acqua dal pendio erboso lungo la riva.

La Boquilla Nei pressi di Cartagena.

Cabo de la Vela Splendide spiagge isolate che si stagliano su un magnifico panorama.

San Andrés Lanciatevi in acqua dalle famose spiagge di sabbia bianca dell'isola.

Primo piano

La Colombia offre una magnifica varietà di paesaggi e una vastissima gamma di esperienze: grandi città come Bogotá, Cali e Medellín sono epicentri della gastronomia e della vita notturna, la costa caraibica e le isole di San Andrés e Providencia sono paradisi tropicali, la foresta pluviale amazzonica, le zone umide di Los Llanos e la costa del Pacifico sono popolate da una ricca fauna selvatica e in tutto il paese si trovano villaggi coloniali, antiche rovine e piantagioni di caffè. Grazie alle eccellenti infrastrutture dei trasporti, è possibile spostarsi rapidamente tra la giungla, le montagne e il mare, che regalano alla Colombia un tris di splendidi scenari. Dalle vette innevate delle Ande alle trasparenti acque caraibiche, questo paese oggi tornato in auge attira il mondo del jet-set con una varietà spettacolare di grandi esperienze di viaggio.

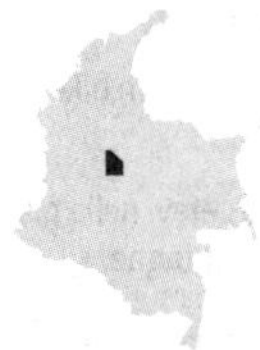

Bogotá

Architettura
Musei
Enogastronomia

Epicentro coloniale

La Candelaria, il centro storico coloniale di Bogotá, è un connubio ben conservato di architettura spagnola e barocca, con case, chiese e palazzi risalenti a tre secoli fa.

Eccellenti musei

Bogotá vanta oltre 60 musei, tra i quali spicca uno dei meglio curati e progettati del Sud America, l'affascinante Museo del Oro.

Specialità locali

Dalle classiche specialità regionali come l'*ajiaco* (stufato di pollo andino con mais) alle moderne e raffinate rivisitazioni di piatti in cui vengono utilizzati i numerosi ingredienti locali, la capitale sta vivendo un vero e proprio rinascimento culinario.

p42

Boyacá, Santander e Norte de Santander

Villaggi
Avventura
Natura

Villaggi coloniali

Questa regione vanta quattro dei villaggi più straordinari della Colombia: Barichara, Villa de Leyva e i più tranquilli Monguí e Playa de Belén.

Avventure adrenaliniche

Boyacá e Santander sono perfette sia per un faticoso trekking ad alta quota sia per un'avventura mozzafiato. Il Parque Nacional Natural El Cocuy include 15 vette oltre i 5000 m.

Grandi spazi aperti

Villa de Leyva e Barichara, con i loro splendidi paesaggi, sono mete imperdibili per gli amanti della natura. Il Lago de Tota regala trekking in montagna e una spiaggia ad alta quota.

p88

Costa caraibica

Spiagge
Architettura
Trekking

Sabbia bianca

Le spiagge idilliache della costa e delle isole caraibiche sono le più belle del paese: distese di sabbia bianca orlate da una fitta giungla, da spettacolari deserti o dalle palme. Sabbia e sole per tutti i gusti.

Architettura coloniale

Cartagena è una città cinta da mura che possiede chiese dalle elaborate decorazioni e romantiche piazze alberate, mentre la remota Mompós vanta un centro coloniale restaurato.

Ciudad Perdida

Il trekking di alcuni giorni alla Ciudad Perdida è una delle classiche escursioni del Sud America; la meta è una città antica e misteriosa fondata da una civiltà scomparsa.

p129

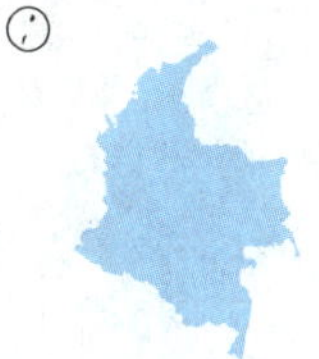

San Andrés e Providencia

Immersioni
Spiagge
Escursionismo

Ricchi fondali

Le due isole hanno barriere coralline lunghe 50 km con una ricca biodiversità. La grande attrattiva sono gli squali, ma si possono osservare anche tartarughe, barracuda, razze, mante e aquile di mare.

Coste idilliache

Godetevi le spiagge idilliache affacciate sul famoso mare di sette colori dell'arcipelago. San Andrés offre un'atmosfera vivace e sport acquatici, mentre Providencia è più tranquilla e remota.

El Pico

San Andrés e Providencia non sono ideali solo per la vita da spiaggia e le immersioni: l'entroterra è montuoso e il Parque Natural Regional El Pico a Providencia offre agli escursionisti una vista mozzafiato sui Caraibi.

p183

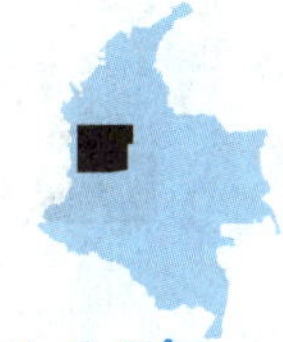

Medellín e Zona Cafetera

Caffè
Vita notturna
Escursionismo

Fincas

Nei dipartimenti di Caldas, Risaralda e Quindío si trovano alcune delle migliori *fincas* (piantagioni) di caffè della Colombia, aperte ai visitatori.

Discoteche e locali

A Medellín si esce per guardare e farsi vedere. I *paisas* (abitanti di Antioquia) amano mettersi in ghingheri e andare nei locali, dalle vivaci discoteche del Parque Lleras ai bar alternativi del centro.

Escursioni

Dai trekking d'alta quota nel PNN Los Nevados alle passeggiate più tranquille nelle riserve regionali, la Zona Cafetera offre percorsi di ogni livello. Non perdetevi la Valle de Cocora, vicino a Salento, con le sue imponenti palme della cera.

p199

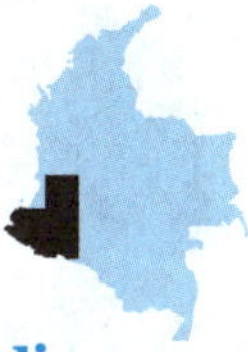

Cali e Colombia sud-occidentale

Archeologia
Cultura
Architettura

Rovine precolombiane

Nei dintorni di San Agustín sono sparse oltre 500 misteriose statue di pietra, mentre a Tierradentro gli archeologi hanno riportato alla luce più di 100 tombe sotterranee.

Salsa

Dai piccoli bar nei *barrios* alle scatenate *salsatecas* (locali dove si balla la salsa), questo ballo molto vivace è il ritmo che domina Cali. Prendete lezioni presso una delle numerose scuole presenti in città.

Architettura coloniale

Con le sue candide residenze e le sue splendide chiese, Popayán rappresenta degnamente l'architettura ispano-coloniale. Proseguite sullo stesso tema nel Barrio San Antonio a Cali.

p246

Costa del Pacifico

Fauna marina
Spiagge
Natura

Balene e tartarughe
Osservate da vicino le enormi megattere nel Parque Nacional Natural Ensenada de Utría o partecipate a un'uscita serale per vedere le tartarughe marine che depongono le uova vicino a El Valle.

Spiagge
Incorniciate da montagne ammantate dalla giungla, le splendide spiagge di sabbia grigia di questa regione sono quasi sempre deserte. A Guachalito e a Playa Almejal si trovano bellissimi resort incuneati tra la giungla e il mare.

Trekking e canoa
Il Chocó vanta fantastici sentieri poco battuti che raggiungono cascate immerse nella giungla. Scendete in canoa sul Río Joví o sul Río Juribidá per scoprire l'incredibile biodiversità della regione.

p283

Los Llanos

Natura
Archeologia
Nuoto

Fiumi e cascate
Poche regioni in Colombia sono incontaminate e protette come Caño Cristales, dove le escursioni guidate si addentrano nel parco nazionale e raggiungono splendidi fiumi e cascate.

Dipinti rupestri precolombiani
Nella campagna intorno a San José del Guaviare ci sono diverse grotte con molti dipinti rupestri precolombiani, che spesso si raggiungono con emozionanti trekking nella giungla.

Piscine naturali e pozos
A Los Llanos non mancano i posti per fare un tuffo: splendide piscine naturali (spesso con una cascata) vi attendono a Caño Cristales, e nei dintorni di San José del Guaviare si trovano favolosi *pozos naturales*.

p298

Bacino amazzonico

Flora e fauna
Giungla
Ecovillaggi

Natura selvaggia
Sebbene l'invadente presenza dell'uomo abbia messo a rischio l'habitat dell'Amazzonia, questa regione vanta ancora una straordinaria biodiversità, con il maggior numero di specie di piante e di animali del mondo.

Foresta pluviale
L'Amazzonia è la madre di tutte le giungle, un affascinante connubio di enigmatica foresta pluviale, fiumi immensi, folklore indigeno e flora e fauna tropicali.

Puerto Nariño
Il villaggio ecologico di Puerto Nariño è un luogo incantevole e molto interessante dal punto di vista architettonico, nonché una meta perfetta per rilassarsi in mezzo alla foresta pluviale.

p306

On the Road

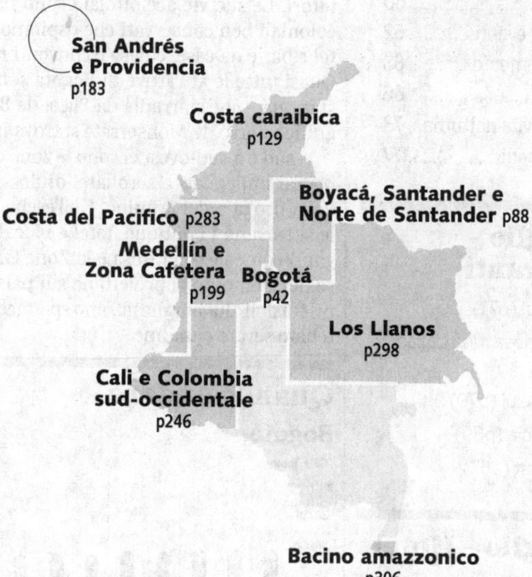
San Andrés e Providencia p183
Costa caraibica p129
Boyacá, Santander e Norte de Santander p88
Costa del Pacifico p283
Medellín e Zona Cafetera p199
Bogotá p42
Los Llanos p298
Cali e Colombia sud-occidentale p246
Bacino amazzonico p306

Bogotá

POP. 7,4 MILIONI / ALT. 2640 M / SUP. 1587 KMQ

Include ➡

Il meglio – Ristoranti

- Mini-Mal (p71)
- La Condesa Irina Lazaar (p69)
- Agave Azul (p70)
- Prudencia (p69)
- Sant Just (p67)

Il meglio – Hotel

- Orchids (p64)
- Hotel Click-Clack (p66)
- Casa Legado (p65)
- Cranky Croc (p63)
- 12:12 Hostel (p65)

Perché andare

Bogotá è il cuore pulsante della Colombia, una capitale coinvolgente e vivace circondata dalle vette andine e pervasa da una moderna atmosfera urbana. L'epicentro culturale è La Candelaria, il centro storico che richiama quasi tutti i visitatori. Le sue vie acciottolate sono fiancheggiate da edifici coloniali ben conservati che ospitano musei, ristoranti, hotel e bar e da case, chiese e conventi risalenti a tre secoli fa. Quasi tutte le attrattive di Bogotá sono concentrate in questa zona – che si irradia da Plaza de Bolívar – mentre il magnifico Cerro de Monserrate si trova immediatamente a est.

A sud e a sud-ovest ci sono le zone degradate, con *barrios* operai impegnati a scrollarsi di dosso la fama di quartieri della droga e del crimine. Nell'esclusiva zona settentrionale si trovano i boutique hotel e i locali chic di quartieri eleganti come la Zona Rosa e la Zona G. Qui le sfumature rosse del tramonto si proiettano sui palazzi in mattoni di proprietà dell'alta borghesia, uno spettacolo che inaugura le scatenate serate cittadine.

Quando andare

Bogotá

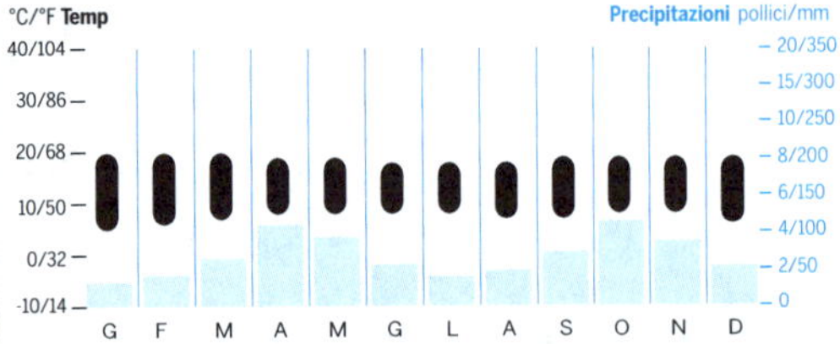

Giu e lug Le temperature non sono elevate come a maggio, la pioggia cade abbondante.

Agosto Feste gratuite per tutti: Salsa al Parque e il Festival de Verano attirano grandi folle.

Dic I *bogotanos* festeggiano il Natale in grande stile e la città si illumina per la festa delle luci.

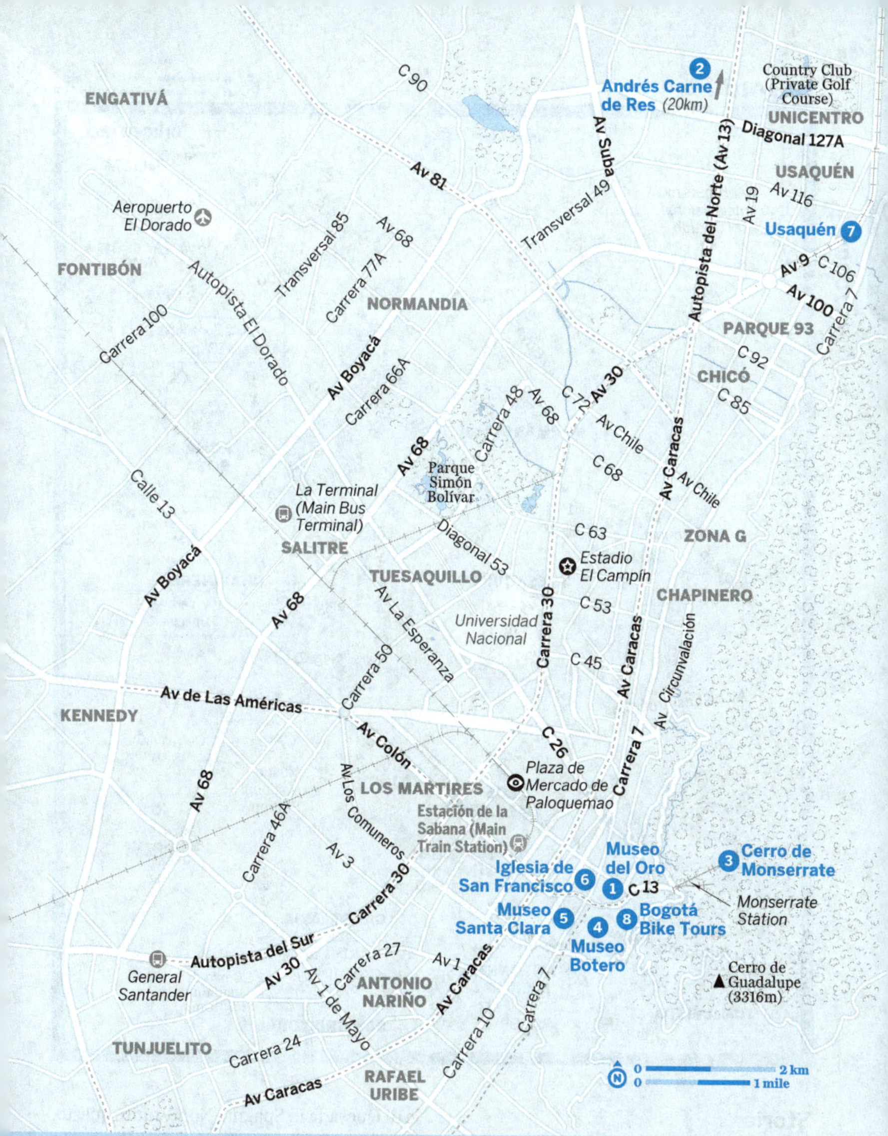

Il meglio di Bogotá

1 Museo del Oro (p56) Il mito dell'El Dorado in uno dei musei più belli del continente.

2 Andrés Carne de Res (p64) Varcate la soglia di questo bar e vi ritroverete in un surreale mondo notturno.

3 Cerro de Monserrate (p56) Un'escursione sull'imponente simbolo di Bogotá insieme ai pellegrini della domenica.

4 Museo Botero (p49) Godetevi la bellezza di questa fantastica collezione.

5 Museo Santa Clara (p49) Inginocchiatevi davanti agli splendidi interni di questo capolavoro di architettura sacra del Seicento.

6 Iglesia de San Francisco (p57) L'altare d'oro della chiesa più antica della città.

7 Usaquén (p73) Il *barrio* più amato dai buongustai ha un'atmosfera da villaggio coloniale.

8 Bogotá Bike Tours (p61) Incantevoli tour della città in bicicletta.

Bogotá

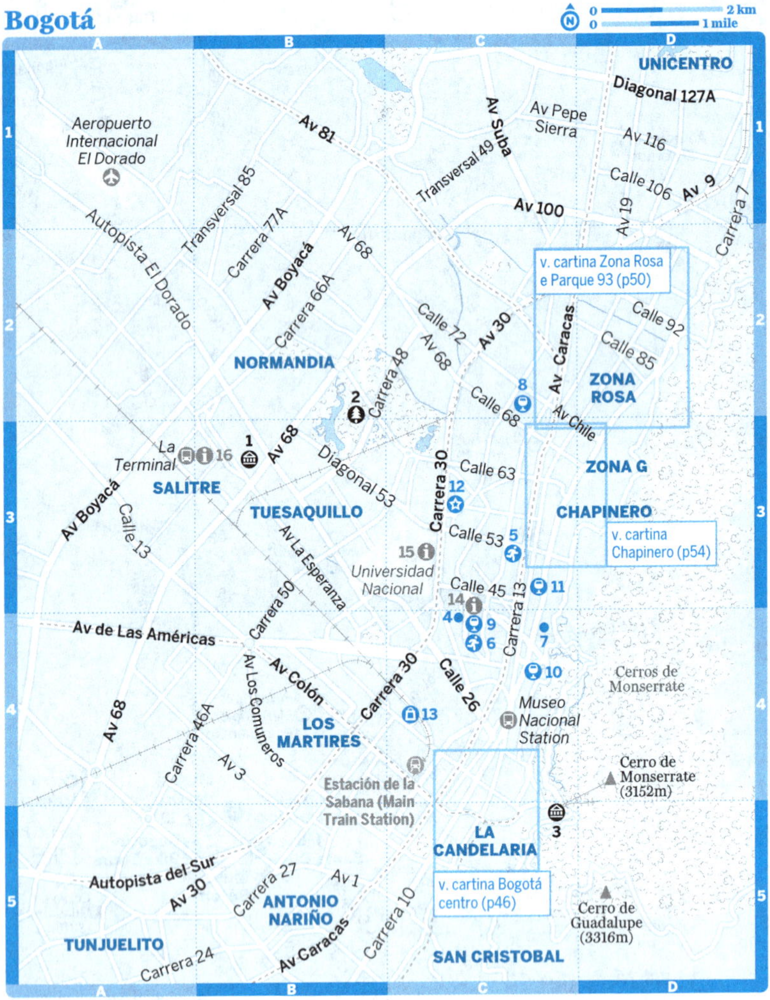

Storia

Molto tempo prima della conquista spagnola, la Sabana de Bogotá – una fertile conca dell'altopiano oggi occupata quasi completamente dalla città – era abitata da una delle più evolute culture precolombiane, quella dei muisca. L'era spagnola ebbe ufficialmente inizio il 6 agosto del 1538, quando la spedizione guidata da Gonzalo Jiménez de Quesada giunse nella Sabana e fondò un villaggio vicino alla capitale muisca, Bacatá.

Questo insediamento fu battezzato Santa Fe de Bogotá, abbinando il nome tradizionale, Bacatá, a quello di Santa Fe, la città natale di Quesada in Spagna. Nonostante questo, durante tutto il periodo coloniale la città fu chiamata semplicemente Santa Fe.

All'epoca della sua fondazione, Santa Fe era composta da 12 capanne e da una cappella, nella quale venne celebrata una messa per commemorare l'evento. Nel giro di poco tempo, i luoghi di culto dei muisca furono distrutti e sostituiti da chiese.

Durante i suoi primi anni di vita, Santa Fe fu governata da Santo Domingo (sull'isola di Hispaniola, l'attuale Repubblica Dominicana), ma nel 1550 passò sotto il controllo di Lima, capitale del vicereame del Perú e

Bogotá

Che cosa vedere
1 Maloka B3
2 Parque Metropolitano Simón Bolívar B2
3 Quinta de Bolívar C5

Attività, corsi e tour
4 De Una Colombia Tours C4
5 Gran Pared C3
6 ProAves C4
7 Centro Latinoamericano della Universidad Javeriana C4

Locali e vita notturna
8 Cervecería Gigante C2
9 Cervecería Statua Rota C4
10 Cine Tonalá C4
11 La Negra C3

Divertimenti
12 Estadio El Campín C3

Shopping
13 Plaza de Mercado de Paloquemao C4

Informazioni
14 Instituto Distrital de Turismo C3
15 Instituto Geográfico Agustín Codazzi C3
16 Punto de Información Turística B3

sede del potere spagnolo per le colonie sudamericane. Nel 1717 Santa Fe fu dichiarata capitale del Virreynato de la Nueva Granada, il vicereame appena istituito che comprendeva buona parte dei territori degli attuali stati di Colombia, Panamá, Venezuela ed Ecuador.

Malgrado l'innegabile importanza politica della città, il suo sviluppo fu seriamente ostacolato dai terremoti e dalle epidemie di vaiolo e di tifo che flagellarono questa zona nel corso del XVII e del XVIII secolo.

Dopo la proclamazione dell'indipendenza, nel 1821 il Congresso di Cúcuta abbreviò il nome della città in Bogotá e la scelse come capitale della Grande Colombia. Per Bogotá ebbe così inizio una fase di costante sviluppo: verso la metà del XIX secolo la città contava oltre 30.000 abitanti e 30 chiese. Nel 1884 entrò in funzione il primo tram e poco dopo furono costruite due linee ferroviarie fino a La Dorada e a Girardot, che garantirono a Bogotá l'accesso ai porti del Río Magdalena.

Il vero progresso si registrò però solo a partire dagli anni '40, con l'avvio del processo di industrializzazione e le conseguenti migrazioni di contadini dalla campagna. Il 9 aprile 1948 l'assassinio del leader popolare Jorge Eliécer Gaitán innescò la rivolta passata alla storia con il nome di El Bogotazo. Nel corso di questa sollevazione popolare la città fu parzialmente distrutta, 136 edifici vennero ridotti in cenere e 2500 persone persero la vita.

La tranquilla vita di Bogotá subì un altro duro colpo il 6 novembre 1985, quando alcuni guerriglieri dell'M-19 (Movimiento 19 de Abril) occuparono il Palacio de Justicia e presero in ostaggio oltre 300 civili che si trovavano all'interno dell'edificio. Il giorno successivo si contarono 115 vittime, tra cui 11 giudici della Corte Suprema.

Grazie allo storico accordo di pace del 2016 con le Fuerzas Armadas Revolucionarias de Colombia (FARC), che ha posto fine a 52 anni di guerra civile, Bogotá ha potuto finalmente tirare un sospiro di sollievo. Il grande miglioramento del livello di sicurezza, insieme a una serie di importanti progetti realizzati da vari sindaci (per esempio i circa 350 km delle piste ciclabili CicloRuta), hanno contribuito a far compiere alla città grandi passi in avanti. Bogotá può adesso aspirare a diventare non solo una capitale culturale, ma una destinazione a tutti gli effetti.

Che cosa vedere

La maggior parte delle attrattive turistiche si concentra nel centro storico, La Candelaria, dove è nata Bogotá; con ogni probabilità vi servirà più di un giorno per vedere tutti i monumenti e i palazzi più importanti.

Se avete intenzione di visitare un museo di domenica, pensateci bene, perché in questo giorno della settimana quasi tutti i musei della capitale (ce ne sono una cinquantina) vengono presi d'assalto dai *bogotanos*, in particolare l'ultima domenica del mese, quando l'ingresso è gratuito. All'epoca delle ricerche compiute per questa guida abbiamo visto code di 45 minuti davanti a musei modesti che non abbiamo nemmeno citato. La situazione è decisamente più tranquilla nei giorni feriali.

Passeggiando per la città, entrate nelle chiese che incontrate, perché in molti casi si tratta di splendidi edifici risalenti al XVII e al XVIII secolo, con decorazioni molto più elaborate di quanto si potrebbe immagina-

Bogotá centro

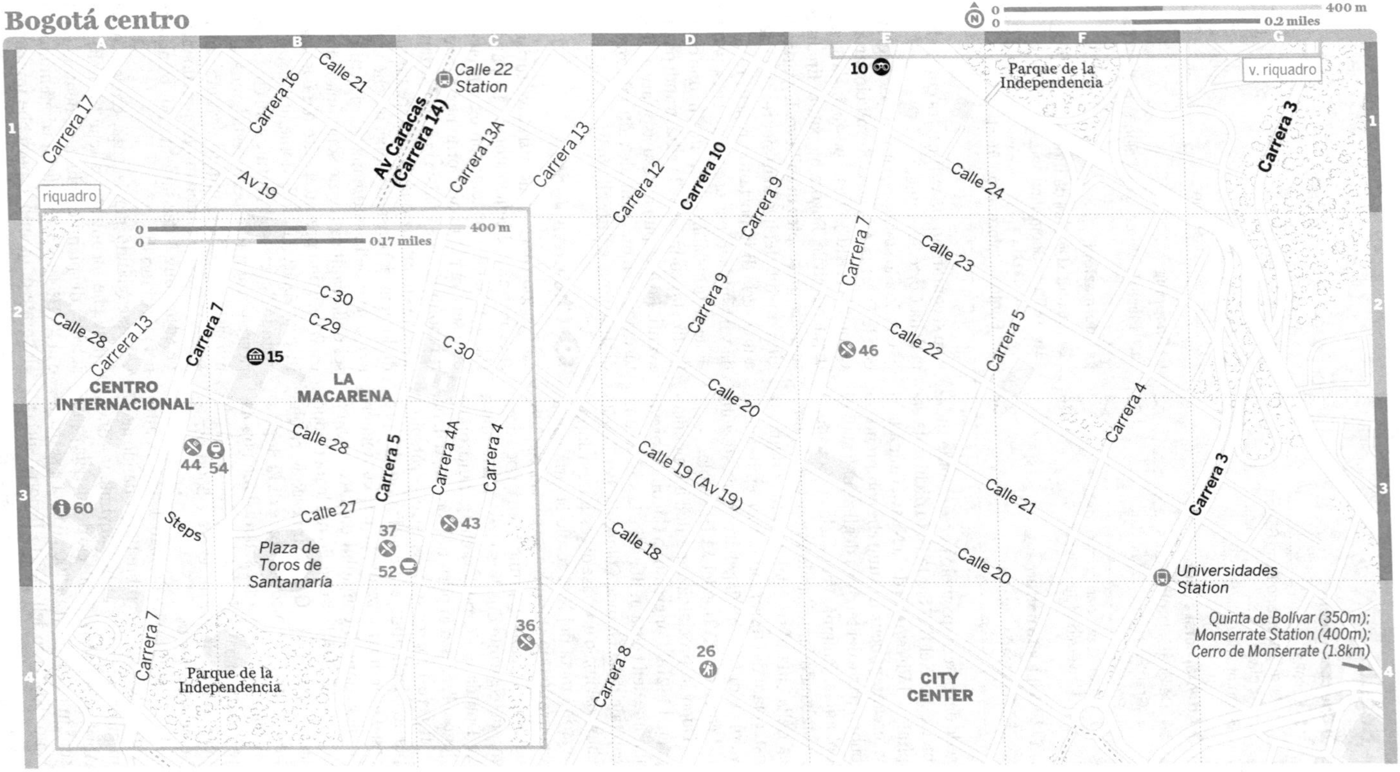

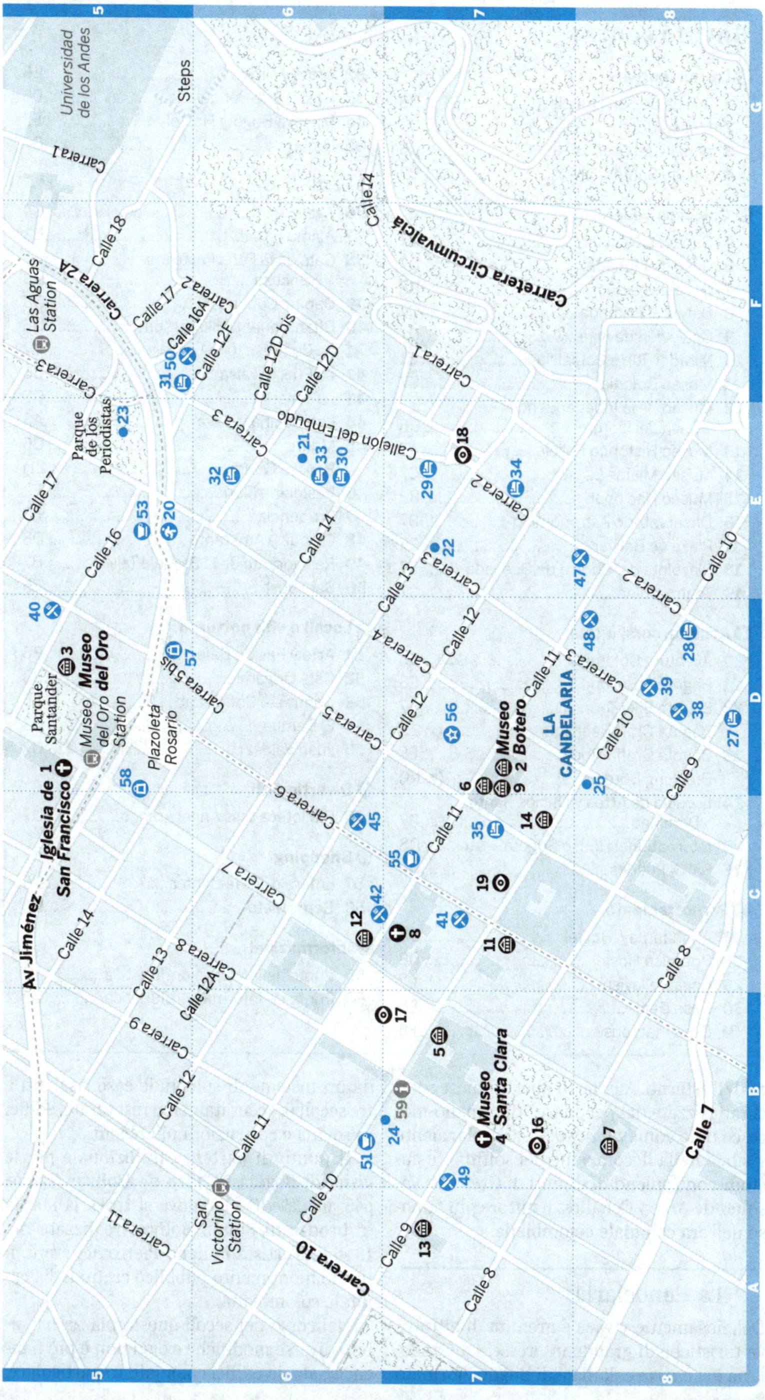
5
6
7
8
A
B
C
D
E
F
G
Universidad de los Andes
Steps
Carrera 1
Calle 18
Carrera 2A
Las Aguas Station
Calle 17
Carrera 2
Calle 16A
Calle 12F
Calle 12D bis
Calle 12D
Calle 14
Carretera Circumvalación
Carrera 3
Parque de los Periodistas
Callejón del Embudo
Calle 16
Calle 13
Calle 12
Carrera 4
Museo del Oro
Parque Santander
Museo del Oro Station
Carrera 5 bis
Plazoleta Rosario
Carrera 5
Iglesia de San Francisco
Av Jiménez
Carrera 6
Carrera 7
Calle 11
Museo Botero
LA CANDELARIA
Calle 10
Calle 9
Carrera 8
Calle 12A
Carrera 9
Museo Santa Clara
San Victorino Station
Carrera 10
Carrera 11
Calle 8
Calle 7

Bogotá centro

Da non perdere

1 Iglesia de San Francisco ... D5
2 Museo Botero ... D7
3 Museo del Oro ... D5
4 Museo Santa Clara ... B7

Che cosa vedere

5 Capitolio Nacional ... B7
6 Casa de Moneda ... D7
7 Casa de Nariño ... B8
8 Catedral Primada ... C7
9 Colección de Arte ... D7
10 Mirador Torre Colpatria ... E1
11 Museo Colonial ... C7
12 Museo de la Independencia – Casa del Florero ... C6
13 Museo Histórico Policía ... A7
14 Museo Militar ... C7
15 Museo Nacional ... B2
16 Observatorio Astronómico ... B7
17 Plaza de Bolívar ... B7
18 Plazoleta del Chorro de Quevedo ... E7
19 Teatro Colón ... C7

Attività, corsi e tour

20 Aventure Colombia ... E5
21 Bogota & Beyond ... E6
22 Bogotá Bike Tours ... E7
Bogotá Craft Beer Tour ... (v. 21)
23 Bogotá Graffiti Tour ... E5
Breaking Borders ... (v. 18)
24 Escuela de Artes y Oficios Santo Domingo ... B7
25 International House Bogotá ... D8
26 Sal Si Puedes ... D4

Pernottamento

27 Anandamayi Hostel ... D8
28 Botanico Hostel ... D8
29 Casa Bellavista ... E7
30 Casa Deco ... E6
31 Casa Platypus ... F5
32 Cranky Croc ... E6
33 Hostal Sue Candelaria ... E6
34 Masaya Bogota Hostel ... E7
35 Orchids ... C7

Pasti

36 Agave Azul ... C4
37 Ázimos ... B3
38 Café de la Peña Pastelería Francesa ... D8
39 Capital Cocina ... D8
40 Chantonner Delikatessen ... D5
41 La Condesa Irina Lazaar ... C7
42 La Puerta Falsa ... C6
43 La Tapería ... C3
44 Leo Cocina y Cava ... A3
45 Madre ... C6
Papaya Gourmet ... (v. 21)
46 Pastelería Florida ... E2
47 Prudencia ... E8
48 Quinua y Amaranto ... D8
49 Restaurante de la Escuela Taller ... B7
50 Sant Just ... F5

Locali e vita notturna

51 Arte y Pasión Café ... B6
52 Café Origami ... B3
53 Contraste Coffee Lab ... E5
54 El Bembe ... B3
55 Juan Valdéz ... C7

Divertimenti

56 Biblioteca Luis Ángel Arango ... D7

Shopping

57 Emerald Trade Center ... D5
58 Gems Metal ... D5

Informazioni

59 Punto de Información Turística ... B7
60 Punto de Información Turística ... A3

re dall'esterno. Alcune di queste chiese sono caratterizzate dal peculiare stile ispano-moresco noto come *mudéjar* – particolarmente visibile nella decorazione dei soffitti – e custodiscono splendidi dipinti di Gregorio Vásquez de Arce y Ceballos, il pittore più famoso dell'era coloniale colombiana.

La Candelaria

Deliziosamente vivace e gremita di attrattive turistiche di grande interesse, La Candelaria è il *barrio* coloniale di Bogotá, formato da un insieme di splendide case risalenti a tre secoli fa accuratamente restaurate, edifici in rovina e costruzioni più recenti.

Il punto di partenza tradizionale per le visite di Bogotá è **Plaza de Bolívar** (cartina p46; tra Calle 10 e 11), dove si trova la statua di bronzo di Simón Bolívar, realizzata nel 1846 dall'artista italiano Pietro Tenerani, il primo monumento pubblico eretto nella capitale colombiana.

Nel corso dei secoli questa piazza ha subito diverse modifiche e oggi non è più fiancheggiata da edifici coloniali; in particolare, solo la Capilla del Sagrario risale al periodo spagnolo, mentre gli altri palazzi sono più recenti, come si può facilmente capire dall'eterogeneità dei loro stili architettonici.

Alcuni dei monumenti più famosi della Candelaria – nonché il Centro Cultural Gabriel García Márquez – si trovano un paio di isolati a est della piazza. La rete di musei collegati tra loro gestiti dal Banco de la República – che comprende tra gli altri il Museo Botero, la Casa de Moneda, la Colección de Arte e il Museo de Arte del Banco de la República – forma in pratica un unico immenso e labirintico complesso museale ed è probabilmente una delle maggiori attrattive di Bogotá. Programmate con cura la visita, perché l'ultimo ingresso è consentito 30 minuti prima dell'orario di chiusura.

★Museo Botero MUSEO

(cartina p46; www.banrepcultural.org/museo-botero; Calle 11 n. 4-41; ⌚9-19 lun e mer-sab, 10-17 dom) FREE L'attrattiva principale del complesso museale del Banco de la República è costituita da numerose sale disposte su due piani dedicate ai soggetti extralarge del più famoso artista colombiano, che comprendono tra le altre cose mani, arance, donne, uomini baffuti, bambini, uccelli e comandanti delle Fuerzas Armadas Revolucionarias de Colombia (FARC).

Oltre alle sculture e ai dipinti di Fernando Botero (che egli stesso donò al Banco de la República), la collezione comprende numerose opere di Picasso, Chagall, Renoir, Monet, Pissarro e Miró, nonché alcune divertenti sculture di Dalí e Max Ernst. Le audioguide in inglese, francese e spagnolo (COP$10.000) possono essere noleggiate all'ingresso principale del complesso, in Calle 11.

★Museo Santa Clara CHIESA

(cartina p46; www.museocolonial.gov.co; Carrera 8 n. 8-91; interi/bambini COP$3000/500; ⌚9-17 mar-ven, 10-16 sab e dom) Questa chiesa è uno degli edifici sacri più sontuosi di Bogotá, nonché uno dei più antichi insieme alla Iglesia de San Francisco. Trasformata in museo, oggi è gestita dal governo colombiano. Visto il gran numero di chiese della stessa epoca che si possono visitare gratuitamente, molti turisti tendono a saltarla, ma i suoi interni sono veramente splendidi.

Eretta tra il 1629 e il 1674, questa chiesa possiede una sola navata, sormontata da una volta a botte decorata con motivi floreali dorati; le pareti sono interamente ricoperte di dipinti (ben 148) e di statue di santi. Il museo è corredato da pannelli interattivi in spagnolo, inglese, francese e portoghese.

BOGOTÁ IN...

Due giorni

Cominciate la vostra visita dalla Candelaria concedendovi uno spuntino a **La Puerta Falsa** (p66) e dando uno sguardo a **Plaza de Bolívar**, poi andate a vedere le sculture corpulente custodite all'interno del **Museo Botero**. Pranzate al **Prudencia** (p69) o al **Capital Cocina** (p69), poi fate una passeggiata fino al **Museo del Oro** (p56) per ammirare i suoi preziosi manufatti antichi. Assaggiate la cucina colombiana moderna nel quartiere di **Chapinero Alto** o a **Quinta Camacho** (oppure concedetevi una cena da gourmet nella **Zona G**) e concludete la serata con drink a volontà nella **Zona Rosa** o al **Parque 93**.

Il secondo giorno salite sulla vetta del **Monserrate** (p56), da dove potrete apprezzare un magnifico panorama su tutta la capitale, poi fate un riposino e la sera prendete un taxi per immergervi nel mondo bizzarro e surreale dell'**Andrés Carne de Res** (p64), 23 km a nord a Chía.

Quattro giorni

Dopo avere seguito l'itinerario di due giorni, fate un'escursione in giornata alla Cattedrale di Sale di **Zipaquirá** (p60), che può essere raggiunta facilmente con i mezzi pubblici. L'ultimo giorno iniziate con un brunch a Usaquén, poi tornate in città per fare un giro in bicicletta con **Bogotá Bike Tours** (p61). Per finire ordinate una tazza di *canelazo* (bevanda calda a base di aguardiente, canna da zucchero, cannella e lime) in un caffè della Candelaria, e godetevi una cena d'addio in un ristorante colombiano innovativo nei quartieri alternativi di Chapinero Alto o La Macarena.

Zona Rosa e Parque 93

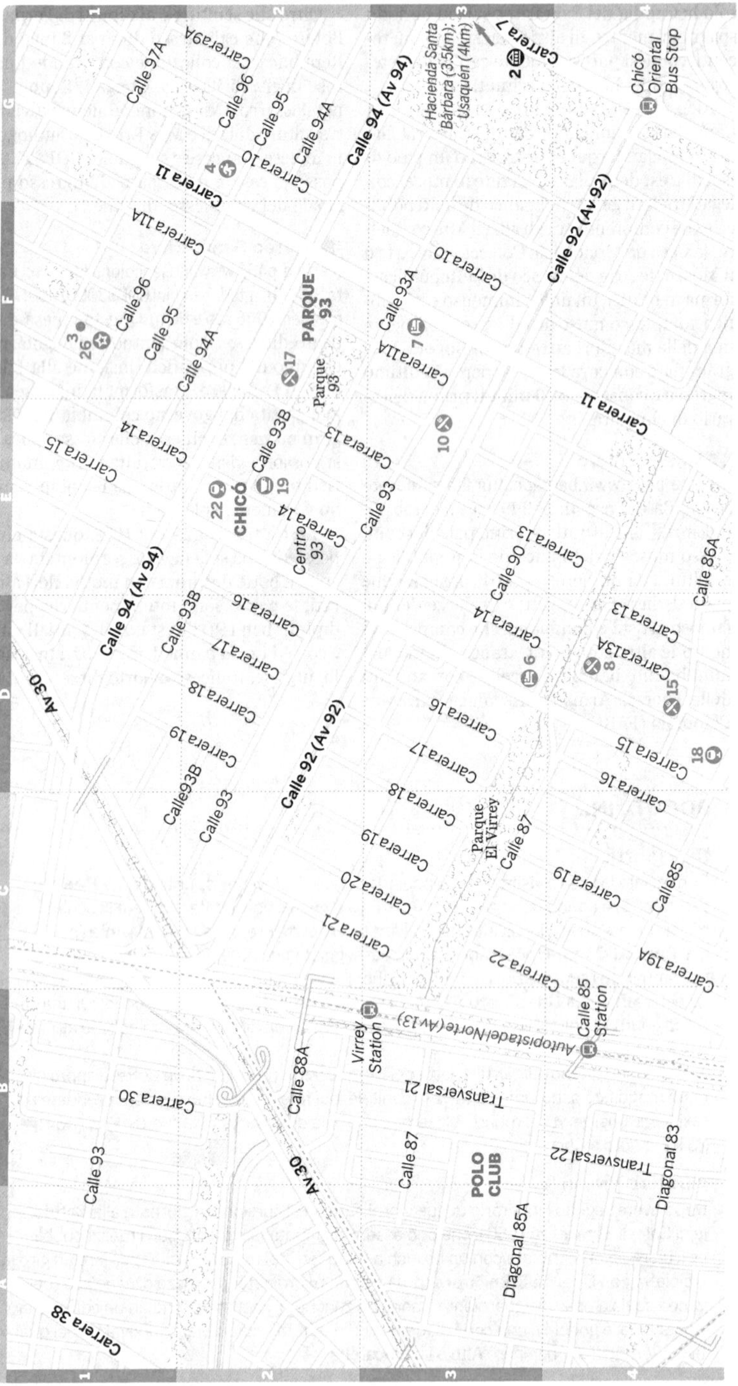

Cerro de Monserrate
El Refugio Bus Stop
Carrera 7
Carrera 5
Av Circunvalación
Calle 87
Carrera 9
Calle 86
Carrera 7A
Calle 82 Bus Stop
Carrera 4
Carrera 10
Calle 85
Carrera 8
Carrera 6
Calle 80
Av 82
Carrera 9
Calle 80
Calle 76
ZONA ROSA
Calle 82
Calle 81
Calle 79A
Los Rosales Bus Stop
Carrera 7
Calle 75
Zona T
Carrera 12
Carrera 13
Carrera 14
Calle 84
Calle 78
Calle 77
Carrera 9
Calle 75
Gimnasio Moderno
Carrera 12A
Carrera 13
Carrera 14
Carrera 11
Calle 76
Carrera 16
Carrera 16A
Calle 82
Carrera 18
Unilago
Calle 75
Calle 74
Carrera 15
Carrera 13
Calle 73
Calle 80
Calle 79
Héroes Station
Calle 76 Station
Av Chile (Calle 72)
Calle 72 Station
Av Caracas(Carrera14)
Diagonal 81
Avenida 78
Carrera 23
Calle 76
Carrera 20C
Carrera 22
Calle 74
Calle 73
Av Chile (Calle 72)
v. cartina Chapinero (p54)
1
5
9
11
12
13
14
16
20
21
23
24
25
27
28
29
A
B
C
D
E
F
G
5
6
7
8

Zona Rosa e Parque 93

Che cosa vedere

1 Espacio KB ... A6
2 Museo El Chicó ... G3

Attività, corsi e tour

3 Colombian Journeys ... F1
4 Plaza CPM ... G2

Pernottamento

5 Chapinorte Bogotá ... C6
6 Cité ... D3
7 Hotel Click-Clack ... F3

Pasti

8 Canasto Picnic Bistró ... D4
9 Central Cevicheria ... D5
10 Container City ... E3
11 Crepes & Waffles ... C8
12 El Corral ... D5
13 Home Burger ... E6
14 La Paletteria ... D5
15 Les Amis Bizcochería ... D4
16 Raw ... C6
17 Wok ... F2

Locali e vita notturna

Andrés D.C. ... (v. 28)
18 Armando Records ... D4
19 Azahar Café ... E2
20 Bistro El Bandido ... E7
21 Bogotá Beer Company ... D5
22 Chelarte ... E2
23 El Mozo ... D5
24 El Recreo de Adàn ... C6
Tap House ... (v. 10)

Divertimenti

25 Club de Tejo La 76 ... A5
26 Gaira Café ... F1

Shopping

27 Centro Comercial Andino ... D5
28 Centro Comercial El Retiro ... D6

Informazioni

29 Parques Nacionales Naturales de Colombia ... B8

Casa de Nariño EDIFICIO STORICO

(cartina p46; http://visitas.presidencia.gov.co; Plaza de Bolívar) Oltre il Capitolio Nacional, sul lato meridionale di Plaza de Bolívar – raggiungibile da Carrera 8 o Carrera 7 – sorge il palazzo in stile neoclassico, eretto all'inizio del XX secolo, dove vive e lavora il presidente della Colombia. Per visitarlo bisogna consultare il sito web www.presidencia.gov.co e scorrere fino al link 'Visitas Casa de Nariño' sotto la voce 'Servicios a la Ciudadanía', oppure inviare un'email. Non è necessario invece alcun permesso per assistere al cambio della guardia presidenziale – che si vede meglio dal lato orientale – in programma ogni mercoledì, venerdì e domenica alle 15.30.

Il palazzo porta il nome di Antonio Nariño, politico di idee indipendentiste vissuto durante l'epoca coloniale, che tradusse in spagnolo (in segreto) le leggi francesi sui diritti umani e per questo finì in carcere un paio di volte. Nel 1948 l'edificio fu danneggiato durante i disordini del Bogotazo e venne restaurato solo nel 1979. Le visite guidate di 45 minuti (per le quali bisogna prenotarsi in anticipo) si tengono alle 9, 10.30, 14.30 e 16 nei giorni feriali, alle 14.30 e 16 il sabato e alle 15 e 16 la domenica. Le guardie che sorvegliano il palazzo presidenziale si trovano presso le barriere situate in Carrera 7 e in Carrera 8. Per superarle basta mostrare il contenuto della vostra borsa e stare lontani dai marciapiedi che costeggiano il recinto.

Colección de Arte MUSEO

(cartina p46; www.banrepcultural.org; Calle 11 n. 4-14; ⏲9-19 lun e mer-sab, 10-17 dom) FREE La maggior parte della collezione permanente custodita all'interno del complesso del Banco de la República – che comprende 800 opere di 250 artisti diversi distribuite in oltre 16 sale espositive di due edifici – si raggiunge per mezzo di elaborati scaloni che fanno parte dello stesso complesso museale della Casa de Moneda e del Museo Botero. La collezione è stata suddivisa in cinque periodi storici, dal XV secolo all'era moderna, e ognuno è stato curato separatamente. La mostra d'arte contemporanea della collezione è stata allestita all'interno della **Biblioteca Luis Ángel Arango** (cartina p46; ☎1-343-1224; www.banrepcultural.org/blaa; Calle 11 n. 4-14; ⏲9-19 lun e mer-sab, 10-17 dom).

Nella maggior parte dei casi si tratta di dipinti a olio di artisti colombiani del XX secolo, tra i quali spiccano quelli giganteschi di Luis Caballero (1943-95) collocati al primo piano. Le due sale del primo piano rivolte verso est si pongono in leggero contrasto rispetto al resto del museo, essendo dedicate a capolavori di arte sacra del XVII e del XVIII secolo, tra i quali figurano due pregevoli *custodias* (ostensori). Il più grande è stato realizzato con ben 4902 g di oro puro, tempestato di 1485 smeraldi, uno zaffiro, 13 rubini, 28 diamanti, 168 ametiste, un topazio e 62 perle. Avete abbastanza tempo e pazienza per contare tutte queste gemme?

Casa de Moneda MUSEO

(Zecca; cartina p46; www.banrepcultural.org; Calle 11 n. 4-93; ⌚9-19 lun e mer-sab, 10-17 dom) FREE Questo museo storico situato nel complesso del Banco de la República ospita la **Colección Numismática** e la Colección de Arte. La mostra della Colección Numismática comincia prendendo in esame il baratto precolombiano di vasi e poi descrive in ordine cronologico le rudimentali monete delle epoche successive, l'introduzione della banca centrale avvenuta nel 1880 e il modo in cui alla fine degli anni '90 è stato realizzato il grazioso albero che compare sull'attuale moneta da 500 pesos.

Museo Histórico Policial MUSEO

(Museo Storico della Polizia; cartina p46; www.policia.gov.co; Calle 9 n. 9-27; ⌚8-17 mar-dom) FREE Questo museo sorprendentemente interessante non solo permette di visitare l'incantevole palazzo del 1923 un tempo adibito a quartier generale della polizia di Bogotá, ma include un incontro di 45 minuti circa con ragazzi diciottenni che parlano bene l'inglese e svolgono il ruolo di guide nell'anno di servizio obbligatorio con la polizia (e che hanno storie molto interessanti da raccontare).

Le maggiori attrattive di questo museo sono la sezione dedicata alla morte del re della cocaina Pablo Escobar, avvenuta nel 1993, la sua Harley Davidson (regalata a un cugino) e la sua pistola tascabile Bernadelli, nota anche come la sua 'seconda moglie'.

Museo Colonial MUSEO

(cartina p46; www.museocolonial.gov.co; Carrera 6 n. 9-77; interi/studenti COP$3000/2000; ⌚9-17 mar-ven, 10-16 sab e dom) Ospitato all'interno di un ex collegio gesuita, questo museo descrive in maniera estremamente efficace come è cambiato nel corso del tempo il modo di realizzare ritratti e opere d'arte sacra, concentrandosi in particolare sulle opere del celebre artista barocco colombiano Gregorio Vásquez de Arce y Ceballos (1638-1711). Riaperto nel 2017 dopo ampi lavori di restauro durati tre anni, il museo presenta oggi cinque gallerie con mostre permanenti.

STATUE VERDI AFFACCIATE DALL'ALTO

Quando passeggiate nelle strade della Candelaria cercate di prestare attenzione non solo alle deiezioni dei cani e alle buche, ma anche ad alcune opere d'arte che si affacciano dai tetti, dai davanzali e dai balconi. Si tratta di statue verdi realizzate nell'ultimo decennio con materiali riciclati dall'artista locale Jorge Olavé, che raffigurano *comuneros* (gente comune).

In particolare, non perdetevi la statua che si affaccia su Plaza de Bolívar dall'ultimo piano della **Casa de Comuneros** nell'angolo sud-occidentale – la migliore postazione della città per osservare il viavai.

Capitolio Nacional EDIFICIO STORICO

(cartina p46; www.senado.gov.co; Plaza de Bolívar; ⌚visite guidate su appuntamento) FREE Sul lato meridionale della piazza si staglia questo edificio in stile neoclassico, oggi sede del Congreso (Parlamento). La sua costruzione ebbe inizio nel 1847, ma a causa di diverse sommosse politiche fu ultimata solo nel 1926. La facciata rivolta verso la piazza fu progettata dall'architetto inglese Thomas Reed. Per partecipare alla visita guidata gratuita di tre ore, mandate un'email ad atencionciudadanacongreso@senado.gov.co con almeno una settimana di anticipo, altrimenti dovrete accontentarvi di fare un giro nel cortile.

Plazoleta del Chorro de Quevedo PLAZA

(cartina p46; all'angolo tra Carrera 2 e Calle 12B) Gli storici non sono ancora riusciti a stabilire con certezza il luogo in cui venne fondata Bogotá: alcuni sostengono che il nucleo originario della futura capitale colombiana si trovi in Plaza de Bolívar nei pressi della Catedral Primada, mentre altri affermano con convinzione che il primo insediamento coloniale sarebbe sorto in questa piazzetta fiancheggiata da caffè, con una piccola chiesa bianca e molti venditori ambulanti (o gente che gioca a footbag).

È un posto incantevole a ogni ora del giorno, ma soprattutto dopo il tramonto, quando schiere di studenti si riversano nello stretto vicolo a imbuto che porta ai piccoli bar situati immediatamente a nord. Ogni venerdì pomeriggio alle 17 è possibile assistere all'esibizione di cantastorie in spagnolo, che

Chapinero

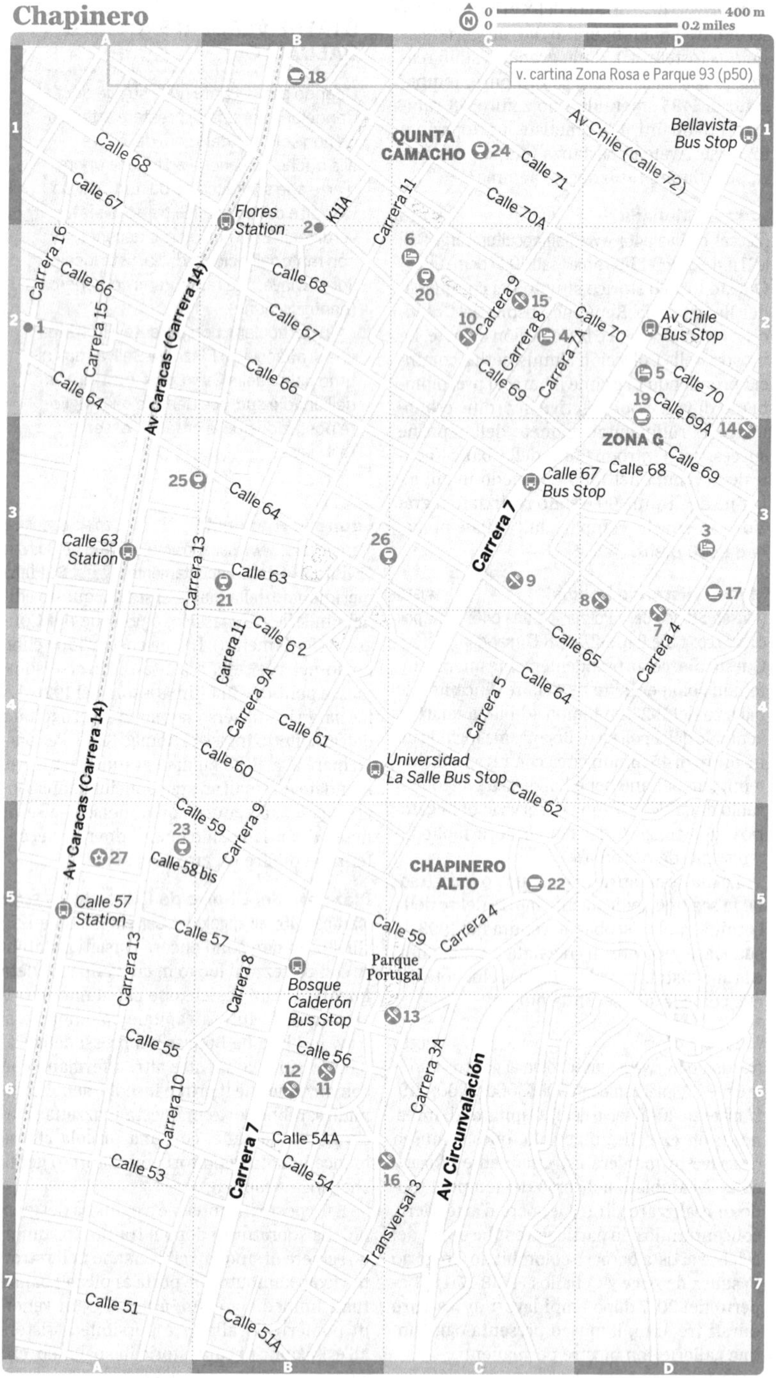
0
400 m
0
0.2 miles
v. cartina Zona Rosa e Parque 93 (p50)
QUINTA CAMACHO
ZONA G
CHAPINERO ALTO
Flores Station
Calle 63 Station
Calle 57 Station
Bellavista Bus Stop
Av Chile Bus Stop
Calle 67 Bus Stop
Universidad La Salle Bus Stop
Bosque Calderón Bus Stop
Parque Portugal
Av Chile (Calle 72)
Av Caracas (Carrera 14)
Av Circunvalación
Carrera 7
Transversal 3
K11A
Calle 71
Calle 70A
Calle 70
Calle 69A
Calle 69
Calle 68
Calle 67
Calle 66
Calle 65
Calle 64
Calle 63
Calle 62
Calle 61
Calle 60
Calle 59
Calle 58 bis
Calle 57
Calle 56
Calle 55
Calle 54A
Calle 54
Calle 53
Calle 51
Calle 51A
Carrera 16
Carrera 15
Carrera 13
Carrera 11
Carrera 10
Carrera 9A
Carrera 9
Carrera 8
Carrera 7A
Carrera 5
Carrera 4
Carrera 3A
1
2
3
4
5
6
7
8
9
10
11
12
13
14
15
16
17
18
19
20
21
22
23
24
25
26
27
A
B
C
D

Chapinero

Attività, corsi e tour
1 Impulse Travel A2
2 Nueva Lengua B2

Pernottamento
3 12:12 Hostel D3
4 Casa Legado C2
5 Four Seasons Casa Medina D2
6 Fulano Backpackers C2

Pasti
7 Arbol de Pan D4
8 Cantina y Punto D3
9 De/Raíz C3
10 Guerrero C2
11 Insurgentes Taco Bar B6
12 Mesa Franca B6
13 Mini-Mal C6
14 Rafael D3
15 Restaurante La Herencia C2
16 Salvo Patria C6

Locali e vita notturna
17 Amor Perfecto D3
18 Bourbon Coffee Roasters B1
19 Café Cultor D2
20 El Mono Bandido C2
21 Mi Tierra B3
22 Taller de Té C5
23 Theatron A5
24 Tierra Santa Cerveza Artesanal C1
25 Video Club A3
26 Village Café B3

Divertimenti
27 Latino Power A5

contribuiscono a creare un'atmosfera molto suggestiva.

Observatorio Astronómico OSSERVATORIO
(cartina p46; obsan_fcbog@unal.edu.co; ⌚9 e 12 lun e mer) FREE Ideata dal celebre botanico colombiano José Celestino Mutis, questa torre risalente al 1803 è considerata il primo osservatorio astronomico del continente. Si può visitare a orari prestabiliti, ma bisogna prenotare tre giorni prima. Mandate un'email con nomi, numeri di telefono, dati del passaporto e numeri di serie e colori di tutte le macchine fotografiche (anche su smartphone) delle persone che fanno parte del vostro gruppo.

Catedral Primada CATTEDRALE
(cartina p46; www.catedral.arquibogota.org.co; Plaza de Bolívar; ⌚messa alle 12 mar-sab, alle 10, 12 e 13.30 dom) Questa cattedrale in stile neoclassico sorge nel luogo in cui, secondo la tradizione, nel 1538 fu celebrata la prima messa dopo la fondazione di Bogotá (secondo alcuni storici, la prima funzione sarebbe invece stata officiata in Plazoleta del Chorro de Quevedo, situata subito a est). È la chiesa più grande di Bogotá, nonché l'edificio che domina la piazza, occupando il suo angolo nord-orientale.

La semplice cappella originaria dal tetto di paglia fu sostituita tra il 1556 e il 1565 da un edificio più imponente, che crollò subito dopo per l'instabilità della fondamenta. Nel 1572 fu edificata una terza chiesa, che venne però ridotta in macerie dal devastante terremoto del 1785. Nel 1807 ebbe inizio la costruzione del maestoso edificio che si può ammirare oggi, terminato nel 1823 e parzialmente danneggiato durante i disordini del 1948 passati alla storia con il nome di El Bogotazo. A differenza di molte altre chiese di Bogotá, l'ampio interno della Catedral Primada è relativamente spoglio. Nella cappella più grande della navata destra si trova la tomba del fondatore della città, Jiménez de Quesada.

Museo de la Independencia – Casa del Florero MUSEO
(Casa del Florero; cartina p46; www.museoindependencia.gov.co; Calle 11 n. 6-94; interi/studenti COP$3000/2000, ingresso libero dom; ⌚9-17 mar-ven, 10-16 sab e dom) All'indomani dell'occupazione napoleonica della Spagna, un creolo di nome Antonio Morales entrò in questo palazzo e – secondo la tradizione – chiese in prestito al suo proprietario spagnolo un vaso decorato. Il rifiuto di quest'ultimo degenerò in una rissa (oltre a mandare in frantumi il vaso). In questa sala è possibile ammirare il famigerato vaso in pezzi, la cui storia finì per fare il giro del mondo.

Teatro Colón TEATRO
(cartina p46; ☎1-284-7420; www.teatrocolon.gov.co; Calle 10 n. 5-32; ⌚biglietteria 10-19 lun-sab, fino alle 16 dom) Facilmente riconoscibile dall'elegante facciata in stile italiano, il Teatro Colón ha cambiato diversi nomi dalla sua inaugurazione, avvenuta nel 1792. L'edificio che si può vedere oggi venne progettato dall'architetto italiano Pietro Cantini nel 1892 come Teatro Nacional. Dopo un ampio intervento di restauro dei sontuosi interni durato ben sei anni, questo teatro è stato riaperto a me-

DA NON PERDERE

CERRO DE MONSERRATE

Orgoglio di Bogotá, nonché comodo punto di riferimento, il **Cerro de Monserrate**, alto 3152 m e sormontato da una chiesa bianca, fiancheggia il lato orientale della città a circa 1,5 km dalla Candelaria e può essere visto praticamente da ogni angolo della Sabana de Bogotá (nota anche come 'La Valle'). Dalla sua sommità è possibile ammirare un panorama mozzafiato sui 1587 kmq della città e nelle giornate più limpide si scorge anche il cono simmetrico del Nevado del Tolima, che fa parte della catena montuosa vulcanica del Parque Nacional Natural Los Nevados, situata nella Cordillera Central, 135 km a ovest.

La **chiesa** costruita sulla cima è un'importante meta di pellegrinaggio per la statua dell'altare del Señor Caído (Cristo Caduto), risalente al 1650 circa, alla quale sono stati attribuiti numerosi miracoli. Questa chiesa fu costruita dopo il terremoto del 1917, che distrusse completamente la cappella originaria. Nelle vicinanze si trovano due ristoranti (il Santa Clara e il San Isidro) e un caffè, che vi consentiranno di trascorrere piacevolmente una giornata intera sulla vetta.

La ripida **salita di 1500 gradini**, che porta alla vetta (da 60 a 90 minuti) passando accanto a qualche chiosco di spuntini, è stata riaperta e può essere affrontata tutti i giorni, tranne il martedì, a partire dalle 5 del mattino. Durante i weekend questo percorso è sempre frequentato da un gran numero di *bogotanos*; nei giorni feriali era piuttosto pericoloso perché si registravano regolarmente dei furti, che però negli ultimi anni si sono ridotti notevolmente grazie a una maggiore presenza della polizia. Se siete da soli o non avete voglia di camminare, potete ricorrere al *teleférico* (funivia) o alla funicolare che in orari differenti raggiungono la vetta della montagna partendo entrambi dalla **stazione Monserrate** (www.cerromonserrate.com; Sendero Peatonal Monserrate; andata e ritorno a partire da COP$19.000 lun-sab, COP$11.000 dom; ⌚6.30-24 lun-sab, 6.30-18.30 dom). In genere la funicolare presta servizio fino alle 12 (le 15 il sabato), la funivia oltre quell'orario.

La funicolare dista 20 minuti a piedi dall'Iglesia de las Aguas (percorrendo i vialetti di mattoni con le fontane e salendo oltre l'Universidad de los Andes), all'estremità nord-orientale della Candelaria, ma vi consigliamo di andarci nei weekend, meglio ancora se di mattina, quando in giro ci sono molti pellegrini.

tà del 2014 e oggi ospita concerti, opere liriche, spettacoli di danza, rappresentazioni teatrali e persino DJ set di musica elettronica.

Le visite guidate si svolgono solo in spagnolo il mercoledì e il giovedì alle 15 e il sabato alle 12 e alle 15 (COP$8000).

Museo Militar MUSEO

(cartina p46; http://museo-militar.webnode.com.co; Calle 10 n.4-92; ⌚9-16 mar-ven, 10-16 sab) FREE
Questo museo su due piani gestito da militari in tenuta da combattimento include una sezione dedicata alla storia delle uniformi militari (notate le divise degli agenti dell'antiterrorismo e le mute dei sommozzatori), una sala incentrata sulla guerra di Crimea e un cortile in cui sono esposti diversi pezzi di artiglieria di grosso calibro e alcuni velivoli militari, incluso un elicottero presidenziale.

Dopo l'accordo di pace sono state aggiunte nuove installazioni, tra cui una cronologia del conflitto armato colombiano e *Metamorfosis* di Alex Sastoque, un AK-47 di rame trasformato in vanga, la cui idea concettuale – convertire uno strumento di distruzione in un attrezzo di creazione – è diventata il simbolo della fine della guerra civile in Colombia. All'ingresso vi sarà chiesto di esibire un documento di identità.

Centro

Il frenetico centro economico di Bogotá – particolarmente animato lungo Calle 19 e Carrera 7 – si visita più agevolmente di domenica, quando Carrera 7 viene chiusa al traffico e riservata a ciclisti e pedoni per la Ciclovía (è in programma una pedonalizzazione permanente tra Plaza de Bolívar e Calle 26) e viene allestito il mercatino delle pulci di San Alejo. Le attrattive di maggior interesse (prima tra tutte il Museo del Oro) si trovano nei pressi della Candelaria, a breve distanza da Av Jiménez.

★**Museo del Oro** MUSEO

(cartina p46; www.banrepcultural.org/museo-del-oro; Carrera 6 n. 15-88; mar-sab COP$4000, ingresso libero dom; ⌚9-18 mar-sab, 10-16 dom) Il museo più famoso di Bogotá – e uno dei più affascinanti di tutto il Sud America – custodisce oltre 55.000 reperti in oro e altri materiali, che costituiscono una testimonianza di inestimabile valore di tutte le principali culture che si sono succedute in Colombia prima dell'arrivo degli spagnoli. Gli oggetti sono esposti secondo un ordine logico nelle sale tematiche distribuite su tre piani e sono accompagnati da didascalie in inglese e in spagnolo.

Nelle sale del secondo piano i reperti sono suddivisi in base alla regione di provenienza e sono accompagnati da minuziose descrizioni sulla loro funzione. In particolare, è possibile vedere numerosi animali insoliti (tra cui uno metà giaguaro e metà rana e un altro metà uomo e metà aquila), mentre la presenza di statuette femminili testimonia il ruolo sorprendentemente importante che le donne rivestivano nelle cerimonie rituali delle comunità zenú, che in epoca precolombiana vivevano nelle regioni settentrionali della Colombia.

La sala del terzo piano chiamata 'Offerte' illustra l'impiego dell'oro nei rituali, consentendo di ammirare, tra le altre cose, gli elaborati *tunjos* (offerte in oro, di solito statuine raffiguranti guerrieri) che venivano gettati nella Laguna de Guatavita; il più famoso è senza dubbio la barca d'oro chiamata Balsa Muisca, che fu ritrovata nel 1969 nei pressi della città di Pasca. Gli archeologi non sono ancora riusciti a stabilire con certezza a quale epoca risalga, perché in genere solo i reperti d'oro che contengono altri materiali organici possono essere datati con il metodo del carbonio 14.

Dal momento che per comprendere fino in fondo la storia degli oggetti esposti non è sufficiente leggere le didascalie, vi consigliamo di prendere parte a una delle visite guidate gratuite, in spagnolo e in inglese, della durata di un'ora che si tengono dal martedì al sabato alle 11 e alle 16 e che di volta in volta prendono in esame una sezione diversa del museo. In alternativa, sono disponibili audioguide in spagnolo, inglese, francese e portoghese.

★ Iglesia de San Francisco — CHIESA

(cartina p46; www.templodesanfrancisco.com; all'angolo tra Av Jiménez e Carrera 7; ⏲ 6.30-22.30 lun-ven, 6.30-12.30 e 16-18.30 sab, 7.30-13.30 e 16.30-19.30 dom) Costruita tra il 1557 e il 1621, la Iglesia de San Francisco, situata a ovest del Museo del Oro, è la chiesa più antica di Bogotá giunta fino ai giorni nostri. Di particolare interesse è la straordinaria pala dorata secentesca, la più grande e finemente decorata tra le opere d'arte di questo genere presenti a Bogotá.

Quinta de Bolívar — MUSEO

(cartina p44; www.quintadebolivar.gov.co; Calle 20 n. 2-91 Este; interi/bambini COP$3000/1000, ingresso libero dom; ⏲ 9-17 mar-ven, 11-16 sab e dom) Situata circa 250 m in discesa a ovest della stazione Monserrate, questa incantevole casa-museo si trova all'interno di un giardino ai piedi del Cerro de Monserrate. La residenza fu costruita nel 1800 e donata a Simón Bolívar nel 1820 in segno di gratitudine per i servigi da lui resi al paese. Bolívar vi trascorse 423 giorni nell'arco di nove anni. Nelle sue stanze sono conservati molti cimeli d'epoca, tra cui la spada di Bolívar. In seguito l'edificio fu adibito a istituto per malati di mente, ma di questo periodo ci sono pervenute pochissime notizie.

Sono disponibili audioguide in spagnolo e in inglese a COP$1500 e visite guidate in inglese il mercoledì alle 11.

Mirador Torre Colpatria — PUNTO PANORAMICO

(cartina p46; Carrera 7 n. 24-89; COP$7000; ⏲ 6-20.30 ven, 14-19.30 sab, 11-16.30 dom) Dalla terrazza esterna al 48° piano della Torre Colpatria si può ammirare una splendida vista dell'arena sullo sfondo di una selva di palazzi di uffici e delle montagne, nonché un bel panorama a 360° su tutta la città. Questo grattacielo di 162 m – il più alto di tutta la Colombia – fu inaugurato nel 1979.

Centro Internacional

In questa trafficata zona della città ci sono numerosi palazzi di uffici (soprattutto in Carrera 7) e poche attrattive di interesse turistico.

Museo Nacional — MUSEO

(cartina p46; www.museonacional.gov.co; Carrera 7 n. 28-66; interi/bambini COP$4000/1000; ⏲ 10-18 mar-sab, fino alle 17 dom) Questo museo occupa un grande edificio con pianta a croce greca, chiamato El Panóptico e progettato nel 1874 dall'architetto inglese Thomas Reed per essere adibito a prigione. Attualmente è in corso un grande progetto di ammodernamento che durerà fino al 2023. La storia della Colombia è illustrata attraverso mostre di archeologia, storia, etnologia e arte allestite in 17 gallerie suddivise tematicamente per ciascun piano.

Le prime due gallerie – Memoria y Nación e Tierra como Recurso – sono già aperte e presentano uno stridente contrasto moderno con le pareti imbiancate e le gallerie datate del resto del museo. La sala 16, al terzo piano, consente di farsi un'idea della vita che si conduceva nell'antica prigione, con alcune vecchie celle che sono state rimodernate. Nella prima sulla destra c'è un'esposizione dedicata a Jorge Gaitán, il leader populista il cui assassinio nel 1948 scatenò i disordini del Bogotazo e ritardò anche l'inaugurazione del museo. Dopo la visita, date un'occhiata agli incantevoli giardini, che ospitano il grazioso caffè Juan Valdéz; nella vicina Calle 29bis troverete diversi locali invitanti in cui mangiare un boccone.

Zona nord

Espacio KB GALLERIA D'ARTE

(cartina p50; www.facebook.com/kbespacioparalacultura; Calle 74 n. 22-20; ⏲9-24 lun-sab) FREE Questa residenza trasformata in un'innovativa galleria d'arte, una delle tante apparse negli ultimi tempi a San Felipe, il quartiere trendy emergente di Bogotá, richiama gli hipster e gli amanti della cultura, che nella maggior parte dei casi sfruttano l'arte d'avanguardia come pretesto per passare la serata a bere e divertirsi: DJ, pinte di Club Colombia e gin tonic in offerta 2 per 1 sono gli ingredienti dei party che si svolgono occasionalmente la sera tardi. Potete stare certi che qui non si incontrano turisti.

Plaza Central de Usaquén PLAZA

(Los Toldos de San Pelayo, Carrera 6A, tra Calle 119 e Calle 119A) Il momento migliore per visitare questa piazza è la domenica, quando si tiene il mercato delle pulci (Mercado de las Pulgas; dalle 9 alle 17.30).

Bogotá occidentale

Parque Metropolitano Simón Bolívar PARCO

(cartina p44; www.idrd.gov.co/sitio/idrd/node/233; Calle 63 e 53, tra Carrera 48 e Carrera 68; ⏲6-18) Esteso su una superficie di 360 ettari, questo parco è leggermente più grande del Central Park di New York, come amano sottolineare con malcelato orgoglio molte delle 200.000 persone che sono solite frequentarlo durante i weekend. È un posto molto piacevole, grazie alla presenza di laghi, piste ciclabili, sentieri pedonali, biblioteche pubbliche e stadi che ospitano numerosi eventi di grande richiamo, tra cui il celebre Rock al Parque, in programma tutti gli anni nel mese di ottobre o novembre. All'estremità orientale del parco, all'angolo tra Av Ciudad de Quito e Calle 64, si trova la stazione Simón Bolívar della linea E del TransMilenio.

Maloka MUSEO

(cartina p44; ☎1-427-2707; www.maloka.org; Carrera 68D n. 24A-51; biglietti cumulativi COP$27.000-38.000; ⏲8-17 lun-ven, 10-19 sab e dom) Situato 1 km a sud del parco e raggiungibile con una breve passeggiata dalla stazione degli autobus nel quartiere pianificato di Ciudad Salitre, il Maloka è un centro interattivo di scienza e tecnologia rivolto ai bambini. Nelle sue otto sale si aggirano moltissimi scolari in uniforme impegnati a sollevare un'auto grazie alle leggi della fisica o a giocare negli edifici giocattolo a grandezza naturale situati nel parco.

Il museo include due cinema high-tech, il Cine Domo, che proietta film di 40 minuti su un grande soffitto a cupola, e un cinema in 3D.

Attività

Se cercate un posto in cui tirare quattro calci a un pallone o fare una corsa, vi consigliamo di dirigervi verso il Parque Simón Bolívar o di salire fino alla vetta del Monserrate la mattina di un weekend. E se volete girare in bicicletta, Bogotá offre alcune eccellenti opzioni a misura di ciclisti.

La migliore è la straordinaria rete CicloRuta, lunga circa 350 km, che attraversa tutta la città, soprattutto in occasione della **Ciclovía** (www.idrd.gov.co), in programma ogni domenica e nei giorni festivi dalle 7 alle 14, quando circa 120 km di strade vengono riservate esclusivamente alle biciclette e ai pedoni. Le strade interessate da questo evento si riempiono di ambulanti che vendono spremute di frutta e spuntini, artisti di strada e bancarelle dove è possibile riparare le bici, in un'atmosfera di festa generale. Se vi spostate in bicicletta, vi consigliamo di non perdervi il **Ciclopaseo de los Miércoles**, un divertente tour gratuito che parte ogni mercoledì sera alle 19 da **Plaza CPM** (cartina p50; www.facebook.com/ruedodeciudad; all'angolo tra Carrera 10 e Calle 96).

Gran Pared ARRAMPICATA

(cartina p44; ☎316-578-2653; www.granpared.com; Calle 52 n. 15-27; giornata intera con/senza attrezzatura COP$25.000/20.000; ⏲14-22 lun-ven, 10-19 sab, 10-18 dom) Gli appassionati di arrampicata su roccia di Bogotá puntano sulla vicina Suesca, ma se volete mettere alla prova le

BOGOTÁ PER I BAMBINI

Bogotá non è né più né meno a misura di bambini rispetto alle altre città del Sud America di pari dimensioni. Anche qui i marciapiedi dissestati causano non pochi problemi ai genitori con i passeggini, ma grandi attrattive come il **Maloka** (p58) offrono una sorta di ricompensa. In linea di massima la capitale è una destinazione sicura per i bambini, ma non potete aspettarvi strutture di livello analogo all'Europa o al Nord America. Non si può dire che i fasciatoi siano assicurati, ma nei locali di un certo livello sono sempre più diffusi. Bogotá è un posto magnifico per dare ai bambini interessanti lezioni di storia e cultura. Il Maloka, un museo della scienza rivolto ai più piccoli con un cinema che proietta su una cupola, è la destinazione più ovvia per chi viaggia con la famiglia, ma anche le figure corpulente di Botero esposte al **Museo Botero** (p49) possono essere divertenti, e il **Museo El Chicó** (cartina p50; www.museodelchico.com; Carrera 7A n. 93-01, Mercedes Sierra de Pérez; interi/studenti COP$7000/5000; ⏲10-17 mar-dom) offre una biblioteca e un parco per i bambini. Il **Parque Metropolitano Simón Bolívar** (p58), il polmone verde della città, è perfetto per fare un picnic, giocare o lanciare il frisbee, e salire in cima al **Monserrate** (p56) conquisterà sicuramente anche i bambini più difficili. Gli ambulanti vendono il mangime per i moltissimi piccioni che popolano **Plaza de Bolívar** (p135) e nella vicina Casa de Nariño è possibile osservare i buffi copricapo indossati dai militari durante il cambio della guardia presidenziale.

Quanto al lato gastronomico, segnaliamo la simpatica catena **Crepes & Waffles** (p67), l'area ristorazione composta da container di **Container City** (p72), gli hamburger di **El Corral** (p67) e i ghiaccioli a **La Paletteria** (cartina p50; www.lapaletteria.co; all'angolo tra Carrera 13 e Calle 84; ghiaccioli COP$4500-6000; ⏲11-21 lun-gio, 10-22 ven e sab, 11-19.30 dom). E non mancate di andare a pranzo da **Andrés D.C.** (p64) o da **Andrés Carne de Res** (p64). Meglio ancora, se è il compleanno di vostro figlio, Andrés può organizzare una festa indimenticabile.

vostre capacità in città vi suggeriamo la Gran Pared, una struttura in attività da tempo ma all'avanguardia che offre 11 linee di arrampicata (22 vie), 16 linee di arrampicata con corda dall'alto (32 vie) e una zona boulder.

Sal Si Puedes ESCURSIONISMO
(cartina p46; ☎1-283-3765, 300-436-1196; www.fundacionsalsipuedes.org; Carrera 7 n. 17-01, oficina 640; ⏲8-17 lun-gio, fino alle 14 ven) Questa associazione di appassionati di attività all'aperto organizza nei weekend escursioni in campagna (COP$55.000 per persona, compresi trasporto, assicurazione sanitaria e guide che parlano spagnolo). La maggior parte di queste uscite dura 9 o 10 ore. Fate un salto in agenzia per procurarvi il programma annuale delle escursioni.

Corsi

Nueva Lengua LINGUA
(cartina p54; ☎aziendale 1-813-8674, cellulare 315-855-9551; www.nuevalengua.com; Calle 69 n. 11A-09, Quinta Camacho) Questa scuola di lingue propone un ampio ventaglio di programmi di studi, che si tengono anche nelle sedi di Medellín e di Cartagena. Il costo di un corso di gruppo di 20 ore a settimana va da US$120 a US$185 a seconda della durata complessiva e include anche lezioni di cucina.

Escuela de Artes y Oficios Santo Domingo ARTIGIANATO
(cartina p46; ☎1-282-0534; www.eaosd.org; Calle 10 n. 8-65; corsi a partire da COP$494.000; ⏲negozio 7-17 lun-sab) Questa organizzazione sostenuta da donazioni offre corsi di uno-due mesi (e anche più) di lavorazione del legno, del cuoio, dell'argento e di ricamo in un bell'edificio restaurato della Candelaria. Sebbene non sia tecnicamente un negozio, il suo punto vendita al dettaglio è considerato uno dei posti migliori della città per acquistare oggetti di artigianato di alta qualità.

International House Bogotá LINGUA
(cartina p46; ☎1-336-4747; www.ihbogota.com; Calle 10 n. 4-09; ⏲7-20 lun-ven, 7-13 dom) Questa scuola situata nel quartiere della Candelaria offre corsi collettivi di spagnolo (5 mattine con 4 ore di lezione al giorno US$220 a settimana) e lezioni private (US$30 l'ora); a questi costi vanno aggiunti US$40 per il materiale didattico.

VALE IL VIAGGIO

ZIPAQUIRÁ

La meta più popolare per un'escursione in giornata da Bogotá è senza dubbio la **Catedral de Sal** (☎315-760-7376; www.catedraldesal.gov.co; Parque de la Sal; interi/bambini a partire da COP$50.000/34.000; ⏰9-17.45) di Zipaquirá, 50 km a nord della capitale, un luogo di culto sotterraneo scavato nel sale. Si tratta di una delle sole tre strutture di questo genere esistenti al mondo (le altre due si trovano in Polonia).

Nelle montagne che si ergono circa 500 m a sud-ovest di Zipaquirá si trovano due cattedrali scavate nel sale: la prima fu inaugurata nel 1954 e chiusa nel 1992 per ragioni di sicurezza. Al suo posto, tra il 1991 e il 1995, furono rimosse circa 250.000 tonnellate di sale per costruire il santuario sotterraneo, ritenuto una delle principali opere architettoniche della Colombia. Per visitarlo bisogna scendere sotto terra per 180 m, passando davanti a 14 cappelle che rappresentano le stazioni della Via Crucis, in uno straordinario tripudio di simbolismo e di abilità nell'estrazione mineraria. Nulla però può prepararvi alla parte culminante del percorso, quando si entra nella navata principale, dove si trova una croce gigantesca – la più grande del mondo tra le croci collocate in chiese sotterranee – illuminata dalla base verso l'alto, in modo da simboleggiare il Paradiso. La tradizione locale di mescolare la religione con il sale ha un fondamento logico: i terribili rischi legati al lavoro nelle miniere facevano nascere tra gli operai il desiderio di erigere in questi luoghi così insoliti degli altari per la preghiera.

Per visitare la Catedral del Sal è necessario prendere parte alle regolari visite guidate della durata di un'ora. Una volta entrati, chi lo desidera può abbandonare il gruppo e procedere alla visita per conto proprio. Questa cattedrale lunga 75 m è in grado di ospitare 8400 persone, e ogni domenica alle 12 vengono celebrate funzioni religiose sempre molto frequentate. Oltre alla Catedral de Sal, nel sito è possibile visitare il Museo della Salamoia e altre attrattive minori. Sulla piazza principale di Zipaquirá, circondata da alcuni caffè, sorge un'incantevole chiesa che merita almeno una veloce occhiata.

Per raggiungere Zipaquirá si può prendere uno dei frequenti autobus che partono dalla stazione del TransMilenio di Portal del Norte, situata in Calle 170 e raggiungibile dal centro della capitale con un viaggio in autobus di circa 45 minuti. Gli autobus per Zipaquirá (COP$4300, 50 minuti) partono all'incirca ogni quattro minuti fino alle 23 dalla banchina Buses Intermunicipales. Si può anche prendere uno dei mezzi diretti che partono ogni ora dal *módulo* 3 (rosso) della stazione degli autobus di Bogotá (COP$5100, un'ora e 30 minuti). In alternativa si può optare per il Turistren, che presta servizio tra Bogotá e Zipaquirá il sabato e la domenica. Questo treno parte dalla principale stazione ferroviaria di Bogotá, la **Estación de la Sabana** (Calle 13 n. 18-24), alle 8.30, effettua una breve sosta alla stazione di Usaquén alle 9.20 e arriva a Zipaquirá alle 11.30.

Da Zipaquirá è possibile prendere uno degli autobus che proseguono tutti i giorni per Villa de Leyva.

Una corsa in taxi di andata e ritorno da Bogotá a Zipaquirá dovrebbe costare circa COP$180.000, cifra a cui bisogna ancora aggiungere COP$25.000 per ogni ora di attesa; per il tragitto di sola andata con Uber in orario non di punta calcolate una spesa di circa COP$67.700.

Circa 15 km a nord-est di Zipaquirá, presso la cittadina di **Nemocón**, si trova un'altra miniera di sale, più piccola e meno turistica, che può essere visitata tutti i giorni. Questa miniera è stata aperta oltre quattro secoli fa e per un certo periodo è stata anche sede del municipio. Per raggiungere Nemocón vi consigliamo di prendere un taxi.

Centro Latinoamericano della Universidad Javeriana LINGUA
(cartina p44; ☎1-320-8320 int. 4612; www.javeriana.edu.co/centro-lenguas; Transversal 4 n. 42-00, piso 6) La scuola di spagnolo più rinomata di Bogotá propone lezioni private (COP$122.000 l'ora) e corsi di 80 ore (COP$2.608.000 per persona).

☞ Tour

Dalla filiale del Punto de Información Turística (PIT; p80) della Candelaria partono visite guidate a piedi della città che sono gratuite ma vanno prenotate in anticipo. I tour iniziano tutti i giorni alle 10 e alle 14 (quelli in inglese il martedì e il giovedì alle 14).

★ **Breaking Borders** CULTURA
(cartina p46; ☎Diana 321-279-6637, Jaime 304-686-0755; Plaza del Chorro del Quevedo; COP$25.000; ⏲alle 23 mar e gio) Il nuovo tour più affascinante di Bogotá è quello condotto nel Barrio Egipto (un quartiere altrimenti da evitare) da membri della gang *La 10ma*, che hanno abbandonato il crimine a favore di questa iniziativa culturale avviata dalla Universidad Externado de Colombia in collaborazione con Impulse Travel.

Ex membri della gang come Jaime Roncancio – soprannominato 'El Calabazo', cioè 'lo Zuccone' – guidano i partecipanti in un'avvincente visita del quartiere, che è controllato da quattro gang e rimane tutt'oggi una zona off limits per chi non gode della protezione di Jaime o dei suoi compagni. Potrete scoprire la storia della criminalità organizzata nel *barrio* (dove spiccano il *bazuco* – una droga economica ma molto pericolosa prodotta con scarti della cocaina, polvere di mattoni, acetone e perfino ossa umane – e personaggi con nomi come Carlos Gasolina), ammirare una splendida vista sulla città, visitare le case di ex membri delle gang e, se siete fortunati, assaggiare la *chicha* (il liquore locale fatto in casa con mais fermentato). Chi parla spagnolo può andarci direttamente: i tour, che durano da due a tre ore, partono il martedì e il giovedì alle 11 da Plaza Del Chorro del Quevedo (telefonate prima a Jaime o Diana); altrimenti organizzate la visita tramite Impulse Travel, che provvederà a venire a prendervi e riportarvi in hotel e fornirà un traduttore al costo di COP$120.000. Le mance contribuiscono al sostegno della comunità (COP$20.000 vanno bene).

★ **Bogotá Bike Tours** IN BICICLETTA
(cartina p46; ☎312-502-0554; www.bogotabiketours.com; Carrera 3 n. 12-72; tour COP$40.000, noleggio biciclette COP$9000/45.000 ora/giorno) Gestita dall'appassionato di biciclette californiano Mike Caesar, questa agenzia offre la possibilità di visitare Bogotá in modo diverso e interessante, includendo alcuni quartieri che altrimenti sarebbero off limits. Le visite guidate partono tutti i giorni alle 10.30 e alle 13.30 dall'ufficio della Candelaria.

Tra i luoghi di maggiore interesse del tour figurano La Candelaria, un mercato ortofrutticolo – non perdetevi le bancarelle di spezie! – Plaza de Toros de Santamaría, una torrefazione di caffè, una partita di *tejo* e il quartiere a luci rosse.

Aventure Colombia ECOTOUR
(cartina p46; ☎1-702-7069; www.aventurecolombia.com; Av Jiménez n. 4-49, oficina 204; ⏲8-17 lun-sab) Questa allegra agenzia gestita da un simpatico francese è specializzata in escursioni a mete remote e poco visitate in tutto il paese, come gli incantevoli Cerros de Mavecure, PNN El Tuparro e Caño Cristales (da luglio a novembre) a Los Llanos, Punta Gallinas sulla Península de La Guajira e soggiorni presso famiglie indigene nella Sierra Nevada di Santa Marta.

Bogota & Beyond TOUR
(cartina p46; ☎304-455-9723, 319-686-8601; www.bogotaandbeyond.com; Carrera 3 n. 12C-90; ⏲12-17 lun, 12.30-21.30 mer-sab, 12.30-19 dom; 🚇Las Aquas TransMilenio Station | Museo del Oro TransMilenio Station) Questa agenzia fondata di recente da due simpatici australiani organizza alcune attività originali, tra cui la divertente Septima Challenge, in cui dovrete gironzolare lungo l'itinerario della Ciclovía insieme alla vostra squadra e mettere alla prova il vostro spagnolo con ignare persone del posto per completare il maggior numero di prove nell'arco di due ore.

Le loro proposte includono il Bogotá Craft Beer Tour, che esplora la scena emergente della birra artigianale a Bogotá, e un trekking settimanale in mezzo alla natura tra le montagne alle spalle di Chapinero, alla cascata La Chorrera o alla Laguna de Guatavita e alla Catedral de Sal.

Impulse Travel TOUR
(cartina p54; ☎1-753-4887; www.impulsetravel.co; Calle 65 n. 16-09; ⏲9-17 lun-ven) La storica agenzia turistica cittadina Destino Bogotá ha ampliato il suo raggio d'azione a livello nazionale con il nuovo nome Impulse Travel e costituisce oggi un'eccellente opzione per trekking di durata compresa tra due e cinque giorni con partenza da Bogotá per raggiungere mete imperdibili come Caño Cristales e il PNN Tayrona. I divertenti tour in città e dintorni includono lezioni di salsa, serate di *tejo*, itinerari gastronomici e iniziative locali come l'interessante tour Breaking Borders nel Barrio Egipto.

Impulse Travel propone anche iniziative classiche come l'escursione a Guatavita/Zipaquirá o a La Chorrera e visite alle piantagioni di caffè. Il loro ufficio si trova all'interno di Tierra Firme, uno spazio di coworking molto trendy.

Bogotá Craft Beer Tour BIRRA

(cartina p46; www.bogotacraftbeer.com; Carrera 3 n. 12C-90; COP$75.000; ⌚alle 16 lun-ven, alle 14 sab) Due australiani amanti della birra organizzano questo divertente itinerario che include almeno quattro nanobirrifici e microbirrifici, tra cui la Cervecería Gigante (il miglior birrificio di Bogotá) e la Madriguera Brewing Co. (altrimenti chiusa al pubblico). Il tour include degustazioni e una birra a ogni tappa. Per maggiori informazioni entrate nel loro piccolo bar-birreria, Papaya Gourmet (p67).

5Bogotá CULTURA

(☎313-278-5898, 314-411-1099; www.5bogota.com) Questa nuova agenzia gestita da giovani *bogotanos* si colloca decisamente al di sopra della media, proponendo visite guidate che consentono di vivere esperienze sensoriali basate sulle attività quotidiane della gente del posto. Tra le loro proposte figurano le visite ai mercati frequentati dagli abitanti locali (e non dai turisti), le lezioni per imparare a preparare le *empanadas* o i *patacones* (*plátanos* fritti) e le lezioni di salsa in una casa privata.

Bogotá Graffiti Tour GRAFFITI

(cartina p46; ☎321-297-4075; www.bogotagraffiti.com; ⌚visite guidate alle 10 e 14) FREE Un affascinante itinerario a piedi di due ore e 30 minuti alla scoperta dei numerosi capolavori di arte urbana di Bogotá, con partenza tutti i giorni alle 10 e alle 14 dal Parque de los Periodistas. Il tour è gratuito, ma è consigliabile lasciare alla guida una mancia compresa tra COP$20.000 e COP$30.000.

Feste ed eventi

Festival Iberoamericano de Teatro de Bogotá TEATRO

(FITB; www.facebook.com/FITBogota; ⌚marzo/apr) Questo festival biennale di 17 giorni si considera il festival delle arti dello spettacolo più grande del mondo e vede la partecipazione di importanti compagnie teatrali provenienti da tutti i continenti. Gli eventi, che si svolgono in varie sedi in tutta la città, includono teatro di strada, concerti internazionali, danza classica e teatro e cantastorie per bambini e ragazzi. Il festival si svolge negli anni pari.

Rock al Parque MUSICA

(www.rockalparque.gov.co; Parque Metropolitano Simón Bolívar; ⌚lug) Questa rassegna di tre giorni dedicata al rock, al metal, al pop, al funk e al reggae vede protagoniste band per la maggior parte sudamericane che si esibiscono nel Parque Simón Bolívar. La manifestazione è gratuita e richiama un gran numero di appassionati.

Alimentarte ENOGASTRONOMIA

(☎1-236-1329; www.alimentarte.site; Parque El Virrey; ⌚agosto) Alcuni dei migliori chef e i più devoti gastronomi della Colombia si danno appuntamento al Parque El Virrey, nella zona settentrionale di Bogotá, per questo goloso e divertente festival di cinque giorni. Le prime giornate sono dedicate al paese ospite (nel 2017 è stata la Francia), mentre gli ultimi due giorni sono incentrati su una regione colombiana (nel 2017 l'Altiplano Cundiboyacense).

Festival de Verano CULTURA

(www.idrd.gov.co; Parque Metropolitano Simón Bolívar; ⌚agosto) Otto giorni di musica e cultura gratuite al Parque Metropolitano Simón Bolívar.

Festival de Jazz MUSICA

(www.teatrolibre.com; Calle 62 n. 9A-65; ⌚set) Questo festival, che oggi si svolge a Chapinero, richiama musicisti di latin jazz sia locali sia di altre regioni della Colombia, con qualche occasionale apparizione di star americane ed europee.

Hip Hop al Parque MUSICA

(www.hiphopalparque.gov.co; Parque Metropolitano Simón Bolívar; ⌚ott) Due giorni di hip-hop al Parque Metropolitano Simón Bolívar.

Festival de Cine de Bogotá CINEMA

(☎1-545-6987; www.bogocine.com; ⌚ott) Il festival del cinema di Bogotá, che si tiene da quasi 35 anni, propone film provenienti da tutto il mondo, anche se di solito ha un occhio di riguardo per le pellicole latinoamericane.

Salsa al Parque SALSA

(www.salsaalparque.gov.co; Parque Metropolitano Simón Bolívar; ⌚nov) Spettacolare manifestazione dedicata alla salsa che si svolge nel Parque Metropolitano Simón Bolívar.

Expoartesanías ARTIGIANATO

(www.expoartesanias.com; Carrera 37 n. 24-67; ⌚dic) Questa fiera dell'artigianato vede la partecipazione di un gran numero di artigiani provenienti da ogni parte della Colombia. Gli articoli esposti sono in vendita, per cui è un'ottima occasione per fare ottimi acquisti.

Pernottamento

Se vi trovate a Bogotá per affari o siete amanti del lusso, a nord di Calle 65 ci sono molti boutique hotel e alberghi di categoria elevata, per lo più raggiungibili a piedi dalle vivaci aree dei divertimenti (Zona G, Zona Rosa e Parque 93). Se siete interessati alle visite turistiche e avete poco tempo, La Candelaria è la zona in cui si concentrano quasi tutti i luoghi di interesse di Bogotá e la maggior parte delle strutture ricettive economiche.

La Candelaria

Negli ultimi due anni il quartiere storico della Candelaria ha assistito a un vero e proprio boom di nuovi ostelli. In linea di massima, le camere private degli ostelli costituiscono una soluzione di pernottamento migliore rispetto alle camere economiche di molti alberghi vecchi e trasandati della zona. I viaggiatori che non hanno problemi di budget potranno soggiornare in un paio di raffinate strutture pervase da una suggestiva atmosfera coloniale, una caratteristica decisamente rara a Bogotá.

Botanico Hostel OSTELLO $
(cartina p46; ☎313-419-1288; www.botanicohostel.com; Carrera 2 n. 9-87; letti in camerata COP$30.000, camere con/senza bagno COP$100.000/80.000, triple COP$140.000; @ 📶) Questo nuovo ostello nella Candelaria, che occupa una casa dalla disposizione irregolare, piena di scricchiolanti pavimenti in legno, appartenuta un tempo al pittore colombiano Gonzalo Ariza, è pervaso da un grande fascino coloniale. Conquista gli ospiti con elementi originali, come i soffitti con travi in legno, e con incantevoli aree comuni (una sala con caminetto, un rigoglioso giardino, una terrazza sul tetto con magnifici panorami sulla città e sulle montagne); anche la spaziosa camera privata con stufa a legna rende difficile lasciare questo posto. Tutti i giorni alle 10 ci sono lezioni di yoga in terrazza.

Casa Bellavista OSTELLO $
(cartina p46; ☎1-334-1230; www.bellavistahostelbogota.com; Carrera 2 n. 12B-31; letti in camerata a partire da COP$25.000, singole/doppie a partire da COP$70.000/80.000, tutte con prima colazione; @ 📶) Un buon rapporto qualità-prezzo e una gradevole atmosfera d'altri tempi sono le caratteristiche salienti di questa piccola struttura a conduzione familiare, ospitata all'interno di una dimora d'epoca nelle immediate vicinanze di Plazoleta del Chorro de Quevedo. I corridoi con pavimenti in legno scricchiolanti conducono a camerate coloratissime dotate di bagno. Ci sono anche tre ampie camere private piene di dettagli gradevoli come i pavimenti originali in piastrelle (la nostra preferita è quella a mansarda con scala a chiocciola). A un isolato di distanza è stata aperta la Casa Bellavista II, che presenta caratteristiche simili, ma noi preferiamo comunque la struttura originale.

★ **Cranky Croc** OSTELLO $$
(cartina p46; ☎1-342-2438; www.crankycroc.com; Calle 12D n. 3-46; letti in camerata a partire da COP$35.000, singole/doppie/triple COP$100.000/130.000/150.000, singole/doppie senza bagno COP$75.000/100.000; @ 📶) 🌿 Il Cranky Croc, uno degli ostelli più apprezzati della città, è gestito da un simpatico australiano ed è pressoché irriconoscibile rispetto alla sua versione originaria: i lavori di ammodernamento, volti a sfruttare la luce naturale, hanno aggiunto una steakhouse gestita da uno chef (che prepara anche eccellenti prime colazioni), 10 camere private degne di un boutique hotel, una sala TV con uno schermo da 65 pollici e una terrazza sul tetto. Le otto camerate sono dotate di armadietti, lampade da lettura e prese individuali per ricaricare i dispositivi elettronici.

★ **Masaya Bogota Hostel** OSTELLO $$
(cartina p46; ☎1-747-1848; www.masaya-experience.com; Carrera 2 n. 12-48; letti in camerata a partire da COP$38.000, camere con/senza bagno a partire da COP$150.000/100.000; @ 📶) Questo grande ostello di proprietà francese porta il lusso delle strutture per flashpacker a livelli più elevati, disponendo di camerate molto confortevoli e dotate di tendine per garantire la privacy, poltrone a sacco, cuscini morbidi e caldi piumini. Le camere private, di livello analogo a quelle di un hotel, sono molto ampie e hanno eccellenti armadi e TV a schermo piatto. Il Masaya offre anche zone comuni molto gradevoli, docce con acqua caldissima che scorre a pressione adeguata e un ampio ventaglio di attività a carattere culturale.

Casa Platypus GUESTHOUSE $$
(cartina p46; ☎1-281-1801; www.casaplatypusbogota.com; Carrera 3 n. 12F-28; letti in camerata/singole/doppie/triple COP$50.000/152.000/173.000/210.000; @ 📶) Questa guesthouse esclusiva è la soluzione di pernottamento preferita dai flashpacker. Le sue semplici camere sono arredate con mobili in legno e dispongono di bagno privato e di un ter-

DA NON PERDERE

ANDRÉS CARNE DE RES

Sebbene non sia possibile descrivere l'indescrivibile, proveremo a compiere questa impresa: il leggendario **Andrés Carne de Res** (☎1-861-2233; www.andrescarnederes.com; Calle 3 n. 11A-56, Chía; bistecche da condividere COP$36.700-98.900, ingresso ven e sab COP$21.000; ⏲11-3 gio-sab, fino alle 24 dom; 📶) è un bar-ristorante che mescola Tim Burton, Disneyland e Willy Wonka, con l'aggiunta di un tocco kitsch e di stravaganza da luna park. Un viaggiatore svedese lo ha descritto anche meglio, affermando: "È come cenare in una lavatrice". In ogni caso, l'Andrés lascia tutti senza parole – anche chi ci è già stato – con la sua atmosfera festosa, le ottime bistecche – il menu è di ben 70 pagine – e ogni sorta di arredo surreale. Per la maggior parte dei clienti, questo locale serve molto più di un semplice pasto, offrendo la possibilità di vivere un'esperienza veramente spettacolare fino alle ore piccole.

L'unico inconveniente è che si trova fuori città, per l'esattezza a Chía, 23 km a nord verso Zipaquirá. Una corsa con Uber da Bogotá ha un costo compreso tra COP$27.000 e COP$48.000 a seconda della domanda (evitate i taxi, che hanno prezzi esagerati). Il venerdì e il sabato sera l'Andrés si può raggiungere con un autobus che parte alle 22 dall'**Hostal Sue Candelaria** (cartina p46; ☎1-344-2647; www.hostalsuecandelaria.com; Carrera 3 n. 12C-18; letti in camerata COP$27.000, singole/doppie senza bagno COP$70.000/80.000, singole/doppie con bagno COP$85.000/95.000, tutte con prima colazione; @📶) e rientra alle ore piccole. Il prezzo del biglietto (COP$70.000 il venerdì e COP$80.000 il sabato) include l'ingresso e le bevande alcoliche sull'autobus. Un'alternativa più economica è l'autobus diretto a Chía che parte dalla banchina Buses Intermunicipales della stazione **Portal del Norte** (p83) del TransMilenio; le corse partono ogni due minuti fino alle 23 (COP$2700, 30 minuti). Molto probabilmente, in questo locale trascorrerete la serata più pazzesca della vostra vita.

Un'opzione più tranquilla in posizione più vicina alla città è l'**Andrés D.C.** (cartina p50; ☎1-863-7880; www.andrescarnederes.com; Calle 82 n. 12-21, Centro Comercial El Retiro; bistecche da condividere COP$36.700-98.900, ingresso ven e sab COP$21.000; ⏲12-3; 📶), a cui però manca quel non so che di indescrivibile.

razzino perfetto per osservare gli universitari che nei giorni feriali dopo le 17 passeggiano per la strada come fossero a una sfilata di moda. Dalla terrazza sul tetto è possibile ammirare uno splendido panorama sul Cerro de Monserrate.

Anandamayi Hostel OSTELLO $$
(cartina p46; ☎1-341-7208; www.anandamayihostel.co; Calle 9 n. 2-81; letti in camerata/singole/doppie senza bagno COP$40.000/108.000/140.000, doppie COP$150.000, tutte con prima colazione; @📶) Situato a sud della zona dove si trova la maggior parte degli ostelli, questo incantevole edificio coloniale imbiancato a calce e decorato con rifiniture turchesi dispone di camere ben arredate con mobili in stile coloniale, dotate di soffitti con travi in legno e di coperte di lana. Le camere e la camerata da 13 letti sono disposte intorno a cortili centrali con qualche albero e delle amache. L'opzione ideale nella Candelaria per chi cerca una sistemazione tranquilla e non troppo frequentata dai turisti stranieri.

★ **Orchids** BOUTIQUE HOTEL $$$
(cartina p46; ☎1-745-5438; www.theorchidshotel.com; Carrera 5 n. 10-55; camere COP$580.000, suite COP$680.000; @📶) Dietro la facciata color malva dell'Orchids vi attende la struttura ricettiva più raffinata della Candelaria, un boutique hotel con una forte personalità storica, pervaso da un'atmosfera gradevolmente intima. Le camere spaziose sono tutte arredate in modo diverso l'una dall'altra con pezzi d'epoca (alcuni dei quali originali di questa residenza), come letti a baldacchino, lavandini in porcellana e massicci scrittoi in legno.

★ **Casa Deco** BOUTIQUE HOTEL $$$
(cartina p46; ☎1-282-8640; www.hotelcasadeco.com; Calle 12C n. 2-36; singole/doppie con prima colazione a partire da COP$210.000/252.000; @📶) Questa autentica gemma da 22 camere gestita da un mercante di smeraldi italiano (il gioco di parole è casuale) rappresenta un'ottima opzione che si distacca nettamente dal mare di ostelli che la circonda. Le camere sono decorate con sette colori vivaci e arredate con mobili di legno su misura in stile art déco, scrivanie e futon; porte e fi-

nestre appena installate garantiscono l'isolamento acustico.

La prima colazione è allietata dalle note di un chitarrista, il personale è molto cordiale e la terrazza regala uno splendido panorama sul Cerro de Monserrate e sul Cerro de Guadalupe.

Chapinero

★12:12 Hostel OSTELLO **$$**
(cartina p54; ☎1-467-2656; www.1212hostels.com; Calle 67 n. 4-16; letti in camerata a partire da COP$35.000, camere COP$138.000; @ 📶) Questo ostello pseudoartistico è la quintessenza del carattere innovativo che contraddistingue Chapinero Alto: materiali riciclati come le biciclette appese alle pareti alla stregua di divertenti installazioni d'arte e libri di seconda mano che sostituiscono la carta da parati sono gli elementi portanti di questa struttura dal design originale. Le coloratissime camerate sono tra le più confortevoli della città, grazie alle morbide trapunte, le lampade da lettura e le tendine intorno ai letti; la grande e moderna cucina comune e i bagni rivestiti di ardesia contribuiscono a collocare questa struttura a un livello più alto rispetto a quello dei semplici ostelli.

Fulano Backpackers OSTELLO **$$**
(cartina p54; ☎1-467-2530; www.facebook.com/fulanobackpackers; Carrera 10A n. 69-41; letti in camerata a partire da COP$30.000, camere con/senza bagno a partire da COP$120.000/95.000; @ 📶) Questo gradevole ostello a gestione italo-colombiana è ospitato all'interno di una dimora storica della Quinta Camacho ed è caratterizzato da una sapiente contrapposizione di legno e design minimalista. I bagni con piastrelle dalle decorazioni artistiche contribuiscono a creare un ambiente dall'estetica accattivante che raramente si trova in un ostello. DJ set, musica live e barbecue improvvisati sono eventi tutt'altro che insoliti, e in tutta la struttura si respira una piacevole atmosfera da circolo culturale.

Zona G

★Casa Legado BOUTIQUE HOTEL **$$$**
(cartina p54; ☎318-715-9519; www.casalegadobogota.com; Carrera 8 n. 69-60; camere con prima colazione COP$180.000-280.000; P @ 📶) In questa casa rinnovata degli anni '50 in stile art déco situata in Quinta Camacho vi innamorerete della proprietaria, Helena, e del suo incantevole hotel da sette camere. Un giardino con frutti esotici, la sala da pranzo in comune con cucina a disposizione degli ospiti e il cortile rivestito di edera sono il complemento perfetto alle camere eleganti arredate secondo la personalità di Helena e dei suoi nipoti.

Helena, che di professione fa la designer d'interni, ha curato ogni dettaglio scegliendo prodotti colombiani come gli eccellenti articoli da bagno Loto del Sur, le magnifiche ceramiche Tybso e il delizioso caffè Libertario. Un posto davvero invitante.

Four Seasons Casa Medina HOTEL STORICO **$$$**
(cartina p54; ☎1-325-7900; www.fourseasons.com/bogotacm; Carrera 7 n. 69A-22; camere a partire da COP$1.323.000; @ 📶) Sicuramente il più interessante dei due nuovi hotel Four Seasons di Bogotá (l'altro si trova nella Zona Rosa ed entrambi sono riconversioni di precedenti hotel), Casa Medina occupa due residenze storiche nella Zona G caratterizzate da elementi coloniali spagnoli (soffitti in travi, piastrelle originali) e presenta una magnifica e luminosa sala per la prima colazione e bar con un lussureggiante giardino verticale.

Four Seasons non ha potuto cambiare molto quando ha restaurato l'ex Charleston Casa Medina nel 2015, ma i pavimenti in legno pregiato e le scrivanie con inserti in cuoio, i comodini e i pezzi di antiquariato presenti in alcune camere contribuiscono a conservare un lussuoso ambiente d'epoca. Il ristorante spagnolo all'interno dell'hotel, il Castanyoles, serve un eccellente brunch domenicale con Mimosa a volontà (COP$89.000).

Zona Rosa e Parque 93

Chapinorte Bogotá OSTELLO **$$**
(cartina p50; ☎317-640-6716; www.chapinortehostelbogota.com; Calle 79 n. 14-59, Apt 402; singole/doppie/triple con bagno COP$75.000/100.000/120.000, senza bagno COP$70.000/80.000/105.000; @ 📶) Ospitata in un anonimo edificio residenziale situato appena oltre i confini settentrionali di Chapinero, questa guesthouse con cinque camere costituisce un'eccellente alternativa alle strutture ricettive della Candelaria. Gestito da un simpatico spagnolo, il Chapinorte Bogotá ha camere molto spaziose, alcune delle quali con bagni enormi e la TV via cavo, disposte intorno a una graziosa cucina a isola situata nel soggiorno. Non serve la prima colazione.

★ Hotel Click-Clack BOUTIQUE HOTEL $$$
(cartina p50; ☎1-743-0404; www.clickclackhotel.com; Carrera 11 n. 93-77; camere COP$389.000-688.000;) Questa oasi di alto design è il boutique hotel preferito dai colombiani che fanno tendenza. La sua estetica urban-chic è vagamente ispirata alle TV e alle apparecchiature fotografiche d'epoca. Dispone di cinque camere che per dimensioni vanno da piccolissime a molto grandi; le migliori sono quelle medie situate al secondo piano, che si affacciano su un ampio terrazzo, su piccole aree erbose e su un giardino verticale.

All'interno di questa struttura non troverete né spa né centri fitness, perché tutto – dall'Apache, il piccolo e raffinato burger-bar situato sul tetto, dal quale è possibile ammirare uno splendido panorama, al 100 Grams, il ristorante del seminterrato, dove tutto viene servito in porzioni da 100 grammi (tipo tapas più sostanziose) – è improntato al divertimento piuttosto che al relax. In ogni camera troverete sia un 'kit lussuria' sia un 'kit per i postumi da sbronza' – a voi scegliere quello che fa al caso vostro.

Cité BOUTIQUE HOTEL $$$
(cartina p50; ☎1-646-7777; www.citehotel.com; Carrera 15 n. 88-10; camere con prima colazione COP$320.000-380.000;) Situato tra la Zona Rosa e il Parque 93, questo boutique hotel affiliato a una piccola catena di Bogotá si rivolge a un'elegante clientela composta soprattutto da persone in viaggio d'affari. Offre ai suoi ospiti comfort piuttosto rari tra le strutture ricettive di Bogotá, tra cui una piscina riscaldata sul tetto e camere molto ampie con tanta luce naturale – alcune dotate anche di vasca da bagno, una vera rarità.

Il servizio più apprezzabile è però costituito dalla possibilità di usare gratuitamente le biciclette, con cui percorrere la CicloRuta.

Pasti

'Fusion' è la parola più in voga in molti ristoranti di Bogotá, che stanno arricchendo le specialità colombiane con elementi mediterranei, italiani, californiani o panasiatici, ma si sta affermando sempre di più la cucina locale rivisitata. Tra le zone migliori della ristorazione figurano Zona Rosa, Nogal e Zona G; da segnalare anche l'ambiente un po' alternativo della Macarena, immediatamente a nord della Candelaria.

La Candelaria

La Puerta Falsa FAST FOOD $
(cartina p46; www.restaurantelapuertafalsa.inf.travel; Calle 11 n. 6-50; dolci COP$2000-2500; 7-21 lun-sab, 8-19 dom) Questo è il locale di spuntini più famoso di Bogotá. In attività fin dal 1816, presenta irresistibili esposizioni di dolci variopinti. Alcuni si lamentano del fatto che negli ultimi tempi sia frequentato solo da turisti stranieri con le guide Lonely Planet in mano, ma non bisogna credere a queste voci, perché all'epoca delle ricerche compiute per questa guida, a parte noi non c'erano altri visitatori. I *tamales* o il popolare *ajiaco* e il *chocolate completo* (cioccolata calda con formaggio, pane imburrato e una focaccina; COP$7500) della Puerta Falsa continuano a essere gli spuntini preferiti degli abitanti di Bogotá.

Café de la Peña Pastelería Francesa CAFFÈ $
(cartina p46; www.cafepasteleria.com; Carrera 3 n. 9-66; COP$2200-6900 a pezzo; 9-19 lun-sab, 9-18 dom;) Questa pasticceria alla francese è gestita da colombiani, ma non si direbbe. Sforna *pan de chocolate*, *éclair* e croissant alle mandorle tra i migliori della zona, e inoltre tosta in proprio un eccellente caffè. Opere di artisti locali decorano le pareti intorno al giardino e ci sono un paio di aree con tavoli e sedie.

Restaurante de la Escuela Taller COLOMBIANO $
(cartina p46; www.escuelataller.org; Calle 9 n. 8-71; portate principali COP$16.500-26.800; 12-15 lun-sab;) Questo ottimo e popolare locale per il pranzo si trova in posizione nascosta all'interno di un laboratorio culinario (e non solo) per giovani svantaggiati ed è una vera scoperta. Pranzare nel suo cortile soleggiato significa sostenere l'impegno degli studenti, che non solo gestiscono la cucina, ma hanno anche intagliato i mobili in legno del ristorante. Il menu è pieno di versioni moderne e abbastanza sofisticate delle ricette tradizionali colombiane.

L'eccellente *ajiaco* (COP$19.000) è quasi insuperabile, ma ci sono anche specialità del giorno sempre diverse (COP$13.500), costolette di maiale marinate con *panela* e grigliate, tilapia alla griglia con salsa al tamarindo e molto altro ancora. Accompagnate il pasto con limonata alla *panela* e con le patatine e l'*ají* piccante che vengono servite gratuitamente.

LE CATENE DI BOGOTÁ

Non è nostra abitudine segnalare locali affiliati a catene, ma a Bogotá ce ne sono alcuni sorprendentemente validi, e molti di questi erano già affermati prima ancora che si diffondessero mode come il caffè della Third Wave (caffè selezionatissimo e di nicchia), gli hamburger da gourmet e la birra artigianale. La catena migliore è sicuramente **Wok** (cartina p50; www.wok.com.co; Calle 93B n. 12-28, Parque 93; portate principali COP$15.900-34.900; ⌚12-22.30 lun-sab, fino alle 21 dom; 📶), la cui cucina fusion asiatica, eseguita in modo impeccabile con ingredienti prodotti in modo sostenibile, è tra le migliori di tutto il Sud America. Altri nomi interessanti sono **El Corral** (cartina p50; www.elcorral.com; Calle 85 n. 13-77; hamburger a partire da COP$18.900; ⌚24 h; 📶) con i suoi eccellenti hamburger, **Crepes & Waffles** (cartina p50; www.crepesywaffles.com.co; Carrera 9 n. 73-33; portate principali COP$10.900-28.400; ⌚11.45-21.30 lun-gio, fino alle 22 ven e sab, fino alle 20 dom; 📶) con locali in stile tavola calda che propongono menu eterogenei, **Bogotá Beer Company** (cartina p50; www.bogotabeercompany.com; Calle 85 n. 13-06; pinte COP$16.900; ⌚12.30-2 dom-mer, fino alle 3 gio-sab; 📶) con i suoi pub che servono birra artigianale e **Juan Valdez** (p68) con le sue caffetterie alla Starbucks. Ma l'elenco potrebbe continuare: La Hamburguesería per gli hamburger, Julia per la pizza italiana, Tostao' per il caffè e i prodotti da forno e così via.

Questi locali sono ubicati in quasi tutti i quartieri, in particolare nella zona settentrionale, e ultimamente alcuni sono diventati internazionali. In ogni caso, rappresentano sempre un'opzione affidabile per una veloce pausa ristoratrice.

Papaya Gourmet CAFFÈ $

(cartina p46; www.facebook.com/papayagourmet; Carrera 3 n. 12C-90; pinte COP$10.000; ⌚12-17 lun, 12.30-21.30 mer-sab, 12.30-19 dom; 🚇Las Aquas TransMilenio Station | Museo del Oro TransMilenio Station) Questo allegro e accogliente localino propone burritos (da COP$10.000 a COP$13.500) e tacos (da COP$9500 a COP$12.500) per assorbire le birre artigianali servite da tre spine refrigerate. È uno dei pochi locali in città dove si può trovare la birra Cervecería Gigante al di fuori del birrificio che la produce; serve anche ottime birre della Madriguera Brewing Co.

Grazie all'eccellente servizio all'australiana e all'happy hour dalle 16 alle 18 (con i drink in offerta 2 x 1), gli amanti della birra possono tranquillamente restare a bere alla Candelaria senza dover puntare a nord o verso Parkway. L'offerta include anche il sidro Golden Lion Colombian, prodotto dall'unico stabilimento del paese. Da qui partono i tour Bogota & Beyond (p61) e Bogotá Craft Beer Tour (p62) .

★ **Sant Just** FRANCESE $$

(cartina p46; ☎314-478-1460; www.santjustbogota.com; Calle 16A n. 2-73; portate principali COP$10.000-35.000; ⌚11-16 lun-mer, 11-16 e 17-20 gio e ven, 12.30-16.30 sab; 📶) 🍃 Questo magnifico caffè di proprietà francese propone un menu di piatti colombiani con influenze francesi, che cambiano ogni giorno e sono scritti su una lavagna presentata ai tavoli. Qualunque specialità esca dalla cucina – che siano spremute di frutta fresca, pesce da pesca sostenibile o il fantastico agnello servito con verdure ormai poco utilizzate come il *cubio* (una radice andina) – i cuochi fanno sempre centro, sia nella presentazione dei piatti sia nell'accostamento dei sapori. Preparatevi a fare la fila.

Madre PIZZA $$

(cartina p46; Calle 12 n. 5-83; pizza COP$26.000-38,000; ⌚12-22 mar-sab, 12-16 dom; 📶) Questo bar-pizzeria alla moda non si nota assolutamente dalla strada, visto che si trova in un anonimo parco commerciale che fa ben poco per richiamare l'attenzione. Il locale, però, vi conquisterà con il suo ambiente in stile industriale-caratterizzato da pareti di mattoni a vista dall'aria vissuta, rigogliose piante esotiche, gabbie di uccelli sospese e street art contemporanea.

Serve buone pizze cotte nel forno di mattoni e cocktail (COP$28.000) a una clientela alternativa di intenditori con sottofondo di bella musica al volume giusto. La domenica, quando il parco commerciale è chiuso, la guardia di turno vi aprirà il cancello.

Quinua y Amaranto VEGETARIANO $$

(cartina p46; www.quinuayamaranto.com.co; Calle 11 n. 2-95; pranzo a prezzo fisso COP$16.000; ⌚12-14.30 lun-sab; 📝) Questo grazioso locale gestito dalle signore che si intravedono nella cu-

L'EVOLUZIONE DEL CAFFÈ A BOGOTÁ

Si pensa che la Colombia sia famosa per il caffè, ma in realtà è rinomata tradizionalmente per la sua straordinaria *commercializzazione* del caffè. Nonostante la fama internazionale e un comodo e amabile leader di facciata (il fittizio Juan Valdez, creato nel 1958 dalla Federazione Nazionale dei Coltivatori di Caffè), per decenni il caffè colombiano *in Colombia* è stato veramente terribile. In genere il caffè, noto come *tinto*, è una brodaglia quasi imbevibile, dato che i colombiani sono abituati a bere quello che il resto del mondo disdegna – i chicchi migliori erano sempre esportati, per cui i residui venivano tostati, macinati, zuccherati e venduti in tutto il paese in thermos colorati decisamente poco invitanti.

Anche se la cosiddetta Third Wave del caffè (espressione che descrive un caffè accuratamente selezionato all'origine servito in espresso bar artigianali da baristi altezzosi che decorano la schiuma con motivi artistici) si è affermata in quasi tutti i paesi nei primi anni 2000, la Colombia ha segnato un forte ritardo in questo settore. E per di più ha dovuto affrontare una situazione conflittuale dal punto di vista turistico a causa della sua precedente reputazione; quando i viaggiatori hanno iniziato a visitare la Colombia, naturalmente si aspettavano di trovare un ottimo caffè. Ma se la Colombia era un successo come destinazione turistica, il *tinto* deludeva terribilmente le aspettative.

I segni iniziali di un miglioramento si sono visti nel 2002, quando è stato aperto il primo caffè **Juan Valdez** (cartina p46; www.juanvaldezcafe.com; Carrera 6 n. 11-20, Centro Cultural Gabriel García Márquez; caffè COP$3600-7900; ⏲8-20 lun, 7-20 mar-sab, 9-18 dom; 📶) a Bogotá. Era poco più di uno Starbucks colombiano, ma la Second Wave era finalmente arrivata anche qui, consentendo ai colombiani di assaggiare qualcosa di diverso dal *tinto*. I progressi, tuttavia, erano ancora lenti: ci sarebbero voluti ancora più di 10 anni prima dell'arrivo della Third Wave.

Nel 2012, secondo le stime del Dipartimento dell'Agricoltura degli Stati Uniti (United States Department of Agriculture, USDA), la Colombia importava il 90% del caffè consumato nel paese (secondo il Departamento Administrativo Nacional de Estadística della Colombia questa percentuale era invece più vicina all'80%, una cifra comunque notevole). Ciò era dovuto sostanzialmente al fatto che il caffè importato era più economico, perché il caffè arabica della Colombia è molto richiesto sul mercato internazionale. Si stava però iniziando a registrare un'inversione di tendenza.

Juan Valdez ha aperto la strada al fenomeno (il caffè consumato fuori casa era solo il 10% nel 2007 contro il circa 50% di oggi), a cui hanno poi contribuito la maggiore disponibilità economica del ceto medio e il ritrovato orgoglio dei colombiani nel consumare il prodotto che rappresenta la gloria nazionale in tutto il mondo. Ecco perché oggi il caffè colombiano è eccellente non solo all'estero, ma anche all'interno del paese.

"In un certo senso, proprio come Starbucks e Peet's Coffee & Tea hanno spianato la strada a Intelligentsia, Stumptown e Blue Bottle negli Stati Uniti, penso che Juan Valdez abbia notevolmente contribuito a fare altrettanto per Bourbon, Café Devoción, Varietale, Amor Perfecto, Pergamino e Azahar nella Colombia di oggi", afferma Tyler Youngblood, cofondatore dell'**Azahar Café** (p75), che è stato inaugurato nel 2013 ed è uno dei pionieri della Third Wave di Bogotá.

Nel 2017, a Bogotá si contavano oltre 50 caffetterie specializzate, tra cui **Contraste Coffee Lab** (p73) e **Arte y Pasión Café** (p73) nella Candelaria, **Bourbon Coffee Roasters** (p76), **Café Cultor** (p76) e **Amor Perfecto** (p75) in Quinta Camacho e Chapinero, e Azahar Cafe e Catación Pública (www.catacionpublica.co) nella zona settentrionale. Gli amanti della caffeina non dovranno più penare e tollerare il *tinto*. Dopo tutto, l'Azahar l'ha spiegato fin dall'inizio: *Porque Colombia merece su mejor café* (Perché la Colombia merita il miglior caffè).

cina aperta sulla sala serve nei giorni feriali specialità vegetariane (nei weeekend invece viene proposto spesso il pollo *ajiaco*), con gustosi pranzi a prezzo fisso, *empanadas*, insalate e caffè. Queste gustose proposte di cucina casalinga sono degnamente completate da un limitato assortimento di foglie di coca, prodotti da forno e – il sabato – invitanti cubetti di formaggio artigianale.

Capital Cocina COLOMBIANO $$
(cartina p46; Calle 10 n. 2-99; portate principali COP$23.000-33.000; ⌚12.15-15 e 18.45-21 lun, 12:15-15 e 18.45-22 mar-ven, 12.15-15 e 18-22 dom; 📶) Non è facile trovare un tavolo libero in questo pittoresco caffè che serve piatti semplici, ma non banali, della tradizione casalinga colombiana come pesce fresco di giornata, braciole di maiale, bistecche e pollo alla griglia. Il menu del giorno (COP$20.500) da tre portate è un vero affare se si considera la qualità delle proposte dello chef Juan Pablo. Al Capital Cocina potrete ordinare anche ottime birre artigianali, vini di buon livello e caffè monorigine.

★ **Prudencia** INTERNAZIONALE $$$
(cartina p46; ☎1-394-1678; www.prudencia.net; Carrera 2 n. 11-34; prezzo fisso COP$40.000-50.000; ⌚12-15.30 lun-ven, fino alle 16 sab; 📶✍) Il nuovo ristorante di punta della Candelaria è questo connubio di cucina e design gestito dal colombiano Mario e dalla moglie americana Meghan. La soleggiata tettoia, originale abbinamento di bambù e acciaio progettata dal famoso architetto Simón Vélez, è un ambiente straordinario per gustare i menu da quattro portate (vegetariani e non) che cambiano ogni settimana, preparati con ingredienti locali e spesso arricchiti da un tocco internazionale.

I menu non si ripetono mai, ma possono includere piatti vegetariani come finocchi e zucchine brasati su fuoco a legna con zafferano e pomodoro, polenta e mozzarella di bufala, e piatti di carne come il pollo sfilacciato alle spezie giamaicane o le costate di manzo tipo pastrami. Il nostro dessert, torta di pistacchio all'olio di oliva, era sensazionale.

★ **La Condesa Irina Lazaar** AMERICANO $$$
(cartina p46; ☎1-283-1573; Carrera 6 n. 10-19; portate principali COP$40.000-55.000; ⌚12-15.30 lun-mar, 12-15.30 e 18.30-22 mer-ven; 📶) Questo ristorantino privo di insegna e dotato di soli 10 tavoli è gestito da un californiano di origine messicana ed è frequentato da una clientela eterogenea di tipi alternativi, giudici, parlamentari e ambasciatori. Il nome deriva da un western americano di serie B, *Shalako*. Per fortuna, la cucina è nettamente migliore del film: lo chef Edgardo prepara piatti della tradizione casalinga veramente gustosi, usando ingredienti biologici ogni volta che gli è possibile.

Che si tratti di pesce fresco, pollo biologico, braciole di maiale e manzo stagionato o il delizioso *étouffée* di gamberi piccante, ogni proposta del breve menu è davvero fantastica. Si tratta sicuramente di uno dei migliori ristoranti della Candelaria.

Centro

Chantonner Delikatessen GASTRONOMIA $
(cartina p46; www.chantonner.com.co; Carrera 5 n.16-01; panini COP$11.400-15.600; ⌚7-19 lun-mer, fino alle 20 gio-ven, fino alle 17 sab; 📶) Nato come un piccolo *tienda* (negozio) che vendeva sigarette e dolciumi, Chantonner Delikatessen è oggi un popolare ritrovo per il pranzo, specializzato in carne affumicata per 12 ore e taglieri di formaggi. La scelta dei panini include maiale sfilacciato e molte versioni con prodotti affumicati (trota, punta di petto, pancetta).

In Quinta Camacho è appena stata aperta una nuova filiale con tanto di bar specializzato in birra artigianale, il **Tierra Santa** (cartina p54; www.facebook.com/pg/tierrasantacervezaartesanal; Calle 71 n. 10-47; pinte COP$11.000; ⌚10-21 lun-mer, fino alle 23 gio-sab), che dalle sue otto spine serve tra l'altro buone stout e IPA.

Pastelería Florida COLOMBIANO $
(cartina p46; www.facebook.com/PasteleriaFlorida; Carrera 7 n. 21-46; portate principali COP$6600-24.500, chocolate completo COP$12.500; ⌚6-24) A chi desidera concedersi un pizzico di fasto storico con il *chocolate santafereño* (cioccolata calda con formaggio) consigliamo di raggiungere questo classico snack bar-ristorante, entrato nella leggenda fin dal 1936 per la sua irresistibile cioccolata calda. Troverete uno stuolo di camerieri in uniforme che servono *tamales* tipici di Tolima e Santander per la prima colazione e torte e paste durante tutto l'arco della giornata (da COP$2200 a COP$7500).

La Macarena

Ázimos CAFFÈ $
(cartina p46; www.azimos.com; Carrera 5 n. 26C-54; prima colazione COP$6500-13.000; ⌚8-20 lun-sab, 8-14 dom; 📶) Iniziate la giornata alla grande con le specialità regionali da prima colazione di questo caffè e supermercato biologico a La Macarena, dove clienti alla moda seguaci della dieta vegetariana e di altre forme di alimentazione sostenibile cenano tra paralumi ricavati da scatole di cartone e lampadari creati con vasetti di vetro. Per pranzo scegliete una delle diverse opzioni del *menú del dia* (COP$18.200) come falafel

di piselli verdi o costolette di maiale glassate alla physalis. Pittoresco e trendy.

La Tapería TAPAS $$
(cartina p46; www.lataperia.co; Carrera 4A n. 26D-12; tapas COP$14.000-31.000; 12-15 e 18-23 lun-mer, 12-15 e 18-24 gio-sab, 13-17 dom;) Per la gioia dei buongustai, questo locale gestito da un olandese appassionato di musica serve deliziose tapas (come pomodori ciliegini avvolti da formaggio erborinato e bacon con riduzione di aceto) in una bella sala in stile loft. Il giovedì e il sabato ospita spettacoli di flamenco, mentre il venerdì i giovani si scatenano al ritmo della Música del Barrio. Prenotazioni online.

★ Agave Azul MESSICANO $$$
(cartina p46; 315-277-0329; www.restauranteagaveazul.blogspot.com.co; Carrera 3A n. 26B-52; pasti in media COP$65.000-85.000; 12-15 e 18.30-22 mar-ven, 13-16 e 19-22 sab;) Questo straordinario ristorante consente di fare un viaggio, in senso sia letterale sia metaforico, nell'autentica cucina messicana, passando da Chicago, New York e Oaxaca. La chef Tatiana Navarro propone un menu degustazione che cambia tutti i giorni. Il locale è privo di insegna e nascosto in un edificio residenziale ubicato in una strada difficile da individuare nel quartiere della Macarena. Vi consigliamo di prendere un taxi.

Una volta arrivati, vi attende un'esperienza culinaria indimenticabile, nel corso della quale potrete scegliere tra costine brasate a fuoco lento secondo lo stile del Jalisco e accompagnate da *chile ancho* (peperoncini essiccati), un micidiale *ceviche* con habanero e riduzione al frutto della passione o piccoli panini con *carnitas* (brasato di maiale) e *chicharones* (cotenna croccante di maiale), avocado e cipolle marinate. In ogni caso, sarà sempre una sorpresa. Accompagnate il pasto con un eccellente Margarita al chipotle (COP$22.900) – sicuramente il migliore della Colombia – e potrete dire di avere raggiunto il nirvana della *cocina mexicana*.

★ Leo Cocina y Cava COLOMBIANO $$$
(cartina p46; 1-286-7091; http://restauranteleo.com/; Calle 27B n. 6-75; portate principali COP$52.000-87.000; 12-15.30 e 19-23 lun-sab;) La chef Leo Espinosa è considerata una vera e propria autorità in fatto di alta cucina colombiana innovativa. Il suo leggendario menu degustazione da 12 portate (COP$210.000) abbinato a vini e bevande artigianali locali (COP$280.000) è un lungo viaggio attraverso ingredienti regionali insoliti, quasi mai utilizzati nella cucina colombiana. Un pasto in questo ristorante è una vera rivelazione, con colori audaci e sapori straordinari che sicuramente non vi sarà mai capitato di assaggiare. Preparatevi a fermarvi per qualche ora e ad allentare la cintura.

Chapinero e Chapinero Alto

Insurgentes Taco Bar MESSICANO $
(cartina p54; Calle 56 n. 5-21; tacos COP$5500-8000; 12-24;) Ubicato in una residenza di Chapinero Alto oggi divisa in due ristoranti, l'Insurgentes è una recente aggiunta al panorama della ristorazione cittadino, un taco bar trendy e di design che richiama una clientela artistica alla moda con i suoi eccellenti tacos a prezzi onesti (con *carnitas*, *al pastor* e di pesce) accompagnati da *micheladas* e mezcal.

Árbol del Pan PANETTERIA $
(cartina p54; www.facebook.com/panaderiaarboldelpan; Calle 66 n. 4A-35; dolci COP$2500-7800; 8-20 lun-ven, fino alle 18 sab;) Lasciate perdere la prima colazione dell'albergo o dell'ostello in cui soggiornate e correte in questa panetteria, che propone ogni mattina un vasto assortimento di pane appena sfornato (ai multicereali, con datteri e avena e così via) e di squisite paste, tra cui i deliziosi croissant alle mandorle (COP$4200). Non mancano proposte più sostanziose (da COP$6000 a COP$19.500), tra cui i croissant farciti con uovo in camicia, asparagi avvolti con prosciutto e salsa olandese.

Mesa Franca COLOMBIANO $$
(cartina p54; 1-805-1787; www.facebook.com/mesafrancabogota; Carrera 6 n. 55-09; piattini COP$17.000-42.000; 12-22 lun-mer, fino alle 23 gio-sab) Lo chef colombiano Iván Cadena, cresciuto in una fattoria dell'Araucanía, evoca le tavolate numerose di quell'ambiente in questo nuovo ristorante alla moda di Bogotà, perfetto esempio dell'evoluzione gastronomica della capitale e, più specificamente, di Chapinero Alto.

Il menu, servito in un'originale casa ristrutturata (la cucina occupa quello che prima era il garage), propone deliziosi piatti preparati con ingredienti freschi provenienti direttamente dai produttori locali, come formaggio caprino di Cundinamarca con crumble di mele alla creola lievitato naturalmente, agnolotti al *chorizo* di Santa Rosa con emulsione di confit di *hogao* e così via. I piatti sono ideati per essere condivisi e il barman anglo-polacco prepara eccellenti cocktail – in sostanza, è un posto in cui si può trascorrere tutta la serata.

Salvo Patria CAFFÈ $$

(cartina p54; ☎1-702-6367; www.salvopatria.com; Carrera 54A n. 4-13; portate principali COP$16.000-32.000; ⏲12-23 lun-sab; 📶) Questo baluardo della qualità a Chapinero Alto ha contribuito ad avviare la tendenza, oggi ben consolidata, dei ristoranti a chilometri zero (i produttori locali sono elencati su una lavagna posta all'ingresso).

In parte è una caffetteria che prende molto sul serio l'arte di preparare il caffè (che il proprietario *bogotano* ha imparato in Australia) e in parte un bar-ristorante che serve sofisticate specialità da bistrò franco-mediterraneo, molto apprezzate dalla sua clientela di hipster e intenditori. Al Salvo Patria potrete gustare cocktail molto invitanti, un'eccellente birra artigianale colombiana che difficilmente troverete altrove e un *menú del día* con un ottimo rapporto qualità-prezzo (a partire da COP$22.000).

★ **Mini-Mal** COLOMBIANO $$

(cartina p54; ☎1-347-5464; www.mini-mal.org; Carrera 4A n. 57-52; portate principali COP$24.900-37.900; ⏲12-15 e 19-22 lun-gio, 12-23 ven e sab; 📶) Difficilmente troverete un menu colombiano più creativo di quello proposto da questo locale di grido a Chapinero Alto, che ha rivalutato alcuni degli ingredienti regionali più interessanti – prodotti artigianalmente e in modo sostenibile – dando in questo modo nuova linfa alla cucina colombiana. Brasato di manzo con *tucupí* (una salsa piccante simile all'*adobo* ottenuta dalla radice velenosa della yucca unita a peperoncini e formiche), pollo saltato in padella con *chicha* (distillato di mais fermentato) e glassa di zucchero grezzo, funghi selvatici con formaggio della costa e pesto di nasturzio: tutte le creazioni sono eccellenti e assolutamente inedite. Lasciate un po' di spazio per la deliziosa torta al mais con salsa di guaiva.

Zona G

Guerrero PANINI $

(cartina p54; www.facebook.com/guerrero.cia; Carrera 9 n. 69-10; panini COP$13.000-20.000; ⏲12-21.30 lun-sab; 📶) Guerrero è un locale abbastanza trendy della Quinta Camacho che offre un allettante menu di panini da gourmet (un fantastico hamburger, trota, pollo o maiale fritti, lombo di maiale, manzo e funghi champignon) serviti con patatine fritte. Un posto fantastico per un boccone veloce.

Cantina y Punto MESSICANO $$

(cartina p54; ☎1-644-7766; www.cantinaypunto.co; Calle 66 n. 4A-33; portate principali COP$12.300-49.800; ⏲12-23 lun-mer, fino alle 23.30 gio-sab, 12-18 dom; 📶) Lo chef messicano stellato Michelin Roberto Ruíz (del famoso ristorante Punto MX) fa di questo locale una meta da non perdere per una *comida mexicana*: gustate le salse piccanti e il saporito guacamole serviti in un tradizionale *molcajete* (mortaio di pietra) mentre affrontate l'ardua scelta di cosa ordinare: *cochinita pibil* o tacos con punta di petto? Stinco di maiale brasato con *habanero*, *ancho* e *pasilla* o confit di maiale?

Restaurante La Herencia COLOMBIANO $$

(cartina p54; ☎1-249-5195; http://restaurantelaherencia.com; Carrera 9 n. 69A-26, Quinta Camacho; portate principali COP$16.500-43.000; ⏲7-22 lun-sab, 9-17 dom; 🚌 Flores TransMilenio Station | AK 7 - CL 70A) La Herencia prende il meglio della cucina tradizionale colombiana e lo serve in un'atmosfera sofisticata e accogliente. Accomodatevi nella sua sala confortevole e arredata con gusto, e preparatevi a fare un tour gastronomico della Colombia, assaggiando piatti e bevande che spaziano dai Caraibi e dalla costa del Pacifico fino alle vette delle Ande.

De/Raíz VEGETARIANO $$

(cartina p54; Calle 65 n. 5-70; portate principali COP$16.000-21.500; ⏲10-21 lun-mar, fino alle 22 mer-sab, fino alle 16 dom; 📶📝) Questo elegante bistrò vegetariano è nato come progetto di laurea del proprietario ed è fortemente impegnato a coltivare il più possibile le relazioni con i produttori locali. Il menu presenta un delizioso assortimento dei piatti che vanno per la maggiore (come insalata di quinoa e cavolo nero o il mix di verdure alla griglia) e una specialità del giorno sempre diversa. Offre anche vini biologici cileni.

Rafael PERUVIANO $$$

(cartina p54; ☎1-255-4138; www.rafaelosterling.pe/en/bogota.html; Calle 70 n. 4-63/65; portate principali COP$34.500-69.500; ⏲12.30-15 e 19.30-23 lun-sab; 📶) I buongustai e gli chef di Bogotá sono pressoché unanimi nel considerare la creativa cucina casalinga dello chef peruviano Rafael Osterling una delle proposte gastronomiche più innovative della città. L'ambiente in stile contemporaneo abbina elementi freddi come i soffitti in cemento con un giardino dall'atmosfera calda e intima, e tutti rimangono soddisfatti dalla cucina.

Il menu varia in continuazione, ma propone sempre i piatti più richiesti, come riso glutinoso con anatra brasata nella birra scura o il croccante *cochinillo* (maialino da latte), però ricordate di lasciare un po' di spazio per il dessert. La versione creativa di Osterling del tradizionale *suspiro de limeña* (strati di meringa e dulce de leche; in questo caso con guanàbana, lamponi e meringa al porto) è la degna conclusione di uno straordinario viaggio gastronomico, soprattutto se non avete intenzione di visitare il Perú.

Zona Rosa e Parque 93

Raw VEGETARIANO $

(cartina p50; Carrera 12A n. 78-54; portate principali COP$8500-17.000; 9-20 lun-ven, fino alle 17 sab;) Questo incantevole localino vegetariano è un posto fantastico per la prima colazione (hummus di bietole, *arepa* con funghi, pomodori, cipolla e coriandolo, e così via), succhi salutari e perfino piatti crudi come gli spaghetti di zucchine. È un locale semplice e pittoresco con un dehors invitante ed è considerato dagli appassionati uno dei migliori ristoranti vegetariani di Bogotá.

Les Amis Bizcochería CAFFÈ $

(cartina p50; www.lesamisbizcocheria.com; Carrera 14 n. 86A-12, piso 2; dolci COP$500-6500; 8.30-19.30 lun-ven, 9-17 sab; TransMilenio Station Calle 85) Les Amis assomiglia più a un grande soggiorno che a un caffè ed è pervaso da un'atmosfera casalinga che invita a conversazioni tranquille e intime, interrotte solo da un'accurata e spesso indecisa ispezione dell'assortimento di torte salate e dolci, croissant e biscotti appena sfornati esposti su una grande tavolo da cucina.

Tutti i prodotti da forno sono preparati nella cucina a vista, per cui potrete osservare il processo creativo mentre li gustate. In Calle 70A si trova un altro locale, Un Café de les Amis, che offre un menu simile, ma non ha la cucina in loco.

Home Burger HAMBURGER $

(cartina p50; www.homeburgers.com.co; Carrera 9 n. 81a-19; hamburger COP$10.500-15.500; 12-21 lun-gio, fino alle 22 ven e sab, fino alle 20 dom) Home Burger, che secondo alcuni rappresenta il culmine della popolarissima guerra degli hamburger di Bogotá, è un locale vagamente hipster che alle assurdità da gourmet predilige proposte semplici ed essenziali come i classici hamburger (semplici o doppi) con formaggio e/o bacon, accompagnati da patatine fritte sottili ben insaporite e poco altro – una formula che richiama sempre una fila di gente.

L'ambiente è piccolo, per cui molti optano per il takeaway (il vicino Parque El Nogal è un bel posto per andare a consumare il proprio hamburger), ma potete anche sgomitare per cercare di conquistarvi un tavolo.

★ Canasto Picnic Bistró COLOMBIANO $$

(cartina p50; www.facebook.com/canastopicnicbistro; Calle 88 n. 13a-51; prima colazione COP$4100-15.900, portate principali COP$16.100-34.000; 12-22 lun, 7-22.30 mar-sab, fino alle 17 dom;) Questo bistrò di ispirazione artistica e dall'impronta sostenibile situato nei pressi del Parque El Virrey sta facendo furore in città. Le proposte per la prima colazione, come pane tostato con avocado e trota affumicata e la lunga e colorata lista di uova biologiche, si accompagnano perfettamente all'espresso forte servito in magnifiche tazze di ceramica azzurra Santa Paloma di Chía (così belle che vi verrà voglia di portarvele via).

Nel corso della giornata il menu vegetariano e vegano offre cuscus e insalate di quinoa, ottimi panini e più sostanziose portate principali. La veranda, adorna di piante appese, è un luogo di ritrovo perfetto per gente bella e disinvolta, interessata a vedere e farsi vedere.

★ Central Cevicheria CUCINA DI MARE $$

(cartina p50; 1-644-7766; www.centralcevicheria.com; Carrera 13 n. 85-14; ceviche COP$19.900-22.800; 12-1 lun-sab, fino alle 21 dom;) Una cevicheria divertente e autentica che serve ottimi *ceviche*, piccanti e non, in decine di varietà molto fantasiose. È consigliabile prenotare.

Noi abbiamo scelto il saporito *picoso*, con due tipi di peperoncino, coriandolo e mais fresco. Ma l'offerta include anche numerosi *tiraditos* (*ceviche* tagliati nel senso della lunghezza senza cipolla), tartare, piatti principali a base di pesce fresco e gustosi cocktail sudamericani (COP$22.800). È una cucina ispirata ai sapori della tradizione colombiana della costa. Lasciate un po' di spazio per il delizioso e denso flan al cocco (COP$12.900)!

Container City AREA RISTORAZIONE $$

(cartina p50; www.facebook.com/ContainerCity93; Calle 93 n. 12-11; 7.30-23;) Questa originale area ristorazione è composta da una decina di container che servono specialità gastronomiche messicane, hamburger da gourmet, tapas di ispirazione latinoamericana, birra artigianale e molto altro.

Usaquén

★ Abasto PRIMA COLAZIONE **$$**
(www.abasto.co; Carrera 6 n. 119B-52; portate principali COP$7900-37.900; ⊙7-22 lun-gio, fino alle 23 ven, 9-22.30 sab, 9-17 dom; 📶✎) Nel weekend è d'obbligo un pellegrinaggio a Usaquén per gustare le creative prime colazioni e le deliziose portate principali e dessert di questo ristorante rustico e trendy. All'Abasto troverete *arepas* fantasiose e squisiti piatti a base di uova come le *migas* (uova strapazzate con pezzetti di *arepas* e *hogao*, un intingolo a base di cipolla, pomodori, cumino e aglio), che potrete accompagnare con un caffè biologico per iniziare la giornata nel migliore dei modi.

Qualunque cosa ordiniate, insaporitela con un pizzico di pepe biologico Wai Ya, originario dell'Amazzonia. Lungo la strada si trova anche **La Bodega de Abasto** (www.abasto.com; Calle 120A n. 3A-05; portate principali COP$7800-27.900; ⊙9-17 mar-dom; 📶) 🍃, un locale di nuova apertura simile, ma concentrato su prodotti da gourmet e su piatti semplici ma deliziosi come il pollo allo spiedo.

80 Sillas CEVICHE **$$**
(☎1-644-7766; www.80sillas.com; Calle 118 n. 6A-05; ceviche COP$19.900-22.900; ⊙12-23 lun-sab, 12-22 dom; 📶) Il ristorante più animato di Usaquén, ubicato in una fattoria coloniale ristrutturata all'angolo sud-occidentale della piazza, apporta un tocco moderno al tradizionale *ceviche*. Il menu propone vari tipi di *ceviche*, come quello allo zenzero o il sostanzioso *criollo* con bacon, patate, lime e formaggio. Sì, ci sono 80 posti a sedere, proprio come dice il nome.

Locali e vita notturna

La Candelaria è disseminata di suggestivi locali ubicati in edifici di tre secoli fa con caminetti ad angolo e antichi pavimenti piastrellati. I locali che servono da bere si fanno sempre più trendy spostandosi verso nord, in particolare a Chapinero Alto, nella Zona Rosa e nel Parque 93. I quartieri alternativi a ovest di Av Caracas, come per esempio Parkway a La Soledad, sono diventati negli ultimi anni il territorio delle birrerie artigianali e di altre mode predilette dagli hipster.

La Candelaria

Arte y Pasión Café CAFFETTERIA
(cartina p46; www.arteypasioncafe.com; Calle 10 n. 8-87; caffè COP$3500-18.000; ⊙7-19 lun-ven, 8-17 sab; 📶) Quello che era nato come un modo per far conoscere ai colombiani le meraviglie dello *specialty coffee* (caffè di alta qualità accuratamente selezionato in ogni fase della produzione e preparazione) è diventato una scuola per baristi e una raffinata caffetteria specializzata in cui 'arte e passione' si fondono con il caffè colombiano per regalare un'esperienza unica. Questa seconda filiale più recente offre 12 varietà colombiane di caffè monorigine, otto metodi di preparazione e baristi vestiti di tutto punto impegnati nelle loro magie.

Ordinate la loro specialità, l'Irish coffee: assistere alla sua preparazione sarà una vera e propria esperienza. La sede originale di questo locale, che adesso ha un'aria un po' vissuta, si trova vicino al Museo del Oro.

Centro

Contraste Coffee Lab CAFFETTERIA
(cartina p46; www.facebook.com/contrastelab; Calle 16 n. 4-51; caffè COP$3500-15.000; ⊙8-19 lun-ven, 9-17 dom; 📶) Nascosta nel centro commerciale dell'Hotel Continental, questa caffetteria minuscola ma di alto livello è gestita dall'affabile Manual, un esperto barista colombiano che prepara il miglior flat white su questo versante del Pacifico. Il suo caffè monorigine tostato giornalmente proviene da Viotá (Cundinamarca) e viene utilizzato in vari metodi e stili (caffè filtro, espresso, estrazione a freddo).

VITA NOTTURNA A BOGOTÁ

Gli abitanti di Bogotá amano moltissimo sia la musica sia il ballo. L'offerta musicale è estremamente variegata, e spazia dal rock alla techno, dal metal alla salsa e dal vallenato alla samba. Se non sapete ballare, mettetevi almeno nell'ottica di provarci, perché nella capitale colombiana tutti sembrano conoscere a memoria le parole di ogni canzone e capita spesso di essere invitati a ballare da estranei.

La Macarena

Café Origami CAFFÈ

(cartina p46; www.planetaorigami.com; Carrera 4A n. 26C-04, La Macarena; caffè COP$3000-6000; ⌚15.30-21 lun-mer, fino alle 22.30 gio-sab, 13.30-20 dom; TransMilenio CL26) Arte giapponese, cucina libanese e caffè colombiano si fondono in modo impeccabile in questa incantevole location concettuale che abbina caffè e origami. Ben inserito nel cosiddetto 'quartiere internazionale' della Macarena, è un posto fantastico per godersi un momento di relax e sorseggiare un caffè cercando di trasformare un pezzo di carta in un capolavoro di origami. Il locale ospita anche mostre di arte e design e laboratori creativi.

★ **El Bembé** BAR

(cartina p46; www.facebook.com/elbembebar; Calle 27B n. 6-73; ingresso ven e sab COP$25.000; ⌚12-21 lun-mer, fino all'1 gio, fino alle 3 ven e sab) Salite i gradini colorati che portano in questo locale di influsso cubano, un angolo di *tropicalia* situato in un'incantevole via acciottolata a La Macarena. Al Bembé potrete facilmente farvi un'idea dell'aspetto che avrebbe l'Avana se non ci fosse l'embargo americano, con colori vivaci, balconi luminosi e curati e un incessante sottofondo di salsa. Il Mojito (da COP$25.000 a COP$42.000) scorre a fiumi tutti i venerdì sera, quando i ritmi della salsa risuonano fino a tarda notte.

Chapinero, Chapinero Alto e Quinta Camacho

Taller de Té SALA DA TÈ

(cartina p54; www.tallerdete.com; Calle 60A n. 3A-38; tè COP$4000-10.000; ⌚10-20 lun-sab; wi-fi) L'incantevole Taller de Té è l'unico locale di Bogotá in cui è possibile sorseggiare un vero tè. La proprietaria Laura si procura oltre 70 varietà di tè e infusi da piantagioni di tutto il mondo e le abbina a erbe, fiori, spezie, tè e piante tradizionali di origine locale. Inoltre accompagna le bevande con spuntini vegetariani e vegani preparati artigianalmente (con ingredienti biologici) in varie zone della Colombia.

La Negra CLUB

(cartina p44; www.facebook.com/LaNegraBta; Carrera 7 n. 47-63; ingresso COP$15.000; ⌚21.30-2.30 ven e sab) Con il suo vistoso logo dal sapore retrò e una colonna sonora che alterna salsa, vallenato, reggaeton, cumbia e generi colombiani meno noti, La Negra è un locale informale ma popolarissimo, frequentato da studenti universitari di ceto medio-alto e giovani professionisti che tra un ballo frenetico e l'altro si passano una bottiglia di aguardiente (distillato colombiano aromatizzato all'anice).

Andateci prima delle 22, altrimenti dovrete fare la fila. Dal costo dell'ingresso si possono recuperare COP$6000 in *cerveza*.

BOGOTÁ GAY-FRIENDLY

Bogotá ha una vita notturna gay-friendly ricca e in costante evoluzione, concentrata soprattutto nel quartiere di Chapinero, soprannominato 'Chapi Gay', tra Carrera 7 e Carrera 13 e tra Calle 58 e Calle 63. Se volete passare una serata intensa, **Queer Scout** (www.thequeerscout.co) si vanta di offrire l'unico tour dei locali notturni gay-friendly della Colombia.

Per informazioni dettagliate sulle decine di bar e club gay-friendly presenti in città, visitate il sito di **Guia Gay Colombia** (www.guiagaycolombia.com/bogota), oppure consultate i programmi degli spettacoli pubblicati online da **Colombia Diversa** (☎1-483-1237; www.colombiadiversa.org; Calle 30A n. 6-22, oficina 1102), un'organizzazione no profit che promuove i diritti dei gay e delle lesbiche in Colombia. Dal momento che i locali per sole lesbiche non sono molto diffusi, quasi tutti i bar e i locali gay-friendly sono frequentati da una clientela eterogenea, come per esempio **Video Club**, che organizza feste gay la domenica nei weekend prefestivi.

Ecco i nostri ritrovi LGBT preferiti:

Theatron (cartina p54; www.theatron.co; Calle 58 n. 10-32; ⌚21-5 gio-sab)

El Mozo (cartina p50; www.elmozoclub.com; Calle 85 n. 12-49/51; ⌚17-3 mer-sab)

Village Cafe (cartina p54; www.villagecafebogota.com; Carrera 8 n. 64-29; ⌚16-3; wi-fi)

El Recreo de Adan (cartina p50; www.elrecreodeadan.com; Carrera 12A n. 79-45; ⌚17-23 dom-gio, fino alle 0.30 ven e sab)

Cervecería Statua Rota BIRRA ARTIGIANALE
(cartina p44; Calle 40 n. 21-34; pinte COP$15.500-17.000; ⏲12-23 lun-mer, fino alle 24 gio-ven, fino all'1 sab; ☎) Tempo fa sarebbe stato strano puntare a ovest di Av Caracas, ma questo microbirrificio con bar a Parkway richiama uno stuolo di hipster alternativi amanti della birra grazie alle sue IPA rosse e alle Witbier (birre di frumento) estive, spesso prodotte con l'aggiunta di frutti e altri ingredienti colombiani. Il tutto con sottofondo di musica indie, alternative rock e metal fino alle ore piccole.

Amor Perfecto CAFFÈ
(cartina p54; www.amorperfectocafe.net; Carrera 4 n. 66-46, Chapinero Alto; caffè COP$4200-24.900; ⏲8-21 lun-sab; ☎) Scegliete la vostra varietà preferita di caffè monorigine colombiano e poi il metodo di preparazione (con macchina per espresso o per filtrazione con sistema Chemex, Siphon, AeroPress o French Press) e infine lasciate fare ai baristi estremamente competenti (che hanno vinto più volte il campionato nazionale) di questa caffetteria trendy di Chapinero Alto. Potete andarci anche per fare una degustazione o iscrivervi a un corso.

Mi Tierra BAR
(cartina p54; www.facebook.com/mitierra2; Calle 63 n. 11-47; ⏲16-3) Non è facile trovare posto tra le macchine da scrivere d'epoca, i sombrero, le teste di alce impagliate, gli strumenti musicali e i televisori di questo accogliente bar di Chapinero, che assomiglia molto a un mercatino delle pulci. È frequentato da un gran numero di persone dall'aria visibilmente rilassata, per cui non dovrete preoccuparvi alla vista della collezione di vecchi machete. Il sottofondo musicale è particolarmente gradevole.

Zona nord

★ **El Mono Bandido** PUB
(cartina p54; www.elmonobandido.com; Carrera 10A n. 69-38; pinte COP$9500-10.500; ⏲12-1 mar-sab, fino alle 24 dom; ☎) El Mono Bandido, ricavato da una dimora a Quinta Camaho trasformata in uno dei pub più pittoreschi di Bogotá, è un posto ricchissimo di atmosfera. Godetevi le birre artigianali di produzione propria in questo ambiente distribuito su due piani sotto la luce di lampadine Edison oppure seduti a uno dei tavoli a lume di candela in giardino.

Anche la loro sede originale in Carrera 4 n. 54-85 a Chapinero è un bel locale.

★ **Cervecería Gigante** BIRRA ARTIGIANALE
(cartina p44; www.cerveceriagigante.com; Carrera 22 n. 70A-60; pinte a partire da COP$8000; ⏲17-23 gio-sab; ☎) Il birraio americano Will Catlett ha creato un ambiente sotterraneo ricco di atmosfera che è diventato il migliore indirizzo di Bogotá per gli amanti della birra artigianale. Situato a ovest di Carrera 14 in un semplice locale senza insegna, dispone di 12 spine, di cui tre dedicate alle bibite gassate di produzione propria. Ma non serve solo da bere: vi trovate anche tipici piatti da pub come salsicce di pollo e di maiale fatte in casa (con porro, mango, jalapeño), hamburger e ali di pollo.

Se disponibili, vi consigliamo la Citra Pale Ale e la Sequoia Roja IPA, oltre alla Oatmeal Pale Ale senza glutine e alla Saison affumicata prodotte rispettivamente dai birrifici ospiti Madriguera Brewing Co. e Viteri Cervecería. Un posto che merita un pellegrinaggio (ma in taxi!).

★ **Video Club** DISCOTECA
(cartina p54; ☎1-474-7000; www.facebook.com/pg/videoclubbogota; Calle 64 n. 13-09; ingresso COP$25.000-45.000; ⏲22-5 ven e sab) Fortunatamente per gli amanti delle discoteche, questo locale è molto più bello di quanto si potrebbe pensare a giudicare dal nome poco felice o dalla facciata. Ricavato da un ex magazzino di due piani a Chapinero, richiama una clientela estremamente eterogenea che si scatena sulla pista al ritmo della salsa e di altri generi di ballo sperimentali latinoamericani prima di passare alla musica prevalentemente elettronica del secondo piano, caratterizzato da archi in mattoni e tondini di ferro a vista.

È qui, sulla terrazza al chiaro di luna, che i nottambuli più trendy di Bogotá – gay, etero o di orientamento incerto – si scatenano fino all'ora della prima colazione. Informatevi sulle feste gay organizzate nelle domeniche dei weekend prefestivi.

Azahar Café CAFFÈ
(cartina p50; www.azaharcoffee.com; Calle 93B n. 13-91; caffè COP$4000-16.000; ⏲7-20 lun-ven, 8-18 sab e dom; ☎) L'Azahar è stato uno dei pionieri della Third Wave del caffè a Bogotá, opponendosi alla tradizione del *tinto* molto tempo prima che ciò diventasse di moda in Colombia. Questa caffetteria, situata in locali da poco rinnovati, prende molto sul serio l'arte del caffè e serve varietà monorigine prodotte in piccole aziende attraverso metodi di filtrazione noti solo agli intenditori, come il Siphon, il Chemex e simili.

Il locale, che è parzialmente di proprietà americana, serve oggi anche vino, birra artigianale Moonshine e spuntini (portate principali da COP$5500 a COP$18.000). Il dehors immerso nel verde è estremamente piacevole e i chicchi vengono trattati con molta più cura rispetto a quanto avviene nei locali affiliati alle più note catene locali e internazionali.

Bourbon Coffee Roasters CAFFÈ
(cartina p54; www.bourboncoffeeco.tumblr.com; Calle 70A n. 13-83, Quinta Camacho; caffè COP$3200-12.000; ⌚8-20 lun-ven, 10-18.30 sab; 📶; 🚌Calle 72 TransMilenio Station | Flores TransMilenio Station) Ancora prima di entrare in questa casa di mattoni in stile vittoriano dalle luci soffuse, il pittoresco quartiere circostante suscita grandi aspettative. Frequentato da hipster e amanti della conversazione, questo caffè è riuscito a creare un abbinamento perfetto tra professionalità e stile mantenendo un'atmosfera alla mano. Il caffè colombiano monorigine è tostato e macinato in loco e preparato da baristi qualificati.

Chelarte BIRRA ARTIGIANALE
(cartina p50; www.chelarte.com; Carrera 14 n. 93B-45; pinte a partire da COP$12.600; ⌚10-23 lun-mer, fino all'1 ven e sab; 📶) Chelarte – parola composta dal termine messicano gergale per la birra ('chela') e da 'artesanal' – ha dato un forte contributo alla diffusione iniziale della birra artigianale a Bogotá quando il produttore Camilo Rojas ha deciso, sei anni fa, che la Club Colombia e l'Aguila lasciavano a desiderare quanto a qualità. Oggi questa birreria artigianale a lume di candela è una delle più suggestive della città.

Le nove spine servono le varietà che vanno per la maggiore, ovvero ale estiva, pale ale e brown ale (tutte dai nomi femminili come Pamela, Rachel e Carmela), oltre a varietà a rotazione (chiedete la India pale ale e la ale biologica) e birre di nanobirrifici locali ospiti. Vi trovate anche buoni hamburger e spuntini da bar.

Café Cultor CAFFETTERIA
(cartina p54; www.cafecultor.co; Calle 69 n. 6-20; ⌚8-19.30 lun-gio, 9.30-15.30 sab, fino alle 15 dom; 📶; 🚌TransMilenio AK 7 - CL68) Ispirata al motto che la vita è troppo breve per bere caffè cattivo, questa caffetteria ricavata da un container di caffè riciclato, con tanto di graziosa terrazza sul tetto, serve varietà di alta qualità rinomate in tutto il paese. Situato nel quartiere trendy della Zona G, il Café Cultor propone a rotazione 10 diversi caffè colombiani monorigine, tutti provenienti da coltivazioni locali sostenibili del commercio equo e solidale.

Tap House BIRRA ARTIGIANALE
(cartina p50; www.facebook.com/TapHouseBog; Calle 93 n. 12-11; pinte COP$13.000; ⌚16-22 lun-mer, fino alle 2 gio-sab; 📶) Nata dalla collaborazione tra due birrifici artigianali locali (il Tomahawk, gestito da americani e colombiani, e il più tradizionale Tierra Alta), questa birreria situata al secondo piano di Container City è un buon posto per familiarizzare con la nuova moda della *cerveza artesanal* colombiana.

Le 13 spine sono distribuite abbastanza equamente tra le birre della casa e quelle dei birrifici ospiti, e si gustano volentieri al lungo bancone illuminato da lampade Edison che fanno molto hipster. Qui non troverete nulla di particolarmente originale o azzardato (nessuna birra invecchiata in botte o varietà strane), ma è comunque un buon inizio, e inoltre la musica è fantastica.

★**Cine Tonalá** CINEMA, CLUB
(cartina p44; www.cinetonala.co; Carrera 6A n. 35-37; film COP$7000; ⌚12-2.30 mar e gio-sab, 12-20 mer; 📶) L'unico cinema indipendente di Bogotá, importato da Città del Messico, sfugge a ogni classificazione e proietta film di registi latinoamericani e colombiani, oltre ai grandi classici internazionali. Il poliedrico centro culturale è ospitato all'interno di La Merced, una suggestiva dimora restaurata degli anni '30, e costituisce il 'rifugio' preferito degli artisti, che dimostrano di apprezzarne molto i bar di tendenza, l'eccellente cucina messicana e le elettrizzanti serate disco che si tengono ogni settimana dal giovedì al sabato.

Armando Records LOCALE NOTTURNO
(cartina p50; www.armandorecords.org; Calle 85 n. 14-46; ingresso gio-sab COP$17.000-30.000; ⌚20.30-2.45 mar-gio, a partire dalle 20 ven e sab) A distanza di molti anni dalla sua inaugurazione, l'Armando Records, disposto su più livelli, continua a essere il locale notturno più in voga di Bogotá. Al secondo piano c'è l'Armando's All Stars, con musica crossover per i più giovani e un grazioso giardino sul retro sempre pieno di nottambuli giovani e scatenati; nella terrazza sul tetto in stile retrò al quarto piano prevalgono generi del tipo LCD Soundsystem e Empire of the Sun.

Bistro El Bandido BAR
(cartina p50; ☎1-212-5709; www.elbandidobistro.com; Calle 79B n. 7-12; portate principali COP$34.000-65.100; ⌚12-1 lun-sab; 📶) In que-

sto popolare bar-brasserie, situato in posizione defilata alle spalle di una zona residenziale ricca di verde di Nogal, potrete fare un viaggio indietro nel tempo con i vecchi brani proposti dai DJ (Big Band, Elvis) che si alternano a grandi successi jazz e swing eseguiti dal vivo, mentre una clientela elegante e facoltosa sorseggia cocktail classici (a partire da COP$23.000). Vi consigliamo di prendere in seria considerazione l'eccellente menu di specialità da brasserie, comprendente tra le altre cose un gustoso antipasto a base di *chorizo*, *coq au vin* e pesce *à la meunière*.

Il locale è disposto intorno a un grande e magnifico social bar – una vera novità a Bogotá – ma non dimenticate di dare un'occhiata sul retro, dove si trova il minuscolo e fantastico Bar Enano (un bar dentro a un bar!), che è uno dei ritrovi di punta della città. Dopo le 19 è indispensabile la prenotazione.

☆ Divertimenti

Bogotá vanta un consolidata scena artistica, teatrale e musicale. I migliori teatri della città si trovano nella Candelaria, mentre i locali di musica live e le discoteche sono ubicati verso nord, da quelli più particolari e trendy di Chapinero a quelli più tradizionali della Zona Rosa.

Per conoscere gli eventi in programma in città, consultate le sezioni '*entretenimiento*' dei giornali locali **El Tiempo** (www.eltiempo.com/cultura/entretenimiento) ed **El Espectador** (www.elespectador.com/entretenimiento/eventos) e le rubriche degli spettacoli di Civico (www.civico.com/bogota). Per avere informazioni aggiornate sugli eventi culturali e commenti in inglese, procuratevi il mensile gratuito **City Paper** (www.thecitypaperbogota.com). Per conoscere gli orari e acquistare i biglietti per molti eventi (rappresentazioni teatrali, concerti rock, partite di calcio), andate sul sito di **Tu Boleta** (www.tuboleta.com).

Musica live

I locali notturni presenti in tutti i quartieri della città propongono quasi tutte le sere esibizioni di musica dal vivo, mentre i grandi eventi all'aperto come Rock al Parque richiamano appassionati da tutto il continente sudamericano. I manifesti affissi nelle vie della città pubblicizzano i concerti dei grandi nomi del panorama musicale, che di solito si tengono all'Estadio El Campín, al Parque Simón Bolívar o al Parque Jaime Duque, quest'ultimo situato a nord della città, lungo la strada che conduce a Zipaquirá.

Latino Power MUSICA LIVE

(cartina p54; Calle 58 n. 13-88; ingresso COP$10.000-35.000; ⌚21-3 ven e sab) Nonostante l'infelice cambio di nome (dal precedente, e decisamente migliore, Boogaloop), questa discoteca letteralmente ricoperta di graffiti ha conservato lo stesso spirito, con musica indie-rock, eclettici DJ set e coinvolgenti esibizioni live di musica ska, punk e vallenato con talentuosi musicisti locali.

Gaira Café MUSICA LIVE

(cartina p50; ☎1-746-2696; www.gairacafe.co; Carrera 13 n. 96-11; ingresso COP$10.000-30.000; ⌚12-2 lun-sab, fino alle 17 dom; 📶) La leggenda del vallenato Carlos Vives è il proprietario di questo divertente locale da ballo con ristorante, che ospita regolarmente coinvolgenti esibizioni dal vivo di vallenato, cumbia e porro – o versioni moderne di questi generi musicali. La gente del posto si accalca per cenare, bere drink a base di rum e ballare negli angusti spazi intorno ai tavoli al ritmo di una band composta da 11 elementi. La musica inizia ogni sera alle 21.

Sport

Molti viaggiatori stranieri tendono ad associare lo sport più amato dai colombiani – il calcio – con l'assassinio di Andrés Escobar, il calciatore che con il suo autogol causò l'eliminazione della nazionale colombiana dai Mondiali del 1994. Per fortuna, le partite di calcio si svolgono in maniera piuttosto tranquilla (anche se indossare colori neutrali potrebbe non essere una cattiva idea). I due grandi rivali sono i biancocelesti dei **Los Millonarios** (www.millonarios.com.co) e i biancorossi dei **Santa Fe** (www.independientesantafe.co).

Il campo principale della capitale è l'**Estadio El Campín** (cartina p44; ☎1-315-8728; Carrera 30 n. 57-60), un impianto con una capienza di 36.343 spettatori dove si gioca il mercoledì sera e la domenica pomeriggio. I biglietti delle partite più importanti possono essere prenotati online (i posti migliori costano da COP$200.000 a COP$350.000), altrimenti è possibile presentarsi alla biglietteria dello stadio prima dell'inizio delle partite. Per sapere dove acquistare i biglietti per le partite internazionali, rivolgetevi alla **Federación Colombiana de Fútbol** (www.fcf.com.co) oppure visitate il sito di **StubHub** (www.stubhub.co).

Nel 2012 il sindaco Gustavo Petro ha proibito che si tengano corride in città, al punto che oggi la Plaza de Toros de Santamaría (costruita negli anni '30) è poco più di un

COMPRARE SMERALDI

Alcuni degli smeraldi più pregiati del mondo vengono estratti nelle zone di Muzo e Chivor, nel Boyacá, e la Colombia è il più grande esportatore al mondo di queste pietre preziose, che attirano l'interesse di un gran numero di viaggiatori stranieri in visita a Bogotá e nei suoi immediati dintorni.

In passato lo splendore degli smeraldi colombiani era offuscato dalle condizioni molto pericolose in cui venivano estratti, al punto che alcuni paragonavano l'industria colombiana degli smeraldi a quella africana dei diamanti. Nel 2005 il governo ha abolito le tariffe e le tasse legate all'estrazione, riuscendo così a porre fine allo strapotere del mercato nero e degli aspetti a esso associati.

Oggi i viaggiatori stranieri possono acquistare smeraldi con la coscienza pulita. Nella capitale colombiana, il commercio degli smeraldi si tiene nel fiorente **Emerald Trade Center** (cartina p46; Av Jiménez n. 5-43; ⏲7.30-19 lun-ven, 8-17 sab), dove decine di *comisionistas* (commercianti) acquistano e vendono pietre di ogni genere – in alcuni casi addirittura sui marciapiedi. Durante la vostra permanenza a Bogotá potreste anche incontrare qualcuno che vi offrirà di acquistare smeraldi lungo la strada: in questo caso, declinate sempre le proposte, perché si tratta di imitazioni di vetro molto ben fatte. Se desiderate acquistare smeraldi in assoluta sicurezza, rivolgetevi alla **Colombian Emerald Tours** (☎313-317-6534; www.colombianemeraldtours.com), un'agenzia che organizza interessanti visite guidate della città di due ore, nel corso delle quali avrete anche la possibilità di conoscere i *comisionistas* e di approfondire le vostre conoscenze sul taglio e la qualità delle pietre preziose in vendita nell'Emerald Trade Center. Nel corso di queste visite guidate nessuno vi farà pressione, ma se deciderete di comprare uno smeraldo vi verrà restituito il prezzo della visita guidata (COP$60.000). L'agenzia organizza anche una lunga escursione in giornata alla miniera di smeraldi di Chivor, nel Boyacá, un'iniziativa di ecoturismo gestita dalla comunità locale (COP$1.700.000 per due persone tutto compreso – i prezzi scendono per i gruppi numerosi).

Di seguito riportiamo alcuni consigli utili per chi desidera acquistare smeraldi:

➡ Quando siete alla ricerca di smeraldi, osservate sempre con attenzione il venditore. Cercate una persona con cui vi sentiate a vostro agio. Dopo aver esaminato il venditore, resterete sorpresi di quanto sia facile decidere se lasciar perdere o fare acquisti.

➡ La valutazione della bellezza delle gemme e dei gioielli è estremamente soggettiva e in molti casi – quando si cercano smeraldi nei negozi o presso i commercianti – la prima impressione è quella che conta e su questa va fatto affidamento. Non abbiate fretta quando volete acquistare questo genere di articoli. In tutti i negozi colombiani la qualità delle gemme è regolata dall'industria del turismo e perciò non è mai messa in discussione, quindi concentratevi sul prezzo. Se avete l'impressione che il prezzo sia troppo alto, non esitate ad andarvene.

➡ Ogni volta che si esamina una gemma, bisogna sempre valutare l'armonia tra colore, trasparenza, lucentezza e dimensione.

➡ I colombiani sono persone spesso cordiali e divertenti. Se trovate un gioielliere o un rivenditore che vi piace, invitatelo a prendere un tè o un *tinto* (caffè nero). In questo modo potrete ascoltare storie interessanti e vi farete un amico nel mercato degli smeraldi.

Tra i rivenditori di smeraldi più affidabili di Bogotá merita di essere citata la **Gems Metal** (cartina p46; ☎311-493-1602; Carrera 7 n. 12c-28, Edificio America, oficina 707; ⏲8-17 lun-ven). Il rivenditore Oscar Baquero ha oltre 35 anni di esperienza nell'industria degli smeraldi e parla inglese. I prezzi partono da US$50 e possono raggiungere cifre da capogiro.

imponente edificio circolare in mattoni rossi. Tuttavia nel 2014 la decisione del sindaco è stata ribaltata da un tribunale costituzionale colombiano. La disputa è proseguita fino al 2017, quando le corride sono ricominciate tra proteste generali. Per la cronaca, Lonely Planet non tollera la crudeltà verso gli animali, motivo per cui l'argomento corrida è trattato in questa guida solo per completezza di informazione.

Club de Tejo La 76 TEJO
(cartina p50; Carrera 24 n. 76-56; COP$70.000 l'ora; ⏲10-22.30) Questo circolo di *tejo*, frequentato da colombiani e stranieri, è un ambiente accogliente anche nei confronti dei principianti, che non sono certo abili come i *bogotanos* quando si tratta di lanciare pesanti oggetti metallici in una stanza piena di esplosivi, per di più dopo aver bevuto qualche birra. Per giocare, infatti, bisogna bere una *petaca* (una cassa di 30 bottiglie di birra da 350 ml) ogni ora. Per ovvi motivi, i gruppi più numerosi hanno la precedenza.

Shopping

I *bogotanos* amano i centri commerciali – i migliori sono il **Centro Comercial El Retiro** (cartina p50; www.elretirobogota.com; Calle 81 n. 11-84; ⏲10-20 lun-gio, fino alle 21 ven e sab, 12-19 dom) e il **Centro Comercial Andino** (cartina p50; www.centroandino.com.co; Carrera 11 n. 82-71; ⏲10-20 lun-gio, 7-3 ven-dom) – ma i mercatini delle pulci domenicali e la rustica **Plaza de Mercado de Paloquemao** (cartina p44; all'angolo tra Av 19 e Carrera 25; ⏲3-16.30 lun-sab, fino alle 14.30 dom) sono più pittoreschi e interessanti. Non dimenticate poi di dare un'occhiata anche al tratto di Carrera 9 situato a sud di Calle 60, dove si trovano i pregevoli negozi di antiquariato di Chapinero.

Per scoprire la moda colombiana più innovativa, puntate sulle boutique di Chapinero situate nel tratto di Carrera 7 compreso tra Calle 54 e Calle 55.

Orientamento

Bogotá si estende soprattutto da nord a sud (e negli ultimi anni si sta sviluppando anche verso ovest), con le vette del Monserrate e del Guadalupe che delimitano il margine orientale della città.

In genere, trovare un indirizzo in città è molto semplice, sempre che siate riusciti a comprendere la precisione matematica che sta dietro la pianificazione urbanistica. Le Calles – numerate progressivamente – corrono da est a ovest e la numerazione cresce quanto più ci si sposta verso nord, mentre le Carreras vanno da nord a sud e la loro numerazione cresce quanto più ci si sposta verso ovest, allontanandosi dalle montagne. Gli indirizzi indicano (quasi) sempre gli incroci più vicini, una precisazione che si rivela molto comoda; per esempio, Calle 15 n. 4-56 si trova a 56 m dall'angolo tra Calle 15 e Carrera 4 in direzione di Carrera 5.

Il centro di Bogotá si compone di quattro parti principali: il settore coloniale – almeno in parte ben conservato – chiamato La Candelaria (a sud di Av Jiménez tra Carrera 1 e Carrera 10), dove troverete un gran numero di studenti, bar e ostelli; il quartiere degli uffici o 'centro cittadino' (incentrato su Carrera 7 e Calle 19, tra Av Jiménez e Calle 26); il Centro Internacional con i grattacieli (nei tratti di Carrera 7, Carrera 10 e Carrera 13 compresi tra Calle 26 e Calle 30); infine, immediatamente a est verso le montagne, il quartiere alternativo della Macarena, che ospita parecchi ristoranti.

La zona settentrionale di Bogotá è conosciuta per essere la parte più ricca della città e inizia più o meno 2 km a nord del Centro Internacional. Il vasto quartiere di Chapinero, ricco di teatri, negozi di antiquariato e numerosi bar gay-friendly, si estende grossomodo tra Carrera 7 e Av Caracas, all'incirca da Calle 40 a Calle 67, ed è più trasandato rispetto alle aree più settentrionali che iniziano con la Zona G, un quartiere piccolissimo con ristoranti di alto livello (a est di Carrera 7 e Calle 80). Chapinero Alto è una piccola enclave pervasa da un'atmosfera vagamente artistoide situata nel quartiere di Chapinero, nel tratto di Carrera 7A e Av Circunvalar compreso tra Calle 53 e Calle 65.

Situata 10 isolati più a nord, la vivace Zona Rosa (o Zona T; nome che deriva dall'area commerciale pedonale a forma di 'T' compresa tra Carrera 12 e Carrera 13, all'altezza di Calle 82A) è una zona piena di locali notturni, centri commerciali e alberghi. Una versione più tranquilla – con molti ristoranti – delimita l'esclusiva zona del Parque 93 (nel tratto di Calle 93 compreso tra Carrera 11A e Carrera 13), che fa parte del quartiere di Chicó, e di Usaquén (all'angolo tra Carrera 6 e Calle 119), che in passato era la piazza di un villaggio separato dal resto della città. Gli anonimi edifici moderni del cosiddetto 'quartiere finanziario' fiancheggiano il tratto di Calle 100 compreso tra Av 7 e Carrera 11.

Le strade più frequentate e consigliabili per spostarsi dal centro alla parte settentrionale della città sono Carrera Séptima (Carrera 7; 'La Séptima') e Carrera Décima (Carrera 10), lungo le quali circolano numerosi autobus urbani. Av Caracas (che segue Carrera 14 e poi Av 13 a nord di Calle 63) è la principale arteria nord-sud percorsa dagli autobus TransMilenio. Calle 26 (o Av El Dorado) corre invece verso ovest, fino all'aeroporto e al capolinea degli autobus.

Informazioni

ACCESSI A INTERNET

A Bogotá il wi-fi è onnipresente in bar, ristoranti e, naturalmente, hotel e ostelli; l'amministrazione municipale gestisce inoltre un programma di hot spot con vari punti di accesso in tutta la città. Cercate la rete *Wi-Fi Gratis para la Gente* o visitate il sito web della zona più vicina a voi (http://micrositios.mintic.gov.co/zonas-wifi).

ASSISTENZA SANITARIA

In caso di necessità, è preferibile rivolgersi alle cliniche private piuttosto che agli ospedali pubblici, che sono sì meno cari ma non sempre adeguatamente attrezzati.

Immigration Medicals (☎311-271-6223; Carrera 11 n. 94A-25, oficina 401; ⏲7-17 lun-ven, 8-12 sab)

Fundación Santa Fe (☎1-603-0303; www.fsfb.org.co; Calle 119 n. 7-75)

Clínica de Marly (☎1-343-6600; www.marly.com.co; Calle 50 n. 9-67)

BANCHE

Ci sono due uffici di cambio all'interno dell'**Emerald Trade Center** (p78), ma è preferibile utilizzare uno dei tanti sportelli bancomat presenti in ogni parte della città.

Banco de Bogotá (Calle 11 n. 5-60)

Bancolombia (Carrera 8 n. 12B-17)

EMERGENZE

Ambulanza	☎125
Polizia	☎112
Vigili del fuoco	☎119

INFORMAZIONI TURISTICHE

L'attivo **Instituto Distrital de Turismo** (cartina p44; ☎1-800-012-7400; www.bogotaturismo.gov.co; Carrera 24 n. 40-66; ⏲7-16.30 lun-ven) della Colombia cerca di aiutare i visitatori ad ambientarsi nella capitale colombiana per mezzo di una serie di Puntos de Información Turística (PIT) che stanno aprendo in alcune zone chiave di Bogotá e sono gestiti da personale molto cordiale che parla inglese. Un paio di uffici PIT organizzano visite guidate a piedi gratuite, che vengono effettuate separatamente in inglese e spagnolo. Oltre agli uffici citati di seguito, troverete PIT in entrambi i terminal dell'aeroporto:

Casa de Las Comuneros (PIT; cartina p46; ☎1-555-7627; www.bogotaturismo.gov.co; Carrera 8 n. 9-83, Casa de Las Comuneros; ⏲8-18 lun-sab, fino alle 16 dom)

Centro Internacional (PIT; cartina p46; ☎01-800-012-7400; www.bogotaturismo.gov.co; Carrera 13 n. 26-62; ⏲9-17 lun-sab)

Terminal de Transportes (PIT; cartina p44; ☎01-800-012-7400; www.bogotaturismo.gov.co; Diagonal 23 n. 69-60, La Terminal, módulo 5; ⏲7-19)

PERICOLI E CONTRATTEMPI

Bogotá ha fatto molti progressi rispetto alla metà degli anni '90, riuscendo a ridurre il tasso di omicidi da 80 ogni 100.000 abitanti nel 1993 a 15,8 nel 2016 (quando il furto di telefoni cellulari è sceso del 20% rispetto all'anno precedente). Queste statistiche riflettono il calo generale del tasso di omicidi che si è registrato in tutta la Colombia in quell'anno (il più basso degli ultimi quattro decenni). Oggi Bogotá è una delle aree urbane più sicure dell'America Latina, tanto che papa Francesco vi si è recato in visita nel 2017.

Nel 2016 il governo colombiano e le FARC (Fuerzas Armadas Revolucionarias de Colombia) hanno firmato uno storico accordo di pace che dovrebbe ridurre gli attentati a Bogotá rispetto a quelli che hanno colpito la capitale nella fase più acuta del conflitto armato colombiano. Ciò non significa però che questi eventi sanguinosi siano cessati: nel 2017 una bomba collocata al Centro Comercial Andino ha ucciso tre persone (l'attentato è stato attribuito ai membri di un gruppo minore di guerriglia urbana noto come Movimiento Revolucionario del Pueblo, o MRP, ed è stato il loro primo attacco che ha causato vittime). Sempre nel 2017, una bomba ha provocato il ferimento di 29 persone (di cui 26 poliziotti) a La Macarena. Per questo attentato non è stato effettuato alcun arresto, ma sono ricercati membri dell'Ejército de Liberación (ELN) noti alle forze dell'ordine. Sebbene questi attentati non mirino specificamente ai turisti, non è difficile trovarsi nelle zone in cui essi si verificano. Per fortuna alla fine del 2017 il governo colombiano ha annunciato il cessate il fuoco con l'ELN, mentre erano attivamente in corso i colloqui di pace a Quito, in Ecuador. Bogotà – e la Colombia – hanno tirato un sospiro di sollievo.

I proprietari degli ostelli segnalano una notevole riduzione delle rapine nella Candelaria, che in linea di massima è sicura durante il giorno ma può essere ancora rischiosa di sera. Fate sempre molta attenzione. Evitate di usare il cellulare vicino al bordo della strada, perché ladri in bicicletta e in moto possono passarvi accanto e rubarvelo. Se decidete di pernottare nella Candelaria, sceglietela vostra struttura ricettiva considerando, oltre ai soliti criteri generali, anche quelli legati alla sicurezza personale. Sia di sera sia di notte evitate di girare nel quartiere da soli o portando con voi oggetti di valore – oggi nel quartiere si registra un'accresciuta presenza della polizia di sera, che comunque resta sempre molto ridotta rispetto al numero di agenti che pattugliano le strade durante il giorno.

Le aggressioni a scopo di rapina sono ancora molto comuni nei dintorni di Calle 9, in collina, vicino al poverissimo Barrio Egipto, che rimane sempre una zona molto rischiosa. Oggi vengono addirittura offerte visite guidate, ma non avventuratevi mai in questo quartiere per conto vostro e non andate mai oltre Carrera 1. Alla sua estremità settentrionale, il Parque de los Periodistas è presidiato da guardie private assunte dalle università (le potrete vedere pattugliare il parco con i cani), quindi questa zona oggi è molto più sicura. La strada che collega Universidad de Los Andes al Monserrate va assolutamente evitata da tutti coloro che viaggiano da soli, anche se la presenza della polizia sui sentieri che salgono lungo la montagna a partire dalle 6 ha notevolmente ridotto il numero di reati.

Anche a La Macarena è stata rafforzata la presenza della polizia, ma è sempre consigliabile girare in taxi e limitarsi alle principali vie dei ristoranti – il *barrio* La Perseverancia, immediatamente a nord della Macarena, gode anch'esso di una brutta reputazione e non è difficile finirci per caso se non si conosce bene la zona.

Nel complesso, la zona meridionale di Bogotá è un po' più pericolosa, mentre quella settentrionale è completamente diversa, come dimostra il fatto che anche diverse ore dopo il tramonto molta gente del luogo si sposta a piedi tra la Zona Rosa e i locali e i ristoranti del Parque 93, mentre nella Candelaria è preferibile essere più cauti.

➜ State sempre in guardia – sugli autobus e sul TransMilenio ci sono molti borseggiatori.

➜ Evitate le strade deserte e prendete sempre un taxi di sera – usare un'app di taxi è sempre più sicuro.

➜ In tutta la città ci sono punti strategici presidiati da posti di polizia chiamati Comando de Acción Inmediata (CAI) – usateli in caso di emergenza.

Per/da Bogotá

AEREO

L'eccellente aeroporto di Bogotá, l'**Aeropuerto Internacional El Dorado**, che gestisce quasi tutti i voli interni e internazionali, è ubicato 13 km a nord-ovest del centro e nel 2014 è stato sottoposto a imponenti lavori di ristrutturazione costati 900 milioni di dollari. A seguito di un ampliamento avvenuto nel 2018, si prevede che il traffico di passeggeri aumenti di 12 milioni l'anno.

Il Terminal T1, che ha sostituito il vecchio Terminal El Dorado, viene usato per tutti i voli internazionali, per i principali voli interni di Avianca (Barranquilla, Cali, Cartagena, Medellín e Pereira) e per le rotte interne di altre compagnie aeree.

Il Terminal T2 (chiamato in genere Puente Aéreo), si trova 1 km a ovest del T1 ed è facilmente raggiungibile con le navette aeroportuali. Viene utilizzato per i voli interni Avianca che servono altre destinazioni (Armenia, Barrancabermeja, Bucaramanga, Cúcuta, Florencia, Ibagué, Leticia, Manizales, Montería, Neiva, Pasto, Popayán, Riohacha, San Andrés, Santa Marta, Valledupar, Villavicencio e Yopal).

La maggior parte degli uffici delle compagnie aeree ha sede nella zona settentrionale di Bogotá e alcune dispongono di più di un ufficio.

AUTOBUS

Situata circa 5 km a ovest del centro nell'immacolato quartiere di La Salitre, la principale autostazione di Bogotá, meglio conosciuta con il nome di **La Terminal** (cartina p44; ☎1-423-3630; www.terminaldetransporte.gov.co; Diagonal 23 n. 69-11), è una delle migliori del Sud America, essendo superefficiente e sorprendentemente organizzata. Si trova all'interno di un grande edificio ad archi in mattoni rossi suddiviso in cinque *módulos* (unità). Gli autobus diretti a sud partono dal *módulo* 1 (contraddistinto dal colore giallo), situato nell'estremità occidentale, quelli diretti a est e a ovest dal *módulo* 2 (azzurro) e quelli diretti a nord dal *módulo* 3 (rosso). I *colectivos* che servono città vicine come Villavicencio partono dal *módulo* 4, mentre tutti i mezzi in arrivo fermano al *módulo* 5, situato nell'estremità orientale della stazione.

All'interno del complesso della stazione troverete fast food, sportelli bancomat, un deposito bagagli, bagni (puliti) e addirittura docce (COP$7000), oltre a un ufficio informazioni PIT situato nel *módulo* 5, il cui personale potrà fornirvi informazioni aggiornate sugli orari degli autobus e assistenza per le prenotazioni alberghiere.

Ogni *módulo* ospita le biglietterie di diverse compagnie, i cui addetti possono essere molto insistenti con i viaggiatori per convincerli a utilizzare i loro mezzi. Nel caso di alcuni autobus a lunga percorrenza – in particolare quelli diretti verso la costa caraibica – in bassa stagione è possibile negoziare. Il tipo di autobus più comune è il *climatizado* (con aria condizionata). Dal momento che non tutte le compagnie di trasporti pubblicizzano nel modo migliore le località che raggiungono, le tariffe e gli orari, la migliore fonte di informazioni al riguardo è costituita dal sito web ufficiale della Terminal.

Autobus nazionali

Quasi tutte le località colombiane sono servite quotidianamente da diverse compagnie con corse frequenti; quelle dirette verso città come Medellín, Cali o Bucaramanga prevedono in genere partenze ogni 30 minuti. Prendete informazioni su orari di partenza e tariffe presso varie autolinee, perché entrambi variano molto a seconda della stagione, della compagnia e della qualità del servizio.

Expreso Bolivariano (☎1-424-9090; www.bolivariano.com.co; La Terminal, Diagonal 23 n. 69-11) è la migliore compagnia colombiana di autobus nazionali e dispone di mezzi confortevoli. Potete acquistare i biglietti online su **PinBus** (https://pinbus.com), dove troverete disponibili molte delle più frequentate rotte di viaggio del paese.

Autobus internazionali

Expreso Ormeño (☎1-410-7522; www.grupo-ormeno.com.co; La Terminal, Diagonal 23 n. 69-11) e **Cruz del Sur** (☎1-428-5781; www.cruzdelsur.com.pe; La Terminal, Diagonal 23 n. 69-11) vendono biglietti per quasi tutte le destinazioni del Sud America.

Trasporti urbani

Nelle ore di punta del mattino e del pomeriggio il traffico di Bogotá è sempre molto intenso, le strade sono intasate in maniera spaventosa e gli autobus affollatissimi.

PER/DALL'AEROPORTO

Il tragitto più economico ed efficiente per raggiungere la città dall'aeroporto è quello coperto dagli autobus **TransMilenio** (p83). Per viaggiare su questi mezzi bisogna acquistare una *Tarjeta TuLlave* dagli addetti in giacca blu e gialla in servizio fuori dalla Puerta 8 dell'area 'Arrivi' vicino al punto di partenza degli autobus.

Se il vostro albergo si trova a Chapinero o negli altri quartieri settentrionali di Bogotá, l'autobus M86/K86 parte fuori dalla Puerta 8 dell'area 'Arrivi' all'incirca ogni sette minuti dalle 4.30 alle 22.45 da lunedì a venerdì, dalle 6 alle 22.45 sabato e dalle 6 alle 21.45 domenica e si dirige verso il Centro Internacional, per poi svoltare in direzione nord e proseguire lungo Carrera 7 fino a Calle 116.

Chi pernotta nella Candelaria dovrà cambiare autobus, prendendo dall'aeroporto il K86 fino al Portal El Dorado, poi il TransMilenio 1 fino alla fermata Universidades, che si trova accanto alla **stazione Las Aguas** (cartina p46; all'angolo tra Carrera 3 e Calle 18), a cui è collegata da un tunnel sotterraneo. Per il tragitto inverso si deve prendere l'autobus 1 da Universidades a Plaza de la Democracia e poi proseguire con l'autobus K86 fino all'aeroporto.

Per coprire questo tragitto calcolate di impiegare almeno un'ora e addirittura di più se vi spostate nelle ore di punta.

La compagnia **Taxi Imperial** (☎ 317-300-3000; www.taxiimperial.com.co) gestisce il servizio di taxi che serve i terminal aeroportuali; i suoi conducenti sono facilmente riconoscibili grazie alle loro giacche di colore arancione. Questi taxi sono più cari e più confortevoli (e le cinture di sicurezza sono funzionanti!), ma anche i normali taxi gialli possono andare bene. Tra i quartieri raggiungibili con i Taxi Imperial dall'aeroporto vi sono La Candelaria (da COP$30.000 a COP$32.000), Chapinero (da COP$35.000 a COP$37.000) e la Zona Rosa (da COP$35.000 a COP$38.000). La fila per i taxi (in genere piuttosto lunga) inizia subito fuori dal terminal principale. Alle corse in taxi per/dall'aeroporto viene applicato un *sobrecargo* (sovrapprezzo) di COP$4900 e a volte viene applicato un piccolo supplemento anche per i bagagli. Un'opzione più economica è quella offerta da Uber.

PER/DALLA STAZIONE DEGLI AUTOBUS

Il modo più rapido ed economico per raggiungere la stazione principale degli autobus, **La Terminal**, consiste nell'abbinare il tragitto sul TransMilenio a un breve tratto a piedi. La stazione El Tiempo, situata sulla linea degli autobus TransMilenio M86/K86 per l'aeroporto, dista 950 m dal terminal. Per raggiungere La Terminal bisogna uscire dalla stazione El Tiempo, attraversare il ponte pedonale situato sulla destra e poi imboccare il marciapiede. Percorretelo per un isolato e mezzo fino a Carrera 69 e poi svoltate a sinistra tra la Cámara de Comercio de Bogotá e gli edifici del World Business Port. Continuate quindi per cinque isolati, passando accanto al **Maloka** (p58) sulla sinistra e attraversando due ponti pedonali (rispettivamente su Calle 24A e su Av La Esperanza), poi proseguite sul marciapiede per 300 m in direzione della torre con il simbolo di una 'T'. Non seguite le indicazioni di Google Maps, che non tengono conto dei ponti pedonali e seguono il percorso più lungo. Per il tragitto inverso (partendo dalla stazione La Terminal), vi basterà seguire le indicazioni al contrario.

Di fronte al *módulo* 5 de La Terminal troverete un servizio di taxi organizzati; le file sono sempre scandalosamente lunghe, ma prendendo questi mezzi avrete la certezza di pagare la tariffa indicata sul tassametro. Le tariffe vanno da COP$14.000 a COP$16.000 per La Candelaria o Chapinero Alto e da COP$15.000 a COP$16.000 per la Zona Rosa. Uber in genere costa meno. Per le corse effettuate tra le 20 e le 5 viene applicato un supplemento di COP$2000.

AUTOBUS

A parte il **TransMilenio**, la rete dei trasporti pubblici di Bogotá, gestita dal **SiTP** (www.sitp.gov.co), include principalmente: il *Servicio Urbano* (autobus azzurri, chiamati 'azules'), che copre i tragitti non serviti dal TransMilenio; il *Servicio Complementario* (autobus arancione), che assicura i collegamenti per e dalle stazioni più vicine del TransMilenio; il *Servicio Alimentador* (autobus verdi), che effettua i tragitti per e dalle stazioni capolinea del TransMilenio; il *Servicio Troncal* (autobus rossi), che è in pratica un prolungamento delle linee del TransMilenio.

Il pagamento può essere effettuato solo tramite la smart card chiamata **Tarjeta TuLlave** (www.tullaveplus.com), che si può acquistare e ricaricare nelle stazioni e presso alcuni mercati e giornalai selezionati. Le tariffe a forfait, indipendentemente dalla distanza percorsa, vanno da COP$2000 a COP$2200. Le fermate sono segnalate.

Esiste poi il *Servicio Especial*, i cui autobus bordeaux (o 'color vino', come li definisce il SiTP!) servono le aree periferiche. Gli autobus più vecchi chiamati *colectivos* o *busetas*, che non seguono orari fissi e non hanno fermate prestabilite, percorrono le arterie principali come Carrera 7, Carrera 11 e Carrera 15 e le vie della Candelaria. Molti di questi mezzi hanno ricevuto la qualifica '*Provisional*' e sono in corso di integrazione nella rete SiTP, mentre gli altri sono in fase di eliminazione. Le tariffe vanno da COP$1450 a COP$1600 e si possono pagare in contanti a bordo.

Per facilitare l'uso dei mezzi pubblici, **TransmiSitp** (www.movilixa.com/english) è un'app molto popolare che coordina le tratte fra il TransMilenio e il SiTP. In genere i mezzi pubblici garantiscono collegamenti rapidi tra i vari punti della città, ammesso che il traffico lo consenta.

BICICLETTA

Bogotá possiede una delle reti ciclabili più estesa del mondo, la CicloRuta, comprendente oltre 350 km di piste riservate alle biciclette chiaramente segnalate. Le cartine di Bogotá distribuite gratuitamente da tutti gli uffici informazioni (PIT) riportano i percorsi della CicloRuta.

DESTINAZIONI E TARIFFE DEGLI AUTOBUS INTERNAZIONALI

Al momento della stesura di questa guida, le corse per Caracas erano state sospese a causa della chiusura dei confini a tempo indeterminato.

DESTINAZIONE	TARIFFA (COP$)	DURATA	PARTENZA
Buenos Aires	1.120.000	6 giorni	11 lun e mer, 9 ven
Guayaquil	335.000	36 h	11 lun e mer, 9 ven
Lima	472.000	3 giorni	11 lun e mer, 9 ven
Mendoza	990.000	5 giorni	11 lun e mer, 9 ven
Quito	450.000	28 h	11 lun e mer, 9 ven
Rio de Janeiro	1.275.000	8½ giorni	11 lun e mer, 9 ven
Santiago	900.000	5½ giorni	11 lun e mer, 9 ven
São Paulo	1.209.000	8 giorni	11 lun e mer, 9 ven

Inoltre, dalle 7 alle 14 di ogni domenica e dei giorni festivi, circa 113 km di vie cittadine vengono chiusi al traffico per lasciar posto alla **Ciclovía** (p58), un evento ben organizzato che coinvolge tutta la città. Per noleggiare una bicicletta rivolgetevi a **Bogotá Bike Tours** (p61). La Ciclovía corre lungo Carrera 7, dalla Candelaria a Usaquén – e vale davvero la pena di farci un giro, anche a piedi.

TAXI

La nutrita flotta di taxi gialli di produzione coreana costituisce un modo sicuro, affidabile e relativamente economico di spostarsi per le vie della capitale colombiana. Al momento delle ricerche effettuate per questa guida erano tutti dotati di tassametro, ma la situazione a fine 2018 stava cambiando, perché l'amministrazione municipale aveva decretato che tutti i tassametri fossero disinstallati e sostituiti da un piano tariffario digitale simile a quello adottato da app per taxi come Uber. I taxi di Bogotá dovrebbero passare a un'app basata sul GPS per calcolare tragitti e tariffe – un cambiamento destinato a comportare un incremento delle tariffe pari, secondo la proposta, al 7,4%. Per i clienti che fermeranno un taxi per la strada (cosa che davvero non si dovrebbe mai fare), i conducenti dovranno installare dietro il sedile anteriore del passeggero un tablet che indichi in anticipo il tragitto e la tariffa (ma i taxisti, temendo un aumento delle rapine, hanno protestato e cercato di ostacolare l'attuazione delle nuove norme).

Comunque, finché questi cambiamenti non saranno interamente realizzati, varranno ancora le vecchie regole: quando salite su un taxi, il tassametro dovrebbe indicare '28', che si riferisce a uno schema di prezzi codificati (che dovrebbero essere indicati su un cartellino plastificato appeso dietro il sedile anteriore del passeggero). La tariffa unitaria minima è di '50', che corrisponde a COP$4100. Il tassametro dovrebbe scattare ogni 100 m. Di domenica, nei giorni festivi e nelle ore dopo il tramonto viene applicato un supplemento di COP$2000, mentre sulle corse verso l'aeroporto è previsto un supplemento pari a COP$4900. Per la chiamata dei taxi bisogna aggiungere un supplemento di COP$700.

Se avete intenzione di effettuare un paio di corse in luoghi distanti tra loro, potrebbe essere più economico noleggiare un taxi a tempo, pagando una tariffa oraria di COP$18.500.

Non cercate di fermare un taxi lungo la strada con un cenno della mano, a meno che non siate in compagnia di una persona del posto. In questo modo la chiamata non sarebbe registrata e quindi non potrebbero esservi garantite le misure di sicurezza pensate per proteggere i passeggeri dai furti e dalle rapine. Vi consigliamo invece di richiedere un taxi per telefono a una delle numerose compagnie di radiotaxi, come **Taxis Libres** (☎1-311-1111; www.taxislibres.com.co) o **Tax Express** (☎1-411-1111; www.taxexpress.com.co), ma le più popolari app di taxi come **Uber** (www.uber.com), **Tappsi** (www.tappsi.co) e **Cabify** (www.cabify.com) sono una soluzione ancora migliore, che oltretutto elimina la barriera linguistica.

Ovviamente, non prendete un taxi il cui conducente si rifiuti di usare il tassametro. Sebbene la maggior parte dei tassisti di Bogotá sia onesta, vale sempre la pena di confrontare la tariffa finale con la tabella dei prezzi. Tenete presente che alcuni taxisti – soprattutto a tarda ora – hanno l'abitudine di arrotondare le tariffe per eccesso. A Bogotá non vige la consuetudine di lasciare mance.

TRANSMILENIO

Con il suo nome ambizioso, il **TransMilenio** (www.transmilenio.gov.co), un innovativo sistema di trasporti urbani simile a quello della città brasiliana di Curitiba, ha rivoluzionato completamente il modo di spostarsi degli abitanti di Bogotá da quando è stato inaugurato nel 2000. Dopo oltre 30 anni in cui furono elaborati numerosi progetti per la costruzione di una metropolitana, l'idea fu definitivamente abbandonata e si decise di introdurre un servizio di autobus urbani veloci chiamato TransMilenio. Oggi il TransMilenio è il sistema di

DESTINAZIONI E TARIFFE DEGLI AUTOBUS NAZIONALI

DESTINAZIONE	TARIFFA (COP$)	DURATA (H)	MÓDULO (N)	COMPAGNIE
Armenia	47.000-53.000	7	giallo (1)	Bolivariano, Magdalena, Velotax
Barranquilla	100.000	17-20	rosso (3) e azzurro (2)	Brasilia, Continental Bus, Ochoa
Bucaramanga	40.000-80.000	8-9	rosso (3)	Autoboy, Berlinas, Copetran e altre
Cali	60.000-65.000	8-10	giallo (1)	Bolivariano, Magdalena, Palmira, Velotax
Cartagena	80.000-120.000	12-24	rosso (3)	Autoboy, Berlinas, Brasilia, Copetran
Cúcuta	70.000-120.000	15-16	rosso (3) e azzurro (2)	Berlinas, Bolivariano, Copetran, Cotrans, Ormeño
Ipiales	120.000-125.000	22	giallo (1) e rosso (3)	Bolivariano, Brasilia, Continental Bus, Ormeño
Manizales	50.000	8-9	giallo (1), azzurro (2) e verde (4)	Bolivariano, Palmira, Tax La Feria, Tolima
Medellín	55.000-60.000	9	azzurro (2)	Arauca, Bolivariano, Brasilia, Magdalena
Neiva	35.000-46.000	5-6	giallo (1)	Bolivariano, Coomotor, Cootranshuila, Magdalena, Taxis Verdes, Tolima
Pasto	120.000	18-20	giallo (1) e azzurro (2)	Continental Bus, Cruz del Sur
Pereira	50.000-62.000	7-9	giallo (1)	Bolivariano, Magdalena, Velotax
Popayán	80.000-85.000	12	giallo (1)	Continental Bus, Cruz del Sur, Velotax
Ráquira	22,000	3-4	rosso (3)	El Carmen, Coflonorte, La Verde
Riohacha	160.000	18-19	rosso (3)	Copetran
San Agustín	64.000-67.000	9-10	giallo (1)	Coomotor, Taxis Verdes
San Gil	50.000	6-7	rosso (3)	Omega
Santa Marta	70.000-140.000	16-17	rosso (3)	Berlinas, Brasilia, Copetran
Tunja	18.000-20.000	3	rosso (3) e verde (4)	Autoboy, Los Muiscas, Nueva Flota Boyaca
Villavicencio	21.000	3	azzurro (2)	Arimena, Autollanos, Bolivariano, Macarena, Velotax
Villa de Leyva	22.000-27.400	4	azzurro (2) e rosso (3)	Aguila, Alianza, El Carmen, Cundinamarca e altre

trasporto rapido con autobus (Bus Rapid Transit, BRT) più esteso del mondo.

Si tratta in sostanza di un servizio di autobus mascherato da metropolitana. Il TransMilenio si estende su una rete di 112 km e può contare su una flotta di oltre 2000 autobus, 12 linee e circa 147 stazioni dedicate che contribuiscono a renderlo ordinato e sicuro (alcune delle quali dotate di wi-fi). Gli autobus viaggiano su corsie preferenziali precluse alle automobili. Le corse sono frequenti ed economiche (tariffe a COP$2200). In genere il servizio è attivo dalle 4.30 alle 24 da lunedì a sabato e dalle 6 alle 23 domenica, anche se alcune linee iniziano le corse prima di questi orari e le terminano più tardi.

Per viaggiare sugli autobus TransMilenio bisogna utilizzare la smart card chiamata **Tarjeta TuLlave** (www.tullaveplus.com; COP$3000; ricaricabile fino a COP$115.000). La tessera è in vendita in tutte le stazioni chiamate 'portales' e in alcune stazioni selezionate; può essere ricaricata in tutte le stazioni e in alcuni negozi di alimentari, di generi vari e *papelerías* (cartolerie; per conoscere il negozio più vicino a voi andate su http://mapas.tullaveplus.com/recarga). Se vi trattenete in città solo per pochi giorni forse non vale la pena di acquistarla, ma sappiate che la tessera può essere personalizzata (portate il passaporto), nel qual caso il credito può essere recuperato in caso di smarrimento o furto.

Se non disponete di una tessera, potete pagare la tariffa della corsa a un addetto che striscerà la sua carta.

Gli autobus TransMilenio trasportano ogni giorno fino a 2,2 milioni di persone – un numero di gran lunga superiore alla loro capacità, un fatto che nelle ore di punta contribuisce a rendere questi mezzi davvero *molto* affollati (la gente del posto li chiama scherzosamente *TransmiLLENO*, ovvero *TransmilPIENO*), soprattutto quelli che passano da Av Jiménez. Nel corso degli ultimi anni sono stati avanzati alcuni progetti che prevedono il completamento del sistema TransMilenio entro il 2031, con una rete complessiva di 388 km. Nel frattempo il sindaco di Bogotá, Enrique Peñalosa, sta pianificando la realizzazione entro il 2022 di una ferrovia sopraelevata per integrare e alleviare il carico della rete.

Sulle cartine affisse nelle stazioni ogni linea è distinta in base a un colore e le fermate sono indicate da autobus numerati, ma nonostante ciò il sistema è piuttosto confuso, anche per la gente del posto. Le linee TransMilenio che interessano maggiormente i visitatori procedono da nord a sud lungo Av Caracas, tra le fermate di Av Jiménez e di Portal del Norte; da nord-ovest a sud-est lungo Av Dorado tra le fermate di Portal El Dorado e Universidades (dalla quale è possibile raggiungere sia la stazione degli autobus sia l'aeroporto); e da nord a sud, lungo la linea ibrida (in parte gestita con BRT e in parte con normali autobus urbani) introdotta nel 2014 lungo Carrera 7, che agevola l'accesso a Chapinero, alla Zona Rosa e a Usaquén. Le linee TransMilenio hanno nove capolinea, ma l'unico davvero utile per i visitatori è il **capolinea settentrionale** (Portal del Norte, all'angolo tra Carrera 45 e Calle 174). Quasi tutte le linee principali che collegano il centro alla zona settentrionale prevedono un cambio in Calle 22, e in Av Jiménez si possono prendere molte altre coincidenze (che talvolta comportano un trasferimento sotterraneo a piedi per raggiungere stazioni vicine).

Per capire quale autobus prendere bisogna fare un po' di pratica. Per fare un esempio, le linee *Ruta Fácil* (identificate da numeri neri) fermano in tutte le stazioni che incontrano lungo il percorso, ma a intervalli più veloci, mentre le linee *Expresos* e *Súper-Expresos* (identificate da un mix di lettere e numeri colorati) seguono un percorso veloce, saltando in maniera confusa diverse fermate consecutive. I *vagones* contraddistinti da colori diversi e numeri indicano il punto in cui si deve salire sugli autobus di particolari linee all'interno delle stazioni.

Potete pianificare in anticipo il vostro itinerario utilizzando l'efficiente ma non troppo chiara – oltre che piena di annunci pubblicitari – app usata dai *bogotanos*, **TransmiSitp** (www.movilixa.com/english); come in quasi tutte le app di questo tipo, dovrete solo inserire il vostro punto di partenza e la vostra destinazione.

Di seguito riportiamo i percorsi principali, che però possono cambiare a seconda del giorno e dell'orario:

Dalla Candelaria al Portal del Norte Prendete l'autobus F23 dal Museo del Oro ad Av Jiménez e poi il B74 fino al Portal del Norte (capolinea).

Dalla Candelaria a Chapinero Da San Victorino prendete l'autobus M82 fino a Calle 67.

Dalla Candelaria alla Zona G Prendete l'autobus G47 da San Victorino a Guatoque-Veraguas e poi il B72 fino ad Av Chile.

Dalla Candelaria alla Zona Rosa Prendete l'autobus B74 da Las Aguas o dal Museo del Oro e poi il B23 fino a Calle 85.

Dal Portal del Norte alla Candelaria Prendete l'autobus J72 dal Portal del Norte a Av Jiménez e poi l'F23 fino al Museo del Oro.

Da Chapinero alla Candelaria Prendete l'autobus L82 da Calle 67 o Universidad La Salle fino a San Victorino.

Dalla Zona G alla Candelaria Prendete l'autobus H61 da Av Chile a Tygua-San José e poi l'M47 fino a San Victorino.

Dalla Zona Rosa alla Candelaria Prendete l'autobus K23 da Calle 85 a Calle 57 e poi il J72 fino ad Av Jiménez.

DINTORNI DI BOGOTÁ

La maggior parte dei *bogotanos* che desidera evadere dalla città è anche in cerca di un clima più caldo, e quindi di località situate ad altitudini inferiori. Fuori dal distretto della capitale si notano anche consistenti variazioni nel paesaggio, con laghi, cascate, foreste nebulari, montagne e un dedalo di piccole città e villaggi, molti dei quali presentano ancora la struttura coloniale originaria.

A nord di Bogotá

Questa zona offre diverse mete per escursioni in giornata. In un giorno è possibile abbinare la visita a Zipaquirá con quella a Guatavita – alcune agenzie come Impulse Travel (p61) propongono la gita in giornata a entrambe le destinazioni.

Suesca

Questa cittadina coloniale situata 65 km a nord di Bogotá si trova nelle immediate vicinanze dalle destinazioni più popolari della Colombia per l'arrampicata su roccia. Sebbene il *pueblo* di per sé non sia assolutamente niente di speciale, ciò che invece è degno di nota sono le straordinarie e imponenti formazioni di arenaria lunghe 4 km e alte fino a 120 m che sorgono lungo il Río Bogotà, sulle quali sono state tracciate 300 vie d'arrampicata (ma il numero è in costante aumento).

Molti viaggiatori visitano Suesca nell'ambito di un'escursione in giornata da Bogotá, in particolare durante i weekend, quando gli operatori del settore (una mezza dozzina) si organizzano per accogliere nel modo migliore i climber (circa un centinaio al giorno). Esistono anche proposte per gli appassionati di mountain bike.

L'alpinista ed esperto di arrampicata su roccia Rodrigo Arias, che quando non arrampica nel Parque Nacional Natural El Cocuy vive a Suesca, è una guida davvero eccellente: vi farà scoprire la regione e può organizzare escursioni di più giorni dedicate all'arrampicata su roccia (COP$250.000 al giorno), ai percorsi in mountain bike e al trekking.

Pernottamento

Niddo CAMPEGGIO **$$$**

(1-357-5943; www.niddo.co; tende a partire da COP$340.000/170.000 weekend/giorni feriali;) Questa nuova soluzione di glamping con sei tende, situata in posizione elevata sull'imponente parete rocciosa di Suesca, è sicura-

LAGUNA DE GUATAVITA: L'ORO DEL LAGO

Secondo la tradizione dei muisca, la Laguna de Guatavita – che un tempo occupava un cratere perfettamente circolare circondato da verdi montagne – fu creata da una meteora caduta sulla Terra che portò con sé una divinità d'oro, da allora immersa in fondo al lago (oggi si preferisce credere, più banalmente, che questo lago sia di origine vulcanica). Molte delle speranze di trovare l'El Dorado un tempo convergevano su questo incantevole lago circolare situato circa 50 km a nord-est di Bogotá. In passato questo lago sacro era un importante luogo di culto per i muisca. Cinque secoli fa lo Zipa, il *cacique* (capo tribale indigeno) dei muisca, si ricopriva interamente di polvere d'oro, lanciava nel lago dalla sua zattera cerimoniale offerte preziose – tra cui elaborati *tunjos* (ciondoli e statuette in oro) che recavano incisi i desideri della sua comunità – e infine si tuffava nell'acqua per ottenere poteri divini. Molti di questi *tunjos* sono oggi custoditi all'interno del Museo del Oro di Bogotá.

Questa tradizione rituale fu in parte responsabile della smisurata febbre dell'oro che colpì gli spagnoli e molti altri stranieri, che credettero di essersi imbattuti in una sorta di El Dorado sommerso. Nel corso dei secoli sono stati effettuati diversi tentativi tanto meticolosi quanto infruttuosi di riportare alla luce i tesori nascosti nelle profondità del lago. La profonda incisione che si può vedere su un lato del cratere è opera di un ricco mercante di nome Antonio de Sepúlveda, che intorno al 1560 tentò in quel modo di prosciugare il lago. Questo immane sforzo produsse un bottino di appena 232 pesos d'oro e Sepúlveda morì in bancarotta. Verso la fine del XIX secolo una società inglese riuscì a svuotare la laguna, ma recuperò solo una ventina di oggetti che non bastarono nemmeno a ripagare le 40.000 sterline investite nel progetto, durato ben otto anni.

Nel corso degli anni '40 la caccia ai tesori sommersi venne portata avanti da sommozzatori americani dotati di metal detector, fino a quando nel 1965 le autorità colombiane vietarono ulteriori ricerche. Ovviamente, non tutti i cacciatori di tesori rispettarono questo divieto. Negli anni '90 l'accesso al lago è stato regolamentato tramite la concessione di un apposito permesso, che consente di tenere sotto controllo i visitatori (molti dei quali arrivavano muniti di attrezzatura da sub per dare la caccia illegalmente alle fortune sommerse).

Malgrado la sua fama, la Laguna de Guatavita non ha mai fruttato molto oro. Il reperto più pregiato dell'intera Colombia – la Balsa Muisca, ora custodita all'interno del Museo del Oro – è stato in realtà ritrovato in una grotta nei pressi del villaggio di Pasca.

Oggi non è possibile seguire le orme dello Zipa in quanto la balneazione è vietata, ma ci sono diversi punti molto suggestivi, dai quali è possibile ammirare il paesaggio lungo un sentiero che passa sull'acqua. Il lago si trova a un'altitudine maggiore rispetto a Bogotá, un fatto di cui vi renderete conto durante la visita guidata obbligatoria di 90 minuti che parte dall'**ingresso del sito** (www.colparques.net/lguatavita; colombiani/stranieri COP$12.000/17.000; 8.30-16 mar-dom).

mente il posto più scenografico in cui pernottare. Le lussuose sistemazioni in stile *tipi* presentano letti matrimoniali, divani e stufe. Agli ospiti vengono offerte oltre 40 attività, tra cui arrampicata, equitazione, yoga ed escursioni nelle grotte. I pasti (il costo del vitto è di COP$90.000) vengono serviti in una suggestiva tenda destinata alla socializzazione; la struttura include una piccola reception, un bar e fosse per accendere il fuoco in tutta la tenuta.

Informazioni

Informazioni turistiche (☎350-653-6203; Carrera 4 n. 2-20; ⏰9-17) Questo ufficio di informazioni turistiche municipale è piccolo ma utile.

Per/da Suesca

Per raggiungere Suesca prendete un autobus TransMilenio fino al capolinea settentrionale (Portal del Norte), poi uno dei frequenti mezzi (COP$7000, 1 h) che partono dalla banchina Intermunicipales del Portal del Norte ogni 12 minuti dalle 5.25 alle 23.

A ovest di Bogotá

I viaggiatori che puntano a ovest di Bogotá sono diretti al mare, a Medellín o alle piantagioni di caffè. Di solito i visitatori non si fermano in questa zona, ma ci sono alcune destinazioni che meritano di essere viste. Se viaggiate in automobile, tenete presente che da Bogotá si diramano due statali che procedono in questa direzione: prendete quella più a nord, che passa da La Vega (località situata a ovest della capitale lungo Calle 80), di gran lunga più piacevole di quella meridionale, che attraversa Facatavita e poi si ricongiunge alla prima – dopo molti sobborghi e lunghe code dietro agli autocarri – all'altezza di Villeta, cittadina situata circa 65 km a ovest.

La meta più bella della zona è il magnifico **Parque Natural Chicaque** (☎1-368-3114; www.chicaque.com; ingresso COP$15.000; ⏰8-15), una riserva privata situata solo 20 km a ovest di Bogotá dove vi attendono escursioni nel *bosque de niebla* (foresta nebulare).

Il parco, esteso su una superficie di 3 kmq, è attraversato da una mezza dozzina di sentieri lunghi complessivamente circa 20 km e tra i meglio segnalati del paese. Il suo territorio ospita una cascata (particolarmente scenografica, naturalmente, durante la stagione delle piogge), oltre 300 specie di uccelli, scimmie notturne e bradipi, una zipline lunga 340 m e numerose **sistemazioni** (☎1-368-3114; www.chicaque.com; Parque Nacional Chicaque; piazzole COP$77.700, bungalow singoli/doppi COP$283.000/360.000, case sull'albero COP$202.000-515.000, tutte con pensione completa), tra cui un ostello di montagna, alcuni bungalow e due fantastiche case sull'albero (da prenotare con pagamento anticipato mediante deposito bancario, un'operazione piuttosto complicata per gli stranieri). I pasti vengono serviti in uno dei due ristoranti, l'Arboloco (portate principali da COP$19.500 a COP$38.000) e il Refugio (piatti del giorno COP$13.000). Inoltre è possibile campeggiare vicino all'ingresso della riserva al Portería Camp Site al costo di COP$31.700 (senza i pasti).

Nei weekend si può noleggiare un cavallo per percorrere i ripidi sentieri che salgono sul pendio della montagna.

La riserva si trova a pochi chilometri di distanza dalla strada Soacha-La Mesa. Per raggiungerla dal centro di Bogotá, prendete un autobus TransMilenio fino a Terreros, da dove partono gli autobus per il parco in servizio nei weekend (partenze alle 7, 8, 9, 11, 14.15, 15.15 e 16.15, con ritorno alle 9, 14, 15 e 16; COP$6000, minimo 6 passeggeri). Per trovare l'autobus, dirigetevi verso l'ufficio Servientrega oltre il ponte pedonale e cercate un addetto con la pettorina arancione e la scritta 'Chicaque' in verde. Nei giorni feriali potreste quasi raggiungere il parco con un complicato abbinamento di *colectivos*, ma è più semplice noleggiare la navetta Chicaque per uso privato al costo di COP$25.000 per un gruppo fino a quattro persone (COP$6000 a testa per ogni persona in più).

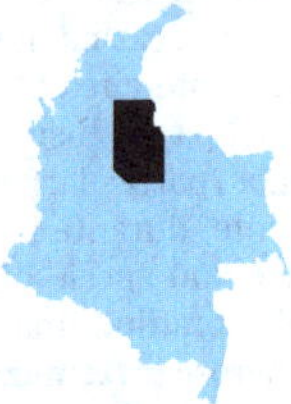

Boyacá, Santander e Norte de Santander

Include ➡

Il meglio – Ristoranti

- Mercagán (p121)
- Mercado Municipal (p96)
- Restaurante Savia (p96)
- Gringo Mike's (p113)
- Penelope Casa Gastronómica (p119)

Il meglio – Hotel

- Refugio La Roca (p125)
- Suites Arco Iris (p95)
- Color de Hormiga Posada Campestre (p116)
- Renacer Guesthouse (p94)
- La Posada del Molino (p104)

Perché andare

I dipartimenti di Boyacá, Santander e Norte de Santander formano il cuore della Colombia. Questa zona non fu solo una delle prime a essere occupate dai conquistadores spagnoli, ma fu anche la culla della rivoluzione che culminò nella vittoria di Puente de Boyacá e portò all'indipendenza.

Grazie alle profonde gole, ai fiumi impetuosi e alle alte montagne innevate, è possibile praticare moltissime attività a San Gil, capitale colombiana delle avventure all'aperto, e tra le vette ghiacciate del Parque Nacional Natural El Cocuy. Ma a rimanere impressi più a lungo sono i bucolici villaggi coloniali: la magnifica Villa de Leyva con la sua enorme piazza principale, la suggestiva Monguí, annidata sotto il *páramo* vicino al Lago de Tota (il più grande della Colombia), l'incontaminata Playa de Belén, situata sullo sfondo delle colonne di arenaria erose dagli agenti atmosferici dell'Área Natural Única Los Estoraques, e Barichara, talmente ben conservata da sembrare un set cinematografico.

Quando andare

Bucaramanga

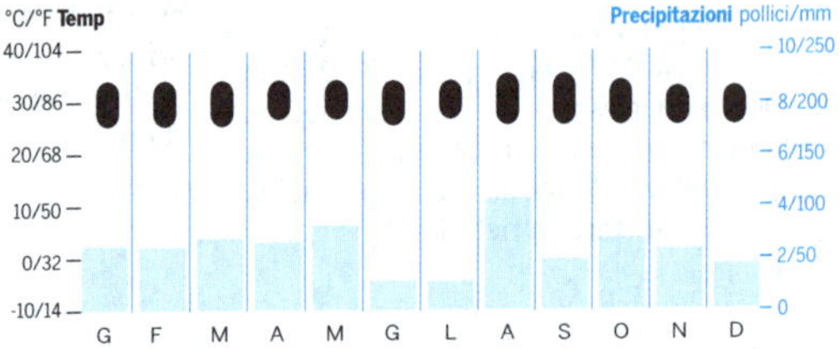

Gen I giorni più tersi e asciutti per fare trekking nel Parque Nacional Natural El Cocuy.

Feb e marzo Nella stagione che precede la Semana Santa troverete poca gente e parchi in fiore.

Dic Come nel resto della Colombia, un tripudio di luci illumina gli incantevoli villaggi della regione.

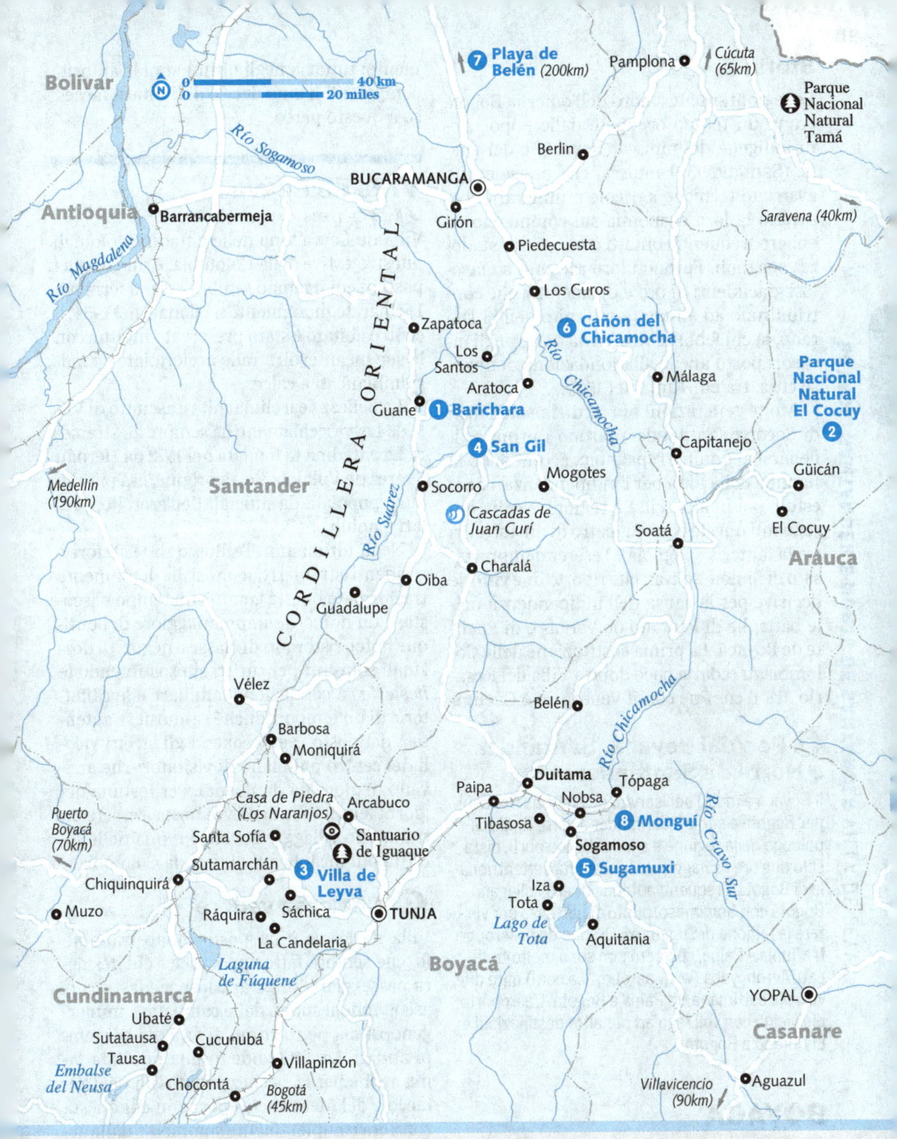

Il meglio di Boyacá, Santander e Norte de Santander

1 **Barichara** (p114)
Una passeggiata nelle vie scenografiche di questo splendido villaggio coloniale.

2 **Parque Nacional Natural El Cocuy** (p107) Un trekking sotto i ghiacciai e tra le spettacolari vette montuose di questo parco poco visitato.

3 **Villa de Leyva** (p90) Vie acciottolate, cascate nascoste e fossili preistorici.

4 **San Gil** (p109) Affrontate il Cañón del Río Suárez con una discesa sulle rapide o un'escursione in mountain bike.

5 **Sugamuxi** (p100) Un trekking d'alta quota nello straordinario *páramo* e al Lago de Tota.

6 **Cañón del Chicamocha** (p118) Un volo in parapendio su montagne maestose.

7 **Playa de Belén** (p126) Alla scoperta delle pittoresche formazioni rocciose e del villaggio.

8 **Monguí** (p101) Un villaggio in cui il tempo sembra essersi fermato.

Storia

Le regioni situate a nord dell'odierna Bogotá erano un tempo occupate dalle popolazioni indigene dei muisca (Boyacá) e dei guane (Santander). I muisca, che possedevano avanzate tecniche agricole e minerarie, basavano la loro economia sul commercio ed ebbero frequenti contatti con i conquistadores spagnoli. Furono i loro racconti su favolosi giacimenti di oro e di smeraldi che contribuirono ad alimentare il mito dell'El Dorado, la cui febbrile ricerca da parte degli invasori portò anche alla fondazione di diverse città, tra cui Tunja nel 1539.

Molte generazioni più tardi, i nazionalisti di Socorro (Santander) furono i primi a ribellarsi al dominio spagnolo, accendendo la fiamma della lotta per l'indipendenza, che si estese poi in altre città e regioni. Negli anni seguenti questa zona fu teatro di duri scontri tra la fanteria spagnola e l'esercito improvvisato di Simón Bolívar, che riportò due vittorie decisive per la causa dell'indipendenza nelle battaglie di Pantano de Vargas e di Puente de Boyacá. La prima costituzione della Colombia fu redatta poco dopo a Villa del Rosario, tra il confine con il Venezuela e Cúcuta.

Per/dal Boyacá, Santander e Norte de Santander

Il Boyacá è molto ben servito da autobus frequenti per Bogotá a sud e il Santander a nord. Tunja, capoluogo della regione e snodo dei trasporti, dista solo due ore di viaggio dall'estremità settentrionale di Bogotá. Frequenti autobus diretti collegano Bogotá con Sogamoso, punto di partenza per visitare la regione di Sugamuxi. Ci sono degli aeroporti a Tunja e Paipa, che però non sono molto trafficati. Aeroboyaca (www.aeroboyaca.com) offre due voli alla settimana tra Paipa e Bogotá. L'aeroporto più vicino con voli regolari per altre destinazioni è El Dorado a Bogotá.

BOYACÁ

Il dipartimento di Boyacá evoca tra i colombiani sentimenti patriottici, perché fu proprio da queste parti che il paese conquistò l'indipendenza grazie alla vittoria riportata dai nazionalisti in una decisiva battaglia contro la Spagna. La regione è costellata di pittoresche cittadine coloniali ed è possibile trascorrere piacevolmente alcuni giorni viaggiando tra una e l'altra. Il fiore all'occhiello di questa zona è il magnifico Parque Nacional Natural El Cocuy, che si estende 249 km a nord-est di Tunja, il capoluogo del dipartimento; tuttavia negli ultimi anni le autorità competenti hanno deciso di limitare l'accesso a questo parco.

Villa de Leyva

8 / POP. 17.506 / ALT. 2140 M

Villa de Leyva, una delle cittadine coloniali più suggestive della Colombia, è uno di quei posti in cui il tempo sembra essersi fermato. Dichiarato monumento nazionale nel 1954, il centro abitato è stato preservato intatto, con le sue incantevoli strade acciottolate e i muri imbiancati a calce.

La bellezza e il clima mite e asciutto di Villa de Leyva richiamano da sempre gli stranieri. La cittadina fu fondata nel 1572 da Hernán Suárez de Villalobos e, in origine, era più che altro popolata da ufficiali dell'esercito, prelati e nobili.

Negli ultimi anni l'afflusso di visitatori e residenti stranieri facoltosi ha lentamente trasformato questa gemma un tempo nascosta, e un numero sempre maggiore di boutique hotel, ristoranti di classe e negozi di dozzinali souvenir per turisti sta sostituendo le *hosterías* a conduzione familiare e le caffetterie di un tempo, nonché l'atmosfera autentica del posto. Nei weekend gli stretti vicoli del centro pullulano di visitatori che arrivano in giornata da Bogotá. Per fortuna nei giorni feriali Villa de Leyva torna a essere un tranquillo villaggio bucolico e una delle località più incantevoli di tutta la Colombia.

Che cosa vedere

Villa de Leyva è un posto molto tranquillo, che sembra fatto apposta per chi desidera passeggiare lungo graziose vie lastricate, ascoltando il suono delle campane e immergendosi nel pigro ritmo di vita dei bei tempi andati. La città gode di una meritata fama anche per la ricchezza di fossili del Cretaceo e del Mesozoico, epoche in cui questa zona era completamente sommersa dalle acque. Se vi guarderete intorno con attenzione, non tarderete a notare che i fossili sono stati usati anche come materiale da costruzione per i pavimenti, i muri e le strade.

Durante la vostra passeggiata, entrate a visitare la **Casa de Juan de Castellanos** (Carrera 9 n. 13-15), la Casona La Guaca (p92) e Casa Quintero (p95), tre sontuose residenze risalenti all'epoca coloniale restaurate con grande cura, che si trovano a pochi passi di distanza dalla piazza. Al loro interno scoprirete pittoreschi caffè, ristoranti e negozi.

Villa de Leyva

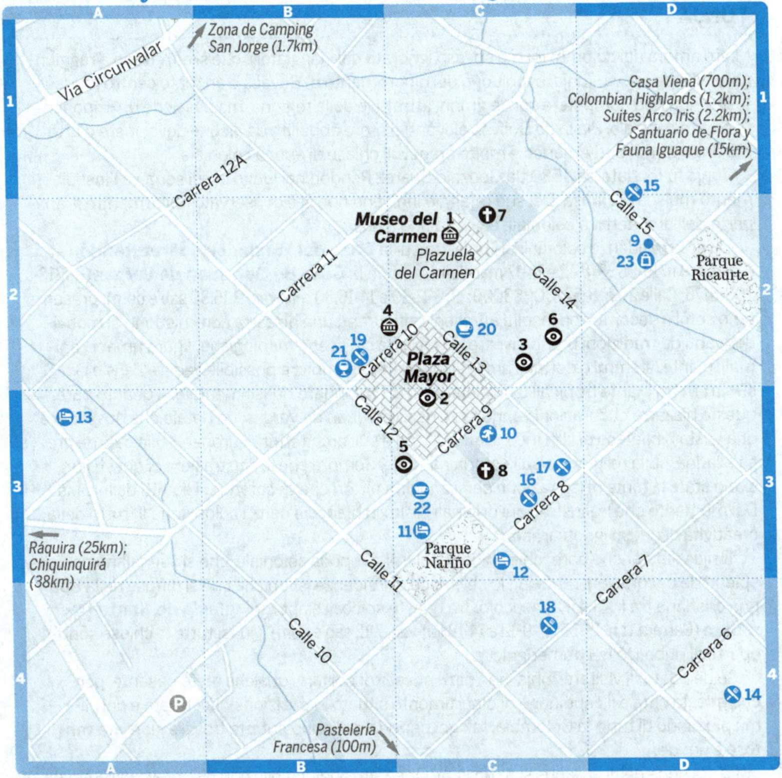

Villa de Leyva

Da non perdere

1 Museo del Carmen C2
2 Plaza Mayor C3

Che cosa vedere

3 Casa de Juan de Castellanos C2
4 Casa Museo de Luis Alberto Acuña B2
5 Casa Quintero C3
6 Casona La Guaca C2
7 Iglesia del Carmen C2
8 Iglesia Parroquial C3

Attività, corsi e tour

9 Ciclotrip D2
10 Colombia Natural Sport C3

Pernottamento

11 Alfondoque C3
12 Posada de San Antonio C3
13 Villa del Angel A3

Pasti

14 Don Salvador D4
15 Entre Panes D1
16 Mercado Municipal C3
17 miCocina C3
18 Restaurante Coreano C4
19 Tartas y Tortas de la Villa B2

Locali e vita notturna

20 Cafe del Gato C2
21 La Cava de Don Fernando B2
22 Sybarrita Cafe C3

Shopping

23 La Tienda Feroz D2

VALE IL VIAGGIO

TUNJA

Molto amata dai colombiani ma spesso ignorata dai viaggiatori, che si affrettano a raggiungere Villa de Leyva, Tunja, capoluogo del dipartimento di Boyacá e animato centro studentesco, non può competere con le grandi attrattive della regione, ma possiede un'imponente piazza centrale, Plaza de Bolívar, eleganti dimore abbellite da alcune delle opere d'arte più originali del Sud America e molte pregevoli chiese di epoca coloniale.

Tunja fu fondata nel 1539 da Gonzalo Suárez Rendón nel luogo in cui sorgeva l'insediamento muisca di Hunza. Del suo retaggio indigeno non si è conservato nulla, mentre gran parte dell'architettura coloniale è giunta fino a noi.

Diverse residenze coloniali di Tunja, tra cui la **Casa del Fundador Suárez Rendón** (Carrera 9 n. 19-68; 8-12 e 14-17 mar-dom) FREE e la **Casa de Don Juan de Vargas** (313-208-6176; Calle 20 n. 8-52; COP$3000; 9-11.30 e 14-16.30 mar-ven, 9-15.30 sab e dom), presentano soffitti decorati con insoliti affreschi raffiguranti una bizzarra commistione di motivi derivanti da tradizioni molto diverse tra loro, fra cui scene mitologiche, figure umane, animali, piante, stemmi e dettagli architettonici. Per esempio, è possibile vedere Zeus e Gesù ritratti tra piante tropicali o un elefante in un colonnato rinascimentale. A quanto pare, queste bizzarre decorazioni vanno fatte risalire a Juan de Vargas, un notaio che possedeva una vasta biblioteca di libri incentrati sull'arte e sull'architettura europee, sulle culture greca e latina, sulla religione e sulla storia naturale. Sembra che le illustrazioni di questi libri siano state la fonte di ispirazione degli anonimi pittori che decorarono i soffitti delle case. Dal momento che le illustrazioni originali erano in bianco e nero, i colori sono il frutto della creatività di questi ignoti artisti.

Tunja vanta anche parecchie chiese risalenti all'epoca coloniale, che si segnalano per le splendide decorazioni mudéjar, lo stile ricco di influenze islamiche che si diffuse nella Spagna cristiana tra il XII e il XVI secolo. Tra queste spicca l'elaborata **Iglesia de Santo Domingo** (Carrera 11 n. 19-55; 9-12 e 14-19 lun-ven, 7-12 sab e dom). Quasi tutte le chiese sono aperte al pubblico nel pomeriggio.

Se decidete di visitare Tunja, non dimenticate di portarvi qualche abito pesante, perché questa città è il capoluogo di dipartimento situato in posizione più elevata e dal clima più rigido di tutta la Colombia. In ogni periodo dell'anno potrete trovare giornate ventose e umide.

La stazione degli autobus si trova in Av Oriental, raggiungibile con una breve camminata da Plaza de Bolívar in direzione sud-est. Gli autobus per Bogotá (COP$19.000, da due ore e 30 minuti a tre ore) partono a intervalli di 10-15 minuti. Gli autobus diretti a nord alla volta di San Gil (COP$25.000, quattro ore e 30 minuti), Bucaramanga (COP$35.000, sette ore) e altre destinazioni effettuano almeno una corsa all'ora.

I minibus per Villa de Leyva (COP$7000, 45 minuti) effettuano partenze regolari tra le 6 e le 19, e quelli per Sogamoso (COP$6500, un'ora e 30 minuti) dalle 5 alle 20.

★ Plaza Mayor PLAZA

La Plaza Mayor di Villa de Leyva, con i suoi lati di 120 m, è una delle piazze urbane più grandi delle Americhe. Pavimentata con grossi ciottoli, è circondata da imponenti edifici coloniali e da una chiesa parrocchiale tanto semplice quanto incantevole. Il vasto quadrato di Plaza Mayor è interrotto al centro solo da una piccola fontana in stile mudéjar, che ha rifornito d'acqua gli abitanti della cittadina per quasi quattro secoli. A differenza delle piazze centrali delle altre città e cittadine della Colombia, che prendono il nome dai principali protagonisti della storia del paese, quella di Villa de Leyva ha conservato il semplice nome tradizionale di Plaza Mayor.

★ Museo del Carmen MUSEO

(8-732-0214; Plazuela del Carmen; COP$3000; 10.30-13 e 14.30-17 sab e dom) Il Museo del Carmen, uno dei musei di arte sacra più interessanti del paese, si trova nell'omonimo **convento** (Calle 14 n. 10-04; messa alle 7 lun-ven, alle 18 mar, alle 7, 11 e 18 sab, alle 6, 7, 11 e 18 dom) e custodisce una preziosa collezione di dipinti, sculture, pale d'altare e altri oggetti sacri realizzati a partire dal XVI secolo.

Casona La Guaca EDIFICIO DEGNO DI NOTA

(Carrera 9 n. 13-57) La Casona La Guaca è una residenza coloniale con un'incantevole corte in cui numerosi alberi sono disposti intorno a una fontana. La sezione anteriore ospita dei negozi, mentre sul retro c'è un ampio spazio all'aperto con alcuni ristoranti.

Casa Museo de Luis Alberto Acuña MUSEO
(☎8-732-0422; www.museoacuna.com.co; Plaza Mayor; interi/bambini COP$6000/4000; ⏲10-18) Luis Alberto Acuña (1904-93), pittore, scultore, scrittore e storico, è considerato una delle figure più importanti del panorama artistico colombiano. Le sue opere traggono ispirazione da un gran numero di fonti, dalla mitologia muisca all'arte contemporanea. Questo museo, allestito nella casa in cui Acuña trascorse gli ultimi 15 anni della sua vita, espone la collezione più esauriente della sua produzione. Se trovate la porta chiusa, suonate il campanello.

Iglesia Parroquial CHIESA
(Plaza Mayor; ⏲messa alle 18 lun, mer, gio e ven, alle 12 e 19 sab, alle 7, 10, 12 e 19 dom) Questa chiesa parrocchiale affacciata sulla piazza principale fu costruita nel 1608 e, da allora, è cambiata ben poco. Al suo interno si trova un magnifico retroaltare barocco.

Attività

Nella zona di Villa de Leyva si possono praticare svariate attività, tra cui escursionismo, ciclismo, equitazione, nuoto e sport più estremi come discesa in corda doppia, canyoning e speleologia.

Nei dintorni di Villa de Leyva è possibile fare belle escursioni a piedi, mentre presso il Santuario de Iguaque partono alcuni sentieri più lunghi. In città c'è una splendida passeggiata che parte alle spalle della Renacer Guesthouse (p94), aperta anche a chi non pernotta nella struttura – se andate alla reception e chiedete il permesso di attraversare la proprietà, il personale vi darà una cartina e vi indicherà il sentiero. L'itinerario passa davanti a due piccole cascate e termina in un punto panoramico dal quale è possibile ammirare una splendida vista a 360° sul villaggio; tra andata e ritorno, si impiegano meno di due ore.

Potrete trovare piscine naturali alla base di alcune cascate nei dintorni o appena fuori città, ai Pozos Azules (p99). Le cascate più spettacolari sono **El Hayal**, Guatoque (p99) e La Periquera, ma quest'ultima era stata ufficialmente chiusa, al momento delle ricerche effettuate per questa guida, in seguito ai numerosi incidenti, alcuni dei quali mortali, verificatisi nel corso degli ultimi anni.

In città ci sono numerosi operatori che noleggiano biciclette e cavalli. Il costo di una bicicletta di discreta qualità è di circa COP$9000 all'ora, ma si possono trovare bici più spartane a COP$15.000/25.000 per mezza giornata/giornata intera. I cavalli hanno un costo compreso tra COP$25.000 e COP$30.000 all'ora, a cui dovrete aggiungere quello del cavallo per la guida di ciascun gruppo. Se avete in programma di visitare varie attrattive nelle vicinanze, tenete presente che bisogna calcolare anche il tempo di attesa per la guida, per cui spesso si spende meno prenotando un tour a cavallo con un operatore locale.

Colombia Natural Sport SPORT AVVENTURA
(☎311-850-8324; www.colombianaturalsport.com; Carrera 9 n. 12-68; ⏲8.30-12 e 14-18 mer-lun) Questa agenzia a elevato tasso adrenalinico, gestita da un colombiano pieno di entusiasmo di nome Oscar, propone discesa in corda doppia lungo le cascate e uscite di canyoning nella regione circostante. In ufficio non c'è personale che parli inglese, ma sono disponibili guide inglesi e tedesche.

Tour

I taxi parcheggiati di fronte alla stazione degli autobus propongono visite alle attrattive più interessanti della zona – calcolate di spendere da COP$25.000 a COP$30.000 circa per ciascuna attrattiva, incluso il tempo di attesa, ma se intendete visitare parecchi posti potete cercare di spuntare un prezzo migliore. Il prezzo (di andata e ritorno) si intende per veicolo, quindi è più conveniente viaggiare con un piccolo gruppo.

Se volete scoprire qualcosa di più sui luoghi che intendete visitare, considerate l'idea di partecipare a un tour organizzato. Gli itinerari standard proposti dagli operatori locali includono El Fósil (p99), l'**Estación Astronómica Muisca** (El Infiernito; interi/bambini COP$7000/5500; ⏲9-12 e 14-17 mar-dom) e il Convento del Santo Ecce Homo (p99) (COP$142.000), Ráquira e il **Monasterio de La Candelaria** (☎1-223-7276; interi/bambini COP$6000/4000; ⏲9-12 e 13-17) (COP$152.000). I prezzi, che includono trasporto, guida e assicurazione (ma non le tariffe d'ingresso), si intendono per persona su una base minima di due persone, e diminuiscono per i gruppi più numerosi.

Ciclotrip IN BICICLETTA
(☎320-899-4442; www.ciclotrip.com; Carrera 9 n. 14-101; ⏲9-18 lun-ven, 8-20 sab e dom) Questo apprezzato tour operator e centro di noleggio

di biciclette può aiutarvi a organizzare escursioni in bicicletta alla scoperta delle attrattive più popolari della zona, ma anche a cascate e sentieri di montagna meno noti. Il simpatico proprietario, Francisco, ha partecipato a corsi di pronto soccorso e di soccorso alpino. Le tariffe delle escursioni in giornata oscillano tra COP$80.000 e COP$160.000. Per conoscere tutti gli itinerari visitate il sito web.

Se preferite muovervi per conto vostro, qui trovate biciclette a noleggio di livello superiore a quelle normalmente disponibili in città. Il personale vi aiuterà a pianificare l'itinerario e ve lo traccerà su una cartina; vi darà anche un telefono cellulare per richiedere assistenza meccanica in caso di difficoltà.

Colombian Highlands ECOTOUR
(☎8-732-1201, 310-552-9079; www.colombianhighlands.com; Av Carrera 10 n. 21-Finca Renacer) Gestita dal biologo Oscar Gilède, anche proprietario della Renacer Guesthouse, questa agenzia organizza un ampio ventaglio di escursioni meno consuete, tra cui ecotour, gite in montagna, trekking notturni, uscite di birdwatching, discese in corda doppia, canyoning, visite a grotte della zona e trekking. Oscar parla inglese e noleggia anche biciclette e cavalli.

Feste ed eventi

Festival de las Cometas CULTURA
(agosto) Durante questa pittoresca festa degli aquiloni si esibiscono appassionati del posto e stranieri.

Festival de Luces FUOCHI D'ARTIFICIO
(dic) In genere questo spettacolo pirotecnico si tiene il primo o il secondo weekend di dicembre.

Pernottamento

Villa de Leyva dispone di una buona scelta di strutture ricettive in ogni fascia di prezzo. Tenete presente che durante i weekend le tariffe tendono a salire sensibilmente e che potrebbe essere difficile trovare una camera libera. Nei periodi di maggiore afflusso turistico, come la Semana Santa e il periodo compreso tra il 20 dicembre e il 15 gennaio, le tariffe possono addirittura raddoppiare. Per questo motivo vi consigliamo caldamente di prenotare la vostra sistemazione con un largo anticipo. I campeggi della zona hanno un costo di circa COP$20.000 per persona.

★ **Renacer Guesthouse** OSTELLO $
(☎311-308-3739, 8-732-1201; www.colombianhighlands.com; Av Carrera 10 n. 21-Finca Renacer; piazzole a partire da COP$20.000 per persona, letti in camerata a partire da COP$32.000, singole/doppie a partire da COP$80.000/110.000;) Situato circa 1,2 km a nord-est di Plaza Mayor, questo delizioso 'boutique hostel' è opera del biologo Oscar Gilède, che è anche un'eccellente guida turistica e il proprietario dell'agenzia Colombian Highlands. Tutti gli elementi di questa struttura concorrono a far sentire gli ospiti come a casa: le amache disposte nel curatissimo giardino, la cucina comune all'aperto dotata di un forno di mattoni e le camere e camerate pulitissime. Vi trovate anche una piscina naturale sul retro e un piccolo caffè.

Alfondoque OSTELLO $
(☎316-617-9301; contactalfondoque@gmail.com; Carrera 8A n. 11-49; letti in camerata COP$35.000) Questo ostello nuovo, in una magnifica posizione nel Parque Nariño e dotato di eccellenti strutture, è la scelta migliore per chi cerca una sistemazione in camerata nel centro della città. Le camerate sono pulite e ben tenute, con soffitti a travi di legno, e c'è anche una cucina a disposizione degli ospiti.

Casa Viena OSTELLO $
(☎8-732-0711, 314-370-4776; www.hostel-villadeleyva.com; Carrera 10 n. 19-114; singole/doppie senza bagno COP$30.000/45.000, camere COP$70.000;) Una piccola guesthouse casalinga appena fuori dal centro abitato, con sole quattro camere private dall'eccellente rapporto qualità-prezzo, due delle quali con una piacevole vista sulle montagne. Si raggiunge con una breve camminata dal centro, ma al prezzo in cui in un'altra struttura vi offrono un letto in camerata qui potete avere invece una camera privata. La direzione è molto collaborativa, e gli ospiti hanno a disposizione una bella cucina e un'accogliente area comune al piano inferiore.

Zona de Camping San Jorge CAMPEGGIO $
(☎8-732-0328; campingsanjorge@gmail.com; Vereda Roble; piazzole in alta/bassa stagione COP$22.000/20.000 per persona;) Situato all'incirca 2 km a nord-est della città, questo immenso spazio erboso può ospitare 120 tende e offre incantevoli panorami sulle montagne circostanti. Tra i servizi figurano un piccolo ristorante (pasti da COP$14.000 a COP$18.000) e un negozio, nonché bagni pulitissimi con acqua calda.

IL PONTE DI BOLÍVAR

A **Puente de Boyacá** fu combattuta una delle battaglie più importanti della storia colombiana moderna. In questa zona il 7 agosto 1819 l'esercito di Simón Bolívar sconfisse contro ogni previsione le truppe spagnole guidate dal generale José María Barreiro, conquistando di fatto l'indipendenza della Colombia.

Sul campo di battaglia sono stati eretti diversi monumenti. Il più importante è il **Monumento a Bolívar**, una scultura alta 18 m sormontata dalla statua dell'eroe nazionale accompagnato da cinque angeli che simboleggiano i cosiddetti *países bolivarianos*, cioè le nazioni liberate da Bolívar: il Venezuela, la Colombia, l'Ecuador, il Perú e la Bolivia. Nelle vicinanze arde una fiamma eterna dedicata a Bolívar.

Il Puente de Boyacá, il ponte che dà il nome al campo di battaglia e che fu attraversato dalle truppe di Bolívar prima di affrontare gli spagnoli, non esiste più. Quello che si può vedere oggi non è altro che un ponticello ricostruito nel 1939. Il campo di battaglia si trova lungo la strada principale Tunja–Bogotá, 15 km a sud di Tunja. Per arrivarci prendete un autobus locale diretto da Tunja a Tierra Negra.

Villa del Ángel HOTEL $$
(☎8-732-1506; www.hotelvilladelangel.co; Calle 9 n. 11-52; singole/doppie COP$110.000/127.000) Situato in posizione comoda rispetto al centro città e alla stazione degli autobus, questo piccolo e accogliente hotel al secondo piano offre una buona base di appoggio per esplorare Villa de Levya. Le cinque camere, moderne e pulitissime, sono inondate di luce naturale e dotate di molti comfort.

★ **Suites Arco Iris** BOUTIQUE HOTEL $$$
(☎311-254-7919; www.suitesarcoiris.com; Km 2 Via la Colorada; camere vista monti/villaggio con prima colazione a partire da COP$239.000/289.000; 📶) Arroccato su una montagna che domina la città e circondato da un bel giardino, questo romantico albergo dotato di 26 camere si colloca legittimamente al primo posto per brio e personalità nella classifica delle strutture ricettive di Villa de Leyva. Le sue ampie camere – arredate in maniera diversa l'una dall'altra, ma tutte ricche di colore, arte e carattere – sono veramente magnifiche, anche grazie alla presenza di vasche con idromassaggio, caminetti, terrazze e coloratissimi bagni piastrellati. Da tutte le camere è possibile ammirare uno splendido panorama sulla montagna o sulla città. L'unico problema è il fatto che per soggiornare in questa struttura conviene disporre di un'automobile, altrimenti per il viaggio di andata e ritorno in città dovrete spendere una cifra compresa tra COP$24.000 e COP$30.000.

Posada de San Antonio BOUTIQUE HOTEL $$$
(☎8-732-0538; www.hotellaposadadesanantonio.com; Carrera 8 n. 11-80; singole/doppie con prima colazione a partire da COP$301.000/342.000; @📶) La luce naturale raggiunge ogni angolo di questa pittoresca casa coloniale costruita nel 1860 e piena di graziosi oggetti d'antiquariato, una delle strutture ricettive più belle di Villa de Levya. Le camere sono dotate di pareti con mattoni a vista; l'hotel include anche un'incantevole cucina a vista, una sala ristorante-sala relax ricca di carattere, un piccolo altare trasportabile e un bellissimo cortile.

Pasti

Villa de Levya è la meta gastronomica più sofisticata del dipartimento di Boyacá. Qui si trovano infatti alcune aree ristorazione da gourmet, tra cui spiccano **Casa Quintero** (all'angolo tra Carrera 9 e Calle 12) e Casona La Guaca (p92), che offrono la cucina migliore e una ricca scelta. In bassa stagione molti ristoranti di alto livello offrono menu scontati a pranzo.

Tartas y Tortas de la Villa DOLCI $
(☎310-296-5624; Carrera 10 n. 12-13; dessert COP$2000-8000; ⌚8-21) Questo piccolo e grazioso caffè situato proprio sulla piazza principale offre un ampio assortimento di squisiti dolci e buon caffè. Vi trovate una mezza dozzina di tipi di cheesecake, oltre a budini, torte e biscotti. Non mancano opzioni per i vegani e soluzioni dietetiche per i fanatici dell'alimentazione salutista. Scegliete con calma e date anche un'occhiata al piccolo angolo di scambio libri.

Pastelería Francesa PANETTERIA, FRANCESE $
(Calle 10 n. 6-05; COP$1500-3600 al pezzo; ⌚8-19 gio-dom, chiuso feb e set) Il profumo dei deliziosi prodotti da forno di questa autentica

DA NON PERDERE

SUTAMARCHÁN

Se vi trovate dalle parti di Villa de Leyva, vale la pena di fare una sosta a Sutamarchán, la capitale colombiana della *longaniza*, situata 14 km a ovest di Villa de Leyva lungo la strada che conduce a Ráquira. La *longaniza* è una salsiccia tipica di questa regione, simile alla *linguiça* portoghese. In città sono presenti molti locali che la servono alla griglia, per trovarli non dovrete far altro che seguire il vostro olfatto.

I posti migliori per assaggiare la *longaniza* sono la **Fabrica de Longaniza & Piqueteadero Robertico** (Carrera 2 n. 5-135; porzione di longaniza a partire da COP$7000; ⏲8-20) – per la versione più rustica e speziata – e **La Fogata** (☎312-355-8677; www.lafogatasutamarchan.com; Av Principal salida a Tunja; porzione di longaniza COP$6000; ⏲9-19.30) se invece preferite una varietà più raffinata.

panetteria francese si sente da un isolato di distanza. Vi potrete trovare croissant (quelli alle mandorle sono semplicemente eccezionali), baguette, torte, quiches, pizzette, caffè e cioccolata calda. È un posto veramente fantastico, che oggi appare più chic ed elegante che mai grazie a un recente intervento di ammodernamento. Sempre che riusciate a trovarlo aperto – il proprietario ha l'abitudine di prendersi pause in qualunque momento.

Don Salvador COLOMBIANO **$**
(mercato; pasti COP$5000-10.000; ⏲6-15 sab) Visitando l'animato mercato del sabato avrete la possibilità di gustare alcune delle migliori specialità della cucina regionale *boyacense*. In questo chiosco Don Salvador prepara il miglior *mute* (zuppa di granoturco soffiato, servita con un contorno di zampe di manzo o coscia di pollo) e la migliore *carne asada* (grigliata di carne) del mercato.

Entre Panes PANINI **$$**
(entrepanesbistro@gmail.com; Calle 15 n. 9-58; panini COP$19.000-26.000; ⏲13-21 lun e mar, 13-22 ven, 10-22 sab, 10-17 dom) A un paio di isolati dalla piazza si trova questo bel caffè all'aperto che serve panini tra i più buoni di tutta la Colombia. La scelta include i classici francesi e le versioni gourmet, tutti preparati con pane di produzione propria e la squisita maionese della casa. Provate quello con agnello e tzatziki.

Restaurante Savia VEGETARIANO **$$**
(☎322-474-9859; www.restaurantesavia.com; Calle 10 n. 6-67; portate principali COP$14.000-34.000; ⏲12-21 dom-gio, fino alle 23 ven e sab; ✎) Il delizioso Restaurante Savia è specializzato in creativi piatti vegani e vegetariani preparati con ingredienti rigorosamente biologici. I carnivori troveranno pesce fresco e piatti a base di pollo, ma non carni rosse. Il locale è ubicato in una magnifica casa coloniale con un grande cortile e un ampio giardino sul retro. Sul posto c'è anche un piccolo negozio che vende prodotti alimentari biologici e alcuni oggetti di artigianato.

Restaurante Coreano COREANO **$$**
(☎320-285-5755; Carrera 7 n. 11-83; portate principali COP$19.000-20.000; ⏲12-21 gio-lun; ✎) Il nome è decisamente poco originale, ma questo ristorante gestito da coreani merita una visita per la sua autentica cucina asiatica. Sul menu compaiono solo otto piatti, ma sono tutti molti buoni, specialmente il tofu piccante fatto in casa. Ci sono anche molte opzioni per i vegetariani.

★**Mercado Municipal** COLOMBIANO **$$$**
(☎318-363-7049; Carrera 8 n. 12-25; portate principali COP$24.000-65.000; ⏲13-22 lun-sab, fino alle 21 dom) Allestito nei giardini di una casa coloniale del 1740, questo ristorante all'aperto è gestito da uno chef che ha contribuito a riportare in auge antiche tecniche di cottura della carne grazie a un *barbacoa* (barbecue) a legna collocato a 1 m di profondità, e si prepara a diventare il ristorante più interessante del dipartimento di Boyacá. Tra le specialità spiccano le succulente costolette di maiale in salsa barbecue alle albicocche, con la carne tenerissima che si stacca con facilità dall'osso.

miCocina COLOMBIANO **$$$**
(www.academiaverdeoliva.com; Calle 13 n. 8-45; portate principali COP$22.000-73.000; ⏲11-16 dom-gio, fino alle 21 ven e sab; 📶) Orgoglioso di essere colombiano al 100%, questo variopinto ristorante-scuola di cucina costituisce il posto ideale per chi desidera gustare la vera cucina colombiana, spingendosi oltre i soliti *sancocho* (zuppa) e *patacones* (*plátanos* fritti). Essendo incentrato sulla cucina locale, il menu ha ben poco da offrire ai vegetariani, ma i carnivori possono contare su un vasto assortimento.

Locali e vita notturna

I locali di Villa de Leyva si concentrano nei dintorni dell'incantevole piazza centrale, con i visitatori e la gente del posto che si siedono sui gradini di Carrera 9 dando vita a una sorta di grande festa di strada.

Cafe del Gato CAFFÈ
(Coffee House; Calle 13 n. 9-82, Plaza Mayor; ⏲11-24 mer-dom) Gestita da uno dei migliori baristi di Boyacá – con tanto di certificazione ufficiale – questa piccola caffetteria serve un eccellente caffè preparato solo con chicchi di alta qualità di provenienza locale.

Sybarrita Cafe CAFFÈ
(Carrera 9 n. 11-88; caffè COP$1600-5000; ⏲8.30-21) La caffetteria più popolare di Villa de Leyva serve ogni giorno una varietà diversa di caffè monorigine proveniente dalle principali regioni produttrici della Colombia. L'ambiente vecchio stile sembra più classico di quanto non sia in realtà, visto che il Sybarrita è in attività da poco tempo. Di solito i pochi tavoli disponibili sono affollati da veterani del posto e da veri e propri intenditori di caffè.

La Cava de Don Fernando BAR
(Carrera 10 n. 12-03; ⏲16-1 dom-gio, fino alle 2 ven e sab; 📶) Questo intimo locale situato all'angolo di Plaza Mayor propone ottima musica, suggestive candele e una delle migliori selezioni di birra della città.

Shopping

Non potete perdervi il pittoresco mercato che si tiene ogni sabato nella piazza situata tre isolati a sud-est di Plaza Mayor; il momento migliore per andarci è il mattino presto, quando è più animato. Nella stessa piazza, tutti i giovedì, si tiene anche un mercatino di prodotti biologici. Villa de Leyva conta un buon numero di negozi di artigianato, che godono di una meritata fama per i loro cesti e altri oggetti in vimini di buona qualità. Molti negozi di artigianato sono aperti solo nei weekend.

La Tienda Feroz ARTIGIANATO
(www.latiendaferoz.com; Carrera 9 n. 14-101; ⏲9-18 lun-ven, 8-20 sab e dom) Questo fantastico negozietto fa da vetrina alle opere di 27 artisti colombiani e rappresenta il posto ideale per chi desidera acquistare souvenir più originali della solita mercanzia per turisti. I proprietari hanno una grande dimestichezza con il disegno, l'animazione e il design industriale.

Per/da Villa de Leyva

La stazione degli autobus si trova tre isolati a sud-ovest di Plaza Mayor, lungo la strada che conduce a Tunja. I minibus fanno la spola tra Tunja e Villa de Leyva (COP$7000, 45 min) ogni 15 minuti dalle 5 alle 19.45 circa. Tutti i giorni dalle 4.30 alle 17 oltre una decina di autobus diretti raggiunge Bogotá (COP$25.000, 4 h); in alternativa, si può prendere qualsiasi autobus per Tunja e cambiare lì. Per raggiungere San Gil, la cosa più semplice è cambiare a Tunja; se invece si cambia ad Arcabuco, la strada è più breve, ma l'attesa a bordo strada potrebbe

UNA DOMENICA ALL'INSEGNA DELLA CERAMICA

Situata 25 km a sud-ovest di Villa de Leyva, **Ráquira** è la capitale colombiana della ceramica, materiale con cui si produce di tutto, dalle classiche ciotole, brocche e piatti a giochi e decorazioni natalizie. Pittoreschi edifici con vivaci facciate dipinte, una miriade di negozi di artigianato e pile di vasi di creta appena cotti formano il piacevole scenario che accoglie i visitatori lungo la via principale di questa piccola città. In centro e in periferia esistono molti laboratori dove è possibile assistere al processo di produzione. Il giorno migliore per la visita è la domenica, quando il mercato locale è in pieno fermento, ma i negozi di souvenir sono aperti tutti i giorni.

Ráquira si trova a 5 km di distanza dalla strada tra Tunja e Chiquinquirá, lungo una via secondaria che si dirama all'altezza di Tres Esquinas. Quattro minibus prestano servizio tra Villa de Leyva e Ráquira da lunedì a venerdì (COP$6000, 45 minuti, alle 7.30, 12.45, 15 e 16.50), ai quali se ne aggiunge un quinto nei weekend.

Per tornare a Villa de Leyva da Ráquira, tenete presente che la maggior parte degli autobus non entra in città, per cui dovrete scendere al monumento Muisca Sol ubicato all'incrocio di Sáchica e lì prendere un autobus della linea Tunja-Villa. La città è servita anche da alcuni autobus che effettuano corse giornaliere da Bogotá. La corsa di andata e ritorno in taxi da Villa de Leyva, con approssimativamente un'ora di tempo per la visita, vi costerà circa COP$80.000, oppure COP$100.000 se volete passare anche al Monasterio de La Candelaria (p93).

essere più lunga. Gli autobus da Villa a Santa Sofia (COP$4.000, 1 h) partono alle 6.45, 8, 9, 13.15, 15, 16.15 e 17.45.

Dintorni di Villa de Leyva

Non lasciate Villa de Leyva senza prima aver visitato qualcuna delle attrattive situate nelle sue vicinanze, tra le quali figurano siti archeologici, monumenti coloniali, antichissimi petroglifi, grotte, laghi e cascate. La zona è assolutamente sicura.

Che cosa vedere e fare

★ Centro de Investigaciones Paleontológicas MUSEO

(CIP; ☎ 314-219-2904, 321-978-9546; info@centropaleo.com; interi/bambini COP$9000/5000; ⏲ 8-12.30 e 14-17 mar-gio, 8-17 ven-dom) Situata a due passi dal sito El Fósil (p99), sul lato opposto della strada principale, questa nuova e raffinata struttura ospita un centro di ricerca con una collezione di fossili di grande interesse, tra cui un eccezionale plesiosauro (rettile marino diffuso durante il Giurassico) pervenutoci miracolosamente completo, la tartaruga fossile più antica mai rinvenuta e l'unica zanna di tigre dai denti a sciabola ritrovata in Colombia. Tutti i reperti esposti sono accompagnati da didascalie in inglese.

Si tratta di un posto molto interessante per gli appassionati, che offre inoltre moltissime attività interattive per i bambini. Tra queste vi sono lezioni di scavo, durante le quali i partecipanti possono portare alla luce riproduzioni di fossili, e laboratori dove è possibile creare da appositi stampi imitazioni di fossili che poi gli archeologi in erba possono portarsi a casa.

★ Paso del Ángel MONTAGNA

(COP$3000) Questo sentiero di montagna da brivido, che corre lungo un crinale verso la cascata Guatoque (p99), è una meta che gode di grande popolarità. Nel suo punto più stretto, il **Passo dell'Angelo**, misura solo 40 cm di ampiezza per circa 1,5 m, con un dirupo di oltre 100 m da un lato e di 30 m dall'altro. Su entrambi i versanti si può ammirare una vista mozzafiato.

Chi soffre di vertigini farà meglio a godersi il panorama da lontano: si sono verificati, infatti, numerosi casi di escursionisti presi dal panico e rimasti bloccati sul versante opposto dopo aver trovato il coraggio iniziale per affrontare il passaggio. All'ingresso del sentiero si trova in genere l'anziano proprietario del terreno che riscuote una tariffa di accesso; a volte capita che anche la moglie ne riscuota un'altra più avanti lungo il tragitto. Si tratta di una piccola cifra che costi-

VALE IL VIAGGIO

È UN MIRACOLO!

Chiquinquirá è considerata la capitale religiosa della Colombia, grazie alla presenza di un dipinto della Madonna cui la tradizione attribuisce poteri miracolosi e che richiama un gran numero di devoti pellegrini.

Dipinta intorno al 1555 dall'artista spagnolo Alonso de Narváez a Tunja, la *Vergine del Rosario* rappresenta la Madonna con il Bambino affiancata da sant'Antonio da Padova e da sant'Andrea Apostolo. Poco dopo essere stato completato, il quadro cominciò a sbiadire a causa della scarsa qualità dei materiali utilizzati e di una perdita nel tetto della cappella dov'era custodito. Nel 1577 il dipinto venne trasferito in un magazzino di Chiquinquirá, dove fu completamente dimenticato. Qualche anno più tardi, Maria Ramos, una pia donna originaria di Siviglia, lo ritrovò. Anche se versava in pessime condizioni, la donna amava recitare le sue preghiere seduta in contemplazione di quest'opera. Il 26 dicembre del 1586 l'immagine ormai sbiadita e lacera della Vergine tornò miracolosamente all'antico splendore. Da allora la sua fama è cresciuta rapidamente e i miracoli attribuiti al dipinto si sono succeduti uno dopo l'altro.

L'immagine sacra è custodita nella **Basílica de la Virgen de Chiquinquirá**, che domina Plaza de Bolívar. La costruzione di questa imponente chiesa in stile neoclassico fu iniziata nel 1796 e portata a termine nel 1812. Nell'ampio interno a tre navate ci sono 17 cappelle e un elaborato altare maggiore, sul quale campeggia il dipinto, che misura 113 x 126 cm.

Chiquinquirá è servita da otto autobus al giorno provenienti da Villa de Leyva (COP$8000, un'ora), in servizio dalle 7 alle 16. Gli autobus per Bogotá partono ogni 15 minuti (COP$18.000, tre ore).

tuisce però la loro principale fonte di reddito, quindi siate comprensivi. Il sentiero è accessibile dal piccolo villaggio di Santa Sofía. Dal punto in cui arriva l'autobus, attraversate la piazza, imboccate la strada oltre il cimitero e percorretela per 1,5 km fino a un bivio segnalato vicino a una casa arancione. Proseguite per 3,5 km oltre lo zuccherificio e la scuola, fino al punto di inizio del sentiero.

Convento del Santo Ecce Homo CHIESA
(COP$5000; ⌚9-17 mar-dom) Fondato da frati domenicani nel 1620, questo convento è un'imponente costruzione di pietra e adobe impreziosita da un incantevole cortile. I pavimenti sono lastricati con pietre estratte nella regione e contengono ammoniti e fossili, tra cui spighe e fiori pietrificati. Altri fossili sono inglobati nella base della statua collocata nella cappella.

La cappella vanta un magnifico retroaltare dorato con una piccola immagine dell'Ecce Homo. Il soffitto ligneo originale è ricco di affascinanti dettagli: non mancate di osservare le immagini di ananas, aquile, soli e lune usate dai missionari europei per favorire la conversione degli indigeni, la raffigurazione di un teschio con le tibie incrociate e un berretto invernale in stile boliviano, nella sacrestia, e il crocifisso nella **Sala Capitolare**, che mostra Cristo vivo e con gli occhi aperti, una vera rarità per il Sud America. Date anche un'occhiata alla raffigurazione del Cristo situata nel chiostro occidentale, che sembra avere gli occhi aperti o chiusi a seconda dell'angolazione da cui la si guarda. Il convento si trova a 13 km da Villa de Leyva. Ogni autobus per Santa Sofía vi farà scendere all'inizio della strada d'accesso, da cui il convento si raggiunge a piedi in 15 minuti.

El Fósil SITO ARCHEOLOGICO
(☎310-629-1845; interi/bambini COP$8000/5000; ⌚8-18) Questo impressionante fossile di cronosauro risalente a 120 milioni di anni fa è l'esemplare più completo di rettile marino d'epoca preistorica del mondo. È lungo ben 7 m (in realtà, l'animale misurava in origine circa 12 m di lunghezza, ma purtroppo la coda è andata perduta) ed è conservato nel luogo esatto in cui venne ritrovato nel 1977.

Il fossile si trova lungo la strada per Santa Sofía, 6 km a ovest di Villa de Leyva. Potete arrivarci a piedi in poco più di un'ora oppure prendere l'autobus per Santa Sofía, che vi lascerà a 80 m dal sito.

Cascada Guatoque CASCATA
Raggiungibile percorrendo l'impegnativo sentiero Paso del Ángel fuori dal villaggio di Santa Sofía, questa graziosa cascata di 80 m si tuffa in una bella piscina naturale. Tenete presente che i tratti finali del sentiero sono molto ripidi e delimitati da strapiombi, quindi fate molta attenzione. Il sentiero finisce in cima alla cascata e i visitatori non devono assolutamente tentare per conto proprio la discesa, che è molto pericolosa senza l'accompagnamento di una guida professionista.

L'unico sentiero sicuro per scendere fino al laghetto si snoda in mezzo alle montagne a una certa distanza dalla cima della cascata. La camminata di due ore è impegnativa, ma la ricompensa per la fatica è un bagno rinfrescante in una splendida pozza d'acqua isolata.

Pozos Azules NUOTO
(Via Santa Sofía; con/senza bagno COP$10.000/5000; ⌚8-18) Da non confondere con l'omonima serie di laghetti situata nelle vicinanze, questo sito presenta numerosi specchi d'acqua dai colori vivaci, tra cui uno abbastanza esteso da consentire ai visitatori di farci una nuotata. Nel centro l'acqua è piuttosto profonda.

ℹ Per/dai dintorni di Villa de Leyva

Alcuni dei luoghi di interesse più vicini a Villa de Leyva si possono raggiungere a piedi, oppure in bicicletta o a cavallo. In alternativa potete andarci in taxi oppure organizzare un'escursione con uno degli operatori turistici presenti in città. Se optate per il taxi, ricordate di spiegare chiaramente al conducente tutti i posti che desiderate visitare e concordate una tariffa prima di partire. Una corsa in taxi di andata e ritorno (fino a quattro persone) da Villa de Leyva a **El Fósil** (p99), **El Infiernito** (p93) ed **Ecce Homo** dovrebbe costare circa COP$75.000, incluso il tempo di attesa.

Gli autobus locali passano vicino ad alcune attrattive ma non sono molto regolari, quindi è importante controllare bene gli orari prima di mettersi in movimento.

Santuario de Iguaque

Sulle alture che circondano la valle, spesso avvolte dalla foschia, si apre una distesa di natura incontaminata che il popolo muisca considerava la 'culla dell'umanità'. Secondo la leggenda, dalle acque della Laguna de Iguaque emerse la bellissima dea Bachué con un bambino tra le braccia. Quando il bambino divenne adulto, i due si unirono in matrimonio ed ebbero molti figli che popolarono la Terra. Sopraggiunta la vecchiaia, la donna e il marito si trasformarono in serpenti e tornarono a immergersi nel lago sacro.

Oggi il mitico Eden dei muisca è un parco nazionale esteso su una superficie di 67,5 kmq e conosciuto con il nome di **Santuario de Flora y Fauna de Iguaque** (colombiani/stranieri COP$17.000/44.000; ⏲8-17). Nella riserva ci sono otto piccoli laghi montani situati a un'altitudine compresa fra 3550 e 3700 m, ma l'unico accessibile ai visitatori è la **Laguna de Iguaque**. Questo straordinario ecosistema neotropicale del *páramo* (ecosistema montano o vegetazione d'alta quota) ospita centinaia di specie vegetali e animali, ma è conosciuto soprattutto per il *frailejón*, un arbusto perenne.

Tenete presente che in questa zona può fare piuttosto freddo, con temperature che oscillano tra i 4°C e 13°C. Inoltre questa zona è molto umida, infatti tocca una media di precipitazioni annuali di circa 1648 mm. I mesi migliori per visitare la riserva sono gennaio, febbraio, luglio e agosto.

L'unica struttura ricettiva all'interno della riserva è quella del **centro visitatori** (letti in camerata COP$50.000, piazzole COP$10.000 per persona; ⏲8-17). Le prenotazioni, da effettuare tramite **Naturar** (☎312-585-9892, 318-493-5704; naturariguaque@yahoo.es; 🐾), sono indispensabili nei mesi di dicembre, gennaio e giugno, nella seconda settimana di ottobre e in tutti i periodi di vacanza; altrimenti è sufficiente presentarsi sul posto. Si tratta di un luogo veramente meraviglioso per chi desidera concedersi un po' di relax tra le montagne e di notte non è raro ricevere la visita di qualche tacchino selvatico.

VALE IL VIAGGIO

LA VALLE DEL SOLE

Circa 130 km a est di Villa de Leyva si trova la regione ancora in gran parte inesplorata nota nella lingua dei muisca di Chibcha con il nome 'Sugamuxi', ovvero Valle del Sole. L'ecoturismo sta cominciando lentamente ad affermarsi in questa zona, che rimane saldamente ancorata alle tradizioni e offre la possibilità di vedere un lato della Colombia non ancora influenzato dal turismo di massa.

Qui si trovano molti villaggi coloniali magnificamente conservati. Se Monguí può essere definito il fiore all'occhiello, **Iza** è una degna alternativa. Questo minuscolo villaggio situato 15 km a sud-ovest di Sogamoso è noto per i suoi dolci. Tutto ha avuto inizio con i *merengón* (meringhe con frutta locale) venduti dal bagagliaio delle automobili, dai quali con il tempo è nata una tradizione che offre il meglio di sé durante i weekend, quando nella piazza principale vengono serviti gratuitamente dolci a tutti. Nei giorni feriali Iza è invece estremamente tranquilla, al punto che fermandovi per una notte potrete sperimentare la quiete di un piccolo villaggio d'epoca coloniale, ancora quasi sconosciuto al turismo di massa.

Ubicato in una valle panoramica a 3 km dal villaggio, **El Batán** (☎321-242-7511, 312-592-3325; www.elbatan.travel; Vereda La Vega, Cuítiva; singole/doppie con prima colazione COP$179.000/243.000; 🅿📶🏊) è un complesso con spa gestito in modo professionale che offre le migliori sistemazioni della zona. Le camere sono situate all'interno di edifici in stile coloniale e presentano letti king size, TV a schermo piatto ed eleganti mobili in legno. Gli ospiti hanno accesso a un'esclusiva serie di piscine termali con acqua di colore verde scuro priva di odore.

Nella zona ci sono molti altri villaggi che meritano una visita: **Tópaga**, famosa per la scultura del diavolo custodita all'interno della chiesa locale e per gli oggetti d'artigianato in carbone, **Nobsa**, rinomata per i suoi splendidi oggetti d'artigianato del Boyacá, e **Tibasosa**, considerata la capitale colombiana della *feijoa* (un frutto noto anche come feijoa). La natura è un'altra grande attrattiva del Sugamuxi, con eccellenti trekking intorno al **Lago de Tota**, il lago più vasto della Colombia, e la splendida **Playa Blanca**, una spiaggia di sabbia bianchissima che si estende a 3015 m di quota nella suggestiva cornice del paesaggio andino.

Un servizio regolare di autobus collega Iza e Sogamoso (COP$2800, 30 minuti) dalle 6.30 alle 19. Gli autobus per Playa Blanca (COP$6000, un'ora) passano lungo la strada principale a un isolato dal parco.

Per raggiungere il parco da Villa de Leyva prendete l'autobus per Arcabuco (partenze alle 6, 7 e 8) e chiedete al conducente di farvi scendere presso la Casa de Piedra (conosciuta anche come Los Naranjos; COP$4000), situata in corrispondenza del Km 12. Una volta giunti in questo punto, dovrete imboccare la strada sterrata e percorrere i 3 km che conducono al centro visitatori. L'autobus delle 6 è la scelta migliore perché è quello che passa più vicino alla strada di accesso.

Per tornare a Villa de Leyva, ricordate di raggiungere la Casa de Piedra entro le 16 per riuscire a prendere l'ultimo autobus. L'agenzia Colombian Highlands (p94) organizza escursioni in giornata da Villa de Leyva al prezzo di COP$170.000 a persona per gruppi composti da due partecipanti (il prezzo scende nel caso di gruppi più numerosi).

Sogamoso

☎8 / POP. 112.287 / ALT. 2569 M

Sogamoso è oggi una città operaia decisamente poco interessante, ma in passato era un importante centro religioso muisca, e per i visitatori costituisce il punto di partenza ideale per esplorare il Lago de Tota e i suoi dintorni. Inoltre, Sogamoso vanta l'unico museo archeologico dei muisca presente in Colombia.

Che cosa vedere e fare

Museo Arqueológico Eliécer Silva Célis MUSEO

(☎1-770-3122; Calle 9A n. 6-45; interi/bambini COP$7000/5000; ⏲9-12 e 14-17 lun-sab, 9-15 dom) Questo interessante museo archeologico, costruito nel luogo dove in passato sorgeva il cimitero muisca di Sogamoso, illustra la più importante delle culture di lingua chibcha attraverso l'arte, la ceramica, la scultura, la musica, la paleontologia e altri aspetti legati a questo popolo. I reperti più suggestivi sono i resti mummificati di un *cacique* (capo tribù) e le raccapriccianti tecniche usate dalle tribù degli jivaro e degli shiwora per recidere e far seccare le teste dei nemici.

Pernottamento

La Cazihita OSTELLO $

(☎314-411-6104; www.lacazihita.com; Carrera 8 n. 9-66, Barrio Santa Ana; letti in camerata COP$30.000, singole/doppie COP$45.000/80.000, senza bagno COP$35.000/60.000; 📶) Un ostello accogliente dall'atmosfera casalinga gestito da una coppia del posto in una delle poche vecchie strade rimaste a Sogamoso. Le camere sono piuttosto piccole, ma il posto è pulito e ben tenuto e offre anche una bella area comune riscaldata dal fuoco.

Per/da Sogamoso

Sogamoso è servita da autobus regolari in partenza da Bogotá (COP$25.000, da 3 a 4 h, corse ogni ora) e da Tunja (COP$6500, 1 h, corse ogni 15 min). Da Sogamoso gli autobus **Cootracero** (☎8-770-3255) servono Iza (COP$2800, 40 min) e Monguí (COP$3800, 1 h) ogni 20 minuti, e il Lago de Tota (COP$9000, 1 h 30 min) ogni ora. A questi mezzi si aggiungono sei autobus al giorno diretti a San Gil (da COP$35.000 a COP$40.000, 6 h).

Monguí

☎8 / POP. 4984 / ALT. 2900 M

Definita in passato il villaggio più grazioso del dipartimento di Boyacá, Monguí dista solo 14 km da Sogamoso verso est ma sembra lontanissima dal paesaggio industriale di quest'ultima. I primi missionari giunsero in questa regione intorno al 1555, ma la città fu fondata solo nel 1601 e in seguito divenne un importante centro di evangelizzazione dei frati francescani – come si può capire facilmente da uno degli edifici più suggestivi della città, il Convento de los Franciscanos, che domina la splendida piazza centrale.

Oggi questo colorato villaggio è caratterizzato da edifici coloniali verdi e bianchi, intervallati di tanto in tanto da qualche costruzione più recente in mattoni che sembra voler evocare la campagna inglese. Le belle facciate di questi edifici sono tutte decorate da edera e da gerani colorati dal caratteristico profumo di rosa rossa. Si tratta di un *pueblo* incantevole e ancora profondamente legato alla tradizione, che potrebbe essere considerato una sorta di Villa de Leyva in miniatura.

Che cosa vedere

Convento de los Franciscanos MONASTERO

(Plaza Principal; stranieri/colombiani COP$12.000/7000; ⏲10-12 e 14-16.30 mar-ven, 9-16.30 sab e dom) La costruzione di questo monastero francescano, che rappresenta l'edificio più imponente di Monguí, ebbe inizio nel 1694 e per essere portata a termine richiese oltre un secolo. Il maestoso capolavoro in pietra rossa si trova accanto alla **Basílica Menor de Nuestra Señora de Monguí**, il cui interno a tre navate custodisce un retroaltare finemente lavorato e un celebre quadro della Virgen de Monguí, che nel 1929 venne incoronata come santa patrona della città. Il convento ospita anche il **Museo de Arte Religioso**. Se non trovate nessuno, rivolgetevi all'ufficio dietro l'angolo in Calle 5.

Attività

Monguí è la base di appoggio per alcuni eccellenti trekking ad alta quota, tra cui quello del **Páramo de Ocetá** (18 km), che però non era percorribile interamente al momento della nostra visita a causa di una disputa con i proprietari dei terreni. È importante assumere una guida locale che sappia quali aree sono aperte agli escursionisti. Un'escursione leggermente più facile è quella di mezza giornata che porta alla **Laguna Colorada** attraversando alcuni magnifici paesaggi del *páramo* con sei diverse specie di *frailejón*.

Monguí Travels ESCURSIONISMO
(☎313-424-8207; www.monguitravels.com; all'angolo tra Carrera 4 e Calle 5, Plaza Principal; ⏲7-20) Questo nuovissimo tour operator gestito da un gruppo di giovani guide piene di entusiasmo offre vari trekking nei dintorni della città, tra cui quello al Páramo de Ocetá, oltre ad altre attività avventurose. Passate nel loro ufficio sulla piazza per scoprire tutte le proposte.

Le escursioni di una giornata intera costano circa COP$37.000 per persona, mentre il prezzo dei pasti è di COP$10.000. Per i trekking nel *páramo* bisogna aggiungere il costo del trasporto (COP$30.000 per gruppo). Monguí Travels propone anche un'escursione in giornata alla Laguna Colorada, a COP$50.000 per persona tutto incluso, e uscite in bicicletta nella campagna circostante.

Pernottamento e pasti

Mongui Plaza Hotel HOTEL $$
(☎313-209-0067; monguiplaza@gmail.com; Carrera 4 n. 4-13; singole/doppie con prima colazione a partire da COP$60.000/100.000) Questo hotel ubicato in una classica residenza coloniale in posizione privilegiata proprio sulla piazza principale offre le camere più confortevoli della città. Le sistemazioni presentano stufe, letti king size e bei bagni moderni dotati di ottime docce con acqua bollente erogata a forte pressione. Le camere situate nella parte anteriore regalano una bella vista sulla chiesa e sul monastero che si trovano sull'altro lato della piazza.

Calicanto Real Hostal GUESTHOUSE $$
(☎311-811-1519; calicantoreal.hostal@gmail.com; Carrera 3; camere con prima colazione COP$45.000 per persona; 📶) Affacciata su uno dei panorami più magici di Monguí – l'imponente mole in pietra del Puente Real de Calicanto e il gorgogliante fiume Morro – questa guesthouse con sei camere, ospitata all'interno di una *casona* (grande casa antica dalla forma irregolare) dove il tempo sembra essersi fermato, è piena zeppa di mobili d'epoca e pervasa da un suggestivo fascino coloniale. Molte camere offrono una bella vista del ponte.

Pizza Cabubara PIZZA $
(Carrera 3 n. 2-85; tranci di pizza COP$3000; ⏲6-22.30) Un locale estremamente accogliente a conduzione familiare che serve una buona pizza al trancio, oltre a lasagne e hamburger.

Informazioni

Lo sportello bancomat più vicino si trova a Sogamoso.

Cafe Net (Calle 3a n. 2-12; COP$1200 l'ora; ⏲9-19)

Ufficio turistico di Monguí (☎350-653-6191; Calle 5 n. 3-24; ⏲8-12.30 e 14-18 lun-ven, 10-12 e 14-16 sab e dom) Offre informazioni di base in spagnolo e alcune cartine.

Per/da Monguí

Dalla piazza principale di Monguí partono i minibus diretti a Sogamoso (COP$3800, ogni 20 min). Ci sono due autobus al giorno per Bogotá, ma il *super directo* da Sogamoso è una soluzione molto più veloce.

Sierra Nevada del Cocuy

Relativamente sconosciuta al di fuori della Colombia, la Sierra Nevada del Cocuy è una delle catene montuose più spettacolari di tutto il Sud America. Si tratta infatti di un vero angolo di paradiso, che regala alcuni dei paesaggi più scenografici di tutta la Colombia, tra cui vette innevate, cascate impetuose, gelidi ghiacciai e laghi dalle acque cristalline.

La Sierra Nevada del Cocuy è la zona più alta della Cordillera Oriental, nome con cui viene definita la parte orientale delle Ande colombiane. La catena conta 21 vette, 15 delle quali superano i 5000 m. La più alta, il Ritacuba Bianco, raggiunge i 5330 m.

Sono montagne abbastanza compatte, relativamente facili da raggiungere e ideali per gli appassionati di trekking, anche se la maggior parte dei tracciati è adatta a escursionisti esperti. I punti di partenza dei percorsi

Sierra Nevada del Cocuy

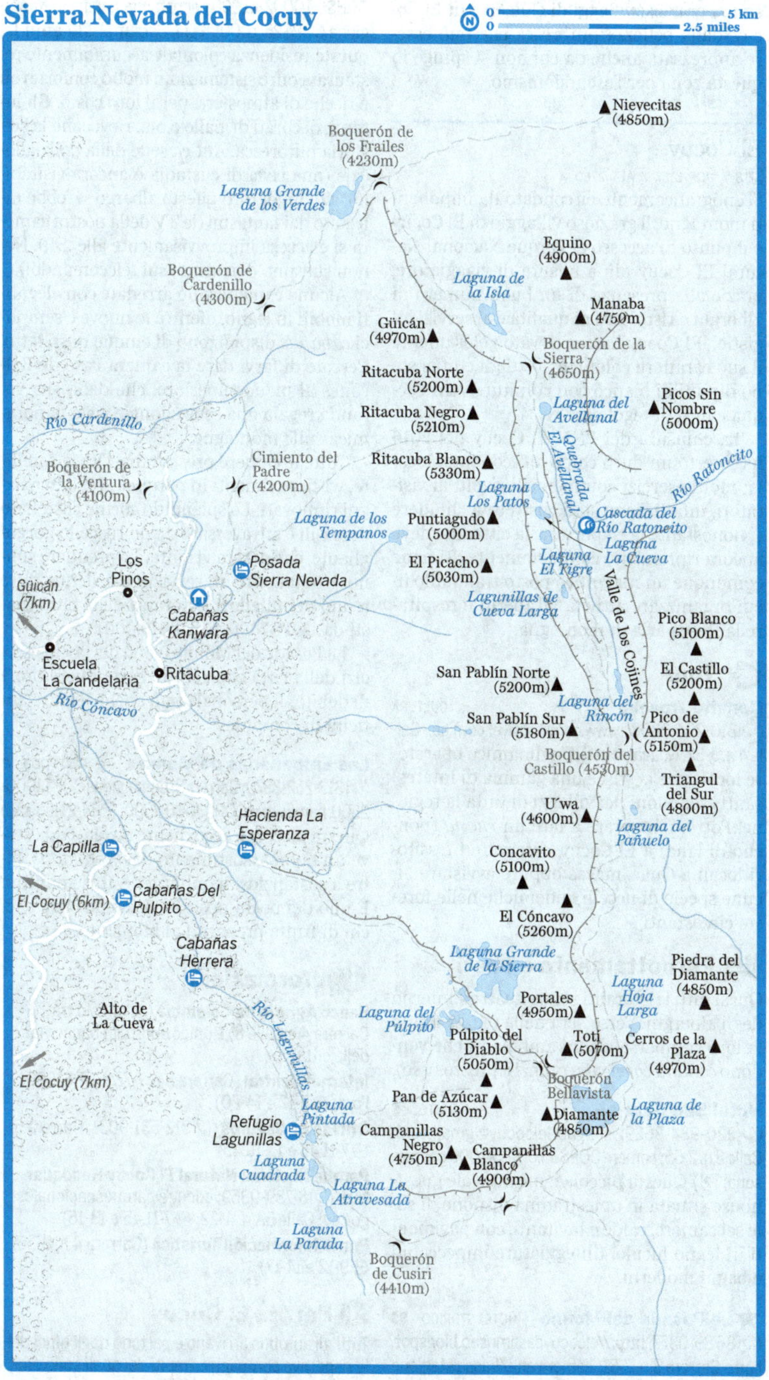
0 5 km
0 2.5 miles
Nievecitas (4850m)
Boquerón de los Frailes (4230m)
Laguna Grande de los Verdes
Equino (4900m)
Laguna de la Isla
Boquerón de Cardenillo (4300m)
Manaba (4750m)
Güicán (4970m)
Boquerón de la Sierra (4650m)
Ritacuba Norte (5200m)
Ritacuba Negro (5210m)
Laguna del Avellanal
Picos Sin Nombre (5000m)
Río Cardenillo
Quebrada El Avellanal
Cimiento del Padre (4200m)
Ritacuba Blanco (5330m)
Río Ratoncito
Boquerón de la Ventura (4100m)
Laguna Los Patos
Cascada del Río Ratoncito
Laguna de los Tempanos
Puntiagudo (5000m)
Laguna La Cueva
Los Pinos
Posada Sierra Nevada
El Picacho (5030m)
Laguna El Tigre
Güicán (7km)
Cabañas Kanwara
Lagunillas de Cueva Larga
Valle de los Cojines
Pico Blanco (5100m)
Escuela La Candelaria
Ritacuba
San Pablín Norte (5200m)
El Castillo (5200m)
Río Cóncavo
Laguna del Rincón
San Pablín Sur (5180m)
Pico de Antonio (5150m)
Boquerón del Castillo (4530m)
Triangul del Sur (4800m)
U´wa (4600m)
Hacienda La Esperanza
Laguna del Pañuelo
La Capilla
Concavito (5100m)
El Cocuy (6km)
Cabañas Del Pulpito
El Cóncavo (5260m)
Cabañas Herrera
Laguna Grande de la Sierra
Piedra del Diamante (4850m)
Laguna Hoja Larga
Portales (4950m)
Río Lagunillas
Laguna del Púlpito
Alto de La Cueva
Púlpito del Diablo (5050m)
Totí (5070m)
Cerros de la Plaza (4970m)
El Cocuy (7km)
Boquerón Bellavista
Pan de Azúcar (5130m)
Laguna de la Plaza
Diamante (4850m)
Laguna Pintada
Refugio Lagunillas
Campanillas Negro (4750m)
Campanillas Blanco (4900m)
Laguna Cuadrada
Laguna La Atravesada
Laguna La Parada
Boquerón de Cusiri (4410m)

sono i graziosi villaggi di Güicán e di El Cocuy, dalla bellezza pittoresca che può essere apprezzata anche da chi non si spinge in questa zona per l'escursionismo.

El Cocuy

8 / POP. 5157 / ALT. 2750 M

Scenograficamente circondato da imponenti montagne, il grazioso villaggio di El Cocuy è il punto di accesso al Parque Nacional Natural El Cocuy più a misura di viaggiatore, grazie alla presenza di un buon numero di alberghi e ristoranti di qualità e ai servizi logistici. El Cocuy ha conservato gelosamente il suo carattere coloniale: tutti gli edifici sono dipinti di bianco con rifiniture verde acqua e tetti di tegole rosse.

La chiusura del PNN El Cocuy nel 2016 ha inferto un duro colpo all'economia locale; molti esercizi commerciali rivolti ai visitatori, infatti, sono stati costretti a chiudere e, nonostante la riapertura, la cittadina deve ancora riprendersi completamente. Rimane comunque un magnifico posto tranquillo in cui organizzare attività all'aperto e respirare la fresca aria di montagna.

Tour

Convite Travel CULTURA
(310-294-9808; www.convitetravel.com.co; Calle 4 n. 3-52, Guacamayas) Un dinamico operatore locale che gestisce una gamma di interessanti escursioni nei villaggi di tutta la regione. Potrete imparare a fare un *ruana* (poncho di lana) a El Cocuy, osservare i tessitori locali a Guacamayas oppure avvistare alcune specie di uccelli endemiche nelle foreste circostanti.

Pernottamento e pasti

Quasi tutti i ristoranti sono situati all'interno degli alberghi. Verso sera nella piazza fanno la loro comparsa alcuni ambulanti che vendono *comida corriente* (pranzi a prezzo fisso).

Hotel San Gabriel HOTEL $
(320-984-3629; sangabrielcocuy@gmail.com; Calle 8 n. 2-55; camere COP$35.000-50.000 per persona;) Questa piccola e incantevole guesthouse situata in una stradina dispone di sole sei camere, calde e invitanti, con pavimenti in legno lucido, tinteggiature impeccabili e bagni moderni.

★ **La Posada del Molino** HOTEL STORICO $$
(8-789-0377; http://elcocuycasamuseo.blogspot.com; Carrera 3 n. 7-51; camere alta/bassa stagione COP$50.000/30.000 per persona, cabañas alta stagione COP$250.000;) Costruita 230 anni fa, questa residenza coloniale accuratamente restaurata offre sistemazioni molto confortevoli e ricche di atmosfera, per il loro costo. Gli interni, decorati di giallo e blu, rievocano la sua storia pittoresca. Antica sede della polizia locale (una cella di custodia è ancora visitabile), a detta di tutti questo albergo sarebbe infestato dai fantasmi (la TV della nostra camera si è accesa improvvisamente alle 2.49. No, non stavamo dormendo sul telecomando!).

Alcune camere sono arredate con eleganti mobili in legno, mentre le nuove e semplici *cabañas* dispongono di cinque posti letto. Cercate di farvi dare la camera Paso de Balcones al piano superiore, che dalla sua veranda regala una sensazionale vista panoramica sulle montagne.

Tutte le camere presentano TV via satellite, wi-fi, pavimenti in parquet pregiato e bagni rinnovati. Lo splendido cortile costellato di fossili è attraversato da un ruscello gorgogliante, che di sera vi aiuterà a prendere sonno. L'hotel offre un servizio eccellente, oltre a uno dei migliori ristoranti della città (pasti da COP$7000 a COP$18.000).

La Posada del Molino è uno dei pochi esercizi della città che accetta carte di credito e di debito; il personale può anche fornire anticipi di contante.

Las Empanadas de Mamá FAST FOOD $
(313-252-3370; Carrera 3; empanadas COP$1000-2500, hamburger COP$3000-7500; 14-21 lun-sab) Questa piccola e accogliente tavola calda serve un buon assortimento di *empanadas*, oltre a sostanziosi hamburger e altri spuntini. È uno dei pochi posti in città che offre succhi di frutta preparati al momento.

Informazioni

Banco Agrario de Colombia (all'angolo tra Carrera 4 e Calle 8) L'unico sportello bancomat della città.

Internet Central (Carrera 5 n. 7-72; COP$1500 l'ora; 8-12 e 14-20)

Oficina de Seguros (312-531-9031; Carrera 5; 7-11.45 e 13-16.45)

Parque Nacional Natural El Cocuy Headquarters (8-789-0359; cocuy@parquesnacionales.gov.co; Calle 5A n. 4-22; 7-11.45 e 13-16)

Punto Información Turistica (Carrera 4 n. 8-36; 9-12 e 14-17)

Per/da El Cocuy

Tutti gli autobus arrivano e partono dagli uffici delle rispettive compagnie (molti dei quali sono em-

LA VIRGEN MORENITA DE GÜICÁN

Güicán è famosa in tutta la Colombia per il miracolo della Virgen Morenita, la 'Madonna nera' apparsa al popolo indigeno degli u'wa. I fatti risalgono alla fine del XVII secolo, quando i conquistadores spagnoli giunsero in questa regione cercando di sottomettere gli u'wa e convertirli al cristianesimo. Piuttosto che rassegnarsi al dominio degli invasori, il capo degli u'wa Güicány, dal quale ha preso il nome la città, guidò la sua gente al suicidio collettivo, gettandosi dalla rupe oggi nota con il nome di El Peñol de Los Muertos. La moglie di Güicány, Cuchumba, non lo seguì perché era in attesa di un bambino. Cuchumba e uno sparuto gruppo di sopravvissuti fuggirono quindi tra le montagne e si nascosero in una grotta fino a quando, il 26 febbraio 1756, su un pezzo di stoffa prese misteriosamente forma un'immagine della Madonna. Questa figura aveva la carnagione scura e tratti somatici in tutto e per tutto simili a quelli degli u'wa, che qualche tempo dopo si convertirono al cristianesimo.

Per accogliere la Virgen Morenita fu eretta a Güicán una piccola cappella. Nel corso di una delle numerose guerre scoppiate tra le città rivali di Güicán e di El Cocuy, l'immagine fu rubata e nascosta a El Cocuy, a quanto pare dietro una parete dell'odierno albergo **La Posada del Molino** (p104), ma la famiglia che abitava in quell'edificio fu perseguitata dai fantasmi fino a quando non restituì la Virgen Morenita a Güicán, dove è custodita sotto chiave ancora oggi.

Dal 2 al 4 febbraio di ogni anno a Güicán viene celebrata la grande **Festa della Virgen Morenita**.

pori di generi vari) situati nella piazza e lungo Carrera 5.

Gli autobus deluxe **Libertadores** (☎313-829-1073; www.coflonorte.com; Carrera 5 n. 7-28; ⊙8-12 e 14-20) diretti a Bogotá (COP$45.000, 9 h) partono tutti i giorni alle 18.30 e alle 20 dall'**Hotel Casa Muñoz** (☎8-789-0328, 313-829-1073; www.hotelcasamunoz.com; Carrera 5 n. 7-28; camere bassa stagione COP$20.000 per persona, doppie/quadruple alta stagione COP$70.000/120,000), sulla piazza principale; da Bogotá gli autobus per El Cocuy partono dalla principale stazione degli autobus alle 18 e alle 20.50. Un autobus **Concorde** (☎313-463-0028; Carrera 5 n. 7-16; ⊙6-12 e 14-19) più piccolo parte dalla piazza alle 4 alla volta di Bogotá via Capitanejo (COP$45.000, 11 h). Le *busetas* **Gacela** (Expreso Paz de Rio; ☎310-787-3394; www.expresopazderio.com; Carrera 5 n. 7-56; ⊙8-12 e 14-20) per Bogotá (COP$40.000, 11 h) partono alle 4.30, 6, 11, 17 e 19.30; le partenze da Bogotá per El Cocuy sono previste tutti i giorni alle 5, 6, 14, 18 e 20.30. Tutti gli autobus per Bogotá fermano a Tunja (COP$32.000, 7 h).

In alternativa si può prendere uno degli autobus **Cootradatil** (☎8-788-0217; Carrera 5 n. 7-72; ⊙6-20) per Soatá (COP$15.000, 4 h) in partenza alle 7.30, 12 e 12.30, proseguendo poi con uno dei frequenti autobus per Bogotá.

Gli autobus Cootradatil per Güicán (COP$3000, 30 min) partono alle 11.30, 16 e 20. È anche possibile prendere uno degli autobus Gacela in servizio da Bogotá a Güicán e compiere l'ultimo tratto fino a El Cocuy (COP$3000, 30 min) con uno degli autobus in partenza alle 4.30 e alle 18.

Per andare a Bucaramanga, prendete l'autobus Concorde diretto a Capitanejo (COP$15.000, 2 h, alle 4) e lì cambiate mezzo. Il viaggio dura complessivamente circa 14 ore e si svolge lungo strade per la maggior parte sterrate, dove si verificano spesso frane e ritardi. Normalmente è preferibile tornare a Tunja e prendere uno dei frequenti autobus diretti a nord che raggiungono Bucaramanga e altre destinazioni più lontane.

Güicán

☎8 / POP. 6701 / ALT. 2880 M

Pur non essendo scenografico o a misura di viaggiatore come El Cocuy, il vivace villaggio di Güicán, immerso in una natura spettacolare, è diventato il principale punto di partenza degli escursionisti diretti alle montagne, soprattutto perché il sentiero che consente di raggiungere il Parque Nacional Natural El Cocuy è più breve e facile. Chi non ama l'escursionismo troverà a Güicán un gran numero di attrattive turistiche raggiungibili senza dover affrontare faticose camminate.

Il villaggio è la via di accesso alle terre della comunità indigena degli u'wa, per la quale il turismo religioso sviluppatosi grazie alla devozione nei confronti della Virgen Morenita de Güicán rappresenta un'importante fonte di reddito.

Che cosa vedere e fare

L'attrattiva più famosa di Güicán è costituita dalla Virgen Morenita de Güicán. L'altare dedicato alla Morenita si trova all'interno della chiesa di **Nuestra Señora de la Candelaria** nel Parque Principal, la piazza cittadina. Vista dall'esterno, questa chiesa in mattoni bruni e falso marmo non è niente di speciale, mentre l'interno – dipinto nelle tonalità pastello del rosa, del verde e dell'azzurro – vanta decorazioni di grande bellezza.

A est della città si erge la rupe alta 300 m conosciuta con il nome di **El Peñón de los Muertos**, da dove molti u'wa si gettarono nel vuoto all'arrivo dei conquistadores per non doversi sottomettere al dominio spagnolo. Il sentiero che conduce a questa rupe comincia in fondo a Carrera 4; per raggiungere la sommità ci vogliono circa due ore di cammino. All'ingresso della città si trova il **Monumento a la Dignidad de la Raza U'wa**, eretto a memoria del suicidio di massa.

Da Güicán parte un sentiero che sale lungo il **Cerro Monseratte**, sulla cui cima, in posizione dominante sulla città, sorge un santuario; si tratta di una buona escursione per acclimatarsi. Un'altra bella camminata è quella lungo l'itinerario ad anello dell'**Alto de San Ignacio**, che consente di ammirare i ghiacciai.

Nella gola che esce dal centro abitato ci sono alcuni **petroglifi** lasciati da popolazioni precolombiane.

Immediatamente fuori dall'abitato, in un paesaggio spettacolare, si trovano quattro pareti per arrampicata su roccia attrezzate con chiodi. Aseguicoc può fornire guide e attrezzature. Calcolate una spesa di circa COP$80.000 per arrampicata.

Termales de San Luis BAGNI TERMALI
(☎320-222-3705; COP$12.000; ⊙9-20) Ubicati in una spettacolare valle lungo la strada per Güicán, questi bagni termali realizzati con buon gusto sono il posto ideale per godersi qualche momento di relax dopo una faticosa camminata in montagna. Una grande piscina e due vasche più piccole sono immerse in un bel giardino attraversato da un ruscello che richiama uccelli e farfalle. Immediatamente fuori dall'ingresso c'è El Chorro, una cascata di acque termali tra le rocce dove ci si può immergere gratuitamente.

Pernottamento

Casa del Colibri GUESTHOUSE $
(☎319-297-4148; www.hotelcasadelcolibri.com; Calle 2 n. 5-19; camere COP$25.000-35.000 per persona) Questo accogliente alberghetto ubicato in un'incantevole casa coloniale possiede camere spaziose disposte intorno a un grazioso cortile arredato con tavoli e ombrelloni. Tutte le camere hanno il pavimento in legno e TV a schermo piatto; alcune offrono la vista sulle montagne. Vengono anche serviti i pasti (da COP$5500 a COP$10.000).

Hotel Ecológico El Nevado HOTEL $$
(☎310-297-7166, 310-806-2149; www.econevado.com; Km 3 Carretera Güicán–Panqueba, San Luis; camere COP$140.000-180.000) Immerso in uno spettacolare scenario montano nelle immediate vicinanze della statale per Güicán, questo spazioso hotel rustico è un posto fantastico per godersi un po' di relax prima o dopo un'escursione nel parco. L'edificio è una costruzione nuova che riproduce le classiche fattorie della regione e presenta camere moderne e confortevoli dotate di piccoli balconi privati. La proprietà include anche un'ampia piscina termale.

L'hotel si trova a circa 15 minuti di auto da Güicán. Se non disponete di un veicolo privato dovrete fare affidamento sugli autobus, poco frequenti, in servizio lungo la statale.

Informazioni

Banco Agrario de Colombia (Carrera 5) L'unico sportello bancomat di Güicán.

Cafeteria La Principal (Carrera 5 n. 3-09; COP$2000 l'ora; ⊙8-20; 📶) Accesso a internet.

Parque Nacional Natural El Cocuy (☎8-789-7280; cocuy@parquenacionales.gov.co; Transversal 3 n. 9-17; ⊙7-11.45 e 13-16.45)

Per/da Güicán

Tutti gli autobus arrivano e partono dagli uffici delle rispettive compagnie, tutti situati nella piazza principale, fatta eccezione per quello della **Libertadores** (☎320-448-9181; www.coflonorte.com; Carrera 5 e Calle 4, Casa Cural), che si trova nelle immediate vicinanze della piazza lungo Carrera 5, sul lato della Casa Cural.

Gli autobus deluxe Libertadores diretti a Bogotá (COP$45.000, 11 h) partono dalla piazza tutti i giorni alle 18 e alle 19; quelli che fanno ritorno da Bogotá a Güicán partono dall'autostazione principale della capitale tutti i giorni alle 18 e alle 20.50. Gli autobus **Concorde** (☎314-340-0481; www.cootransbol.com; Calle 4 n. 4-20) per Bogotá (COP$45.000, 11 h), meno confortevoli, partono dalla piazza alle 3. Le corse degli autobus **Gacela** (Expreso Paz de Rio; ☎314-

214-9742; Carrera 5 n. 3-09; ⌚8-20; COP$45.000, 11 h) partono alle 3.30, 5, 9, 16.30 e 18.30.

Gli autobus locali **Cootradatil** (☎320-330-9536; Carrera 3 n. 4-05) per El Cocuy (COP$3000, 40 min) partono alle 3, 7, 11 e 14. In alternativa si può prendere uno degli autobus diretti a Bogotá, che passano tutti da El Cocuy percorrendo la strada per la capitale.

Per raggiungere Bucaramanga, Cúcuta, Santa Marta o altre località situate a nord-ovest, prendete l'autobus Concorde per Bogotá fino a Capitanejo, dove dovrete cambiare autobus (alle 23 parte un autobus della compagnia Copetran molto utilizzato dai viaggiatori). In alternativa optate per un volo charter di 20 minuti per Bucaramanga (COP$150.000) dall'aeroporto di Málaga, il più vicino a Capitanejo.

Parque Nacional Natural El Cocuy

L'immenso Parque Nacional Natural El Cocuy, che si estende su una superficie di 306.000 ettari, racchiude alcuni dei paesaggi più straordinari della Colombia ed è l'attrattiva di gran lunga più importante della regione della Sierra Nevada del Cocuy. Nel suo territorio ci sono 15 vette oltre i 5000 m, la più alta delle quali è il Ritacuba Blanco (5330 m).

Il parco, che una volta era off limits per motivi di sicurezza, è oggi una meta sicura, ma è ancora piuttosto complicato da raggiungere. Nel 2013 il suo principale motivo di richiamo, il trekking Güicán–El Cocuy, è stato vietato ai visitatori a tempo indeterminato, e nel 2016 il parco è stato chiuso del tutto mentre erano in corso le trattative del governo con le comunità indigene. All'inizio del 2017 è stato riaperto, ma con un numero ancora maggiore di restrizioni. Oggi non è possibile percorrere nessuno dei ghiacciai, il che rende impossibile scalare le vette; inoltre non è più consentito pernottare all'interno del parco. Prima di andarci vi consigliamo di verificare se nel frattempo è cambiato qualcosa.

☞ Tour

È possibile ingaggiare una guida in una qualsiasi delle *cabañas* che si incontrano tra le montagne o tramite la loro associazione locale, **Aseguicoc** (Asociación de Servicios Turísticos de Güicán y El Cocuy; ☎314-252-8977, 311-255-1034; aseguicoc@gmail.com), a El Cocuy e Güicán. Per un *campesino* o interprete (che si limiterà a mostrarvi la strada) la tariffa si aggira intorno a COP$100.000 al giorno per gruppi composti da non più di otto persone, mentre per ingaggiare una guida escursionistica accreditata bisogna calcolare una spesa compresa tra COP$120.000 e COP$150.000 al giorno nel caso di gruppi fino a sei persone. I portatori costano circa COP$100.000 al giorno (tenete presente che dal 2013 i cavalli non possono più avventurarsi a quote superiori ai 4000 m). Per ridurre le spese, gli escursionisti in viaggio da soli e i piccoli gruppi possono unirsi ad altri visitatori.

Oggi il circuito principale è chiuso, ma ci sono tre itinerari di hiking in giornata aperti ai visitatori nella zona settentrionale, centrale e meridionale del parco.

Per poter percorrere i sentieri escursionistici è necessario presentarsi al punto di controllo entro le 9, perché dopo quell'orario non è più consentito l'accesso. L'ingresso è aperto a partire dalle 5. Inoltre tutti gli escursionisti devono mettersi in cammino per il ritorno entro le 13, in modo da trovarsi fuori dal parco all'orario di chiusura.

Per ciascun sentiero è previsto un numero massimo di escursionisti al giorno, quindi in alta stagione è consigliabile registrarsi presso gli uffici del parco al più presto possibile. La vostra guida può prenotarvi un posto, ma dovrete comunque andare a registrarvi personalmente una volta arrivati a El Cocuy o Güicán.

L'escursione più settentrionale è un circuito di 15,2 km che parte dall'ufficio dei guardaparchi e raggiunge i margini del ghiacciaio del Ritacuba Blanco, la vetta più alta della catena del Cocuy. Il sentiero inizia a circa 4000 m e raggiunge quota 4800 m; per l'andata e il ritorno si impiegano circa otto ore di cammino a passo non troppo sostenuto.

Più spettacolare è il percorso di 21 km che attraversa la zona centrale della catena e raggiunge la Laguna Grande e i margini del ghiacciaio del Nevado Cóncavo a 4700 m di altitudine. È un'escursione molto impegnativa, che richiede 10 ore di cammino tra andata e ritorno, ma regala la vista sensazionale di molte vette situate nella sezione meridionale del parco. I primi 2 km del tragitto attraversano una foresta andina d'alta quota prima di arrivare a La Cuchumba, una cascata con una grotta situata fuori dai confini del parco che è meta di pellegrinaggi religiosi. Da La Cuchumba il sentiero prosegue abbastanza pianeggiante attraverso la Valle de los Frailejones per poi salire fino alla Laguna Grande (4400 m). Dal lago ci vuole un'altra ora di cammino per raggiungere i margini del ghiacciaio.

L'ultimo sentiero aperto ai visitatori è quello che dalla Laguna Pintada sale al Púlpito del Diablo e al ghiacciaio del Pan de Azúcar a 4800 m, nella sezione meridionale del parco. Lungo 8,6 km, richiede sei ore di cammino e quindi è più breve degli altri due percorsi, ma include la salita più impegnativa, un tratto di 600 m da Hotelito fino ad Alto del Conejo. Il suo principale elemento di richiamo è l'imponente formazione rettangolare del Púlpito, che si erge sullo sfondo di spettacolari vette innevate.

Immediatamente fuori dai confini del parco ci sono un paio di escursioni ideali per acclimatarsi. Il sentiero meridionale, prevalentemente pianeggiante, si snoda per 3-4 km dal Refugio Lagunillas lungo un fiume nella Valle de Lagunillas e passa accanto a parecchi laghetti immersi nel magnifico paesaggio del *páramo*. Anche se l'itinerario si svolge in gran parte fuori dai confini del parco, c'è un tratto verso la fine che entra nella zona protetta; tecnicamente sarebbe obbligatorio pagare l'ingresso al parco, ma di solito la norma non viene applicata. Verificate la situazione aggiornata a El Cocuy prima di mettervi in cammino.

Il sentiero settentrionale è un'escursione di quattro ore, tra andata e ritorno, che parte dalle *cabañas* situate a nord sulla strada per Parada de Romero. È un tragitto pianeggiante e abbastanza facile, con bei panorami montani e una vista su Güicán.

L'esperto scalatore e alpinista Rodrigo Arias di **Colombia Trek** (☎320-339-3839; www.colombiatrek.com; trekking di 2/3/4 giorni a partire da COP$650.000/800.000/1.100.000) è una guida valida e caldamente consigliata nonché una delle poche che parlano inglese tra queste montagne. Può organizzare escursioni personalizzate e pacchetti all-inclusive sia per singoli escursionisti sia per gruppi. I trekking partono da Güicán e includono il trasporto, i pasti, l'ingresso al parco, l'alloggio e le guide. Quando non sono in vigore restrizioni, Arias può organizzare anche trekking di più giorni al Paso del Conejo, che attraversano alcuni dei paesaggi più spettacolari del parco. Inoltre noleggia attrezzatura da campeggio ed equipaggiamento di altro genere.

Pernottamento e pasti

Dopo aver visitato El Cocuy o Güicán, quasi tutti gli escursionisti decidono di acclimatarsi all'altitudine trascorrendo la notte in una delle numerose *cabañas* che sorgono appena fuori dei confini del parco. Le più confortevoli sono quelle situate all'estremità settentrionale del parco, nei pressi di Güicán, ma si possono trovare buone sistemazioni anche sulle montagne a metà strada tra El Cocuy e Güicán e all'estremità meridionale del parco. All'interno del parco non ci sono ristoranti.

Hacienda La Esperanza AGRITURISMO **$**
(☎320-328-1674; haciendalaesperanza@gmail.com; camere con prima colazione COP$40.000 per persona) A metà strada tra El Cocuy e Güicán, a quota 3600 m, si trova questa azienda agricola in attività. È un grande edificio rustico in classico stile coloniale costruito in terra battuta, con camere disposte intorno a un cortile interno. Si trova in posizione comoda per l'escursione alla Laguna Grande ed El Cóncavo. Serve anche il pranzo e la cena al costo di COP$15.000.

Refugio Lagunillas GUESTHOUSE **$$**
(Cabañas Sisuma; ☎311-255-1034; aseguicoc@gmail.com; camere con/senza bagno COP$50.000/40.000 per persona) Gestito dall'associazione locale delle guide, questo rifugio con cinque camere situato nella zona meridionale a quota 3980 m è la struttura ricettiva più vicina ai confini del parco. Costituisce una buona base di appoggio per esplorare Lagunillas con un'escursione di riscaldamento o per intraprendere l'escursione al Púlpito del Diablo e al Pan de Azúcar. I pasti costano COP$15.000.

Tenete presente che il *refugio* ha le uniche *cabañas* della zona prive di una strada di accesso; dovrete quindi percorrere gli ultimi 3 km a piedi trasportando tutta l'attrezzatura, ma si tratta di un percorso abbastanza facile e prevalentemente pianeggiante.

Cabañas Kanwara GUESTHOUSE **$$**
(☎311-237-2660, 311-231-6004; kabanaskanwara@gmail.com; camere COP$45.000 per persona) *Cabañas* confortevoli situate all'estremità settentrionale del parco nei pressi di Güicán. I quattro bungalow di legno con struttura a forma di A presentano da otto a 14 letti ciascuno e sono inoltre dotati di caminetto, cucina e bagno. La prima colazione costa COP$15.000, mentre gli altri pasti hanno un prezzo compreso tra COP$20.000 e COP$25.000.

Per/dal Parque Nacional Natural El Cocuy

Se viaggiate con un budget ridotto, il modo migliore per entrare nel parco è fare un'escursione a piedi da El Cocuy o Güicán; in questo modo potrete anche acclimatarvi prima di affrontare uno dei sentieri del parco.

Da Güicán ci sono tre ore di cammino attraverso un magnifico paesaggio rurale per raggiungere la **Hacienda La Esperanza** o cinque ore per le **Cabañas Kanwara**, dove inizia il sentiero settentrionale.

La camminata da El Cocuy al punto di inizio del sentiero per la Laguna del Púlpito e il Pan de Azúcar dura praticamente quasi un giorno intero, mentre l'inizio del sentiero per la Laguna Grande dista circa sei ore di cammino dal villaggio. Se raggiungete il parco a piedi dovrete trascorrere la notte in una delle *cabañas* prima di entrare nel parco.

Se avete poco tempo, oggi a El Cocuy è disponibile una flotta di veicoli privati a noleggio con targa bianca gestita da **Corpotuc** (☎315-860-6083; Carrera 3 n. 7-51). Questi mezzi possono trasportare gli escursionisti in qualsiasi luogo raggiungibile per mezzo di una strada. Il viaggio per una delle *cabañas* o uno dei punti di inizio dei sentieri ha un costo compreso all'incirca tra COP$80.000 e COP$100.000 per veicolo per un massimo di cinque persone. Potete prenotarvi al banco della reception della **Posada del Molino** (p104) a El Cocuy. Anche alcune *cabañas* possono organizzare il trasporto; le tariffe variano in base alla destinazione e al numero di persone.

Un'alternativa più economica – ma meno sicura e confortevole – consiste nel farsi dare un passaggio da un *lechero* (da COP$5000 a COP$12.000), uno degli autocarri adibiti al trasporto del latte che tutte le mattine fanno il giro delle fattorie di montagna. Si tratta di una soluzione estrema, anche perché potreste avere difficoltà a trovare un passaggio, dal momento che la polizia sta inasprendo i controlli su questi camion, che non dispongono dei documenti necessari per trasportare passeggeri.

I *lecheros* partono dalla piazza di Güicán alle 5, raggiungono quella di El Cocuy alle 6 e poi compiono un circuito antiorario fino a tornare a Güicán. Dal momento che in questa zona operano molti *lecheros*, dovrete chiedere in giro per trovare quello che può portarvi alla vostra destinazione. Per finire, tenete presente che questi mezzi non fermano davanti alle *cabañas*, ma vi faranno scendere all'incrocio più vicino, da dove dovrete proseguire a piedi.

SANTANDER

Il dipartimento centro-settentrionale di Santander è un mosaico di montagne ripide e scoscese, profondi canyon, cascate a strapiombo, fiumi impetuosi e grotte inesplorate, immerso in un ambiente climatico secco e temperato: tutte caratteristiche che contribuiscono a renderlo un vero e proprio paradiso per gli amanti delle attività all'aria aperta. Gli appassionati di sport estremi potranno scegliere tra uscite di rafting, voli in parapendio, esplorazioni di grotte, discese in corda doppia, trekking ed escursioni in mountain bike. Gli altri potranno invece godersi il fascino rustico della cittadina coloniale di Barichara, passeggiare per le vie imbiancate a calce di Girón o esplorare i locali notturni di Bucaramanga, il capoluogo del dipartimento.

San Gil

☎7 / POP. 44.561 / ALT. 1110 M

Per essere una città di dimensioni modeste, San Gil offre un numero davvero sorprendente di attrattive turistiche. È la capitale colombiana delle attività all'aperto, una vera mecca per gli appassionati di sport estremi. Sebbene sia nota soprattutto per il rafting, la zona offre la possibilità di dedicarsi a molte altre attività come il parapendio, le esplorazioni di grotte, le discese in corda doppia e il trekking. San Gil vanta anche una pittoresca piazza risalente a oltre tre secoli fa e il Parque El Gallineral, un'incantevole riserva naturale che si estende sulle sponde del Río Fonce.

Per quanto San Gil non sia sicuramente la città più bella della Colombia, andando oltre le apparenze scoprirete una località ricca di bellezze naturali, abitata da gente cordiale e molto accogliente. San Gil è senza dubbio all'altezza del proprio soprannome, 'La Tierra de Aventura'.

Che cosa vedere

Cueva de la Vaca GROTTA

(Curití; visita guidata COP$35.000; ⏲7-16.30) Situata appena fuori dalla cittadina di Curití, La Vaca è la grotta più bella e avventurosa della zona, con numerose cavità piene di stalattiti e stalagmiti. Per esplorarla dovrete partecipare a una visita guidata di 90 minuti, che potrete organizzare in città. A un certo punto dovrete anche nuotare in una galleria sommersa, ma c'è una fune che potrà guidarvi. Indossate indumenti vecchi, perché uscirete molto infangati. Sconsigliata a chi soffre di claustrofobia.

Cascadas de Juan Curi CASCATA

(COP$7000-10.000; ⏲6-17) Fate un'escursione in giornata a questa spettacolare cascata alta 180 m, dove potrete nuotare nella piscina naturale situata ai suoi piedi oppure anche solo concedervi un po' di relax sulle rocce. I più avventurosi possono scendere in cor-

San Gil

San Gil

Che cosa vedere

1 Parque El Gallineral D3

Attività, corsi e tour

2 Colombia Rafting Expeditions C3
3 Connect4 .... B1
Macondo Adventures .... (v. 6)

Pernottamento

4 Hostel Casa Rome B1
5 La Posada Familiar C3
6 Macondo Guesthouse C2
7 Sam's VIP B2

Pasti

8 Autoservice Veracruz B2
9 El Maná C2
10 Gringo Mike's B2
11 Metro B3

Locali e vita notturna

12 La Habana C3

Shopping

13 Centro Comercial El Puente B3

da doppia lungo la parete d'acqua formata dalla cascata prenotandosi presso una delle agenzie locali. Juan Curi dista 22 km da San Gil lungo la strada per Charalá. Dalla stazione degli autobus locali partono ogni ora due autobus per Charalá (COP$5000, un'ora). Chiedete di scendere a 'Las Cascadas,' dove iniziano due sentieri che in 20 minuti conducono alla cascata. Quasi tutti i viaggiatori scelgono di percorrere il sentiero più breve (ma leggermente meno avventuroso) del Parque Ecológico Juan Curi, il primo che si incontra arrivando da San Gil e l'unico che consente di raggiungere la sezione più alta della cascata.

Parque El Gallineral PARCO

(☎ 7-724-4372; all'angolo tra Malecón e Calle 6; con/senza accesso alla piscina COP$10.000/6000; ⏲ 8-18) Il fiore all'occhiello di San Gil è il Parque El Gallineral, che occupa una superficie di quattro ettari su un'isola di forma triangolare situata tra due bracci del Quebrada Curití e del Río Fonce. Quasi tutti i suoi 1900 alberi sono coperti da lunghe fronde argentee di muschio conosciute con il nome di *bar-*

bas de viejo ('barba di vecchio'), che formano spettacolari drappeggi trasparenti di fogliame, contribuendo a creare un ambiente che sembra quello della Terra di Mezzo delle opere di J.R.R. Tolkien.

In questa foresta urbana e sulle rapide formate dai due fiumi si snodano molti sentieri e ponti coperti. Due grandi piscine di acqua trattata con cloro sono state costruite al posto della piscina naturale, chiusa per problemi sanitari. Stonano un po' con il magnifico ambiente naturale circostante, ma sono una buona soluzione per rinfrescarsi. In alternativa sedetevi a bere una *cerveza* in uno dei ristoranti e caffè situati all'interno del parco. Al momento del pagamento vi verrà dato un braccialetto che vi consentirà l'accesso per tutto il giorno fino alle 17 (ultimo ingresso).

Attività

Diverse agenzie di San Gil organizzano uscite di rafting sui fiumi della zona. Una discesa di 10 km sul Río Fonce (rapide di I-III grado) costa COP$45.000 per persona e dura un'ora e 30 minuti; i canoisti più esperti possono affrontare le rapide del Río Suárez (COP$130.000, fino al V grado). Quasi tutte le agenzie locali propongono anche voli in parapendio, esplorazione di grotte, escursioni a cavallo, discese in corda doppia, uscite in mountain bike, bungee jumping e passeggiate ecologiche.

★Colombian Bike Junkies MOUNTAIN BIKE
(☎316-327-6101; www.colombianbikejunkies.com; con prima colazione e pranzo COP$250.000) Ispirata a Gravity Bolivia, questa agenzia di proprietari colombiani-ecuadoriani specializzata in uscite estreme in mountain bike propone un'emozionante discesa di 50 km sulle due ruote attraverso il Cañón del Río Suárez, con il servizio catering del Gringo Mike's (p113). Si tratta di un'attività ad alto tasso adrenalinico che dura tutta la giornata e permette di ammirare panorami veramente spettacolari sulla campagna. Se non siete muniti di un paio di pantaloncini da ciclisti con il cavallo rinforzato, vi consigliamo caldamente di imbottire i vostri pantaloni con qualche spugna.

★Macondo Adventures SPORT AVVENTURA
(☎7-724-8001; www.macondohostel.com; Carrera 8 n. 10-35) Questo operatore professionale che dispone di un banco all'interno dell'ostello Macondo organizza una gamma completa di attività all'insegna dell'avventura. Il personale, molto disponibile, ha sperimentato in prima persona tutte le attività e potrà consigliarvi quelle più adatte ai vostri gusti e al vostro grado di temerarietà.

Colombia Rafting Expeditions RAFTING
(☎7-724-5800; www.colombiarafting.com; Carrera 10 n. 7-83; ⏲8-17) Questa agenzia specializzata nell'organizzazione di uscite di rafting sul Río Suárez propone anche hydrospeed e kayak.

Pescaderito NUOTO
FREE Questo gruppo di cinque piscine naturali a ingresso libero costituisce la meta ideale per concedersi una giornata di completo relax. Vi consigliamo di ignorare la prima, perché le piscine migliorano salendo (la quinta è di gran lunga la più bella, dalla terza non ci si può tuffare). È anche un bel posto per campeggiare.

Per raggiungere il Pescaderito, prendete uno dei mezzi in partenza dalla stazione degli autobus locali fino alla piazza principale di Curití (COP$2700, ogni 15 minuti), proseguite a piedi per quattro isolati oltre la chiesa e poi percorrete per circa 40 minuti la strada che conduce fuori città risalendo il fiume.

Peñon Guane SPORT AVVENTURA
(Km 2 Vía San Gil–Barichara; zip-line COP$50.000) Queste due zip-line lunghe 300 m corrono lungo il pendio della montagna che domina la città sulla strada per Barichara, regalando panorami da brivido. C'è anche una gigantesca altalena estrema che lancia i partecipanti oltre il bordo dell'abisso. Il complesso include un bar con una bella vista panoramica, molto frequentato dalle coppie di innamorati per ammirare le luci della città.

Corsi

Connect4 LINGUA
(☎7-724-2544; www.connect4.edu.co; Carrera 8 n. 12-19) Questo centro linguistico gestito in modo professionale offre corsi di spagnolo intensivi e ben organizzati della durata di 12 ore (COP$320.000), pensati per insegnare ai viaggiatori stranieri le nozioni di base di cui avranno bisogno durante il loro soggiorno. Potete seguire ciascun modulo di tre ore nel momento che preferite; in questo modo vi rimarrà molto tempo per le attività avventurose. Sono disponibili anche corsi di un giorno (COP$80.000) e lezioni private (COP$42.000 l'ora).

Pernottamento

Nella zona centrale di San Gil si trovano parecchi alberghi prevalentemente economici o di fascia media. Le camere private di molti ostelli sono talmente graziose che in genere non vale la pena di spendere di più per soggiornare in una struttura di media categoria. Lungo Calle 10 ci sono molte strutture spartane ed economiche. Chi invece preferisce concedersi una sistemazione più confortevole potrebbe prendere in considerazione gli hotel-resort di lusso situati in periferia.

★ Macondo Guesthouse OSTELLO $
(☎7-724-8001; www.macondohostel.com; Carrera 8 n. 10-35; letti in camerata COP$25.000, singole/doppie con bagno COP$70.000/90.000, senza bagno COP$50.000/65.000; @ 🛜) Il più antico ostello di San Gil rimane sempre il migliore della città. È un posto informale ma sicuro (anche grazie alla presenza di diverse telecamere a circuito chiuso) che dà ai suoi ospiti l'impressione di trovarsi a casa di amici. Ha un magnifico cortile pieno di piante con un idromassaggio per 10 persone e un'ampia scelta di camere e camerate, tra le quali spiccano tre camere private rinnovate di recente di livello notevolmente superiore rispetto alle solite camere di ostello.

Pur non essendo certo la sistemazione più elegante della zona, è perfetta per cogliere l'atmosfera tipica di San Gil. La direzione e il personale conoscono a fondo la regione e, avendo sperimentato loro stessi le attività d'avventura, sono in grado di darvi ottimi consigli. Da non perdere le partite di *tejo* del martedì sera.

Hostel Casa Rome OSTELLO $
(☎7-723-8819; www.hostelcasarome.com; Carrera 8 n. 11-90; letti in camerata/singole/doppie COP$30.000/60.000/75.000; 🛜) La nuova struttura, gestita dall'esperto gruppo responsabile degli ostelli Santander Alemán, occupa un invitante edificio in stile coloniale che comprende camere spaziose con soffitti a travi di legno e pavimenti con piastrelle dai colori vivaci. Le camere private sono dotate di TV a schermo piatto e bei bagni moderni; alcune hanno anche un piccolo balcone. Le ampie e convenienti camerate si distinguono per la piacevole assenza di letti a castello.

La Posada Familiar GUESTHOUSE $$
(☎7-724-8136, 301-370-1323; laposadafamiliar@hotmail.com; Carrera 10 n. 8-55; camere COP$40.000 per persona; @ 🛜) La señora Esperanza stravede per gli ospiti della sua guesthouse, frequentata soprattutto da colombiani e dotata di sei camere disposte intorno a un cortile pieno di piante con una fontana gorgogliante. Le camere, essenziali ma ben tenute, offrono bagni moderni con acqua calda; c'è anche una piccola e graziosa cucina con un lavello in legno duro.

Sam's VIP OSTELLO $$
(☎7-724-2746; www.samshostel.com; Carrera 10 n. 12-33; letti in camerata COP$30.000, singole/doppie con bagno COP$80.000/100.000, senza bagno COP$65.000/90.000; @ 🛜 🏊) L'ostello più straordinario di San Gil sorge proprio sulla piazza e merita una menzione speciale per il suo splendido arredamento. Le camere private all'ultimo piano sono fantastiche, mentre le camerate ubicate ai piani inferiori non sono granché ventilate e non ricevono molta luce naturale. Sul retro c'è una piccola piscina con un magnifico panorama sulle montagne.

Pasti

Pur non essendo una destinazione per gli amanti della buona tavola, San Gil possiede comunque alcuni buoni ristoranti che servono gustose specialità della cucina casalinga locale e qualche piatto internazionale. Per fare la spesa potete andare all'**Autoservice Veracruz** (Calle 13 n. 9-24; ⏲8-21 lun-sab, fino alle 14 dom), sulla piazza principale (soprattutto per frutta e verdura fresche) e al **Metro** (⏲8-21 dom-ven, fino alle 22 sab), il supermercato più grande di San Gil, specializzato in prodotti conservati e ospitato all'interno del Centro Comercial El Puente, il moderno centro commerciale cittadino.

★ El Maná COLOMBIANO $
(Calle 10 n. 9-42; pasti a prezzo fisso COP$14.000; ⏲11-15 e 18-20.30 lun-sab, fino alle 15 dom) Diventato famoso grazie al passaparola, questo locale è considerato il miglior ristorante colombiano della città. Gli eccellenti menu a prezzo fisso – ogni giorno ce ne sono sei o sette fra cui scegliere – includono piatti tradizionali come pollo in salsa di prugne, *estofado de pollo* (stufato di pollo) e trota di montagna alla griglia. L'unico inconveniente di questo locale è che chiude presto e quindi non è adatto a chi passa tutta la giornata fuori.

Piqueteadero Doña Eustaquia COLOMBIANO $
(Calle 3 n. 5-39, Valle de San José; chorizo COP$1300; ⏲7-20) Situato nel villaggio di Valle de San José, sulla strada per le cascate di Juan Curi, questo posto è famoso per il suo *chorizo* cot-

to nel *guarapo* (succo fermentato di zucchero di canna). Ha un altro locale nell'area ristorazione del centro commerciale di San Gil.

★**Gringo Mike's** AMERICANO $$
(☎7-724-1695; www.gringomikes.net; Calle 12 n. 8-35; hamburger COP$18.500-24.500; ⏲8-23; 📶) In un suggestivo cortile illuminato dalle luci delle candele troverete questo grazioso locale a gestione angloamericana, che richiama un gran numero di viaggiatori stranieri in preda alla nostalgia dei sapori di casa, con hamburger gourmet, sandwich al bacon, burritos per la prima colazione e caffè French Press, il tutto servito in porzioni decisamente abbondanti. Tra i numerosi piatti da non perdere meritano di essere segnalati in particolare l'hamburger allo jalapeño piccante, l'insalata di mango, arachidi e formaggio erborinato con gamberi e il burrito messicano al filetto di manzo. Anche i cocktail e i piatti vegetariani sono ottimi.

Non dimenticate di lasciare un po' di spazio per i sensazionali dessert. Il nostro preferito è il grande biscotto con scaglie di cioccolato appena sfornato.

Locali e divertimenti

Se avete voglia di bere un espresso, sulla piazza ci sono diversi locali dotati di macchina per l'espresso, ma il caffè migliore è quello servito nel **Centro Comercial El Puente** (www.elpuente.com.co; Calle 10 n. 12-184; ⏲9-21). Bere birra sulla piazza era uno dei passatempi preferiti dagli abitanti locali, ma in seguito all'entrata in vigore di nuove disposizioni non è più consentito. Intorno al parco ci sono però numerosi bar con vista panoramica che servono birre ghiacciate.

La Habana BAR
(☎300-407-5138; Calle 8 n. 10-32; ⏲15-24 lun-gio, fino all'1 ven e sab, 9-1 dom) Situato in una nuova sede affacciata sul *malecón*, questo bar senza pretese al secondo piano offre un mix di salsa, reggae, rock e blues. È il migliore locale aperto fino a tardi tra quelli raggiungibili a piedi dalla maggior parte degli ostelli e hotel.

Comité Municipal de Tejo SPORT TRADIZIONALE
(☎7-724-4053; Carrera 18 n. 26-70; ⏲16-22.30) Cimentatevi nel *tejo* nei campi municipali di San Gil. Per chi non conosce bene questa attività (che prevede lanci di pietre in un'area costellata di esplosivi) è consigliabile partecipare a una visita guidata.

Informazioni

Nella piazza e nei suoi immediati dintorni troverete parecchi sportelli bancomat (vi consigliamo di evitare quello del Banco Agrario, che dà sempre problemi). Per l'elenco degli hotel e delle agenzie di attività avventurose visitate il sito www.sangil.com.co.

4-72 (Carrera 10 n. 10-50; ⏲8-12 e 14-18 lun-ven, 9-12 sab) Ufficio postale.

Bancolombia (Calle 12 n. 10-44)

BBVA (Carrera 10 n. 12-23)

Davivienda (all'angolo tra Carrera 10 e Calle 11)

Punto Información Turística (*malecón* adiacente al Parque Gallineral; ⏲10-17)

Polizia turistica (☎320-302-8489, 7-724-3433; all'angolo tra Carrera 11 e Calle 7; ⏲24 h)

Per/da San Gil e trasporti locali

San Gil ha due stazioni degli autobus con vari nomi, ma con ogni probabilità arriverete alla **stazione degli autobus intercity** (Vía San Gil–Bogotá), conosciuta dalla gente del posto con il nome *terminal principal* e situata 3 km a ovest del centro cittadino, lungo la strada che conduce a Bogotá. Gli autobus urbani fanno regolarmente la spola tra la stazione e il centro; in alternativa prendete un taxi (COP$4000).

I minibus per Bucaramanga (COP$16.000, 2 h 30 min), che passano dal **Parque Nacional del Chicamocha** (p118), partono ogni 30 minuti dalle 4 alle 20; dopo questo orario si può ricorrere agli autobus di passaggio sulle tratte a lunga percorrenza.

Da San Gil partono con frequenza autobus diretti a Bogotá (COP$35.000, 7 h) via Tunja (COP$25.000, 4 h). Meno frequenti sono le corse per Barranquilla (COP$73.000, 13 h), Cartagena (COP$87.000, 15 h), Santa Marta (COP$68.000, 12 h), Medellín (COP$85.000, 12 h) e Cúcuta (COP$50.000, 9 h), le cui partenze sono concentrate prevalentemente la sera. Autobus diretti per altre destinazioni partono da Bucaramanga, ma è possibile prenotare presso gli uffici della compagnia alla stazione di San Gil. **Copetran** (☎313-333-5740; www.copetran.com.co) assicura i collegamenti più regolari.

Dal **Cotrasangil Terminal** (Terminalito; ☎7-724-2155; www.cotrasangil.com; all'angolo tra Calle 17 e Carrera 10) – chiamato *terminalito* dalla gente del posto – partono autobus frequenti per Barichara (COP$4800, 45 min) dalle 6 alle 18.45. Da questa stazione partono anche autobus per Guane (COP$7000, 1 h, 8 corse al giorno), Curití (COP$2700, 20 min, ogni 15 min dalle 6 alle 19.30), Charalá (COP$6000, 1 h, ogni 30 min dalle 6.30 alle 16) e altre destinazioni.

I **taxi** locali (Carrera 9) stazionano sul lato settentrionale del parco.

Barichara

☎7 / POP. 7112 / ALT. 1336 M

Barichara è il genere di località che i cineasti di Hollywood sognano sempre per i loro film. Questa cittadina coloniale spagnola ricca di atmosfera presenta vie acciottolate ed edifici imbiancati a calce con tetti di tegole rosse che si sono conservati praticamente intatti dal giorno in cui furono costruiti, circa tre secoli fa. Date queste premesse, non è una sorpresa che a Barichara vengano girati molti film e telenovelas in lingua spagnola. Naturalmente, l'aspetto da set cinematografico è dovuto in buona parte alle ingenti opere di restauro messe in atto da quando nel 1978 la città è stata dichiarata monumento nazionale.

Barichara sorge 20 km a nord-ovest di San Gil, in posizione panoramica sul Río Suárez. Fondata nel 1705, grazie alle sue bellezze naturali, al gradevole clima temperato e a uno stile di vita bohémien, ha sempre richiamato un gran numero di visitatori. Negli ultimi anni Barichara è diventata una meta particolarmente apprezzata dai colombiani benestanti. Rispetto a Villa de Leyva, Barichara è una località di gran lunga più esclusiva e meno turistica, due caratteristiche che contribuiscono a renderla una delle cittadine coloniali più belle di tutto il paese.

Che cosa vedere e fare

Parque Para Las Artes PARCO

Questo piccolo e incantevole parco è abbellito da elementi decorativi acquatici (che però non erano in funzione al momento della nostra visita) e da statue realizzate da scultori locali. Vi è inoltre un anfiteatro all'aperto che di tanto in tanto ospita qualche concerto. Dal parco è possibile ammirare un panorama mozzafiato sulla valle circostante.

Catedral de la Inmaculada Concepción CHIESA

(Parque Principal; ⏲5.45-19) Questa chiesa in arenaria del XVIII secolo è l'edificio più elaborato di Barichara e quasi sproporzionato rispetto alle dimensioni della cittadina. La sua muratura in pietra dorata – che al tramonto si tinge di sfumature arancioni – crea un gradevole contrasto con il candore delle case imbiancate che la circondano. L'edificio presenta un cleristorio (una seconda fila di finestre sopra la navata), un elemento decisamente insolito per le chiese coloniali spagnole.

Taller Centro Día LABORATORIO

(Museo Parra; all'angolo tra Carrera 2 e Calle 6; ⏲8-15) Nella corte del **Museo Aquileo Parra** si trova questo collettivo di 24 artigiani impegnati a realizzare borse e altri articoli in fibre di *fique* su telai tradizionali. Potrete osservarli al lavoro e magari acquistare una borsa, i prezzi sono modici e il gruppo vive dei proventi di questa attività.

★ **Fundación San Lorenzo** VISITE GUIDATE

(Taller de Papel; ☎7-726-7234; www.fundacionsanlorenzo.wordpress.com; Carrera 5 n. 2-88; visita guidata con/senza produzione di carta COP$4000/3000; ⏲7.30-13 e 15-17.30 lun-ven, 8-13 e 15-18 sab, 10-13 dom) Questa piccola cartiera gestita da una cooperativa di ragazze madri offre la possibilità di farsi un'idea del processo di fabbricazione – che dura quattro mesi – della carta artigianale a partire dalla *fique*, una fibra naturale ricavata dalle foglie dell'omonima pianta andina e dalle foglie di ananas. I visitatori possono prendere parte a un laboratorio di base per produrre un foglio di carta con le loro mani.

Gli articoli di cancelleria e i prodotti in carta venduti dalla Fundación San Lorenzo sono ottimi souvenir.

Pernottamento

Barichara non è sicuramente una località economica – chi viaggia con un budget limitato farà meglio a soggiornare a San Gil – ma è in grado di ricompensare ampiamente chi decide di pernottare in città. Le tariffe possono aumentare del 30% e oltre nella *temporada alta* (alta stagione), all'incirca dal 20 dicembre al 15 gennaio e durante la Semana Santa. In questi periodi è indispensabile prenotare in anticipo.

★ **Tinto Hostel** OSTELLO $

(☎7-726-7725; www.tintohostel.com; Carrera 4 n. 5-39; letti in camerata a partire da COP$25.000, singole/doppie a partire da COP$60.000/80.000; @ 📶 🏊) Il miglior ostello di Barichara occupa una grande casa a più piani. Dispone di tre camerate e cinque camere private con bei bagni, soffitti a volta e acqua calda. Le aree comuni – la cucina per gli ospiti decorata con ceramiche artistiche, il soggiorno, uno spazio per le amache e una terrazza – sono tutte magnifiche, e dalla terrazza si può godere di un'ampia vista della città. Tutta la struttura è impreziosita da tocchi artistici.

Barichara

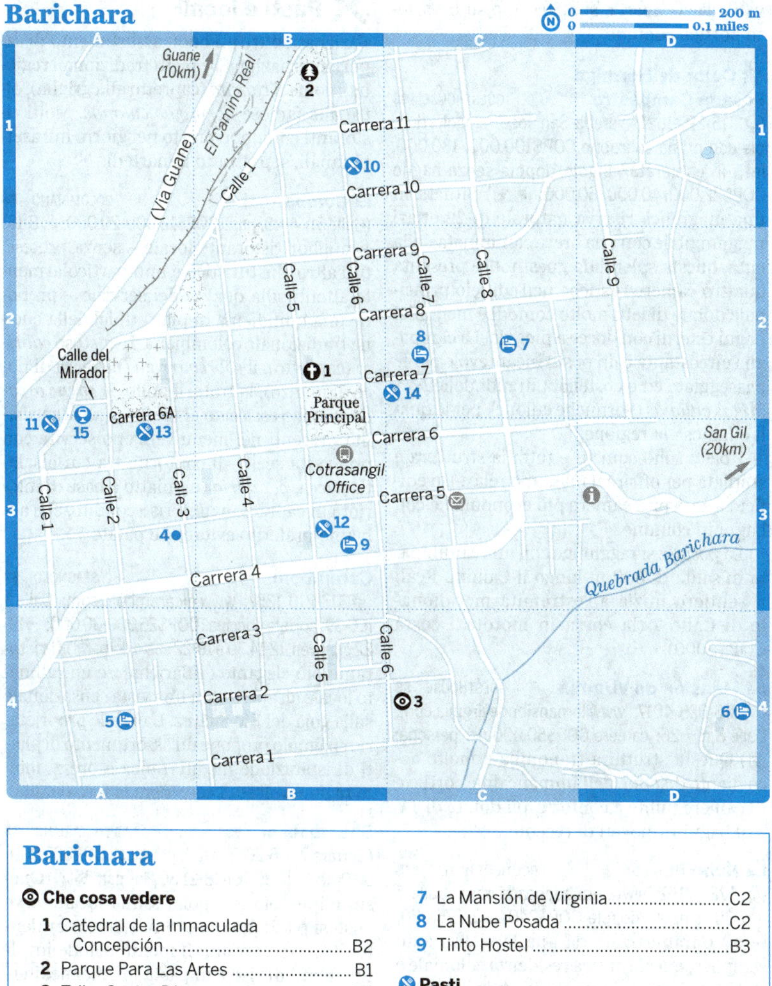

Barichara

Che cosa vedere

1 Catedral de la Inmaculada Concepción B2
2 Parque Para Las Artes B1
3 Taller Centro Día C4

Attività, corsi e tour

4 Fundación San Lorenzo A3

Pernottamento

5 Artepolis A4
6 Color de Hormiga Posada Campestre D4
7 La Mansión de Virginia C2
8 La Nube Posada C2
9 Tinto Hostel B3

Pasti

10 7 Tigres B1
11 Carambolo A3
12 El Compa B3
13 Ristorante Al Cuoco A3
14 Shambalá C2

Locali e vita notturna

15 Iguá Náuno A3

Artepolis HOTEL $
(☎300-203-4531; www.artepolis.info; Calle 2 n. 1-50; camere/triple a partire da COP$65.000/80.000; 📶) Situato su un pendio alla periferia della città, in una posizione che regala una splendida vista sulla campagna circostante, questo piccolo e accogliente albergo offre un eccellente rapporto qualità-prezzo ed è un posto incantevole per godersi un po' di relax. Le camere sono ubicate al secondo piano di un nuovo edificio in stile coloniale e ricevono molta luce naturale. Dotate di bagni pri-

vati all'aria aperta, si affacciano su un arioso portico comune.

★ Color de Hormiga Posada Campestre GUESTHOUSE $$

(☎315-297-1621; Vereda San José; singole/doppie con prima colazione COP$100.000/180.000, letti in camerata/singole/doppie senza bagno COP$22.000/40.000/60.000; P 📶) Situata in una magnifica riserva naturale di 22 ettari raggiungibile con una breve camminata dalla città, questa splendida guesthouse presenta quattro camere rustiche nell'edificio principale dotate di letti molto comodi e magnifici bagni esterni con docce a pioggia. La campagna circostante è un posto incantevole per le passeggiate ed è costellata di nidi delle *hormigas culonas* ('formiche culone') per le quali è famosa la regione.

I pasti sono squisiti e tutta la struttura è studiata per offrire il massimo relax. Un edificio a sé ospita camere più economiche con bagni in comune.

La *posada* si raggiunge con una camminata in salita di 800 m lungo il Camino Real; il sentiero inizia all'estremità meridionale di Calle 7 (la corsa in mototaxi costa COP$6000).

La Mansión de Virginia GUESTHOUSE $$

(☎315-625-4017; www.lamansiondevirginia.com; Calle 8 n. 7-26; camere COP$50.000 per persona; 📶) Questa struttura tranquilla e molto accogliente dispone dell'immancabile cortile e di camere pulite e confortevoli dotate di TV e di bagni rinnovati di recente.

La Nube Posada BOUTIQUE HOTEL $$$

(☎7-726-7161; www.lanubeposada.com; Calle 7 n. 7-39; singole/doppie COP$240.000/275.000; 📶) Caratterizzata da una facciata molto semplice, questa antica residenza coloniale è stata trasformata in uno splendido boutique hotel dall'elegante arredamento minimalista. Al suo interno troverete otto camere arredate con semplicità, dotate di letti queen size e di soffitti a volta con travi a vista, disposte intorno a un cortile in cui vengono allestite mostre d'arte temporanee.

Il raffinato bar-ristorante colombiano interno è considerato uno dei migliori della città e custodisce sotto chiave una collezione di rum provenienti da 14 paesi. La nuova dépendance ospita alcune suite e una spa. L'unica pecca di questa struttura è costituita dai bagni, che possono andare bene per un Holiday Inn, ma non certo per un albergo di Barichara.

Pasti e locali

Barichara offre un buon assortimento di sapori internazionali e piatti tradizionali regionali come il *cabrito* (capretto alla griglia), oltre alle famose *hormigas culonas*. Molti ristoranti chiudono presto nei giorni infrasettimanali, soprattutto il martedì.

El Compa COLOMBIANO $$

(Calle 5 n. 4-48; pasti COP$12.000-20.000; ⏱8-18) Il miglior ristorante locale – senza pretese, tutt'altro che turistico e non particolarmente attento alla qualità del servizio – propone una quindicina di piatti tipici della cucina tradizionale colombiana. Il gustoso *cabrito* (capretto), il *sobrebarriga* (bistecca di noce di manzo), la trota, il pollo, la *carne oreada* (manzo essiccato al sole) e le altre specialità presenti nel menu vengono servite con una vasta scelta di contorni, tra cui insalata, yucca, *pepitoria* (un piatto a base di interiora di capra, sangue e riso condito, che abbiamo preferito evitare!) e patate.

Carambolo SPAGNOLO $$

(☎313-210-1257; www.elcarambolo.com; Calle 1 n. 6-39; portate principali COP$25.000-30.000; ⏱19-22 gio e ven, 12-14.30 e 19-22 sab e dom; 📶) Il ristorante più elegante di Barichara è un raffinato locale all'aperto con una vista sensazionale sulla gola del Río Suárez. L'affabile proprietario spagnolo propone un assortimento di piatti di ispirazione mediterranea a prezzi molto ragionevoli se si considera la loro qualità.

Shambalá VEGETARIANO $$

(Carrera 7 n. 6-20; portate principali COP$20.000-30.000; ⏱12.30-16 e 18-21.30 gio-mar; 📶) Questo minuscolo e popolarissimo locale serve gustosi piatti fatti su ordinazione, prevalentemente vegetariani. Il menu include involtini, piatti di riso e di pasta in stile mediterraneo, indiano o thailandese (chi lo desidera può farsi aggiungere pollo o gamberetti), che potrete accompagnare con ottimi succhi di frutta, tè e altre bevande simili.

7 Tigres PIZZA $$

(Calle 6 n. 10-24; pizza COP$18.000-20.000; ⏱6-21) Pizze da gourmet a pasta sottile molto apprezzate dai viaggiatori. La pizza 'Argentina' (con filetto di manzo, salame e pesto) è la migliore del menu.

Ristorante Al Cuoco ITALIANO $$$

(☎320-232-5422; Carrera 6A n. 2-54; portate principali COP$28.000-35.000; ⏱12-21.30 lun-sab, fino alle 18 dom) Questo elegante ristorante italiano è ospitato nella casa di un cordiale chef romano. Anche se il menu è piuttosto limitato (ravioli, cannelloni, gnocchi, risotto, un paio di piatti principali e due dessert), la pasta fatta in casa è semplicemente eccezionale e la consigliamo sia a chi desidera gustare un piatto diverso dal solito sia a chi vuole concedersi un viaggio gastronomico nella madrepatria. Durante i weekend e nei giorni festivi la prenotazione è sempre caldamente consigliata.

Non andatevene senza aver assaggiato la specialità della casa, il gelato al parmigiano (COP$13.000), in cui il perfetto contrasto del formaggio con le more e le mandorle crea un gusto sensazionale.

Iguá Náuno BAR
(all'angolo tra Calle del Mirador e Carrera 7; ⌚17-23) Questo locale è il luogo di ritrovo della gente alla moda della città. Non è un bar specializzato, ma le birre di importazione (tra cui le buone *micheladas*), qualche cocktail e il suggestivo giardino ne fanno un posto molto gradevole. Serve anche da mangiare, in particolare un buon assortimento di piatti vegetariani.

Informazioni

Nella piazza principale ci sono due sportelli bancomat.

Banco Agrario (Parque Principal)

Banco de Bogotá (Parque Principal)

4-72 (all'angolo tra Carrera 5 e Calle 7; ⌚8-12 e 14-18) Agenzia postale all'interno di un negozio di alimentari.

Polizia (☎8-726-7173; all'angolo tra Calle 7 e Carrera 4) La polizia turistica a volte opera anche da un chiosco nel Parque Principal.

Punto Información Turística (☎315-630-4696; www.barichara-santander.gov.co; Carrera 5, Salida San Gil; ⌚9-17 mer-lun)

Per/da Barichara

Un servizio di autobus navetta collega Barichara e San Gil (COP$4800, 45 min) con partenze ogni 30 minuti dalle 5 alle 18.45. I mezzi partono davanti all'**ufficio Cotrasangil** (☎8-726-7132; www.cotrasangil.com; Carrera 6 n. 5-70), sulla piazza principale. Tutti i giorni dalle 5.30 alle 17.45 da Barichara partono 10 autobus diretti a Guane (COP$2200, 15 min).

Guane

Guane, un placido villaggio che sembra appartenere a un'altra epoca, è un posto veramente incantevole per una passeggiata. La sua graziosa piazza principale presenta una pregevole chiesa rurale, la **Iglesia de Santa Lucía**, costruita nel 1720. Notate i fossili presenti nelle pietre che rivestono la piazza davanti alla chiesa.

All'estremità occidentale dell'abitato c'è un magnifico punto panoramico con un'incantevole vista sulla valle del Río Suárez. Per arrivarci, attraversate la piazza davanti alla chiesa e imboccate Calle 9 sulla sinistra.

Lo straordinario **Museo Paleontológico y Arqueológico** (Carrera 6 n. 7-24; COP$3000; ⌚8-12 e 14-18) ospita una collezione comprendente oltre 10.000 fossili, una mummia risalente a sette secoli fa, qualche teschio, manufatti dei guane e opere d'arte sacra. Il suo curatore accompagna personalmente nella visita (in spagnolo) chiunque si presenti, dopo aver chiuso la porta d'ingresso. Ubicato in una casa coloniale restaurata che un tempo era un luogo di sosta dei viaggiatori a dorso di mulo, il miglior hotel di Guane, **Casa Misiá Custodia** (☎316-566-3187; misiacustodiahotelboutique@gmail.com; Carrera 5 n. 7-21; singole/doppie a partire da COP$150.000/180.000; 🏊), fornisce sistemazioni a buon prezzo. Oltre alle camere spaziose ed eleganti, ci sono una zona ristorante all'aperto e una picco-

LE FORMICHE 'FORMOSE' DI BARICHARA

Tra tutte le tradizioni gastronomiche colombiane, nessuna supera per singolarità la specialità del Santander, le *hormigas culonas* – letteralmente 'formiche culone'. La tradizione risale a oltre cinque secoli fa, quando i guane allevavano e mangiavano queste formiche per le loro presunte proprietà afrodisiache e curative. Queste grandi formiche di colore marrone scuro vengono fritte o arrostite e mangiate intere o macinate fino a ricavarne una polvere. I recipienti colmi di formiche fritte da gustare come spuntino sono in vendita in quasi tutti gli empori di generi vari del Santander, ma soprattutto a Barichara, San Gil e Bucaramanga. In genere, la stagione migliore per mangiarle è la primavera, ma ormai si trovano tutto l'anno. Sanno di... be', terra che scricchiola sotto i denti mischiata a vecchi fondi di caffè. È senza dubbio una cosa che si impara ad apprezzare con il tempo... ma per apprezzarla bisogna provarla!

la piscina con vasca idromassaggio nel cortile sul retro.

Durante il giorno la maggior parte dei visitatori raggiunge Guane a piedi da Barichara e rientra in autobus. Non dimenticate di portare con voi un'abbondante scorta di acqua potabile, crema solare e scarpe adatte.

Gli autobus diretti a Barichara (COP$2200, 20 minuti) e da lì a San Gil (COP$7000, un'ora) effettuano 10 partenze al giorno dalla piazza principale di Guane tra le 6 e le 18.15.

Cañón del Chicamocha

A metà strada tra San Gil e Bucaramanga si apre lo spettacolare canyon del Río Chicamocha, un arido paesaggio di montagne maestose che si ergono sopra le acque color caffellatte del fiume. La strada battuta dal vento che collega le due città costeggiando questo strapiombo è una delle più panoramiche del Santander.

Che cosa vedere

L'attrattiva principale è il canyon, che si può ammirare al meglio dalla funivia che corre dal Panachi a Mesa de Los Santos.

Parque Nacional del Chicamocha PARCO DIVERTIMENTI

(☎7-639-4444; www.parquenacionaldelchicamocha.com; Km 54, Vía Bucaramanga–San Gil; interi/bambini COP$25.000/18.000; ⏲10-18 mer-ven, 9-19 sab e dom;) Non fatevi ingannare dal nome: il Parque Nacional del Chicamocha, o 'Panachi' come viene chiamato dalla gente del posto, non è un parco nazionale nel senso convenzionale del termine. In realtà si tratta di un parco divertimenti un po' kitsch costruito su alcune spettacolari montagne. Al suo interno non ci sono sentieri di trekking, ma un mirador che offre una magnifica vista a 360°. Il fiore all'occhiello del parco è il ***teleférico*** (biglietto di andata e ritorno e ingresso al parco interi/bambini COP$50.000/32.000; ⏲10.30-11, 12.30-13, 14.30-15 e 16.30-17 mer-ven, 9-18 sab e dom;), una funivia lunga 6,3 km che in 22 minuti scende fino alla base del canyon e risale sul margine opposto.

Tra le altre attività proposte figurano un'altalena estrema e una zip-line. Il parco ospita inoltre il **Museo della cultura guane**, diversi ristoranti, un cinema 4D, un parco giochi per bambini, un allevamento di struzzi di scarso interesse e il Monumento a la Santandereanidad, che commemora lo spirito rivoluzionario degli abitanti del dipartimento di Santander. L'attrazione più recente è un parco acquatico costato sei milioni di dollari – una scelta interessante in cima a un'arida catena montuosa.

Per/dal Cañón del Chicamocha

Tutti gli autobus in servizio tra San Gil e Bucaramanga possono lasciarvi all'ingresso del Panachi. Per rientrare in una delle due città, tornate alla fermata dell'autobus sulla statale e fermate un autobus di passaggio con un cenno della mano.

In altre zone del canyon lungo la strada principale ci sono pochi posti sicuri in cui scendere dall'autobus: non ci sono marciapiedi e al lato della strada si aprono ripidi strapiombi.

Il sito di parapendio si trova nelle immediate vicinanze della strada principale a sud del parco, ma gli operatori offrono il trasporto privato a chi acquista un volo.

Bucaramanga

☎7 / POP. 528.497 / ALT. 960 M

Con un'area urbana di circa un milione di abitanti, il capoluogo del dipartimento di Santander è una delle città più grandi di tutta la Colombia, circondata da imponenti montagne e piena di grattacieli. Non essendo tra le città più interessanti del paese, non è troppo affollata di visitatori ed è un posto piacevole per farsi un'idea della cultura locale.

Buca – come viene chiamata dalla gente del luogo – fu fondata nel 1622 e si sviluppò intorno all'odierno Parque García Rovira, ma purtroppo ha conservato ben poco della sua architettura coloniale. Nel corso dei secoli il centro cittadino si è spostato verso est, e oggi è il Parque Santander a costituire il cuore di Bucaramanga. Ancora a est si estendono i quartieri più recenti ed eleganti, gremiti di alberghi e di locali notturni.

Soprannominata 'la città dei parchi', Bucaramanga possiede alcuni incantevoli spazi verdi e sembra fatta apposta per chi ha bisogno di ricaricarsi. La città si anima soprattutto di sera, quando prendono improvvisamente vita le decine di discoteche, le centinaia di bar e le 10 istituzioni universitarie presenti a Bucaramanga.

Che cosa vedere e fare

Jardín Botánico Eloy Valenzuela GIARDINO

(☎7-648-0729; Av Bucarica, Floridablanca; COP$5000; ⏲8-16) Raggiungibile con una breve passeggiata dal parco a Floridablanca, questo lussureggiante giardino botanico situato accanto a un grazioso corso d'acqua è un bel posto per sfuggire al trambusto cittadino, anche se in lontananza si sente ancora il rumore del traffico. Oltre ai magnifici alberi rivestiti da cascate di muschio, il giardino presenta due laghetti e una popolazione di tartarughe.

Nel biglietto d'ingresso è incluso il servizio di una guida, ma se preferite potete esplorare il posto per conto vostro.

Museo Casa de Bolívar MUSEO
(☎7-630-4258; www.academiadehistoriadesantander.org; Calle 37 n. 12-15; COP$2000; ⊙8-12 e 14-18 lun-ven, 8-12 sab) Ospitato all'interno di una suggestiva residenza coloniale dove nel 1828 Simon Bolívar soggiornò per due mesi, questo museo custodisce una bella collezione di cimeli storici e archeologici, tra cui armi, documenti, dipinti, nonché mummie e manufatti dei guane che vivevano in questa regione prima dell'arrivo degli spagnoli. La casa merita di per sé una visita. Non mancate di dare un'occhiata al cortile sul retro, ombreggiato da alcune belle palme.

Colombia Paragliding PARAPENDIO
(☎312-432-6266; www.colombiaparagliding.com; Km 2 Vía Mesa Ruitoque) Lo sport più popolare a Bucaramanga è il parapendio. Il fulcro di questa attività si trova sulla cima della Mesa de Ruitoque. Colombia Paragliding propone voli in tandem della durata di 15/30 minuti al costo di COP$80.000/150.000 e corsi per il rilascio del brevetto di pilota riconosciuto a livello internazionale (corsi di 12 giorni a partire da COP$3.400.000 compreso l'alloggio).

Pernottamento e pasti

Kasa Guane Bucaramanga OSTELLO $
(☎7-657-6960; www.kasaguane.com; Calle 11 n. 26-50, Barrio Universidad; letti in camerata COP$25.000 singole/doppie a partire da COP$60.000/80.000; @ 🛜) Il miglior hotel di Bucaramanga, che vanta una nuova sede nella zona occidentale della città, offre allegre camere moderne con murales variopinti, TV via cavo e bagni con acqua calda, oltre a confortevoli e vivaci camerate. La direzione fornisce informazioni utili e organizza attività di ogni genere, ma la vera attrazione è l'ampia terrazza sul tetto, un bel ritrovo per incontrare gente del posto.

Tutte le camerate hanno solo quattro letti e ognuna ha il bagno privato. Chiedete informazioni sul progetto sociale dell'ostello Goals for Peace, che lavora con bambini svantaggiati attraverso il gioco del calcio. La nuova sede non è molto comoda rispetto ai bar e ai ristoranti, ma si trova proprio accanto a una stazione Metrolínea, per cui girare per la città è facile.

Nest OSTELLO $$
(☎7-678-2722; www.thenesthostel.com; Km 2 Vía Mesa Ruitoque; letti in camerata COP$40.000, singole/doppie a partire da COP$60.000/90.000; @ 🛜 🏊) Questo ostello arroccato in cima a una collina offre una vista straordinaria sulla città e si trova nei pressi di uno dei migliori siti di lancio in parapendio di Bucaramanga, a 20 minuti di auto dal centro. Sebbene la maggior parte degli ospiti soggiorni in questa struttura per prendere parte ai corsi di parapendio, il Nest costituisce una valida soluzione di pernottamento anche per chi cerca pace e tranquillità.

Le tariffe includono la prima colazione e gli ospiti hanno a disposizione una meravigliosa cucina comune e una piccola piscina. Il Nest si trova accanto al complesso Aguilas Parapenting – cercate la scultura a forma di nido sopra il cancello marrone. Potete arrivarci con il treno suburbano dalla fermata Papi Quiero Piña. La corsa in taxi da Bucaramanga costa circa COP$20.000.

Hotel Tamarindo HOTEL $$
(☎7-643-6502; www.hoteltamarindobucaramanga.com; Carrera 34 n. 46-104; singole/doppie/triple COP$130.000/160.000/190.000; ❄ 🛜) Il Tamarindo, un piccolo hotel accogliente in una via tranquilla nelle vicinanze del quartiere dei locali notturni, offre camere confortevoli disposte intorno a un cortile pieno di verde ed è un posto molto più ricco di personalità di molte delle strutture di categoria business.

SazonArt COLOMBIANO $
(all'angolo tra Calle 48 e Carrera 27A; pasti a prezzo fisso COP$8500-12.000; ⊙7-14 mar-sab, 8-15 dom e lun) Questo popolarissimo ristorante, uno dei migliori locali con pasti a prezzo fisso di tutto il Santander, è un posto molto pulito che serve ogni giorno alcune proposte scritte in spagnolo su una lavagna, il che è molto comodo per chi è più capace a leggere lo spagnolo che a parlarlo.

★ **Penelope Casa Gastronómica** INTERNAZIONALE $$
(☎7-643-1235; Carrera 27A n. 48-15; portate principali COP$20.000-35.000; ⊙11.30-22.30) Una scelta eterogenea di piatti gourmet di varie cucine del mondo vi attende in questo ristorante piccolo ma molto trendy gestito da giovani chef di talento. Tra le opzioni fi-

Bucaramanga

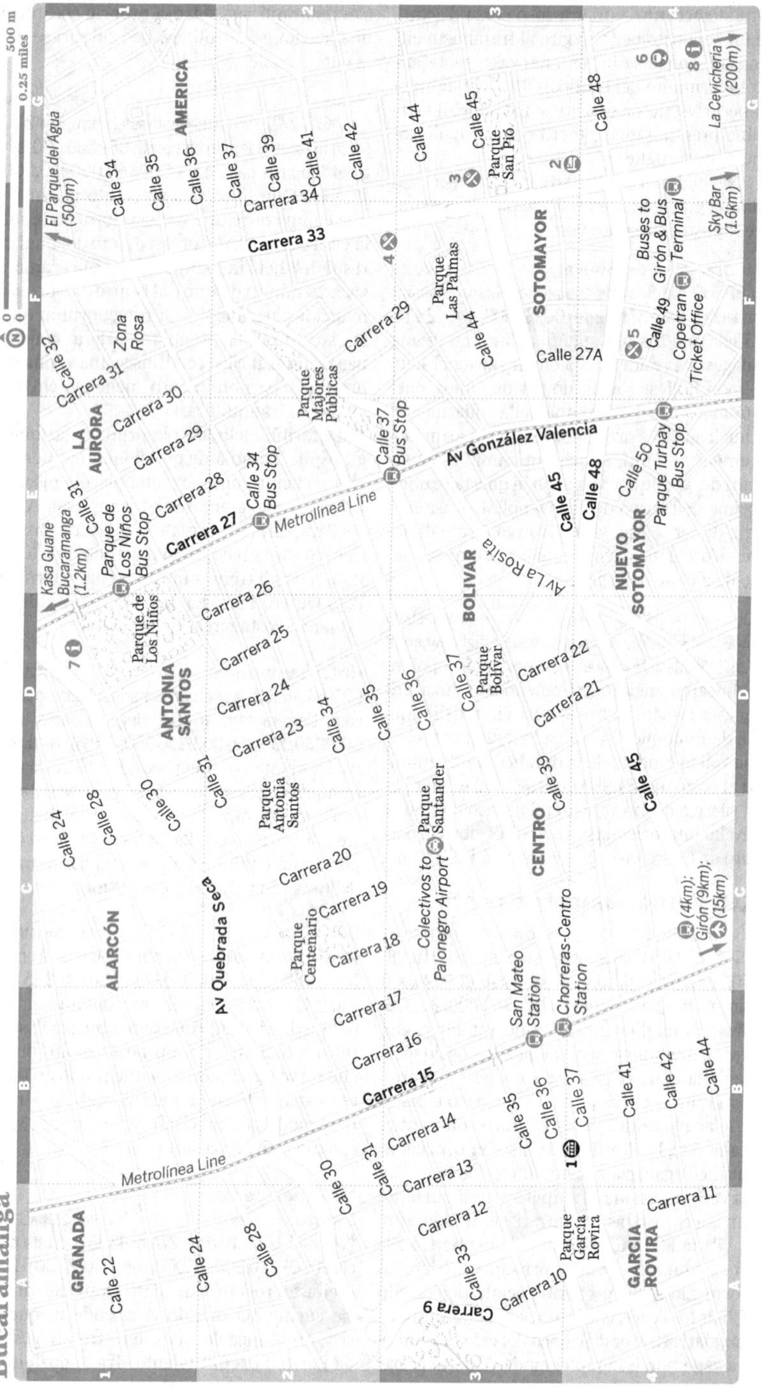

Bucaramanga

Che cosa vedere

1 Museo Casa de Bolívar B4

Pernottamento

2 Hotel Tamarindo G3

Pasti

3 Mercagán G3
4 Mercagán F2
5 Penelope Casa Gastronómica F4
SazonArt .... (v. 5)

Locali e vita notturna

6 Vintrash.. G4

Informazioni

7 Oficina de Turismo D1
8 Punto Información Turística G4

gurano pane *naan* con agnello e verdure al forno, *causa limena* (gustoso tortino di patate peruviano) e pollo *tikka* servito con riso alle mandorle e ceci. Tutti i piatti sono presentati magnificamente e abbinano molti sapori delicati.

Molte ricette utilizzano ingredienti biologici provenienti da Villa de Leyva. Non mancate di assaggiare le bevande frizzanti alla frutta di produzione propria.

★ Mercagán STEAKHOUSE **$$**

(☎7-632-4949; www.mercaganparrilla.com; Carrera 33 n. 42-12; bistecche COP$21.500-47.500; ⏲11.30-15 lun e mar, 11.30-24 mer-dom) Spesso pubblicizzata come la migliore steakhouse di tutta la Colombia, questa tradizionale *parrilla* gestita da quattro fratelli serve succulente bistecche provenienti dall'allevamento di famiglia, disponibili in tagli da 200, 300 o 400 g, che vi verranno portate al tavolo su un vassoio in ferro ancora sfrigolante.

Assaggiate il *lomo finito* (filetto di carne), ma non fatevelo tagliare: ordinatelo *en bloque*! Un altro locale si trova nel **Parque San Pí** (☎7-643-5630; www.mercaganparrilla.com; Carrera 34 n. 44-84; bistecche COP$21.500-47.500; ⏲11.30-23 lun e mar, fino alle 15 mer e gio, fino alle 24 ven e sab, fino alle 16 dom) e dovrebbe essere aperto nelle sere in cui il ristorante principale è chiuso.

La Cevicheria CUCINA DI MARE **$$**

(☎7-647-4739; www.lacevicheria.co; Carrera 37 n. 52-17; ceviche COP$19.500; ⏲12-22 lun-gio, fino alle 23 ven e sab, 18-22 dom; 📶 ✎) Pittoresco, grazioso e vivace, questo locale offre la possibilità di prepararsi il proprio *ceviche* e la propria insalata, evitando per una volta i soliti piatti a base di carne, riso e yucca. Sono previste sei scelte diverse: in questo modo non vi verrà il mal di testa mentre cercate di elaborare l'abbinamento ideale. Non è un posto da gourmet ma i pasti sono gustosi e veloci. Offre anche sushi e ottimi succhi, tè e smoothie fatti in casa.

Locali e vita notturna

Bucaramanga si anima dopo il tramonto, e la sua *vida nocturna* richiama un gran numero di amanti del divertimento da tutta la regione. I locali alla moda sono concentrati nei tratti di Calle 48 e Calle 49 compresi tra Carrera 34 e Carrera 39. Se desiderate trascorrere una serata più tradizionale a base di salsa, vallenato e merengue, puntate sulla zona tra Calle 34 e Calle 36 nei dintorni di Carrera 32.

★ Vintrash BAR

(Calle 49 n. 35A-36; ingresso ven e sab COP$10.000; ⏲16-23 lun-mer, fino alle 24 gio, fino alle 3 ven e sab; 📶) Con il suo originalissimo insieme di vecchi barili di petrolio, biciclette appese e un pizzico di controcultura urbana, questo bar richiama una clientela giovane e anticonformista. Nei weekend la sala sul retro è un vero delirio di musica elettronica.

Sky Bar BAR

(all'angolo tra Transversal Oriental e Calle 93, 18° piano; cocktail COP$18.000-20.000; ⏲9.30-22.30 dom-gio, fino alle 23.30 ven e sab) Il bar più trendy di Bucaramanga si trova al 18° piano del nuovo Holiday Inn (mai avremmo pensato di scrivere una frase del genere!). È un locale all'aperto con arredi bianchi che offre una splendida vista sulla città.

Informazioni

In città sono presenti parecchi sportelli bancomat. In particolare, ne troverete molti nei pressi del Parque Santander lungo Calle 35 e a Sotomayor lungo Carrera 29.

Bancolombia (Carrera 18 n. 34-28)

BBVA (all'angolo tra Carrera 19 e Calle 36)

Davivienda (all'angolo tra Calle 49 e Carrera 29)

Oficina de Turismo (☎7-634-1132 int. 112; www.imct.gov.co; Calle 30 n. 26-117, Biblioteca Pública Gabriel Turbay, piso 4; ⏲8-12 e 14-17 lun-ven) Principale ufficio turistico.

Punto Información Turística (all'angolo tra Carrera 35A e Calle 49, Centro Comercial Cabecera Etapa IV; ⏲10-19) Comodo banco informazioni all'interno del centro commerciale Cabecera.

Servicoffee La 35 (Carrera 35 n. 48-67; COP$2000 l'ora; ⏲7-19.45) Affidabile accesso a internet.

Per/da Bucaramanga

AEREO

L'**aeroporto di Palonegro** (BGA; Lebrija) si trova su una *meseta* (altopiano) che domina la città, 20 km a ovest a Lebrija. La posizione rende l'atterraggio un'esperienza veramente mozzafiato. L'aeroporto è servito da voli diretti provenienti da Bogotá, Medellín, Cali e Cartagena, oltre a voli internazionali da Panamá.

I **taxi collettivi** (Parque Santander; ⏲6-18 lun-sab) per l'aeroporto (COP$11.000) sostano nei pressi del Parque Santander in Carrera 20 e partono ogni 15 minuti dalle 5 alle 18. Una corsa in taxi dal centro all'aeroporto vi costerà la tariffa fissa di COP$32.000.

Se provenite da San Gil, scendete dall'autobus alla fermata Papi Quiero Piña e prendete un taxi per l'aeroporto.

AUTOBUS

Il **Terminal TB** di Bucaramanga (☎7-637-1000; www.terminalbucaramanga.com; Transversal Central Metropolitana) si trova a sud-ovest del centro città, più o meno a metà della strada che conduce a Girón, ed è servito con frequenza dagli autobus urbani in partenza da Carrera 15 che recano la scritta 'Terminal' (COP$2000); in alternativa è possibile prendere un taxi (COP$8000).

Copetran (☎7-644-8167; www.copetran.com.co; Terminal de Transporte) è la principale compagnia di autobus della regione: i suoi mezzi raggiungono quasi tutte le località principali del paese, tra cui Bogotá (da COP$60.000 a COP$80.000, 10 h), Cartagena (COP$90.000, 13 h), Medellín (COP$70.000, 8 h), Santa Marta (COP$70.000, 12 h), Pamplona (COP$30.000, 4 h) e Cúcuta (COP$35.000, 6 h). In centro trovate una comoda **biglietteria** (☎7-685-1389; Calle 49 n. 28-64; ⏲8-12 e 14-18 lun-sab).

Cootrasangil (www.cotrasangil.com; Terminal de Transporte) ha corse per San Gil (COP$16.000, 3 h) che passano dal Parque Nacional del Chicamocha (COP$10.000, 1 h 30 min). In genere è più veloce prendere l'autobus per San Gil alla fermata Papi Quiero Piña, alla periferia della città vicino a Floridablanca, invece che andare fino alla stazione.

Cootransunidos (☎7-637-3811; Terminal de Transporte) gestisce autobus che partono ogni ora alla volta di Ocaña (COP$40.000, 5 h), da dove è possibile proseguire il viaggio per Playa de Belén.

Gli **autobus per Girón** partono all'angolo tra Carrera 33 e Calle 49.

Se siete diretti in Venezuela, la soluzione più veloce e comoda consiste nel prendere uno degli autobus (COP$35.000, 6 h) che partono ogni 30 minuti da **El Parque del Agua** (Diagonal 32 n. 30A-51); tenete presente però che potreste non riuscire a trovare i posti migliori e che non tutti gli autobus deluxe fermano al parco.

Trasporti locali

La **Metrolínea** (www.metrolinea.gov.co; corsa singola COP$2100; ⏲4.30-22 lun-ven, fino alle 21 sab e dom), ispirata al TransMilenio di Bogotá, serve la città di Bucaramanga fino a Piedecuesta. Le linee principali corrono in direzione nord-sud lungo Carrera 15, mentre autobus più piccoli percorrono Carrera 27 e Carrera 30 (dove ci sono ancora le tradizionali fermate degli autobus anziché le stazioni). Di scarso interesse per i turisti – almeno per il momento – questo mezzo è usato

DA NON PERDERE

GIRÓN

Le vie acciottolate, gli edifici imbiancati a calce, i carri trainati dai cavalli e il tranquillo ritmo di vita di San Juan de Girón sembrano lontanissimi nel tempo, ma in realtà si trovano ad appena 9 km di distanza dalla caotica Bucaramanga. Questa graziosa cittadina venne fondata nel 1631 sulle sponde del Río de Oro e nel 1963 fu dichiarata monumento nazionale. Oggi Girón è diventata una calamita irresistibile per un gran numero di artisti e di visitatori in giornata ansiosi di fuggire dalla città, che però si imbattono in un gran caldo – Girón si trova infatti in una posizione che non gode della benché minima brezza e il caldo è torrido per la maggior parte dell'anno.

Concedetevi un po' di tempo per passeggiare tranquillamente nelle viuzze acciottolate, ammirando le antiche case imbiancate a calce, i cortili ombreggiati, i piccoli ponti in pietra e il *malecón* (lungofiume). La costruzione della **Catedral del Señor de los Milagros**, nel Parque Principal (la piazza principale), fu iniziata nel 1646 ma completata solo nel 1876. Non dimenticate di dare un'occhiata alle incantevoli **Plazuela Peralta** e **Plazuela de las Nieves**; quest'ultima è impreziosita da un'incantevole chiesetta rurale, la settecentesca **Capilla de las Nieves**. Girón è servita da frequenti autobus provenienti da Bucaramanga (COP$2000). La corsa in taxi da Bucaramanga costa circa COP$14.000.

soprattutto lungo la strada che conduce a Mesa de los Santos o per raggiungere la fermata Papi Quiero Piña e prendere l'autobus per San Gil.

I passeggeri devono acquistare una Tarjeta Inteligente ricaricabile (COP$3000) prima di salire a bordo. La corsa singola costa COP$2100 e non si paga per cambiare autobus.

Guadalupe

☎7

Guadalupe, tranquillo centro agricolo che dista solo un'ora dalla strada principale Bogotá-Bucaramanga, è diventato di recente una meta turistica che richiama pullman di visitatori colombiani e un flusso costante di backpacker nella sua graziosa piazza piena di palme.

Il motivo di questo afflusso di visitatori è la Quebrada Las Gachas, nota anche come il Caño Cristales del Santander, un fiume dalle acque poco profonde che scorre su rocce rossastre formando decine di minuscole piscine naturali. Ma Guadalupe offre molte altre attrattive agli amanti della natura, tra cui altri fiumi poco visitati, pozze d'acqua e maestose cascate.

La cittadina è graziosa e accogliente, ma molto tranquilla, e probabilmente non vi interesserà rimanerci una volta visitati i luoghi circostanti.

Che cosa vedere e fare

Las Gachas — FIUME

Las Gachas, la risposta del Santander a Caño Cristales, è un fiume dalle acque trasparenti e poco profonde che nasce da una sorgente immersa in una campagna rigogliosa e scorre lungo un letto di pietra rossa formando decine di piccolissime piscine naturali che la gente del posto chiama 'vasche con idromassaggio'. A differenza della sua spettacolare controparte nella Sierra de la Macarena, il colore rosso è dovuto ai depositi minerali presenti sulle rocce invece che alle alghe, ma il fiume è comunque di grande effetto scenico ed è un posto incantevole per godersi un po' di relax.

Il momento migliore per andare a Las Gachas è al mattino presto, quando ci sono pochi visitatori. Si trova a circa 45 minuti di cammino dal centro abitato lungo un sentiero che inizia subito dopo la stazione di servizio situata sulla strada per Oiba. Il sentiero è lastricato in alcuni tratti, mentre altre sezioni sono un po' fangose. Incontrerete un paio di corsi d'acqua prima di raggiungere Las Gachas, ma non deviate dal sentiero; quando sarete a destinazione vedrete due pozze d'acqua immediatamente alla vostra destra.

Non entrate nelle prime due piscine naturali, perché sono piuttosto pericolose ed è difficile uscirne. Per camminare nel fiume è preferibile indossare calzini invece che sandali o scarpe perché aderiscono meglio – portatevene un paio di riserva.

Cascada Los Caballeros — CASCATA

La cascata più spettacolare della zona, Los Caballeros, è uno scrosciante muro d'acqua che si getta in tre salti da uno spettacolare dirupo alto 90 m. Per raggiungerla, basta percorrere una strada sterrata in auto per circa un'ora e poi proseguire per un breve tratto a piedi.

Cascada La Llanera — CASCATA

Pur non essendo la cascata più alta o con la maggiore portata d'acqua della zona, La Llanera merita una visita per la remota e suggestiva posizione in un magnifico paesaggio naturale. La parete rocciosa si protende nel vuoto, consentendo di camminare attraverso la cavità posta dietro la cascata fino al lato opposto. Raggiungere La Llanera rappresenta metà del divertimento: bisogna camminare per 8 km attraverso un rigoglioso paesaggio rurale dall'inizio del sentiero, che dista 20 minuti di auto dal paese.

★ José Navarro — ESCURSIONISMO

(☎311-833-0526, 311-835-1573; j.navarro151@hotmail.com) L'esperta guida José Navarro è un nativo di Guadalupe che con la sua energia e il suo entusiasmo ha contribuito a far conoscere la città ai backpacker. Un'escursione con José abbina natura e avventura: vi mostrerà i posti più belli per fare il bagno, le rocce migliori per scivolare in acqua e i punti più indicati da dove ammirare il panorama.

Inoltre José affitta camere (da COP$20.000 a COP$25.000 per persona) in un paio di case senza insegna in paese e collabora con altri proprietari quando le sue sistemazioni sono al completo.

Pernottamento e pasti

Durante il giorno alcuni ristoranti servono pranzi a prezzo fisso, ma di sera le opzioni si riducono drasticamente. Per riuscire a fare un pasto completo dovrete andare a cena presto.

Hotel Colonial — HOTEL $

(☎313-394-4335; camere COP$25.000 per persona; Wi-Fi) Il migliore hotel della città è tutt'altro che lussuoso, ma è pulito e confortevole. Offre camere piccole e curate con soffitti alti in legno, TV a schermo piatto e bagno privato. Su ordinazione è possibile farsi servire i pasti.

Informazioni

Banco Agrario (Parque Principal) L'unico sportello bancomat presente in città.

Per/da Guadalupe

Guadalupe dista solo 24 km dalla statale principale Bogotá–Bucaramanga imboccando il bivio all'altezza della città di Oiba. Le due città sono collegate da camioncini (COP$7000, 1 h) che partono a intervalli di un'ora o due dalle 6 alle 19.

Un paio di autobus diretti prestano servizio da Bucaramanga. Omega (COP$30.000, 4 h 30 min) parte dalla stazione alle 12.15 e passa da San Gil intorno alle 15, mentre Cotrasaravita (COP$28.000, 4 h 30 min) parte alle 13.30 e passa da San Gil verso le 16. Le corse dirette da Guadalupe a San Gil e Bucaramanga partono dalla piazza principale alle 4 e alle 6.

Omega opera un autobus diretto da Bogotá in partenza alle 22.30 (COP$50.000, 8 h); in alternativa potete prendere qualsiasi autobus diretto a Bucaramanga e cambiare a Oiba.

NORTE DE SANTANDER

Il Norte de Santander è la regione in cui la Cordillera Oriental digrada verso le calde pianure che si estendono fino al vicino Venezuela. La strada panoramica che parte da Bucaramanga si inerpica fino ai 3300 m di altitudine della cittadina di Berlin, situata al confine dei due dipartimenti, per poi scendere rapidamente verso il Venezuela, attraversando lungo il percorso la graziosa città di Pamplona prima di arrivare a Cúcuta, capoluogo del dipartimento, situata nelle immediate vicinanze del confine con il Venezuela. Circa 300 km più a nord-est si trova la piccola Playa de Belén, considerata da tutti la località più pittoresca di tutto il dipartimento.

Pamplona

☎7 / POP. 58.200 / ALT. 2290 M

Situata in posizione spettacolare nella profonda Valle del Espíritu Santo (Cordillera Oriental), Pamplona è un'incantevole città universitaria di epoca coloniale che presenta antiche chiese, strette viuzze e una vivace attività commerciale. La temperatura media di soli 16°C offre un po' di sollievo dal caldo delle vicine Bucaramanga e Cúcuta e contribuisce a rendere la città una tappa molto gradevole lungo il viaggio per/dal Venezuela. Fondata da Pedro de Orsúa e da Ortún Velasco nel 1549, nel 1875 Pamplona venne in gran parte distrutta da un terremoto, e la graziosa piazza principale presenta oggi un'eterogenea commistione di edifici coloniali ricostruiti nel loro stile originale e di palazzi moderni. In città si trova un numero sorprendente di caffè, bar e ristoranti alla moda frequentati dai giovani.

Che cosa vedere

Pamplona possiede un buon numero di musei, quasi tutti all'interno di residenze coloniali accuratamente restaurate. Una decina di chiese e di cappelle antiche testimonia il ruolo di importante centro religioso rivestito dalla città in epoca coloniale, anche se purtroppo solo poche di esse sono riuscite a conservare l'antico splendore.

Museo de Arte Moderno Ramírez Villamizar MUSEO
(Calle 5 n. 5-75; COP$1000; ⌚9-12 e 14-17 mar-sab, 9-16 dom) Ospitato all'interno di una residenza costruita oltre 450 anni fa, questo museo espone una quarantina di opere di Eduardo Ramírez Villamizar, uno dei più famosi artisti colombiani, nato a Pamplona nel 1923. La collezione illustra il suo percorso artistico dalla pittura espressionista degli anni '40 alla scultura astratta basata su forme geometriche degli ultimi decenni.

Casa Colonial MUSEO
(Calle 6 n. 2-56; ⌚8-12 e 14-18 lun-ven) FREE La Casa Colonial è uno degli edifici più antichi della città: risale infatti ai primi anni della dominazione spagnola. La collezione esposta al suo interno comprende alcune ceramiche precolombiane, opere d'arte sacra coloniale, manufatti di diverse comunità indigene, tra cui i motilones e gli u'wa, e parecchi oggetti antichi.

Casa de las Cajas Reales EDIFICIO DEGNO DI NOTA
(all'angolo tra Carrera 5 e Calle 4; ⌚8-18 lun-sab) La Casa de las Cajas Reales, una delle residenze coloniali più belle di Pamplona, è attualmente occupata da un college, ma i visitatori possono chiedere alla guardia il permesso di dare un'occhiata in giro.

Pernottamento e pasti

El Solar HOTEL $$
(☎7-568-2010; Calle 5 n. 8-10; camere a partire da COP$50.000-65.000 per persona; 📶) Questo ho-

ATTIVITÀ ALL'APERTO SULLA MESA DE LOS SANTOS

La Mesa de Los Santos, situata sul lato opposto del Cañón del Chicamocha, è un vasto altopiano dal clima abbastanza fresco che nei weekend richiama molti visitatori da Bucaramanga con le sue attività all'aperto, quali arrampicata su roccia, escursionismo, visite alle cascate e alle *fincas* che producono caffè. Sono tutte esperienze più autentiche e legate alla realtà locale rispetto al parco divertimenti e offrono un bel modo di trascorrere una giornata di relax.

Abbarbicato al pendio della montagna, il **Refugio La Roca** (☎313-283-1637; www.refugiolarocacolombia.com; Km 22,7 Mesa de Los Santos; camere COP$150.000-200.000, senza bagno COP$60.000-80.000; @ 📶) è un piccolo ostello che regala una vista mozzafiato, in particolare dalle camere private, nelle quali l'uso del bagno all'aperto costituisce un'esperienza veramente memorabile. Questo ostello orgogliosamente ecosostenibile si trova nei pressi di La Mojarra, uno dei luoghi migliori di questa zona per i rocciatori, e organizza corsi di arrampicata. Alexandra e Ricardo, la giovane coppia che gestisce questa struttura, propongono anche discese in corda doppia, highline e corsi di yoga, possono contare su un ottimo chef in cucina (portate principali da COP$25.000 a COP$32.000) e offrono una gradevole ospitalità casalinga.

Per raggiungere l'ostello da Bucaramanga, prendete la Metrolínea P8 oppure uno degli autobus privati in servizio lungo la Carrera 33 per Piedecuesta, da dove ogni ora dalle 6 alle 19.45 partono gli autobus diretti **La Culona** (☎7-655-1182; Carrera 6 n. 12-60, Piedecuesta) per Los Santos (COP$8000, un'ora e 30 minuti). Chiedete al conducente di farvi scendere a La Mojarra/Refugio La Roca.

Da San Gil prendete il ***teleférico*** (p118) a Panachi. L'ostello manderà qualcuno a prendervi al *teleférico* al costo di COP$30.000, ma dovrete prenotarvi.

tel ubicato in una grande casa coloniale offre un fantastico rapporto qualità-prezzo. Le camere situate al piano terra sono più semplici ed economiche, mentre le più costose, al primo piano e raggiungibili tramite una scala scricchiolante, sono moderne e molto ampie, dotate di grandi cucine e piccoli balconi affacciati sulla strada.

El Solar ha un eccellente bar-ristorante riscaldato la sera da un bel caminetto. Di giorno serve il *menú del día* più popolare della città a COP$10.000 – ma se non arrivate prima delle 13 potete scordarvelo!

1549 Hostal GUESTHOUSE **$$**
(☎7-568-0451; www.1549hostal.com; Calle 8B n. 5-84; singole/doppie con prima colazione COP$80.000/130.000; @ 📶) Questa accogliente boutique guesthouse da 10 camere, una delle strutture più interessanti di Pamplona, occupa una casa coloniale in una gradevole via secondaria e include un bel bar-ristorante spazioso situato nel cortile sul retro. Alcune camere sono un po' piccole, ma la presenza di dettagli ricchi di personalità come opere di artisti locali, decorazioni fantasiose, candele e accappatoi conferisce un tocco di eleganza e intimità.

L'unico elemento negativo sono le docce elettriche. Il personale ha sempre un occhio di riguardo per gli stranieri.

London Coffee CAFFÈ **$**
(all'angolo tra Carrera 6 e Calle 8B; caffè COP$2000-7000, cocktail COP$15.000; ⏲13.30-23.30 dom-gio, fino all'1 sab; 📶) Il caffè più grazioso della città è questo localino alla moda che serve un buon espresso, cocktail, birre d'importazione, waffle dolci e salati, tapas molto invitanti e una lista selezionata di *micheladas* (birra con sale e succo di limone). Le bevande sono buone, ma il cibo e il servizio a volte lasciano a desiderare.

Piero's ITALIANO **$$**
(Carrera 5 n. 8B-67; pizze COP$15.000-46.000, piatti di pasta COP$11.000-20.000; ⏲17-23.30 lun-sab, 12-15 e 17-23.30 dom) Nessuno ha saputo dirci come sia finito quaggiù l'italianissimo Piero, che però è arrivato qui e ora serve ottime pizze e squisiti piatti di pasta. Stranamente mancano i grandi classici (per esempio, dov'è finita la pizza margherita?), ma quello che compare sul menu – per quanto sia stato adattato ai gusti dei colombiani – è davvero eccellente, compresi gli imperdibili piatti di pasta.

L'adiacente Caffè Romaní serve pizza al trancio, dolci e prodotti da forno freschi, e dietro l'angolo c'è anche una gelateria da asporto.

Informazioni

Nei dintorni del Parque Agueda Gallardo si trovano diversi sportelli bancomat.

Bancolombia (Calle 7 n. 5-70)

Davivienda (Calle 6 n. 6-70)

Servibanca (Calle 5 n. 5-23)

4-72 (Calle 8 n. 5-33; ⌚8-12 e 13-18 lun-ven, 9-12 sab) Ufficio postale.

Navegar (Carrera 7 n. 7-42; COP$1000 l'ora; ⌚13-19) Internet bar situato in centro.

Punto Informacíon Turística (all'angolo tra Calle 5 e Carrera 6; ⌚8-12 e 14-17 lun-ven)

Per/da Pamplona

La **stazione degli autobus** di Pamplona (Terminal de Transporte) si trova 750 m a est della piazza principale.

Pamplona è situata lungo la strada che collega Bucaramanga a Cúcuta. **Cotranal** (☎7-568-2421; Terminal de Transporte) gestisce autobus per Cúcuta (COP$17.000, 2 h) che partono ogni 30 minuti. Ci sono anche autobus regolari per Bucaramanga (COP$25.000, 4 h) e diversi autobus diretti al giorno per Bogotá (COP$65.000, 14 h) e la costa caraibica. Per raggiungere Ocaña – da dove si può proseguire il viaggio per Playa de Belén – bisogna cambiare a Cúcuta, da dove partono ogni 30 minuti gli autobus Cootraunidos diretti a Ocaña (COP$35.000, 5 h).

I posti a sedere situati sul lato destro dell'autobus offrono la possibilità di ammirare magnifici panorami lungo la spettacolare strada che collega Bucaramanga a Pamplona. Ai passeggeri che soffrono di mal d'auto o di montagna consigliamo caldamente di assumere un rimedio contro questi disturbi. E non dimenticate di portarvi dietro un maglione.

Playa de Belén

☎7 / POP. 8559 / ALT. 1450 M

Il piccolo e variopinto *pueblo* di Playa de Belén è scavato scenograficamente in un paesaggio ultraterreno, creato da formazioni rocciose erose dagli agenti atmosferici nell'estremità settentrionale della regione di Norte de Santander. Questo splendido e tranquillo villaggio sorge a ridosso dell'Área Natural Única Los Estoraques, una delle aree protette più piccole della Colombia, e ogni suo elemento – l'architettura, le strade e i marciapiedi – è stato studiato con estrema cura, anche i vasi di fiori sugli edifici. Sebbene il fascino di Playa de Belén non sia affatto segreto, solo pochi viaggiatori si spingono fino qui. Se lo farete, troverete ad attendervi un villaggio accogliente e non ancora toccato dal turismo di massa.

Che cosa vedere

Área Natural Única Los Estoraques PARCO NAZIONALE

(COP$2000; ⌚7-18.30) Questa riserva protetta estesa su una superficie di soli 6 kmq, una delle più piccole di tutta la Colombia, regala un panorama surreale costellato da svettanti formazioni di arenaria – colonne, piedistalli e grotte – erose dagli agenti atmosferici, che si sono formate nel corso dei millenni per azione delle piogge e dei movimenti delle placche tettoniche. Con un pizzico di immaginazione, questa zona può ricordare la Cappadocia (ovviamente senza gli abitanti dei camini delle fate). Il parco si trova 350 m a nord del punto in cui termina la pavimentazione della Carrera 3.

Attualmente il parco è oggetto di una disputa tra il governo e i proprietari dei terreni locali. Per le autorità è tecnicamente chiuso, ma in pratica è ancora possibile entrare – uno dei proprietari gestisce un chiosco vicino al punto di accesso e fa pagare una piccola cifra per l'ingresso.

Non è obbligatorio farsi accompagnare da una guida, ma nei dintorni dell'ingresso stazionano alcune persone del posto che in cambio di una mancia vi porteranno a fare una passeggiata. Calcolate una spesa di circa COP$20.000 per gruppo per un giro breve e di COP$30.000 per un tour più lungo. Fate attenzione ai serpenti!

Mirador Santa Cruz PUNTO PANORAMICO

Per uno splendido panorama a 360° sul *pueblo* e sulle formazioni rocciose circostanti, dirigetevi verso questo belvedere sopra la città, che può essere raggiunto con una passeggiata in salita di 15 minuti in direzione est lungo Calle 4.

Attività

Yaragua SPORT AVVENTURA

(☎314-315-4991; Carrera 3 n. 3-58; zip-line COP$20.000; ⌚7-18) Questo piccolo parco avventura ai margini del centro città offre una zip-line lunga 400 m e un punto panoramico con vista su Los Estoraques. Inoltre affitta alcune *cabañas* ben attrezzate (singole/doppie COP$60.000/100.000).

Pernottamento e pasti

Casa Real GUESTHOUSE $

(☎318-278-4486; karo27_03@yahoo.es; Vereda Rosa Blanca; camere con pasti COP$50.000 per persona) Questa piccola *finca* (tenuta), situata a 700 m dal centro abitato lungo la Carrera 1,

PER/DAL VENEZUELA

Per essere una località di confine, **Cúcuta** non è poi così male. Pur essendo calda, afosa e sporca, questa grande città possiede ristoranti di ogni categoria, moderni centri commerciali, alberghi accoglienti, quartieri alla moda (in particolare quelli situati nei dintorni di Av Libertadores) e un aeroporto (il che vale a dire che Cúcuta offre ai viaggiatori più di quanto non sia in grado di fare la maggior parte delle città di confine del Sud America). Ciò nonostante, con ogni probabilità l'unica cosa che vedrete di questa città sarà la stazione degli autobus, notoriamente molto caotica.

In seguito alla crisi politica che ha colpito il Venezuela nel 2017, la situazione al confine tra Colombia e Venezuela è piuttosto instabile. A volte il confine è stato chiuso completamente sul lato venezuelano, mentre per lunghi periodi è stato aperto solo per i viaggiatori a piedi.

Al momento delle ricerche effettuate per questa guida il confine era aperto, ma la situazione era tutt'altro che normale, dal momento che migliaia di venezuelani entravano in Colombia per sfuggire al caos del loro paese, mentre il traffico nel senso inverso era praticamente inesistente.

Se avete intenzione di entrare in Venezuela via terra, è consigliabile fare una valutazione accurata della sicurezza nel paese prima della partenza e contattare l'ufficio regionale **Migracíon Colombia** (☎7-630-8925; www.migracioncolombia.gov.co; Carrera 11 n. 41-13; ⏲8-12 e 14-17 lun-ven) a Bucaramanga prima di mettersi in viaggio in modo da conoscere la situazione aggiornata sul posto.

Quando il confine è aperto normalmente, Expresos Bolivarianos (corse ogni 20 minuti dalle 5 alle 17.30) e Corta Distancia (corse ogni 8 minuti dalle 5 alle 18.30) operano autobus per San Antonio del Táchira in Venezuela dal Muelle de Abordaje (area di imbarco) 1 all'interno della stazione di Cúcuta. Una corsa su un taxi privato dovrebbe costare COP$12.000 (anche se vi verranno proposte tariffe decisamente più elevate!). Ricordate di farvi mettere il timbro di uscita presso l'ufficio **Migración Colombia** (☎7-573-5210; www.migracioncolombia.gov.co; CENAF – Simón Bolívar), situato sulla sinistra poco prima del ponte. Potete attraversare il ponte a piedi oppure prendere un mototaxi (COP$3000).

Una volta entrati in Venezuela, andate nella sede dell'immigrazione per sbrigare le formalità di ingresso all'ufficio SAIME nel centro di San Antonio del Táchira (non l'ufficio SAIME situato proprio vicino al ponte). È consigliabile andarci in mototaxi.

Quando attraversate il confine colombiano per raggiungere il Venezuela, ricordate di spostare avanti l'orologio di mezz'ora. I cittadini degli Stati Uniti, del Canada, dell'Australia, della Nuova Zelanda, del Giappone, del Regno Unito e della maggior parte dei paesi dell'Europa occidentale e della Scandinavia non hanno bisogno del visto per entrare in Venezuela.

La crisi in Venezuela ha creato scompiglio sulla valuta locale, quindi è assolutamente necessario verificare la situazione monetaria prima di programmare il viaggio.

Se dovete pernottare nella zona di confine, Cúcuta offre più scelta di San Antonio:

Hotel Mary (☎7-572-1585; Av 7 n. 0-53; camere con ventilatore/aria condizionata COP$66.000/86.000; ❄@📶) Il Mary è una struttura essenziale; le sue 56 camere sono sicure e situate di fronte alla stazione degli autobus.

Hotel La Bastilla (☎7-571-1629; Av 3 n. 9-42; singole/doppie COP$28.000/32.000; 📶) Una discreta sistemazione economica in centro con camere semplici dotate di ventilatore e bagno privato.

offre stanze pulite e ampi spazi all'aperto. È fuori dall'idilliaco *pueblo*, ma la veranda con amache e la cucina per gli ospiti si affacciano su Los Estoraques e sono molto suggestive nella luce del tardo pomeriggio. Per i pasti si usano spesso i prodotti dell'orto biologico.

Posada Marmacrisli GUESTHOUSE $
(☎322-310-3435, 313-369-5123; www.posadaenlaplaya.com; Calle Central n. 5-65; camere COP$70.000; 📶) La guesthouse più intima della città offre sei camere accoglienti arredate con mobili di legno scuro e disposte intorno a un cortiletto in mattoni. Gli eleganti bagni dispongono di acqua bollente riscaldata a gas. La prima colazione costa COP$8000.

El Portal COLOMBIANO $
(Carrera 1; portate principali COP$12.000; ⏲10-21) Il miglior ristorante della città serve sia fast food sia sostanziosi piatti colombiani in una sala da pranzo all'aperto sotto una grande tettoia di paglia. Si trova a cinque minuti a piedi dalla piazza uscendo dalla città verso nord.

Informazioni

Lo sportello bancomat più vicino si trova a Ocaña.

Punto Información Turística (☎310-572-2012; www.laplayadebelen-nortedesantander.gov.co; all'angolo tra Carrera 1 e Calle 3; ⏲9-12 e 15-17 gio-lun) Ufficio turistico ben fornito di materiale e con personale disponibile.

Telecom (all'angolo tra Carrera 2 e Calle 4; COP$1500 l'ora; ⏲8-21) Internet nel parco.

Per/da Playa de Belén

Cootrans Hacaritama (☎314-215-5316; Carrera 1 n. 5-01) gestisce quattro furgoni al giorno che partono da Playa de Belén per Ocaña (COP$6000, 45 min) alle 5.30, 6, 8 e 14.30, e fanno ritorno da Ocaña quando sono al completo. In alternativa, i *colectivos* applicano la stessa tariffa e partono al completo fino alle 18 circa.

Se arrivate da Cúcuta o da Bucaramanga non fate tutta la strada fino a Ocaña: chiedete al conducente di scendere all'incrocio per Playa de Belén, dove alcuni mototaxi stazionano davanti al negozio dalla parte opposta della strada per accompagnarvi per i restanti 11 km (COP$5000, 15 min), anche con i bagagli.

Costa caraibica

Include ➡

Il meglio – Ristoranti

- Ouzo (p155)
- Súa (p164)
- El Fuerte San Anselmo (p177)
- El Boliche (p143)
- Josefina's (p181)

Il meglio – Hotel

- Hotel Casa San Agustín (p140)
- Mundo Nuevo (p158)
- Casa Amarilla (p176)
- Finca Barlovento (p162)
- Masaya Santa Marta (p153)

Perché andare

Traboccante di sole e di cultura, la spettacolare costa caraibica, nel nord della Colombia, adorna il paese come una corona splendente grazie alla varietà di ecosistemi che spaziano dalla fitta giungla della regione del Darién, al confine con Panamá, al suggestivo deserto della Península de La Guajira, vicino al Venezuela.

Il gioiello di questo tratto di costa è Cartagena, romantica città coloniale di una bellezza senza pari in Colombia e meta prediletta di un gran numero di turisti. Una meta non così conosciuta, ma destinata a diventarlo, è rappresentata da Mompós, un tranquillo villaggio coloniale immerso nella giungla raggiungibile con un viaggio nell'entroterra. Altre attrattive di questa regione sono il Parque Nacional Natural Tayrona, un magnifico tratto di costa con spiagge idilliache e foresta vergine pluviale, e l'emozionante e impegnativo trekking della Ciudad Perdida (Città Perduta), che soddisferà gli spiriti avventurosi che vogliono scoprire i resti di un'antica civiltà sullo sfondo di uno straordinario paesaggio montuoso.

Quando andare

Cartagena

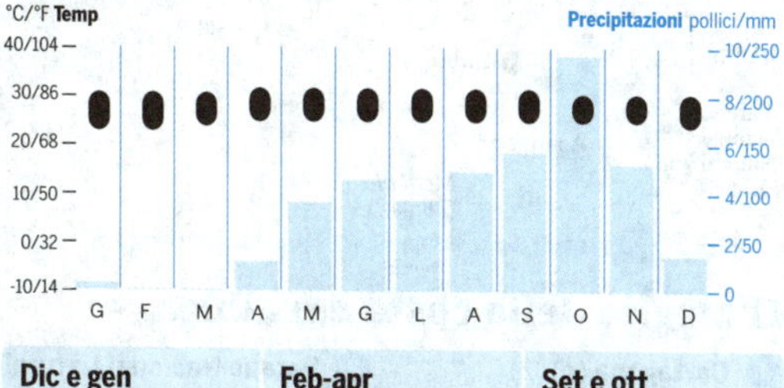

Dic e gen
Le spiagge danno il loro meglio a Natale, quando cala l'umidità.

Feb-apr
Nella stagione secca raramente la pioggia guasterà le vostre giornate.

Set e ott
Prezzi al minimo e molti luoghi d'interesse a vostra completa disposizione.

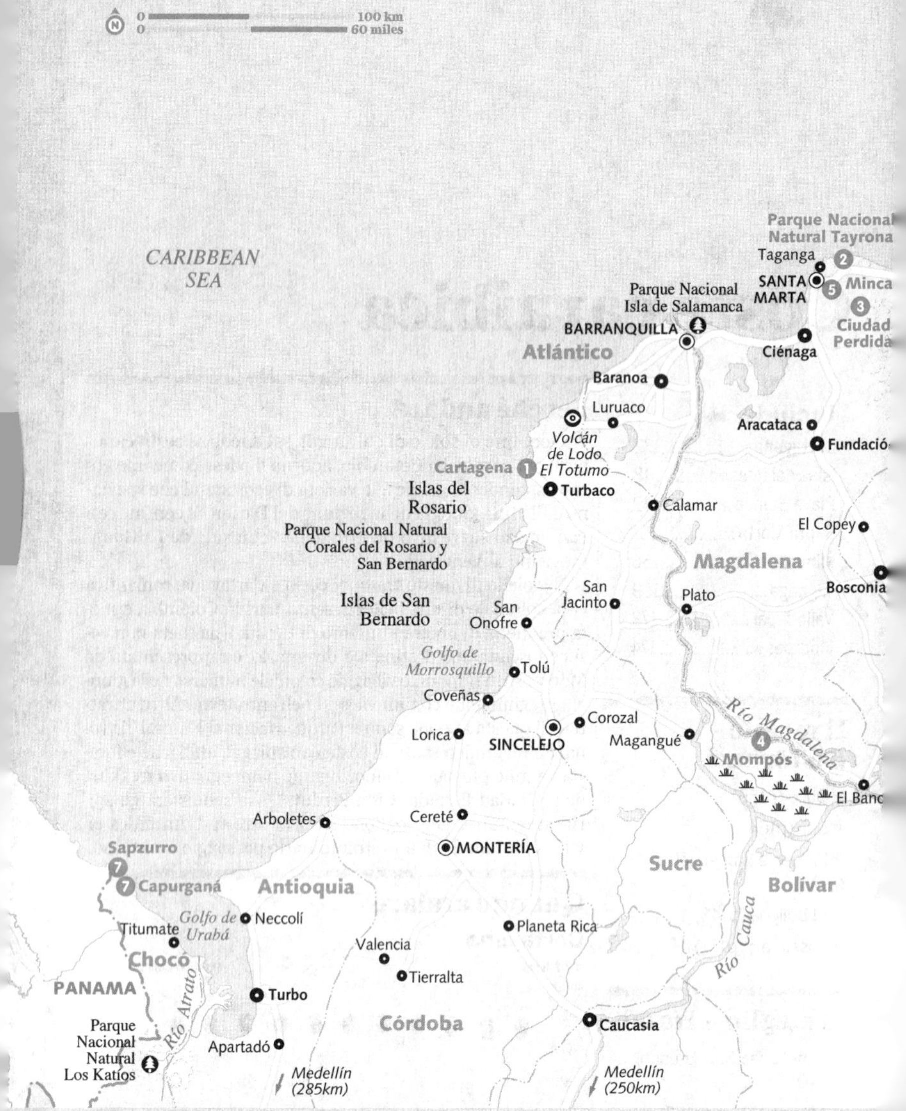

Il meglio della costa caraibica

❶ **Cartagena** (p132) Immergersi nella storia lungo le vie coloniali di questa indimenticabile città-fortezza spagnola.

❷ **Parque Nacional Natural Tayrona** (p160) Esplorare le spiagge nelle idilliache insenature di questo parco nazionale costiero.

❸ **Ciudad Perdida** (p165) Un trekking nella fitta giungla fino alla misteriosa capitale precolombiana del popolo tayrona.

4 Mompós (p174) Visitare la cittadina coloniale più affascinante della regione.

5 Minca (p156) Sfuggire al caldo della costa in questa amena località di montagna, meta dei backpacker.

6 Punta Gallinas (p172) Avventurarsi nel selvaggio paesaggio desertico della Península de La Guajira fino alle splendide dune costiere della sua punta settentrionale.

7 Capurganá e Sapzurro (p180) I tranquilli villaggi e le spiagge incantevoli del Darién, lungo il confine tra Colombia e Panamá.

CARTAGENA E DINTORNI

Ricco di fascino e storia, questo tratto della costa caraibica colombiana ha il suo fulcro nella favolosa città coloniale di Cartagena, che per la sua bellezza genuina, la deliziosa cucina, la frizzante vita notturna e la rilevanza storica attira un flusso costante di visitatori in qualsiasi periodo dell'anno. Capoluogo del dipartimento di Bolívar, Cartagena è di gran lunga e a giusto titolo la principale attrazione di questa zona della Colombia: sono davvero pochi a non restare colpiti da questa città grintosa, romantica e autenticamente colombiana. Nei dintorni ci sono numerose mete interessanti da visitare in giornata, tra cui le incantevoli Islas del Rosario, l'insolito Volcán de Lodo El Totumo e la fantastica distesa di sabbia candida di Playa Blanca. Non vi sentirete mai soli da queste parti, ma capirete subito perché così tanti viaggiatori subiscono il fascino di Cartagena e dei suoi dintorni.

Cartagena

5 / POP. 971.500 / ALT. 2 M

Cartagena de Indias, perla indiscussa della costa caraibica, è una città fiabesca, dall'atmosfera mitica e romantica, la cui bellezza è perfettamente conservata all'interno di una straordinaria cinta muraria di 13 km risalente al periodo coloniale. Dichiarata Patrimonio dell'Umanità dall'UNESCO, la Città Vecchia è un dedalo di viuzze acciottolate, balconi fioriti di bougainvillee e imponenti chiese che proiettano le loro ombre su piazze verdeggianti.

A Cartagena conviene mettere da parte i soliti schemi di viaggio. Anziché passare sistematicamente in rassegna tutti i luoghi d'interesse, passeggiate semplicemente per la Città Vecchia, di giorno e di notte. Abbandonatevi al fascino della sua atmosfera sensuale, riparandovi dal caldo e dall'afa opprimente con qualche sosta in uno dei tanti e ottimi bar e ristoranti della città.

Cartagena, che si contende con la brasiliana Ouro Preto e la peruviana Cuzco il primato di città coloniale più suggestiva e meglio conservata del continente, non vi lascerà andare tanto facilmente: farete fatica a staccarvi dal suo antico abbraccio.

Storia

Cartagena fu fondata nel 1533 da Pedro de Heredia nel luogo in cui si trovava l'insediamento caribe di Calamari. Si sviluppò rapidamente in una città ricca e prospera ma nel 1552 fu devastata da un incendio che distrusse gran parte dei suoi edifici in legno. Da allora le autorità consentirono di costruire usando solo pietra, mattoni e tegole.

In breve tempo la città rifiorì fino ad affermarsi come il più grande porto spagnolo sulla costa caraibica e la principale via d'accesso al Sud America. Divenne il luogo in cui venivano depositati i tesori saccheggiati alle popolazioni locali nell'attesa che i galeoni potessero salpare nuovamente verso la Spagna, e quindi un obiettivo allettante per i bucanieri che imperversavano nel Mar dei Caraibi.

Solo nel XVI secolo, Cartagena subì ben cinque assedi da parte dei pirati, il più (tristemente) famoso dei quali sotto il comando di Sir Francis Drake. Dopo aver saccheggiato il porto nel 1586, Drake rinunciò 'benevolmente' a radere al suolo la città in cambio di un esorbitante riscatto di 10 milioni di pesos, che fece immediatamente spedire in Inghilterra.

Fu proprio per difendersi dagli attacchi dei pirati che gli spagnoli decisero di costruire una serie di fortificazioni che furono la salvezza della città in occasione di altri assedi, il più terribile dei quali fu messo in atto da Edward Vernon nel 1741. A condurre la vittoriosa resistenza fu Blas de Lezo, un ufficiale spagnolo che aveva già perso un braccio, una gamba e un occhio in precedenti battaglie. Pur avendo a disposizione solo 2500 uomini poco addestrati e mal equipaggiati, don Blas riuscì a respingere gli inglesi forti di un esercito di 25.000 soldati e di una flotta di 186 navi. Il comandante spagnolo perse l'altra gamba in combattimento e morì poco dopo, ma ancora oggi è ricordato come il salvatore di Cartagena. La sua statua si erge davanti al Castillo de San Felipe de Barajas.

Nonostante l'alto prezzo pagato per le incursioni dei pirati, Cartagena continuò a prosperare. Il Canal del Dique, costruito nel 1650 per collegare la Baia di Cartagena con il Río Magdalena, fece della città la principale via d'accesso per le navi dirette verso i porti situati a monte del fiume e il punto di passaggio per gran parte delle merci destinate all'entroterra. Nel periodo coloniale Cartagena divenne il più importante avamposto dell'impero spagnolo d'oltremare, esercitando una notevole influenza sulla storia della Colombia.

Lo spirito indomito dei suoi abitanti si risvegliò all'epoca della lotta per l'indipendenza. All'inizio del 1810 Cartagena fu una delle prime città a proclamare l'indipendenza dalla

Spagna, inducendo Bogotá e altri centri a seguire il suo esempio. La dichiarazione venne siglata l'11 novembre 1811, ma costò cara. Nel 1815 gli spagnoli inviarono un esercito guidato da Pablo Morillo per riconquistare e 'pacificare' la città, che cadde dopo quattro mesi di assedio. Più di 6000 abitanti morirono di fame e di malattie.

Nell'agosto del 1819 le truppe di Simón Bolívar sconfissero gli spagnoli a Boyacá e liberarono Bogotá. Cartagena, però, dovette attendere fino a ottobre del 1821, quando le forze colombiane riuscirono finalmente a conquistare la città dal mare. Fu Bolívar a conferire alla città il meritato titolo di 'La Heroica'.

Cartagena si risollevò e tornò a essere un importante centro di commerci e traffici marittimi. La ricchezza della città favorì l'immigrazione straniera, in particolare di ebrei, italiani, francesi, turchi, libanesi e siriani, i cui discendenti sono oggi proprietari di imprese commerciali, come alberghi e ristoranti.

Che cosa vedere

Città Vecchia

L'attrattiva principale di Cartagena è senza dubbio la Città Vecchia, in particolare la città interna cinta da mura e formata dai quartieri storici di El Centro e San Diego. Tradizionalmente El Centro, a ovest, era la zona delle classi agiate, mentre a San Diego, situato a nord-est, viveva il ceto medio. Entrambi i quartieri sono ricchi di edifici coloniali perfettamente conservati, tra cui chiese, monasteri, piazze, palazzi e case signorili con balconi e cortili interni ombreggiati e adorni di fiori dai colori vivaci.

Getsemaní, la parte della città situata all'esterno delle mura, è caratterizzata da edifici di minore importanza architettonica, ma, dal momento che è un quartiere più residenziale e meno curato offre un'atmosfera più autentica e interessante. Negli ultimi anni questa zona è diventata il punto di riferimento dei backpacker e si è sviluppata in maniera sorprendentemente rapida: oggi il quartiere pullula di ristoranti alla moda, cocktail bar, locali di salsa e un numero di boutique hotel pari a quelli del centro storico. Una bella passeggiata pedonale, il Muelle Turístico de los Pegasos (cartina p134, D5), collega Getsemaní con la Città Vecchia.

La Città Vecchia è circondata da **Las Murallas**, le massicce mura erette per difendere la città dalle incursioni nemiche. La loro costruzione ebbe inizio verso la fine del XVI secolo, dopo l'assedio condotto da Francis Drake, prima del quale Cartagena era praticamente del tutto indifesa. Ci vollero due secoli per completare l'opera per i danni causati con frequenza dalle tempeste e dalle scorrerie dei pirati. Fu finalmente portata a termine nel 1796, solo 25 anni prima che gli spagnoli venissero cacciati definitivamente dalla città.

★ **Palacio de la Inquisición** MUSEO

(Plaza de Bolívar; interi/bambini COP$19.000/16.000; ⌚9-18) Il Palazzo dell'Inquisizione, che oggi è uno degli edifici più belli della città, era in passato la sede del terribile tribunale che aveva il compito di estirpare le eresie dalla colonia di Cartagena. Attualmente ospita un museo che espone gli inquietanti strumenti di tortura dell'Inquisizione, alcuni dei quali veramente orribili. Vi si possono però anche trovare ceramiche precolombiane e cimeli storici dell'epoca coloniale e del periodo delle lotte per l'indipendenza, tra cui armi, dipinti, mobili e campane da chiesa.

Sebbene fosse sede del Tribunale del Sant'Uffizio già dal 1610, il palazzo fu completato solo nel 1776. Pregevole esempio di architettura tardo-coloniale, si distingue soprattutto per il suo splendido portale barocco sormontato dallo stemma spagnolo e per le lunghe balconate sulla facciata.

Sulla parete laterale, appena dietro l'angolo rispetto all'ingresso, c'è una piccola finestra con sopra una croce. È qui che venivano denunciati gli eretici, contro i quali poi procedeva il Sant'Uffizio. I 'crimini' più gravi erano la magia, la stregoneria e la blasfemia. Gli accusati dichiarati colpevoli venivano condannati a morte e giustiziati nel corso di un autodafé (esecuzione pubblica degli eretici, spesso bruciati sul rogo). Nel periodo dell'Inquisizione, fino all'indipendenza del 1821, a Cartagena si tennero cinque autodafé e furono circa 800 le persone giustiziate. Gli indigeni non erano sottoposti al giudizio dell'Inquisizione.

Il museo espone anche un accurato plastico che riproduce l'aspetto di Cartagena all'inizio del XIX secolo e un'interessante collezione di carte geografiche del Nuevo Reino de Granada risalenti a varie epoche. C'è anche qualche didascalia in inglese e sono disponibili guide anche in inglese (COP$40.000); seguitele in gruppo, se potete, perché la tariffa resta invariata fino a un massimo di cinque persone.

Cartagena – Città Vecchia

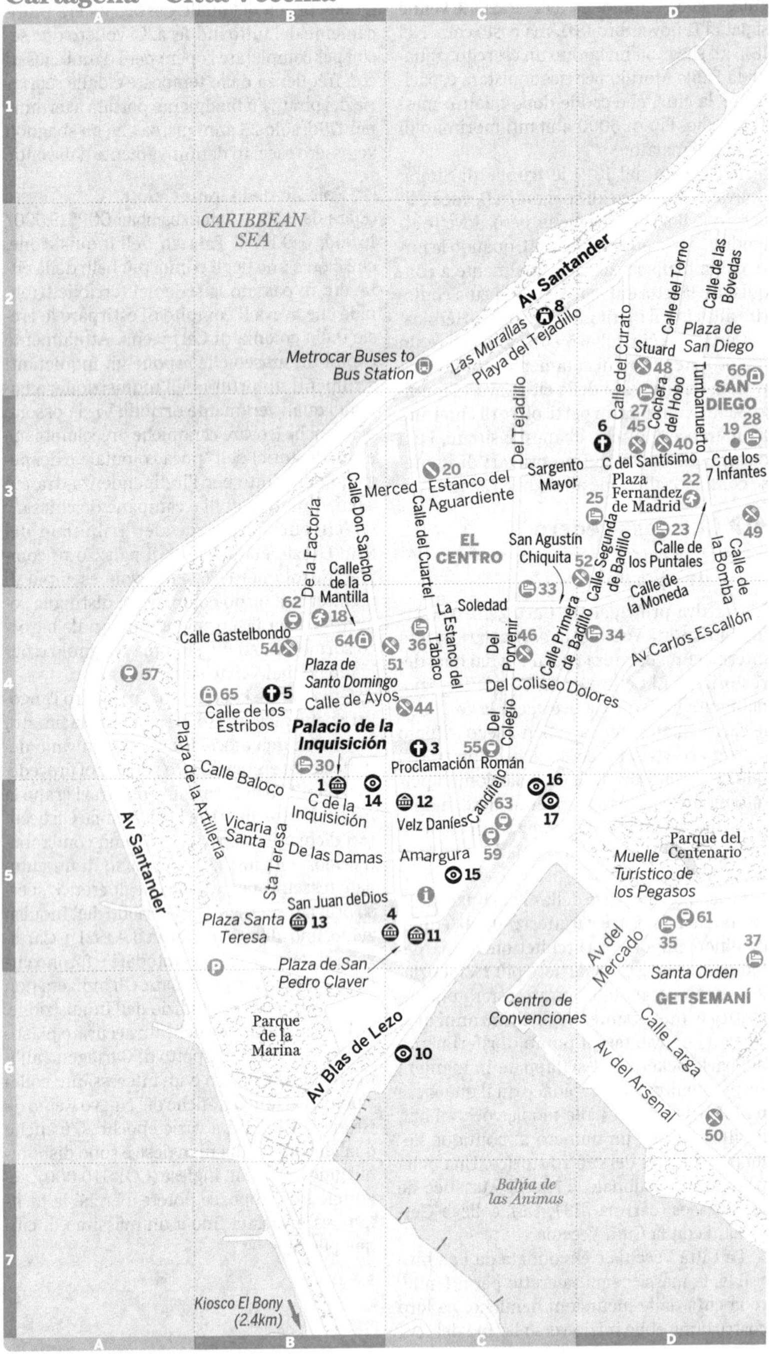

A
B
C
D
1
2
3
4
5
6
7
CARIBBEAN SEA
Av Santander
Las Murallas
Playa del Tejadillo
8
Metrocar Buses to Bus Station
Calle del Curato
Calle del Torno
Calle de las Bóvedas
Plaza de San Diego
Stuard
48
66
SAN DIEGO
27
Cochera del Hobo
Tumbamuerto
45
40
19
28
6
Del Tejadillo
C del Santísimo
C de los 7 Infantes
20
Estanco del Aguardiente
Sargento Mayor
Plaza Fernandez de Madrid
22
Merced
Calle Don Sancho
Calle del Cuartel
25
49
23
De la Factoría
Calle de la Mantilla
EL CENTRO
San Agustín Chiquita
Calle Segunda de Badillo
Calle de los Puntales
Calle de la Bomba
52
33
Calle de la Moneda
62
18
La Soledad
Calle Primera de Badillo
34
Calle Gastelbondo
64
36
Estanco del Tabaco
Del Porvenir
46
Av Carlos Escallón
54
51
Plaza de Santo Domingo
57
65
5
Calle de Ayos
44
Del Coliseo
Dolores
Calle de los Estribos
Palacio de la Inquisición
Del Colegio
3
55
Playa de la Artillería
30
Proclamación
Román
Calle Baloco
1
14
12
Candilejo
16
63
17
C de la Inquisición
Vicaria
Santa
Sta Teresa
Velz Daníes
59
De las Damas
Amargura
Parque del Centenario
Av Santander
15
Muelle Turístico de los Pegasos
San Juan deDios
4
Plaza Santa Teresa
13
11
61
35
37
Av del Mercado
Plaza de San Pedro Claver
Santa Orden
GETSEMANÍ
Centro de Convenciones
Calle Larga
Parque de la Marina
Av Blas de Lezo
10
Av del Arsenal
50
Bahía de las Ánimas
Kiosco El Bony (2.4km)

Convento e Iglesia de San Pedro Claver

MUSEO

(☎5-664-4991; Plaza de San Pedro Claver; interi/bambini COP$12.000/8000; ⏲8-20) Fondato dai gesuiti nella prima metà del XVII secolo come Convento San Ignacio de Loyola, venne in seguito rinominato in onore del monaco di origine spagnola Pedro Claver (1580-1654), vissuto e morto qui. Soprannominato 'apostolo dei neri' o 'schiavo degli schiavi', consacrò la sua vita all'assistenza degli schiavi deportati dall'Africa. Fu il primo santo del Nuovo Mondo, canonizzato nel 1888.

Monumentale edificio a tre piani con al centro un cortile alberato, il convento è in gran parte adibito a **museo**. Vi sono esposte opere d'arte religiosa e ceramiche precolombiane, mentre nella sezione dedicata all'arte contemporanea afro-caraibica si possono ammirare magnifici dipinti haitiani e maschere africane.

Nel convento si può visitare la cella in cui visse e morì San Pedro Claver e salire una stretta scala che conduce alla galleria del coro della chiesa adiacente. Alla biglietteria sono presenti delle guide (COP$35.000 anche in inglese per un massimo di 7 persone). Completata nella prima metà del XVIII secolo, la Iglesia de San Pedro Claver presenta un'imponente facciata in pietra, vetrate istoriate e l'altare maggiore in marmo italiano. Le spoglie di San Pedro Claver, di cui è visibile il teschio, sono conservate in una teca di vetro posta sull'altare.

Plaza de Bolívar

PLAZA

Chiamata in precedenza Plaza de Inquisición, questa piazza verde e ombreggiata è circondata da alcuni fra gli edifici coloniali più eleganti della città, con i loro caratteristici balconi ornamentali. Tra le più gradevoli e invitanti piazze di Cartagena, offre un po' di sollievo dalla calura caraibica. Al centro si erge una **statua** di Simón Bolívar.

Museo del Oro Zenú

MUSEO

(Plaza de Bolívar; ⏲9-17 mar-sab, 10-15 dom) FREE

È quasi una versione in miniatura del celebre Museo del Oro di Bogotá. Per quanto piccolo, presenta un'affascinante collezione di manufatti in oro e ceramica del popolo zenú (o sinú), che prima della conquista spagnola viveva nella regione corrispondente agli attuali dipartimenti di Bolívar, Córdoba, Sucre e Antioquia settentrionale. Alcuni pezzi spiccano per la finissima lavorazione.

Se siete diretti a Bogotá, in questo museo dell'oro avrete un piccolo assaggio dell'ana-

Cartagena – Città Vecchia

Da non perdere

1 Palacio de la Inquisición B5

Che cosa vedere

2 Casa de Rafael Núñez F1
3 Catedral C4
4 Convento e Iglesia de San Pedro Claver C5
5 Iglesia de Santo Domingo B4
6 Iglesia de Santo Toribio de Mogrovejo D3
7 Las Bóvedas E1
8 Las Murallas C2
9 Monumento a la India Catalina F3
10 Muelle Turístico de la Bodeguita C6
11 Museo de Arte Moderno C5
12 Museo del Oro Zenú C5
13 Museo Naval del Caribe B5
14 Plaza de Bolívar B5
15 Plaza de la Aduana C5
16 Plaza de los Coches C5
17 Puerta del Reloj C5

Attività, corsi e tour

18 Aventure Colombia B4
19 Centro Catalina Spanish School D3
20 Diving Planet C3
21 Nueva Lengua E6
22 Sico D3

Pernottamento

23 Bantú D3
24 Casa Canabal E4
25 Casa La Fe D3
26 Casa Villa Colonial E5
27 El Genovés Hostal D3
28 El Viajero Cartagena D3
29 Friends To Be E5
30 Hostal Santo Domingo B4
31 Hostel Mamallena E5
32 Hotel Casa de las Palmas E7
33 Hotel Casa San Agustín C4
34 Hotel Don Pedro de Heredia D4
35 Hotel Monterrey D5
36 La Passion C4
37 Mama Waldy Hostel D5
38 Media Luna Hostel E5
39 San Pedro Hotel Spa E3

Pasti

40 Agua de Mar D3
41 Beiyu E6
42 Caffé Lunático F5
43 Demente E6
44 El Bistro C4
45 El Boliche D3
46 Espíritu Santo C4
47 Interno E2
48 La Cevichería D2
49 La Mulata D3
50 Oh Là Là D6
51 Pastelería Mila C4
52 Pezetarian D3
53 Restaurante Coroncoro E5
54 Señor Toro B4

Locali e vita notturna

55 Alquímico C4
56 Bazurto Social Club E5
57 Café del Mar A4
58 Café Havana E5
59 Donde Fidel C5
60 León de Baviera E7
61 Quiebra-Canto D5
62 The Beer Lovers B4
63 Tu Candela C5

Shopping

64 Ábaco B4
65 Colombia Artesanal B4
66 El Arcón D2

logo museo, più grande e più ricco, che vi attende là. È anche il posto ideale per rinfrescarsi un po', dato che l'aria condizionata è impostata a temperature artiche.

Iglesia de Santo Domingo CHIESA
(Plaza de Santo Domingo; interi/bambini COP$12.000/8000; ⌚9-19 mar-sab, 12-20 dom) La chiesa di Santo Domingo è considerata la più antica della città. L'edificio originale, costruito nel 1539 in Plaza de los Coches, fu distrutto da un incendio e poi riedificato nella sede attuale nel 1552. La chiesa fu realizzata con una navata centrale ampia e dal tetto molto pesante, ma evidentemente i costruttori non avevano fatto bene i loro calcoli perché la volta iniziò subito a dare segni di cedimento.

Fu necessario quindi aggiungere massicci contrafforti alle pareti per sostenere la struttura ed evitare che crollasse. Non andò meglio con il campanile, che pende in maniera molto evidente.

L'interno è ampio e spazioso. Sull'altare barocco in fondo alla navata destra si può ammirare una statua lignea di Cristo. Il pavimento davanti all'altare maggiore e nelle due navate laterali è ricoperto di pietre tombali in gran parte risalenti al XIX secolo.

In passato la chiesa era aperta solo durante la messa, mentre oggi può essere visitata con un'audioguida della durata di 20 minuti disponibile in varie lingue.

Puerta del Reloj PORTA

Chiamata originariamente Boca del Puente, questa porta era il principale punto di accesso alla città interna fortificata ed era collegata a Getsemaní da un ponte levatoio che superava il fossato. Le sue arcate laterali, che oggi sono un passaggio pedonale, erano un tempo adibite a cappella e armeria. La torre in stile repubblicano, dotata di orologio sui quattro lati, fu costruita nel 1888.

Plaza de los Coches PLAZA

Nell'ex Plaza de la Yerba, la piazza triangolare situata alle spalle di Puerta del Reloj sulla quale si affacciano antiche case con balconate e portici coloniali al piano terra, aveva luogo in passato il mercato degli schiavi. Oggi, lungo il porticato chiamato El Portal de los Dulces, c'è una fila di bancarelle che vendono dolci tipici locali. Al centro della piazza si staglia la statua del fondatore della città, Pedro de Heredia.

Plaza de la Aduana PLAZA

La piazza più grande e più antica della Città Vecchia veniva usata in passato per le parate militari e in epoca coloniale vi si trovavano i più importanti edifici governativi. Il Palazzo della Dogana Reale è stato restaurato e oggi è la sede del municipio. Al centro della piazza si erge la statua di Cristoforo Colombo.

Museo de Arte Moderno MUSEO

(Museo d'Arte Moderna; Plaza de San Pedro Claver; interi/bambini COP$8000/4000; ⌚9-12 e 15-19 lun-ven, 10-13 sab, 16-21 dom) Situato in un'ala splendidamente restaurata del secentesco Palazzo della Dogana Reale, è un museo dalle dimensioni perfette. Espone a rotazione le opere della sua collezione, che comprende dipinti di Alejandro Obregón, uno dei pittori più famosi della Colombia, originario di Cartagena, e di Enrique Grau, un altro artista locale che lasciò tutte le sue opere in eredità al museo. Vi si possono ammirare anche sculture, opere d'arte astratta e mostre temporanee.

Museo Naval del Caribe MUSEO

(Calle San Juan de Dios n. 3-62; COP$16.000; ⌚9-17) Inaugurato nel 1992 per celebrare il quinto centenario dall'arrivo di Colombo nel Nuovo Mondo, ha sede in uno splendido edificio coloniale che un tempo era un collegio dei gesuiti. Gran parte della sua collezione propone ricostruzioni di città e modellini di navi di varie epoche storiche, ma purtroppo è carente di cimeli originali (fatta eccezione per qualche interessante siluro).

Catedral CHIESA

(Calle de los Santos de Piedra) La costruzione della cattedrale di Cartagena ebbe inizio nel 1575, ma nel 1586, a lavori ancora in corso, l'edificio fu parzialmente distrutto dai cannoni delle navi di Francis Drake e fu completato solo nel 1612. Tra il 1912 e 1923 il primo arcivescovo di Cartagena fece ricoprire la cattedrale con rivestimenti in stucco e pitture a effetto marmo. Chiusa nel 2017 per un ampio intervento di restauro, dovrebbe riaprire nel 2019 in tutto il suo rinnovato splendore.

Iglesia de Santo Toribio de Mogrovejo CHIESA

(Calle del Curato, San Diego; ⌚10-22) Questa magnifica chiesa costruita tra il 1666 e il 1732 è stata completamente restaurata nel 2015. I soffitti sono ricoperti di pannelli in stile mudéjar, mentre l'altare barocco colorato di rosa e oro è unico nel suo genere a Cartagena. Durante l'attacco sferrato da Vernon nel 1741, una palla di cannone sfondò una vetrata mentre era in corso la messa, ma miracolosamente non ci furono vittime. La palla di cannone è conservata in una teca di vetro sulla parete sinistra della chiesa.

Casa de Rafael Núñez MUSEO

(⌚9-17 mar-ven, 10-16 sab e dom) FREE In questa bella casa di legno bianca e verde, situata appena all'esterno delle mura di Las Bóvedas, visse l'ex presidente, avvocato e poeta Rafael Núñez, compositore dei versi dell'inno nazionale colombiano nonché uno tra gli autori della costituzione del 1886, rimasta in vigore (con qualche modifica successiva) fino al 1991. Oggi l'edificio ospita un museo in cui sono esposti documenti e oggetti personali di Núñez.

Non si può non restare incantati dalla splendida sala da pranzo all'aperto (ma coperta) o dalla grande balconata esterna. Le ceneri di Núñez sono conservate nella cappella di fronte alla casa, conosciuta con il nome di Ermita del Cabrero.

Monumento a la India Catalina STATUA

Il monumento che si incontra all'ingresso principale della Città Vecchia arrivando dall'entroterra rende omaggio alla popolazione caribe che abitava la regione prima della conquista spagnola. È una pregevole scultura bronzea raffigurante Catalina, la bellissima donna caribe che all'arrivo degli spagnoli fece da interprete per Pedro de Heredia. La statua fu realizzata nel 1974 da Eladio Gil, uno scultore spagnolo residente a Cartagena.

Forti spagnoli

Sebbene la Città Vecchia di Cartagena sia di per sé una fortezza, ci sono altre fortificazioni poste in punti strategici all'esterno delle mura che meritano una visita. La più famosa è senza dubbio l'imponente Castillo de San Felipe de Barajas, che domina la città ed è forse il forte coloniale più grande del Sud America. Altri siti meno noti potrebbero essere interessanti per gli appassionati di storia, ma conviene sempre informarsi presso il proprio hotel o un'agenzia di viaggi sulle condizioni di sicurezza: soprattutto nel caso dei siti più isolati, infatti, potrebbe non essere sicuro andarci da soli.

★Castillo de San Felipe de Barajas FORTEZZA

(Av Arévalo; interi/bambini COP$25.000/10.500; ⌚8-18) È la fortezza più grande mai costruita dagli spagnoli nelle colonie sudamericane e ancora oggi domina una parte del panorama urbano di Cartagena. È senz'altro la prima che dovreste visitare. Commissionato nel 1630, originariamente il forte era decisamente piccolo. I lavori di costruzione incominciarono nel 1657 in cima al colle di San Lázaro, un'altura di 40 m. Nel 1762 ebbe inizio un'importante opera di ampliamento che diede origine all'impenetrabile bastione che oggi ricopre l'intera collina.

Nonostante i numerosi tentativi d'assalto, la fortezza era inespugnabile e non fu mai conquistata. Un ingegnoso sistema di gallerie ne collegava i punti strategici per consentire la distribuzione delle provviste e facilitare l'evacuazione in caso di necessità. Le gallerie erano progettate in modo che il suono si propagasse in tutta la loro lunghezza, consentendo così di percepire ogni minima avvisaglia di avvicinamento nemico e agevolando inoltre la comunicazione interna.

Alcuni tunnel sono illuminati e aperti al pubblico: una passeggiata molto suggestiva, assolutamente da non perdere. Noleggiate l'audioguida (COP$10.000) se volete saperne di più sulle curiose invenzioni di Antonio de Arévalo, l'ingegnere militare che diresse i lavori di costruzione della fortezza.

Si può raggiungere facilmente a piedi da Getsemaní attraversando il ponte.

Convento de la Popa

Convento de la Popa CHIESA

(interi/bambini COP$11.000/8000; ⌚8-18) Sorge in cima a un colle di 150 m, il punto più alto di Cartagena, con una vista strepitosa che spazia su tutta la città. Il significato letterale del nome è Convento della Poppa, per via della somiglianza dell'altura alla parte posteriore di una nave. Fondato dai padri agostiniani nel 1607, era in origine una piccola cappella di legno che fu rimpiazzata da una costruzione più solida due secoli più tardi, quando l'intera collina venne fortificata.

Nella cappella del convento, abbellita da un grazioso patio fiorito, è possibile ammirare l'incantevole effigie della Virgen de la Candelaria, patrona della città. Vi si trova anche una statua che mette i brividi e che raffigura Padre Alonso García de Paredes trafitto da una lancia: il sacerdote venne ucciso insieme a cinque soldati spagnoli per aver cercato di convertire gli indigeni al cristianesimo.

Per raggiungere il convento, che non è servito da mezzi pubblici, si deve percorrere una strada a tornanti ed è possibile prendere sentieri che tagliano le curve. A piedi si impiega circa mezz'ora per arrivare in cima, ma non è una scelta consigliabile, sia per ragioni di sicurezza sia per questioni climatiche: è come fare trekking nel deserto! È meglio prendere un taxi, che costa circa COP$50.000. Contrattando educatamente, ma con fermezza, potreste anche riuscire a spendere la metà.

Mercado Bazurto

Mercado Bazurto MERCATO

(Av Pedro de Heredia; ⌚24 h) Solo per spiriti avventurosi, il labirintico mercato centrale di Cartagena è sudicio e affascinante allo stesso tempo, un vero e proprio attacco ai sensi su tutti i fronti. Qui troverete qualsiasi cosa sia vendibile: ci sono file interminabili di bancarelle di frutta e verdura, carne e pesce e tantissime possibilità per fare uno spuntino veloce o dissetarsi con una bevanda fresca. Non indossate gioielli appariscenti e tenete sempre d'occhio i vostri effetti personali. Andateci in taxi (COP$7000 dalla Città Vecchia) e poi partite in esplorazione.

Attività

Grazie alla vasta barriera corallina che si estende davanti alla costa, Cartagena è diventata un centro importante per le immersioni subacquee. La Boquilla, una spiaggia appena fuori città, è famosa anche per il kitesurf.

Diving Planet IMMERSIONI
(☎320-230-1515, 310-657-4926; www.divingplanet.org; Calle Estanco del Aguardiente n. 5-09) Questa eccellente scuola di immersioni certificata PADI propone una doppia immersione alle Islas del Rosario al costo di COP$400.000 inclusi trasporto, attrezzatura, pranzo e istruttore. Per le prenotazioni online si applica uno sconto del 10%.

Kitesurf Colombia KITESURF
(☎311-410-8883; www.kitesurfcolombia.com; Carrera 9, dietro all'Edificio Los Morros 922, Cielo Mar) Questa scuola di kitesurf si trova sulla spiaggia, dopo l'aeroporto, nei pressi della strada principale per Barranquilla. Propone anche windsurf, surf e altre attività.

Sico BICICLETTA
(☎300-339-1728; www.sicobikerental.com; Calle Puntales 37-09, San Diego; ⊙9-22) Il personale gentile e disponibile di questa agenzia nel centro della Città Vecchia propone visite guidate su due ruote della città e dei dintorni, oltre a noleggiare biciclette ibride e mountain bike di buona qualità (COP$24.000 per mezza giornata). Le visite della città partono tutti i giorni alle 8 e alle 16.

Corsi

Centro Catalina Spanish School LINGUA
(☎310-761-2157; www.centrocatalina.com; Calle de los 7 Infantes n. 9-21) Questa scuola di spagnolo dall'ottima reputazione si trova in una posizione invidiabile nel cuore della città all'interno delle mura. Offre vari tipi di corsi: il costo per una settimana con 20 ore di lezione parte da US$239 più US$60 per la tassa d'iscrizione. Può provvedere anche all'alloggio e organizza diverse attività complementari.

Nueva Lengua LINGUA
(☎315-8559-551, 1-813-8674; www.nuevalengua.com; Callejón Ancho n. 10b-52, Getsemaní) In questa scuola piacevolmente informale il costo per un corso di una settimana con 20 ore di lezione parte da soli US$185. Nel prezzo è compresa un'ora di lezione di cucina alla settimana che vi permetterà di perfezionare anche altre competenze oltre a quelle linguistiche.

Feste ed eventi

Hay Festival Cartagena ARTE
(www.hayfestival.com; ⊙gen) La versione colombiana del celebre festival di arte e letteratura si svolge a gennaio, dura quattro giorni e vede la partecipazione di ospiti di fama internazionale che tengono conferenze e letture pubbliche.

Fiesta de Nuestra Señora de la Candelaria PROCESSIONE
(⊙2 feb) Nel giorno dedicato alla santa patrona di Cartagena, al Convento de la Popa si tiene una solenne processione nel corso della quale i fedeli sfilano tenendo in mano delle candele accese. Le celebrazioni, dette Novenas, e i pellegrinaggi al convento cominciano nove giorni prima.

Pernottamento

Cartagena dispone di un'ampia scelta di strutture ricettive, ma chi non si accontentasse di un ostello o di un semplice albergo di media categoria deve mettere in conto di spendere parecchio. Rivolti ai facoltosi turisti del weekend, colombiani e statunitensi, gli alberghi di fascia alta hanno prezzi davvero stratosferici e molti sono boutique hotel ricavati in edifici coloniali splendidamente restaurati. È a Getsemaní, soprattutto in Calle de la Media Luna, che si trovano le sistemazioni economiche.

El Genovés Hostal OSTELLO $
(☎5-646-0972; www.elgenoveshostal.com; Calle Cochera del Hobo n. 38-27, San Diego; letti in camerata con prima colazione COP40.000-49.000, camere con prima colazione a partire da COP$160.000; ❄📶🏊) Delizioso ostello dai molti colori, dispone di diverse camerate, oltre ad alcune camere doppie e triple con bagno privato. Nel patio c'è una piscina, piccola ma gradevole, e sul tetto una piccola terrazza. C'è anche una cucina comune completamente attrezzata.

Mama Waldy Hostel OSTELLO $
(☎5-645-6805, 300-696-9970; mamawaldyhostel@gmail.com; Calle La Sierpe n. 29-03, Getsemaní; letti in camerata con prima colazione con/senza aria condizionata COP$40.000/30.000, doppie con prima colazione COP$120.000; ❄📶) Ricavato all'interno di una casa coloniale, questo gradevole ostello è molto frequentato ed è l'ideale per godersi Cartagena alloggiando in un ambiente tranquillo e accogliente a Getsemaní. Tutte le camerate sono dotate di bagno, mentre le camere private sono piuttosto piccole e decisamente più costose. La

prima colazione è compresa nel prezzo, domenica esclusa.

Hostel Mamallena OSTELLO $
(☎5-670-0499, 5-660-9969; www.mamallena.travel; Calle de la Media Luna n. 10-47, Getsemaní; letti in camerata/doppie/triple/quadruple con prima colazione COP$40.000/120.000/160.000/200.000;) Situato a Getsemaní, è un ostello semplice e pulito, con camere ben curate disposte intorno a un cortile dai colori incantevoli. Il personale parla inglese e può organizzare escursioni e trasferimenti in autobus in tutta la Colombia e via mare per l'arcipelago di San Blas e Panamá. Fornito di lavanderia e di armadietti a misura di zaino, l'ostello offre la possibilità di mangiare o bere qualcosa senza spendere tanto.

★ **Friends To Be** BOUTIQUE HOTEL $$
(☎5-660-6486; www.casadelmangocartagena.com; Calle del Espíritu Santo n. 29-101, Getsemaní; letti in camerata COP$40.000, singole/doppie con prima colazione COP$160.000/180.000;) Tra le sistemazioni di fascia media più convenienti che ci siano a Getsemaní, questo incantevole hotel presenta una fantastica struttura in legno ricavata all'interno di una casa coloniale. Le camere più interessanti sono le due sul davanti, entrambe disposte su due piani, e una dotata di terrazza privata sul tetto e quattro posti letto. C'è anche una piccola piscina.

★ **Casa Villa Colonial** HOTEL $$
(☎5-664-5421; www.casavillacolonial.co; Calle de la Media Luna n. 10-89, Getsemaní; singole/doppie/triple con prima colazione COP$130.000/220.000/250.000;) A dispetto del continuo aumento dei prezzi a Getsemaní, le tariffe di questo hotel sono ancora ragionevoli per un servizio personalizzato a quattro stelle, piacevoli aree comuni dotate di comodi divani e un silenzioso impianto di aria condizionata. Le camere migliori dispongono di piccoli balconi che si affacciano sul cortile; c'è una piccola cucina a disposizione degli ospiti ed è sempre disponibile del buon caffè.

Hotel Don Pedro de Heredia HOTEL $$
(☎5-664-7270; www.hoteldonpedrodeheredia.com; Calle Primera de Badillo n. 35-74; camere con prima colazione a partire da COP$235.000;) È un'ottima scelta se cercate una sistemazione nella Città Vecchia che abbia qualcosa in più di un accenno di storia, ma non potete permettervi il tipo di esperienza da boutique hotel di lusso proposta dalla maggior parte degli alberghi di questa zona. Il Don Pedro ha un eccellente rapporto qualità-prezzo, che comprende una buona prima colazione nel fresco e arieggiato ristorante sul tetto.

El Viajero Cartagena OSTELLO $$
(☎5-660-2598; www.elviajerohostels.com; Calle de los 7 Infantes n. 9-45; letti in camerata con prima colazione COP$45.000-55.000, doppie con prima colazione COP$180.000, singole/doppie senza bagno e con prima colazione COP$100.000/195.000;) Questo grande ostello, molto apprezzato dai backpacker, si trova in una comoda posizione centrale ed è l'ideale per chi vuole socializzare. Tutte le camere sono dotate di aria condizionata, un vero sogno con queste tariffe e questa temperatura. I letti hanno materassi di buona qualità, la cucina è pulitissima e ben organizzata e c'è un grazioso cortile all'aperto dall'atmosfera accogliente e conviviale.

Media Luna Hostel OSTELLO $$
(☎5-664-3423; www.medialunahostel.com; Calle de la Media Luna n. 10-46, Getsemaní; letti in camerata/camere con prima colazione COP$37.500/COP$107.000; @) Con la sua splendida aria coloniale, questo boutique hostel è indubbiamente il punto di riferimento dei backpacker a Getsemaní. La vita al suo interno ruota intorno al grande cortile, al tavolo da biliardo e alla terrazza sul tetto, dove si tengono spesso delle grandi feste. Le camere sono pulite e ben tenute, fornite di lenzuola fresche e materassi comodi. A Getsemaní non c'è niente di meglio per gli amanti del divertimento.

Hostal Santo Domingo OSTELLO $$
(☎5-664-2268; hsantodomingopiret@yahoo.es; Calle Santo Domingo n. 33-46, El Centro; singole/doppie/triple con prima colazione COP$110.000/150.000/180.000;) Si deve attraversare un negozio di articoli artigianali per entrare in questo piccolo ostello dall'atmosfera accogliente. A Getsemaní una sistemazione così semplice costerebbe la metà, ma l'ostello è situato in un'incantevole via della Città Vecchia, a pochi passi da alcuni dei palazzi più belli di tutta l'America Latina.

★ **Hotel Casa San Agustín** HOTEL DI LUSSO $$$
(☎5-681-0621; www.hotelcasasanagustin.com; Calle de la Universidad; camere con prima colazione a partire da COP$1.130.000;) Forte della reputazione di miglior hotel di Cartagena, gode di una posizione centrale che sarebbe l'ideale per qualsiasi struttura, ma è la particolarità dell'edificio (attraversato dal vecchio acquedotto cittadino, che dà forma a una pisci-

na angolare) a creare un ambiente così unico e ricco di atmosfera, a cui si aggiungono la professionalità e la cortesia del personale e il carattere esclusivo dell'hotel.

Traboccante di raffinati elementi d'epoca come la splendida biblioteca, l'hotel ha camere principesche dotate di bagni in marmo, docce a pioggia e molti dettagli di design. Gli iPad in camera, gli ampi balconi e i letti a baldacchino in legno massiccio completano il quadro.

★Bantú HOTEL **$$$**
(☎5-664-3362; www.bantuhotel.com; Calle de la Tablada n. 7-62, San Diego; singole/doppie con prima colazione a partire da COP$480.000/539.000; ❄@🛜🏊) Questo delizioso boutique hotel, ricavato all'interno di due case del XV secolo splendidamente restaurate, dispone di 28 camere ed è caratterizzato da spaziosi ambienti esterni, volte con mattoni a vista, muri in pietra originale e una vegetazione rigogliosa. Arredate con eleganza, le camere sono ricche di oggetti d'arte locale che si intonano armoniosamente con lo stile di questa antica struttura. Potrete trovare anche una piscina sul tetto, una fontana musicale e un'altalena appesa al grande albero di mango che torreggia nel cortile interno.

Hotel Monterrey HOTEL STORICO **$$$**
(☎5-650-3030, 318-695-1837; www.hotelmonterrey.com.co; Av del Mercado n. 25-100; singole/doppie con prima colazione COP$320.000/330.000; ❄🛜🏊) Con magnifiche vedute sulla città all'interno delle mura, l'Hotel Monterrey gode di una posizione perfetta, con Getsemaní da una parte ed El Centro dall'altra. Le camere sono spaziose e dai soffitti alti, con letti confortevoli e arredi favolosi. La prima colazione è molto buona, ma i cocktail serali sulla terrazza all'ultimo piano sono imbattibili.

San Pedro Hotel Spa BOUTIQUE HOTEL **$$$**
(☎5-664-5800; www.sanpedrohotelspa.com.co; Calle San Pedro Mártir n. 10-85; camere con prima colazione a partire da COP$560.000; ❄🛜🏊) Magnifico riadattamento di una residenza coloniale, il San Pedro dispone di camere arredate con mobili d'epoca, una fantastica terrazza sul tetto con vasca idromassaggio e una piccola piscina nel cortile. La sua caratteristica più notevole è forse la formidabile cucina comune dove potrete realizzare i vostri sogni da MasterChef. Nel prezzo, per nulla irrisorio, è compreso un massaggio alle mani.

Casa Canabal BOUTIQUE HOTEL **$$$**
(☎5-660-0666; www.casacanabalhotel.com; Calle Tripita y Media n. 31-39, Getsemaní; camere con prima colazione a partire da COP$330.000; ❄🛜🏊) Un ambiente lussuoso a un prezzo non impossibile caratterizza questo piccolo hotel di Getsemaní in cui il design raffinato si fonde armoniosamente con la cortesia d'altri tempi del personale. Le graziose camere dall'ambiente minimal hanno i soffitti alti, tanto legno e bagni eleganti. Il piatto forte è sicuramente la magnifica terrazza sul tetto, dotata di bar, piscina e spa (che offre un massaggio gratuito di benvenuto a ogni ospite).

La Passion HOTEL **$$$**
(☎5-664-8605; www.lapassionhotel.com; Calle Estanco del Tabaco n. 35-81, El Centro; camere con prima colazione a partire da COP$327.000; ❄🛜🏊) Ospitato all'interno di una casa in stile repubblicano risalente all'inizio del XVII secolo, questo hotel – gestito da un produttore cinematografico francese e dalla sua compagna colombiana – dispone di otto camere diverse l'una dall'altra, alcune con bagni in stile antica Roma e docce all'aperto. È però la canoa-altalena nel cortile ciò che davvero definisce il carattere eccentrico ma raffinato di questo albergo. Completano il quadro la piscina e la terrazza sul tetto con vista sulla cattedrale.

Casa La Fe B&B **$$$**
(☎5-660-0164, 5-660-1344; www.kalihotels.com/casa-la-fe/; Calle Segunda de Badillo n. 36-125, San Diego; camere con prima colazione a partire da COP$359.000; ❄🛜🏊) Una coppia britannico-colombiana gestisce questo raffinato B&B decorato con opere d'arte sacra di buon gusto e situato proprio nel cuore della Città Vecchia. Potrete mangiare immersi nel verde del cortile interno, riposarvi al sole comodamente sdraiati su un lettino o rinfrescarvi nella piccola piscina sul tetto. Le camere più costose hanno i balconi affacciati su Plaza Fernández de Madrid.

Hotel Casa de las Palmas HOTEL **$$$**
(☎5-664-3630; www.hotelcasadelaspalmas.com; Calle de las Palmas n. 25-51, Getsemaní; singole/doppie/triple con prima colazione COP$168.000/193.000/235.000; ❄🛜🏊) Ricavato dalla ristrutturazione di una casa coloniale al margine di Getsemaní, è un posto dal grande fascino con le piccole corti interne, le pareti adorne di opere d'arte popolare colombiana e una piccola piscina per rinfrescarsi nelle ore più calde della giornata. Le camere non

sono grandi, ma pulite e confortevoli. Va bene per i bambini, perché ha un ampio spazio ben delimitato dove possono giocare senza uscire dall'edificio.

Pasti

La cucina di Cartagena è favolosa, con una scelta vastissima e qualità ottima in tutte le fasce di prezzo. A pranzo la soluzione ideale per i backpacker è la *comida corriente* (pasto a prezzo fisso), che permette di mangiare bene spendendo circa COP$15.000 a persona. Per chi invece non ha problemi di budget, non ci sono limiti né di prezzo né di scelta: qui si trovano alcuni dei ristoranti migliori di tutta la Colombia.

Cartagena eccelle anche nello street food: in tutta la Città Vecchia ci sono moltissimi snack bar che servono i tipici spuntini locali, come le *arepas de huevo* (focaccine di farina di mais con un uovo all'interno), i *dedos de queso* (bastoncini di formaggio fritti), le *empanadas* e i *buñuelos* (palline di formaggio e farina di mais fritte). Assaggiate anche i dolci del posto, in vendita sulle bancarelle lungo El Portal de los Dulces in Plaza de los Coches.

Espíritu Santo COLOMBIANO $
(Calle del Porvenir n. 35-60; portate principali COP$12.000-16.000; ⌚11.30-15.30) A vederlo da fuori non si direbbe ma questo locale dall'ottima posizione centrale e aperto solo a pranzo è enorme, ed è sempre così pieno che si ha l'impressione che mezza città vi si dia appuntamento per mangiare una semplice, ma buonissima, *comida corriente*. Tra le proposte del menù vanno menzionati il filetto di pesce in latte di cocco, il manzo fritto e le ottime insalate. Le porzioni sono abbondanti e il rapporto qualità-prezzo è eccezionale.

Restaurante Coroncoro COLOMBIANO $
(☎5-664-2648; Calle Tripita y Media n. 31-28, Getsemaní; portate principali COP$5000-15.000; ⌚7.30-22) Vera e propria istituzione a Getsemaní per la *comida corriente*, è sempre pieno di gente del posto che placa la fame con i convenienti menu a prezzo fisso e i deliziosi piatti del giorno. È un ottimo ristorante low-cost con tutto il sapore della Colombia, non solo nel piatto.

★ **Beiyu** CAFFÈ $$
(Calle del Guerrero n. 29-75, Getsemaní; prima colazione a partire da COP$9000, portate principali a partire da COP$15.000; ⌚7-21 lun-sab, 9-18 dom; 📶✎) Il Beiyu è un piccolo paradiso di cucina biologica e sostenibile nel cuore di Getsemaní che serve ottimo caffè colombiano, succhi di frutta freschi, prime colazioni complete e un innovativo assortimento di piatti del giorno sia a pranzo sia a cena. È il luogo ideale per concludere la giornata mangiando qualcosa in tutta calma. Le porzioni sono più che generose. Se ci andate, dovete assolutamente provare l'*açai bowl*!

Oh Là Là FRANCESE $$
(☎5-664-4321; Calle Larga n. 4-48, Getsemaní; portate principali COP$18.000-38.000; ⌚8-22 lun-sab; 📶✎) Questa favolosa novità nel panorama gastronomico sempre più vario e interessante di Getsemaní porta un tocco di cultura gallica nel quartiere più alla moda di Cartagena. Situato all'interno di uno splendido edificio ristrutturato, con soffitti alti e comodi posti a sedere, il ristorante organizza anche **corsi di cucina** molto apprezzati ed è specializzato in piatti sani e senza zucchero. La prima colazione è eccezionale e i menu a prezzo fisso serviti a pranzo e a cena propongono piatti squisiti e innovativi che cambiano in base alla stagione.

Pezetarian SUSHI $$
(☎5-668-6155; www.pezetarian.com; Calle Segunda de Badillo n. 36-19; portate principali COP$17.000-23.000; ⌚8-22; 📶✎) In questo locale dall'ottima posizione centrale potrete fare una scorpacciata di deliziosi sushi, *ceviche*, specialità al wok e insalate senza spendere una fortuna. In zona troverete ben pochi locali in cui mangiare allo stesso prezzo, e nessuno che sia anche completamente biologico, sano e fresco. A prima vista sembra un po' un fast food, ma non lasciatevi trarre in inganno. Il servizio è rapido e cortese.

Caffé Lunático TAPAS $$
(☎320-383-0419; Calle Espíritu Santo n. 29-184, Getsemaní; tapas COP$15.000-20.000, portate principali COP$26.000-53.000; ⌚11-23; 📶✎) In questo favoloso localino sarete accolti da un enorme dipinto murale raffigurante Amy Winehouse che sembra sul punto di balzare su una preda: avrà forse sentito parlare del 'Tribute to the Arepa' (con avocado, polpo e pancetta) o del dessert al cioccolato 'Saving the Planet', entrambi con uno stuolo di fedeli estimatori.

Demente PIZZA, TAPAS $$
(☎5-660-4226; Plaza de la Trinidad, Getsemaní; tapas COP$15.000-30.000, pizza a partire da COP$20.000; ⌚18-24 dom-gio, 18-2 ven e sab; 📶✎) Situato nel cuore di Getsemaní, Demente è un locale all'aperto (o meglio, con il

tetto retraibile) molto trendy, che serve eccellenti tapas e alcune tra le migliori pizze di Cartagena accompagnate da birre artigianali e ottimi cocktail. Il servizio è cortese e veloce e uscendo dal locale ci si trova immersi nell'atmosfera festaiola di Plaza de la Trinidad.

Pastelería Mila PANETTERIA **$$**
(Calle de la Iglesia n. 35-76; prima colazione COP$16.500-28.000, portate principali COP$17.500-35.000; ⏲8-22; 🛜) La pasticceria più raffinata di Cartagena serve la prima colazione e il pranzo in un ambiente alla moda nel cuore della Città Vecchia. Le pareti e le travi a vista creano un'atmosfera contemporanea mentre le panche in pelle aggiungono un tocco di classe. La prima colazione combo (pancake con *dulce de leche*, panna acida, uova strapazzate e bacon croccante) potrebbe essere considerata un crimine in ambienti meno goderecci.

Kiosco El Bony CUCINA DI MARE **$$**
(Av 1 Bocagrande; portate principali COP$15.000-30.000; ⏲10-22 lun-dom) Di proprietà dell'ex pugile olimpionico Bonifacio Ávila, questo locale situato sulla spiaggia di Cartagena è una vera e propria istituzione, celebre soprattutto per i pranzi abbondanti a base di pesce. Nel weekend è affollato dalla gente del posto.

La Mulata COLOMBIANO **$$**
(☎5-664-6222; Calle Quero n. 9-58, El Centro; pasto a prezzo fisso COP$20.000-25.000; ⏲11-16 e 18.30-22; 🛜) Questo ristorante dall'aspetto curato e alquanto eccentrico serve un'ottima *comida corriente* nonostante i prezzi siano aumentati negli ultimi anni. Il menu del giorno a prezzo fisso propone una discreta scelta di ottimi piatti e succhi di frutta freschi, che potrete assaporare in un'atmosfera fin troppo alla moda per la Città Vecchia di Cartagena, con ventilatori a soffitto e portate principali servite su taglieri di legno grezzo. Il personale vi conquisterà.

La Cevichería CUCINA DI MARE **$$**
(☎5-664-5255; Calle Stuart n. 7-14, San Diego; portate principali COP$25.000-70.000; ⏲12-23 mer-lun; 🛜) Un tempo poco conosciuto, se non tra la gente del posto, questo locale serve un *ceviche* strabiliante che negli ultimi anni ha attirato l'attenzione di vari chef celebri e riviste di viaggi. Le sue qualità non sono dunque più un segreto e il locale è spesso piuttosto affollato. Detto questo, ogni piatto è preparato con grande cura: il polpo in salsa di arachidi è incredibile, così come il riso al nero di seppia e il *ceviche* peruviano.

El Bistro EUROPEO **$$**
(☎5-664-1799; www.elbistrocartagena.wixsite.com/elbistro; Calle de Ayos n. 4-46, El Centro; sandwich a partire da COP$10.000, portate principali COP$15.000-25.000; ⏲9-23.30 lun-sab; 🛜) Questo eclettico e rinomato ristorante dall'ambiente shabby-chic pieno di oggetti curiosi vi conquisterà con il pane fresco e con i suoi pasti completi, apprezzati soprattutto a pranzo, quando propone una zuppa seguita da una sostanziosa portata principale. Non perdetevi l'ottima *limonada de coco* (limonata al cocco).

Señor Toro STEAKHOUSE **$$**
(☎5-656-4077; Calle Santo Domingo n. 35-55; portate principali COP$25.000-70.000; ⏲12-24; 🛜) Situata in posizione centrale, questa steakhouse è la più rigorosa della città per quanto riguarda la provenienza e la preparazione della carne. In nessun altro locale, infatti, troverete una bistecca di manzo o un'entrecôte a cottura media cucinate in maniera così perfetta. Se le bistecche non fanno per voi, potrete ordinare anche *ceviche* o hamburger.

★**El Boliche** CEVICHE **$$$**
(☎310-368-7908, 5-660-0074; Cochera del Hobo n. 38-17; portate principali COP$48.000-60.000; ⏲12.30-15 e 19-23 lun-sab; 🛜) Sebbene un po' alla volta si sia ritagliato un posto sulla mappa turistica della città, questo delizioso ristorante rimane ancora relativamente poco conosciuto e al riparo dall'invasione di massa. Andateci soprattutto per assaggiare il delizioso *ceviche*, interpretato con creatività e impiattato alla perfezione dai proprietari Oscar Colmenares e Viviana Díaz, la cui passione per ingredienti come il tamarindo, il latte di cocco e il mango è evidente in molti piatti.

★**Interno** COLOMBIANO **$$$**
(☎310-327-3682, 310-260-0134; www.restauranteinterno.com; Cárcel San Diego, Calle Camposanto, San Diego; menu fisso da 3 portate COP$80.000; ⏲19-23 mar-dom) Imbattibile se cercate una buona storia da raccontare, l'Interno si trova dentro il carcere femminile di Cartagena e il suo scopo è raccogliere fondi per la riabilitazione delle detenute che lavorano in cucina e in sala. Istruite da un rinomato chef di Bogotá, le cuoche preparano menu fissi che sono una deliziosa interpretazione della cucina colombiana moderna e che vengono serviti in un magnifico spazio all'aperto.

Si deve prenotare con 24 ore di anticipo lasciando il proprio numero di passaporto, che va portato con sé anche quando ci si presenta al ristorante.

Agua de Mar TAPAS **$$$**
(☎5-664-5798; www.aguademar.com.co; Calle del Santísimo n. 8-15; tapas COP$18.000-35.000, portate principali COP38.000-46.000; ⏱18-23 mar-dom; 📶🌱) Meraviglioso e creativo, è uno dei ristoranti più interessanti di Cartagena, con richiami al tema dell'acqua da cui prende il nome e un favoloso gin bar dove il simpatico proprietario crea gin tonic da capogiro, non solo per la bontà ma anche per il costo. Il menu di tapas da gourmet è ricco di piatti dai sapori interessanti, in particolare per quanto riguarda la cucina di mare e quella vegetariana.

Locali e vita notturna

A Cartagena le notti sono lunghe e bollenti. Da sempre i locali notturni di salsa e vallenato si concentrano soprattutto in Plaza de los Coches, a El Centro, mentre nel vivace quartiere di Getsemaní si trovano i locali notturni più grandi, giovanili e alla moda. Danno il meglio nei weekend, ma l'atmosfera non si riscalda prima di mezzanotte.

★ **Alquímico** COCKTAIL BAR
(☎318-845-0433; www.alquimico.com; Calle del Colegio n. 34-24; ⏱17-2 dom-gio, 17-3.30 ven e sab) Questo elegante locale, che occupa tre piani di un bellissimo edificio dell'epoca coloniale, è una gradita novità tra i bar della Città Vecchia. Il piano terra è un raffinato lounge bar dalle luci soffuse ideale per un aperitivo, mentre al piano superiore ci sono la cucina e un tavolo da biliardo e all'ultimo un bar in terrazza sempre pieno di gente in cui si servono fantasiosi cocktail a base di aguardiente.

Complessivamente il locale è senza dubbio tra i più sofisticati di Cartagena. La terrazza all'ultimo piano è perfetta per le notti tropicali.

★ **Café Havana** CLUB
(http://cafehavanacartagena.com; all'angolo tra Calle del Guerrero e Calle de la Media Luna, Getsemaní; ingresso COP$10.000; ⏱20-4 gio-sab, 17-2 dom) Il Café Havana ha tutto: salsa suonata dal vivo da band cubane, cocktail ad alta gradazione alcolica, uno splendido bar a forma di ferro di cavallo gremito di gente simpatica ed eccentrica, pareti rivestite in legno e ventilatori vorticanti sul soffitto. Sebbene ormai sia molto frequentato, vale la pena di andarci e provare a immaginare Hillary Clinton che si accomoda al bar, com'è effettivamente accaduto durante la sua visita a Cartagena.

Bazurto Social Club CLUB
(www.bazurtosocialclub.com; Av del Centenario n. 30-42; ingresso COP$5000; ⏱19-3.30 mer-sab) Mescolatevi alla gente del posto in questo brulicante locale in cui si balla sotto un gigantesco e luccicante pesce rosso al ritmo di musica *champeta* suonata dal vivo, sorseggiando cocktail da capogiro e scambiandosi gli ultimi pettegolezzi di Getsemaní. La musica è bellissima e dopo un paio di drink vi ritroverete anche voi a scatenarvi in pista, e non importa se poi le orecchie continueranno a fischiarvi per giorni.

Donde Fidel BAR
(☎5-664-3127; El Portal de los Dulces n. 32-09, El Centro; ⏱11-2) Lo straordinario repertorio di salsa di Don Fidel è ciò che attira un flusso costante di persone in questo locale amatissimo, anche se un po' trasandato, che ormai è una vera e propria istituzione nella Città Vecchia. Vi troverete in compagnia di coppiette che ballano e si sbaciucchiano negli angolini nascosti del bar, sotto i ritratti del proprietario e di tante vecchie glorie di Cartagena. L'ampio dehors è perfetto per starsene seduti a guardare il viavai.

Tu Candela CLUB
(☎5-664-8787; El Portal de los Dulces n. 32-25, El Centro; ⏱20-4) Votato al reggaeton, al vallenato, al merengue e un po' anche alla salsa, il Tu Candela è sempre pieno di gente, ma ha una bella atmosfera in cui è facile lasciarsi andare. È in questo locale che, come riferiscono le cronache di allora, alcuni funzionari sbandati dei servizi segreti di Barack Obama diedero il via a una notte di eccessi tra cocaina e prostitute, ed è facile capire perché scelsero proprio questo posto: qui sembra davvero che tutto sia permesso.

L'ingresso dà diritto a una consumazione al bar.

The Beer Lovers BIRRA ARTIGIANALE
(☎5-664-2202; all'angolo tra Calle Gastelbondo e Calle Factoría; ⏱9-23, fino alla 1 gio-sab; 📶) Questo locale buio e rumoroso ha un vastissimo assortimento di birre artigianali da tutto il mondo, oltre a decine di etichette locali, ed è perciò il posto migliore della città per andare alla scoperta della produzione artigianale di birra della Colombia e non solo.

Quiebra-Canto CLUB
(☎5-664-1372; Camellón de los Mártires, Edificio Puente del Sol, Getsemaní; ⌚19-4 mar-sab) Si riempie di gente di tutti i tipi questo eccellente locale di salsa, son e reggae. Si trova al secondo piano di un edificio di Getsemaní e si affaccia sul Pegasos e sulla torre dell'orologio. Secondo i puristi la salsa del Quiebra-Canto è migliore di quella del rivale Café Havana, ma l'atmosfera è meno vivace.

León de Baviera BAR
(☎5-664-4450; Av del Arsenal n. 10B-65; ⌚16-4 mar-dom; 📶) Gestito da un emigrato tedesco di nome Stefan, è uno dei pochi bar veri e propri della città. È piccolo e si riempie in fretta di persone del posto che tracannano boccali da tre litri di birre europee e locali. Le cameriere sono vestite come la ragazza raffigurata sull'etichetta della birra St Pauli Girl.

Café del Mar BAR
(☎5-664-6513; Baluarte de Santo Domingo, El Centro; cocktail COP$20.000-35.000; ⌚17-1; 📶) La brezza che soffia dall'oceano porta un po' di piacevole frescura in questo locale turistico all'aperto, arroccato sui bastioni occidentali della Città Vecchia. Vestitevi bene e preparatevi a spendere COP$10.000 per una birra. La vista è insuperabile.

☆ Divertimenti

La squadra di calcio di Cartagena, il Real Cartagena, gioca all'**Estadio Olímpico Jaime Morón León** (Villa Olímpico), 5 km a sud della città. Le partite si svolgono tutto l'anno e i biglietti possono essere acquistati allo stadio. La corsa in taxi dal centro costa circa COP$12.000.

Shopping

Cartagena ha un'ampia scelta di negozi che vendono prodotti artigianali e souvenir, in genere di buona qualità. Il centro commerciale turistico più grande della città all'interno delle mura è **Las Bóvedas** (Playa del Tejadillo), dove si possono acquistare oggetti di artigianato, abbigliamento e souvenir tendenti al kitsch. Troverete prodotti più interessanti passeggiando per le strade di Getsemaní, San Diego ed El Centro.

Ábaco LIBRI
(☎5-664-8338; all'angolo tra Calle de la Iglesia e Calle de la Mantilla; ⌚9-21 lun-sab, 15-21 dom; 📶) Questa bellissima libreria-caffetteria ha un vasto assortimento di libri su Cartagena e qualche testo in inglese, comprese tutte le opere di Gabriel García Márquez. Vi troverete anche birra italiana, vino spagnolo e del buon caffè espresso.

El Arcón ANTIQUARIATO
(☎5-664-1197; www.arconanticuario.com; Calle del Camposanto n. 9-46, San Diego; ⌚9-12 e 13-19 lun-sab) Questo splendido negozio collocato in una magnifica casa coloniale è il migliore che si possa trovare all'interno delle mura per quanto riguarda l'antiquariato: un tesoro di opere d'arte, mobili e oggetti insoliti tra i quali vale la pena di spulciare se si vuole trovare un souvenir davvero memorabile del proprio viaggio in Colombia.

Colombia Artesanal ARTE E ARTIGIANATO
(www.artesaniasdecolombia.com.co; Callejón de los Estribos n. 2-78; ⌚10-20 lun-sab, 11-19 dom) Questa catena di negozi, situata nella Città Vecchia, dispone di un eccellente assortimento di coloratissimi oggetti d'artigianato provenienti da tutte le parti della Colombia. I commessi sono molto preparati e prodighi di informazioni interessanti sulla storia e sulla produzione di ogni articolo.

ℹ Orientamento

I viaggiatori si concentrano prevalentemente sulla città all'interno delle mura, costituita dai quartieri di El Centro, San Diego e Getsemaní. La penisola di Bocagrande, a sud, è la Miami Beach di Cartagena, dove i *cartageneros* alla moda sorseggiano caffè nei locali di tendenza, cenano nei ristoranti patinati e vivono nei lussuosi edifici che si susseguono lungo le strade come guardiani di un nuovo mondo. Sono pochi i visitatori che soggiornano qui, sebbene sia un'alternativa possibile, sicura e glamour, alla città all'interno delle mura.

Le vie di Cartagena sono identificate sia da nomi sia da numeri. Noi abbiamo scelto di usare i nomi, perché sono quelli che si trovano più comunemente indicati nelle strade stesse.

ℹ Informazioni

ASSISTENZA SANITARIA

I casi di emergenza vengono solitamente trattati all'**Hospital Naval de Cartagena** (☎8-655-4306; http://honac.sanidadnaval.mil.co; Carrera 2 n. 14-210, Bocagrande; ⌚24 h) che ha anche la camera iperbarica.

BANCHE

Le *casas de cambio* (cambiavalute) e le banche sono presenti ovunque nel centro storico, soprattutto nei dintorni di Plaza de los Coches e Plaza de la Aduana. Confrontate sempre prima le varie tariffe. In città si aggirano molti 'cambiavalute' che offrono tassi fantastici, ma sono tutti, senza eccezione, abili truffatori: che non vi passi nemmeno per la testa di cambiare denaro in strada. A El Centro e San Diego c'è una certa carenza di sportelli bancomat, che invece sono numerosissimi lungo Av Venezuela.

INFORMAZIONI TURISTICHE

Il principale **ufficio turistico** (Turismo Cartagena de Indias; ☎5-660-1583; Plaza de la Aduana; ⌚9-12 e 13-18 lun-sab, 9-17 dom) della città si trova in Plaza de la Aduana. Ci sono anche due piccoli chioschi di informazioni turistiche in Plaza de San Pedro Claver e in Plaza de los Coches.

PERICOLI E CONTRATTEMPI

Cartagena è la metropoli più sicura della Colombia: si consideri che circa 2000 poliziotti sono di pattuglia nella sola Città Vecchia. Comunque, non esibite oggetti di valore e di notte state all'erta nelle zone meno popolate, come La Matuna, il viale moderno che si estende tra Getsemaní e la Città Vecchia. È più probabile essere importunati dagli spacciatori che essere vittime di un crimine. La seccatura maggiore in cui potete incorrere è senz'altro costituita dall'atteggiamento aggressivo dei venditori abusivi che cercano di piazzare chincaglierie turistiche, ma anche donne e cocaina. Un semplice '*No quiero nada*' ('Non voglio niente') dovrebbe bastare per liberarsene.

VISTI

Migracíon Colombia (☎5-666-0172, 5-670-0555; www.migracioncolombia.gov.co; Carrera 29d n. 20-18; ⌚8-12 e 14-17), un po' distante dalla Città Vecchia, è l'ufficio al quale rivolgersi per le questioni riguardanti l'immigrazione e l'estensione del visto.

ℹ Per/da Cartagena

AEREO

Tutte le principali compagnie aeree colombiane hanno voli per/dall'**Aeropuerto Internacional Rafael Núñez** (☎5-693-1351; www.sacsa.com.co; Calle 71 n. 8-9) di Cartagena. Ci sono voli **Avianca** (☎5-655-0287; www.avianca.com; Calle 7 n. 7-17, Bocagrande) e **Copa** (☎5-655-0428; www.copaair.com; Carrera 3 n. 8-116, Bocagrande) per Bogotá, Cali, Medellín, San Andrés e molte altre grandi città. Cartagena è inoltre collegata da voli internazionali con Panamá, Miami, Fort Lauderdale e New York.

All'aeroporto ci sono quattro sportelli bancomat e una *casa de cambio* (nella hall degli arrivi nazionali) ed è possibile trovare diverse agenzie di autonoleggio all'interno del terminal stesso o nelle immediate vicinanze.

AUTOBUS

Per chi è diretto a Barranquilla o Santa Marta, il punto di partenza più comodo è il **Berlinastur Terminal** (☎318-354-5454, 318-724-2424; www.

RITUALE CON LE FOGLIE DI COCA

Viaggiando lungo la costa caraibica potrebbe capitarvi di vedere gli indigeni kogi salire sugli autobus locali carichi di borse piene di conchiglie, che non sono però destinate a usi ornamentali. Gli indigeni della Sierra Nevada de Santa Marta, infatti, le raccolgono per celebrare il sacro rito del consumo di coca detto *poporo*.

Gli alcaloidi attivi contenuti nelle foglie di coca hanno un forte potere stimolante solo dopo essere stati raffinati chimicamente e trasformati in cocaina. Masticate da sole, le foglie producono pochi effetti, ma, se abbinate a una sostanza alcalina, i loro principi attivi si moltiplicano, consentendo a chi le consuma di camminare per chilometri senza riposare né mangiare, anche a quote elevate: l'ideale per chi vive sulla catena montuosa costiera più alta del mondo.

Per il *poporo* si raccolgono migliaia di conchiglie chiamate *caracucha*, che vengono poi abbrustolite al fuoco e infine pestate fino a essere ridotte in polvere finissima. Questa viene poi versata in una zucca vuota, chiamata *totuma*, simbolo della femminilità, che gli uomini ricevono in dono al raggiungimento dell'età adulta.

Le donne di queste tribù raccolgono le foglie di coca e le fanno essiccare nelle *mochilas* (borse in tessuto a forma di secchiello da portare a tracolla) riempite di pietre calde. Gli uomini prendono poi una buona dose di foglie, la mettono in bocca e succhiano un po' di polvere di conchiglie da un bastoncino intinto nella *totuma*.

I resti di saliva e polvere rimasti sul bastoncino vengono depositati sulla parete esterna della zucca, facendone così aumentare le dimensioni, quale simbolo di acquisita saggezza. Il composto viene quindi masticato per circa mezz'ora in modo che, per azione della saliva basificata, le foglie di coca rilascino le sostanze attive che producono un effetto vagamente simile a quello della cocaina. Gli indigeni credono che il *poporo* sia fonte di conoscenza, proprio come leggere un libro o studiare.

berlinastur.com; nei pressi dell'incrocio tra Calle 47 e Carrera 3), raggiungibile dalla Città Vecchia con una breve corsa in taxi. Da questa stazione partono anche dei minibus dotati di aria condizionata, con corse ogni 20 minuti dalle 5 alle 20 e fermate a Barranquilla (COP$20.000, 2 h) e Santa Marta (COP$40.000, 4 h).

Una soluzione migliore, anche se un po' più cara, è prendere l'autobus **MarSol** (☎5-656-0302; www.transportesmarsol.net; Carrera 2 n. 43-111) che raggiunge Santa Marta (COP$48.000, 3 h), Taganga (COP$50.000, 3 h), il PNN Tayrona (COP$67.000, 4 h) e Palomino (COP$77.000, 5 h). L'autobus va a prendere i passeggeri in qualsiasi hotel od ostello di Cartagena e, tagliando fuori Barranquilla, li porta in qualsiasi albergo od ostello di Santa Marta e oltre. Ci sono due corse al giorno e per prenotare i posti conviene chiamare il giorno prima.

Per le altre destinazioni, e per trovare biglietti più economici per Barranquilla e Santa Marta, si deve andare al **Terminal de Transportes de Cartagena** (☎304-577-5743; www.terminaldecartagena.com; Calle 1A n. 3-89), che si trova nella periferia orientale della città, lontano dal centro: per raggiungerlo mettete in conto di impiegare almeno 45 minuti in qualsiasi momento della giornata, tranne in piena notte.

Diverse autolinee effettuano parecchi collegamenti al giorno per Bogotá e Medellín. La **Expreso Brasilia** (☎5-663-2119; www.expresobrasilia.com; Terminal de Transportes de Cartagena, Calle 1A n. 3-89), per esempio, raggiunge Bogotá (a partire da COP$90.000, 18 h, 6 corse al giorno) e Medellín (a partire da COP$50.000, 12 h, 6 corse al giorno). La **Unitransco** (☎5-663-2665, 5-663-2067; Terminal de Transportes de Cartagena, Calle 1A n. 3-89) serve Barranquilla (COP$15.000, 2 h 30 min, corse ogni ora) con ulteriori collegamenti per Santa Marta (COP$3.000, 4 h, corse ogni ora). La compagnia **Caribe Express** (☎5-371-5132; Terminal de Transportes de Cartagena, Calle 1A n. 3-89) ha un autobus per Mompós (COP$65.000, 6 h, corse ogni giorno) con partenza alle 7 e uno per Tolú (COP$35.000, 3 h, corse ogni ora) con partenza alle 6.30. Riohacha, sulla Península de La Guajira, è servita dalla Expreso Brasilia e dalla **Rápido Ochoa** (☎5-693-2133, 312-843-1249; Terminal de Transportes de Cartagena, Calle 1A n. 3-89) con autobus che partono ogni ora (COP$40.000, 8 h).

Per raggiungere Panamá via terra, prendete uno degli autobus che partono ogni ora per Montería (COP$60.000, 5 h), dove potrete prendere la coincidenza per Turbo (a partire da COP$35.000, 5 h, corse ogni ora). Tenete presente che se non si parte da Cartagena prima delle 11 si corre il rischio di perdere l'ultima coincidenza per Turbo, dovendo poi trascorrere la notte a Montería. Da Turbo, il mattino seguente, potrete prendere un'imbarcazione per Sapzurro, località collegata regolarmente via mare a Obaldia, Panamá.

Per chi non vuole usare la barca, gli **autobus per Playa Blanca** (Calle de la Magdalena Concolón, La Matuna; COP$1500, 70 min) partono durante tutto il giorno. Cercate i mezzi su cui è indicato 'Pasocaballos' e dite al conducente dove volete scendere.

IMBARCAZIONI

La barca a vela è un mezzo fantastico per raggiungere Panamá e per visitare le Islas de San Blas. Numerose imbarcazioni collegano Cartagena con Panamá e viceversa passando per San Blas; il programma delle partenze è stabilito con alcuni mesi di anticipo e ci sono imbarcazioni quasi ogni giorno in entrambe le direzioni. In genere il viaggio dura cinque giorni, tre dei quali trascorsi a San Blas per fare snorkelling e visitare le isole. Il costo si aggira intorno a US$550 per persona, ma può variare da US$450 fino a US$650 a seconda di molti fattori.

La maggior parte delle imbarcazioni fa rotta verso i porti panamensi di Porvenir, Puerto Lindo e Portobello, dai quali è facile raggiungere la città di Panamá.

Negli ultimi anni il settore dei viaggi in barca a vela è stato radicalmente trasformato da **Blue Sailing** (☎300-829-2030, 310-704-0425; www.bluesailing.net; Calle San Andrés n. 30-47), un'agenzia a gestione colombiano-americana che ha cercato di legalizzare quella che è sempre stata un'attività non regolamentata. Attualmente Blue Sailing rappresenta oltre 22 barche, garantendo che siano tutte dotate dei requisiti per una navigazione sicura in mare aperto, monitorandone la posizione e premurandosi di reclutare comandanti qualificati e dotati di brevetto. Se volete noleggiare un'imbarcazione, vi consigliamo quindi di rivolgervi a Blue Sailing per avere la certezza di viaggiare in sicurezza e a norma di legge.

A Cartagena ci sono anche altre agenzie e alcuni ostelli che propongono viaggi in barca, ma verificate sempre prima che a bordo sia presente l'equipaggiamento di sicurezza e che il comandante sia qualificato. Controllate anche le eventuali recensioni online sulla barca e sull'equipaggio.

Ci sono diverse partenze alla settimana, anche in bassa stagione: vi basterà scrivere un'e-mail all'operatore indicando il giorno in cui vorreste partire e il personale vi metterà in contatto con l'imbarcazione che meglio si addice alle vostre necessità. È importante prenotare in anticipo, soprattutto per il periodo che va da dicembre a marzo, perché i posti tendono a esaurirsi settimane prima della partenza.

La barca a vela è sempre più usata per visitare le Islas de San Blas, anche da chi non parte con l'intenzione di andare a Panamá. Diverse compagnie aeree, tra cui Viva Colombia, Wingo, Air Panama e Avianca, propongono voli economici per rientrare in Colombia da Panamá città.

Per chi ha un veicolo al seguito, ci sono vari spedizionieri che offrono il trasporto in container collettivi, ma esistono anche traghetti 'roll on/roll off' in servizio tra Cartagena e Colón (US$700-US$1200, 6-8 giorni compreso carico/scarico). Si può così viaggiare in barca e ritrovare il proprio veicolo al porto di destinazione. Raggiungere Colón da Puerto Lindo o Portobello è facile e poco costoso.

Trasporti interni

PER/DALL'AEROPORTO

Il tragitto per/dall'**aeroporto** di Crespo (3 km) è servito con una certa frequenza da autobus locali, ma per raggiungere lo scalo aeroportuale è anche possibile prendere dei *colectivos* (COP$2000) o i più comodi autobus navetta, chiamati **Metrocar** (Av Luis Carlos López; COP$2000) e dotati di aria condizionata; questi mezzi partono dal Monumento a la India Catalina (i Metrocar si riconoscono dal cartello verde).

I taxi applicano un supplemento di COP$5000 per le corse per/dall'aeroporto. Per il tragitto dal centro all'aeroporto si può spendere da COP$10.000 a COP$15.000, mentre i taxi che portano dall'aeroporto alla città applicano tariffe fisse che dipendono dalla distanza e dall'ora del giorno. Per Getsemaní, San Diego ed El Centro si può spendere tra COP$10.000 e COP$15.000, ma fatevi prima rilasciare la ricevuta dall'ufficio in aeroporto per sapere con certezza quanto vi costerà la corsa.

PER/DALLA STAZIONE DEGLI AUTOBUS

I grandi **autobus Metrocar** (Av Santander; COP$2000) verdi e rossi fanno la spola tra la città e l'autostazione con corse ogni 15-30 minuti (COP$3000, 40 min). In centro li si può prendere in Av Santander. La corsa in taxi dalla stazione degli autobus a El Centro costa COP$15.000 con un supplemento di COP$5000 dopo le 20.

Islas del Rosario

Situato circa 35 km a sud-ovest di Cartagena, questo arcipelago è formato da 27 piccole isole coralline, compresi alcuni minuscoli isolotti. È circondato dalla barriera corallina, dove il colore del mare assume incredibili sfumature tra il ceruleo e il turchese. Questa zona è stata dichiarata **Parque Nacional Natural Corales del Rosario y San Bernardo** (www.parquesnacionales.gov.co; COP$7500). Purtroppo le correnti d'acqua calda hanno eroso la barriera intorno alle Islas del Rosario e le immersioni non sono più spettacolari come una volta. Gli sport acquatici continuano comunque a essere molto praticati e le due isole maggiori, **Isla Grande** e **Isla del Rosario**, hanno lagune interne e dispongono di alcune infrastrutture turistiche, tra cui qualche albergo e un resort. Le isole si possono visitare in giornata partendo da Cartagena, ma se si vuole apprezzarle al meglio ed evitare la folla conviene trascorrervi una o due notti.

Tour

Generalmente il parco si visita prendendo parte a un tour delle isole con un'escursione in barca di un giorno. Ce ne sono in qualsiasi periodo dell'anno, con partenza dal **Muelle Turístico de la Bodeguita** di Cartagena tutti i giorni dalle 8 alle 9 e ritorno indicativamente tra le 16 e le 18. L'ufficio crociere al *muelle* (molo) propone tour a partire da COP$60.000 per persona compreso il pranzo. Al molo ci sono anche altri operatori più piccoli che offrono escursioni a prezzi solitamente inferiori.

Anche alcuni tra gli hotel economici più frequentati di Cartagena vendono tour in barca, talvolta anche a prezzi più bassi (in media COP$50.000). Di solito è compreso il pranzo, ma non le tasse portuali e l'ingresso al parco nazionale e all'acquario: vi consigliamo di chiedere conferma al vostro operatore. Alcuni hotel di categoria superiore dispongono di imbarcazioni proprie per i trasferimenti da Cartagena.

La rotta tra le isole è più o meno la stessa per tutte le escursioni, con qualche minima differenza legata alle dimensioni dell'imbarcazione. Tutte passano per la Bahía de Cartagena e prendono il mare aperto attraverso lo stretto di Bocachica, passando tra la Batería de San José e il Fuerte de San Fernando, situato sul lato opposto. Le imbarcazioni navigano poi tra le isole (di solito con spiegazioni in spagnolo da parte delle guide a bordo) facendo tappa alla piccola **Isla de San Martín de Pajarales**. Qui potrete visitare l'acquario (COP$30.000), riposarvi al fresco in un boschetto ombreggiato o fare una nuotata prima di riprendere il tour. Le imbarcazioni fanno poi rotta verso Playa Blanca, sull'Isla de Barú, dove si pranza e avrete a disposizione un paio d'ore di tempo libero.

Pernottamento

Gli alberghi si trovano per la maggior parte sulla Isla Grande e tendono a essere molto rustici, indipendentemente dal prezzo che, nella fascia alta, raggiunge cifre non certo trascurabili.

Dintorni di Cartagena

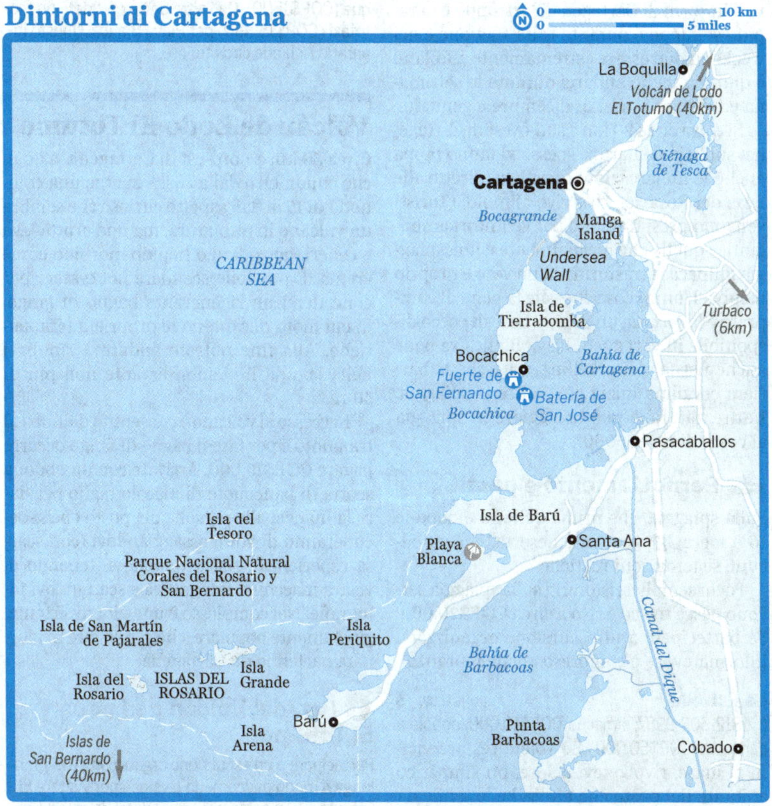

Eco Hotel Las Palmeras GUESTHOUSE **$$**
(☎314-584-7358; Isla Grande; amache/camere con pensione completa COP$80.000/120.000 per persona) Questa guesthouse ecoturistica di Isla Grande è gestita dalla deliziosa Ana Rosa. Per quanto semplice e rustica, è l'ideale per staccare la spina per un po'. Si possono fare escursioni in canoa nelle lagune vicine ed eccellenti uscite di snorkelling. Si trova a soli cinque minuti a piedi da Playa Bonita, la spiaggia più bella dell'isola.

Hotel San Pedro de Majagua HOTEL **$$$**
(☎5-693-0987; www.hotelmajagua.com; Isla Grande; camere e bungalow a partire da COP$520.000; ❄ 📶) Questo hotel di fascia alta propone sistemazioni sulla Isla Grande in raffinati bungalow di pietra con il tetto di paglia intrecciata e un arredamento minimalista. L'hotel dispone anche di due spiagge e un ristorante. L'esperienza nel complesso è favolosa: si ha la sensazione di essere su un'isola privata.

Coralina Island BOUTIQUE HOTEL **$$$**
(☎313-245-9244; www.coralinaisland.com; Isla del Rosario; camere a partire da COP$680.000; 📶) Nonostante i prezzi elevati, è un posto molto rustico: trovandosi all'interno del parco nazionale, è stato progettato in modo da inserirsi armoniosamente nell'ambiente che lo circonda. Le *cabañas* sono semplici ma gradevoli, perfette per una pausa di vero relax. La struttura mette a disposizione gratuitamente l'attrezzatura da snorkelling e nei dintorni ci sono delle belle spiagge. Se non volete utilizzare le normali imbarcazioni, l'hotel può organizzare il trasferimento privato da Cartagena.

Playa Blanca

Playa Blanca fa davvero onore al suo nome, con il suo incantevole tratto di sabbia bianca come lo zucchero che contribuisce a renderla una delle spiagge più belle tra quelle situate nei dintorni di Cartagena. Purtroppo è in rapido sviluppo e durante l'alta stagione e nei weekend può essere estremamente affollata: è quindi meglio andarci durante la settimana ed evitare i mesi di dicembre e gennaio.

Si trova circa 20 km a sud-ovest di Cartagena, sull'Isla de Barú, e spesso vi fanno tappa anche le imbarcazioni turistiche dirette alle Islas del Rosario. All'arrivo al molo, i turisti vengono presi d'assalto dai venditori ambulanti, e quella che normalmente è una spiaggia idilliaca si trasforma in un vero e proprio incubo. L'unica cosa che vale la pena di comprare è la *cocada*, un dolce a base di cocco disponibile in vari gusti. Playa Blanca va bene anche per fare snorkelling, dato che la barriera corallina inizia poco oltre la spiaggia. L'attrezzatura si può noleggiare in spiaggia al costo di COP$5000.

Pernottamento e pasti

Sulla spiaggia, che prima delle 10 e dopo le 16 è meravigliosamente deserta, ci sono alcune sistemazioni rustiche.

Pochi semplici ristoranti sulla spiaggia servono pesce fresco e riso a circa COP$20.000. Se partecipate a un'escursione organizzata, informatevi se è compreso anche il pranzo.

La Estrella BUNGALOW $
(☎312-602-9987; amache COP$10.000, doppie a partire da COP$50.000) Se volete restare vicini al mare, rivolgetevi a José, un simpatico abitante del posto che affitta belle tende da tre e quattro posti letto con il tetto di paglia, amache (dotate di zanzariera) e un paio di capanne con il pavimento di sabbia.

Per/da Playa Blanca

Il modo più facile per raggiungere Playa Blanca è prendere parte a un'escursione organizzata, anche se la spiaggia è molto più tranquilla quando ci si va da soli e in assenza di comitive. Prendete un taxi (COP$8000) per Av El Lago, dietro al Mercado Bazurto, il mercato principale di Cartagena, e chiedete al conducente di farvi scendere al molo delle imbarcazioni per Playa Blanca. Le imbarcazioni partono (quando sono al completo) tutti i giorni dalle 7.30 alle 9.30, tranne la domenica. Il viaggio dura un'ora. Il costo è di circa COP$25.000, ma vi consigliamo di non pagare prima di aver raggiunto la spiaggia.

In alternativa si possono utilizzare gli autobus contrassegnati dalla scritta 'Pasocaballos' (COP$1500) che partono tutto il giorno dall'incrocio tra Av Luis Carlos López e Calle del Concolon a La Matuna. Chiedete all'autista di farvi scendere al molo dei traghetti che attraversano il Canal del Dique (COP$1500). Dall'altra parte prendete un mototaxi (COP$15.000) per Playa Blanca. Questo itinerario richiede circa tre ore.

Volcán de Lodo El Totumo

Circa 50 km a nord-est di Cartagena, a qualche chilometro dalla costa, si erge una collinetta di 15 m dall'aspetto curioso che sembra un vulcano in miniatura, ma non erutta lava e ceneri, bensì fango tiepido morbido come crema. È possibile scendere nel cratere per concedersi un rigenerante bagno di fango, di cui molti decantano le proprietà terapeutiche. Alla fine potrete andare a ripulirvi nella laguna lì vicino, distante non più di 50 m.

L'accesso al vulcano è consentito dall'alba al tramonto e per fare il bagno di fango occorre pagare COP$10.000. Arrivate con una buona scorta di banconote di piccolo taglio per dare la mancia alle persone del posto che si occuperanno di voi massaggiandovi (con scarsa esperienza), risciacquandovi, tenendo la vostra macchina fotografica e scattandovi fotografie. Nel complesso è una gita divertente, giustamente popolare, che si può fare in giornata partendo da Cartagena.

Per/dal Volcán de Lodo El Totumo

Partecipare a un'escursione organizzata è di gran lunga il modo più comodo e veloce per visitare El Totumo e non costa più che andarci da soli. A Cartagena ci sono diversi operatori che organizzano gite in minibus al vulcano (da COP$30.000 a COP$40.000, a seconda che sia compreso il pranzo oppure no). Le escursioni si possono prenotare facilmente anche attraverso la maggior parte degli hotel.

A NORD-EST DI CARTAGENA

I dipartimenti di Atlántico e Magdalena si trovano a nord-est di Cartagena, dove dal mare comincia a emergere la catena montuosa costiera più alta del mondo, la Sierra Nevada de Santa Marta. Santa Marta, città coloniale sempre più affascinante, e le belle attrattive montane e costiere che si trovano nei suoi dintorni – in particolare il Parque Nacional Natural Tayrona, la Ciudad Perdida, Minca e Palomino – sono tra i luoghi più visitati della Colombia.

Santa Marta

(☎)5 / POP. 450.000 / ALT. 2 M

Santa Marta è la più antica città del Sud America fondata dagli europei e la seconda città coloniale in ordine di importanza della costa caraibica della Colombia. Nonostante la sua lunga storia e l'incantevole centro storico, riceve giudizi negativi da parte di molti viaggiatori che, a causa della sua incontrollata espansione urbana e del traffico caotico, non la considerano una città gradevole in cui soggiornare. Il segreto per apprezzare Santa Marta consiste nel godersi i suoi lati migliori: gli alberghi, i ristoranti, i bar e, di giorno, le interessanti attrattive situate nei dintorni.

Va anche detto però che, in seguito a un'importante opera di riqualificazione del centro storico coloniale, Santa Marta ha riacquistato buona parte del suo fascino, tanto che alla fine potreste restarci più a lungo di quello che avevate programmato. Il clima è caldo ma più secco rispetto a Cartagena e di sera la città è rinfrescata dalla brezza che soffia dal mare.

Storia

Nel 1525 Rodrigo de Bastidas piantò la bandiera spagnola dove oggi sorge Santa Marta, scegliendo volutamente un luogo ai piedi della Sierra Nevada de Santa Marta da cui partire alla conquista delle leggendarie e inestimabili riserve d'oro dei tayrona.

Al saccheggio delle loro terre gli indigeni opposero fin da subito una strenua resistenza. Ciononostante, alla fine del XVI secolo i tayrona erano ormai quasi del tutto scomparsi e i loro straordinari manufatti d'oro (fusi dagli spagnoli per farne materia grezza) erano chiusi nei forzieri della Corona spagnola.

Santa Marta fu anche una delle prime porte d'accesso all'entroterra della colonia. Fu proprio da qui che nel 1536 Jiménez de Quesada partì per l'estenuante marcia nella Valle della Magdalena conclusasi con la fondazione di Bogotá due anni più tardi.

Impegnata nelle guerre con i tayrona e ripetutamente saccheggiata dai pirati, Santa Marta non visse molti momenti di gloria durante il periodo coloniale e venne ben presto messa in ombra dalla sua vicina Cartagena, città più giovane e dinamica. Una data molto importante nella storia di Santa Marta è il 17 dicembre 1830, giorno in cui Simón Bolívar, che aveva fatto conquistare l'indipendenza a ben sei paesi dell'America Latina, morì in città. Nel 1842 le sue spoglie furono riportate in Venezuela, dove si trovano ancora oggi in un mausoleo nella sua nativa Caracas.

Che cosa vedere

A Santa Marta non c'è molto da vedere, ma vale comunque la pena di fare una passeggiata lungo Av Rodrigo de Bastidas (Carrera 1C), il viale che costeggia la spiaggia, e Av Campo Serrano (Carrera 5), la principale via commerciale. **El Rodadero**, 5 km a sud del centro, è una popolare località balneare di villeggiatura.

★Quinta de San Pedro Alejandrino MUSEO

(☎5-433-1021; www.museobolivariano.org.co; Av Libertador; COP$21.000; ⏲9-16.30) È in questa *hacienda* che Simón Bolívar trascorse i suoi ultimi giorni di vita nel 1830, prima di soccombere alla tubercolosi o all'avvelenamento da arsenico, a seconda di quale versione dei fatti vogliate prendere per vera. Il proprietario dell'*hacienda* era uno spagnolo sostenitore dell'indipendenza della Colombia, il quale invitò Bolívar a fermarsi da lui per riposarsi un po' prima di partire per l'esilio in Europa. Bolívar, però, morì prima di poter compiere il viaggio.

Dentro la tenuta sono stati costruiti diversi monumenti in memoria di Bolívar, il più suggestivo dei quali è un'imponente struttura centrale conosciuta con il nome di **Altar de la Patria**, all'interno della quale si erge la statua di un altero Bolívar.

Alla sua destra si trova il **Museo Bolivariano**, in cui sono esposte opere d'arte donate da artisti di vari paesi latinoamericani, tra cui Colombia, Venezuela, Panamá, Ecuador, Perú e Bolivia, le nazioni liberate da Bolívar.

Tra gli oggetti più interessanti esposti all'interno di questa residenza merita di essere citata una sontuosa vasca da bagno in marmo. L'*hacienda* venne fondata all'inizio del XVII secolo e fu adibita alla coltivazione e alla lavorazione della canna da zucchero. Disponeva di un proprio *trapiche* (torchio per la canna da zucchero) e di una *destilería* (distilleria).

Vale la pena anche di fare una passeggiata nel parco della tenuta, all'interno del quale si trova il **Jardín Botánico** di Santa Marta, esteso su una superficie di 22 ettari e popolato da numerose iguane. Alcuni alberi della proprietà valgono da soli la visita all'*hacienda*, che si trova all'estrema periferia orientale di Mamatoco, a circa 4 km dal centro.

Santa Marta

Per arrivarci, prendete l'autobus per Mamatoco (COP$1600, 20 minuti) dal lungomare (Carrera 1C).

Museo del Oro MUSEO

(Calle 14 n. 1-37; ⌚9-17 mar-sab, 10-15 dom) FREE Questo eccellente museo ripercorre la storia di Santa Marta e della regione circostante. Ha sede nella Casa de la Aduana (Casa della Dogana), splendidamente restaurata e citata anche da Gabriel García Márquez nel romanzo *Nessuno scrive al colonnello*. Vi sono esposti oggetti che appartenevano ai tayrona, soprattutto ceramiche e gioielli, ma c'è anche una magnifica sala ricolma di manufatti in oro. Al piano superiore si trova una ricostruzione dettagliata della storia coloniale di Santa Marta.

☞ Tour

A Santa Marta il mercato delle escursioni ruota intorno ai trekking nella Ciudad Perdida, ma gli stessi operatori possono organizzare anche altri tipi di visite a piedi, uscite di birdwatching, escursioni in mountain bike e visite a Minca e al PNN Tayrona. Se volete fare un'escursione personalizzata in montagna, rivolgetevi a **José 'Chelo' Gallego** (☎320-580-

Santa Marta

Che cosa vedere

1	Museo del Oro	B2

Attività, corsi e tour

2	Aventure Colombia	D3
3	Expotur	C4
4	Guías Indígenas Tours	C4
5	Guías y Baquianos Tours	B1
6	Magic Tours	D3
7	Osprey Expeditions	A5
8	Turcol	C2

Pernottamento

9	Casa del Agua	C4
10	Casa del Árbol	B5
11	Casa del Farol	C4
12	Casa del Piano	C4
13	Casa Verde	D4
14	La Brisa Loca	C2
15	Masaya Santa Marta	D3

Pasti

16	Restaurante LamArt	C2
17	Amargo	C3
18	Donde Chucho	B4
19	Ikaro	C4
20	Ouzo	B4

Locali e vita notturna

21	Crabs	C4
22	La Puerta	B3

Informazioni

23	Parques Nacionales Naturales de Colombia	C4

4943, 311-622-9813; jose087301@hotmail.com), che ha molti anni di esperienza alle spalle (ma parla solo spagnolo). Altre due agenzie affidabili per le escursioni in zona sono **Aventure Colombia** (☎5-430-5185; www.aventurecolombia.com; Calle 14 n. 4-80) ed Expotur (p167).

Pernottamento

L'industria del turismo di Santa Marta è in pieno sviluppo e propone quindi un'ampia varietà di alberghi e ostelli, molti dei quali sono tra i migliori di tutta la costa. Ci sono diverse sistemazioni in centro, ma la scelta è ampia anche fuori città.

★ **Masaya Santa Marta** OSTELLO $
(☎5-423-1770; www.masaya-experience.com; Carrera 14 n. 4-80; letti in camerata COP$40.000-50.000, camere con prima colazione COP$120.000-200.000; ❄@📶🏊) Questo meraviglioso ostello è difficile da battere. È il frutto dell'intelligente ed elegante ristrutturazione di un'antica residenza a più piani situata nel centro della città, dalla quale sono state ricavate camerate con un eccellente rapporto qualità-prezzo e magnifiche camere private per chi non ha problemi di budget. All'interno della struttura potrete trovare un vivace rooftop bar, tre piccole piscine, un'ampia cucina all'aperto e attività di tutti i tipi. La prima colazione in terrazza prevede un supplemento di COP$8000 per chi dorme in camerata. Il personale è gentile e preparato e l'atmosfera è fantastica.

Drop Bear Hostel OSTELLO $
(☎5-435-8034; www.dropbearhostel.com; Carrera 21 n. 20-36, Barrio Jardín; letti in camerata con aria condizionata/ventilatore COP$35.000/30.000, camere con aria condizionata/ventilatore a partire da COP$120.000/80.000; ❄📶🏊) Sebbene sia stato ricavato in una casa appartenuta a una famiglia del cartello della droga, l'aspetto di questo ostello ampio e luminoso è tutt'altro che losco. Se vi interessa, chiedete di poterlo visitare tutto: il proprietario australiano Gabe è convinto che ci sia ancora del denaro nascosto da qualche parte nei muri. Pur essendo situato in una zona periferica, le camere grandi, la bella piscina e l'atmosfera molto accogliente spingono i viaggiatori a farci volentieri ritorno.

Alcune delle camere private, rimaste pressoché identiche a com'erano negli anni '80, sono davvero favolose e alcune di esse sono dotate di bagni più spaziosi di molte camere d'albergo della Colombia. Decisamente alternativo, questo ostello è un buon compromesso tra relax e divertimento e piacerà a chiunque ami i luoghi con una forte personalità. La corsa in taxi dal centro costa COP$6000.

Dreamer OSTELLO $
(☎300-251-6534, 5-433-3264; www.thedreamerhostel.com; Diagonal 32, Los Trupillos, Mamatoco; letti in camerata a partire da COP$38.000, doppie a partire da COP$126.000; ❄📶🏊) Ostello di fascia alta, indipendente, progettato in maniera intelligente con le camere disposte intorno a una delle piscine più belle di Santa Marta. Anche le camerate sono dotate di aria condi-

zionata, letti di buona qualità e un bagno in comune pulito. Il Dreamer è molto apprezzato dai viaggiatori più avveduti. La cucina è curata dai proprietari italiani, per cui potete star certi che in questa struttura si mangia benissimo.

L'ostello è situato a una certa distanza dal centro, ma la posizione permette di visitare comodamente la Ciudad Perdida, il PNN Tayrona, Minca e alcune delle migliori spiagge della zona senza dover affrontare ogni volta il traffico caotico della città.

Casa Verde HOTEL **$$**
(☎313-420-7502, 5-431-4122; www.casaverdesantamarta.com; Calle 18 n. 4-70; camere con prima colazione COP$184.000-217.000, suite COP$270.000; ❄📶🏊) Se fate parte di quella categoria di viaggiatori che il simpatico e premuroso proprietario ama definire 'backpacker in pensione', questo grazioso alberghetto con nove camere pulitissime e ben concepite, muri e pavimenti con ciottoli a vista, bei bagni e lenzuola fresche di bucato è ciò che fa per voi. Potrete rilassarvi nella fresca piscina vicino alla lobby o riposarvi sulla nuova terrazza all'ultimo piano godendovi la vista sulla città.

La Brisa Loca OSTELLO **$$**
(☎317-585-9598, 5-431-6121; www.labrisaloca.com; Calle 14 n. 3-58; letti in camerata con/senza aria condizionata a partire da COP$45.000/30.000, camere con/senza bagno COP$120.000/100.000; ❄@📶🏊) La 'brezza pazza', con un centinaio di posti letto, è la sistemazione ideale per i giovani che hanno voglia di divertirsi. Le camerate hanno da quattro a 10 posti letto, ma ce ne sono anche diverse private, tutte dotate di letti solidi, soffitti alti, piastrelle antiche e armadietti in cui si può anche lasciare in carica il telefono in assoluta sicurezza mentre si è fuori.

La vita nell'ostello ruota intorno al suo animatissimo bar, dall'atmosfera allegra e divertente, dotato di un tavolo da biliardo e pareti dai disegni eccentrici. C'è anche una spaziosa terrazza sul tetto, dove nei weekend si tengono grandi feste.

BARRANQUILLA: LA FESTA PIÙ GRANDE DELLA COLOMBIA

L'indaffarata città portuale di Barranquilla, la quarta più grande della Colombia, sorge sul delta del maestoso fiume Magdalena, lungo una frastagliata striscia di costa che si insinua tra le mangrovie e il Mar dei Caraibi, sotto i torridi raggi di un sole cocente. Città natale della dea della musica pop Shakira, Barranquilla è in realtà famosa soprattutto per il suo **carnevale** (www.carnavaldebarranquilla.org; ⏲feb), quando la città esplode nella più grande festa di strada del paese, tra costumi stravaganti e divertimento sfrenato.

I festeggiamenti del Martedì Grasso si svolgono a febbraio, nei quattro giorni che precedono il Mercoledì delle Ceneri, perciò la data cambia ogni anno. Proprio come nel carnevale di Rio de Janeiro, ci sono gruppi musicali che si esibiscono per le strade, sfilate in maschera con costumi sgargianti, spettacoli dal vivo e un'atmosfera di baldoria chiassosa e un po' folle che può anche prendere una piega burrascosa, con l'intera città che si scatena in bevute e danze senza freni. È quindi consigliabile tener d'occhio i propri averi e i propri compagni di viaggio, senza però perdere l'occasione di lasciarsi andare: potrebbe essere questo uno dei ricordi più belli del vostro viaggio.

Le sistemazioni economiche si concentrano nei dintorni di Paseo Bolívar (Calle 34), si tratta però di una zona brutta e sciatta. Se volete andare a Barranquilla per il carnevale, dovrete prenotare con mesi di anticipo, altrimenti non avrete nessuna possibilità di trovare alloggio. Nello scialbo panorama alberghiero della città, il bel **Meeting Point Hostel** (☎5-318-2599, 320-502-4459; www.themeetingpoint.hostel.com; Carrera 61 n. 68-100; letti in camerata/camere a partire da COP$30.000/90.000; ❄📶), gestito da italiani, è probabilmente la sistemazione con il miglior rapporto qualità-prezzo e sicuramente quella in cui è più facile socializzare con altri viaggiatori. Serve un'eccellente prima colazione, le camere sono pulite, il personale è cortese e parla più lingue e c'è un gradevole cortile sul retro in cui ci si può concedere un po' di relax.

A eccezione del carnevale, quando richiama una marea di gente, nel resto dell'anno Barranquilla è poco visitata e la maggior parte dei viaggiatori la salta a piè pari (c'è molto poco da vedere rispetto ad altre località della costa). Se deciderete di andarci comunque, troverete una città orgogliosa di essere la patria della cultura *costeña*, piena di ottimi ristoranti e locali animati, che dispone anche di qualche discreto museo.

★ **Casa del Farol** BOUTIQUE HOTEL $$$
(☎5-423-1572; www.lacasadelfarol.com; Calle 18 n. 3-115; camere/suite con prima colazione a partire da COP$240.000/330.000; ❄📶🏊) Questo boutique hotel con 12 camere ricavate all'interno di una residenza del 1720 è gestito dall'energica Sandra, originaria di Barcellona, che – senza darlo a vedere – sta rivoluzionando il panorama alberghiero di Santa Marta. Le spaziose camere sono state battezzate con nomi di città e arredate in maniera diversa l'una dall'altra, dispongono di pavimenti in maiolica d'epoca e di alti soffitti con travi a vista. Il personale in uniforme è la quintessenza della gentilezza.

Gli ospiti hanno a disposizione una fantastica terrazza sul tetto con magn
ifiche vedute sulla cattedrale e lettini per prendere il sole. C'è anche un eccellente ristorante affacciato sul cortile. Sandra gestisce inoltre la **Casa del Agua** (☎5-432-1572; www.lacasadelagua.com.co; Calle 18 n. 4-09; camere con prima colazione COP$215.000-395.000; ❄📶🏊), la **Casa del Árbol** (☎5-422-4817; www.lacasadelarbol.com.co; Calle 21 n. 2A-38; camere con prima colazione COP$215.000-395.000; ❄📶🏊) e la **Casa del Piano** (☎5-420-7341; www.xarmhotels.com; Calle 19 n. 4-76; camere con prima colazione COP$215.000-395.000; ❄📶🏊), tre alberghi altrettanto eleganti e dalle tariffe molto simili, anch'essi in splendide case coloniali ristrutturate nel centro di Santa Marta.

Pasti

Il panorama gastronomico di Santa Marta è tra i migliori della costa. La presenza di ristoratori nordamericani e latinoamericani ha portato a una semplificazione dei menu e a una maggiore attenzione sull'atmosfera, sulla cucina classica e sulla presentazione dei piatti. Il **Parque de los Novios** è il cuore della ristorazione di Santa Marta.

Restaurante LamArt INTERNAZIONALE $$
(☎5-431-0797; Carrera 3 No 16-36; lamart.com.co; prima colazione COP$16.000, cena COP$25.000-36.000; ⏱9-22.30 lun-ven, 11-23.30 sab, 17-22.30 dom; 📶) Il carismatico Callejón del Correo (Carrera 3) vi irretirà, specialmente la sera, e il LamArt è la migliore introduzione possibile, con il suo *ceviche* piccante, la pasta fatta in casa e il caffè forte. L'ambizioso menu raggiunge il risultato quasi impossibile di soddisfare praticamente tutti, dagli amanti del curry thailandese agli spagnoli che sentono la mancanza del polpo alla galiziana. Ci si può sedere all'esterno, in una strada vivace piena di musicisti di talento (e occasionalmente privi di talento), o rifugiarsi all'interno tra disegni di polpi e stampe di Don Chisciotte alle pareti. Per un'esperienza più tranquilla, ritornateci al mattino a colazione per provare gli spessi pancake con le marmellate di frutta

★ **Ikaro** VEGETARIANO $$
(☎5-430-5585; www.ikarocafe.com; Calle 19 n. 3-60; portate principali COP$12.000-32.000; ⏱8-21 lun-sab; 📶🖊) 🌿 Il sogno di ogni viaggiatore dopo un'escursione alla Ciudad Perdida: questo locale arioso e dall'atmosfera conviviale serve ottimo caffè, deliziose insalate, sandwich preparati con pane fatto in casa, smoothie, prime colazioni e hamburger, tutto rigorosamente senza carne né pesce. Ci sono anche molti piatti vegani, birre artigianali e cocktail, oltre ad ampie aree relax.

★ **Ouzo** MEDITERRANEO $$
(☎5-423-0658; Carrera 3 n. 19-29, Parque de los Novios; portate principali COP$20.000-45.000; ⏱18-23 lun-sab; 📶) Ha un menu minimalista che propone i grandi classici della cucina greca e italiana, tra cui fantastiche pizze cotte nel forno a legna e una buona carta dei vini. Il polpo viene cotto lentamente per due ore in un brodo aromatizzato all'aglio e poi passato sulla brace per rosolarlo ed esaltarne i sapori. Il servizio è eccellente e gli interni sono stati concepiti in modo da trattenere il caldo in cucina. Dal momento che il locale è sempre pieno di gente, i proprietari hanno deciso di aprire uno spazio al piano superiore, Il Balcon, con tavoli all'aperto e vista sul Parque de los Novios. Di sera è meglio prenotare.

Amargo TAPAS $$
(☎5-431-6121; Calle 14 n. 3-74; tapas COP$15.000-23.000; ⏱12-23 lun-sab; 📶) Questo bellissimo locale dall'atmosfera informale sembra un bar di quartiere che serve ottime tapas accompagnate da un eccezionale assortimento di gin. È un locale perfetto per una cena semplice con gin tonic da capogiro, dove potrete sbizzarrirvi tra varie tapas, come l'insalata di granchio e mela o i calamari impanati, o assaggiare i favolosi sandwich.

Donde Chucho CUCINA DI MARE $$
(☎5-421-4663; Calle 19 n. 2-17; portate principali COP$25.000-55.000; ⏱11-23 lun-sab) Il Donde Chucho, che serve il miglior pesce della costa, è una vera leggenda tra la gente del posto. Cominciate con il piatto della casa, la *ensalada Chucho* (gamberetti, polpo, calamari e manta affumicati conditi con olio di oliva), per poi proseguire con il *róbalo au gratin* (mozzarella e parmigiano). Divino, anche

se per un pasto si deve mettere in conto un bel po' di tempo: il servizio è lento e tutti i piatti sono preparati sul momento.

Locali e vita notturna

Di sera c'è molto da fare a Santa Marta, che ha una popolazione giovane, tanti bar e locali notturni dall'atmosfera vivace sparsi per il centro. Il **Parque de los Novios** è un luogo di ritrovo informale, dove giovani e meno giovani si danno appuntamento prima di andare a ballare fino all'alba.

La Puerta CLUB

(Calle 17 n. 2-29; ⏲18-1 mar e mer, fino alle 3 gio-sab) Studenti e *gringos* si studiano a vicenda in questo locale prima di abbandonarsi allegramente al divertimento nel coinvolgente spirito colombiano. Soca, salsa, house, hip-hop e reggae animano la pista da ballo, sempre stracolma di gente.

Crabs BAR

(Calle 18 n. 3-69; ⏲20-3 mer-sab) Sempre affollatissimo, questo locale dispone di un tavolo da biliardo, una terrazza esterna per chi vuole fumare, birre e liquori a prezzi decenti ed è l'ideale se si vuole fare un po' di festa con la gente del posto.

Informazioni

4-72 (☎5-421-0180; Calle 22 n. 2-08; ⏲8-12 e 14-18 lun-ven, fino alle 12 sab) Ufficio postale.

Aviatur (☎5-423-5745; www.aviatur.com; Calle 15 n. 3-20; ⏲8-12 e 14-16 lun-ven) In questo ufficio, gestito dall'agenzia all'interno del PNN Tayrona, si possono prenotare sistemazioni per la notte.

Parques Nacionales Naturales de Colombia (☎5-423-0758; www.parquesnacionales.gov.co; Calle 17 n. 4-06) L'ufficio dei parchi nazionali fornisce informazioni sul PNN Tayrona.

Policía Nacional (☎5-421-4264; Calle 22 n. 1C-74)

Per/da Santa Marta

AEREO

L'**Aeropuerto Internacional Simón Bolívar** (☎5-438-1360; http://smr.aerooriente.com.co; Km 18 Vía Ciénaga Santa Marta) si trova 16 km a sud della città, sulla strada Barranquilla–Bogotá, ed è probabilmente uno dei pochi aeroporti al mondo situati proprio sulla spiaggia. È raggiungibile con gli autobus urbani con l'indicazione 'El Rodadero Aeropuerto' (45 min) che partono da Carrera 1C. Dall'aeroporto partono anche voli per Bogotá e Medellín.

AUTOBUS

La **stazione degli autobus** (Calle 41 n. 31-17) si trova alla periferia sud-orientale della città e può essere raggiunta con i frequenti minibus che partono da Carrera 1C, in centro, oppure in taxi (COP$6000).

Tutte le autolinee principali hanno diverse corse al giorno per le seguenti destinazioni:

Destinazione	Tariffa (COP$)	Durata (h)	Frequenza
Barranquilla	13.000	2	corse ogni ora
Bogotá	70.000	18	corse ogni ora
Bucaramanga	60.000	9	2 corse al giorno
Cartagena	24.000	4	corse ogni ora fino alle 17.30
Medellín	90.000	15	5 corse al giorno
Riohacha	18.000	2½	corse ogni 30 min
Tolú	50.000	7	3 corse al giorno

Per andare a Palomino, prendete l'autobus per Mamatoco che parte dal mercato di Santa Marta (COP$7000, 2 h).

Minca

☎5 / POP. 1200

Arroccato a 600 m di altezza nella Sierra Nevada sopra Santa Marta, Minca è un piccolo villaggio di montagna noto per il caffè biologico, per l'incredibile varietà della fauna avicola e – dettaglio importante – per la gradevolezza del clima, molto più fresco rispetto a quello torrido della costa. Minca, che fino a qualche anno fa si poteva raggiungere solo percorrendo una strada sterrata, è un luogo delizioso, circondato da una fitta foresta nebulare e da alte vette montuose. Sebbene sia stato dichiarato dall'UNESCO Riserva della Biosfera fin dal 1980, ha cominciato ad affermarsi come meta turistica solo negli ultimi anni, con l'apertura di alcuni nuovi ostelli e alberghi.

Oggi, comunque, è una destinazione segnalata sulle mappe, con una serie di strutture per i viaggiatori estremamente isolate e disseminate sui ripidi versanti montuosi che circondano il paese. A Minca, base ideale per il birdwatching e le escursioni a piedi e in mountain bike, le persone sono

VALE IL VIAGGIO

ARACATACA: MAGIA E REALTÀ

Benvenuti a Macondo! In realtà siete ad Aracataca, come confermano le carte geografiche, i conducenti degli autobus, le autorità amministrative e i suoi abitanti, che in un referendum del 2006 hanno bocciato la proposta di cambiarne il nome, ma a chi ha letto il capolavoro di Gabriel García Márquez, *Cent'anni di solitudine*, potrebbe interessare sapere che il grande scrittore si ispirò proprio alla sua città natale riferendosi all'immaginaria cittadina di Macondo, descritta in maniera così vivida nel romanzo.

Sebbene Cartagena e Mompós siano i luoghi della Colombia più rappresentativi del romanzo di Gabriel García Márquez e la splendida Mompós appaia oggi molto simile alla Macondo descritta dall'autore, Aracataca richiama i più assidui e strenui cultori dell'opera dello scrittore. Ordinaria e bruttina, non ha molto da offrire in termini di atmosfera e architettura, ma può vantare la presenza dell'interessante e ben curata **Casa Museo Gabriel García Márquez** (☎(5) 425-6588; http://casamuseogabo.unimagdalena.edu.co; Carrera 6 n. 5-46; ⏲8-13 e 14-17 mar-sab, 9-14 dom) FREE, fedele riproduzione della casa d'infanzia dello scrittore premio Nobel.

Il museo è stato allestito in una perfetta ricostruzione della casa in cui García Márquez nacque nel 1927. L'abitazione fu venduta dalla famiglia e demolita decine d'anni fa, e, anche se la struttura attuale non è autentica, è molto fedele al modello in ogni sua parte. Ci sono pannelli (solo in spagnolo) che descrivono varie scene dei libri di Gabo ambientate nella sua casa natale ed episodi che mettono in relazione i vari edifici all'opera dello scrittore.

Nei dintorni del museo si trovano diversi locali senza pretese in cui andare a mangiare, tra cui alcune *panaderías* (panetterie) nella piazza centrale, Plaza Bolívar. C'è anche un ristorante molto rinomato, **El Patio Mágico de Gabo & Leo Matiz** (☎301-571-7450, 301-739-7516; Calle 7 n. 4-57; menu a prezzo fisso COP$25.000; ✎), per chi preferisce pranzare con comodo.

Aracataca si può visitare da soli arrivando in autobus dal mercato di Santa Marta (COP$9000, 1 h 30 min, corse ogni ora) o dall'autostazione di Baranquilla (COP$17.000, 2 h 30 min, corse ogni ora). Ci sono anche due autobus al giorno per/da Cartagena (COP$29.000, 5 h). Per il viaggio di ritorno da Aracataca, recatevi al **Terminal Berlinave** (all'angolo tra Carrera 1 e Carrera 2E).

accoglienti e molto ben disposte nei confronti dei visitatori.

Che cosa vedere

Cascada de Marinka CASCATA

(COP$4000; ⏲8-18) A mezz'ora di cammino da Minca, o a 10 minuti in mototaxi (COP$7000), è un posto fantastico con due impressionanti cascate che si tuffano in altrettante piscine naturali dall'acqua piuttosto fredda. Per evitare l'affollamento, vi consigliamo di andarci al mattino presto o dopo le 16. C'è anche un piccolo **caffè**.

Finca La Victoria FATTORIA

(visite guidate COP$10.000; ⏲9-17) Fondata alla fine del XIX secolo, questa piantagione di caffè a gestione familiare propone interessanti visite guidate di 40 minuti (di solito disponibili anche in inglese) che illustrano nel dettaglio il processo di produzione del caffè. Al piano superiore c'è un bel locale, perfetto per assaggiare il caffè della casa o concedersi una deliziosa fetta di torta. Per arrivarci da Minca si deve camminare lungo una ripida salita per un'ora e mezzo, oppure si può prendere un mototaxi (COP$10.000).

Pozo Azul PISCINA NATURALE

FREE Questa bella piscina naturale con una piccola cascata è una meta molto visitata sia dalla gente del posto sia dai turisti, perciò può essere parecchio affollata nei weekend e in alta stagione. Dista mezz'ora a piedi dalla città: andate sempre dritti, continuando a seguire la strada dopo aver attraversato il ponte giallo nel centro di Minca. La corsa in mototaxi costa COP$7000.

Attività

Il birdwatching e le escursioni a piedi e in mountain bike sono le attività più praticate a Minca e possono essere organizzate presso la maggior parte degli ostelli e degli hotel. Minca gode inoltre di una buona posizione rispetto alla Ciudad Perdida (p165) ed è quindi l'ideale per concedersi un po' di relax dopo averla visitata.

Marcos Torres López BIRDWATCHING
(☎314-637-1029; marcostorres92@yahoo.com.co) Marcos non parla inglese, ma ha la vista più acuta di tutta Minca, tanto che i viaggiatori provenienti da tutto il mondo vengono fin qui solo per poter fare birdwatching con lui. La sua tariffa per un'escursione di un giorno intero a El Dorado è solo di COP$160.000, pranzo e trasporto compresi.

Fidel Travels TOUR
(☎321-589-3678; www.fideltravels.com) Questa agenzia ha un ufficio vicino alla chiesa e propone escursioni di birdwatching, visite all'azienda di produzione di caffè La Victoria e gite al Pozo Azul, un posto splendido per nuotare. Tra le varie attività proposte dalla Fidel Travels vi consigliamo di considerare anche il tour di un giorno che tocca tutti i principali siti d'interesse di Minca.

Lucky Tours MOUNTAIN BIKE
(☎310-397-5714) Questa agenzia specializzata in escursioni in mountain bike, con sede nel Tienda Café de Minca, è gestita da Andrés, che vi accompagnerà lungo itinerari favolosi, tra cui meritano di essere citati il Kraken, che attraversa ben 11 ecosistemi diversi, e il Clockwork Orange, un altro percorso di prim'ordine.

Jungle Joe Minca Adventures TOUR
(☎317-308-5270; www.junglejoeminca.com) Joe Ortiz organizza giornate all'insegna del tubing, del canyoning, delle escursioni a cavallo e in mountain bike, della discesa in corda doppia e del birdwatching. Parla inglese, è molto disponibile e i viaggiatori che si sono affidati a lui ne parlano benissimo.

Pernottamento

Minca si è sviluppata negli ultimi anni e oggi vanta alcuni degli ostelli migliori di tutta la costa e sicuramente molti di quelli con la vista più bella. Diversi ostelli sono in paese ma le sistemazioni migliori si trovano in montagna e in molti casi per arrivarci bisogna servirsi dei mototaxi.

★**Mundo Nuevo** OSTELLO $
(☎300-360-4212; www.mundonuevo.com.co; letti in camerata/doppie COP$35.000/70.000) Questo fantastico ostello nasce dalla volontà di creare una struttura sostenibile e rispettosa dell'ambiente che contribuisca al benessere della comunità di cui fa parte. Ricavato dalla ristrutturazione di un vecchio allevamento, il Mundo Nuevo cerca di essere autosufficiente per il cibo, l'acqua e l'energia. Si trova in una splendida cornice montana e il piccolo sforzo necessario per arrivarci è ampiamente ricompensato dall'immediata sensazione di sentirsi parte di una squadra.

La corsa in mototaxi da Minca costa COP$20.000.

★**Casa Elemento** OSTELLO $
(☎313-587-7677, 311-655-9207; www.casaelemento.com; sopra Minca; amache/letti in camerata COP$25.000/40.000, cabañas a partire da COP$150.000;) Se qualcuno vi dice che si trova 'sopra Minca', non sta affatto scherzando: anche solo raggiungere questo posto fantastico è di per sé un'avventura, riservata agli spiriti più intrepidi. Fondata e gestita da un gruppo di persone di varie nazionalità, la Casa Elemento gode di un'incredibile posizione con una vista straordinaria ed è un rifugio perfetto per lasciarsi il resto del mondo alle spalle. Da Minca si impiega mezz'ora in mototaxi (COP$15.000) per arrivarci.

La sistemazione è semplice, tipo ostello, e dispone di una piccola piscina, servizi igienici rivolti verso la giungla e un bar-ristorante molto animato. Il fulcro della struttura è rappresentato da un'enorme amaca in cui una dozzina di persone può comodamente sdraiarsi, per bere e ammirare il panorama. Ci sono anche delle zip-line tra gli alberi che collegano alcune piattaforme per il birdwatching. L'assenza di connessione wi-fi favorisce la socializzazione e l'attività principale a cui si dedica la maggior parte degli ospiti sembra proprio essere il vivere scollegati dal mondo. Per il ritorno a Minca si può senz'altro andare a piedi, ma solo un masochista lo farebbe in salita all'andata: prendete un mototaxi.

Casas Viejas OSTELLO $
(☎310-828-0761, 321-523-7613; casasviejasminca@gmail.com; letti in camerata COP$35.000, tende per 2 persone COP$40.000, doppie con/senza bagno COP$130.000/90.000) È un posto straordinario, perfetto per isolarsi sulle montagne sopra Minca. Ha l'atmosfera un po' hippy di un mondo a sé stante, una posizione spettacolare, un focolare attorno al quale radunarsi e una buona cucina. Si può scegliere tra camerate, tende doppie e camere private. I pasti vengono serviti in uno spazio comune e c'è dell'ottimo caffè locale a disposizione degli ospiti.

L'isolamento del posto è pressoché totale e bisogna tenere presente che si può finire a spendere un bel po' per i pasti. La corsa in mototaxi da Minca costa COP$20.000 ed è un viaggio da brividi (cercate di ridurre il bagaglio al minimo). Salire a piedi è faticoso e richiede almeno due ore.

Minca Ecohabs CABAÑAS **$$**
(☎317-586-4067; www.mincaecohabs.com; camere con prima colazione a partire da COP$145.000; 📶) Situato su un ripido versante con vista verso la costa caraibica e Santa Marta, questo hotel esiste da tanti anni ed è stato recentemente rilevato da un albergatore di Santa Marta che ha tentato di infondergli nuova linfa vitale. Le camere al secondo piano sono state realizzate interamente in fibre naturali e sono dotate di zanzariere alle finestre, balconi, ventilatori, corrente elettrica e frigorifero. È un bellissimo posto per apprezzare al meglio la particolarità della posizione di Minca.

Hotel Minca HOTEL **$$**
(☎317-437-3078; www.hotelminca.com; singole/doppie con prima colazione COP$85.000/150.000; 📶) A Minca ciò che più si avvicina a un hotel è questa struttura con 13 camere, semplici ma spaziose, in un ex convento in stile coloniale circondato da una fitta vegetazione. La prima colazione servita sul balcone è uno spettacolo incredibile, con centinaia di colibrì che vengono a bere l'acqua zuccherata appositamente predisposta dal personale dell'albergo.

Pasti

A Minca ci sono pochi ristoranti e un gran numero di piccoli caffè e panetterie, ma nessuno paragonabile alla raffinatezza culinaria di Santa Marta o Cartagena. Inoltre è possibile consumare un pasto presso la maggior parte degli alberghi e degli ostelli; non avrete quindi problemi a trovare un posto in cui mangiare.

Lazy Cat INTERNAZIONALE **$**
(Calle Principal Diagonal; portate principali COP$12.000-25.000; ⏲9-21; 📶) Gestito da residenti stranieri, questo locale nel centro di Minca è molto amato dai backpacker ed è l'ideale per fare colazione (COP$8000-10.000) e gustare dell'ottimo caffè locale, smoothie, panini, hamburger, *quesadillas* e piatti cucinati al wok. Ha una deliziosa terrazza affacciata sulla vallata sottostante e di solito, assopito da qualche parte, c'è anche il 'gatto pigro' da cui prende il nome il ristorante.

★ **Casa d'Antonio** SPAGNOLO **$$$**
(☎312-342-1221; www.hotelrestaurantecasadantonio.com; portate principali COP$30.000-60.000; ⏲12-15 e 18-23; 📶) Antonio si è recentemente trasferito dalla collina in centro, rendendo così ancora più accessibile la deliziosa cucina di pesce in stile spagnolo dello chef originario di Malaga. Se non avete fretta, vi consigliamo di assaggiare la *paella de mariscos* o il *pulpo a la gallega* (polpo alla galiziana).

Per/da Minca

I *colectivos* e i taxi condivisi per/da Santa Marta arrivano e partono dal centro di Minca tutto il giorno (COP$8000, 30 min) e raramente si deve aspettare più di 20 minuti perché si riempiano e possano così partire. La corsa in taxi per Santa Marta costa circa COP$40.000.

A Santa Marta i *colectivos* e i taxi condivisi per Minca partono dalla fermata davanti al mercato, all'angolo tra Calle 11 e Carrera 12. I mototaxi sono più veloci e hanno lo stesso costo, ma partono da Yucal, un quartiere periferico raggiungibile in taxi (COP$6000).

Taganga

☎5 / POP. 5000

Un tempo piccolo villaggio di pescatori, Taganga nei primi anni 2000 è diventata una delle mete predilette dai backpacker. Ha cominciato a richiamare una massa estremamente eterogenea di viaggiatori e un po' alla volta si è trasformata in una prospera località turistica con alberghi e ristoranti.

Oggi però la vicenda di Taganga è un esempio dei rischi legati allo sviluppo incontrollato dei piccoli centri abitati e il villaggio, da tappa quasi obbligata per qualsiasi backpacker, è diventato negli ultimi anni un luogo piuttosto depresso, in cui la povertà è dilagante e gran parte di ciò che in origine aveva attirato i visitatori non esiste più. Continua comunque a ricevere un certo numero di viaggiatori, soprattutto per via degli alloggi economici, del divertimento e delle immersioni, ma anche per la vicinanza al PNN Tayrona, raggiungibile con un breve viaggio in barca. I gestori degli ostelli sono determinati a riportare Taganga alla gloria di un tempo.

Attività

Taganga è un centro famoso per le immersioni, che qui costano pochissimo, e ci sono molte scuole che offrono corsi e uscite in mare. Il costo di un corso PADI open-water di quattro giorni oscilla tra COP$800.000 e COP$1.000.000.

Poseidon Dive Center IMMERSIONI
(☎314-889-2687, 5-421-9224; www.poseidondivecenter.com; Calle 18 n. 1-69) Scuola di immersio-

ni ben attrezzata e con una lunga esperienza, propone corsi open water a COP$1.150.000. Per una doppia immersione si spendono COP$240.000.

Expotur TOUR
(☎5-421-9577; www.expotur-eco.com; Calle 18 n. 2A-07) La sede di Taganga di questa eccellente agenzia di Santa Marta organizza trekking alla Ciudad Perdida, visite della Península de La Guajira e del PNN Tayrona, escursioni in mountain bike e birdwatching.

Tour

Molti prenotano le escursioni organizzate alla Ciudad Perdida (p165) a Taganga, dove hanno i loro uffici anche alcune agenzie di Santa Marta e i prezzi sono competitivi.

Pernottamento e pasti

Casa de Felipe OSTELLO $
(☎316-318-9158, 5-421-9120; www.lacasadefelipe.com; Carrera 5A n. 19-13; letti in camerata a partire da COP$27.000, singole/doppie a partire da COP$45.000/50.000, appartamenti a partire da COP$65.000; @ 📶) Questo ostello a gestione francese è la migliore sistemazione economica della città ed è anche molto sicuro, sebbene di sera sia meglio raggiungerlo in taxi. Si trova in una bella casa con un giardino rigoglioso sopra la baia e dispone di personale efficiente, camere gradevoli, un buon bar, una cucina, TV via cavo, diverse amache, un'eccellente prima colazione e ospiti socievoli provenienti da ogni parte del mondo.

Divanga B&B GUESTHOUSE $$
(☎5-421-9092; www.divanga.com; Calle 12 n. 4-07; letti in camerata con prima colazione senza/con aria condizionata COP$42.000/47.000, singole/doppie con prima colazione senza/con aria condizionata COP$90.000/120.000; ❄📶🏊) Gestita da Lucie, che è di origine francese ma vive a Taganga ormai da vent'anni ed è un'appassionata promotrice della città, questa incantevole guesthouse dai colori vivaci ha 13 camere, per la maggior parte disposte intorno alla piscina, e anche due 'chioschi' (capanne sopraelevate con il tetto di paglia). Il bar della terrazza sul tetto, rinfrescato dalla brezza proveniente dal mare, serve un'abbondante prima colazione.

★ **Pachamama** FRANCESE $$
(☎5-421-9486; Calle 16 n. 1C-18; portate principali COP$20.000-35.000; ⏲17-24 lun-sab; 📶) Con un'atmosfera rilassata in stile polinesiano, il Pachamama può sembrare un bar da spiaggia al coperto, eppure, per quanto informale possa essere, è probabilmente la punta di diamante del panorama gastronomico di Taganga. Lo chef francese ha concepito un menu tra i più creativi di tutta la costa; il filetto in salsa al vino rosso e funghi è sensazionale e il carpaccio di tonno è perfetto.

Babaganoush INTERNAZIONALE $$
(Carrera 1C n. 18-22; portate principali COP$20.000-30.000; ⏲13-23 gio-dom, 18.30-22.30 mer; 📶) Accogliente ristorante all'ultimo piano, offre la possibilità di ammirare uno splendido panorama sulla baia e propone un menu eclettico che richiama una clientela affezionata. Assaggiate gli eccellenti falafel, il filet mignon cotto alla perfezione e il sublime curry verde thailandese. Il Babaganoush si trova sul fianco della collina, sulla strada per Santa Marta.

Informazioni

Negli ultimi anni la situazione della sicurezza a Taganga è gravemente peggiorata. State sempre molto attenti e non allontanatevi dalle vie principali da soli. Non andate a piedi a Playa Grande, anche se dista solo 1 km dall'abitato: si sono verificati numerosi casi di rapine in pieno giorno. Quando fa buio, spostatevi solo in taxi.

A Taganga c'è un solo sportello bancomat e di solito è guasto o vuoto. I bancomat più vicini e funzionanti si trovano a Santa Marta.

Il **punto di informazioni turistiche** (Carrera 1; ⏲9-18 lun-sab) si trova proprio sulla spiaggia arrivando dalla strada principale.

Per/da Taganga

Taganga è facilmente raggiungibile: ci sono frequenti minibus (COP$1600, 15 min) che partono da Carrera 1C e Carrera 5 a Santa Marta. La corsa in taxi costa COP$10.000.

Da Taganga c'è un'imbarcazione al giorno per Cabo San Juan del Guía nel PNN Tayrona con partenza alle 11 e ritorno alle 16. In alta stagione vengono effettuate tre corse al giorno in ciascuna direzione. Il viaggio di sola andata costa COP$50.000, dura un'ora e la partenza è davanti al punto di informazioni turistiche.

Parque Nacional Natural Tayrona

Il Parque Nacional Natural Tayrona è un angolo magico della costa caraibica colombiana, con splendide distese di sabbia dorata orlate di palme da cocco sullo sfondo di una fitta foresta pluviale. Alle sue spalle si ergono i ripidi versanti della Sierra Nevada de Santa Marta, la catena montuosa costiera più alta del mondo. Il parco si estende lungo la costa dalla Bahía de Taganga, vicino a Santa Marta, fino alla foce del Río Piedras, 35 km più a est, e comprende circa 12.000 ettari di territorio e 3000 ettari di acque marine ricche di coralli.

Il parco è estremamente affollato durante l'alta stagione (dicembre e gennaio) e bisogna tenere presente che molte spiagge, per quanto belle, non sono adatte alla balneazione a causa della presenza di insidiose correnti; è comunque possibile fare snorkelling (con molta prudenza) in alcune zone più sicure. A parte questo, è un luogo di straordinaria bellezza, molto gratificante ed emozionante da esplorare.

Che cosa vedere

Il **Parque Nacional Natural Tayrona** (www.parquetayrona.com.co; interi/under 26 e studenti COP$42.000/8500; 8-17) ha vari punti di accesso, presso i quali si può pagare la tariffa d'ingresso. Il biglietto è valido per tutto il tempo che si desidera restare all'interno del parco e consente di uscire e rientrare da un altro ingresso entro le ore 17 dello stesso giorno in cui è stato acquistato. All'entrata i visitatori possono essere perquisiti per verificare che non siano in possesso di bevande alcoliche e bottiglie di vetro, entrambe vietate.

★ Cabo San Juan del Guía — SPIAGGIA

Il Cabo San Juan del Guía è un bel promontorio con una spiaggia mozzafiato, ma è anche di gran lunga la zona più affollata del parco. Ci sono un **ristorante** e un campeggio, con delle amache disposte all'interno di un'insolita struttura situata su uno scoglio in mezzo alla spiaggia, dove si può trascorrere una notte decisamente fuori dal comune. Si può anche fare il bagno in mare quasi sempre, ma fate attenzione a non spingervi troppo al largo.

Playa Cristal — SPIAGGIA

(Bahía Neguange) Una volta questo magnifico tratto di spiaggia sulla Bahía Neguange si chiamava Playa del Muerto (Spiaggia del Morto): non c'è da stupirsi che abbiano deciso di cambiargli nome. È un posto meraviglioso per trascorrere una giornata al mare e ci sono anche diversi **chioschi** che servono pesce fresco e birra ghiacciata. La spiaggia è raggiungibile in barca (COP$60.000 fino a 10 persone), perciò vale la pena di aspettare che si aggiungano altri passeggeri.

La Aranilla — SPIAGGIA

È una bella spiaggia in una piccola insenatura racchiusa tra grandi massi rocciosi, con sabbia spessa e riflessi di pirite dorata che fluttuano nell'acqua. C'è un delizioso **ristorantino** e dai tavoli è possibile apprezzare una splendida vista sul mare. È una valida alternativa all'atmosfera festosa e caotica della vicina San Juan del Guía.

Cañaveral — SPIAGGIA

Le spiagge di Cañaveral sono bellissime, con sabbia dorata e acque azzurre, ma non c'è un filo d'ombra e fare il bagno può essere pericoloso a causa delle infide correnti al largo della costa. In zona ci sono numerose **strutture ricettive**.

Pueblito — VILLAGGIO

Dal Cabo San Juan del Guía parte un bel sentiero panoramico che si inoltra nell'entroterra e si arrampica sulle colline fino a Pueblito, un piccolo villaggio indigeno. Lungo il percorso, che richiede un'ora e mezzo di cammino, si può ammirare un fantastico paesaggio di foresta tropicale. Nel tranquillo villaggio di Pueblito potrete vedere le abitazioni tradizionali e alcuni siti considerati sacri dagli abitanti: un diversivo interessante rispetto alle solite spiagge.

Il sentiero proveniente dal Cabo San Juan del Guía è decisamente più impegnativo di molti altri che si snodano all'interno del parco, poiché la salita si sviluppa in gran parte tra pietre e rocce, alcune delle quali molto grandi. Non è un percorso facile e non va affrontato con la pioggia o con zaini pesanti. Pueblito si può raggiungere anche dalla strada principale, all'altezza dell'ingresso di Calabazo, in due ore di cammino.

Pernottamento

Ci sono diverse sistemazioni per trascorrere una o due notti nel parco, ma sono tutte o estremamente costose o molto spartane. **Castilletes** (313-653-1830, 300-405-5547; www.campingcastilletespnntayrona.blogspot.com; piazzole/tende COP$20.000/30.000 per persona), il primo punto che si raggiunge entrando da El Zaíno, è un campeggio tranquillo con vista sul mare; a Cañaveral si trovano invece le sistemazioni più eleganti, mentre **Arrecifes** e Cabo San Juan del Guía sono i posti maggiormente frequentati dai backpacker.

Camping Don Pedro — CAMPEGGIO $

(315-320-8001, 317-253-3021; campingdonpedro@hotmail.com; Arrecifes; amache COP$15.000,

Parque Nacional Natural Tayrona

piazzole con/senza noleggio tenda COP$20.000/18.000 per persona, cabañas con prima colazione COP$60.000 per persona) Tra le tre sistemazioni in cui è possibile sia dormire sia mangiare presenti ad Arrecifes, questa è la migliore. Si raggiunge percorrendo una stradina di 300 m che si dirama dal sentiero principale poco prima di Arrecifes. Il campeggio è grande, ben tenuto e pieno di alberi da frutto. Gli ospiti possono usufruire della cucina, mentre i pasti costano circa COP$15.000, sono buonissimi e comprendono anche dell'ottimo pesce fresco. L'accoglienza è calorosa.

Camping Cabo San Juan del Guía CAMPEGGIO **$**
(☎333-356-9912; www.cabosanjuantayrona.com; Cabo San Juan del Guía; piazzole COP$30.000, amache con/senza vista COP$30.000/25.000, camere COP$200.000) Quasi tutti i backpacker finiscono in questo campeggio, che in alta stagione ha l'aria di un raduno musicale. Ci sono anche due bellissime spiagge in cui è possibile fare il bagno e un ristorante, sempre affollato ma di qualità mediocre. Spendendo COP$30.000, potrete dormire nelle amache sul *mirador* (belvedere) situato sulle rocce sopra la spiaggia, da dove si apre una vista fantastica sul mare, sulle spiagge circostanti e sulle montagne.

All'ultimo piano del *mirador* ci sono anche due camere doppie.

★ Finca Barlovento HOTEL **$$$**
(☎314-626-9789; http://barloventotayrona.com; Km 33 Vía Riohacha; singole/doppie/triple con mezza pensione a partire da COP$330.000/450.000/695.000) Situata appena fuori dal PNN Tayrona, sulla spiaggia di Playa Los Naranjos, Finca Barlovento è forse la sistemazione più bella della zona. Abbarbicata alla parete della scogliera, questa struttura dallo stile architettonico unico si staglia nel punto in cui il Río Piedras emerge dalla Sierra Nevada.

La proprietà è divisa in due parti: la casa originale e la *maloka*, una costruzione in stile indigeno con il tetto di paglia che ospita al suo interno delle camere private. Ci sono anche alcuni posti letto all'aperto su un pontile che si protende nel mare. La cucina è semplicemente sensazionale.

★ Ecohostal Yuluka HOSTAL **$$$**
(☎310-361-9436; www.aviatur.com; Km 28 Vía Santa Marta; letti in camerata con prima colazione COP$40.000, camere con prima colazione COP$160.000; 📶) Questa splendida struttura dall'aspetto molto curato si rivolge ai backpacker più esigenti che vogliono esplorare il parco senza rinunciare al comfort. Lo stile è decisamente rustico, ma l'ambiente è molto confortevole, con grandi camere private, camerate spaziose e una piscina con scivolo. Tutti i letti sono dotati di zanzariere e la cucina è ottima.

Cayena Beach Villa BOUTIQUE HOTEL **$$$**
(☎314-800-5471; www.cayenabeachvilla.com; Km 39 Villa Troncal Caribe; camere con mezza pensione a partire da COP$500.000; ❄📶🏊) Situato un po' fuori dal parco, il Cayena Beach Villa è una sistemazione di lusso aperta nel 2016. Sorge davanti a uno strepitoso tratto di spiaggia e ha camere molto grandi e splendidamente concepite, con docce doppie affacciate su un'ampia piscina da favola. Per chi se lo può permettere, è un posto magnifico per rilassarsi e staccare un po' la spina.

Ecohabs BUNGALOW **$$$**
(☎5-344-2748; www.aviaturecoturismo.com; Cañaveral; cabañas per 4 persone con prima colazione a partire da COP$695.000; 📶) Questo complesso di lussuose *cabañas* dista cinque minuti a piedi dal parcheggio che segna il punto d'arrivo della strada percorribile dalle auto all'interno del parco. Disposte su due piani con una vista spettacolare, le *cabañas* sono state realizzate nello stile delle capanne tayrona e sono dotate di minibar, ampie terrazze ombreggiate e piccole TV a schermo piatto. Ecohabs è di gran lunga la sistemazione più bella all'interno del parco.

Pasti

Nel parco ci sono diversi ristoranti sulla spiaggia che servono pesce fresco e piatti a base di pollo. I campeggiatori possono provare a farsi da mangiare da soli, ma i servizi disponibili sono così essenziali che quasi tutti preferiscono utilizzare i semplici ristoranti dei campeggi. Tenete presente che è vietato introdurre alcolici nel parco, sebbene sia possibile acquistarli nella maggior parte dei locali.

Estadero Doña Juana CUCINA DI MARE **$$**
(Playa Cristal; portate principali COP$20.000-40.000; ⏲11-16 in bassa stagione, 7-16 in alta stagione) Dopo aver raggiunto la stupenda Playa Cristal con un'imbarcazione da Bahía Neguange, andate dritti al semplice ristorante di Doña Juana, situato proprio sulla spiaggia. Verrete accompagnati in cucina, dove vi verranno mostrati vari pesci tra cui potrete scegliere quello che preferite: 20 minuti dopo arriverà sulla vostra tavola cucinato alla perfezione.

ℹ Per/dal Parque Nacional Natural Tayrona

El Zaíno (COP$7000, 1 h) si può raggiungere con gli autobus per Palomino che partono regolarmente dal mercato di Santa Marta facendo presente al conducente dove si vuole scendere. Da El Zaíno prendete la jeep che effettua il servizio navetta tra il punto d'accesso al parco e Cañaveral (COP$3000, 10 min) oppure andate a piedi (2,5 km).

Palomino

☎5 / POP. 6000

Quando ci si passa percorrendo la statale che collega Santa Marta con Riohacha, Palomino non sembra un granché, ma su un lato del suo disordinato agglomerato urbano si nasconde una delle spiagge più incantevoli della Colombia, mentre sull'altro si stagliano le spettacolari montagne della Sierra Nevada, un luogo che ancora oggi gli indigeni locali proteggono con cura dalle intrusioni esterne. Palomino è la base ideale per andare alla scoperta di queste meraviglie, con un buon numero di strutture ricettive e un'atmosfera da backpacker che non si trova in molti altri posti della costa.

Lungo la spiaggia orlata di palme di Palomino si vedono i pescatori al lavoro con le reti tradizionali, mentre l'entroterra montuoso è abitato da tribù indigene che continuano a vivere come hanno sempre fatto nel corso dei secoli. Non ci si deve sorprendere che in questa zona, caratterizzata dalla presenza di ben sette ecosistemi diversi compresi tra la spiaggia e i ghiacciai della Sierra Nevada, l'ecoturismo stia lentamente prendendo piede, e Palomino è diventata una tappa quasi obbligata per chi viaggia in Colombia.

Tenete presente che solo raramente si può fare il bagno dalla spiaggia di Palomino, perché le correnti sono molto pericolose: se è esposta la bandiera rossa, non spingetevi oltre il tratto di mare in cui l'acqua è bassa. State in ogni caso sempre attenti, anche quando non c'è il segnale di pericolo. Oltre a rilassarsi in spiaggia, l'attività principale cui dedicarsi qui è il tubing sul fiume, scendendo dalle montagne verso la costa.

Pernottamento

A Palomino si trovano alcuni tra i migliori ostelli per viaggiatori e alberghi sulla spiaggia di tutto il paese. La maggior parte delle strutture che ci sentiamo di consigliare si trova sulla spiaggia, ma tutte possono organizzare anche escursioni in montagna per praticare varie attività, come trekking, tubing e rafting.

★ Tiki Hut Hostel Palomino OSTELLO $
(☎314-794-2970; www.tikihutpalomino.co; letti in camerata/doppie con prima colazione COP$40.000/160.000;) Il nostro preferito tra gli ostelli di Palomino è il Tiki Hut, una struttura ben concepita che si sviluppa intorno a un'ampia piscina con camere rustiche ma confortevoli, tutte dotate di zanzariere. Meno intelligente è la trovata dei servizi igienici non completamente chiusi all'interno delle grandi camerate, ma ci si può adattare. Il personale è gentile e la spiaggia dista solo due minuti a piedi.

The Dreamer Hostel OSTELLO $
(☎300-609-7229, 320-556-7794; www.thedreamerhostel.com; letti in camerata/doppie con prima colazione a partire da COP$32.000/95.000;) Questo ostello molto frequentato e dall'atmosfera festaiola è situato al centro di un grande giardino con piscina e la spiaggia dista pochi passi. Le camere hanno pavimenti piastrellati, tetto in paglia e sono spaziose e dotate di ventilatori. All'interno della struttura si respira un'atmosfera conviviale, si possono fare diverse attività e ci sono un bar molto vivace e un buon ristorante.

Finca Escondida OSTELLO $
(☎315-610-9561, 310-456-3159; www.fincaescondida.com; amache COP$25.000, letti in camerata COP$35.000, camere a partire da COP$160.000;) Gestito da un simpatico gruppo di stranieri di varia provenienza, questo grande complesso sulla spiaggia ha camere di diverse forme e dimensioni, le migliori delle quali sono molto spaziose e dotate di grandi balconi. L'ambiente è rustico, con edifici in legno circondati da alberi da frutto. Grazie anche alla vasta scelta di attività che propone, che spazia dal surf al pilates, è una delle sistemazioni preferite dai backpacker.

Il ristorante annesso, con i tavoli sulla spiaggia, è tra i migliori in città: serve ottimi piatti di pesce e frutti di mare freschissimi accompagnati da birra gelata.

La Sirena LODGE $$
(☎310-718-4644; www.ecosirena.com; camere/cabañas con prima colazione a partire da COP$120.000/225.000;) La Sirena dispone di bungalow ampi e ariosi situati sulla spiaggia ed è pervasa da un'atmosfera salutista e olistica. Le camere, dotate di zanzariere, hanno il bagno all'aperto e le *cabañas* più grandi giustificano le tariffe più elevate. Immerso nella quiete di un ampio giardino, riserva grande attenzione all'impatto ambientale. È richiesta una permanenza minima di due notti (tre in alta stagione). Vi consigliamo di non perdervi la cucina prevalentemente vegetariana proposta dal piccolo caffè interno.

Reserva Natural El Matuy BUNGALOW $$
(☎317-504-9340, 315-322-0653; www.elmatuy.com; cabañas con pensione completa a partire da COP$186.000 per persona;) In un bellissimo stile rustico, le *cabañas* sulla spiaggia hanno copriletti ricamati, bagni all'aperto e portici con amache. In posizione leggermente defilata rispetto agli ostelli e ai venditori ambulanti che affollano le spiagge, El Matuy è la soluzione perfetta per chi vuole staccare la spina, anche perché l'elettricità e il wi-fi sono disponibili solo alla reception; nel resto della struttura, quando fa buio, l'unica illuminazione è quella delle candele.

Aité Eco Hotel HOTEL $$$
(☎321-782-1300; www.aite.com.co; doppie/cabañas/suite con prima colazione a partire da COP$428.000/489.000/514.000;) L'albergo più elegante di Palomino è questa meravigliosa oasi con 15 camere, situata su un riparato versante collinare che si raggiunge con una gradevole camminata lungo la spiaggia dalla zona degli ostelli. Sebbene sorga in cima a una piccola cresta, le camere più belle sono le *cabañas* sulla spiaggia, che si aprono letteralmente sul mare. È tutto molto elegante e raffinato.

Pasti

Quasi tutti gli ostelli e gli alberghi servono tre pasti al giorno e molti viaggiatori scelgono di mangiare nella struttura in cui soggiornano. Nella maggior parte dei casi i ristoranti degli ostelli sono aperti anche ai clienti esterni, perciò ci sono davvero pochi locali indipendenti a Palomino, tranne qualche eccezione degna di nota.

★ Suá COLOMBIANO $$
(portate principali COP$18.000-35.000; ⊙12-23 mer-dom;) Con una nuova e splendida sede dotata di un grazioso giardino, il Suá è un progetto a gestione collettiva con caratteristiche eccezionali in termini di rispetto dell'ambiente e sostenibilità, e con un ottimo assortimento di piatti vegetariani. La cucina è creativa, il menu è disponibile anche in inglese e include specialità come gamberi marinati con aglio, sale marino e burro e filetto di manzo in salsa al vino rosso e spezie.

Pizzería La Frontera PIZZA **$$**
(Carrera 6 Calle 1A-90; pizza COP$10.000-30.000; ⌚12-23; ✍) Situato tra la strada principale e la spiaggia, questo chiosco ben illuminato può non sembrare un granché, ma serve la pizza più buona della città. Di sera è sempre pieno di gente e ha un'atmosfera accogliente e conviviale.

ℹ Per/da Palomino

Palomino non ha un'autostazione, ma gli autobus effettuano corse regolari lungo la strada principale in entrambe le direzioni. Alcune tra le destinazioni servite sono Santa Marta (COP$9000, 2 h), il PNN Tayrona (COP$6000, 1 h) e Riohacha (COP$8000, 1 h 30 min). Il posto migliore per prendere l'autobus è all'inizio di Carrera 6.

Se siete arrivati a Palomino, potete raggiungere Carrera 6 (500 m) camminando lungo la spiaggia o prendendo un mototaxi (COP$2000). Gli autobus e i mototaxi effettuano servizio tutto il giorno fino a tarda notte e possono essere una buona soluzione se viaggiate con dei bagagli.

Ciudad Perdida

Cosa potrebbe esserci di più affascinante della scoperta di un'antica città abbandonata? La Ciudad Perdida (letteralmente 'Città Perduta') scomparve nella giungla più o meno all'epoca della conquista spagnola, per essere 'riscoperta' solo negli anni '70. Annidata nel cuore profondo della Sierra Nevada de Santa Marta, ancora oggi è raggiungibile solo a piedi con un'escursione che è senz'altro tra le più emozionanti e suggestive della Colombia. Conosciuta a livello locale con il nome di Teyuna, la città fu costruita dai tayrona sulle pendici settentrionali della Sierra Nevada de Santa Marta e oggi può essere annoverata tra le città precolombiane più grandi dell'intero continente americano. È inoltre la meta principale del trekking di vari giorni più famoso della Colombia. L'escursione a piedi è un'esperienza fantastica e non richiede particolare preparazione o allenamento. I ricordi del paesaggio e l'impressione di aver vissuto lontani dal mondo vi accompagneranno a lungo.

La Ciudad Perdida è situata sui ripidi versanti della valle superiore del Río Buritaca, a un'altitudine compresa tra 950 m e 1300 m. La parte centrale della città è posizionata su una cresta, dalla quale partono vari sentieri lastricati in pietra che scendono ad altri settori situati più in basso. Sebbene le case di legno dei tayrona siano scomparse ormai da molto tempo, le strutture in pietra, come i terrazzamenti e le scalinate, si sono conservate in condizioni ottime.

Ci sono circa 170 terrazze, la maggior parte delle quali fu costruita come fondamenta delle case, mentre le più grandi, che si trovano sulla cresta centrale, erano utilizzate per le cerimonie rituali. La maggior parte del sito non è ancora stata riportata alla luce, a causa dell'opposizione della popolazione indigena a condurre ulteriori scavi.

Recenti ricerche hanno permesso di individuare circa 300 altri insediamenti tayrona sparsi sui pendii montuosi e un tempo collegati da strade lastricate in pietra. La Ciudad Perdida è il più grande di tutti e si ritiene che fosse la 'capitale' dei tayrona.

Gli scavi archeologici hanno riportato alla luce numerosi manufatti della civiltà tayrona (per fortuna i *guaqueros* non sono riusciti a saccheggiare tutto). Si tratta prevalentemente di ceramiche (sia a scopo rituale sia d'uso quotidiano), oggetti in oro e pregevoli collane di pietre semipreziose. Alcuni di questi reperti sono esposti al Museo del Oro (p152) di Santa Marta e in quello di Bogotá. Se vi è possibile, vi consigliamo di visitare il museo di Santa Marta prima di andare alla Ciudad Perdida.

☞ Tour

In passato solo l'agenzia Turcol aveva il diritto di accompagnare i visitatori alla Ciudad Perdida, ma nel 2008 l'esercito colombiano ha liberato la zona dalla presenza dei gruppi paramilitari, aprendola così alla concorrenza tra più operatori. Oggi sono sei le agenzie autorizzate, tutte con sede a Santa Marta, che accompagnano i gruppi di viaggiatori nel trekking di quattro-sei giorni alle antiche rovine. Non si può fare l'escursione da soli o ingaggiare una guida indipendente. Se volete essere sicuri che la guida o l'agenzia a cui vi siete rivolti siano regolarmente autorizzate, fatevi mostrare il certificato OPT (Operación de Programas Turísticos), il documento ufficiale di cui ogni operatore abilitato deve essere in possesso.

Da quando questa zona è stata aperta al mercato turistico nel 2008, la concorrenza ha spinto al ribasso non solo le tariffe, ma anche la qualità dei servizi offerti ai viaggiatori. Il governo è intervenuto regolando i prezzi e il servizio, fissando ufficialmente il costo delle escursioni a COP$850.000, ma nel 2017 se ne trovavano ancora molte a COP$800.000.

Le tariffe comprendono il trasporto, il vitto, il pernottamento (di solito si dorme su materassi dotati di zanzariere, anche se alcune agenzie utilizzano ancora le amache per una notte), i portatori, le guide (che non parlano l'inglese) e tutti i permessi necessari. Il prezzo non diminuisce nel caso in cui l'escursione venga completata in meno giorni del previsto. La maggior parte dei gruppi porta a termine il trekking in quattro giorni, ma gli escursionisti meno allenati e quelli che preferiscono prendersela comoda ne impiegano cinque. La durata massima è di sei giorni, che però sono necessari solo per chi è molto lento e si stanca facilmente; il nostro consiglio è di scegliere la versione da quattro giorni.

Procuratevi il repellente per zanzare più potente che riuscite a trovare e riapplicatelo più volte a intervalli di un paio d'ore. La marca locale Nopikex è eccellente e protegge meglio di altre marche straniere più note. Indossate pantaloni lunghi e maglie con le maniche lunghe, entrambi consigliabili anche nella Ciudad Perdida, dove le zanzare sono particolarmente aggressive.

Le escursioni si svolgono tutto l'anno con gruppi composti da quattro a 15 persone, che partono appena si raggiunge il numero minimo di partecipanti. In alta stagione parte almeno un gruppo al giorno, mentre in bassa stagione le agenzie tendono a raggruppare i clienti per formare un'unica comitiva, anche se ciascuna mantiene le proprie guide. Altri operatori fungono da intermediari per le agenzie principali e non c'è ragione di rivolgersi a loro.

Tenete presente che la Ciudad Perdida è chiusa al pubblico per buona parte del mese di settembre di ogni anno, quando le popolazioni indigene si radunano nel sito per celebrare le cerimonie rituali di purificazione.

L'escursione

Dopo il ritrovo al mattino a Santa Marta con il proprio gruppo (obbligatorio), si parte in automobile per il villaggio di El Mamey (anche conosciuto con il nome di Machete), punto d'arrivo della strada proveniente da Santa Marta, dove si pranza con calma prima di mettersi in marcia. Per raggiungere la Ciudad Perdida si impiega in genere un giorno e mezzo di cammino in salita, poi si dedica mezza giornata alla visita del sito la mattina del terzo giorno e quindi si riparte per la discesa, che richiede una giornata intera ma che viene suddivisa in due giorni. Tra andata e ritorno è un tragitto di 40 km, che però, tra salite, scivolate nel fango e muscoli doloranti in ogni parte del corpo, sembrano molti di più. Durante la stagione secca il programma può variare. Fatevi dare dalla vostra agenzia l'itinerario dettagliato, che comunque, purtroppo, segue lo stesso percorso sia per l'andata sia per il ritorno. Gli operatori turistici sono da tempo in trattativa con gli indigeni wiwa per poter utilizzare un altro percorso per il ritorno, ma ovviamente le popolazioni indigene sono molto protettive nei confronti delle loro terre. Dal 2018 Guías Indígenas Tours (p168) ed Expotur (p167) offrono anche un percorso circolare, molto più difficile, che dura cinque giorni/quattro notti e costa COP$1.200.000 per persona. È parecchio più impegnativo del percorso normale, ma sulla via del ritorno permette di vedere una parte del tutto diversa delle montagne della Sierra Nevada. Queste escursioni hanno un limite tassativo di 30 ingressi al giorno, che viene fatto rispettare rigidamente.

L'escursione normale è faticosa, ma non impossibile; sebbene ogni giorno si debbano percorrere solo da 5 a 8 km, sono quasi tutti in ripida salita o discesa. Se non avete mai fatto un'escursione in vita vostra la troverete sicuramente dura, ma anche i principianti non allenati riusciranno a portarla a termine. A volte ci si ritrova ad arrampicarsi lungo vertiginose sponde fluviali aggrappandosi alle piante rampicanti; molti trovano utile l'uso di un bastone per mantenere l'equilibrio. La stagione delle piogge porta con sé una serie di ostacoli, tra cui fiumi in piena, sentieri zuppi d'acqua in cui si sprofonda nel fango e passerelle crollate.

Alcuni tratti sono in forte pendenza e la salita può essere tremenda da affrontare nel caldo opprimente della giungla. Quando il sole non si fa vedere, ci si deve invece spesso cimentare con il fango, il che rende il cammino ancora più faticoso. Il periodo più asciutto va dagli ultimi giorni di dicembre a fine febbraio/inizio marzo. A seconda della stagione, il terzo giorno può capitare di dover guadare il Río Buritaca diverse volte, anche con l'acqua che arriva fino alla vita, per poi affrontare l'ultima salita fino alla Ciudad Perdida percorrendo l'affascinante ma sdrucciolevole scalinata di pietra, con 1260 gradini ricoperti di muschio.

I pasti serviti durante l'escursione sono sorprendentemente buoni e il pernottamento è sempre confortevole; le sistemazioni per la notte vengono spesso posizionate in prossimità dei corsi d'acqua che formano piscine naturali in cui ci si può tuffare e rinfrescarsi. Il paesaggio è – inutile dirlo – quanto me-

CIVILTÀ PERDUTE

In epoca precolombiana la Sierra Nevada de Santa Marta, situata lungo la costa caraibica, era abitata da diverse comunità, tra le quali i tayrona, appartenenti al ceppo linguistico chibcha, costituivano il gruppo dominante e più evoluto. Si ritiene che i tayrona (o tairona) avessero cominciato a sviluppare una propria cultura già nel corso del V secolo d.C. Un millennio più tardi, poco prima dell'arrivo degli spagnoli, avevano raggiunto uno stadio avanzato di civilizzazione, basato su una complessa organizzazione sociale e politica e su progredite conoscenze tecnologiche.

La costruzione della Ciudad Perdida risale al periodo compreso tra l'XI e il XIV secolo, ma le sue origini sono molto più antiche, databili probabilmente già al VII secolo. Estesa su una superficie di circa 2 kmq, è l'insediamento tayrona più grande rinvenuto finora e con molta probabilità era il loro maggiore centro urbano, politico ed economico. Si stima che all'epoca del suo massimo sviluppo contasse tra i 2000 e i 4000 abitanti.

I conquistadores spagnoli spazzarono via la civiltà dei tayrona, i cui insediamenti sparirono inghiottiti dalla rigogliosa vegetazione tropicale. Quella dei tayrona fu la prima civiltà indigena evoluta che gli spagnoli incontrarono nel Nuovo Mondo, nel 1499. Fu qui, nella Sierra Nevada, che i conquistadores scoprirono con enorme stupore l'oro degli indigeni, dal quale trasse origine il mito dell'El Dorado. Gli spagnoli esplorarono la Sierra Nevada in lungo e in largo, scontrandosi con la fiera resistenza delle popolazioni locali. I tayrona si difesero strenuamente, ma in 75 anni di guerra ininterrotta furono decimati. I pochi superstiti abbandonarono le loro case per rifugiarsi alle quote più alte della Sierra Nevada, ma alla fine di loro si perse ogni traccia.

Per secoli la Ciudad Perdida rimase dimenticata e sepolta nella giungla, finché non venne riscoperta dai *guaqueros* (tombaroli) all'inizio degli anni '70. Furono un uomo del posto, Florentino Sepúlveda, e i suoi due figli Julio César e Jacobo, a imbattersi nei resti della città durante una spedizione alla ricerca di antiche tombe da saccheggiare. La voce si sparse velocemente e in poco tempo arrivarono altri *guaqueros*. Scoppiarono così forti contrasti tra bande rivali e proprio Julio César fu una delle vittime degli scontri.

Nel 1976 il governo colombiano inviò l'esercito per proteggere la Ciudad Perdida e una squadra di archeologi per scoprirne i segreti, ma per parecchi anni continuarono a verificarsi sporadici scontri e saccheggi. Fu in quel periodo che i *guaqueros* soprannominarono il sito Infierno Verde.

no formidabile: è un'escursione che merita di essere fatta non solo per la bellezza della meta finale, ma anche (e forse di più, secondo molti veterani) per il percorso.

Situata su un altopiano circondato da una fitta giungla verde smeraldo, la Ciudad Perdida è pervasa da un'atmosfera molto affascinante e vi troverete a condividere la sua bellezza solamente con i membri del vostro gruppo e con alcuni soldati colombiani di guardia.

È importante tenere presente che queste montagne sono sacre per le popolazioni indigene che le abitano, perciò è essenziale non lasciare nessun tipo di rifiuto (e anzi, raccogliere tutti quelli che si trovano lungo il tragitto) e, all'interno della Ciudad Perdida, comportarsi con il rispetto dovuto a un luogo sacro.

Tour operator

★ Expotur ESCURSIONISMO
(☎ 5-420-7739; www.expotur-eco.com; Carrera 3 n. 17-27, Santa Marta) Expotur è esemplare per il modo in cui tratta il personale e si è impegnato molto per garantire a tutte le sue guide una preparazione adeguata. Impiega guide indigene autorizzate (oltre che gentili e simpatiche), con le quali rimane in contatto radio per tutta la durata dell'escursione, e anche se non tutte parlano inglese di solito sono affiancate da un traduttore. Con Expotur, che vanta un'esperienza pluriennale nell'organizzazione di escursioni alla Ciudad Perdida, sarete sicuramente in buone mani.

Ha altre due sedi a Taganga (p160) e Riohacha (p170).

Magic Tours ESCURSIONISMO
(☎ 317-679-2441, 5-421-5820; www.magictourcolombia.com; Calle 16 n. 4-41, Santa Marta) Gode di un'ottima reputazione ed è stato uno dei pri-

mi operatori a riservare alla guide un equo trattamento professionale, garantendo loro la copertura previdenziale, sanitaria e pensionistica. Si adopera, inoltre, affinché le comunità indigene possano trarre un reale beneficio dal turismo che le vede coinvolte. Le guide, originarie delle zone di montagna, sono abilitate e ben preparate.

Guías Indígenas Tours ESCURSIONISMO
(☎321-742-7902, 5-422-2630; www.guiasindigenas.com; Calle 19 n. 4-12, Santa Marta) È un'agenzia nuova, in attività solo dal 2017, ma, come suggerisce il nome, è gestita interamente da personale indigeno ed è in grado di garantire l'accesso a molti siti della Sierra Nevada. Offre escursioni alla Ciudad Perdida con la possibilità di seguire anche il percorso circolare che attraversa la giungla.

ESCURSIONE ALLA CIUDAD PERDIDA: CHE COSA PORTARE

Abbiamo elencato il materiale distinguendo tra gli oggetti indispensabili e quelli utili da avere. Tenete presente che quasi tutti gli accampamenti dispongono di qualche tipo di dispositivo di ricarica alimentato da un generatore di corrente, perciò non è affatto insensato portare con sé il telefono e il caricabatterie (se non altro per scattare foto, dato che comunque da queste parti non c'è segnale per telefonare!). In ogni caso è consigliabile avere con sé il minimo indispensabile, per non rovinarsi il piacere dell'escursione a causa del peso eccessivo.

Indispensabili

- Torcia elettrica
- Bottiglia d'acqua da 1,5 l
- Repellente per gli insetti
- Crema solare
- Occhiali da sole
- Pantaloni lunghi
- Una maglietta di ricambio per ogni giorno di cammino
- Diverse paia di calze e biancheria intima di ricambio
- Due paia di scarpe (l'ideale sarebbero scarponcini da escursionismo per camminare e sandali con il velcro per attraversare i corsi d'acqua)
- Sacchetti di plastica (utilissimi per riporre i vestiti bagnati)
- Asciugamano
- Ciprofloxacina e loperamide (rispettivamente antibiotico e antidiarroico)

Utili da avere

- Carte da gioco
- Cerotti o garze per le vesciche ai piedi
- Berretto con visiera
- Costume da bagno
- Protezione impermeabile per lo zaino
- Tuta o pigiama per la notte
- Sacchetti con chiusura ermetica per tenere gli oggetti al riparo dall'umidità
- Compresse di antistaminici per alleviare il fastidio procurato dalle punture di zanzara e crema per le vesciche
- Cinque paia di calze di scorta
- Un libro o una rivista da leggere di sera
- Tappi per le orecchie (utili quando si dorme con altre persone)

Guías y Baquianos Tours ESCURSIONISMO
(☎316-745-8947, 5-431-9667; www.guiasybaquianos.com; Hotel Miramar, Calle 10C n. 20-42, Santa Marta) Con sede all'Hotel Miramar, è stata la prima agenzia a organizzare trekking alla Ciudad Perdida. Questo operatore si avvale della collaborazione di guide con almeno dieci anni di esperienza (spesso anche venti) e mantiene solidi rapporti con le comunità indigene con cui collabora. Molte guide possiedono fattorie nella Sierra Nevada.

Turcol ESCURSIONISMO
(☎5-421-2256; www.turcoltravel.com; Calle 13 n. 3-13 CC San Francisco Plaza, Santa Marta) È l'agenzia con la maggiore esperienza nelle escursioni alla Ciudad Perdida, che organizza fin dagli anni '90. Si avvale di guide professionali che si danno molto da fare quando accompagnano i visitatori. La maggior parte delle guide non parla inglese, ma se non conoscete lo spagnolo vi verrà affiancato un traduttore (vi consigliamo di accertarvene prima di prenotare).

Osprey Expeditions TOUR
(☎300-478-7320; www.ospreyexpeditions.com; all'angolo tra Calle 22 e Carrera 2) Dopo anni di esperienza in Venezuela, Osprey Expeditions ha aperto una sede in Colombia e propone visite guidate di diverse zone del paese, tra cui la Ciudad Perdida e il PNN Tayrona. Organizza anche trasferimenti in Venezuela, ed è ormai una delle poche agenzie che ancora lo fanno, data la situazione attuale. Il proprietario, Ben Rodriguez, parla perfettamente inglese ed è un'ottima fonte di informazioni per il viaggio.

Per/dalla Ciudad Perdida

La Ciudad Perdida si trova circa 40 km a sud-est di Santa Marta in linea d'aria. È nascosta tra fitte foreste e impervie montagne, lontano da qualsiasi insediamento umano e senza strade d'accesso. L'unico modo per raggiungerla è a piedi. Il sentiero comincia a El Mamey (Machete), a 90 minuti d'auto da Santa Marta.

PENÍNSULA DE LA GUAJIRA

Nel corso dei secoli pirati inglesi, contrabbandieri olandesi e cercatori di perle spagnoli hanno provato a conquistare la Península de La Guajira, una vasta e desolata distesa di mare e sabbia che costituisce il punto più settentrionale della Colombia, ma nessuno è riuscito ad avere la meglio sugli indigeni wayuu che, a seconda dell'opportunità, entravano in rapporti commerciali con gli invasori o li respingevano con le armi. Dotati di complesse strutture politiche ed economiche autonome, i wayuu erano in grado di difendere efficacemente i loro territori, a cavallo e – con grande sorpresa degli spagnoli – con armi da fuoco.

Si tratta di una regione spoglia e desolata, funestata dall'illegalità. Il suo simbolo potrebbe essere un sacchetto di plastica impigliato in un cespuglio rinsecchito. L'Alta Guajira è la meta dei viaggiatori più avventurosi, dove si trovano paradisi incantati come Cabo de la Vela, capitale del kitesurf, e Punta Gallinas. Quest'ultima è un immacolato punto di incontro tra dune di sabbia e mare azzurro, che dà vita a quello che è forse il paesaggio più suggestivo della costa caraibica della Colombia.

La Guajira si raggiunge di solito passando per il capoluogo Riohacha, mentre la porta d'accesso per La Guajira Centrale e l'Alta Guajira è la cittadina di Uribia, il crocevia dei trasporti nella penisola. Non ci sono autobus di linea, solo fuoristrada che partono quando sono al completo. In generale in questa parte della Colombia non è mai consigliabile affidarsi ai trasporti pubblici, ma è meglio prendere parte a un tour organizzato che comprenda anche gli spostamenti.

Riohacha

☎5 / POP. 278.000

Riohacha, da sempre capolinea della penisola, è la via di accesso alla parte più settentrionale di La Guajira, costituita da una zona desertica semiarida, e ancora oggi ha l'atmosfera di una piccola città di frontiera. Con lo sviluppo del turismo che ha interessato la penisola negli ultimi anni, Riohacha è diventata un improbabile mini-centro di riferimento per i viaggiatori e potrebbe capitarvi di trascorrervi una notte nel tragitto per/da altre belle e remote località della Colombia. La città non ha molto da offrire, ma è abbastanza gradevole: ha una spiaggia di 5 km punteggiata di palme e un lungo molo, costruito nel 1937, che si presta a piacevoli passeggiate serali. Nonostante il caldo opprimente, di solito si avverte una brezza fresca che soffia dal mare e l'atmosfera in città è piacevole e accogliente.

Che cosa vedere

Calle 1, la passeggiata lungomare, è la via principale della città, mentre la piazza centrale, il **Parque José Prudencio Padilla**, si trova due isolati più all'interno tra Carrera 7 e Carrera 9. Nei weekend, di sera, il **malecón** (lungomare) e la parallela Carrera 1, entrambi pieni di ristoranti e bar, brulicano di gente.

Santuario de Fauna y Flora Los Flamencos RISERVA NATURALE
(www.parquesnacionales.gov.co; Camarones) FREE Questa riserva naturale di 700 ettari si trova a 25 km da Riohacha, nella cittadina di Camarones. È una zona tranquilla con una nutrita popolazione di fenicotteri rosa: nella stagione delle piogge (da settembre a dicembre) se ne contano fino a 10.000 e nelle quattro lagune all'interno del parco si possono vedere colonie composte anche da 2000 esemplari. Se volete osservarli, dovrete noleggiare una canoa (COP$30.000 fino a 3 persone e COP$15.000 per ogni persona in più) e uscire in acqua.

Di solito i barcaioli sanno dove si radunano gli uccelli, ma vi ci porteranno solo se la distanza è ragionevole.

Camellón de Riohacha MOLO
(Camino de Playa) Costruito nel 1937, questo lungo molo di legno è l'ideale per una passeggiata serale.

Tour

Expotur AVVENTURA
(5-728-8232; www.expotur-eco.com; Carrera 5 n. 3A-02) Questa sede distaccata dell'eccellente agenzia di Santa Marta è specializzata in escursioni a Punta Gallinas e in tutta la Península de La Guajira. Mantiene ottimi rapporti con i wayuu e dispone di guide che parlano inglese.

Kaí Ecotravel AVVENTURA
(311-436-2830, 5-729-2936; www.kaiecotravel.com; Hotel Castillo del Mar, Calle 9A n. 15-352) Quest'ottima agenzia ha portato l'ecoturismo a La Guajira, dedicando anni di lavoro a instaurare un rapporto di fiducia con i wayuu per ottenere il permesso di accompagnare i viaggiatori a Punta Gallinas. È un eccellente operatore a cui rivolgersi per le escursioni nella penisola e per i soggiorni presso famiglie indigene e, se ha posti liberi sui fuoristrada, propone anche solo il trasporto a Cabo de la Vela.

Alta Guajira Tours AVVENTURA
(5-729-2562, 311-678-4778; www.altaguajiratours.com; Calle 1 n. 9-63) Operatore affidabile ed esperto, organizza viaggi all-inclusive nell'Alta Guajira, tra cui un'escursione con due pernottamenti a Cabo de la Vela al costo di COP$250.000 a persona. Propone anche sistemazioni presso famiglie indigene, visite alla miniera di Cabo de la Vela e, ovviamente, escursioni a Punta Gallinas.

Pernottamento e pasti

★ **Bona Vida Hostel** OSTELLO $
(314-637-0786; www.bonavidahostel.com; Calle 3 n. 10-10; letti in camerata con prima colazione COP$30.000, doppie senza/con bagno privato COP$98.000/109.000;) Questo delizioso ostello aperto da poco nel centro di Riohacha è frutto dell'intuizione di una coppia austriaco-colombiana che ha creato un ambiente gradevole, tranquillo e impeccabile, perfetto per rilassarsi prima di partire alla volta di La Guajira. Le camerate sono dotate di ventilatori e tende per ciascun letto e armadietti di sicurezza. L'ostello organizza anche escursioni in tutta la penisola.

Se la struttura è al completo, i gestori hanno a disposizione anche un'altra confortevole sistemazione, con tanto di balcone, dall'altra parte della strada.

Taroa Hotel HOTEL $$$
(5-729-1122; www.taroahotel.com; Calle 1 n. 4-77; singole/doppie con prima colazione COP$243.000/279.000;) Descritto come un 'hotel in stile wayuu', questo moderno palazzo sul lungomare è di gran lunga la sistemazione più elegante di Riohacha. I membri del personale sono tutti wayuu e le camere, grandissime e impeccabili, sono dotate di frigobar, TV a schermo piatto, macchine da caffè e balconi. L'edificio ha anche un bar-ristorante sulla terrazza all'ultimo piano ed è il luogo perfetto per ricaricare le energie prima di partire per La Guajira.

★ **Lima Cocina Fusión** FUSION $$
(5-728-1313; Calle 13 n. 11-33; portate principali COP$15.000-35.000;) Questo locale è probabilmente tra i migliori della città. Potrete godervi il buon cibo in un ambiente arioso scegliendo se mangiare nella fresca sala interna o, di sera, nel dehors sulla strada. Propone piatti abbastanza originali, tra cui una vasta scelta di pita farcite, numerose pietanze vegetariane e, per menzionare qualcosa di più tipico, arrosto di capra.

La Casa del Marisco CUCINA DI MARE **$$**
(☎5-728-3445; Calle 1 n. 4-43; portate principali COP$20.000-50.000; ⊙11-22 lun-sab, 11-21 dom; ☜) Questo ristorante affacciato sul mare è molto frequentato a tutte le ore del giorno, in particolare da famiglie del posto che ne apprezzano i deliziosi piatti di pesce e frutti di mare freschi preparati alla perfezione. Tra le specialità della casa figurano vari tipi di stufati di pesce, *calamari al gusto* e *frittura de mariscos* (frittura di frutti di mare).

Informazioni

Hospital Nuestra Señora de los Remedios (☎5-727-3312; www.hospitalnsr.gov.co; all'angolo tra Calle 12 e Carrera 15)
Policía de la Guajira (☎5-727-3879; Carrera 5 n. 15-79)
Ufficio turistico (☎5-727-1015; Carrera 1 n. 4-42; ⊙8-12 e 14-18 lun-ven)

Per/da Riohacha

AEREO

L'aeroporto si trova 3 km a sud-ovest della città e può essere raggiunto in taxi al prezzo di COP$6000. La compagnia **Avianca** (☎5-727-3627; www.avianca.com; Calle 7 n. 7-04) ha due voli al giorno per/da Bogotá.

AUTOBUS

La **stazione degli autobus** si trova all'angolo tra Av El Progreso (Calle 15) e Carrera 11, a circa 1 km dal centro, ed è raggiungibile in taxi (COP$5000).

Expreso Brasilia (☎5-727-2240; Terminal de Transporte Riohacha) effettua corse ogni 30 minuti per Santa Marta (COP$20.000, 2 h 30 min) e Barranquilla (COP$30.000, 5 h), ogni ora per Cartagena (COP$40.000, 7 h) e ogni 45 minuti per Maicao (COP$10.000, 1 h), sul confine con il Venezuela. Per Bogotá (COP$76.000-91.000, 18 h) c'è un autobus al giorno che parte alle 15.30 e passa anche per Valledupar (COP$30.000, 4 h).

Coopetran (☎313-333-5707; Terminal de Transporte Riohacha) offre collegamenti simili per Santa Marta, Cartagena e Bogotá. Ha anche due autobus al giorno per Bucaramanga (COP$95.000, 12 h).

Cootrauri (☎5-728-0000; Terminal de Transporte Riohacha) ha un servizio di *colectivos* che partono quando sono al completo tutti i giorni tra le 5 e le 18 alla volta di Uribia (COP$14.000, 1 h), dove si può cambiare per raggiungere Cabo de la Vela (da COP$12.000 a COP$18.000, 2 h 30 min). Dite al conducente che siete diretti a Cabo e vi farà scendere nel punto in cui si effettua il cambio. L'ultimo mezzo per Cabo de La Vela parte da Uribia alle 13. Ci sono anche privati che propongono passaggi di andata e ritorno in giornata per Cabo per un massimo di quattro persone (COP$400.000; contrattando si può spendere un po' meno). In quest'ultimo caso, però, la visita è frenetica e non vi permetterà di godervi al meglio i vari luoghi d'interesse. Potreste anche trovare un passaggio con **Kaí Ecotravel** (COP$50.000, tutti i giorni), se hanno posti liberi.

Per visitare il **Santuario de Fauna y Flora Los Flamencos**, si deve prendere un *colectivo* (COP$5000) per la cittadina di Camarones dalla fermata alla rotatoria Francisco El Hombre, all'angolo tra Calle 14 e Carrera 8. Dite al conducente dove siete diretti e vi farà scendere all'ingresso del parco.

Cabo de la Vela

☎5 / POP. 1500

Fino a poco tempo fa il remoto villaggio di pescatori di Cabo de la Vela, 180 km a nord-ovest di Riohacha, era poco più di una polverosa comunità rurale di indigeni wayuu che vivevano nelle tradizionali capanne di cactus costruite proprio davanti al mare. Negli ultimi anni, però, si è trasformato in una meta di punta dell'ecoturismo e del kitesurf dotata di numerose strutture ricettive in stile indigeno. Nonostante il recente sviluppo, il villaggio dispone ancora solo dell'energia elettrica fornita da un generatore e può contare su un numero esiguo di linee telefoniche fisse, collegamenti internet e altri strumenti tecnologici moderni.

La zona circostante è uno dei punti di maggior interesse dell'Alta Guajira e uno dei luoghi naturali più belli di tutta la Colombia. Il capo da cui prende il nome è formato da pareti rocciose che incombono sulle spiagge sabbiose sottostanti, mentre sullo sfondo il paesaggio si tinge delle suggestive tonalità ocra e acquamarina del deserto.

Se siete alla ricerca di pace e tranquillità, evitate Cabo de la Vela nel periodo di Pasqua e nei mesi di dicembre e gennaio, quando arrivano in massa i vacanzieri colombiani.

Che cosa vedere e fare

Cabo de la Vela è famoso per il kitesurf. **Kite Addict Colombia** (☎320-528-1665; www.kiteaddictcolombia.com) offre corsi individuali personalizzati a COP$100.000 l'ora, compresa tutta l'attrezzatura necessaria. Si trova sul lungomare, vicino al cartello con la scritta 'Area de Kite Surf', insieme a molti altri operatori dello stesso tipo.

Nei dintorni di Cabo de la Vela c'è la maggior concentrazione di luoghi d'interesse della penisola, sufficienti a tenervi impegnati per un giorno intero se il kitesurf non fa per voi.

Playa del Pilón SPIAGGIA

Playa del Pilón, di gran lunga la spiaggia più bella di Cabo de la Vela, è una fulgida distesa di sabbia arancione lambita da acque sorprendentemente fresche e delimitata da basse scogliere. Spettacolare a qualsiasi ora del giorno, all'alba e al tramonto ha colori più suggestivi che mai. Nella stagione delle piogge il quadro si arricchisce della flora e della fauna del deserto, creando uno scenario da cartolina.

Pilón de Azúcar PUNTO PANORAMICO

Il Pilón de Azúcar, che si erge sopra la spiaggia, è uno dei punti panoramici più belli della zona, con l'intera Alta Guajira che si dispiega davanti a voi e la catena montuosa della Serranía del Carpintero che si staglia in lontananza. In cima al belvedere svetta una statua della Virgen de Fátima, patrona di Cabo de la Vela, costruita nel 1938 da un gruppo di cercatori di perle spagnoli.

El Faro FARO

Piccolo faro situato sulla punta di un promontorio roccioso, da cui è possibile ammirare tramonti da cartolina, El Faro è amato sia dai wayuu sia dai turisti. La vista è davvero mozzafiato. Dista 3,5 km a piedi dalla città; in alternativa ci si può far dare un passaggio da qualcuno del posto pagando circa COP$30.000 per andata e ritorno.

Pernottamento e pasti

A Cabo de la Vela ci sono oltre 60 *posadas*, sistemazioni rustiche che rientrano in un progetto volto a promuovere l'ecoturismo finanziato dal governo. Di solito gli alloggi sono capanne wayuu realizzate con lo *yotojoro*, la parte interna del cactus cardón che cresce nel deserto di questa regione. Si può scegliere di dormire in amache di piccole dimensioni, nelle più grandi e più calde *chinchorros* (amache tradizionali wayuu prodotte artigianalmente in zona) o in camere con il bagno privato (ma sappiate che l'acqua corrente scarseggia). Ricordate di portarvi gli asciugamani.

Quasi tutte le *posadas* dispongono anche di un ristorante che serve più o meno le stesse cose: pesce o carne di capra a prezzi compresi tra COP$10.000 e COP$15.000 e aragosta al prezzo di mercato.

Ranchería Utta GUESTHOUSE $

(☎313-817-8076, 312-678-8237; www.rancheriautta.com; amache/chinchorros/cabañas COP$15.000/25.000/40.000 per persona) Le *cabañas* sono attaccate le une alle altre e le loro 'pareti' offrono ben poca privacy, ma si trovano direttamente sulla spiaggia, in una posizione tranquilla fuori città. È una sistemazione pulita e ben gestita, molto frequentata dalle piccole comitive dirette a Punta Gallinas. Dispone anche di un discreto ristorante.

Hostería Jarrinapi GUESTHOUSE $

(☎311-683-4281; amache COP$15.000, camere COP$35.000 per persona, portate principali COP$15.000-40.000) Tra le sistemazioni più centrali di Cabo de la Vela, questa guesthouse ha spazi comuni molto ben tenuti e camere impeccabili con il pavimento piastrellato (una vera rarità da queste parti!). La presenza della reception e dell'acqua corrente vi darà quasi l'impressione di essere in un vero albergo. I generatori restano in funzione tutta la notte, il che significa che potrete usare il ventilatore e riuscirete a dormire bene.

Per/da Cabo de la Vela

Raggiungere Cabo de la Vela non è un'impresa facile, perciò quasi tutti preferiscono prendere parte a un'escursione organizzata. Andarci da soli è comunque possibile: da Riohacha prendete un *colectivo* della compagnia **Cootrauri** (p171) per Uribia (COP$15.000, 1 h); partono tutti i giorni dalle 5 alle 18 appena sono al completo. Il conducente vi farà scendere davanti alla Panadería Peter-Pan, da dove partono furgoni e fuoristrada diretti a Cabo de la Vela (da COP$10.000 a COP$20.000, 2 h 30 min). I veicoli normali non sono adatti per affrontare queste strade piene di polvere e sassi.

Punta Gallinas

I paesaggi di Punta Gallinas, il punto più settentrionale del Sud America, sono tra i più straordinari del continente. Vi si accede da **Bahía Hondita**, dove le scogliere color arancione bruciato fanno da cornice a una baia dalle acque verde smeraldo e a un'ampia spiaggia incontaminata, al di là della quale vive una grande colonia di fenicotteri rosa. Solo otto famiglie wayuu vivono nella baia, in un ambiente incredibilmente selvaggio e punteggiato dal verde brillante della vegetazione che condividono esclusivamente con capre e locuste.

Mano a mano che il continente cede il passo ai paesaggi caraibici, imponenti dune di sabbia alte fino a 60 m si distendono verso le scintillanti acque turchesi del mare, come uno tsunami di sabbia alto come un palazzo di cinque piani che procede in senso inverso. Procedendo si arriva a **Playa Taroa**, forse la spiaggia più bella della Colombia e sicuramente la più incontaminata, alla quale si accede lasciandosi scivolare in acqua dall'alto di una grande duna di sabbia.

Pernottamento

Hospedaje Alexandra GUESTHOUSE **$**
(☎318-500-6942, 315-538-2718; hospedajealexandra@hotmail.com; amache/chinchorros/cabañas COP$15.000/20.000/30.000 per persona) Questa guesthouse gode di una magnifica posizione direttamente sulla baia, da dove si possono ammirare i fenicotteri e la foresta di mangrovie. Ha semplici ma gradevoli bungalow di legno e un'ottima cucina.

Per/da Punta Gallinas

Di fatto non c'è modo di raggiungere Punta Gallinas se non partecipando a un'escursione organizzata, sebbene tecnicamente sarebbe possibile: in quasi tutti i periodi dell'anno i fuoristrada possono affrontare il tragitto di tre o quattro ore da Cabo de la Vela a La Boquita, località all'estremità opposta della baia rispetto alle *posadas*. Se avvisati in anticipo, i gestori delle *posadas* possono mandare qualcuno a prendervi con la barca (il trasporto è gratuito per i clienti). Quando le strade sono impraticabili a cause delle piogge, Punta Gallinas può essere raggiunta con una traversata in barca di tre ore da Puerto Bolívar, a sua volta raggiungibile con un breve tragitto in auto da Cabo de la Vela, vicino alla miniera di carbone di El Cerrejón. Per organizzare il viaggio rivolgetevi ad **Aventure Colombia** (☎314-588-2378, 5-660-9721; Calle de la Factoria n. 36-04) a Cartagena oppure a **Kaí Ecotravel** (p170) o **Expotur** (p170) a Riohacha. Sia Kaí Ecotravel sia Expotur propongono anche solo il trasporto per Punta Gallinas: contattateli per conoscere i prezzi e la disponibilità nelle date che vi interessano.

VALLEDUPAR

Valledupar si trova nella lunga e fertile vallata delimitata dalla Sierra Nevada de Santa Marta a est e dalla Serranía del Perijá, in Venezuela, a ovest. È rimasta per lungo tempo fuori dagli itinerari di viaggio, restando poi completamente isolata nei giorni più bui della guerra civile colombiana, quando era di fatto ostaggio dei guerriglieri che avevano il controllo delle montagne circostanti.

Oggi Valledupar ha la sua piccola parte di visitatori, attratti dal centro storico coloniale ben conservato, dalle interessanti attività all'aperto che si possono praticare nei dintorni e dalla frizzante vita notturna.

In una terra di allevatori di bestiame, Valledupar è un vero e proprio mito per i colombiani, che la venerano reputandola il luogo di nascita del vallenato, la musica popolare suonata con la fisarmonica che si sente ossessivamente in tutta la regione costiera e che canta l'amore, la politica e il dolore per la perdita di una donna (o di un cavallo) a causa di un altro uomo.

Attività

Valledupar è un posto in cui rilassarsi e ricaricarsi, ottimo per una sosta nel viaggio tra Santa Marta, la Península de La Guajira e Mompós.

Balneario La Mina NUOTO
(COP$10.000; ⏲alba-17) Scendendo dalla Sierra Nevada, il Río Badillo scava uno strano e tortuoso percorso, formando in questo punto una bellissima piscina naturale in cui si può fare il bagno. Portatevi del buon repellente per gli insetti e state attenti alle forti correnti che si possono formare nei mesi più piovosi. Per arrivarci, da Carrera 6, nel centro della città, prendete un *colectivo* diretto ad Atanqueza (dalle 11 alle 14) e scendete a La Mina. Per il ritorno prendete un mototaxi (COP$15.000), ma non più tardi delle 16.

In questa zona c'è un'interessante cooperativa femminile gestita da María Martínez, che tutti chiamano La Maye. Tutti i proventi ottenuti dalla vendita dei prodotti della cooperativa – tra cui delle borse di stoffa di ottima qualità – sono devoluti alle donne del posto che hanno perso il marito o i figli negli anni della guerra civile. María prepara anche uno squisito ed economico (COP$12.000) *sancocho de gallina*, uno stufato di galletto cotto sul fuoco a legna e servito nel cortile della sua modesta abitazione.

Balneario Hurtado NUOTO
FREE Di domenica e nei giorni festivi molte persone vengono qui per fare il bagno nel Río Guatapurí, cucinare e stare in compagnia. Ci sono alcuni modesti ristoranti e venditori ambulanti di cibo; tutto sommato è un modo per trascorrere una bella giornata in famiglia. Questo posto si trova a fianco del Parque Lineal ed è servito da autobus provenienti da Cinco Esquinas, in centro.

Feste ed eventi

Festival de la Leyenda Vallenata MUSICA
(www.festivalvallenato.com; ⏲apr) I quattro giorni del Festival de la Leyenda Vallenata sono un tripudio di vallenato e whisky Old Parr, una bevanda così amata da queste parti che

la città è chiamata dagli abitanti del posto Valle de Old Parr.

Pernottamento e pasti

Valledupar ha un unico, ottimo ostello, che dispone anche di qualche camera privata. In aprile, durante il Festival de la Leyenda Vallenata, i prezzi quadruplicano ovunque e bisogna prenotare con un anno di anticipo.

★ Provincia Hostel OSTELLO **$$**
(☎5- 580-0558, 300-241-9210; www.provinciavalledupar.com; Calle 16A n. 5-25; letti in camerata/singole/doppie/triple COP$30.000/75.000/94.000/125.000; ❄📶) Accogliente, sicuro, pulito e molto gradevole, è la sistemazione migliore della città, qualunque sia il vostro budget. Le camere private mancano di luce naturale e sono un po' disturbate dai rumori provenienti dalla cucina e dalle zone comuni, ma sono estremamente confortevoli, mentre le camerate hanno un eccellente rapporto qualità-prezzo. Si possono noleggiare biciclette e il proprietario saprà consigliarvi delle belle escursioni da fare in giornata.

Joe Restaurante GRILL **$$**
(☎5-574-9787; Calle 16A n. 11-67; portate principali COP$20.000-40.000; ⏲17.30-23) Vera e propria istituzione a Valledupar, questo è un paradiso per gli amanti della carne. La grigliata mista – così abbondante da sfamare due persone – è una montagna di carne di manzo, maiale e capra di provenienza locale con un prezzo molto conveniente rispetto alla quantità. Il ristorante è pulitissimo e il personale è gentile e socievole.

El Varadero CUBANO **$$$**
(☎5-570-6175; Calle 12 n. 6-56; portate principali COP$30.000-50.000; ⏲12-15 e 18-22; 📶) È la cucina di mare cubana la specialità di questo ristorante con le pareti tappezzate di fotografie di celebrità locali, ed è in effetti un'ottima cucina di mare: l'insalata di aragosta è buonissima, così come le cozze all'aglio. Per completare la vostra cena intercontinentale, assaggiate i frutti di mare Al Macho, serviti alla peruviana con peperoni gialli.

Per/da Valledupar

La **stazione degli autobus** (all'angolo tra Carrera 7 e Calle 44) si raggiunge con una corsa di mezz'ora in taxi (COP$5000) dal centro oppure in autobus prendendo quelli con destinazione 'Terminal' che partono da Carrera 7 e Calle 17. Ci sono autobus per le seguenti destinazioni:

Destinazione	Tariffa (COP$)	Durata (h)	Frequenza
Bucaramanga	89.000	8	2 al giorno
Cartagena	45.000	5½	4 al giorno
Medellín	100.000	12	1 al giorno
Mompós	55.000	5	1 al giorno
Riohacha	25.000	3	1 al giorno
Santa Marta	28.000	2	ogni ora

A SUD-EST DI CARTAGENA

La regione a sud-est di Cartagena è caratterizzata dalla presenza del Río Magdalena e della splendida città coloniale di Mompós.

Mompós

☎5 / POP. 44.000 / ALT. 33 M

Mompós è una delle città coloniali meglio conservate di tutta la Colombia. Situato in una posizione isolata nell'entroterra sulle sponde del Río Magdalena, Mompós (chiamata anche con il nome spagnolo originale di Mompox) ha iniziato un lento declino a metà del XIX secolo, quando le rotte del trasporto fluviale furono modificate lasciando la città in uno stato di isolamento quasi totale. Mompós presenta una serie di straordinarie analogie con l'immaginaria città di Macondo di García Márquez e in effetti l'atmosfera di *Cent'anni di solitudine* si respira molto più qui che non ad Aracataca, la città natale dello scrittore. Il XXI secolo ha visto rinascere questa perla perduta, con la progressiva apertura negli ultimi anni di boutique hotel e ristoranti. Mompós è sicuramente una delle città più affascinanti della Colombia settentrionale, con le facciate fatiscenti e le chiese colorate che ricordano più la Città Vecchia di L'Avana che non il centro – secondo alcuni fin troppo curato – di Cartagena.

Storia

Fondata nel 1540 da Alonso de Heredia (fratello di Pedro de Heredia, fondatore di Cartagena) sul ramo orientale del Río Magdalena, Santa Cruz de Mompox era un importante centro di commerci e un porto fluviale molto trafficato, attraverso il quale transitavano tutte le merci in arrivo da Cartagena, raggiungendo l'entroterra della colonia lungo il Canal del Dique e il Río Magdalena.

Mompós

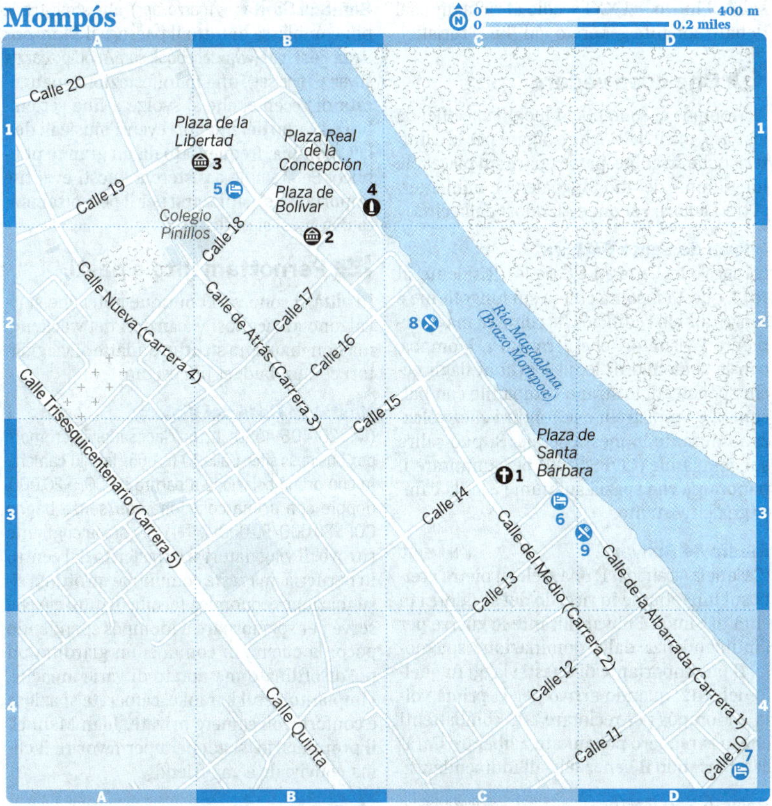

Inizialmente la città visse un periodo di prosperità: batteva moneta per la colonia ed era conosciuta per l'arte orafa, come testimoniano ancora oggi i magnifici gioielli in filigrana tipici della città. Nel 1810 Mompox fu la prima città della Colombia a dichiarare l'indipendenza dall'impero spagnolo, adottando il nome di Mompós. Durante la guerra d'indipendenza divenne un'importante città militare, che tra il 1812 e il 1830 vide per ben otto volte la presenza di Simón Bolívar: le date e i particolari di quelle visite sono ricordati dalla Piedra de Bolívar, sul lungofiume.

Verso la fine del XIX secolo il trasporto delle merci fu deviato sull'altro ramo del Río Magdalena, il Brazo de Loba, con conseguenze disastrose per Mompós. Fu una scelta fatale, che da un giorno all'altro trasformò Mompós in una città depressa e isolata dell'entroterra, alla quale pare richiamarsi il romanzo di Gabriel García Márquez *Cent'anni di solitudine*, in cui molti riconoscono gli echi del destino di Mompós, sebbene la storia sia di fatto ambientata nella città d'origine dell'autore, Aracataca. Mompós scivolò così in un sonno lungo cent'anni, per risvegliarsi

Mompós

Che cosa vedere

1 Iglesia de Santa Bárbara C3
2 Museo del Arte Religioso B2
3 Palacio San Carlos B1
4 Piedra de Bolívar B1

Pernottamento

5 Bioma Boutique Hotel B1
6 Casa Amarilla C3
7 Hostal La Casa del Viajero D4

Pasti

8 Casa Sol del Agua C2
9 El Fuerte San Anselmo D3
Restaurante Mompoj .... (v. 5)

solo all'inizio del XXI secolo al richiamo del denaro sonante generato dai flussi turistici.

Che cosa vedere

A Mompós ci sono pochi luoghi specifici da visitare, ma il bello è girovagare per le caratteristiche stradine, passeggiare sul piacevole lungofiume del Río Magdalena e immergersi tra i colori, i suoni e gli odori della città.

Iglesia de Santa Bárbara CHIESA
(all'angolo tra Carrera 1 e Calle 14) Risalente al 1613, questa insolita chiesa sul lungofiume è senza dubbio l'edificio che colpisce maggiormente i visitatori che arrivano a Mompós, con le sue effigi di leoni e grifoni dagli occhi spalancati, lo strano campanile con balconata e i pipistrelli e le rondini che svolazzano durante la messa serale. Si può salire sul campanile (COP$2000) per ammirare il panorama che spazia sul fiume e sulla campagna circostante.

Piedra de Bolívar MONUMENTO
(Calle de la Albarrada) È una stele di pietra eretta sul lungofiume in ricordo dei soggiorni in città di Simón Bolívar durante le guerre per l'indipendenza dalla dominazione spagnola. Il più importante di questi viaggi fu quello del 1812, quando arrivò per la prima volta a Mompós per reclutare 400 combattenti che lo avrebbero poi aiutato a liberare Caracas, portando il Venezuela all'indipendenza.

Palacio San Carlos EDIFICIO STORICO
(all'angolo tra Carrera 2 e Calle 18) Ex convento gesuita e oggi sede del municipio, è un bel palazzo del 1600 di fronte al quale si erge una statua raffigurante uno schiavo con le catene spezzate. La citazione *Si a Caracas debo la vida, a Mompox debo la gloria* (Se a Caracas devo la vita, a Mompox devo la gloria) è di Bolívar e si riferisce al fatto che furono proprio 400 uomini provenienti da Mompós a costituire il nucleo primario del vittorioso esercito rivoluzionario.

Museo del Arte Religioso MUSEO
(Carrera 2 n. 17-07; COP$5000; ⏲8-11.45 e 14-16 mar-sab) Il museo principale di Mompós ha una discreta collezione di dipinti religiosi, croci in oro e argento e altri oggetti sacri esposti nelle varie sale di una bella residenza coloniale.

Feste ed eventi

Ogni anno si tengono due eventi ai quali vale la pena di assistere: le celebrazioni della **Semana Santa** (⏲marzo/apr), che sono tra le più complesse di tutto il paese, e il **Mompox Jazz Festival** (www.facebook.com/mompoxjazzfestival; ⏲fine set), una manifestazione inaugurata di recente, che si svolge a fine settembre ed è uno dei migliori eventi musicali della Colombia, frequentato da un grande pubblico. Se si vuole assistere a questi eventi è importante organizzarsi per il pernottamento con mesi si anticipo.

Pernottamento e pasti

In città ci sono vari boutique hotel che si rivolgono ai facoltosi vacanzieri del weekend, ma non mancano strutture adatte ai viaggiatori con un budget più esiguo.

Hostal La Casa del Viajero OSTELLO $
(☎320-406-4530; http://lacasadelviajeromompox.business.site; Calle 10 n. 1-65; letti in camerata con prima colazione a partire da COP$20.000, doppie con prima colazione con/senza bagno COP$80.000/50.000; ❄📶) Questo accogliente ritrovo di viaggiatori si è trasferito dal centro in periferia, ma resta comunque un'ottima sistemazione economica fornita di tutto ciò che serve per soggiornare a Mompós spendendo poco: la cucina in comune, un giardino un po' disordinato ma dotato di varie amache, l'impianto per il karaoke, camerate spaziose e confortevoli camere private. Juan Manuel, il proprietario, si adopera per favorire il clima conviviale e gay-friendly.

★ **Casa Amarilla** BOUTIQUE HOTEL $$
(☎5-685-6326, 310-606-4632; www.lacasaamarillamompos.com; Carrera 1 n. 13-59; camere con prima colazione COP$90.000-260.000; ❄📶) Questo bell'albergo è stato aperto da un giornalista britannico e da sua moglie *momposina* all'interno di una residenza restaurata del XVII secolo affacciata sul fiume. Ha diverse camere piene di atmosfera e un paio di ampie suite al piano superiore, perfette per un soggiorno romantico. La prima colazione viene servita al grande tavolo comune affacciato sul giardino interno.

I membri del personale, che parlano inglese e sono una miniera di informazioni utili su Mompós, si danno molto da fare per mettere a loro agio gli ospiti. È consigliabile prenotare.

Bioma Boutique Hotel BOUTIQUE HOTEL $$$
(☎316-625-0669, 5-685-6733; www.bioma.co; Calle Real del Medio n. 18-59; camere con prima colazione a partire da COP$230.000; ❄📶🏊) Questo incantevole albergo ricavato all'interno di una

casa coloniale completamente restaurata nel cuore di Mompós ha 11 camere, semplici ma graziosissime, disposte intorno a un delizioso cortile dotato di piscina nella quale potrete concedervi un po' di refrigerio. Ha anche un eccellente ristorante, il Restaurante Mompoj.

Casa Sol del Agua CAFFÈ **$**
(Carrera 1 n. 15-101; prima colazione COP$3500-6000, sandwich COP$6000-11.000; ⏲7-19; 📶🔌) Come suggerisce il menu di questo delizioso caffè sul fiume, leggete un libro, bevete un caffè e godetevi la vista. Troverete un'ottima prima colazione, succhi di frutta freschi, toast e torte buonissime in un locale semplice, la cui proprietaria ricopre di attenzioni ogni singolo cliente. Noleggia anche biciclette a COP$6000 l'ora.

★ **El Fuerte San Anselmo** EUROPEO **$$$**
(☎314-564-0566, 5-685-6762; www.fuertemompox.com; Carrera 1 n. 12-163; portate principali a partire da COP$40.000; ⏲18.30-23) Gli eleganti spazi interni e l'ampio e arioso giardino ombreggiato da un grande banano contribuiscono a rendere El Fuerte una delle principali attrattive di Mompós. Assaggiate le ottime pizze cotte nel forno a legna, gli squisiti piatti di pasta preparati con cura o l'eccellente gazpacho. Cercate di arrivare abbastanza presto per assicurarvi un tavolo all'aperto.

Restaurante Mompoj INTERNAZIONALE **$$$**
(☎5-685-6733; www.bioma.co; Bioma Boutique Hotel, Calle Real del Medio n. 18-59; portate principali COP$35.000; ⏲12-15 e 18-22; 📶) Il Mompoj, che prende il nome dal toponimo originale di questa zona, in uso prima della conquista spagnola, è un ottimo ristorante con un menu eclettico e interessante. Vi consigliamo di assaggiare il curry di maiale, lo stufato di pollo o i medaglioni di vitello in salsa al tamarindo. È importante prenotare, perché spesso il ristorante non apre se non ci sono clienti confermati.

ℹ Per/da Mompós

Mompós è piuttosto fuori mano, non lo si può negare, ma è servita da autobus diretti che partono da Cartagena e da diverse altre grandi città. Quasi tutti i viaggiatori arrivano da Cartagena con **Caribe Express** (p147), che ha un autobus al giorno con partenza alle 7 (COP$65.000, 6 h).

Si può raggiungere Mompós anche da Medellín (COP$120.000, 10 h, tutti i giorni alle 8), da Bucaramanga (COP$65.000, 7 h, alle 10 e alle 21.45) e da Bogotá (COP$100.000, 15 h, 3 corse al giorno). Tutti questi collegamenti sono gestiti dalla compagnia Copetrans.

Da Mompós partono autobus diretti, con fermate 'a domicilio', per Barranquilla, Cartagena e Santa Marta; il viaggio dura dalle cinque alle sei ore e il costo varia tra COP$75.000 e COP$85.000. Se volete utilizzare questo servizio, chiedete al personale del vostro hotel di prenotarvi il passaggio.

A SUD-OVEST DI CARTAGENA

Spiagge incontaminate e itinerari poco battuti caratterizzano la costa caraibica a sud-ovest di Cartagena, una zona che, per le precarie condizioni di sicurezza, negli ultimi vent'anni è stata poco visitata dai viaggiatori stranieri. Alcune località che un tempo erano frequentate solo dai colombiani, come Tolú e le Islas de San Bernardo, oggi non rappresentano più un pericolo e sono pronte ad accogliere anche i turisti provenienti da altri paesi.

Il paesaggio dei dipartimenti di Sucre, Córdoba, Antioquia e Chocó è molto diverso da quello della costa settentrionale. Le acque del Golfo de Morrosquillo sono infatti orlate da pascoli acquitrinosi punteggiati di alberi tropicali di ceiba, mangrovie aggrappate alla terra e lagune cristalline, mentre nei dintorni della Regione del Darién, là dove il Golfo de Urabá cede il passo a Panamá, la giungla arriva a lambire le acque cerulee e le spiagge nei pressi degli idilliaci villaggi di Capurganá e Sapzurro.

Le lunghe distanze, l'isolamento dei luoghi e una rete stradale spesso interrotta rendono molto complicato spostarsi in queste zone. Le varie località sono tutte raggiungibili in autobus o in barca (e spesso è necessario abbinare entrambi i mezzi), ma bisogna preventivare tempi di percorrenza lunghissimi ed essere pronti a viaggiare in condizioni non sempre confortevoli.

Tolú

☎5 / POP. 48.000 / ALT. 2 M

Non lo si direbbe, ma il tranquillo *pueblo* di Tolú, capoluogo del Golfo de Morrosquillo, è una delle mete turistiche più visitate della Colombia. In alta stagione, questa località si affolla di villeggianti colombiani, attratti dall'atmosfera di piccola località balneare e dalle spiagge che si trovano nei suoi dintorni, mentre i viaggiatori stranieri sono una rarità. Nel resto dell'anno vi regna invece la calma più assoluta. Le spiagge non sono eccezionali, ma valgono comunque una visita, se siete di passaggio.

Il lungo *malecón* (lungomare) di Tolú, pieno di bar sulla spiaggia, ristoranti e bancarelle di prodotti artigianali, merita una passeggiata, ma l'attrattiva principale per i turisti stranieri è la vicinanza della città alle idilliache Islas de San Bernardo, che fanno parte del Parque Nacional Natural Corales del Rosario y San Bernardo.

Che cosa vedere e fare

Tolú è il principale punto di partenza per le escursioni in giornata alle Islas de San Bernardo. La vicina Coveñas ha meno infrastrutture, ma spiagge più belle, molte delle quali attrezzate con tavoli riparati da tettoie di paglia, dove trascorrere piacevolmente un pomeriggio sorseggiando una bevanda fresca.

Ciénega la Caimanera RISERVA NATURALE
(Km 5, Vía Tolú–Coveñas) FREE Questa riserva naturale di 1800 ettari è costituita da una palude in parte di acqua dolce e in parte di acqua salata con cinque diverse varietà di mangrovie. Le radici delle mangrovie rosse si aggrovigliano fuori e dentro l'acqua come spaghetti impazziti. Con un bel giro in canoa di un'ora e mezzo si possono esplorare le gallerie formate dalle mangrovie e mangiare ostriche staccandole direttamente dalle radici delle piante.

Per raggiungere la riserva di Ciénega, prendete un qualsiasi autobus (COP$2500) diretto a Coveñas e chiedete al conducente di farvi scendere a La Boca de la Ciénega. Sul ponte incontrerete le guide per le escursioni in canoa, che chiedono COP$30.000 per una o due persone e solo COP$10.000 per persona per i gruppi più numerosi.

Playa Blanca SPIAGGIA
Se cercate una bella spiaggia da queste parti, Playa Blanca è la migliore. Si raggiunge in mototaxi da Coveñas (COP$6000).

Punta Bolívar SPIAGGIA
Questo tratto di spiaggia sabbiosa è l'ideale per una giornata al mare. È situata un po' fuori mano: per andarci dovrete prendere un mototaxi da Coveñas (COP$5000).

Mundo Mar TOUR
(☎312-608-0273, 321-809-7009; www.clubnauticomundomartolu.com; Carrera 1 n. 14-40) È un'agenzia ben gestita che organizza escursioni alle Islas de San Bernardo (COP$45.000) con partenza tutti i giorni alle 8.30 e rientro alle 16.

Pernottamento e pasti

Villa Babilla OSTELLO $$
(☎312-677-1325; www.villababillahostel.com; Calle 20 n. 3-40; singole/doppie a partire da COP$40.000/80.000; 📶) A tre isolati dal lungomare, questo ostello/albergo gestito da tedeschi ha un ambiente accogliente con un'area TV all'aperto sotto una tettoia di paglia. A disposizione degli ospiti ci sono la cucina, il servizio di lavanderia e caffè gratuito a tutte le ore. L'edificio non ha l'insegna, ma si riconosce perché è il più alto dell'isolato.

Doña Mercedes COLOMBIANO $
(Plaza Pedro de Heredia; arepas a partire da COP$5000; ⏲8-18 lun-sab) Non andate via da Tolú senza aver mangiato le *arepas* più buone del paese, con ripieno di uova e carne speziata, alla bancarella di Doña Mercedes, situata all'angolo sud-orientale della piazza accanto all'ufficio della compagnia Expreso Brasilia. Sono un vero capolavoro di croccantezza e gusto.

Informazioni

In città ci sono numerosi sportelli bancomat, tra cui quello di **Bancolombia** (Calle 14 n. 2-88).

All'**ufficio turistico** (☎5-286-0192; Carrera 2 n. 15-43; ⏲8-12 e 14-18) troverete personale gentile e disponibile.

Per/da Tolú e trasporti locali

Expreso Brasilia/Unitransco (☎5-288-5180; Calle 15 n. 2-36), **Rápido Ochoa** (☎5-288-5226; Calle 15 n. 2-36) e **Caribe Express** (☎5-288-5223; Calle 15 n. 2-36) condividono una piccola stazione degli autobus situata sul lato sud-occidentale di Plaza Pedro de Heredia. Ci sono corse ogni ora per Cartagena (COP$35.000, 3 h) e Montería (COP$25.000, 2 h). Per raggiungere Turbo e poi il confine panamense, si deve andare in autobus a Montería e lì cambiare per Turbo.

Tolú è una piccola cittadina, in cui gli abitanti preferiscono la bicicletta all'automobile e le biciclette che fungono da taxi, dette *bicitaxis*, sono una forma d'arte: ciascuna è personalizzata secondo il gusto del proprietario, anche con potenti impianti stereo in cui rimbombano a tutto volume salsa e reggaeton.

I *colectivos* per Coveñas (COP$2500) partono tutti i giorni ogni 10 minuti da una fermata vicino al Supermercado Popular, all'angolo tra Carrera 2 e Calle 17, a Tolú.

Islas de San Bernardo

I 10 arcipelaghi che costituiscono le Islas de San Bernardo, al largo della costa di Tolú, sono una parte del PNN Corales del Rosario y San Bernardo molto più spettacolare e interessante delle loro vicine situate più a nord, le Islas del Rosario.

Un tempo abitate dagli *indígenas* caribe, oggi sono invece affollate di vacanzieri colombiani, ai quali va riconosciuto il merito di aver tenuto nascosta la loro esistenza ai turisti stranieri. Note per le acque cristalline, le lagune di mangrovie e le spiagge di sabbia bianca, queste isole idilliache della costa caraibica sono una piccola oasi di quiete e riposo.

Tour

L'escursione in giornata per le isole parte da Tolú tutte le mattine. Comprende una rapida visita a **Santa Cruz del Islote**, una delle isole più densamente popolate del mondo, dove circa 1000 abitanti, per lo più pescatori, vivono in una baraccopoli tropicale sull'acqua che misura appena 1200 mq, e una tappa all'Isla Tintipan, la più grande dell'arcipelago.

Le infrastrutture turistiche si concentrano per la maggior parte sull'**Isla Múcura**, dove le escursioni prevedono tre ore libere. Sull'isola si può noleggiare l'attrezzatura da snorkelling (COP$5000), concedersi una pausa per il pranzo o per una birra fresca (non compresi nel prezzo del tour) o semplicemente girovagare tre le mangrovie.

Pernottamento

Hostal Isla Múcura HOSTAL $
(☎316-620-8660; www.hostalislamucura.com; Isla Múcura; tende/amache COP$15.000 per persona, letti in camerata/camere/cabañas COP$20.000/50.000/60.000 per persona) Questa eccellente struttura offre la possibilità di soggiornare nell'arcipelago senza spendere una fortuna. Situata direttamente sulla spiaggia, ha un'atmosfera distesa e personale gentilissimo. Per il pernottamento si può piantare la propria tenda, dormire su un'amaca o scegliere i richiestissimi 'capanni privati', bungalow su palafitte con il tetto di paglia, una bella vista e la brezza che soffia dal mare.

I pasti costano COP$20.000 e sono ottimi. I volontari sono i benvenuti tutto l'anno per aiutare a servire la prima colazione, organizzare gli eventi, lavorare al bar e accogliere gli ospiti.

★ **Casa en el Agua** HOTEL $$
(www.casaenelagua.com; al largo di Isla Tintipán; amache/letti in camerata COP$70.000/80.000, doppie a partire da COP$180.000) È un posto incredibile, all'altezza del nome che porta: una casa di legno costruita letteralmente in mezzo all'acqua su un'isola artificiale colonizzata dai coralli e poi trasformata in un ostello ecocompatibile. Gli alloggi sono rustici ma confortevoli, la cucina è buona, è possibile partecipare a numerose attività e i cocktail hanno un ottimo rapporto qualità-prezzo.

Turbo

☎4 / POP. 163.000 / ALT. 2 M

Turbo è una sciatta e remota città portuale dove molti si fermano a pernottare durante il viaggio per Capurganá o Sapzurro, località servite da imbarcazioni che partono da Turbo ogni mattina in tutti i periodi dell'anno. Non c'è assolutamente niente per cui valga la pena di restare: purtroppo è un luogo molto povero e non è consigliabile allontanarsi dall'hotel quando si fa sera.

Pernottamento e pasti

Sul lungomare, vicino ai moli, ci sono diversi piccoli caffè tutti uguali, dove si può mangiare dalle 5 del mattino fino al tramonto.

Hotel El Velero HOTEL $$
(☎4-827-4173, 312-618-5768; www.hotelelvelero turbo.com; Carrera 12 n. 100-10; camere a partire da COP$90.000;) A pochi passi dal molo da cui partono le imbarcazioni per Capurganá, questo albergo moderno è di gran lunga la sistemazione migliore di Turbo. Le camere sono piccole ma molto confortevoli, con lenzuola fresche di bucato e minibar ben forniti. Dopo un lungo viaggio potrebbe quasi sembrarvi un angolo di paradiso.

Per/da Turbo

Da Cartagena si deve prendere l'autobus per Montería (COP$60.000, 5 h) prima delle 11 e lì cambiare per Turbo (COP$40.000, 5 h). Turbo non ha una stazione degli autobus, ma la maggior parte delle autolinee ferma in Calle 101, comprese **Coointur** (☎4-828-8091; www.coointur.com; all'angolo tra Carrera 19 e Calle 1) e **Sotrauraba** (☎4-230-5859; www.sotrauraba.com; all'angolo tra Calle 100 e Carrera 14). Per il ritorno a Montería ci sono partenze dalle 4.30 alle 16. Da Turbo partono anche autobus per Medellín, ogni ora dalle 5 alle 22 (COP$65.000, 8 h).

Le imbarcazioni per Capurganá (COP$55.000, 2 h 30 min) e Sapzurro (COP$60.000, 2 h 30 min) partono dal porto tutti i giorni alle 7, ma si riempiono in fretta: per essere sicuri di trovare posto, cercate di arrivare entro le 6. In alta stagione e nei weekend ci sono spesso corse aggiuntive, ma è comunque consigliabile acquistare il biglietto il giorno prima, se possibile.

Capurganá e Sapzurro

☎4 / POP. 2200

La straordinaria costa caraibica della Colombia si interrompe in bellezza con questi due idilliaci e tranquilli villaggi e le spiagge nei loro dintorni. Nascosti in un angolo isolato nel nord-ovest del paese, vicinissimi al confine, sono due delle meraviglie meno visitate di tutta la Colombia. Con le montagne ammantate di giungla sullo sfondo e le acque azzurre del mare che ne lambiscono le coste, richiamano soprattutto turisti locali e backpacker in fuga dalla caotica vita quotidiana della Colombia. Fate un favore a voi stessi: seguite il loro esempio.

Arrivarci è già di per sé un'avventura: sia Capurganá sia Sapzurro sono raggiungibili solo con un viaggio per mare, piuttosto burrascoso, da Turbo o da Necoclí, oppure con un piccolissimo aereo da Medellín. Di conseguenza le spiagge della zona sono le meno frequentate della Colombia. Tutto questo, però, è destinato a cambiare: i backpacker stranieri stanno già scoprendo queste fantastiche destinazioni e il turismo è in continua crescita.

Attività

In queste acque la barriera corallina è fantastica e ci sono numerose scuole di immersioni che esplorano la costa alla scoperta di nuovi siti. Capurganá offre probabilmente le migliori opportunità di tutta la costa caraibica per quanto riguarda le immersioni, con una barriera ben conservata e una visibilità che raggiunge i 25 m da agosto a ottobre. Da gennaio a marzo il mare è agitato. Al **Dive & Green** (☎311-578-4021, 316-781-6255; www.diveandgreen.com; Capurganá) e al **Centro de Buceo Capurganá** (☎314-861-1923; centrodebuceocapurgana@gmail.com; Luz de Oriente) il prezzo per una doppia immersione va da COP$180.000 a COP$220.000, mentre le immersioni notturne costano COP$130.000.

Le spiagge di Capurganá e Sapzurro sono carine, ma da Sapzurro, con una breve passeggiata oltre la collina, si raggiunge facilmente la spiaggia più famosa della zona, la panamense La Miel (portate con voi un documento di riconoscimento, perché c'è un posto di blocco militare). Per attraversare il confine si deve salire una serie di gradini e poi scendere dall'altra parte (superata la collina girate a destra e seguite il marciapiede). La spiaggia è piccola ma perfetta, con sabbia bianca, acque azzurre e un paio di localini che servono pesce fresco e birra gelata.

El Cielo, un sentiero di 3 km che parte da Capurganá e attraversa la giungla addentrandosi tra le montagne, passa vicino a diverse piscine naturali e cascate, dove potreste vedere scimmie urlatrici, saimiri, tucani e pappagalli. Lungo il gradevole sentiero costiero che porta ad Aguacate (3,5 km) ci si può fermare in varie spiagge tranquille, mentre la magnifica Playa Soledad è raggiungibile con una camminata di 8 km a est di Capurganá oppure con un breve viaggio in barca da concordare con i pescatori sulla spiaggia principale di Capurganá.

VALE IL VIAGGIO

IL GOLFO DE URABÁ

Nel Golfo de Urabá ci sono alcune piccole cittadine aggrappate ai margini della Regione del Darién. Acandí, Triganá e San Francisco dispongono di discrete sistemazioni a prezzi abbordabili, hanno spiagge tranquille e offrono la possibilità di fare splendide escursioni a piedi. Tutte e tre sono raggiungibili in barca da Turbo. Ad Acandí, tra marzo e maggio, centinaia di tartarughe liuto, lunghe anche 2 m e pesanti fino a 750 kg, vengono a riva per deporre le uova.

Pernottamento e pasti

Nei due villaggi c'è una buona scelta di alberghi, ostelli e campeggi e, con lo sviluppo del turismo, continuano ad aprire nuove strutture. Spesso i proprietari degli alberghi si aggirano nei pressi del molo in attesa dei passeggeri in arrivo, ma in genere non sono dei venditori insistenti e, fuori dall'alta stagione, potrebbero anche offrirvi tariffe scontate.

★ **Posada del Gecko** GUESTHOUSE $
(☎314-525-6037, 314-629-1829; www.posadadelgecko.com; Capurganá; singole/doppie/triple/quadruple COP$25.000/80.000/110.000/140.000; ❄📶) Questa accogliente guesthouse dispone di semplici camere arredate con mobili di legno che offrono un ottimo rapporto qualità-prezzo; quelle più care hanno l'aria condizionata e il bagno privato. Il bar-ristoran-

te interno serve ottime pizze e piatti di pasta, ma va bene anche per bere qualcosa e ha una favolosa playlist di musica indie. Il proprietario organizza escursioni di tre giorni alle Islas de San Blas.

La Gata Negra GUESTHOUSE $
(☎321-572-7398; www.lagatanegra.net; Sapzurro; camere COP$35.000-55.000 per persona) Questa guesthouse gestita da italiani è una meravigliosa casetta di legno situata in prossimità della spiaggia cittadina. Tutte le camere sono dotate di ventilatore, alcune hanno il bagno in comune altre il bagno privato, e c'è anche una *cabaña* con un letto matrimoniale e un letto a castello. Le tariffe variano in base alla stagione. La **cucina casalinga italiana** del proprietario Giovanni segna sicuramente un punto a favore di questa struttura.

★ **La Posada** OSTELLO $$
(☎310-410-2245; www.sapzurrolaposada.com; Sapzurro; singole/doppie a partire da COP$70.000/140.000, campeggio o amache COP$15.000 per persona) La sistemazione più confortevole e meglio gestita della zona ha uno splendido giardino con guava in fiore, palme da cocco e alberi di mango, docce all'aperto per i campeggiatori e belle camere luminose con pavimenti in legno, travi a vista e amache sui balconi. Mario, il proprietario, parla un ottimo inglese e, previa prenotazione, sua moglie prepara i **pasti** (portate principali COP$20.000).

Eco Hotel Punta Arrecife GUESTHOUSE $$
(☎320-687-3431, 314-666-5210; luzdelaselva52@yahoo.es; Sapzurro; camere con prima colazione COP$75.000-100.000 per persona) Costruita su una scogliera ai margini del villaggio, questa meravigliosa guesthouse è circondata da uno splendido e rigoglioso giardino ed è gestita da Rubén e Myriam, due simpatici 'eremiti' che hanno scelto di vivere qui, isolati dal resto del mondo. Semplici ma bellissime, le camere sono state realizzate in legno e sono piene di pezzi d'arte e artigianato scelti con gusto.

I proprietari coltivano gran parte di ciò che mangiano e incoraggiano gli ospiti a staccare la spina dal mondo esterno. La struttura dista pochi passi dalla spiaggia di Cabo Tiburón e la scogliera corallina offre ottime opportunità per fare snorkelling. Qui conoscere un po' di spagnolo è molto utile.

★ **Josefina's** CUCINA DI MARE $$
(Capurganá; portate principali COP$20.000-40.000; ⏲12-21.30) Nemmeno se passaste al setaccio tutta la costa riuscireste trovare una cucina di mare migliore di quella di Josefina, né un'accoglienza più calorosa. Il granchio con crema di cocco speziata, servito in barchette di *plátano* incredibilmente sottili e croccanti, è sensazionale, così come la *crema de camerón* (vellutata di gamberi) e i piatti a base di *langostinos* (gamberoni). Troverete Josefina in un modesto chiosco sulla spiaggia principale di Capurganá.

Capurgarepa COLOMBIANO $$
(Capurganá; portate principali COP$15.000-25.000; ⏲8-21; 🅥) In questo delizioso posticino dal nome bizzarro vengono servite delle ottime *arepas*, ma lo chef e proprietario Amparo prepara inoltre piatti più elaborati, anche vegetariani, ordinando con un paio d'ore d'anticipo. Serve anche la prima colazione.

ℹ Informazioni

Tenete presente che non ci sono sportelli bancomat né a Capurganá né a Sapzurro, perciò è importante che portiate con voi tutto il denaro che vi servirà durante la vostra permanenza. In caso di necessità, potete farvi anticipare un po' di contanti sulla carta di credito dall'**Hostal Capurganá** (☎318-206-4280, 316-482-3665; www.hostalcapurgana.net; Calle de Comercio, Capurganá; letti in camerata COP$25.000, singole/doppie con prima colazione COP$75.000/125.000; 📶). Potete rivolgervi allo stesso ostello (e a qualche altro) anche per cambiare dollari statunitensi, ma entrambe le operazioni hanno un costo.

ℹ Per/da Capurganá e Sapzurro

Le imbarcazioni per Capurganá (COP$55.000, 2 h 30 min) e Sapzurro (COP$60.000, 2 h 30 min) partono tutti i giorni alle 7 dal porto di Turbo. Spesso c'è più di una sola imbarcazione al giorno, a volte anche quattro o cinque, ma quella delle 7 – tempo permettendo – c'è sempre. Le imbarcazioni si riempiono in fretta di gente del posto, perciò cercate di arrivare almeno un'ora prima o, se possibile, acquistate il biglietto con un giorno di anticipo per essere sicuri di trovare posto. In alta stagione è essenziale prenotare il giorno prima. È consigliabile avvolgere il bagaglio in un sacco di plastica (gli ambulanti li vendono a COP$1000), perché il viaggio può essere piuttosto movimentato e ci si può bagnare. Ricordatevi di portare il passaporto e denaro a sufficienza, perché non ci sono sportelli bancomat né a Capurganá né a Sapzurro. Al ritorno evitate accuratamente le persone che vorranno 'aiutarvi' a trovare il vostro autobus: lavorano su commissione e vi spenneranno. Ci sono anche imbarcazioni più veloci che partono tutti i giorni da Necoclí (COP$72.000, 1 h 30 min). Sono più costose rispetto a quelle di Turbo, ma anche più comode.

DESTINAZIONE PANAMÁ

Non è possibile andare in auto dalla Colombia a Panamá, perché la Panamericana non attraversa gli acquitrini del Darién. C'è però sempre qualche temerario che decide di ignorare i pericoli e cerca di percorrere gli 87 km della regione in fuoristrada o addirittura a piedi, rischiando di imbattersi in guerriglieri, paramilitari e narcotrafficanti. Non provateci.

È comunque possibile, e tutto sommato abbastanza sicuro, raggiungere Panamá via terra, con solo qualche tratto via mare e un breve viaggio aereo. All'epoca delle nostre ricerche il percorso descritto di seguito era tranquillo e sicuro, ma prima di mettervi in viaggio verificate sempre quali siano le condizioni del momento dal punto di vista della sicurezza e restate sempre vicini alla costa.

1. Raggiungete Turbo. Il tragitto da Medellín a Turbo (COP$62.000, 8 h) è sicuro, ma è sempre meglio viaggiare di giorno. Arrivando da Cartagena, invece, si deve prima andare a Montería (COP$50.000, 5 h) e lì cambiare per Turbo (COP$30.000, 5 h). Gli autobus effettuano corse regolari dalle 7 alle 17, ma bisogna partire da Cartagena prima delle 11 per evitare di restare bloccati per la notte a Montería. A Turbo, invece, dovrete per forza pernottare, anche se non è un'esperienza particolarmente entusiasmante, fa parte dell'avventura.

2. Prendete una barca da Turbo a Capurganá (COP$55.000, 2 h 30 min). Arrivate almeno un'ora prima per essere sicuri di trovare posto e tenetevi forte: il viaggio può essere piuttosto movimentato. C'è un limite di 10 kg al bagaglio trasportabile, con un supplemento di COP$500 per ogni chilogrammo in eccesso.

3. Prendete un'imbarcazione da Capurganá a Puerto Olbaldía, a Panamá (COP$30.000, 45 min). Prima, però, fatevi timbrare il passaporto per l'uscita dalla Colombia all'ufficio della **Migración Colombia** (☎ 311-746-6234; www.migracioncolombia.gov.co; Capurganá; ⌚ 8-17 lun-ven, 9-16 sab), vicino al porto di Carpuganá, il giorno precedente la partenza (non troverete l'ufficio aperto al mattino prima di partire). Le imbarcazioni salpano da Capurganá ogni giorno alle 7.30, perciò fate in modo di arrivare al molo per le 7. A seconda delle condizioni del mare, potrebbe non essere un viaggio piacevole. Tenete presente che il costo minimo della traversata è di COP$100.000, che dovrete pagare per intero se siete gli unici passeggeri.

4. Arrivati a Panamá, fatevi timbrare il passaporto all'ufficio immigrazione panamense di Puerto Olbaldía, dove potrebbero richiedervi due fotocopie del documento. C'è una copisteria, nel caso doveste averne bisogno. Prendete quindi un aereo per la città di Panamá dal terminal dei voli nazionali Albrook. Ci sono due o tre voli al giorno. Puerto Olbaldía ha ben poco da offrire dal punto di vista turistico. Evitate quindi di trascorrervi più tempo del necessario e dirigetevi direttamente verso la città di Panamá.

Attualmente non ci sono voli che atterrino sulla pista di Capurganá, ma **ADA** (☎ 1-800-051-4232; www.ada-aero.com) ha un collegamento al giorno da Medellín ad Acandí (a partire da COP$200.000 per sola andata), da dove si può raggiungere facilmente Capurganá in barca (COP$30.000 per persona), eventualmente affittando un asino (COP$5000) per trasportare il bagaglio dall'aeroporto al molo. Per assistenza nella prenotazione dei voli o nell'organizzazione dei trasferimenti, rivolgetevi alla compagnia **Capurganá Tours** (☎ 4-824-3173; Hostal Capurganá, Capurganá).

San Blas Adventures (☎ 321-505-5008; www.sanblasadventures.com; Sapzurro) organizza escursioni al Kuna Yala (Panamá), e alle Islas de San Blas, in entrambi i casi con partenza da Sapzurro. Ricordatevi di farvi apporre il timbro di uscita sul passaporto a Capurganá.

San Andrés e Providencia

Include ➡

Il meglio – Ristoranti

- Restaurante La Regatta (p190)
- Caribbean Place (p197)
- Gourmet Shop Assho (p189)
- Donde Francesca (p190)
- Café Studio (p197)

Il meglio – Hotel

- Karibbik Haus Hostel (p187)
- Hotel Deep Blue (p196)
- Frenchy's Place (p196)
- Cocoplum Hotel (p189)
- Hotel Playa Tranquilo (p189)

Perché andare

L'arcipelago di San Andrés e Providencia è situato vicino al Nicaragua dal punto di vista geografico, ma è storicamente legato all'Inghilterra, mentre sotto l'aspetto politico fa parte della Colombia. Qui troverete spiagge deserte, barriere coralline incontaminate e un'incantevole atmosfera isolana, e sotto la superficie scoprirete la cultura di lingua anglo-creola dei raizal, risalente a tre secoli fa.

San Andrés, l'isola più grande e il principale centro commerciale e amministrativo dell'arcipelago, attira molti turisti colombiani interessati a fare shopping nei negozi duty free. Per fortuna, però, non è difficile sfuggire alla folla.

Providencia ha lo stesso mare turchese e vaste barriere coralline, ma è molto meno turistica. Il retaggio coloniale è ancora vivo nei pittoreschi villaggi dalle coloratissime case di legno disseminati in tutta l'isola. Entrambe le isole offrono un ritmo di vita completamente diverso da quello della terraferma e meritano decisamente lo sforzo necessario per arrivarci.

Quando andare

San Andrés

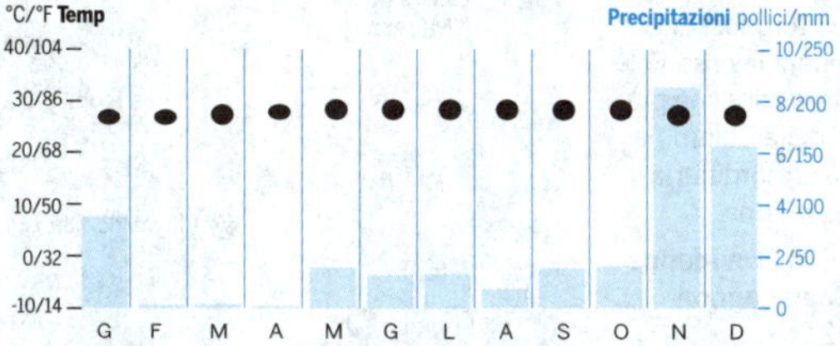

Gen-giu La stagione secca è la migliore per evitare gli uragani, sempre più frequenti nei Caraibi.

Apr-lug È possibile che le strade di Providencia vengano chiuse durante la migrazione dei granchi.

Dic e agosto Nel periodo di Natale ad agosto i prezzi si impennano ed è indispensabile prenotare.

Il meglio di San Andrés e Providencia

1 Bahía Suroeste (p194) Sorseggiare un Coco Loco ammirando il tramonto su questa magnifica distesa di sabbia.

2 Bahía Aguadulce (p192) Sulla spiaggia più affollata di Providencia sarete solo una manciata di persone.

3 Parque Natural Regional Johnny Cay (p185) Una spiaggia sabbiosa incontaminata nel sensazionale Parque Natural Regional Johnny Cay, che si estende su una superficie di 4 ettari.

4 El Pico (p195) Un'escursione tra iguane e granchi per ammirare lo splendido panorama dal punto più alto di Providencia.

5 Haynes Cay (p186) Una nuotata al tramonto in mezzo alle pastinache al largo di San Andrés.

6 Immersioni (p190) Nelle acque turchesi di Providencia ci sono le barriere coralline più belle della Colombia e una straordinaria fauna marina.

7 Old Providence McBean Lagoon (p192) Un'escursione in barca alla scoperta delle fitte paludi di mangrovie al largo della costa di Providencia.

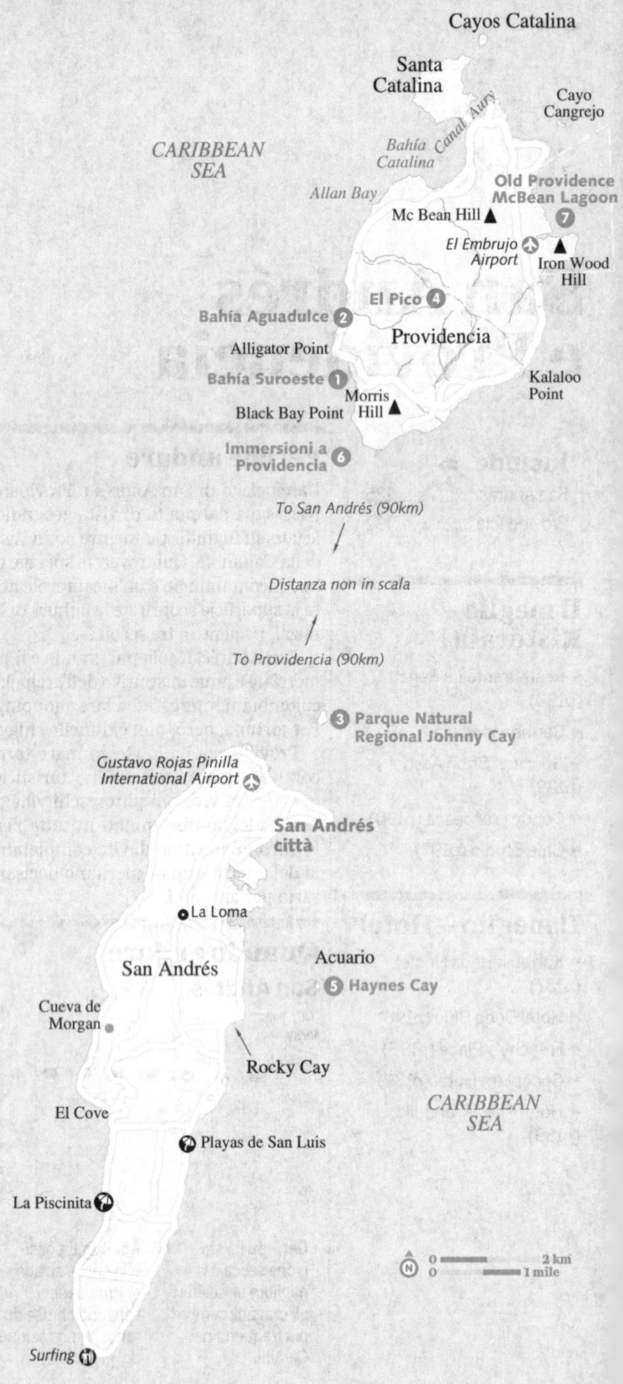

Storia

I primi abitanti di queste isole furono con ogni probabilità i coloni olandesi giunti a Providencia verso la fine del XVI secolo, che nel 1631 vennero cacciati dagli inglesi, primi veri dominatori dell'arcipelago. Gli inglesi deportarono dalla Giamaica un gran numero di schiavi neri e iniziarono a coltivare il tabacco e il cotone. I raizal discendono dalle unioni tra gli inglesi e i loro schiavi. Infastiditi dai successi ottenuti dagli inglesi, nel 1635 gli spagnoli tentarono inutilmente di invadere l'arcipelago.

Grazie alla loro posizione strategica, queste isole offrirono in seguito un rifugio sicuro ai pirati che attaccavano i galeoni spagnoli diretti in patria, carichi d'oro e di altre ricchezze. Nel 1670 il leggendario Henry Morgan si stabilì a Providencia, da dove partiva per le sue scorrerie a Panamá e a Santa Marta, e secondo la leggenda i suoi tesori sarebbero ancora nascosti sull'isola.

Poco dopo la proclamazione dell'indipendenza nel 1810, la Colombia rivendicò la sovranità su queste isole, suscitando la fiera opposizione del Nicaragua. Nel 1928 la questione venne risolta da un trattato che confermò la sovranità colombiana.

Il loro assoluto isolamento consentì alle isole di mantenere quasi intatta la loro caratteristica atmosfera anglo-caraibica, almeno fino agli anni '50, quando iniziarono a prestare servizio i primi aerei che le collegavano alla terraferma. Nel 1954 il governo colombiano dichiarò l'arcipelago zona franca, portando così sulle isole il turismo, il commercio, l'attività imprenditoriale e la cultura colombiana, che gradualmente sradicarono l'antica identità culturale dei raizal.

All'inizio degli anni '90 il governo introdusse alcune restrizioni all'immigrazione sulle isole, nel tentativo di rallentare l'afflusso dilagante e di preservare la cultura e l'identità locali. Nonostante queste misure, oggi i due terzi della popolazione di San Andrés sono costituiti da colombiani originari della terraferma e dal 1991 le lingue ufficiali sono l'inglese e lo spagnolo.

Lo straordinario boom commerciale e turistico ha determinato il tramonto di molte tradizioni secolari di San Andrés, che oggi presenta una cultura mista latinoamericana e anglocaraibica, per quanto esista un movimento volto a ripristinare le radici raizal dell'isola. Al contrario, Providencia è riuscita a conservare gran parte delle sue tradizioni coloniali, anche se il turismo si sta facendo sempre più strada nello stile di vita della gente del posto. Oggi lo spagnolo è diffuso quanto, se non di più, del tradizionale dialetto inglese che predominava fino a poco tempo fa.

Per quanto sia estremamente improbabile un mutamento nello status politico di San Andrés e di Providencia, il Nicaragua continua a rivendicare la sovranità su queste isole presso la Corte Internazionale di Giustizia dell'Aia. Nel 2007 il tribunale ha riaffermato la sovranità colombiana sulle isole principali, e nel 2012 sui confini marittimi e sulle isole minori.

San Andrés

☎8 / POP. 70.000

Situata appena 150 km a est del Nicaragua e circa 800 km a nord-ovest della Colombia continentale, quest'isola a forma di cavalluccio marino è nota per essere la meta del weekend preferita dai colombiani, che la frequentano per prendere il sole, fare shopping nei negozi duty free, bere e divertirsi. San Andrés città, il fulcro dell'isola, non regala immagini da cartolina, ma vanta comunque una bella passeggiata sul lungomare e negli ultimi anni ha cominciato a porre rimedio a quelle che con un eufemismo si potrebbero definire 'carenze estetiche'.

In effetti San Andrés dà il meglio di sé al di fuori del caos urbano. Grazie alle gite in barca nelle idilliache isolette al largo della costa, agli splendidi fondali per le immersioni e lo snorkelling e alla strada panoramica di 30 km che costeggia il resto dell'isola, dove la cultura anglocaraibica dei raizal si differenzia da quella colombiana importata in tempi molto più recenti, l'isola riesce comunque a conquistare i visitatori.

Che cosa vedere

Parque Natural Regional Johnny Cay SPIAGGIA

(COP$2000) Questo isolotto corallino protetto di 4 ettari, situato circa 1,5 km a nord di San Andrés città, è ammantato di palme da cocco e circondato da un'incantevole spiaggia di sabbia bianchissima (sicuramente la più bella di San Andrés) dove è possibile prendere il sole e fare il bagno, prestando però molta attenzione alle pericolose correnti. Le imbarcazioni partono dalla spiaggia principale della città (andata e ritorno con una barca collettiva/privata COP$10.000/30.000 per persona). L'ultima imbarcazione fa ritorno a San Andrés città alle 17 in alta stagione e alle 15.30 in bassa stagione.

Oltre al costo della barca e dell'ingresso all'isolotto, dovrete pagare per il cibo e le bevande consumate durante la permanenza. Quasi sicuramente verrete accolti da un cameriere non ufficiale che vi procurerà da mangiare e da bere, tenendo il conto di quanto consumate per presentarvelo alla fine. Tenete presente che questo isolotto può essere molto affollato e che i suoi visitatori devono condividerlo con una popolazione di circa 500 iguane.

San Luis VILLAGGIO

Situato lungo la costa orientale dell'isola, il villaggio di San Luis vanta spiagge di sabbia bianchissima e qualche bella casa tradizionale in legno. Per quanto a volte sia piuttosto mosso, in questa parte dell'isola il mare offre buone opportunità a chi desidera dedicarsi allo snorkelling. San Luis non possiede un vero e proprio centro, trattandosi in pratica di una fila lunga 3 km di case piuttosto trasandate e affacciate sul litorale, ma nonostante questo rappresenta una tranquilla alternativa a San Andrés città.

Cayo El Acuario SPIAGGIA

Situato nei pressi di Haynes Cay, al largo della costa orientale di San Andrés, Acuario è un banco di sabbia che si raggiunge in barca (andata e ritorno COP$15.000). In questo punto il mare è calmo e poco profondo e quindi particolarmente indicato per dedicarsi allo snorkelling. Se vi siete dimenticati di portare con voi l'attrezzatura, potete noleggiarla sul posto.

Haynes Cay ISOLA

Questa isoletta rocciosa non ha spiagge, ma è un posto idilliaco e selvaggio pieno di iguane e ideale per lo snorkelling. Ci sono anche un paio di ristoranti. L'isola è una bella meta per una gita in giornata per gran parte dell'anno, ma può essere molto affollata nei weekend e durante le vacanze di agosto. Il trasporto in barca costa COP$15.000.

Hoyo Soplador GEYSER

Situato nell'estremità meridionale dell'isola, l'Hoyo Soplador è un piccolo geyser dove l'acqua schizza fino a un'altezza di 20 m attraverso un foro naturale nella roccia corallina. Il fenomeno si verifica solo in determinate condizioni di vento e di marea, ma è uno spettacolo che merita di essere visto.

La Piscinita SPIAGGIA

(West View; COP$5000) Conosciuta anche con il nome di West View e situata immediatamente a sud di El Cove, La Piscinita è un bel sito per gli appassionati di snorkelling. Lambita da acque generalmente tranquille piene di pesci (che verranno a mangiare dalle vostre mani), la spiaggia è dotata di alcune strutture turistiche, tra cui un ristorante che serve cucina di mare e un negozio che noleggia l'attrezzatura da snorkelling.

La Loma VILLAGGIO

Chiamata anche The Hill (la Collina), questa cittadina situata nell'entroterra di San Andrés è uno dei luoghi più tradizionali dell'isola. È conosciuta per la sua antica chiesa battista, la prima fondata a San Andrés nel 1847. Merita decisamente una passeggiata per la sua atmosfera davvero unica.

Attività

Grazie alla splendida barriera corallina, San Andrés è un importante centro per le attività subacquee, con oltre 35 siti di immersione. A parte ciò, quasi tutti i visitatori si dedicano a fare il giro delle spiagge, alle escursioni in giornata alle varie isole, agli sport acquatici e ai divertimenti a San Andrés città.

Crucero Riviel GITE IN BARCA

(☎8-512-8840; Av Newball, San Andrés città) Offre escursioni in giornata che abbinano Acuario e Johnny Cay con partenza alle 8.30 (COP$30.000). Organizza anche gite meno frequenti ad altre isolette, siti di snorkelling e spiagge.

San Andrés Divers IMMERSIONI

(☎312-448-7230; www.sanandresdivers.com; Av Circunvalar, Km 10) Sebbene non si trovi in una posizione centrale comoda come quella di altri centri subacquei presenti sull'isola, questo grande negozio-scuola di immersioni gode di un'ottima reputazione e organizza corsi per il rilascio della certificazione PADI (COP$850.000). Una doppia immersione, attrezzatura inclusa, costa COP$165.000. L'ufficio è situato presso l'Hotel Blue Cove, mentre la piscina per l'addestramento e il centro subacqueo si trovano un po' più avanti lungo la strada principale.

Banda Dive Shop IMMERSIONI

(☎8-513-1080, 315-303-5428; www.bandadiveshop.com; Hotel Lord Pierre, Av Colombia, San Andrés città) Questa agenzia gestita da personale estremamente cortese organizza immersioni doppie a COP$200.000 e corsi per la certificazione PADI open-water a COP$850.000. Sicuramente uno degli operatori più professionali dell'isola.

Karibik Diver IMMERSIONI

(☎318-863-9552, 8-512-0101; www.karibik-diver.com; Av Newball n. 1-248, San Andrés città) Questa piccola agenzia gestita da tedeschi è in grado di fornire attrezzatura di buona qualità e un servizio personalizzato. Una doppia immersione senza attrezzatura costa COP$170.000, il corso per la certificazione PADI costa COP$900.000.

San Andrés Diving & Fishing SNORKELLING

(☎316-240-2182; sites.google.com/site/sanandresfishinganddiving; Portofino's Marina; uscite di 3 h COP$75.000) Jaime Restrepo organizza una popolarissima escursione a tre siti di snorkelling a San Andrés, con la possibilità di nuotare in mezzo alle pastinache. Si tratta di piacevoli uscite riservate a gruppi composti da un massimo di 10 persone, che partono alle 14 dalla Portofino's Marina nel Barracuda Park a San Andrés città; è indispensabile la prenotazione.

Coonative Brothers GITE IN BARCA

(☎8-512-1923, 8-512-2522) Situata sulla spiaggia di San Andrés città, questa cooperativa propone escursioni a Johnny Cay (COP$20.000 incluso l'ingresso) e Acuario (COP$15.000), oltre a un'uscita a entrambe le isole (COP$25.000).

Pernottamento

La maggior parte degli alberghi presenti sull'isola si trova a San Andrés città. A San Luis c'è qualche struttura ricettiva, mentre altrove troverete pochissime soluzioni di pernottamento. In genere gli alberghi dell'isola applicano tariffe più elevate rispetto a quelli situati sulla terraferma, ma oggi la scelta include anche parecchi ostelli.

San Andrés città

★**Karibbik Haus Hostel** OSTELLO $

(☎8-512-2519, 300-810-3233; www.karibbikhaus.com; Calle 11 n. 1a-1, Barrio los Almedros; letti in camerata COP$50.000-70.000, doppie a partire da 150.000; ❄📶) In città si sentiva il bisogno di un posto come questo nuovo ostello, una struttura economica ma con un tocco di stile. Le camerate sono spaziose e arredate con letti a castello di buona qualità, mentre le camere private, dotate di bagni scintillanti e comfort di ogni genere, sono decisamente degne di una struttura di media categoria.

San Andrés

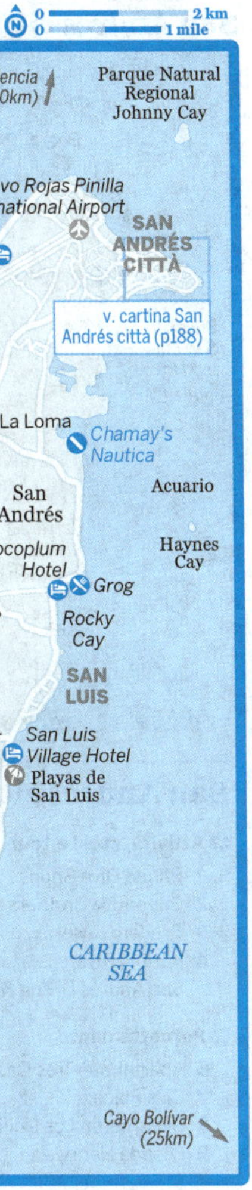

Cli's Place GUESTHOUSE $$

(☎8-512-0591; luciamhj@hotmail.com; Av 20 de Julio n. 3-47; singole/doppie/triple COP$80.000/140.000/190.000; ❄📶) Questa guesthouse gestita da raizal fa parte del programma *posada nativa*, che offre ai visitatori la possibilità di alloggiare presso gli abitanti dell'isola. Cli parla inglese e mette a disposizione otto semplici camere, alcune delle quali dotate di angolo cottura. Per arrivarci percorrete il vicolo con il cancello vicino al parco. Per avere anche la prima colazione bisogna pagare un supplemento di COP$10.000 per persona.

San Andrés città

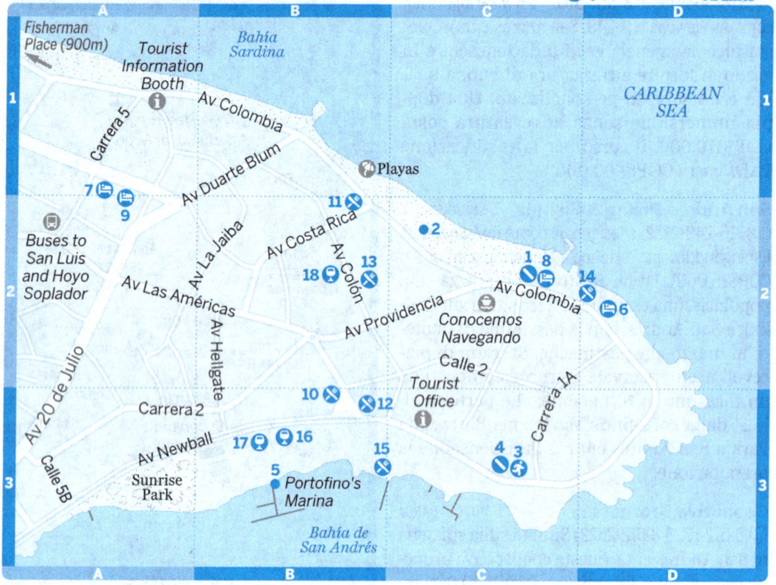

San Andrés città

Attività, corsi e tour

1 Banda Dive Shop C2
2 Coonative Brothers C2
3 Crucero Riviel C3
4 Karibik Diver C3
5 San Andrés Diving & Fishing B3

Pernottamento

6 Apartahotel Tres Casitas D2
7 Cli's Place A1
8 Decameron Los Delfines C2
9 Posada Henry A2

Pasti

10 Gourmet Shop Assho B3
11 Mahi Mahi B2
12 Miss Celia O'Neill Taste B3
13 Mr Panino B2
14 Perú Wok D2
15 Restaurante La Regatta B3

Locali e vita notturna

16 Banzai B3
17 Blue Deep B3
18 Éxtasis B2

Apartahotel Tres Casitas HOTEL **$$**
(☎8-512-5880; Av Colombia n. 1-60; camere con mezza pensione COP$130.000 per persona; ❄📶🏊) Questo delizioso albergo rivestito con assi di legno gialle e blu dispone di camere molto ampie e dotate di un angolo cottura e di un soggiorno. Le tariffe del pernottamento comprendono anche la prima colazione e la cena, e alcune camere hanno un balcone affacciato sul mare. Si tratta senza dubbio di una delle strutture ricettive più incantevoli di San Andrés città.

Posada Henry GUESTHOUSE **$$**
(☎8-512-6150; libiadehenry@hotmail.com; Av 20 de Julio n. 1-36; singole/doppie COP$50.000/90.000) Questa guesthouse situata in comoda posizione centrale ha aderito al programma *posada nativa*, che consente ai viaggiatori di pernottare nelle case della gente del posto. Tutte le camere sono dotate di ventilatore, pavimenti di piastrelle, bagno e frigorifero e decorate nei colori vivaci tipici dell'isola.

Decameron Los Delfines BOUTIQUE HOTEL **$$$**
(☎8-512-4083; www.decameron.com; Av Colombia n. 16-86; all-inclusive a partire da COP$528.000 per persona; ❄📶🏊) Il Los Delfines, primo bouti-

que hotel dell'isola e della catena Decameron, è una raffinata struttura da 36 camere. Tranquillo e discreto, gode di grande popolarità tra le coppie. Offre un ristorante sull'acqua, una piscina e mobili eleganti, il tutto all'interno di un edificio dal design innovativo che non sfigurerebbe a Los Angeles.

Isola di San Andrés

★Hotel Playa Tranquilo BOUTIQUE HOTEL **$$$**
(8-513-0719; www.playatranquilo.com; Km 8 Vía El Cove; camere con prima colazione a partire da COP$360.000;) Una statua del Buddha che si affaccia sulla piccola piscina caratterizza lo stile di questo boutique hotel, che dispone di camere fantastiche impreziosite da dettagli sia moderni sia tradizionali. Alcune camere sono dotate di cucina e di aree giorno in comune, caratteristiche che le rendono particolarmente indicate per chi viaggia con i bambini.

★Cocoplum Hotel HOTEL **$$$**
(8-513-2121; www.cocoplumhotel.com; Vía San Luis n. 43-39; singole/doppie con prima colazione COP$294.000/406.000;) Questo colorato resort affacciato su una splendida spiaggia privata di sabbia bianca, all'ombra delle palme, è caratterizzato da un'architettura in stile caraibico. Il suo ristorante (aperto anche a chi non pernotta nella struttura) serve per tutto l'arco della giornata squisiti piatti cucinati sul momento. Nelle immediate vicinanze si trova Rocky Cay, un bel posto per fare snorkelling.

San Luis Village Hotel HOTEL **$$$**
(8-513-0500; www.hotelsanluisvillage.com; Av Circunvalar n. 71-27, San Luis; singole/doppie con prima colazione a partire da COP$550.000/600.000;) Questo hotel molto confortevole dispone di 18 camere dotate di servizi di lusso come TV a schermo piatto e balconi o terrazzi privati.

Pasti

All'influenza creolo-caraibica si devono alcuni prodotti esotici che compaiono su quasi tutti i menu, come il frutto dell'albero del pane, l'alternativa locale ai *patacones* (*plátanos* fritti) come alimento ricco di amido, e l'onnipresente strombo. Non mancate di assaggiare il piatto più tradizionale di queste isole, vale a dire il *rundown* (detto *rondon* nella lingua creola locale), una densa zuppa con pesce pastellato, *plátanos*, manioca e altri ingredienti ricchi di amido cotti a fuoco lento in abbondante latte di cocco.

Perú Wok PERUVIANO **$$**
(www.peruwok.com; Av Colombia, Big Point; portate principali COP$20.000-50.000; 12-23;) Questo ristorante, che si distingue dalla concorrenza per il suo design raffinato e moderno, propone un assortimento di piatti fusion peruviano-asiatici, tra cui *ceviche*, specialità a base di pesce, riso, piatti saltati nel wok e grigliate. Si può scegliere tra l'elegante sala da pranzo e l'ariosa terrazza con vista sul mare.

Mr Panino ITALIANO **$$**
(Edificio Breadfruit, local 106-107, Av Colón; portate principali COP$20.000-50.000; 10-22 lun-sab, 16-22 dom) Nonostante il nome turistico, questo locale a San Andrés città è un posto eccellente. Nel suo reparto gastronomia potrete trovare prosciutto di Parma e deliziosi formaggi; il menu propone panini, piatti di pasta, pizza, risotto e perfino carpaccio di polpo.

Miss Celia O'Neill Taste CUCINA DI MARE **$$**
(Av Newball; portate principali COP$20.000-40.000; 12-15 e 18-22) Questo grazioso locale, ubicato in una pittoresca casa in tradizionale stile caraibico dotata di un grande giardino e un arioso dehors, rappresenta una buona scelta per assaggiare piatti locali come il *rondon*, e granchio e pesce in umido.

Fisherman Place CUCINA DI MARE **$$**
(8-512-2774; Av Colombia; portate principali COP$15.000-50.000; 12-16) Questo ristorante all'aperto situato sul lungomare di San Andrés città rappresenta un'ottima occasione per sostenere i pescatori dell'isola e mangiare bene. I piatti più popolari sono il *rondon* e il pesce fritto.

Grog CUCINA DI MARE **$$**
(Rocky Cay; portate principali COP$20.000-40.000; 10-18 mer-lun) Questo locale piccolo e molto accogliente dispone di tavoli all'ombra disseminati sulla spiaggia e propone un buon assortimento di piatti a base di pesce, tra cui *ceviche*, riso e cibi saltati nel wok, nonché saporiti antipasti.

★Gourmet Shop Assho EUROPEO **$$$**
(Av Newball; portate principali COP$30.000-85.000; 12-15 e 18-23 lun-sab, 12-23 dom;) Questo locale dal nome decisamente insolito spicca nel panorama culinario di San Andrés città sia per il suo incantevole arredamento sia per lo straordinario menu, che propone squisite bi-

stecche, saporiti piatti di pesce e un assortimento di insalate, tapas e piatti vegetariani. Troverete anche un'eccellente carta dei vini, ottimo caffè e deliziosi dessert.

★ **Restaurante La Regatta** CUCINA DI MARE $$$
(☎ 317-744-3516; www.restaurantelaregatta.com; Av Newball; portate principali COP$30.000-100.000; ⏲ 12-15 e 18.30-23; ✎) Il miglior ristorante delle isole si trova su un pontile di legno situato presso il Club Náutico a San Andrés città. A dispetto dei suoi cimeli piuttosto pacchiani a tema piratesco, il Restaurante La Regatta ha un'atmosfera formale, con tanto di tovaglie bianche. La cucina serve piatti deliziosi, tra cui spicca la *langosta regatta*, praticamente perfetta.

★ **Donde Francesca** CUCINA DI MARE $$$
(San Luis; portate principali COP$30.000-60.000; ⏲ 9-18; 📶) Questo arioso locale situato proprio sulla spiaggia sarà anche poco più che un capanno, ma serve specialità tradizionali caraibiche assolutamente deliziose come *langostinos al coco* (gamberi impanati e fritti con noce di cocco), *pulpo al ajillo* (polpo all'aglio) e tempura di calamari. Essendoci anche docce e spogliatoi potrete fare una nuotata.

Mahi Mahi THAILANDESE $$$
(Hotel Casablanca, Av Colombia; portate principali COP$30.000-95.000; ⏲ 12-23; 📶) Questo raffinato ristorante thailandese situato sul lungomare fa parte dell'Hotel Casablanca e offre un'alternativa molto gradevole ai menu colombiani, grazie alla presenza di saporiti curry e di piatti arricchiti da un tocco locale. Oltre a un economico menu thailandese,

IMMERSIONI A SAN ANDRÉS E PROVIDENCIA

Le tariffe dei corsi per sub e delle singole immersioni spesso sono più economiche sulla terraferma, ma la ricchezza di coralli e l'incredibile varietà di fauna marina presente nelle acque di queste isole possono rivaleggiare con qualunque altra località caraibica.

San Andrés e Providencia possiedono vaste barriere coralline – lunghe rispettivamente 15 e 35 km – particolarmente apprezzabili per le spugne, presenti in una straordinaria varietà di forme, dimensioni e colori. Tra le altre specie marine che popolano queste acque figurano barracuda, squali, tartarughe, aragoste, mante e lutiani rossi. Gli appassionati di relitti marini potranno esplorare due navi affondate, la *Blue Diamond* e la *Nicaraguense*, situate al largo della costa di San Andrés.

Di seguito riportiamo i cinque siti di immersione più belli presenti nei pressi di San Andrés e Providencia:

Palacio de la Cherna Questa parete sottomarina situata a sud-est di San Andrés inizia a 12 m di profondità e scende per circa 300 m. Nelle sue acque si avvistano comunemente pesci pappagallo, pesci tigre, granchi reali, aragoste e perfino squali nutrice e squali del reef.

Cantil de Villa Erika Situato a sud-ovest di San Andrés, il Cantil de Villa Erika raggiunge profondità che variano da 12 a 45 m lungo una variopinta barriera corallina ricca di spugne, coralli morbidi e duri, tartarughe marine, mante, aquile di mare maculate e cavallucci marini.

La Piramide Alla Piramide è possibile fare bellissime immersioni in acque poco profonde all'interno della barriera corallina sul versante settentrionale di San Andrés, una zona considerata un vero paradiso delle pastinache. L'incredibile numero di pesci, polpi e murene lo rende uno dei fondali più attivi dell'isola.

Tete's Place Questo sito simile a un acquario situato 1 km al largo di Bahía Suroeste, a Providencia, è frequentato da vasti banchi di triglie gialle di medie dimensioni, pesci azzannatori, pesci grugnitori e pesci scoiattolo.

Manta's Place Nonostante il nome, in questo sito di Providencia non ci sono le mante, ma è possibile invece vedere le pastinache meridionali, la cui apertura alare può raggiungere 1,5 m. Osservando la sabbia, tra i cumuli di corallo vedrete creature simili a piumini per la polvere: sono i gronghi giardinieri bruni, che si nascondono nella sabbia per proteggersi.

il Mahi Mahi propone anche un più costoso menu colombiano di pesce.

El Paraíso CUCINA DI MARE **$$$**
(San Luis; portate principali COP$30.000-60.000; ⏲9-17; 📶) Situato su una bellissima spiaggia di sabbia bianca, l'El Paraíso è un ristorante leggermente più elegante dei semplici capanni affacciati sul mare, ma serve pesce fresco della stessa altissima qualità.

Locali e vita notturna

Lungo l'estremità orientale di Av Colombia a San Andrés città si trovano numerosi locali notturni. Nella maggior parte dei casi si tratta di posti frequentati da vacanzieri colombiani alticci e con musica a tutto volume che non rientrano nei gusti dei turisti stranieri.

Banzai COCKTAIL BAR
(Av Newball, local 119, San Andrés città; ⏲19-2) Se desiderate bere qualcosa a tarda sera senza andare in un locale notturno, il Banzai è un fantastico cocktail bar frequentato soprattutto dalla gente del posto. I drink ben calibrati vengono serviti da camerieri esperti su un gradevole sottofondo di musica reggae. L'atmosfera riesce a essere raffinata e al tempo stesso abbastanza alternativa.

Éxtasis DISCOTECA
(Hotel Sol Caribe San Andrés, Av Colón, San Andrés città; ⏲21.30-3 lun-gio, fino alle 4 ven e sab) La discoteca più rinomata e affollata di San Andrés, l'Éxtasis, si trova all'ultimo piano dell'Hotel Sol Caribe. Ha un'immensa pista da ballo sempre gremita nei weekend e una capienza di 500 persone. L'ingresso ha un costo variabile, ma include una quota di COP$15.000 per i cocktail.

Blue Deep DISCOTECA
(Sunrise Beach Hotel, Av Newball, San Andrés città; ⏲21.30-3 gio-sab) La discoteca più grande della città è in grado di accogliere oltre 700 persone e ospita spesso coinvolgenti esibizioni di musica dal vivo – nella maggior parte dei casi salsa e reggaeton – e una clientela molto eterogenea di turisti e gente del posto, che barcollano tutti visibilmente dopo aver bevuto troppi schiumosi punch al rum. L'ingresso costa COP$20.000.

Informazioni

I visitatori di San Andrés troveranno molte informazioni utili sia nell'**ufficio turistico principale** (Secretaría de Turismo; ☎8-513-0801; Av Newball, San Andrés città; ⏲8-12 e 14-18 lun-ven) sia nel più piccolo **chiosco di informazioni turistiche** (all'angolo tra Av Colombia e Av 20 de Julio; ⏲8-18) situato sul lungomare.

Per/da San Andrés

AEREO

Il **Gustavo Rojas Pinilla International Airport** (Aeropuerto Internacional Sesquicentenario; ☎8-512-6112; San Andrés) si trova proprio nel centro della città e la pista termina sulla spiaggia. Tenete presente che prima di imbarcarvi su un volo diretto a San Andrés dovrete acquistare una carta turistica (COP$44.000) sul continente. La carta viene venduta al gate, per cui non vi lasceranno salire a bordo se ne siete sprovvisti. Tra le compagnie aeree che servono San Andrés figurano **Avianca** (☎8-512-3216; www.avianca.com; Gustavo Rojas Pinilla International Airport), **LATAM** (☎1-800-094-9490; www.latam.com; Gustavo Rojas Pinilla International Airport) e **Copa** (☎8-512-7619; www.copaair.com; Gustavo Rojas Pinilla International Airport), e tra le città collegate con voli diretti vi sono Bogotá, Barranquilla, Cali, Cartagena, Medellín e Panamá.

Satena (☎8-512-1403; www.satena.com; Gustavo Rojas Pinilla International Airport) e **Searca** (☎8-512-2237; www.searca.com.co; Gustavo Rojas Pinilla International Airport) operano due voli al giorno tra San Andrés e Providencia in bassa stagione (andata e ritorno a partire da COP$450.000) e fino a sei voli in alta stagione.

IMBARCAZIONI

Conocemos Navegando (☎numero verde 01-8000-111-500; www.conocemosnavegando.com; Centro Comercial New Point L.111, Av Providencia; sola andata/andata e ritorno COP$170.000/300.000; ⏲8-19 lun-ven, 8-13 sab) offre costose traversate in catamarano tra San Andrés e Providencia in entrambe le direzioni tutti i giorni tranne il martedì. Le imbarcazioni partono dal **Muelle Toninos** alle 8 e fanno ritorno alle 14.30 dello stesso giorno. I passeggeri devono arrivare almeno un'ora e 30 minuti prima della partenza per registrarsi. La traversata dura tre ore e il mare può essere molto mosso. Si può approfittare di questo mezzo per visitare Providencia con un'escursione in giornata, ma si tratterebbe di una visita frettolosa. I catamarani sono spesso al completo, anche in bassa stagione, quindi prenotate per tempo.

Trasporti locali

PER/DALL'AEROPORTO

Il **Gustavo Rojas Pinilla International Airport** di San Andrés dista 10 minuti a piedi dal centro della città; in alternativa potete prendere un taxi o un mototaxi al costo fisso di COP$15.000 e COP$7000 rispettivamente. Se non avete molti bagagli, potete andarci a piedi. All'interno del terminal c'è un deposito bagagli (COP$5000 per collo per 24 h).

AUTOBUS

Gli autobus locali fanno il giro dell'isola e percorrono la strada che si inoltra nell'entroterra fino a El Cove. Sono il mezzo più economico per spostarsi (COP$2000 a corsa) e possono farvi scendere vicino a tutte le principali attrattive turistiche.

L'autobus con l'indicazione 'San Luis' percorre la strada litoranea orientale fino all'estremità meridionale dell'isola; prendetelo per raggiungere **San Luis** e **Hoyo Soplador**. L'autobus con l'indicazione 'El Cove' percorre invece la strada nell'entroterra fino a El Cove, attraversando La Loma ed effettuando una fermata davanti alla chiesa battista, da dove con una breve passeggiata si può raggiungere la Piscinita. Potete prendere entrambi gli autobus in fondo a Carrera 5 a San Andrés città.

BICICLETTA

Spostarsi in bicicletta a San Andrés consente di apprezzare l'isola nel modo migliore. Le strade sono asfaltate, ci sono pochissime salite e c'è poco traffico. Le tariffe del noleggio per mezza giornata/giornata intera partono da circa COP$10.000/20.000.

SCOOTER

I mezzi migliori per visitare l'isola per conto proprio sono senza dubbio lo scooter (a partire da COP$70.000 al giorno, ma anche COP$120.000 in alta stagione) e il golf buggy (chiamato *mula*; a partire da COP$100.000 al giorno). Ci sono decine di noleggi, molti dei quali concentrati in Av Newball a San Andrés città e all'estremità dell'isola. Quasi tutti vi consegneranno lo scooter in hotel. Tariffe e condizioni variano notevolmente, quindi fate un giro prima di scegliere.

TAXI

Un giro turistico dell'isola in taxi costa circa COP$70.000.

Providencia

☎8 / POP. 5000

Situata 90 km a nord di San Andrés, Providencia è un'isola caraibica meravigliosamente remota e tradizionale, con panorami mozzafiato, fantastiche spiagge di sabbia dorata, abitanti cordiali e straordinari siti di immersione. Dal momento che è molto difficile raggiungerla, dovrete dividere questo angolo di paradiso solo con altri viaggiatori intrepidi disposti ad affrontare un breve volo a bordo di un traballante aereo da 20 posti o con una traversata in catamarano di tre ore, spesso con il mare mosso.

Priva di collegamenti diretti con il continente, Providencia non ha subito le colonizzazioni culturali di San Andrés, e di conseguenza le sue tradizioni e i suoi antichi costumi sono ancora abbastanza integri. Su quest'isola sentirete parlare il dialetto anglocreolo e le indicazioni stradali riportano i vecchi toponimi inglesi, anziché i loro equivalenti spagnoli. Se a tutto questo aggiungete i magnifici panorami sul mare turchese, capirete perché Providencia può considerarsi un pittoresco paradiso.

Che cosa vedere

Parque Nacional Natural Old Providence McBean Lagoon PARCO

(COP$17.000) Per proteggere l'habitat marino della parte nord-orientale dell'isola, nel 1995 è stato istituito questo parco nazionale che occupa una superficie di 10 kmq, il 10% circa della quale è formato dalle paludi costiere di mangrovie che si estendono a est dell'aeroporto, mentre i restanti 905 ettari includono una fascia di mare comprendente gli isolotti di Cayo Cangrejo e di Cayo Tres Hermanos. Un sentiero naturalistico lungo 800 m aiuta a identificare le diverse specie di mangrovie e la fauna che le abita.

Cayo Cangrejo ISOLA

(Crab Quay) Cayo Cangrejo, un'isoletta che fa parte del Parque Nacional Natural Old Providence McBean Lagoon, si erge in modo bruscamente spettacolare al largo della costa. È priva di spiagge, ma in compenso offre stupendi fondali per le immersioni e lo snorkelling, oltre a un paio di bar che servono bevande e piatti di pesce. I comandanti delle imbarcazioni trasportano i visitatori da Maracaibo, dove stazionano all'esterno dell'Hotel Deep Blue (p196). Potete concordare un appuntamento direttamente con loro. La traversata costa COP$44.000 per persona, più COP$17.000 di tassa di ingresso al parco nazionale.

Bahía Manzanillo SPIAGGIA

(Manicheel Bay) Questa incantevole distesa di sabbia bianca è anche la spiaggia più selvaggia di Providencia. È priva infatti di qualsiasi edificio, fatta eccezione per il popolarissimo Roland Roots Bar (p197). Qui il mare è spesso mosso e la spiaggia può essere disseminata di alghe, ma il posto è davvero magico. In genere si può fare il bagno in sicurezza, ma evitate di andare troppo al largo perché ci sono forti correnti.

Bahía Aguadulce SPIAGGIA

(Freshwater Bay) Questo piccolo e sonnolento villaggio offre una grande pace e un'incantevole spiaggia sabbiosa. Qui ci sono più di una dozzina di strutture ricettive, molte delle quali proprio sulla spiaggia, oltre a un paio di scuole per sub.

Providencia

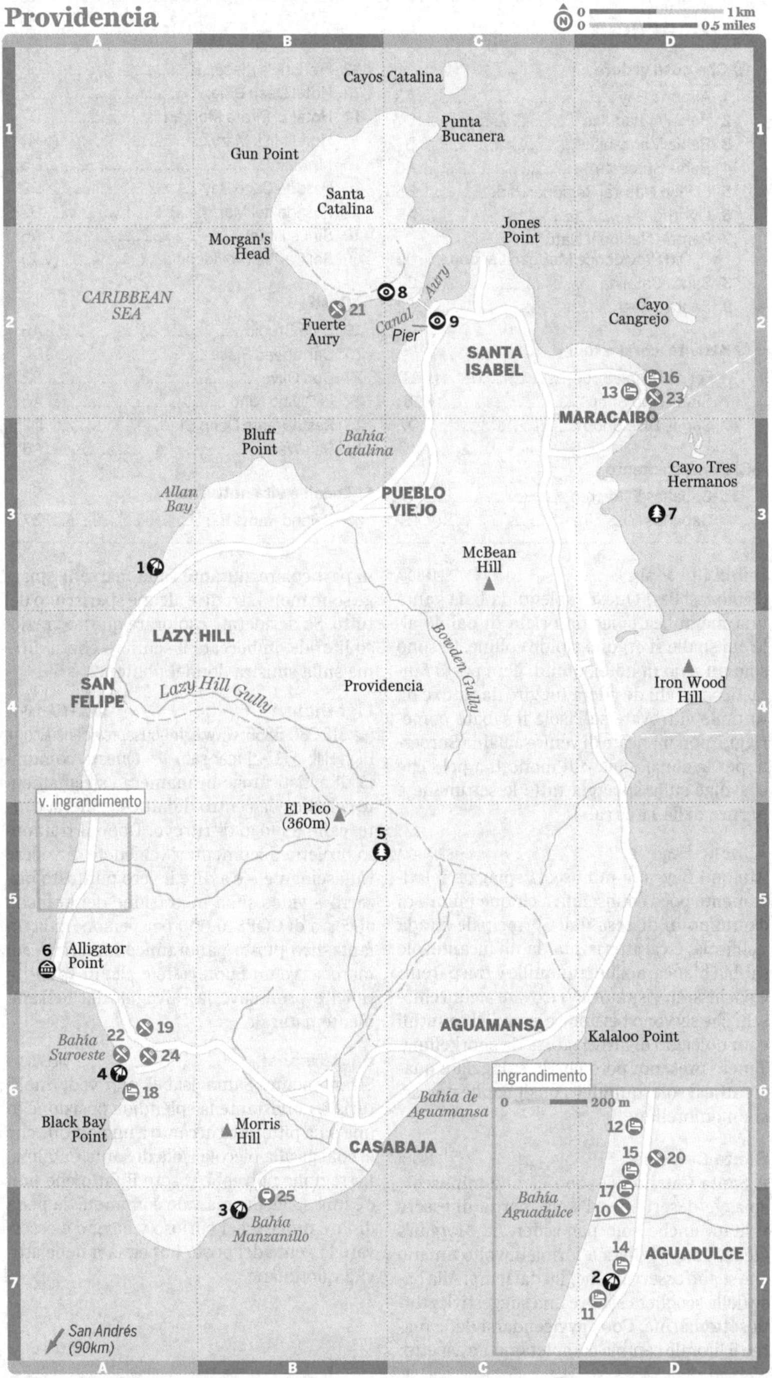
0 1 km
0 0.5 miles
A
B
C
D
1
2
3
4
5
6
7
Cayos Catalina
Punta Bucanera
Gun Point
Santa Catalina
Jones Point
Morgan's Head
CARIBBEAN SEA
8
21
Fuerte Aury
Canal Aury
9
Pier
Cayo Cangrejo
SANTA ISABEL
16
13
23
MARACAIBO
Bluff Point
Bahía Catalina
Cayo Tres Hermanos
Allan Bay
PUEBLO VIEJO
7
1
McBean Hill
LAZY HILL
Bowden Gully
Iron Wood Hill
SAN FELIPE
Lazy Hill Gully
Providencia
v. ingrandimento
El Pico (360m)
5
6
Alligator Point
19
Bahía Suroeste
22
24
AGUAMANSA
Kalaloo Point
4
18
ingrandimento
0 200 m
Bahía de Aguamansa
Black Bay Point
Morris Hill
CASABAJA
12
15
20
25
3
Bahía Manzanillo
Bahía Aguadulce
17
10
14
AGUADULCE
2
11
San Andrés (90km)

Providencia

Che cosa vedere

1 Almond Bay A3
2 Bahía Aguadulce D7
3 Bahía Manzanillo B7
4 Bahía Suroeste A6
5 El Pico Natural Regional Park B5
6 Lighthouse A5
7 Parque Nacional Natural Old Providence McBean Lagoon D3
8 Santa Catalina C2
9 Santa Isabel C2

Attività, corsi e tour

Felipe Diving Shop .... (v. 11)
Sirius Dive Shop .... (v. 18)
10 Sonny Dive Shop D7

Pernottamento

11 Cabañas El Recreo D7
Cabañas Miss Elma .... (v. 11)
12 Frenchy's Place D6
13 Hotel Deep Blue D2
14 Hotel El Pirata Morgan D7
Hotel Miss Mary .... (v. 4)
15 Mr Mac D6
16 Posada Coco Bay D2
17 Posada del Mar D7
18 Sirius Hotel A6
Sol Caribe Providencia .... (v. 2)

Pasti

19 Café Studio A6
20 Caribbean Place D6
21 Don Olivo B2
22 El Divino Niño A6
23 Restaurante Deep Blue D2
24 Salt Wata A6

Locali e vita notturna

25 Roland Roots Bar B7

Bahía Suroeste — SPIAGGIA

(Southwest Bay) Questa splendida baia vanta una magnifica spiaggia orlata di palme alle cui spalle si ergono ripide colline. Ci sono solo un paio di hotel, quindi è un posto fantastico per chi desidera fuggire da tutto e da tutti. Se vi trovate sull'isola il sabato pomeriggio, non mancate di venire a Bahía Suroeste per la corsa di cavalli montati a pelo che si svolge sulla spiaggia tutte le settimane a partire dalle 14 circa.

Almond Bay — SPIAGGIA

Almond Bay, una minuscola spiaggia relativamente poco conosciuta a cinque minuti di cammino in discesa dalla principale strada dell'isola, è caratterizzata da un'incantevole sabbia bianca, acque tranquille e trasparenti e pochissimi visitatori. Vi trovate alcuni chioschi che servono bevande e semplici spuntini e un noleggio di attrezzatura da snorkelling. Tenete presente però che la spiaggia è quasi tutta al sole, quindi è consigliabile portarsi un ombrellone.

Santa Catalina — ISOLA

A Santa Catalina ci sono alcune minuscole spiagge deserte, ma l'isola merita di essere visitata anche solo per vedere la Morgan's Head, una scogliera a forma di volto umano che si può osservare meglio dal mare. Alla base della scogliera si apre una suggestiva grotta sottomarina. Con l'avvicendarsi delle maree il litorale cambia completamente aspetto; in particolare, durante l'alta marea le spiagge sono molto strette e alcune spariscono del tutto. Se desiderate esplorare questo grazioso litorale, imboccate il sentiero che si dirama sulla sinistra dopo il pontone.

Lighthouse — GALLERIA D'ARTE

(☎313-380-5866; www.lighthouseprovidencia.com; High Hill; ⏲17-21 mar-sab) Questa comunità di artisti funge in maniera estremamente eclettica da centro didattico, galleria d'arte, caffè e luogo di ritrovo. Dopo il tramonto proietta documentari (chiedete di vedere l'affascinante – e a dire il vero piuttosto bizzarro – video sulla migrazione dei granchi, al costo di COP$10.000 per persona); da un fantastico punto panoramico affacciato sul mare serve un buon caffè e alcuni spuntini tipici e promuove la salvaguardia dell'ambiente naturale.

Santa Isabel — VILLAGGIO

Stranamente, Santa Isabel non vede molti turisti, nonostante la splendida posizione in una baia pittoresca accanto a un pontone che la collega alla piccola isola di Santa Catalina. La ragione potrebbe essere il fatto che non c'è una spiaggia, ma vale comunque la pena di fare un giro nel curioso villaggio e osservare la gente del posto impegnata nelle attività quotidiane.

Attività

Le spiagge migliori di Providencia sono Bahía Suroeste, Bahía Aguadulce e Bahía Manzanillo, situate nell'estremità meridionale dell'isola, ma ci sono molti altri posti incantevoli per fare una nuotata.

Immersioni e snorkelling

Le due principali attrattive dell'isola sono lo snorkelling e le immersioni subacquee, e non dovreste lasciarvi sfuggire l'opportunità di praticarle. Grazie alle acque limpide e alla straordinarie forme di vita marina presenti sul reef, questo è uno dei posti migliori dei Caraibi per scoprire il mondo sommerso. Gli operatori locali propongono escursioni con immersioni e corsi per sub, e il numero sempre maggiore di nuove agenzie determina una sana concorrenza.

Felipe Diving Shop IMMERSIONI
(☎8-514-8775; www.felipediving.com; Aguadulce) Questa affidabile agenzia gestita da un raizal organizza escursioni con immersioni e corsi per sub. I corsi open-water e avanzati costano COP$880.000. Oltre alle immersioni diurne a decine di siti, Felipe offre anche immersioni notturne (COP$200.000).

Sirius Dive Shop IMMERSIONI
(☎8-514-8213; www.siriushotel.net; Bahía Suroeste) Questo centro ospitato all'interno del complesso del Sirius Hotel (p196) organizza corsi di immersioni open-water o avanzati al prezzo di COP$800.000. Per un'immersione doppia e il noleggio di equipaggiamento di buona qualità si spendono COP$200.000. Organizzano anche immersioni notturne (COP$220.000).

Sonny Dive Shop IMMERSIONI
(☎313-430-2911, 318-274-4524; www.sonnydiveshop.com; Aguadulce) Il Sonny Dive Shop di Aguadulce offre corsi open-water o avanzati a COP$850.000. Le immersioni doppie costano COP$190.000, quelle notturne COP$150.000.

Escursionismo

L'entroterra montuoso dell'isola è molto interessante sia per la sua rigogliosa vegetazione sia per gli animali di piccola taglia, che contribuiscono a renderlo particolarmente indicato per gli appassionati di escursionismo. Probabilmente in nessun altro luogo della Colombia vi capiterà di vedere così tante lucertole variopinte, iguane e granchi neri che guizzano tra il verde. Fate attenzione a non toccare un arbusto molto comune, facilmente riconoscibile dalla presenza di vistose spine simili a corna, in cui vivono formiche dal morso estremamente doloroso. In questa zona ci sono anche molte zanzare.

Una magnifica escursione attraversa le fitte foreste montane dell'**El Pico Natural Regional Park** FREE e regala splendidi panorami a 360° sul Mar dei Caraibi dalla cima dell'El Pico (360 m). Il sentiero più frequentato inizia a Casabaja. Chiedete indicazioni, perché nella parte bassa si intersecano diversi sentieri (mentre più in alto non si incontrano problemi), oppure ingaggiate una persona del posto per farvi accompagnare. Per raggiungere la vetta ci vogliono 90 minuti di cammino senza interruzioni ed è preferibile affrontare la salita al mattino presto.

Feste ed eventi

Migrazione dei granchi NATURA
(⌚apr-lug) Questa migrazione si verifica due volte all'anno tra aprile e luglio e dura una o due settimane. I granchi neri adulti scendono fino alle spiagge e depongono le uova, dopo di che fanno ritorno sulle montagne. Diverse settimane dopo i piccoli granchi lasciano il mare e raggiungono gli adulti. In questa occasione le strade vengono chiuse al traffico, in modo da proteggere i granchi che le attraversano.

Festival culturale CULTURA
(⌚giu) La principale manifestazione culturale di Providencia si tiene l'ultima settimana di giugno e prevede concerti, spettacoli di danza, una sfilata di motociclette e un divertente concorso di bellezza per le iguane.

Pernottamento

Le strutture ricettive di Providencia tendono a essere alquanto deludenti, con hotel gestiti in modo mediocre che fanno affidamento solo sulle attrattive dell'isola. La maggior parte delle opzioni sono ubicate ad Aguadulce o Bahía Suroeste, dove c'è un numero in costante aumento di piccoli cottage, hotel e *cabañas*. Tuttavia si possono trovare sistemazioni in tutta l'isola, e la zona settentrionale – dove praticamente non si vedono visitatori – può offrire un piacevole contrasto con le aree più turistiche a sud.

Posada Coco Bay GUESTHOUSE $$
(☎311-804-0373; posadacocobay@gmail.com; Maracaibo; singole/doppie a partire da COP$100.000/150.000; ❄📶) Questa guesthouse rustica con vista su Cayo Cangrejo e dotata di balconi di legno con amache rappresenta un'eccellen-

te opzione per la sua atmosfera rilassata e tipicamente isolana. Le camere impeccabili sono dotate di zanzariere e alcune anche di angolo cottura. Non c'è la spiaggia, ma è lo stesso possibile fare il bagno.

Mr Mac CABAÑAS **$$**
(☎318-695-9540, 316-567-6526; posadamistermack@hotmail.com; Aguadulce; bungalow/appartamenti COP$70.000/90.000 per persona; ❄) La struttura ricettiva più economica dell'isola è anche una delle più ospitali, grazie alla calorosa accoglienza che la padrona di casa, Laudina, riserva ai suoi ospiti. La casa di legno dipinta di verde sorge proprio sull'acqua e presenta una veranda piena di amache. Le camere sono spaziose e gli immensi appartamenti hanno l'angolo cottura. Dal giardino si può entrare direttamente in mare.

Cabañas Miss Elma CABAÑAS **$$**
(☎310-566-3773, 8-514-8229; Aguadulce; camere con prima colazione COP$150.000 per persona; ❄) Situato proprio sull'incantevole spiaggia orlata di palme di Aguadulce, questo posto accogliente a gestione familiare è dotato di pittoresche zone comuni e di un ristorante deliziosamente informale vicino al mare. Le sei *cabañas* con pannelli di legno sono semplici, ma spaziose e pulitissime. Alcune hanno la vista sul mare e tutte sono dotate di frigo e TV.

Cabañas El Recreo CABAÑAS **$$$**
(☎317-425-5389; capbryan@hotmail.com; Aguadulce; singole/doppie/triple con prima colazione COP$120.000/206.000/292.000; ❄📶) Questi capanni in legno dipinti di arancione disposti lungo il margine della spiaggia di Aguadulce non sono particolarmente ricchi di fascino, ma vantano una posizione da sogno a pochi metri dalle onde. Ognuno è dotato di frigo e TV; le camere situate proprio sulla spiaggia hanno lo stesso prezzo, quindi prenotate per tempo.

Posada del Mar HOTEL **$$$**
(☎8-514-8454; www.decameron.com; Aguadulce; singole/doppie con prima colazione a partire da COP$140.000/250.000; ❄📶) Questo hotel affiliato alla catena Decameron sembra di dimensioni modeste, ma in realtà è più grande di quanto sembri dalla strada. Le camere, ben tenute e tinteggiate in colori vivaci, presentano piccoli balconi affacciati sul mare; c'è anche un giardino da cui si può entrare in mare.

Hotel Deep Blue HOTEL **$$$**
(☎315-324-8443, 321-458-2099; www.hoteldeepblue.com; Maracaibo; doppie/suite con prima colazione a partire da COP$610.000/770.000; ❄📶🏊) L'hotel di gran lunga più elegante di Providencia offre 12 camere spaziose con pavimenti in marmo, docce a pioggia, TV a schermo piatto e raffinati articoli da bagno. Le camere di categoria superiore hanno addirittura balconi con minuscole infinity pool, e sul tetto c'è una piscina comune dalla quale è possibile ammirare un fantastico panorama su Cayo Cangrejo. Il Deep Blue offre inoltre un eccellente ristorante situato sul lungomare.

Frenchy's Place APPARTAMENTO **$$$**
(☎315-709-6910, 318-306-1901; posadafrenchysprovidencia@gmail.com; Aguadulce; singole/doppie/triple COP$190.000/250.000/310.000) Gestito dalla parigina Marie (chiamata familiarmente dalla gente del posto 'Frenchy'), questo incantevole appartamento rustico in legno è probabilmente la struttura ricettiva più caratteristica dell'isola. Offre un fantastico balcone affacciato sul mare, due camere da letto (una doppia e l'altra singola), una cucina completamente attrezzata, un bagno e un soggiorno pieno di soprammobili insoliti. Prenotate con largo anticipo.

Sirius Hotel HOTEL **$$$**
(☎8-514-8213; www.siriushotel.net; Bahía Suroeste; singole/doppie/triple con prima colazione a partire da COP$190.000/310.000/400.000; ❄📶) Il Sirius vanta una posizione da sogno a Bahía Suroeste. Ha camere pulitissime, alcune delle quali con un'incantevole vista sul mare e perfino il balcone. Una scelta perfetta per chi vuole trascorrere qualche giorno tranquillo sulle spiagge o a fare immersioni.

Hotel El Pirata Morgan HOTEL **$$$**
(☎8-514-8232; www.elpiratamorganhotel.org; Aguadulce; singole/doppie/triple con prima colazione COP$180.000/220.000/310.000; ❄📶🏊) Il Pirata Morgan, una struttura affidabile nel cuore di Aguadulce, sarà anche privo della tipica eleganza caraibica di alcuni hotel nelle vicinanze e ha interni piuttosto datati, ma l'accoglienza è calorosa e le camere sono pulite. Ci sono anche una bella piscina e un giardino ubicato in posizione ideale per ammirare il tramonto. Inoltre la spiaggia si trova a due passi.

Hotel Miss Mary HOTEL **$$$**
(☎8-514-8454; www.hotelmissmary.blogspot.com; Bahía Suroeste; singole/doppie con prima colazione COP$140.000/220.000; ❄📶) Il Miss Mary offre camere ben arredate proprio sull'idilliaca spiaggia di Bahía Suroeste, ognuna dotata di un grande spazio interno con amache,

TV via cavo e acqua calda. Si tratta di una struttura confortevole, le camere hanno una splendida vista sul mare, e sulla spiaggia ci sono numerosi ristoranti facilmente raggiungibili a piedi.

Sol Caribe Providencia HOTEL $$$
(☎8-514-8230; Aguadulce; camere con prima colazione e cena a partire da COP$190.000 per persona; ❄📶🏊) Ispirandosi ai colori dell'isola, questo hotel giallo brillante è il più lussuoso di Aguadulce. Offre un gradevole ristorante affacciato sul mare, camere spaziose e pulite con bei mobili in legno pregiato, verande e vivaci opere d'arte caraibica. Situato proprio sulla spiaggia, costituisce un'ottima scelta per Aguadulce.

Pasti

El Divino Niño CUCINA DI MARE $$
(Bahía Suroeste; portate principali COP$20.000-44.000; ⏲12-18) Non è difficile capire perché questo ristorante ben situato sulla spiaggia migliore di Providencia sia così popolare: i tavoli sono disposti sulla sabbia all'ombra delle palme, con le onde che lambiscono i piedi, mentre i camerieri servono pesce, aragosta, granchio e strombo, tutti freschissimi. Se siete indecisi, ordinate il superbo *plato mixto* di pesce. Purtroppo la musica sparata a tutto volume rovina l'atmosfera tranquilla, ma del resto non bisogna dimenticare che ci troviamo in Colombia!

Salt Wata CUCINA DI MARE $$
(☎311-253-5087; Bahía Suroeste; portate principali COP$20.000-60.000; ⏲8-10, 12-15 e 18-22 mer-lun) Questo minuscolo locale, che dispone solo di due tavoli all'esterno e due nella sala da pranzo/cucina dall'illuminazione intensa, serve piatti di pesce della cucina creola tradizionale da un ricco menu che include anche *ceviche*, panini e tacos.

★**Café Studio** CUCINA DI MARE $$$
(☎8-514-9076; Bahía Suroeste; portate principali COP$30.000-60.000; ⏲11-22 lun-sab) Il ristorante più popolare di Providencia è gestito da una coppia canadese-raizal e serve piatti deliziosi e assolutamente memorabili, per giunta a prezzi molto ragionevoli considerando dove ci troviamo. Di sera è molto affollato, quindi cercate di venirci presto se volete riuscire a trovare un tavolo, oppure optate per il pranzo in modo da evitare la ressa.

★**Caribbean Place** CUCINA DI MARE $$$
(Donde Martin; ☎311-287-7238; Aguadulce; portate principali COP$40.000-78.000; ⏲12.30-16 e 19-22 lun-sab) Seguite il sentiero disseminato di bottiglie di vino vuote (un elemento volutamente decorativo diventato un po' eccessivo) che conduce a questo ristorante incantevole e scoprirete una delle delizie culinarie dell'isola. Sebbene i fantastici piatti a base di pesce siano tutt'altro che economici, lo chef Martin Quintero – che ha fatto pratica a Bogotá – riesce a creare specialità straordinarie in un ambiente pervaso da un'atmosfera piacevolmente informale. Tra i piatti più invitanti proposti dal menu meritano di essere segnalati il granchio nero cucinato in diversi modi, i gamberi e gli stufati di pesce.

Restaurante Deep Blue CARAIBICO $$$
(☎321-215-4818, 321-458-2099; Maracaibo; portate principali COP$28.000-60.000; ⏲7-22) Oltre a offrire tavoli sul lungomare con una vista favolosa su Cayo Cangrejo, questo ristorante di lusso vanta un menu ricchissimo e molto fantasioso che include croccanti gamberi al cocco, chele di granchio all'aglio e un eccellente piatto misto di pesce per due persone. Purtroppo il servizio è piuttosto lento.

Don Olivo CUCINA DI MARE $$$
(☎310-230-5260; Santa Catalina; portate principali COP$35.000-65.000; ⏲12-17 mer-lun, cena su prenotazione) Don Olivo, originario della Mauritania, cucina a pranzo il pesce da lui stesso pescato al mattino e lo serve sui tavoli all'aperto della sua casa fronte mare sull'isola di Santa Catalina. Il menu cambia tutti i giorni e include *ceviche* di strombo e aragosta con la salsa segreta di Olivo. A rendere questo posto davvero speciale, però, sono la calorosa accoglienza e l'affabilità del proprietario.

Locali e vita notturna

Providencia sarà anche l'angolo più sonnolento del paese, ma si trova pur sempre in Colombia, quindi spesso offre party sulla spiaggia improvvisati e musica a tutto volume la sera. Chiedete informazioni in giro, e se siete in dubbio andate al Roland Roots Bar o fate un giro a Santa Isabel e vedete cosa fa la gente del posto.

Roland Roots Bar BAR
(Bahía Manzanillo; ⏲10-24, fino alle 2 ven e sab) Questa icona dei viaggiatori offre un concentrato di stile di vita isolano in un beach bar estremamente pittoresco con chioschi di bambù sotto tettoie di paglia disposti sulla

spiaggia e vivacizzati da un sottofondo di musica reggae sparato a tutto volume. Roland è una leggenda locale per le feste che durano fino alle ore piccole e per il Coco Loco, una Piña Colada molto alcolica che viene servita in un guscio di noce di cocco. Offre anche eccellenti piatti di pesce fresco (portate principali da COP$20.000 a COP$35.000).

Informazioni

L'**ospedale** e l'unica **stazione di servizio** dell'isola si trovano a Santa Isabel.

Anche gli unici due sportelli bancomat presenti sull'isola si trovano a Santa Isabel.

Banco Agrario (Santa Isabel)

Banco de Bogotá (Santa Isabel)

Per/da Providencia

Satena e **Searca** (p191) effettuano entrambe voli tra San Andrés e Providencia (andata e ritorno a partire da COP$400.000) due volte al giorno in bassa stagione e diverse volte al giorno nei periodi di maggiore affluenza turistica. In alta stagione bisogna acquistare il biglietto con un certo anticipo; inoltre tenete presente che, poiché gli aerei utilizzati su questa rotta sono piccoli, la franchigia bagaglio è di 10 kg; se il vostro bagaglio supera questo peso dovrete pagare un supplemento, il che però non è costoso né problematico.

Il catamarano **Conocemos Navegando** (p191) collega Providencia a San Andrés tutti i giorni tranne il martedì in entrambe le direzioni (COP$300.000 andata e ritorno, 3 h).

Trasporti locali

A Providencia c'è un'unica strada che effettua un percorso circolare intorno all'isola, da cui si diramano alcune strade secondarie che salgono sulla collina o scendono alle spiagge. Noleggiare uno scooter (COP$70.000 per 24 h) o un golf buggy (COP$130.000 per 8 h) da **Providencia Tours** (☎314-310-1326; Aguadulce) è un'ottima soluzione per sfruttare al meglio il tempo a disposizione sull'isola. Tenete presente che le indicazioni stradali riportano i toponimi inglesi (Southwest Bay, Freshwater Bay, Manchaneel Bay) invece di quelli spagnoli usati colloquialmente, un fatto che potrebbe generare una certa confusione.

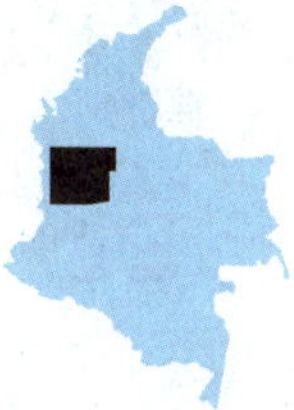

Medellín e Zona Cafetera

Include ➡

Il meglio – Ristoranti

- Carmen (p212)
- Helena Adentro (p245)
- Casa Clandestino Comedor (p211)
- La Fogata (p239)
- Verdeo (p211)
- Osea (p211)

Il meglio – Hotel

- Reserva El Cairo (p245)
- Los Patios (p207)
- Finca Villa Nora (p240)
- Hacienda Venecia (p229)
- Termales del Ruiz (p230)
- Hotel Dann Carlton (p210)

Perché andare

Benvenuti nel *país paisa* – la regione *paisa*, una zona di piantagioni di caffè e di floricoltori, rigogliose foreste nebulari e animate cittadine studentesche, dove sorge la vivace metropoli di Medellín. È una delle regioni più dinamiche del paese, assolutamente da non perdere se ci si reca in Colombia.

A Medellín, la seconda città del paese per dimensioni, i grattacieli svettano verso il cielo nel centro di una valle profonda, esempi tangibili dell'ambizione che ha posto la città all'avanguardia della rinascita colombiana. Si tratta di una città invitante che seduce subito quasi tutti i visitatori con il suo clima ideale, gli ottimi ristoranti, i musei, le opere d'arte esposte nei luoghi pubblici e le chiassose discoteche.

A sud si estende la Zona Cafetera, ricca di villaggi storici, incantevoli piantagioni di caffè, riserve naturali e imponenti vette montuose, dove il caffè non è solo una risorsa economica ma un vero stile di vita. Dopo una visita a questi luoghi, non guarderete più la vostra tazzina di caffè con gli stessi occhi.

Quando andare

Medellín

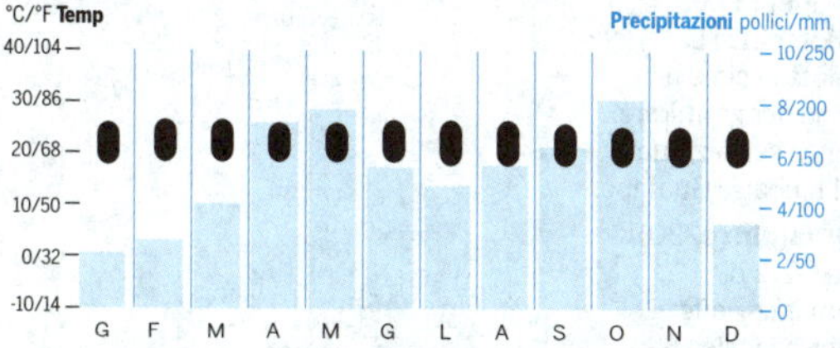

Gen-marzo Nel cielo limpido si stagliano le vette del Parque Nacional Natural Los Nevados.

Agosto Nelle strade di Medellín esplodono i colori vivaci della Feria de las Flores.

Ott-dic Nella Zona Cafetera i raccoglitori di caffè si preparano al raccolto principale dell'anno.

Il meglio di Medellín e della Zona Cafetera

1 **Valle de Cocora** (p245) Lo spettacolo delle maestose palme della cera.

2 **Medellín** (p202) Una corsa sulla Metrocable (cabinovia) sopra i tetti della città, e poi un tour dei tanti ottimi ristoranti e bar.

3 **Zona Cafetera** (p222) Una visita a una piantagione per raccogliere qualche chicco di caffè.

4 **Termales San Vicente** (p236) Un bagno nelle calde acque termali tra le montagne.

5 **Río Claro** (p222) Una notte in una camera d'hotel affacciata sulla giungla, con il fiume che scorre impetuoso proprio sotto di voi.

6 **Parque Nacional Natural Los Nevados** (p231) Un'escursione tra montagne maestose fino a raggiungere un lago molto suggestivo.

7 **Piedra del Peñol** (p217) La scalata in cima alla roccia per ammirare la vista sensazionale sull'Embalse Guatapé.

8 **Jardín** (p220) Una tazza di aromatico caffè arabica locale nella vivace piazza centrale.

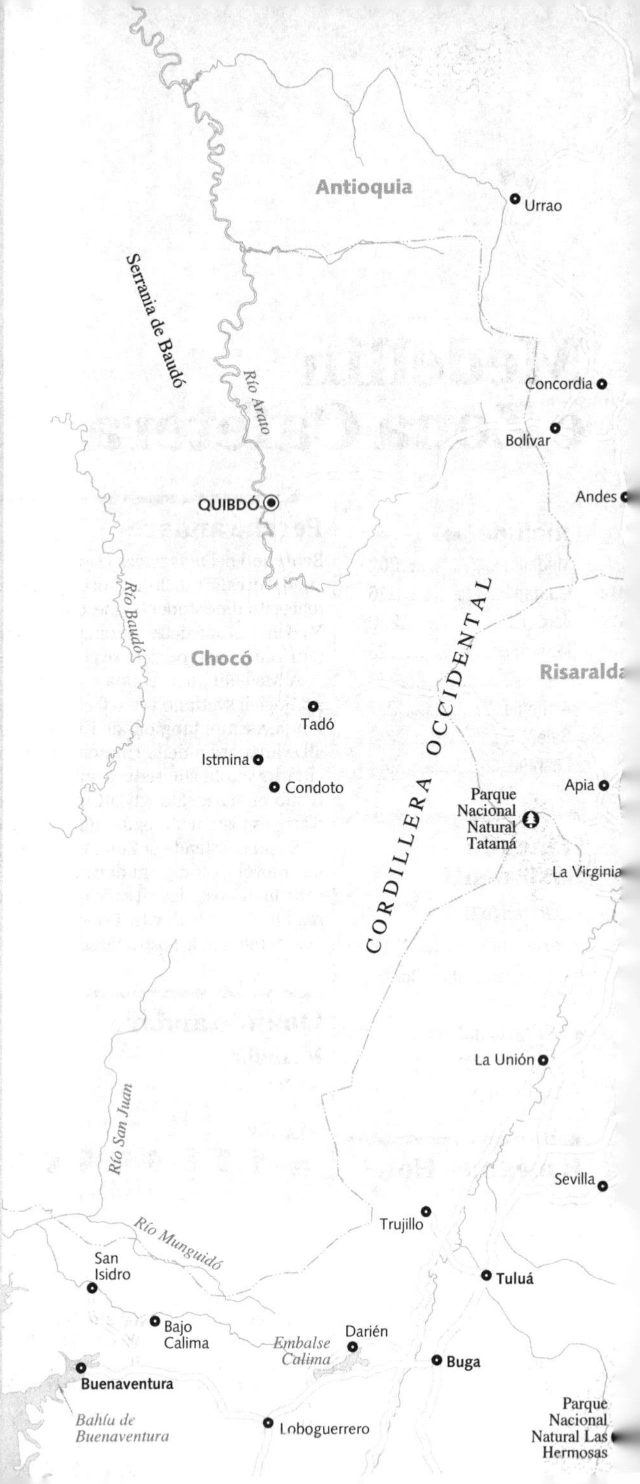

0 50 km
0 30 miles
Santa Fe de Antioquia
San Pedro
Don Matías
Embalse de San Lorenzo
Río Nare
Girardota
Bello
Parque Arví
Medellín 2
Embalse Guatapé
7 Piedra del Peñol
Guatapé
Itagüí
Rionegro
San Carlos
Granada
Aeropuerto José María Córdoba
Puerto Nare
Puerto Serviez
Amagá
La Ceja
Puerto Boyacá
Doradal
Río Claro 5
Puerto Triunfo
Hacienda Nápoles
Santa Bárbara
La Pintada
Abejorral
Sonsón
Argelia
ardín
8
Aguadas
Norcasia
Muzo
Supía
La Dorada
Puerto Salgar
íosucio
Río La Miel
CORDILLERA CENTRAL
Cundinamarca
Caldas
Anserma
Mariquita
Honda
Reserva Ecológica Río Blanco
Pacho
MANIZALES
Guaduas
Chinchiná
Termales San Vicente
Zipaquirá
Termales de Santa Rosa
Libano
Armero
Subachoque
4
6
La Danta
El Rosal
EREIRA
Santa Rosa de Cabal
Quindío
Parque Nacional Natural Los Nevados
Chía
Zona afetera
3
Santuario Otún Quimbaya
Filandia
Mosquera
Tena
La Mesa
Salento
1 Valle de Cocora
BOGOTÁ
ontenegro
ARMENIA
Soacha
Parque Nacional del Café
IBAGUÉ
Aeropuerto Internacional El Edén
Cajamarca
a Tebaida
Río Magdalena
Girardot
Pasca
Arbeláez
Melgar
Espinal
Distrito Capital (Bogotá D.C.)
Cunday
Guamo
Saldaña
Valencia
Tolima
Chaparral

Parchi nazionali, statali e regionali

Il parco nazionale più importante di questa regione è il Parque Nacional Natural Los Nevados (p231), che raggiunge un'altitudine superiore ai 5000 m. A est di Pereira si trovano il Santuario Otún Quimbaya e il Parque Ucumarí, che vengono visitati da un numero estremamente ridotto di viaggiatori. Più a sud, nei pressi di Salento, vi consigliamo di non perdervi la spettacolare Valle de Cocora con le sue maestose palme della cera.

Per/da Medellín e Zona Cafetera

L'**aeroporto di Medellín** (p215) è il principale hub internazionale della regione, ma anche gli aeroporti di Pereira e di Armenia sono serviti da voli internazionali. La regione è ben servita da autobus per Bogotá, Cali e la costa caraibica.

Evitate di affrontare lunghi viaggi su strada nei periodi in cui si prevedono forti piogge improvvise – che si verificano soprattutto tra aprile e maggio e tra settembre e ottobre – dal momento che queste precipitazioni causano spesso frane e smottamenti del terreno.

MEDELLÍN

4 / POP. 3 MILIONI / ALT. 1494 M

Medellín fa l'effetto di una metropoli grande il doppio. Situata in una stretta vallata, presenta uno skyline che svetta verso il cielo, con alti palazzi residenziali e di uffici su uno sfondo di cime frastagliate che circondano la città in ogni direzione. Dal suo clima gradevole deriva il soprannome di 'città dell'eterna primavera', e le temperature moderate permettono alla sua popolazione un certo dinamismo, sia al lavoro sia nel tempo libero. Medellín pullula di attività industriali e commerciali, soprattutto nel settore tessile e in quello dell'esportazione di fiori recisi. Durante i weekend la città si rilassa e le sue numerose discoteche attirano una grande folla di giovani alla moda.

La città si estende da nord a sud lungo la vallata, mentre le pendici più elevate ospitano i quartieri più popolari. Fedele alle sue radici *paisa* (termine che indica gli abitanti originari del dipartimento di Antioquia), Medellín ostenta indifferenza nei confronti delle altre regioni del paese, ama darsi arie da metropoli e guarda oltre confine per trarre ispirazione nella realizzazione delle grandi opere pubbliche.

Storia

Gli spagnoli arrivarono nella Valle di Aburrá intorno al 1540, ma Medellín venne fondata solo nel 1616. Gli storici ritengono che tra i primi abitanti della città ci fossero molti ebrei spagnoli in fuga dall'Inquisizione. Questi coloni suddivisero la terra in numerose *haciendas* (tenute di campagna) di piccole dimensioni che coltivavano per proprio conto, dando vita a una realtà profondamente diversa rispetto a quella delle piantagioni basate sul lavoro degli schiavi che costituivano il tessuto sociale delle altre regioni della Colombia. Fiduciosi nelle proprie capacità, questi primi *paisas* divennero in breve tempo famosi per la loro operosità e il loro forte spirito d'indipendenza, caratteristiche che avrebbero poi esportato in tutta la Zona Cafetera.

Nel 1826 Medellín divenne il capoluogo della regione di Antioquia, ma nonostante questo rimase ancora per molto tempo una sonnolenta città di provincia. Ciò contribuisce a spiegare la presenza di un numero tutto sommato molto limitato di edifici coloniali, dall'aspetto per giunta nemmeno particolarmente sontuoso. La rapida crescita del centro urbano ebbe inizio solo nei primi anni del XX secolo, quando l'arrivo della ferrovia e il boom nella produzione del caffè trasformarono completamente l'aspetto della città. I proprietari delle miniere e i magnati del caffè investirono gran parte dei loro profitti nella nascente industria tessile, una scommessa che in poco tempo si sarebbe rivelata estremamente redditizia. Nel giro di pochi decenni Medellín divenne così una grande metropoli.

Nel corso degli anni '80 lo spirito imprenditoriale degli abitanti di Medellín iniziò a mostrare il suo lato oscuro. Sotto la violenta guida di Pablo Escobar, la città divenne infatti la capitale mondiale del traffico di cocaina. In quel periodo le sparatorie erano all'ordine del giorno e il tasso di omicidi era tra i più elevati del pianeta. Questa situazione ebbe fine nel 1993, anno della morte di Escobar, e oggi Medellín è diventata una delle città più sicure e accoglienti del paese.

Che cosa vedere

★ La Comuna 13 QUARTIERE

La Comuna 13, che una volta era uno dei quartieri più pericolosi di Medellín, è abbarbicato al pendio della montagna sopra la stazione della metropolitana di San Javier. Negli ultimi anni è stato oggetto di un'imponente trasformazione e oggi è considerato una zona che si può visitare in sicurezza. Il fulcro di un'escursione alla *comuna* è l'area circostante le *escaleras electricas*, le scale mobili esterne che garantiscono l'accesso alle abitazioni dei *barrios* più emarginati, un tempo isolati dalla città sottostante.

Situate lungo le linee della Metrocable, queste sei scale mobili sono uno dei simboli della rinascita di Medellín. La zona circostante è tappezzata di murales e graffiti, mentre in cima si trovano un punto panoramico e una passeggiata che offre una bella vista sulla trafficata città.

Farsi accompagnare da una guida locale nella visita del quartiere è un'ottima soluzione per comprendere meglio la violenza e le difficoltà che un tempo affliggevano la zona e la sua straordinaria trasformazione. Potrete trovare guide affidabili presso la **Casa Kolacho** (☎4-252-0035; casakolacho@gmail.com; Carrera 97 n. 43-41; visite guidate COP$30.000), nei pressi della stazione di San Javier.

Per raggiungere le *escaleras* prendete l'autobus 221i o 225i dalla fermata vicino al semaforo che vedrete sulla destra uscendo dalla stazione di San Javier. Comprate un biglietto cumulativo per entrambi i mezzi prima di prendere la metropolitana. In alternativa, la corsa in taxi dalla stazione della metro costa solo COP$5000.

★ Museo Casa de la Memoria — MUSEO

(☎4-385-5555; www.museocasadelamemoria.gov.co; Calle 51 n. 36-66; ⏲9-18 mar-ven, 10-16 sab e dom) FREE Questo sconvolgente museo dedicato al conflitto urbano di Medellín è una tappa imperdibile per i visitatori che desiderano comprendere fino in fondo la città. Ci sono interessanti sezioni incentrate sulle origini geopolitiche del conflitto, ma le parti più toccanti sono le proiezioni video a grandezza naturale, in cui i sopravvissuti narrano la propria esperienza come se si trovassero davanti a voi, e la sala buia sul retro che rende omaggio agli abitanti locali rimasti uccisi negli episodi di violenza.

★ Cerro Nutibara — PUNTO PANORAMICO

(cartina p204; ☎4-385-8017, 4-260-2416; ⏲6-23) Sulla sommità di questa collina, alta 80 m e situata 2 km a sud-ovest del centro cittadino, sorge il **Pueblito Paisa**, una versione in miniatura e dall'aspetto vagamente kitsch di una tipica cittadina di Antioquia. Dalla terrazza panoramica si gode una vista magnifica sulla città. Proprio accanto si trova il **Museo de la Ciudad** (cartina p204; Cerro Nutibara; COP$2000; ⏲10-18), un piccolo museo dedicato alla storia di Medellín che espone soprattutto fotografie d'epoca della città.

Prendete un taxi per raggiungere la vetta e poi scendete a piedi per visitare il **Parque de las Esculturas**, che ospita alcune sculture astratte realizzate da artisti contemporanei sudamericani.

Casa Museo Pedro Nel Gómez — MUSEO

(cartina p204; ☎4-444-2633; Carrera 51B n. 85-24; ⏲9-17 lun-sab, 10-16 dom) FREE Ospitato all'interno della casa in cui visse e lavorò l'artista, questo museo offre un'ampia raccolta di opere realizzate dal prolifico pittore locale Pedro Nel Gómez (1899-1984), oltre a mostre temporanee di grande richiamo. Inoltre organizza laboratori di pittura per i visitatori (COP$80.000 per gruppo) che prevedono lezioni nello studio dell'artista, decorato con un magnifico murales. Prenotate per tempo.

Molte delle case situate lungo la strada che conduce al museo dal quartiere di Moravia presentano sulla facciata riproduzioni di opere di Nel Gómez – vale la pena di raggiungere il museo a piedi invece che in taxi o in autobus.

Museo de Arte Moderno de Medellín — MUSEO D'ARTE

(☎4-444-2622; www.elmamm.org; Carrera 44 n. 19A-100; interi/studenti COP$10.000/7000; ⏲9-18 mar-ven, 10-18 sab, 10-17 dom) Ospitato all'interno di un edificio industriale opportunamente ristrutturato situato in Ciudad del Río, 'El MAMM' ospita mostre a rotazione dedicate all'arte contemporanea. Nell'ampia ala nuova sono esposte opere della collezione permanente, che include molti dipinti della pittrice locale Débora Arango. L'edificio include anche un cinema che proietta film indipendenti.

Monumento a la Raza — MONUMENTO

(cartina p204; Calle 44, Centro Administrativo La Alpujarra) Rodrigo Arenas Betancourt, lo scultore più rinomato della Colombia, ha realizzato numerose opere a Medellín, ma quella di maggior impatto è questo monumento di metallo collocato davanti al municipio, che rievoca la storia del dipartimento di Antioquia per mezzo di scenografiche curve sinuose.

Plazoleta de las Esculturas — PLAZA

(Plaza Botero; cartina p206) Quest'area pubblica situata di fronte al Museo de Antioquia ospita 23 grandi sculture bronzee dalle forme prosperose realizzate dal noto artista locale Fernando Botero, tra cui alcune delle sue opere più famose.

Medellín

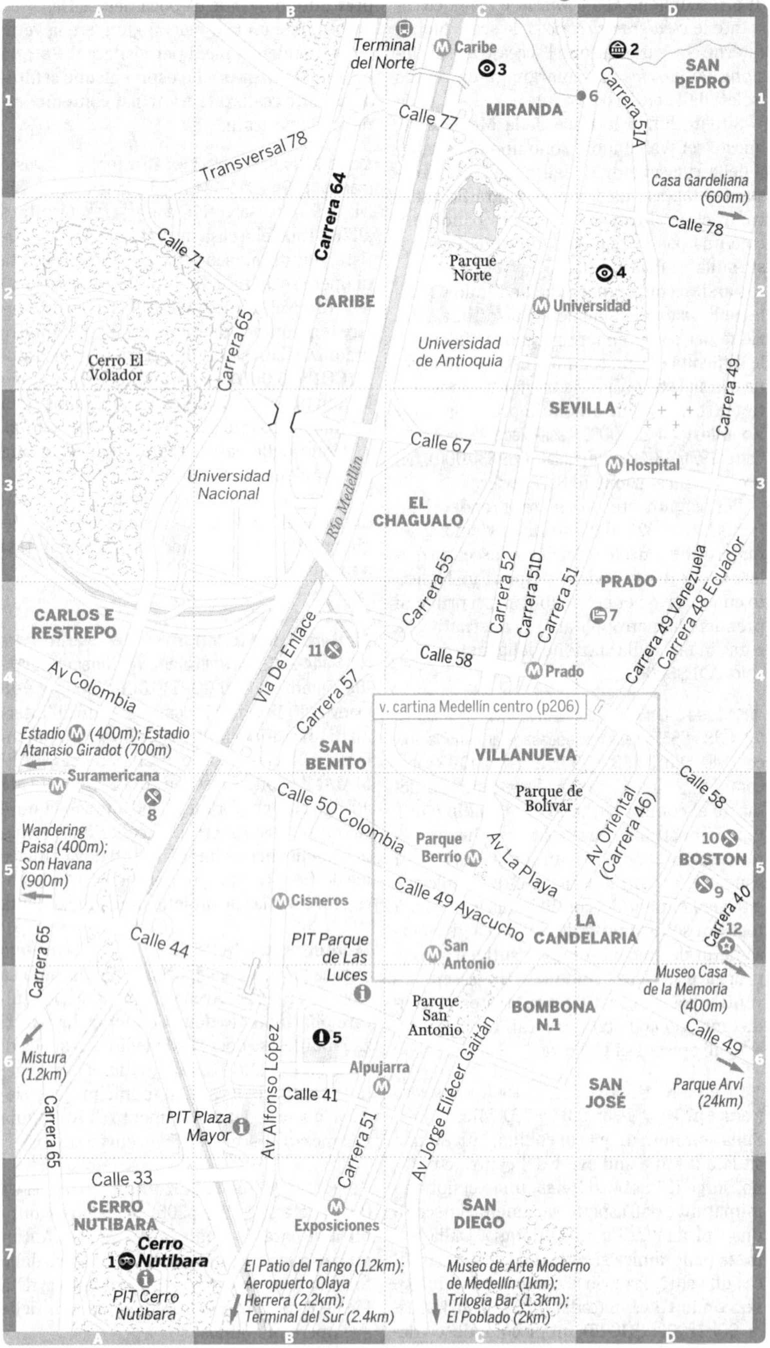

0 500 m
0 0.25 miles
Terminal del Norte
Caribe
3
2
SAN PEDRO
6
MIRANDA
Calle 77
Carrera 51A
Transversal 78
Carrera 64
Casa Gardeliana (600m)
Calle 78
Calle 71
Parque Norte
4
CARIBE
Universidad
Carrera 65
Universidad de Antioquia
Cerro El Volador
SEVILLA
Carrera 49
Calle 67
Hospital
Universidad Nacional
Río Medellín
EL CHAGUALO
Carrera 55
Carrera 52
Carrera 51D
Carrera 51
PRADO
7
Carrera 49 Venezuela
Carrera 48 Ecuador
CARLOS E RESTREPO
Vía De Enlace
11
Calle 58
Prado
Av Colombia
Carrera 57
v. cartina Medellín centro (p206)
Estadio (400m); Estadio Atanasio Giradot (700m)
SAN BENITO
VILLANUEVA
Suramericana
8
Calle 50 Colombia
Parque de Bolívar
Calle 58
Wandering Paisa (400m); Son Havana (900m)
Parque Berrío
Av La Playa
Av Oriental (Carrera 46)
10
BOSTON
9
Calle 49 Ayacucho
Cisneros
Carrera 40
Carrera 65
Calle 44
PIT Parque de Las Luces
San Antonio
LA CANDELARIA
12
Museo Casa de la Memoria (400m)
Parque San Antonio
BOMBONA N.1
Calle 49
5
Mistura (1.2km)
Alpujarra
Av Alfonso López
Calle 41
Av Jorge Eliécer Gaitán
SAN JOSÉ
Parque Arví (24km)
Carrera 65
PIT Plaza Mayor
Carrera 51
Calle 33
CERRO NUTIBARA
SAN DIEGO
Exposiciones
1 Cerro Nutibara
PIT Cerro Nutibara
El Patio del Tango (1.2km); Aeropuerto Olaya Herrera (2.2km); Terminal del Sur (2.4km)
Museo de Arte Moderno de Medellín (1km); Trilogía Bar (1.3km); El Poblado (2km)

Medellín

Da non perdere

Che cosa vedere

Attività, corsi e tour

Pernottamento

Pasti

Divertimenti

El Cerro de Moravia COLLINA

(cartina p204; Barrio Moravia) Il quartiere densamente popolato di Moravia era una volta la discarica municipale di Medellín, con una montagna di spazzatura all'aperto circondata da una grande baraccopoli i cui abitanti rovistavano tra i rifiuti. Da allora si è però trasformato in un centro urbano esemplare, e la montagna di spazzatura è diventata una collina rivestita dalla vegetazione. Potete fare una visita guidata del quartiere e scoprire la sua affascinante metamorfosi contattando il **Centro de Desarrollo Cultural de Moravia** (cartina p204; ☎int. 108 4-213-2809; www.centroculturalmoravia.org; Calle 82A n. 50-25; ⊙su appuntamento) FREE.

Anche se oggi la collina ha una sfumatura verde e sembra naturale, i rifiuti sottostanti continuano a generare calore e la gente del posto sostiene che qui la temperatura è un paio di gradi più alta che nel resto della città.

Palacio de la Cultura Rafael Uribe Uribe EDIFICIO DEGNO DI NOTA

(cartina p206; ☎4-320-9780; www.culturantioquia.gov.co; Carrera 51 n. 52-03; ⊙8-17 lun-ven, fino alle 16 sab) FREE Progettato dall'architetto belga Agustín Goovaerts, questo vistoso edificio bianco e nero in stile neogotico adiacente alla stazione della metropolitana Berrío è uno dei maggiori punti di interesse di Medellín. I lavori di costruzione furono iniziati nel 1925, ma solo un quarto del progetto originale fu completato. I visitatori possono passeggiare liberamente lungo i maestosi corridoi e nelle sale dalle decorazioni elaborate, alcune delle quali ospitano mostre temporanee.

Se volete dare un'occhiata alla splendida cupola, veniteci di martedì o giovedì pomeriggio, quando vengono proiettati film internazionali a ingresso libero con inizio alle 16. Al piano inferiore si può accedere all'incantevole cortile centrale, che presenta una fontana circondata da azalee.

Jardín Botánico GIARDINO

(cartina p204; www.botanicomedellin.org; Calle 73 n. 51D-14; ⊙9-17) FREE Il giardino botanico, uno degli spazi verdi più belli di Medellín, si estende su una superficie di 14 ettari, ospita 600 specie di alberi e piante, e include un lago, un erbario e un recinto delle farfalle. Una visita di un paio d'ore è l'ideale per sfuggire alla confusione della città. Il giardino si raggiunge facilmente dalla stazione della metropolitana di Universidad.

Museo de Antioquia MUSEO

(cartina p206; ☎4-251-3636; www.museodeantioquia.org.co; Carrera 52 n. 52-43; COP$18.000; ⊙10-17.30 lun-sab, fino alle 16.30 dom) Ospitato all'interno del grandioso Palacio Municipal in stile art déco, il secondo museo più antico della Colombia (dopo il Museo Nacional di Bogotá) è dedicato prevalentemente alle belle arti. La collezione comprende opere precolombiane, coloniali e moderne. Il fiore all'occhiello è il terzo piano, dove sono esposte molte opere dell'artista di Medellín Fernando Botero e opere di altri artisti appartenenti alla sua collezione personale. Date anche un'occhiata ai magnifici murales di Pedro Nel Gómez.

Attività

Zona de Vuelo PARAPENDIO

(☎319-749-7943, 4-388-1556; www.zonadevuelo.com; Km 5,6 Vía San Pedro de los Milagros) Questo esperto operatore offre voli in tandem di 20 minuti (COP$125.000) e corsi di 15 giorni (COP$3.000.000). Fornisce anche il trasferimento per/dal punto di lancio di San Felix da Medellín al costo di COP$90.000 per un gruppo di massimo quattro passeggeri.

Dance Free DANZA

(cartina p208; ☎4-204-0336; www.dancefree.com.co; Calle 10A n. 40-27; lezioni individuali COP$65.000 l'ora, lezioni di gruppo COP$100.000 al mese) Que-

Medellín centro

sta popolarissima scuola di danza offre corsi di salsa e bachata in una spaziosa sede a El Poblado. Gli istruttori sono professionali e pieni di entusiasmo, e sono disponibili lezioni private e di gruppo. Di sera si trasforma in una discoteca dove potete mettere in pratica le figure che avete imparato.

Psiconautica SPORT AVVENTURA

(☎312-795-6321, 300-212-0748; www.aventurapsiconautica.com; Km 5,6 Vía San Pedro de los Milagros; arrampicata su roccia COP$150.000-350.000) All'interno dello stesso complesso che ospita la Zona de Vuelo si trova questa agenzia specializzata in arrampicata su roccia, canyoning e discesa in corda doppia, che offre escursioni in montagna con varie attività dette 'zip-trekking'. Le sue esperte guide bilingui possono organizzare trekking e uscite di alpinismo in tutte le regioni del paese.

Corsi

Toucan Spanish School LINGUA

(cartina p208; ☎4-311-7176; www.toucanspanish.com; Carrera 41A n. 10-28; corsi di 20 h COP$625.000) Una scuola di spagnolo ben organizzata situata nel cuore di El Poblado, con aule luminose dotate di aria condizionata e attività sociali extracurricolari. Al piano inferiore c'è anche un bel bar con uno sportello turistico.

Tour

★Bicitour IN BICICLETTA

(cartina p208; ☎312-512-0690; www.bicitour.co; Carrera 36 n. 7-10, Casa Kiwi; escursioni COP$70.000) Un modo salutare ed ecologico per scoprire la città: Bicitour offre approfondite visite guidate di Medellín in bicicletta. Il tour, lungo 19 km, si snoda attraverso vari quartieri e include diversi luoghi di interesse relativi alla storia, alla politica e alla cul-

Medellín centro

Che cosa vedere

1 Museo de Antioquia B2
2 Palacio de la Cultura Rafael Uribe Uribe B2
3 Plazoleta de las Esculturas B2

Pasti

4 Café Colombo Credenza D3
5 Govinda's A3
6 Salón Versalles C2

Locali e vita notturna

7 Salón Málaga A4

Shopping

8 Centro Artesanal Mi Viejo Pueblo C2

tura locali. Si tratta di un'eccellente idea per conoscere un aspetto della città che altrimenti non potreste sperimentare. Il tour, che inizia e finisce a El Poblado, dura in tutto circa quattro ore; il prezzo include una bevanda e uno spuntino.

★ **Real City Tours** A PIEDI
(☎319-262-2008; www.realcitytours.com) Gestita da giovani del posto pieni di entusiasmo, questa agenzia organizza visite guidate gratuite del centro di Medellín, con spiegazioni dettagliate in inglese delle storie che si nascondono dietro i principali punti di interesse turistico. Alla fine del tour sarete invitati a lasciare una mancia alla guida. Per garantirsi un posto è necessario effettuare la prenotazione online.

L'agenzia organizza anche una visita a pagamento dedicata al tema della frutta (COP$45.000) nel mercato più grande di Medellín e il 'Barrio Transformation Tour' (COP$50.000) a Moravia, uno dei quartieri più densamente popolati della città.

Feste ed eventi

Festival Internacional de Tango DANZA
(Festitango; ☎4-385-6563; cultura.ciudadana@medellin.gov.co; ⏱giu) La città celebra il suo amore per il tango con gare di ballo, concerti e seminari.

Feria de las Flores CULTURA
(www.feriadelasfloresmedellin.gov.co; ⏱agosto) Questo festival che dura una settimana è l'evento più spettacolare di Medellín. Il momento di maggiore interesse è il Desfile de Silleteros, una sfilata per le vie della città a cui partecipano fino a 400 *campesinos* (contadini) che arrivano dalle montagne della regione portando sulla schiena carichi di fiori.

Festival Internacional de Jazz MUSICA
(Medejazz; www.festivalmedejazz.com; ⏱set) Questo festival richiama molte band nordamericane. In genere il cartellone comprende un paio di concerti gratuiti.

Pernottamento

Wandering Paisa OSTELLO $
(☎4-436-6759; www.wanderingpaisahostel.com; Calle 44A n. 68A-76; letti in camerata COP$23.000-27.000, singole/doppie a partire da COP$55.000/60.000; @ 📶) Situato proprio vicino ai bar e ai ristoranti di La 70, questo dinamico ostello costituisce un'eccellente soluzione per chi desidera trovare una via di mezzo tra le luci brillanti di El Poblado e il caos del centro. C'è anche un piccolo bar, e la gioiosa direzione organizza continuamente eventi e uscite di gruppo. Inoltre mette a disposizione alcune biciclette per visitare i dintorni.

★ **Los Patios** OSTELLO $$
(cartina p208; ☎4-366-8987; Carrera 43E n. 11-40; letti in camerata/camere COP$48.000/150.000) Questo grande ostello di nuova apertura situato a Manila offre sistemazioni per flashpacker in una struttura dal raffinato design industrial-chic e alcune delle migliori aree comuni che vi capiterà mai di trovare. La cucina a vista offre un fantastico colpo d'occhio sulla città, ma il panorama è ancora più bello dalla lounge situata al piano superiore e dalla sensazionale terrazza sul tetto. Le camerate moderne sono dotate di tendine per la privacy e di bagni separati per uomini e donne.

L'ostello include una scuola di spagnolo e uno sportello turistico; inoltre il fantasti-

LE SCULTURE DI BOTERO

Girando nel centro di Medellín vi capiterà spesso di vedere le caratteristiche sculture dalle forme voluttuose dell'artista *paisa* Fernando Botero, diventate ormai un emblema della città. Date un'occhiata alla rinomata **La Gorda**, situata davanti al Banco de la República nel Parque Berrío. Altre tre sculture di Botero sono collocate nel Parque San Antonio, tra cui il **Pájaro de Paz** (Uccello della Pace), che campeggia accanto alla sua prima versione, distrutta durante un attentato terroristico.

El Poblado

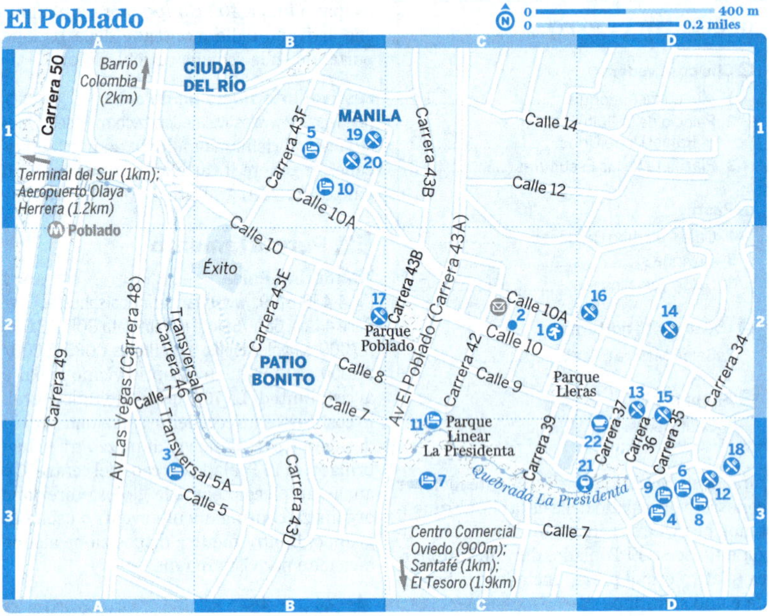

El Poblado

Attività, corsi e tour

- Bicitour .... (v. 4)
- 1 Dance Free C2
- 2 Toucan Spanish School C2

Pernottamento

- 3 Black Sheep A3
- 4 Casa Kiwi D3
- 5 El Alternativo B1
- 6 Happy Buddha D3
- 7 Hotel Dann Carlton C3
- 8 In House Hotel D3
- 9 La Playa D3
- 10 Los Patios B1
- 11 Rango C3

Pasti

- 12 Arte Dolce D3
- 13 Bao Bei D2
- Cafe Zorba .... (v. 11)
- 14 Carmen D2
- 15 Casa Clandestino Comedor D2
- 16 Il Castello D2
- Malevo .... (v. 5)
- 17 Osea B2
- 18 Rocoto D3
- 19 Tal Cual B1
- 20 Verdeo B1

Locali e vita notturna

- Calle 9 + 1 .... (v. 1)
- 21 La Octava D3
- 22 Pergamino D3

co mercato alimentare che si trova al piano terra farà sì che non dobbiate andare molto lontano per trovare qualcosa da mangiare.

Rango OSTELLO **$$**
(cartina p208; ☎4-480-3180; www.hostelrango.com; Calle 8 n. 42-25; letti in camerata COP$43.000-48.000, camere a 2 letti/doppie COP$180.000/185.000) Un nuovo elegante hotel-ostello affacciato sul Parque La Presidenta, caratterizzato da pavimenti in cemento lucidato ed elementi in legno. Offre camerate confortevoli con servizi eccellenti, tra cui grandi e robusti armadietti, e camere private in stile hotel con tanto di minibar. Non ha la cucina per gli ospiti, ma in compenso offre un ristorante con prezzi onesti.

Happy Buddha OSTELLO **$$**
(cartina p208; ☎4-311-7744; www.thehappybuddha.co; Carrera 35 n. 7-108; letti in camerata/camere/a 2 letti con prima colazione COP$40.000/

130.000/140.000; 📶) Con il suo design elegante e moderno e il grande bar sulla terrazza, questo ostello situato ai margini della *zona rosa* (il quartiere della vita notturna) gode di molta popolarità tra i visitatori che amano divertirsi, sia all'interno dello stesso ostello sia nei tanti locali notturni situati negli isolati adiacenti. Le camerate e le camere private sono confortevoli e ben attrezzate.

Black Sheep OSTELLO **$$**
(cartina p208; ☎4-311-1589, 317-518-1369; www.blacksheepmedellin.com; Transversal 5A n. 45-133, Patio Bonito; letti in camerata COP$32.000-37.000, singole/doppie COP$80.000/100.000, senza bagno COP$70.000/90.000; @📶) Questo ostello accogliente e ben gestito, uno dei primi di Medellín e tuttora uno dei migliori, si trova in posizione comoda vicino alla stazione della metropolitana di Poblado ed è pervaso da un'atmosfera animata ma non eccessivamente chiassosa. Offre varie aree comuni, tra cui un'incantevole terrazza, e una buona scelta di camere private moderne e confortevoli.

61 Prado GUESTHOUSE **$$**
(cartina p204; ☎4-254-9743; www.61prado.com; Calle 61 n. 50A-60; singole/doppie/suite COP$68.000/91.000/103.000; @📶) Questa elegante guesthouse situata nello storico quartiere del Prado è un'eccellente base di appoggio per visitare le attrattive turistiche del centro. Le spaziose camere rinnovate sono caratterizzate da soffitti alti e da gradevoli tocchi artistici, e c'è anche una bella terrazza sul tetto. La sala da pranzo a lume di candela è un luogo molto gradevole per assaporare le specialità del ristorante interno (portate principali da COP$8000 a COP$32.000).

Casa Kiwi OSTELLO **$$**
(cartina p208; ☎4-268-2668; www.casakiwi.net; Carrera 36 n. 7-10; letti in camerata COP$35.000-40.000, singole/doppie COP$120.000/140.000, senza bagno COP$80.000/100.000; @📶) Grazie alla sua invidiabile posizione su un corso d'acqua ai margini della *zona rosa* di El Poblado, questo ostello si trova vicino al fulcro dei divertimenti ma non è circondato da locali notturni chiassosi. Oltre alle classiche camerate offre una scelta di eleganti camere

IL TURISMO DOPO PABLO

Pablo Escobar Gaviria continua a fare soldi anche da morto. Quando i backpacker iniziarono a visitare Medellín – una cosa divenuta possibile solo dopo la caduta del cartello del famigerato boss della cocaina – alcuni giovani imprenditori intuirono una nuova opportunità di guadagno. Iniziarono così a organizzare tour guidati sul tema, accompagnando i viaggiatori stranieri a visitare i luoghi che furono testimoni del suo sanguinoso regno sulla città, tra cui le lussuose dimore, gli uffici, la casa di periferia dove fu ucciso e la tomba. Gli operatori turistici più tradizionali capirono al volo l'affare e persino i membri della famiglia di Escobar hanno iniziato a organizzare tour nel corso dei quali è possibile discutere degli argomenti preferiti del *capo* insieme a suo fratello.

Inutile dire che molti colombiani non paiono affatto impressionati da quella che sembra essere a tutti gli effetti la glorificazione di un terrorista sanguinario che faceva abbattere aeroplani e ricompensava in denaro i suoi scagnozzi per ogni poliziotto ucciso. Altri riconoscono che Escobar sia una figura di importanza storica e paragonano questi tour alle visite dedicate ai gangster di Chicago.

Quasi tutte queste visite durano circa mezza giornata, ma le tariffe e la qualità variano notevolmente. Se decidete di prendere parte a una visita guidata dedicata a Escobar, **Paisa Road** (☎317-489-2629; www.paisaroad.com) riscuote commenti positivi per i suoi tour esaurienti e imparziali. Meglio ancora, visitate la **Casa Museo de la Memoria** (p203) nel centro di Medellín per conoscere l'impatto disastroso che il regno di Escobar ebbe sulla città.

Se volete farvi un'idea della ricchezza e dell'ambizione di Escobar, visitate la **Hacienda Nápoles** (☎1800-510-344; www.haciendanapoles.com; Km165 Autopista Medellín–Bogotá; COP$39.000-75.000; 👪), una grande azienda agricola raggiungibile da Medellín con un viaggio di quattro ore, che il boss aveva fatto trasformare in un vero e proprio regno privato, con diversi sontuosi palazzi, un'arena per corride e numerosi animali esotici, tra cui giraffe, zebre e svariati ippopotami. Quando il governo iniziò a stringere il cerchio intorno a Escobar, l'Hacienda Nápoles venne abbandonata. Oggi l'azienda ospita un parco avventura in stile safari; le tracce lasciate dalla proprietà di Escobar stanno sparendo, ma si possono ancora vedere gli ippopotami.

private. Le gradevoli aree comuni includono una spaziosa terrazza dotata di amache, una sala TV che sembra quasi un cinema e una piscina sul tetto.

La Playa OSTELLO **$$**

(cartina p208; ☎4-352-0748; www.laplayahostel.com.co; Carrera 35 n. 7-69; letti in camerata COP$40.000-50.000, camere COP$150.000;) Questo piccolo e grazioso ostello situato proprio nel cuore della movida di El Poblado è una struttura luminosa e pulitissima. Le camere sono confortevoli e vantano bagni eccellenti, ma la maggiore attrattiva è la fantastica terrazza sul tetto affacciata sulla strada, il posto perfetto per iniziare la serata.

El Alternativo OSTELLO **$$**

(cartina p208; ☎4-266-3049; www.el-alternativo.com; Carrera 43E n. 11A-13; letti in camerata COP$30.000-37.000, camere con/senza bagno a partire da COP$110.000/85.000;) Con la sua buona posizione nel cuore di Manila e l'atmosfera artistica e informale, questo ostello a gestione francese è un bel posto per chi cerca una sistemazione tranquilla con un po' di personalità. Le camere sono tinteggiate in modo accurato e abbellite da tocchi artistici, la terrazza sul tetto offre una bella vista e gli ospiti hanno a disposizione molti spazi di ritrovo e una cucina.

In House Hotel HOTEL **$$$**

(cartina p208; ☎4-444-1786; www.inhousethehotel.com; Carrera 34 n. 7-109; singole/doppie/triple con prima colazione COP$154.000/188.000/244.000;) Questo piccolo albergo dall'eccellente rapporto qualità-prezzo spicca tra le numerose strutture ricettive di El Poblado. Le sue camere eleganti e luminose sono caratterizzate da grandi finestre, graziosi mobili in legno di pino e scrivanie. Il servizio è cordiale e professionale, e le tariffe comprendono anche una buona prima colazione continentale. Le camere situate nella parte anteriore dell'edificio sono dotate di balconi privati, mentre quelle sul retro sono più tranquille.

Hotel Dann Carlton HOTEL **$$$**

(cartina p208; ☎4-444-5151; www.danncarlton.com; Carrera 43A n. 7-50; singole/doppie COP$280.000/395.000, suite a partire da COP$575.000;) Questo albergo gestito in maniera estremamente professionale si colloca un gradino al di sopra rispetto alle altre strutture della stessa categoria grazie alle sue sistemazioni di alto livello e alla presenza di dettagli quali le eleganti composizioni floreali nella lobby. Le suite sono particolarmente spaziose e dotate di salottini, cabine armadio e bagni immensi.

Pasti

Plaza Minorista José María Villa MERCATO **$**

(cartina p204; all'angolo tra Carrera 57 e Calle 55; 7-16) Questo grande e vivace mercato coperto comprende oltre 2500 bancarelle che vendono in prevalenza generi alimentari. Istituito nel 1984 per togliere i venditori ambulanti dalle strade, con la sua vasta scelta di frutta e verdura fresche è un buon posto per chi si prepara i pasti da sé.

Arte Dolce GELATO **$**

(cartina p208; ☎4-352-0881; Carrera 33 n. 7-167; gelati COP$4000-8000; 12-19.30 lun-ven, 8.30-21.30 sab e dom) Andate in questo piccolo locale d'angolo per assaggiare il suo favoloso gelato prodotto in loco. Tutti i gusti sono buoni, ma il nostro preferito è il Mediterraneo, un mix di pistacchio, mandorle caramellate, limone, arancia e olio d'oliva –rinfrescante e delizioso.

Itaca COLOMBIANO **$**

(cartina p204; ☎4-581-8538; Carrera 42 n. 54-60, Boston; pranzo a prezzo fisso COP$12.000, portate principali COP$15.000-30.000; 12-15 e 18-22 lun-sab, 12-17 dom) Questo minuscolo ristorante situato ai margini del centro serve a prezzi onesti fantastici piatti gourmet ricchi di sapore. A pranzo ci sono un paio di menu a prezzo fisso, di sera invece vi basterà dire al simpatico chef Juan Carlos quello che vi piace e lui preparerà per voi un piatto classico colombiano con l'aggiunta di un tocco moderno, utilizzando ingredienti freschi acquistati al mercato.

I vegetariani troveranno alcune proposte interessanti e i carnivori non possono fare a meno di assaggiare le salsicce fatte in casa, che sono state proclamate le migliori di Antioquia. La domenica c'è un grande barbecue sulla strada. Non c'è insegna – cercate la porta blu.

Salón Versalles COLOMBIANO **$**

(cartina p206; www.versallesmedellin.com; Pasaje Junín 53-39; prima colazione COP$5900-15.900, pasti a prezzo fisso COP$15.900; 7-21 lun-sab, 8-18 dom) Famosa per le sue deliziose *empanadas* all'argentina, questa vera e propria istituzione del panorama gastronomico di Medellín serve anche ottimi pasti a prezzo fisso e rappresenta il posto ideale per concedersi una pausa dalla confusione del centro. Questo ristorante è frequentato da una clientela estremamente eterogenea, che spazia dai pensionati squattrinati ai giovani imprenditori, e vale la pena di farci un salto anche solo per osservare il viavai della gente.

Govinda's VEGETARIANO $

(cartina p206; ☎4-293-2000; Calle 51 n. 52-17; pasti COP$9000-10.000; ⏲11.30-19; ✍) In parte ristorante, in parte centro culturale Hare Krishna, il Govinda's offre un buffet vegetariano con un ottimo rapporto qualità-prezzo. La vasta scelta include zuppe, portate principali a base di soia, insalate e contorni di verdure. Se arrivate tardi, probabilmente dovrete limitarvi al menu fast food. Sopra il ristorante si svolgono regolarmente lezioni di yoga.

★ Casa Clandestino Comedor MESSICANO $$

(cartina p208; ☎311-683-1984; Carrera 35 n. 8A-125, Poblado; portate principali COP$25.000-39.000; ⏲12-23 dom-mer, fino alle 2 gio-sab) Se c'è un posto emblematico della trasformazione di Medellín da capoluogo di provincia a meta culinaria di grido, è questo bar-ristorante alla moda che si trova a El Poblado ma che non stonerebbe a Londra o a Brooklyn. All'interno il fulcro dell'azione è un bancone di marmo in stile classico – il locale si distingue per l'accurato design, e altrettanta cura viene dedicata alla preparazione dei piatti, tutti squisiti.

Il menu non è molto ampio, ma le portate sono cucinate in modo impeccabile e le porzioni sono generose. Come lascia intendere il nome, il locale si trova in posizione nascosta. Cercate la porta di legno senza insegna accanto al chiosco di tacos sulla strada – anche questo ottimo – e seguite il corridoio fino al cortile adorno di piante.

Osea COLOMBIANO $$

(cartina p208; ☎4-268-3964; www.oseamed.co; Calle 9 n. 43B-28, Poblado; portate principali COP$26.000-38.000; ⏲12-14.30 e 19-22 mar-sab, 19-22 lun) Questo piccolo e lindo ristorante nelle immediate vicinanze del Parque Poblado è un'eccellente opzione grazie al suo ridotto menu di creativi piatti moderni a prezzi ragionevoli. Una squadra di giovani chef è impegnata nella cucina a vista a preparare piatti interessanti dai sapori freschi e delicati. Il menu include sempre delle opzioni vegane. Dispone solo di sei tavoli, quindi prenotate.

Pizzeria Centro PIZZA $$

(cartina p204; ☎4-254-4510; Calle 57 n. 41-57; pizze COP$30.000; ⏲16.30-23 mar-sab) Questo locale ubicato in una casa riconvertita in una strada anonima tra il centro e Boston serve pizze a pasta sottile tra le migliori di Medellín. L'ambiente è molto semplice, ma le pizze sono cotte a puntino nel forno a legna.

Cafe Zorba INTERNAZIONALE $$

(cartina p208; Calle 8 n. 42-33, Parque La Presidenta; pizze COP$23.500; ⏲17-23.45; ❄📶) Situato ai margini del Parque La Presidenta, questo elegante caffè all'aperto serve ottime pizze, insalate, salse e deliziosi dessert. È anche un bel posto per concedersi un drink dopo cena. Il mercoledì in genere offre musica live.

Verdeo VEGETARIANO $$

(cartina p208; ☎4-444-0934; www.ricoverdeo.com; Calle 12 n. 43D-77, Manila; portate principali COP$18.000-23.500; ⏲12-21 lun e mar, fino alle 22 mer e gio, fino alle 23 ven e sab; ✍) 🍃 Non è necessario essere vegetariani per apprezzare la creatività dei piatti di questo magnifico ristorante, che oggi vanta una nuova sede a Manila. La scelta include deliziosi shawarma e hamburger vegetariani, zuppe vietnamite e insalate. Il personale prepara anche un salutare pranzo a prezzo fisso (COP$17.000) e molti piatti vegani.

L'adiacente negozio di generi alimentari è un posto eccellente per acquistare verdure biologiche, tofu e altri prodotti che di solito non si trovano nei supermercati locali.

Café Colombo Credenza COLOMBIANO $$

(cartina p206; Carrera 45 n. 53-24, 10° piano; portate principali COP$20.000-40.000; ⏲12-22 lun-sab) Situato all'ultimo piano dell'edificio che ospita il Centro Colombo Americano, questo bistrò dall'atmosfera piacevolmente informale serve pasti di qualità e regala uno splendido panorama sulla città. È anche il locale ideale per bere un cocktail all'inizio della serata. Serve inoltre un gustoso pranzo a prezzo fisso (COP$17.000) di livello decisamente superiore al tipico piatto di riso, carne e fagioli.

Malevo ARGENTINO $$

(cartina p208; ☎4-580-2150; Calle 11A n. 43E-32, Manila; portate principali COP$23.000-72.000; ⏲12-15 e 18-22 mar-sab, 12-17 dom) Fate un salto in Argentina in questa piccola e animata steakhouse in una casa riconvertita di Manila, che serve tagli di buona qualità a prezzi ragionevoli. Ordinate anche un paio delle sue famose *empanadas* come antipasto. Il servizio è eccellente e a volte c'è anche musica live.

Bao Bei CUCINA DEL SUD-EST ASIATICO $$

(cartina p208; ☎304-396-2418; Carrera 36 n. 8A-123; portate principali COP$22.000-24.000; ⏲12-15 e 18-22 mar-dom) Probabilmente dovrete aspettare per avere un tavolo in questo minuscolo locale gestito da uno chef filippino e dalla moglie colombiana, ma vale la pena di attendere se volete gustare alcuni ottimi piatti asiatici. È specializzato in *bao* – panini ripieni cotti al vapore – ma serve anche gustose ciotole di noodles e portate principali a base di pollo e maiale.

Ciao Pizza Gourmet ITALIANO **$$**
(cartina p204; all'angolo tra Calle 49 e Carrera 64A, Suramericana; portate principali COP$12.000-27.000; ⌚12-14 e 17-21.15 lun-ven, 12-21.15 sab, 12-16.30 dom) Sedetevi a uno dei tavoli sulla piccola piazza di questo ristorante di quartiere e potrete gustare deliziose pizze e piatti di pasta cucinati alla perfezione. Serve anche uno dei nostri pranzi a prezzo fisso preferiti (da COP$13.000 a COP$16.000), ricco di freschi sapori italiani. Si trova in posizione nascosta in una zona residenziale alle spalle del palazzo Suramericana.

Il Castello ITALIANO **$$**
(cartina p208; ☎4-312-8287; Carrera 40 n. 10A-14, Poblado; portate principali COP$20.000-40.000; ⌚12-14.30 e 18-22.30 lun-sab) Per gustare ottimi piatti autentici della cucina italiana puntate su questo bistrò senza pretese. Le pizze sono gustose, ma a mettersi in evidenza sono soprattutto i piatti di pasta, primi tra tutti i ravioli. Accompagnate il pasto con una bottiglia scelta dalla ricca carta dei vini.

★ **Carmen** INTERNAZIONALE **$$$**
(cartina p208; ☎4-311-9625; www.carmenmedellin.com; Carrera 36 n. 10A-27, Provenza; portate principali COP$45.000-60.000; ⌚12-14.30 e 19-22.30 mar-ven, 19-22.30 lun e sab) Gestito da una coppia di chef americano-colombiani, entrambi insigniti del Cordon Bleu, il Carmen propone sofisticati piatti della cucina internazionale caratterizzati da un'evidente influenza californiana. Il ristorante è suddiviso in zone ben distinte: un'intima sala da pranzo affacciata sulla cucina a vista, una serra e uno spazio all'aperto sul retro. I camerieri, che sono competenti e parlano inglese, sapranno consigliarvi i vini più adatti da abbinare ai cibi che avete ordinato.

Sebbene sia uno dei migliori ristoranti di Medellín, i prezzi sono molto ragionevoli considerando la qualità dei piatti. La sera è indispensabile prenotare.

★ **Tal Cual** FUSION **$$$**
(cartina p208; ☎316-478-4555; www.talcualrestaurante.com; Calle 12 n. 43D-12, Manila; portate principali COP$28.000-56.000; ⌚12-15 e 18-22) Un locale senza pretese a Manila con un'atmosfera artistica informale che serve fantasiosi piatti fusion a prezzi ragionevoli. Il menu è vario e include numerosi piatti di pesce, tra cui alcune eccellenti specialità peruviane, oltre a piatti di pasta, risotti, bistecche e costolette. Sono tutti deliziosi e presentati magnificamente, ma i *ceviche* e il tataki di tonno sono davvero superbi. Anche il servizio è di alto livello.

Rocoto PERUVIANO **$$$**
(cartina p208; ☎4-311-8979; Carrera 33 n. 8A-14, Provenza; portate principali COP$33.900-44.800; ⌚12-21.40 lun-mer, fino alle 22.40 gio-sab, fino alle 16.40 dom) Oggi Medellín è piena di ristoranti peruviani, ma questo locale all'aperto affacciato su un corso d'acqua scrosciante a Provenza si distingue per la qualità della cucina e del servizio. Non costa poco e alcuni piatti sono piuttosto piccoli, ma la preparazione e la presentazione sono eccellenti. Serve anche ottimi Pisco Sour.

Mistura PERUVIANO **$$$**
(☎4-322-5142; www.misturarestaurante.com; Carrera 39D n. 74-62, Laureles; portate principali COP$34.000-46.000; ⌚12-15 e 19-22 lun-mer, 12-15 e 19-23 gio e ven, 12-16 e 19-23 sab, 12-17 dom) Merita una visita per l'eccellente polpo alla griglia e i deliziosi piatti di riso e pesce. Mentre la cucina è degna di nota, l'ambiente è vagamente aziendale. Ha un altro locale a Provenza vicino al Parque Lleras.

Locali e vita notturna

★ **Salón Málaga** BAR
(cartina p206; ☎4-231-2658; www.salonmalaga.com; Carrera 51 n. 45-80; ⌚8-1) Vera e propria istituzione a Medellín, il Salon Malaga non è solamente un bar, ma un'esperienza culturale. Con le sue pareti rivestite di fotografie in bianco e nero di cantanti ormai scomparsi da tempo e la straordinaria collezione di grammofoni, è un vero spettacolo. Ma il Málaga è soprattutto la sua musica: vecchi vinili di tango e bolero classici suonati da DJ attempati.

★ **Pergamino** CAFFÈ
(cartina p208; ☎4-268-6444; www.pergamino.co; Carrera 37 n. 8A-37; ⌚8-21 lun-ven, 9-21 sab) Vale davvero la pena di fare la coda in questo popolare locale, che serve il miglior caffè di Medellín. Il Pergamino propone una vasta scelta di bevande sia calde sia fredde, preparate con caffè di alta qualità proveniente da piccole aziende agricole situate in tutte le regio-

ni del paese. Chi lo desidera potrà anche acquistare pacchetti di caffè da portare a casa.

La Octava BAR
(cartina p208; 4-583-1783; Calle 8 n. 37-49; 17-4) Locale abbastanza tranquillo per gli standard di Lleras, l'Octava offre buona musica internazionale e richiama una clientela socievole e alla mano. I tavoli sono stipati, ma se venite presto potreste riuscire a trovarne uno nel portico, posizione ideale per osservare il viavai sulla strada. Un bel posto per cominciare la serata prima di andare in discoteca.

Son Havana CLUB
(Carrera 73 n. 44-56; 20.30-3 mer-sab) Questo popolare locale nelle immediate vicinanze di La 70, il preferito dai veri appassionati di salsa, è pervaso da una fantastica atmosfera tropicale. Dal momento che la sua piccola pista da ballo si riempie sempre molto in fretta, la maggior parte dei clienti finisce per ballare tra i tavoli. L'ambiente è piuttosto buio, per cui non dovrete nemmeno preoccuparvi troppo se non conoscete bene i passi.

È sempre molto affollato dal giovedì al sabato per i suoi spettacoli dal vivo. A volte offre anche lezioni gratuite di salsa.

Trilogia Bar CLUB
(www.trilogiabar.com; Carrera 43G n. 24-08; 20.30-3.30 gio-sab) Per una serata vivace, puntate su questo accogliente locale nel Barrio Colombia, nel quale le band suonano celebri motivi crossover colombiani da un palcoscenico girevole, mentre la gente del posto – decisamente alticcia – canta in coro. Veniteci in gruppo e prenotate tramite il sito web per evitare di rimanere fuori.

Calle 9 + 1 BAR
(cartina p208; Carrera 40 n. 10-25; 21-fino a tardi) Disposto intorno a un ampio cortile coperto, questo locale alla moda viene vivacizzato da DJ che selezionano musica elettronica indipendente per una clientela con pretese artistiche. L'atmosfera è molto diversa da quella della maggior parte dei bar tradizionali situati nella zona del Parque Lleras.

☆ Divertimenti

Casa Gardeliana DANZA
(4-444-2633; Carrera 45 n. 76-50; 9-17 lun-ven) FREE Situata nel Barrio Manrique, la Casa Gardeliana è stata per molti anni il locale di tango più famoso di Medellín, grazie ai coinvolgenti spettacoli dal vivo che ospitava regolarmente. Oggi le esibizioni live si tengono sporadicamente, e questo locale è diventato essenzialmente un piccolo museo del tango. L'ultimo venerdì del mese ospita la 'Gran Fiesta Tangera' (dalle 18 alle 21.30), con *empanadas* argentine, vino e ballo. Prenotate un tavolo.

Si possono organizzare lezioni di ballo private (COP$80.000, 90 minuti) – il prezzo è lo stesso per uno o più partecipanti, quindi conviene formare un gruppo.

Teatro Pablo Tobón Uribe TEATRO
(cartina p204; 4-239-7500; www.teatropablotobon.com; Carrera 40 n. 51-24) Questo è il principale teatro tradizionale di Medellín. Ospita lezioni di ballo gratuite il sabato e di yoga il martedì e il giovedì mattina – portatevi il tappetino. Il martedì sera di solito sono in programma spettacoli teatrali e di danza.

El Patio del Tango DANZA
(4-235-4595; www.patiodeltango.com; Calle 23 n. 58-38; portate principali COP$25.000-35.000; 12-20 lun-mer, fino all'1.30 gio-sab) Considerato oggi il locale di tango più importante di Medellín, questa steakhouse è decorata come una tipica milonga di Buenos Aires. Prenotate in anticipo per gli spettacoli dal vivo del venerdì e del sabato. Per informazioni più dettagliate sulle esibizioni consultate il sito web.

Sport

Medellín ha due squadre di calcio, l'**Independiente Medellín** (www.dimoficial.com), che indossa la maglia rossa ed è conosciuta come 'El Poderoso', e l'**Atlético Nacional** (www.atlnacional.com.co), la maggiore squadra della città e una delle più forti della Colombia, che indossa la maglia verde. Entrambe le squadre giocano all'**Estadio Atanasio Girardot**, vicino alla stazione della metropolitana Estadio.

Nell'area metropolitana di Medellín c'è anche una terza squadra di calcio, l'**Envigado**

DIVERTIMENTI A MEDELLÍN

Opcion Hoy (www.opcionhoy.com) Esauriente elenco delle attività e dei divertimenti a sfondo culturale. Cercate la versione cartacea.

Medellín en Escena (www.medellinenescena.com) Per gli spettacoli teatrali.

Medellín Zona Rosa (www.medellinzonarosa.com) Orari dei concerti e locali notturni.

Fútbol Club, che gioca nel comune meridionale di Envigado.

Shopping

Per lo shopping esclusivo, puntate sui centri commerciali di El Poblado, tra cui **Santafé** (Carrera 43A n. 7 Sur-170; ⌚10-21 lun-sab, 11-20 dom), **Oviedo** (Carrera 43A n. 6 Sur-15; ⌚10-21 lun-sab, 11-20 dom) ed **El Tesoro** (☎4-321-1010; Carrera 25A n. 1A Sur-45; ⌚10-21 lun-sab, 11-20 dom). Per artigianato e souvenir andate al **Centro Artesanal Mi Viejo Pueblo** (cartina p206; Carrera 49 n. 53-20; ⌚9-19.30 lun-gio, fino alle 20 ven e sab, 10-18 dom) nel centro città.

Informazioni

ACCESSI A INTERNET

Quasi tutti i centri commerciali e molti luoghi pubblici, inclusi alcuni parchi, hanno punti di accesso wi-fi gratuiti, anche se la velocità a volte non è delle migliori. Quasi tutti i caffè e la maggior parte dei ristoranti offrono il wi-fi ai propri clienti. In generale tutti gli hotel e ostelli hanno una buona rete wi-fi, che però non sempre arriva fino alle camere, quindi verificate prima di prenotare.

A El Poblado e in centro ci sono molti internet bar. Quasi tutti chiedono circa COP$2000 l'ora. Provate l'**Internet Center** (☎4-448-8724; Calle 53 n. 47-44; COP$2900 l'ora; ⌚24 h).

ASSISTENZA SANITARIA

Clínica Las Vegas (☎4-315-9000; www.clinicalasvegas.com; Calle 2 Sur n. 46-55; ⌚24 h) Questa clinica privata gestita in modo professionale è la soluzione migliore se avete bisogno urgente di un medico. Il personale parla un po' di inglese.

Clínica Medellín (☎4-311-2800; www.clinicamedellin.com; Calle 7 n. 39-290; ⌚24 h) Clinica privata a El Poblado dove il personale parla un po' di inglese. Ha un'altra filiale nel centro di Medellín.

Congregación Mariana (☎4-322-8300; www.vid.org.co; Carrera 42 n. 52-82; ⌚8-17) Clinica no profit con molti specialisti e tariffe basse.

BANCHE

In tutti i quartieri della città sono presenti molti sportelli bancomat, in particolare presso il Parque Berrío in centro, lungo Av El Poblado e nei dintorni del Parque Lleras.

Nel **Centro Comercial Oviedo** troverete molti uffici di cambio, sportelli bancomat e filiali di banche.

Banco de Bogotá (Carrera 49 n. 49-16) Sportello bancomat in centro.

Banco de Bogotá (Carrera 43A n. 8-84) Sportello bancomat a El Poblado.

Banco Popular (Carrera 50 n. 50-14) Vari sportelli bancomat nella zona centrale.

Bancolombia (Calle 43A n. 65-15, Centro Comercial Oviedo) Nel Centro Comercial Oviedo a El Poblado.

Bancolombia (Carrera 49 n. 52-08) Sportello bancomat in centro.

Bancolombia (Carrera 39 n. 8-100) Sportello bancomat vicino al Parque Lleras.

Citibank (Carrera 43A n. 1A Sur-49) Sportello bancomat a El Poblado.

Giros & Finanzas (Calle 57 n. 49-44, Centro Comercial Villanueva, local 241; ⌚8-17) Ufficio di cambio e agenzia Western Union.

EMERGENZE E NUMERI UTILI

Ambulanza	☎125
Polizia	☎112
Vigili del fuoco	☎119

INFORMAZIONI TURISTICHE

Durante il vostro soggiorno a Medellín non incontrerete alcuna difficoltà a procurarvi informazioni turistiche grazie alla rete di Punto Información Turísticas (PIT), gestiti da personale bilingue esperto e cortese. Oltre a quelli citati di seguito, troverete altri sportelli informazioni in tutti gli aeroporti e le stazioni degli autobus.

PIT Cerro Nutibara (cartina p204; Calle 30A n. 55-64; ⌚8.30-18.30 lun-ven)

PIT Parque Arví (⌚9.30-17.30 mar-dom)

PIT Parque de Las Luces (cartina p204; all'angolo tra Calle 44 e Carrera 54; ⌚9-17.30 lun-sab)

PIT Plaza Mayor (cartina p204; ☎4-261-7277; www.medellin.travel; Calle 41 n. 55-80; ⌚8-18 lun-ven)

PERICOLI E CONTRATTEMPI

- Anche se oggi Medellín è in linea di massima una città sicura per i visitatori, le rapine non sono eventi rari. Fate molta attenzione la sera nella zona del centro, quando impiegati e commercianti vanno a casa e le strade si svuotano rapidamente.
- Sugli autobus e sulla metropolitana sono in azione i borseggiatori – tenete sempre gli occhi ben aperti.

POSTA

4-72 (cartina p208; Calle 10A n. 41-11; ⌚8-12 e 13-18 lun-ven, 9-12 sab) Ufficio postale a El Poblado.

4-72 (cartina p206; www.4-72.com.co; all'angolo tra Calle 49 e Carrera 51, Centro Comercial Cafetero; ⌚8-18 lun-ven, 9-12 sab) Ufficio postale in centro.

VIAGGIATORI CON DISABILITÀ

Nonostante riscuota grandi elogi per la sua innovazione urbana, Medellín ha ancora del lavoro da fare nel settore dell'accessibilità per le persone con mobilità ridotta.

Anche se oggi tutte le stazioni della metropolitana sono accessibili alle sedie a rotelle, ciò non vale per altri mezzi di trasporto pubblico, inclusi i piccoli autobus che collegano molte destinazioni. La conformazione topografica della città è decisamente impegnativa per i viaggiatori con mobilità ridotta. Lungo molte strade ci sono scalinate, soprattutto nei quartieri costruiti lungo i pendii delle colline.

Quasi tutti i centri commerciali, gli aeroporti e i principali musei sono accessibili ai viaggiatori con disabilità e in genere dispongono di bagni dedicati accessibili alle sedie a rotelle. Gli esercizi privati più raramente dispongono di rampe o altre strutture, anche se quasi tutti gli hotel di fascia alta e alcune strutture di media categoria hanno almeno qualche camera attrezzata.

VIAGGIATORI OMOSESSUALI

Anche se non al livello di Bogotá, Medellín offre una piccola ma vivace scena notturna gay-friendly. Molti locali sono situati in centro e nella zona di Calle 33 vicino a Laureles. Per gli elenchi dei bar e le rubriche degli spettacoli, consultate la **Guia Gay Colombia** (www.guiagaycolombia.com/medellin).

VISTI

Migración Colombia (☎4-238-9252; www.migracioncolombia.gov.co; Calle 19 n. 80A-40, Barrio Belén; ⏲7-11 e 14-16 lun-ven) Per richiedere l'estensione del visto. Da El Poblado prendete l'autobus Circular Sur 302/303 in direzione sud lungo Av Las Vegas.

Per/da Medellín

AEREO

Medellín dispone di due aeroporti. Tutti i voli internazionali e quelli interni diretti verso le città principali decollano dall'**Aeropuerto Internacional José María Córdova** (MDE; ☎4-402-5110; www.aeropuertorionegro.co; Ríonegro), situato 35 km a sud-est della città, nei pressi del centro urbano di Ríonegro. Gli autobus navetta che collegano il centro città all'aeroporto partono ogni 15 minuti (COP$9500, 1 h, dalle 5 alle 21). La **fermata** (cartina p206; Carrera 50A n. 53-13) in città si trova alle spalle dell'Hotel Nutibara, ma si può salire a bordo anche vicino al Centro Comercial San Diego. In alternativa, la corsa in taxi costa COP$65.000.

Il più piccolo **Aeropuerto Olaya Herrera** (EOH; ☎4-403-6780; http://aeropuertoolayaherrera.gov.co; Carrera 65A n. 13-157) si trova in città accanto alla stazione degli autobus Terminal del Sur. Da qui partono voli regionali, tra cui quelli per le città del Chocó.

AUTOBUS

Medellín ha due stazioni degli autobus. Dal **Terminal del Norte** (cartina p204; www.terminalesmedellin.com; Ⓜ Caribe), 3 km a nord del centro città, partono i mezzi diretti verso le destinazioni situate a nord, est e sud-est, tra cui Santa Fe de Antioquia (COP$14.000, 2 h), Cartagena (COP$130.000, 13 h), Santa Marta (COP$130.000, 16 h) e Bogotá (COP$65.000, 10 h). La stazione si raggiunge facilmente da El Poblado in metropolitana (scendete a Caribe) o in taxi (COP$14.000).

Il **Terminal del Sur** (www.terminalesmedellin.com), 4 km a sud-ovest del centro, gestisce tutto il traffico diretto a ovest e a sud, tra cui Manizales (COP$35.000, 5 h), Pereira (COP$43.000, 7 h), Armenia (COP$45.000, 6 h) e Cali (COP$55.000, 9 h). La stazione si raggiunge da El Poblado con una breve corsa in taxi (COP$6000).

Trasporti locali

AUTOBUS

Medellín è servita in maniera molto efficiente dagli autobus, anche se quasi tutti visitatori trovano la metropolitana e i taxi più che sufficienti per le loro esigenze. Nella maggior parte dei casi, le linee di autobus partono da Av Oriental e dal Parque Berrío. I mezzi pubblici prestano servizio fino alle 22 o alle 23 circa.

BICICLETTA

Medellín possiede un funzionale e capillare sistema pubblico di biciclette a noleggio chiamato **Encicla** (www.encicla.gov.co). I visitatori possono noleggiare una bicicletta per fare brevi giri in città utilizzando il passaporto, ma prima devono registrarsi e procurarsi una 'Tarjeta Civica' presso le stazioni della metropolitana Niquía, San Antonio, Itagüí o San Javier. Molte stazioni sono collegate da una rete di piste ciclabili. Consultate il sito web per conoscere l'ubicazione delle stazioni.

METROPOLITANA

La **Metro** (www.metrodemedellin.gov.co; corsa singola COP$2300; ⏲4.30-23 lun-sab, 5-22 dom) di Medellín è l'unica metropolitana presente in Colombia. Inaugurata nel 1995, è costituita da una linea nord–sud lunga 23 km e da una linea est–ovest lunga 6 km. I treni viaggiano in superficie, fatta eccezione per un tratto di 5 km che attraversa il centro, nel quale percorrono un viadotto sopraelevato.

La compagnia che gestisce la metropolitana dispone anche di quattro cabinovie chiamate Metrocable, costruite per servire le comunità dei quartieri più poveri situati sulle colline e il Parque Arví di Santa Elena. Le corse in cabinovia offrono la possibilità di ammirare splendidi panorami e costituiscono un modo molto gradevole per cogliere la città nel suo insieme. Per le tre linee principali Metrocable è sufficiente il biglietto della metropolitana, mentre la linea Arví ha una tariffa a parte.

Per chi ha intenzione di trascorrere un po' di tempo a Medellín vale la pena di procurarsi la 'Tarjeta Civica', che offre tariffe scontate e accesso più rapido.

TAXI

A Medellín circolano numerosi taxi, tutti dotati di tassametro. La tariffa minima è di COP$5000. La corsa in taxi dal centro a El Poblado ha un costo compreso tra COP$10.000 e COP$12.000 circa.

DINTORNI DI MEDELLÍN

La campagna che circonda Medellín, per lungo tempo rimasta inaccessibile ai turisti colombiani rinchiusi nelle loro città a causa della guerra civile, adesso è una zona sicura che pullula di visitatori.

Guatapé

☎4 / POP. 5167 / ALT. 1925 M

La gradevole località di villeggiatura di Guatapé sorge sulle sponde del grande lago artificiale Embalse Guatapé. La cittadina è rinomata per le decorazioni colorate delle case tradizionali: la parte inferiore di molti edifici è ricoperta da bassorilievi dalle tonalità brillanti che raffigurano persone, animali e altre immagini.

Guatapé costituisce un'eccellente meta per un'escursione in giornata da Medellín (essendo raggiungibile in autobus in un paio d'ore), ma se desiderate concedervi una rilassante pausa dalla frenesia cittadina, potrete trattenervi più a lungo senza timore di annoiarvi. Visitatela nel weekend se volete vivere l'atmosfera festosa che si respira quando la città è affollata di turisti colombiani, oppure durante la settimana se preferite esplorare il suo meraviglioso ambiente naturale a un ritmo più tranquillo.

Attività

Un **canopy tour** (COP$15.000 a corsa; ⏲13-18 lun-ven, 9-18 sab e dom) corre lungo la sponda del lago partendo da una grande collina posta all'ingresso della città. Un sistema idraulico consente ai clienti di raggiungere la sommità della collina dal *malecón* (passeggiata lungolago) senza dover camminare.

Un'altra popolare attività è l'arrampicata su roccia lungo il lato meridionale della Piedra del Peñol. Quasi tutti gli hotel e ostelli possono mettervi in contatto con le guide locali.

Tour

Diverse compagnie di navigazione con sede lungo il *malecón* propongono gradevoli escursioni sul lago.

Nella maggior parte dei casi queste imbarcazioni sono dotate di potenti impianti stereofonici, di un bar e di una pista da ballo, ma non effettuano molte soste per scendere a terra. A metà del 2017 l'imbarcazione più grande tra quelle in servizio sul lago è affondata provocando numerose vittime. Se intendete scegliere una delle imbarcazioni più grandi, è consigliabile sedersi sul ponte superiore per avere una via di fuga in caso di emergenza.

È però più interessante fare una gita con una barca più piccola. Le escursioni classiche sono quelle a **La Cruz** (un monumento all'antica Peñol, oggi sommersa delle acque del lago, da molti erroneamente creduto parte della vecchia chiesa) e all'**Isla de las Fantasias**. Entrambe costano circa COP$15.000 per persona.

In alternativa è possibile noleggiare imbarcazioni più piccole per visitare il lago per conto proprio. Le fermate includono la sosta al museo dedicato alla creazione del lago e – su richiesta – alla **Finca La Manuela**, la fattoria oggi abbandonata di Pablo Escobar. I prezzi variano a seconda della lunghezza del tragitto, ma partono da circa COP$90.000.

Guatape Motos VISITE GUIDATE
(☎313-788-9332; www.guatapemotos.com; Carrera 31 n. 22-09; COP$20.000/100.000 ora/giorno) Un operatore professionale che offre motociclette a noleggio e visite guidate in tutta la regione. Il personale vi aiuterà a pianificare un itinerario che includa i luoghi che maggiormente rientrano nei vostri interessi.

Pernottamento

Mi Casa OSTELLO $
(☎4-861-0632; www.micasaguatape.com; Estadero La Mona; letti in camerata COP$30.000, camere COP$70.000-80.000) Gestito da un'affabile coppia anglo-colombiana, questo piccolo e popolare ostello situato vicino alla base di La Piedra è accogliente e confortevole. Alcune camere offrono la vista sul lago e un sentiero conduce sul bordo dell'acqua, dove si possono noleggiare kayak. Gli ospiti hanno a disposizione una cucina dotata di un assortimento di spezie di importazione.

Lakeview Hostel OSTELLO $
(☎4-861-0023; www.lakeviewhostel.com; Carrera 22 n. 29B-29; letti in camerata COP$23.000-30.000, singole/doppie/triple a partire da COP$70.000/85.000/110.000; 📶) Un ostello locale ben avviato che offre camere moderne e curate. Le camerate al piano inferiore si aprono sull'area comune e possono essere rumorose, ma

le camere private al secondo piano con vista sul lago sono di buon livello. I socievoli proprietari organizzano attività di ogni genere. All'ultimo piano c'è un buon ristorante thailandese.

Galeria Hostel OSTELLO **$$**
(☎4-861-0077; www.galeriahostels.com; Vereda La Piedra, Residencial No 2; letti in camerata COP$28.000-34.000, camere con prima colazione COP$160.000) Situato su una penisola proprio sotto La Piedra, questo piccolo ostello alla moda è una scelta popolare tra i backpacker in cerca di panorami maestosi a prezzi economici. Si tratta di una struttura piccola e accogliente in cui ci si sente un po' come in un ritiro tra amici. Un sentiero ripido scende fino a una zona particolarmente panoramica del lago.

Mansion de Oriente HOTEL **$$**
(☎4-861-0218; Vereda La Piedra; camere con prima colazione COP$80.000-119.000 per persona;) Eccellente opzione di fascia media vicino a La Piedra, questa casa in stile rurale dispone di camere pulite e spaziose che si aprono su un ampio balcone con vista sul lago. Ma le parti migliori sono la grande piscina e l'area di ritrovo a ridosso dell'acqua. Sono disponibili anche pacchetti comprensivi di pasti.

Pasti

Hecho con Amor CAFFÈ **$**
(Carrera 27A n. 30-71; pasti leggeri COP$4000-10.000; 12-19 sab-mer;) I residenti stranieri si fidano ciecamente di questo piccolo e simpatico caffè che serve per lo più piatti vegetariani, accanto a un fantastico involtino di pancetta per i clienti carnivori. Il menu offre un assortimento di hamburger vegetariani, gustose salse, zuppe e quiches. Lasciate spazio ai fantastici dessert – provate la deliziosa cheesecake.

Pizzeria de Luigi PIZZA **$$**
(☎320-845-4552; Calle 31 n. 27-10; pizze COP$20.000-28.000; 18.30-22 mer-dom) Questo locale a gestione italiana situato vicino al parco sportivo serve le pizze più buone di Guatapé.

Kushbu INDIANO, INTERNAZIONALE **$$**
(Donde Sam; ☎4-861-0171, 310-403-1073; Calle 32 n. 31-57; pranzo a prezzo fisso COP$10.000-14.000, portate principali COP$22.000-30.000; 9-21) Questo grande ristorante situato al secondo piano offre la possibilità di ammirare uno splendido panorama sul lago e serve un'ottima cucina. Il menu propone una buona scelta di piatti indiani, oltre a diverse specialità italiane, thailandesi, cinesi e messicane. Ci sono anche portate vegetariane e menu speciali con un buon rapporto qualità-prezzo.

Informazioni

In città ci sono due sportelli bancomat, uno situato nei pressi della piazza principale e l'altro accanto alla stazione degli autobus.

Robin Cell (☎314-700-1342; Calle 30 n. 28-36; COP$2000 l'ora; 9-12 e 14-20) Accesso a internet.

Ufficio turistico (☎4-861-0555; Alcaldía; 8-13 e 14-18) Situato all'interno dell'*alcaldía* (municipio) sulla piazza principale.

Per/da Guatapé

Se state facendo un'escursione in giornata da Medellín, vi conviene salire sulla **Piedra del Peñol** prima di raggiungere Guatapé, visto che nel pomeriggio il cielo può rannuvolarsi e iniziare a piovere. Gli autobus per/da Medellín (COP$13.500, 2 h) partono all'incirca ogni ora. I *colectivos* (taxi o minibus collettivi) fanno spesso la spola tra il bivio che conduce alla Piedra del Peñol e Guatapé (COP$2000, 10 min), ma per raggiungere l'ingresso si può prendere anche un mototaxi (COP$10.000).

L'ultimo autobus per rientrare a Medellín parte alle 18.30 nei giorni feriali e alle 19.45 nei weekend e negli altri periodi di grande afflusso. Per rientrare da Guatapé durante i weekend non bisogna dimenticarsi di acquistare il biglietto di ritorno appena arrivati sul posto, visto che gli autobus si riempiono sempre molto in fretta. La **biglietteria** (all'angolo tra Carrera 30 e Calle 32) si trova sul lungolago.

Piedra del Peñol

Nota anche come El Peñón de Guatapé per via dell'accesa rivalità che divide da sempre gli abitanti delle due città che domina, questa **collina monolitica di granito** (El Peñón de Guatapé; salita COP$18.000; 8-17.40) alta 200 m si erge ai margini dell'Embalse Guatapé. Una scalinata di mattoni composta da 659 gradini sale nella larga fessura che si apre sul fianco della roccia. Dalla vetta è possibile ammirare un magnifico panorama sulla zona e sulle articolate sponde del lago che si estende tra il verde delle montagne.

Arrivando da Medellín, non scendete dall'autobus nella cittadina di Peñol, ma chiedete al conducente di farvi scendere a 'La Piedra', che si raggiunge dopo altri 10 minuti di strada. Per raggiungere il parcheggio situato alla base del monolito imboccate la strada che piega in salita e supera la stazione di servizio (1 km). I taxisti e i proprietari di cavalli tenteranno di convincervi che questa salita è una fatica immane, mentre in realtà – pur essendo molto ripida – la strada da percorrere non è lunga. Alla base della collina si trovano delle bancarelle che vendono souvenir per turisti e numerosi ristoranti aperti per pranzo (da COP$8000 a COP$12.000). Sulla sommità della collina ci sono alcune rivendite di succhi di frutta, gelati e *salpicón* (macedonia di frutta con succo d'anguria).

Santa Fe de Antioquia

☎4 / POP. 24.905 / ALT. 550 M

Questa tranquilla cittadina coloniale è l'insediamento più antico della regione. Fondata nel 1541 da Jorge Robledo, Santa Fe de Antioquia fu il capoluogo del dipartimento di Antioquia fino al 1826, anno in cui l'apparato amministrativo venne trasferito a Medellín. Vissuta per molto tempo all'ombra della città vicina, situata 80 km a sud-est, Santa Fe de Antioquia vanta un suggestivo centro coloniale che – non essendo mai stato toccato dalle ruspe – è riuscito a conservare intatto l'aspetto che aveva durante il XIX secolo. Sulle sue stradine si affacciano case imbiancate a calce a un piano solo, spesso disposte intorno a splendidi cortili. Le porte e le finestre delle case d'epoca sono impreziosite da elaborati fregi in legno nel tipico stile della zona.

Santa Fe de Antioquia costituisce la meta ideale per un'escursione in giornata da Medellín. Assicuratevi di assaggiare la *pulpa de tamarindo*, uno squisito pasticcino agrodolce che viene prodotto con il tamarindo coltivato nella valle circostante.

Che cosa vedere

Puente de Occidente PONTE

Questo insolito ponte lungo 291 m attraversa il Río Cauca 5 km a est della città. Portato a termine nel 1895, il Puente de Occidente fu uno dei primi ponti sospesi costruiti nelle Americhe. Il suo progettista, José María Villa, diede un grande contributo anche alla realizzazione del Ponte di Brooklyn a New York. Per raggiungere il ponte bisogna fare un'estenuante passeggiata in discesa di 45 minuti sotto il sole. Conviene prendere un mototaxi (andata e ritorno COP$15.000); il conducente vi attenderà mentre attraversate il ponte.

Risalendo il sentiero sterrato che parte alle spalle dell'ingresso è possibile scattare bellissime fotografie dall'alto.

Museo Juan del Corral MUSEO

(☎4-853-4605; Calle 11 n. 9-77; ⏲9-12 e 14-17.30, chiuso mer) FREE Visitate questo interessante museo dedicato alla storia della regione per ammirare il palazzo di epoca coloniale perfettamente conservato in cui è allestito. Il museo ospita regolarmente eventi culturali.

Museo de Arte Religioso MUSEO

(☎4-853-2345; Calle 11 n. 8-12; COP$3000; ⏲10-13 e 14-17 ven-dom) Il Museo de Arte Religioso è ospitato all'interno dell'ex collegio gesuita costruito intorno al 1730, che sorge accanto all'Iglesia de Santa Bárbara. Al suo interno è possibile ammirare una splendida collezione di opere d'arte sacra d'epoca coloniale, tra le quali spiccano i dipinti di Gregorio Vásquez de Arce y Ceballos.

Iglesia de Santa Bárbara CHIESA

(all'angolo tra Calle 11 e Carrera 8; ⏲6.30-8 e 17-18.30 gio-mar, 6.30-8 mer) Costruita dai gesuiti nella seconda metà del XVIII secolo, la chiesa più interessante di Santa Fe de Antioquia presenta una splendida facciata barocca, mentre all'interno merita di essere segnalato il *retablo* (pala) dell'altare maggiore, che conserva la propria bellezza nonostante mostri i segni del tempo.

Feste ed eventi

Semana Santa FESTA RELIGIOSA

(Settimana Santa; ⏲Pasqua) Come la maggior parte delle cittadine colombiane fondate all'inizio della conquista spagnola, anche Santa Fe de Antioquia celebra questa settimana con sfarzo e grande solennità. Se avete intenzione di visitare la città in questo periodo, prenotate una camera con largo anticipo.

Fiesta de los Diablitos CULTURA

(⏲dic) La festa più popolare della città si tiene negli ultimi quattro giorni dell'anno con esibizioni musicali, danze, sfilate e – come quasi tutte le feste di paese – un concorso di bellezza.

Pernottamento

Green Nomads OSTELLO $$

(☎302-434-2163; www.greennomandshostel.com; Calle 9 n. 7-63; letti in camerata/camere COP$30.000/100.000; 📶❄) L'unico vero ostello del centro storico, situato in una buona posizione nelle vicinanze della piazza, offre a prezzi accessibili sistemazioni pulite e

confortevoli dotate di ventilatore. Sul retro c'è anche una magnifica piscina con vista.

★ Hotel Mariscal Robledo HOTEL **$$$**
(☎4-853-1563; www.hotelmariscalrobledo.com; all'angolo tra Carrera 12 e Calle 10; camere con prima colazione COP$385.000-448.000; P ❄ @ 🛜 🏊) Situato in posizione privilegiata nel Parque de la Chinca, l'albergo più elegante di Santa Fe de Antioquia ha carattere da vendere. Tutte le camere sono molto ampie, riflettono una sobria eleganza coloniale e sono impreziosite da pregevoli oggetti d'antiquariato, molti dei quali sono in vendita. L'hotel ha inoltre una terrazza panoramica sul tetto, una fantastica piscina e un grazioso cortile interno. L'unica pecca è costituita dalle docce elettriche.

Casa Tenerife BOUTIQUE HOTEL **$$$**
(☎4-853-2261; Carrera 8 n. 9-50; singole/doppie con prima colazione COP$152.000/244.000; 🛜 🏊) Situato in una casa coloniale restaurata a un isolato dalla piazza, questo bell'hotel offre camere eleganti e spaziose dotate di tutti i comfort moderni disposte intorno a un grande cortile interno. Sul retro c'è una bella piscina e gli ospiti hanno a disposizione le biciclette.

Santa Fe de Antioquia

Che cosa vedere
1 Iglesia de Santa Bárbara C2
2 Museo de Arte Religioso C2
3 Museo Juan del Corral B2

Pernottamento
4 Casa Tenerife C2
5 Green Nomads C3
6 Hotel Mariscal Robledo A1

Pasti
7 Restaurante Portón del Parque B2
8 Sabor Español A1

Locali e vita notturna
9 La Comedia C2

Pasti e locali

Restaurante Portón del Parque COLOMBIANO **$$**
(☎4-853-3207; Calle 10 n. 11-03; portate principali COP$25.000-31.000; ⊙12-20) Ospitato all'interno di un'elegante costruzione di epoca coloniale dotata di soffitti alti e di un grazioso cortile fiorito, questo ristorante ha pareti ricoperte da opere d'arte di scarso valore, ma la cucina serve ottimi piatti della tradizione.

Sabor Español SPAGNOLO $$$

(☎4-853-2471; Calle 10 n. 12-26; portate principali COP$27.800-38.000; ⌚12-15 e 18-22 mar-ven, 12-22 sab, 12-17 dom) Questo eccellente ristorante affacciato proprio sul Parque de la Chinca serve cucina tipica spagnola in un grande giardino con veranda. Le pareti sono tappezzate di gingilli provenienti dalla Spagna, e a creare l'atmosfera contribuisce anche la musica flamenco in sottofondo. Offre inoltre vini spagnoli e un buon servizio.

La Comedia BAR

(Calle 11 n. 8-03; ⌚12-fino a tardi) Situato davanti alla Iglesia de Santa Bárbara, questo locale dall'atmosfera tranquilla e artistica e con musica jazz a basso volume in sottofondo serve una gamma completa di bevande calde e fredde e pasti leggeri. La sera è il locale migliore della città per godersi un drink in un ambiente informale.

Informazioni

Banco Agrario (Calle 9 n. 10-51) Sportello bancomat costoso.

Bancolombia (Carrera 9 n. 10-72) Sportello bancomat a mezzo isolato dalla piazza.

Listo Comunicaciones (☎4-853-3357; COP$1000 l'ora; ⌚8-20) Accesso a internet sulla piazza principale.

Punto Información Turística (PIT; ☎int. 5 4-853-1136; turismo@santafedeantioquia-antioquia.gov.co; Carrera 9 n. 9-22; ⌚8-12 e 14-18) Ufficio turistico con personale cordiale che può procurarvi guide locali.

Per/da Santa Fe de Antioquia

La città è servita da autobus (COP$10.000, 2 h) e minibus (COP$14.000, 1 h 30 min) per/dal Terminal del Norte di Medellín che effettuano corse ogni ora. L'ultimo minibus diretto a Medellín parte intorno alle 19.30 dalla **stazione degli autobus** (Carretera Medellín–Urabá), ma dopo questo orario si può sempre fermare un autobus interurbano in servizio lungo la statale da Turbo, nell'Urabá.

Jardín

☎4 / POP. 13.596 / ALT. 1750 M

Autoproclamatasi città più bella del dipartimento di Antioquia, Jardín è un incantevole centro agricolo formato da case a due piani dai colori vivaci e circondato da piccole aziende agricole produttrici di caffè, che si estendono in modo improbabile sui pendii di maestose montagne verdissime.

Il fulcro della cittadina è l'ariosa piazza centrale acciottolata, dominata da un'imponente chiesa in stile neogotico. La piazza è gremita di tavoli e sedie di legno colorato, dove i venditori di frutta servono deliziosi cocktail e gli anziani del posto conversano tra un caffè e l'altro. Al calare della sera, sembra che tutti gli abitanti escano per fare due chiacchiere sorseggiando un drink, mentre corpulenti uomini di mezza età che indossano *sombreros* si aggirano a dorso di cavalli ben strigliati.

In ogni caso, Jardín può offrire ai visitatori ben più del suo fascino di cittadina di provincia. Esplorando la spettacolare campagna circostante troverete infatti grotte nascoste, cascate e una ricca avifauna e avrete la possibilità di dedicarvi a svariate attività avventurose.

Che cosa vedere

Basilica Menor de la Inmaculada Concepción CHIESA

(⌚5-20.30) Questa imponente chiesa neogotica, che con la sua mole domina la piazza centrale, sembra un po' fuori luogo in una cittadina piccola come Jardín, anche per il fatto che le sue pareti di granito grigio sormontate da guglie di alluminio si pongono in netto contrasto con le casette colorate che la circondano. Il magnifico interno azzurro presenta archi e capitelli dorati.

★ **Cerro Cristo Rey** PUNTO PANORAMICO

Questo punto panoramico e la sua bianca statua di Cristo si scorgono già dal centro di Jardín. Prendete la moderna funivia (andata e ritorno COP$6000) per ammirare un fantastico panorama sulla città e sulle montagne circostanti. Nel punto di arrivo della funivia troverete un negozio che vende birre fredde e spuntini.

Se la funivia non è in servizio, il che accade abbastanza di frequente, potete raggiungere il punto panoramico a piedi impiegando da 25 a 45 minuti, a seconda di quale sentiero percorrete. Si può salire anche in bicicletta e a cavallo.

Reserva Natural Gallito de la Roca RISERVA NATURALE

(Calle 9; COP$10.000; ⌚6-7.30 e 16-17.30) Questa piccola riserva naturale situata ai margini della cittadina regala uno degli spettacoli naturali più straordinari di Jardín. Ogni giorno, al mattino presto e poi di nuovo la sera, stormi di galletti di roccia andini si levano in volo emettendo suoni striduli e i maschi esibiscono il loro piumaggio rosso brillante per far colpo sulle femmine.

★ Cueva del Esplendor GROTTA
(COP$6000) Situata a 2200 m di altitudine e immersa in un paesaggio magnifico, questa spettacolare grotta, l'attrattiva più famosa di Jardín, ha all'interno una cascata di 10 m che sgorga da una grande cavità della parete superiore. La grotta si raggiunge solo a cavallo o a piedi lungo sentieri di montagna fangosi e in alcuni tratti molto stretti. Per raggiungere l'ingresso della grotta dalla città calcolate di impiegare tre ore a piedi, due a cavallo.

La cascata inizia circa 70 m sopra l'ingresso, e l'acqua compie diversi salti prima di riversarsi in una piccola pozza sul fondo della grotta, sollevando nuvole di nebbiolina. Chi lo desidera potrà fare un tuffo, ma l'acqua è veramente gelida. Tenete presente che per raggiungere la grotta dal punto di accesso bisogna camminare in discesa per 20 minuti lungo un ripido sentiero, quindi serve una certa agilità.

Per fare questa escursione a cavallo, calcolate di spendere circa COP$75.000 per persona, compreso un pranzo tradizionale. Tra le guide locali sono da segnalare Bernardo Lopez, che verrà a prendervi direttamente in città con i suoi cavalli, e **Jaime Marín** (313-719-1017, 314-780-4070; COP$75.000), che invece vi condurrà in jeep fino alla sua azienda agricola, da dove l'ingresso della grotta si raggiunge a piedi in un'ora.

Attività

Condor de los Andes AVVENTURA
(310-379-6069; condordelosandes@colombia.com; Calle 10 n. 1A-62) Questa dinamica agenzia con sede presso l'ostello omonimo propone un ampio ventaglio di attività adrenaliniche nei dintorni della città, tra cui le uscite di canyoning alla **Cascada La Escalera** (COP$75.000).

Tienda de Parapente PARAPENDIO
(311-362-0410; armandovuelo@gmail.com; Calle 15, Av la Primavera; voli in tandem COP$130.000; 10-18) Voli in tandem sulle montagne lussureggianti e gli ordinati tetti di tegole della città. L'ufficio si trova alle spalle dello stadio; per arrivarci, camminate per cinque isolati fino alla collina dietro la chiesa. Altrimenti chiedete alla gioielleria Arte Latino, a mezzo isolato dal parco in Carrera 4.

Bernardo Lopez EQUITAZIONE
(314-714-2021; COP$75.000) Questa cordiale guida locale offre escursioni a cavallo alla Cueva del Esplendor. Bernardo verrà a prendervi in città; l'ingresso della grotta si raggiunge in due ore di cavalcata. Nel prezzo è incluso un pranzo tipico.

Pernottamento

★ Condor de los Andes OSTELLO $
(310-379-6069; www.condordelosandeshostal.com; Calle 10 n. 1A-62; letti in camerata con/senza prima colazione COP$30.000/25.000, singole/doppie con prima colazione COP$60.000/90.000) Questo splendido ostello, situato in una casa in stile coloniale che dista solo un isolato dalla piazza, offre magnifici panorami e totale tranquillità e costituisce la scelta migliore in città per chi viaggia con un budget ridotto. Vi troverete una varietà di camere confortevoli dotate di acqua calda disposte intorno a una terrazza di pietra affacciata sulle maestose montagne. Gli ospiti hanno a disposizione una cucina e una bella area comune all'aperto.

Hotel Jardín HOTEL $$
(310-380-6724; www.hoteljardin.com.co; Carrera 3 n. 9-14; camere COP$45.000-55.000 per persona;) Situato proprio sulla piazza centrale, questo albergo dipinto a colori vivaci offre camere e appartamenti dotati di cucina disposti intorno a un incantevole cortile. Include anche un ampio e bellissimo balcone affacciato sul parco e un portico sul retro con vista sulle montagne. Alcune camere situate al piano inferiore mancano di luce naturale; cercate di farvene dare una al piano superiore con la finestra che dà sulla strada.

Pasti e locali

Cafe Europa ITALIANO $
(302-235-3100; Calle 8 n. 4-02; pasta COP$13.000, pizze COP$13.000-20.000; 17-22) Probabilmente dovrete aspettare per avere un tavolo in questo locale d'angolo dall'ottimo rapporto qualità-prezzo, che serve un ridotto menu di deliziose pizze e piatti di pasta a prezzi stracciati. È un locale accogliente con le pareti tappezzate di ritagli di giornali europei e fotografie colombiane. Serve vino in bottiglia o al bicchiere.

★ Cafe Macanas CAFFÈ
(4-845-5039; Parque Principal; 8-20.30) Prendete una tazza dell'ottimo caffè proveniente da coltivazioni locali e uscite nel cortile pie-

no di fiori situato sul retro di questo eccezionale caffè di nuova apertura, che sorge sulla piazza principale proprio accanto alla basilica. All'interno dell'edificio coloniale che lo ospita ci sono angolini dall'atmosfera raccolta dove ci si può sedere a godersi un po' di relax nelle giornate piovose. Vi trovate anche pacchetti di caffè in vendita.

Shopping

Dulces del Jardín DOLCI

(☎4-845-6584; dulcesdeljardin@hotmail.com; Calle 13 n. 5-47; arequipe COP$7000; ⏲8-18) Questa fabbrica di dolci è famosa in tutta la regione di Antioquia per la sua straordinaria varietà di *arequipe* (una crema dolce preparata con latte e zucchero), conserve e caramelle alla frutta. Il nostro preferito è l'*arequipe de arracacha* (una verdura andina).

Informazioni

Bancolombia (Calle 9 n. 3-33) Sportello bancomat affidabile.

Punto Información Turística (☎350-653-6185; piteljardin@gmail.com; all'angolo tra Carrera 3 e Calle 10; ⏲8-12 e 14-18) Efficiente ufficio turistico situato dietro l'angolo della chiesa.

Per/da Jardín

Circa una dozzina di autobus (COP$25.000, 3 h) raggiunge ogni giorno Jardín dal Terminal del Sur di Medellín. A Jardín gli autobus partono dagli uffici di Calle 8, dove operano **Rapido Ochoa** (☎312-286-9768, 4-845-5051; Calle 8 n. 5-24) e **Transportes Suroeste Antioqueño** (☎4-845-5505; Calle 8 n. 5-21). Ricordate di acquistare il biglietto di andata e ritorno in anticipo, in quanto nei periodi di punta i posti a sedere si esauriscono sempre molto in fretta.

Se intendete proseguire verso sud in direzione dell'Eje Cafetero (Asse del Caffè), nella Zona Cafetera, **Cotransrio** (☎311-762-6775; Calle 8 n. 5-24) opera una corsa diretta da Jardín a Manizales (COP$40.000, 6 h) con partenza alle 6.25. In alternativa prendete l'autobus per Ríosucio alle 8 o alle 14 (COP$19,000, 3 h) e proseguite da lì con una coincidenza per Manizales.

Río Claro

ALT. 350 M

Situata 2 km a sud dell'autostrada Medellín-Bogotá, tre ore a est di Medellín e cinque ore a ovest di Bogotá, la **Reserva Natural Cañón de Río Claro** (☎4-268-8855, 313-671-4459; www.rioclaroelrefugio.com; Km 152, Autostrada Medellín–Bogotá; COP$15.000; ⏲8-18) è una piccola riserva naturale dotata di strutture ricettive, in cui le acque cristalline del Río Claro scorrono in uno spettacolare canyon di marmo circondato da una foresta lussureggiante. Non perdetevi la splendida **Caverna de los Guácharos** (visita guidata COP$20.000), accanto al fiume.

Nella riserva si può praticare il rafting (COP$25.000), ma si tratta più che altro di una tranquilla discesa lungo acque non impetuose in mezzo a magnifici paesaggi, per cui i più esperti potrebbero restare delusi. Alcuni cavi tesi tra gli alberi attraverso il fiume consentono di trascorrere un pomeriggio diverso dal solito facendo un canopy tour nella giungla (COP$20.000).

Ricordate di portare un costume da bagno, un asciugamano e una torcia. Dal momento che durante i weekend questa riserva è spesso affollata di studenti colombiani, se vi è possibile vi consigliamo di visitarla in un giorno feriale. La riserva offre diversi tipi di sistemazione sotto la stessa gestione; la più suggestiva si raggiunge dal ristorante risalendo il fiume per circa 15 minuti. Nei pressi dell'autostrada si trova anche una struttura simile a un motel, che però non è circondata dalla natura ed è disturbata dal costante rumore causato dal passaggio di veicoli. Se intendete pernottare nella riserva, non pensiate neanche di presentarvi senza aver prenotato: non trovereste posto.

La riserva è situata 24 km a ovest di Doradal, dove potrete trovare un paio di alberghi economici e qualche internet bar nei pressi della piazza principale, oltre ad alcuni sportelli bancomat.

Per/da Río Claro

Molti autobus che prestano servizio tra Medellín e Bogotá – fatta eccezione per alcuni mezzi espresso – vi faranno scendere davanti all'ingresso della riserva naturale. Chiedete conferma prima di acquistare il biglietto. Coonorte (www.coonorte.com.co) opera frequenti corse da Medellín a Doradal, e a località più distanti, che fermano sempre a Río Claro.

Se arrivate da un'altra direzione dovrete cercare un veicolo diretto a Doradal, da dove potrete prendere un autobus che vi porti all'ingresso principale (COP$5000, 20 min).

ZONA CAFETERA

La Colombia gode di una meritata fama per il suo caffè, ma i pregiati chicchi rivestono particolare importanza nei dipartimenti di Caldas, Risaralda e Quindío, che nel loro insieme formano il cuore della cosiddetta Zona

Cafetera, detta anche Eje Cafetero (Asse del Caffè). In questa regione vedrete fuoristrada carichi di baffuti raccoglitori di caffè, pittoreschi personaggi con il poncho che chiacchierano nei bar e – naturalmente – un'infinità di tazze di arabica bollente. Molte *fincas* (tenute) si sono aperte al turismo e oggi accolgono i visitatori nelle proprie piantagioni per far conoscere il procedimento di coltivazione del caffè. Questa zona diventa particolarmente interessante nel periodo del raccolto (da aprile a maggio e da ottobre a dicembre), quando le fattorie fervono di attività.

Questa regione fu colonizzata dai *paisas* nel corso del XIX secolo, durante la cosiddetta *colonización antioqueña*, e oggi resta culturalmente più vicina a Medellín sotto molti aspetti, dall'architettura tradizionale alla cucina. Si tratta di una zona ricca di spettacolari bellezze naturali, che regala panorami incantevoli.

La Zona Cafetera si può raggiungere con i frequenti autobus in servizio da Medellín, Cali e Bogotá. Manizales, Armenia e Pereira sono tutte dotate di aeroporto; quello di Pereira è il più vicino e offre i collegamenti migliori.

Manizales

☎6 / POP. 398.830 / ALT. 2150 M

Estremità settentrionale dell'Eje Cafetero e capoluogo del dipartimento di Caldas, Manizales è una cittadina universitaria di medie dimensioni, gradevolmente fresca e circondata su ogni lato da un verde panorama montano. Manizales venne fondata nel 1849 da un gruppo di coloni di Antioquia in fuga dalle guerre civili che a quel tempo affliggevano il paese. Lo sviluppo della città fu ostacolato nel 1875 e nel 1878 da due violenti terremoti e nel 1925 da un devastante incendio. Per questa ragione non sono rimaste molte tracce della sua storia, e dunque le attrattive principali di Manizales sono costituite dalle attività all'aperto che si possono praticare nei dintorni e dalla vivace vita notturna della città.

Che cosa vedere e fare

★ Monumento a Los Colonizadores — MONUMENTO

(Av 12 de Octobre, Chipre; ⌚11-19) Situato sulla sommità di una collina nel quartiere di Chipre, questo imponente monumento dedicato ai fondatori della città ha richiesto per la sua realizzazione 50 tonnellate di bronzo. Si tratta di un'opera di grande impatto, ma l'attrattiva principale è costituita sicuramente dagli spettacolari panorami che si possono ammirare sulla città e sul Parque Nacional Natural Los Nevados.

Iglesia de Inmaculada Concepción — CHIESA

(all'angolo tra Calle 30 e Carrera 22) Costruita all'inizio del XX secolo, questa elegante chiesa vanta splendidi interni in legno scolpito che ricordano lo scafo di una nave.

Torre de Chipre — PUNTO PANORAMICO

(Av 12 de Octobre, Chipre; COP$5000; ⌚11-21) Questo punto panoramico alto 30 m e molto simile a una navicella spaziale offre la possibilità di ammirare una magnifica vista a 360° delle montagne che circondano la città. I più intrepidi possono camminare lungo il perimetro su una passerella esterna assicurati a un'imbragatura (COP$15.000). Il biglietto di ingresso consente di allontanarsi e tornare ad ammirare la vista dopo il tramonto. Per arrivarci, prendete uno qualsiasi degli autobus che effettuano partenze frequenti da Cable Plaza per Chipre e percorrono Av Santander.

Los Yarumos — PARCO

(☎323-476-4351; Calle 61B n. 15A-01; attività COP$12.000-32.000; ⌚8.30-17.30 mar-dom) FREE Questo parco municipale da 53 ettari offre una vista panoramica sulla città, sentieri nella foresta e attività avventurose. Le attività gratuite includono una breve escursione a piedi guidata lungo un sentiero naturalistico e una catapulta che lancia in aria i visitatori agganciati a una fascia di gomma. Tra le attività a pagamento figurano l'escursione a una cascata, discese in corda doppia, un canopy tour e un ponte tibetano da vertigine alto 80 m. Il parco è un posto fantastico anche solo per trascorrere un pomeriggio all'insegna del relax, ammirando in una giornata limpida le vette del PNN Los Nevados.

Una funivia collega il parco direttamente con Cable Plaza, ma raramente è in funzione a causa di problemi tecnici che si sono verificati fin dalla sua inaugurazione. In alternativa, dovrete camminare per 40 minuti o prendere un taxi (COP$4000).

Bailongo — BALLO

(☎314-847-4203; Calle 24 n. 22-38, piso 3; lezioni private COP$15.000 l'ora) Questa scuola di ballo situata nel cuore della 'Calle del Tango' offre lezioni di tango, private e di gruppo, ma anche di altri balli latinoamericani.

Manizales

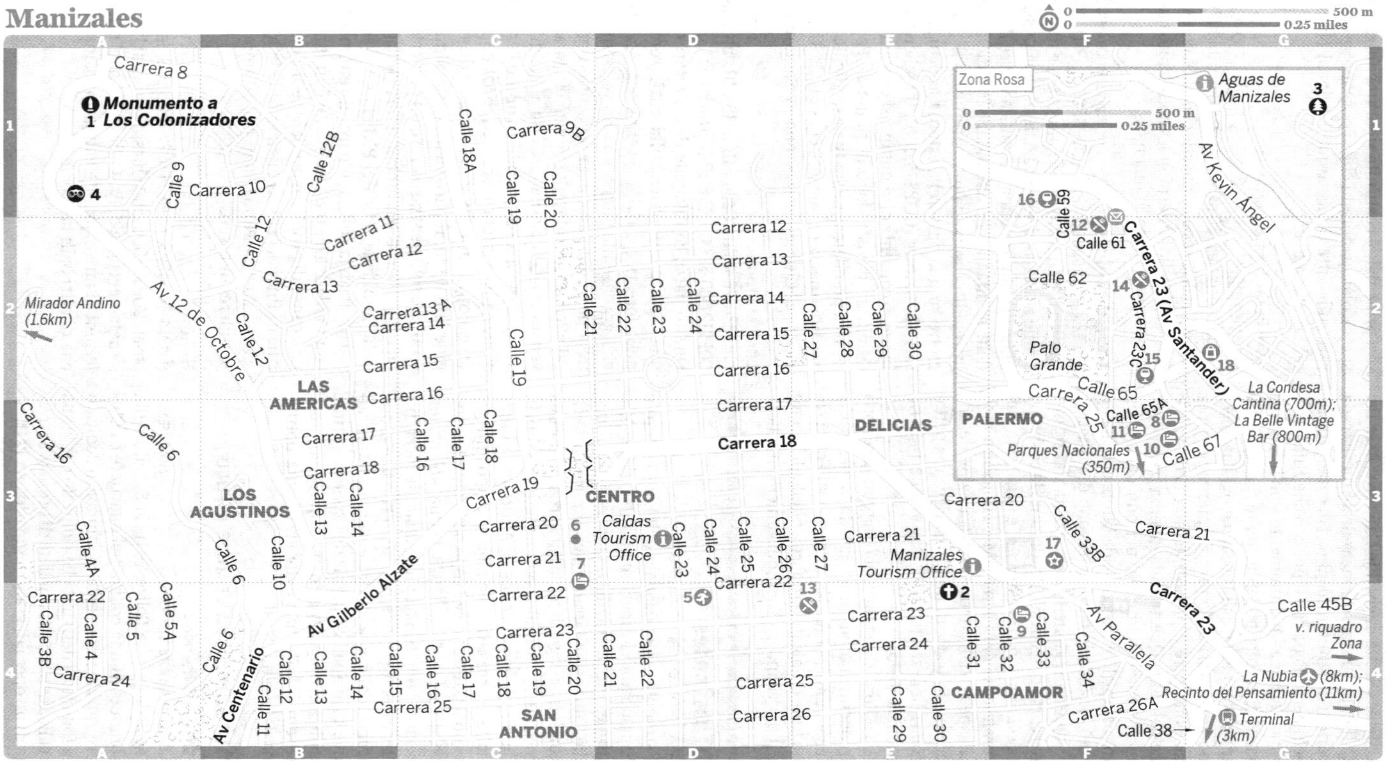

1 Monumento a Los Colonizadores
4
Mirador Andino (1.6km)
LAS AMERICAS
LOS AGUSTINOS
CENTRO
DELICIAS
SAN ANTONIO
CAMPOAMOR
PALERMO
Zona Rosa
Palo Grande
Av 12 de Octobre
Av Gilberio Alzate
Av Centenario
Av Kevin Ángel
Av Paralela
Carrera 23 (Av Santander)
Caldas Tourism Office
Manizales Tourism Office
Aguas de Manizales
3
2
5
6
7
9
13
17
8
10
11
12
14
15
16
18
La Condesa Cantina (700m); La Belle Vintage Bar (800m)
Parques Nacionales (350m)
v. riquadro Zona
La Nubia (8km); Recinto del Pensamiento (11km)
Terminal (3km)
Calle 38
Calle 45B
Carrera 18
Carrera 23
500 m
0.25 miles

Manizales

Da non perdere
1 Monumento a Los Colonizadores A1

Che cosa vedere
2 Iglesia de Inmaculada Concepción E4
3 Los Yarumos G1
4 Torre de Chipre A1

Attività, corsi e tour
5 Bailongo D4
6 Ecosistemas C3
Kumanday Adventures .... (v. 8)

Pernottamento
7 Estelar Las Colinas C3
8 Kumanday Hostal F3
9 Mirador Andino F4
10 Mountain Hostels F3
11 Regine's Hotel F3

Pasti
12 El Bistro F2
13 La Suiza E4
14 Rushi F2

Locali e vita notturna
15 Bar La Plaza F2
16 Prenderia F1

Divertimenti
17 Teatro Los Fundadores F3

Shopping
18 Cable Plaza G2

Tour

Manizales è una buona base di appoggio per organizzare un trekking nel Parque Nacional Natural Los Nevados.

Kumanday Adventures AVVENTURA
(☎6-887-2682, 315-590-7294; www.kumanday.com; Calle 66 n. 23B-40; ⊙24 h) Questa agenzia ospitata all'interno dell'omonimo **ostello** (☎6-887-2682, 315-590-7294; www.kumanday.com; Calle 66 n. 23B-40; letti in camerata/singole/doppie con prima colazione COP$30.000/73.000/93.000; 📶) organizza trekking di più giorni nel PNN Los Nevados ed escursioni alpinistiche in tutto il paese. Inoltre offre escursioni panoramiche in mountain bike nelle vicine piantagioni di caffè, discese da brivido, sempre in mountain bike, dai margini del Nevado del Ruiz a Manizales e tour in bicicletta di tre giorni sulle Ande. Vi trovate anche tende e attrezzatura da alpinismo a noleggio.

Ecosistemas AVVENTURA
(☎6-880-8300, 312-705-7007; www.ecosistemastravel.com.co; Carrera 20 n. 20-19; ⊙8-12 e 14-18 lun-ven, 8-12 sab) Questo operatore esperto e professionale offre escursioni e tour di più giorni nel PNN Los Nevados, tra cui scalate alle vette del Nevado Santa Isabel e del Nevado del Tolima. È uno dei pochi a organizzare regolarmente gite in giornata nel parco. Propone anche visite guidate alle piantagioni di caffè della zona.

Feste ed eventi

Feria de Manizales CULTURA
(⊙gen) La festa annuale di Manizales prevede il consueto insieme di sfilate, fiere dell'artigianato e – naturalmente – un concorso di bellezza.

Festival Internacional de Teatro TEATRO
(☎6-885-0165; www.festivaldemanizales.com; ⊙set) In programma ogni anno fin dal 1968, il Festival Internacional de Teatro è una delle due rassegne teatrali più importanti della Colombia (l'altra si tiene a Bogotá). Dura circa una settimana e comprende anche spettacoli gratuiti nelle strade. Per conoscere gli orari consultate il sito web.

Pernottamento

La maggior parte delle strutture ricettive è concentrata nella zona di Cable Plaza, dove si trovano un grande centro commerciale e molti dei migliori ristoranti della città.

Mountain Hostels OSTELLO $
(☎6-887-4736/0871; www.manizaleshostel.com; Calle 66 n. 23B-91; letti in camerata COP$26.000, singole/doppie COP$66.000/77.000, singole/doppie senza bagno COP$55.000/66.000; 📶) Situata a breve distanza dalla *zona rosa*, questa bella struttura si compone di due edifici ed è uno dei pochi ostelli dove incontrerete sia backpacker stranieri sia viaggiatori colombiani. Il Mountain Hostels offre varie aree comuni in cui socializzare con gli altri ospiti, tra cui un cortile sul retro dotato di amache e il 'coffee cottage'. Le camere più confortevoli sono quelle situate all'interno dell'edificio

in cui si trova la reception. Il personale è disponibile per aiutarvi a organizzare attività.

Mirador Andino OSTELLO $

(☎310-609-8141, 6-882-1699; www.miradorandinohostel.com; Carrera 23 n. 32-20; letti in camerata COP$30.000, singole/doppie a partire da COP$60.000/110.000; 📶) Arroccato sul versante del crinale ai margini del centro, proprio accanto alla stazione della funivia, questo ostello accogliente è ricco di atmosfera. Le camere sono pulite e confortevoli e la vista panoramica è favolosa. Un altro punto a favore è il bar sulla terrazza sul tetto.

★ **Finca Mirador Morrogacho** B&B $$

(☎317-661-6117; www.miradorfincamorrogacho.com; Morrogacho Villa Jordan, enseguida Padres Salvatorianos; letti in camerata/singole/doppie a partire da COP$38.000/75.000/87.000, appartamenti a partire da COP$120.000; 📶) Ubicato sul pendio di una montagna alla periferia della città, questo fantastico alberghetto offre una vista sensazionale e varie tipologie di camere spaziose ed eleganti con rifiniture in legno lucido e molta luce naturale, alcune delle quali dotate di angolo cottura. L'incantevole giardino è pieno di fiori e colibrì. Le tariffe includono una sostanziosa prima colazione, e vengono serviti anche pasti vegetariani (COP$18.000).

Accanto alla proprietà corre un sentiero che scende tra le piantagioni di caffè fino a una cascata e a un punto panoramico dove si tengono sessioni di yoga.

Per arrivarci, prendete l'autobus n. 601 o 619 con l'indicazione 'Morrogacho' dal centro di Manizales (COP$1850, 20 minuti). La corsa in taxi da Cable Plaza costa circa COP$10.000.

Regine's Hotel HOTEL $$

(☎6-887-5360; www.regineshotel.com; Calle 65A n. 23B-113; camere con prima colazione COP$110.000; 📶) Un hotel in stile B&B a conduzione familiare con un buon rapporto qualità-prezzo. Situato nei pressi di Cable Plaza, offre sistemazioni spaziose e confortevoli. Il giardino è un posto splendido per osservare il sorgere del sole. Alcune camere sono migliori di altre – chiedete di vederne qualcuna.

Estelar Las Colinas HOTEL $$$

(☎6-884-2009; www.hotelesestelar.com; Carrera 22 n. 20-20; singole/doppie con prima colazione COP$218.000/289.000; P📶) Questo moderno albergo in vetro e cemento, il più elegante del centro cittadino, non ha un aspetto particolarmente esaltante, ma dispone di camere ampie e molto confortevoli e di un eccellente ristorante. Le camere dei piani superiori ricevono più luce naturale e offrono splendidi panorami. Durante i weekend vengono praticate tariffe scontate.

Pasti

Rushi VEGETARIANO $

(Carrera 23C n. 62-73; pasti COP$10.000; ⏲8-21 lun-sab; 🖉) Questo elegante ristorante vegetariano serve eccellenti succhi di frutta e piatti vegetariani molto invitanti, che vengono preparati sotto gli occhi dei clienti nella cucina a vista. Il menu proposto all'ora di pranzo viene cambiato regolarmente e offre un ottimo rapporto qualità-prezzo. A volte di sera ospita musica live.

La Condesa Cantina MESSICANO $

(☎300-613-2218; Carrera 23 n. 73-09; COP$10.500-13.500 al pezzo; ⏲11-21.30) Questo allegro localino messicano situato ai margini della zona dei ristoranti di Milan serve buoni tacos e *quesadillas* con un eccellente rapporto qualità-prezzo. Sappiate però che, a differenza della maggior parte dei ristoranti della Colombia, la salsa 'molto piccante' è veramente molto piccante.

La Suiza PANETTERIA $$

(Carrera 23 n. 26-57; portate principali COP$16.000-22.000; ⏲9-20.30 lun-sab, 10-19.30 dom) Questa eccezionale panetteria vende pasticcini davvero deliziosi e addirittura cioccolata di produzione propria. Alla Suiza potrete anche concedervi una gustosa prima colazione e assaporare buoni piatti leggeri, tra cui primi di pasta, panini gourmet e involtini. Ha un'altra sede vicino a Cable Plaza che offre una magnifica vista.

El Bistro FRANCESE $$

(☎6-885-0520; elbistrofrancesmanizales@gmail.com; Carrera 24A n. 60-49; portate principali COP$18.000-27.000; ⏲12-22) Un ristorantino senza pretese con pochi tavoli che serve cucina tradizionale francese a buoni prezzi. Potrete scegliere tra vari tipi di crêpes o più sostanziosi piatti a base di manzo, pollo e salmone. Durante il giorno propone un pasto a prezzo fisso (COP$12.000).

Locali e divertimenti

La Belle Vintage Bar LOUNGE

(☎6-886-8613; Carrera 23 n. 75-36; ⏲18-2) Questo raffinato bar al secondo piano nel cuore del quartiere dei ristoranti presenta arredi eleganti e serve un ampio assortimento di gin, tequila e birre d'importazione. La musica non è invadente e ci sono anche buoni stuzzichini nel caso vi venga un certo languorino.

Prenderia BAR

(Carrera 23 n. 58-42; ⌚20-2 gio-sab) Questo bar dall'atmosfera estremamente rilassata ospita musicisti locali di talento che si esibiscono di fronte a una clientela composta in prevalenza da persone tranquille e non più giovanissime. Assaggiate il micidiale *carajillo* – caffè espresso corretto con rum – cercando, se possibile, di non scivolare giù dagli sgabelli del bar.

Bar La Plaza BAR

(Carrera 23B n. 64-80; ⌚11-23 lun-mer, fino alle 2 gio-sab) Negozio di gastronomia di giorno, bar di notte, questo è il posto giusto per iniziare la serata. Si riempie sempre alla svelta, al punto che già alle 21 dovrete aspettare che si liberi un tavolo. Pervaso da una vivace atmosfera studentesca, serve panini gourmet (da COP$7000 a COP$16.000) e vassoi di spuntini composti da salumi e formaggi di qualità, che vi consentiranno di placare i morsi della fame. Buoni anche i cocktail.

Teatro Los Fundadores TEATRO

(☎6-878-2530; all'angolo tra Carrera 22 e Calle 33) Il principale teatro di Manizales ospita anche un cinema e concerti.

Informazioni

La zona del mercato centrale, immediatamente a nord della città, è frequentata da un gran numero di ladri e di borseggiatori, per cui è preferibile evitarla.

All'interno del **Cable Plaza** (Carrera 23 n. 65-11) si trovano diversi sportelli bancomat.

4-72 (Carrera 23 n. 60-36; ⌚8-12 e 13-18 lun-ven, 9-12 sab) Ufficio postale.

Banco de Bogotá (all'angolo tra Carrera 22 e Calle 22) Sportello bancomat in posizione centrale.

BBVA (Carrera 23 No 64B-33) Sportello bancomat nella *zona rosa*.

Ufficio turistico di Caldas (Centro de Información Turística de Caldas; ☎6-884-2400; all'angolo tra Carrera 21 e Calle 23, Plaza de Bolívar; ⌚8-12 e 14-18 lun-ven, 9-12 sab) Offre consigli di viaggio per tutto il dipartimento.

Ciber Rosales (Carrera 23 n. 57-25; COP$1800 l'ora; ⌚8-18.30) Accesso a internet affidabile.

Giros y Finanzas (www.girosyfinanzas.com; Carrera 23 n. 65-11, Cable Plaza; ⌚8-20 lun-sab, 10-16 dom) Agente Western Union; cambio valuta.

Ufficio turistico di Manizales (☎6-873-3901; www.ctm.gov.co; all'angolo tra Carrera 22 e Calle 31; ⌚8-12 e 14-18) Ufficio informazioni in città.

Per/da Manizales

AEREO

L'**Aeropuerto La Nubia** (☎6-874-5451) si trova 8 km a sud-est del centro città, nei pressi della strada per Bogotá. Prendete un autobus urbano per La Enea e poi proseguite a piedi per cinque minuti fino allo scalo; in alternativa potete andarci in taxi (COP$12.000). Dal momento che a causa della nebbia in questo aeroporto si verificano spesso ritardi e cancellazioni, se partite da Manizales vi consigliamo di non prenotare coincidenze con tempi troppo stretti.

AUTOBUS

La nuova e moderna **stazione degli autobus** (☎6-878-7858; www.terminaldemanizales.com.co; Carrera 43 n. 65-100) si trova a sud della città, al cui centro è collegata da un'efficiente **funivia** (COP$1800; ⌚6-21) che offre anche la possibilità di ammirare splendidi panorami su tutta la città. Dalla stazione degli autobus parte una seconda funivia che attraversa Villa María e raggiunge l'estremità opposta della valle. Se soggiornate nelle vicinanze di **Cable Plaza** vi converrà prendere un taxi dalla stazione degli autobus (COP$6500).

Da Manizales partono regolarmente autobus per Cali (COP$40.000, 5 h), Bogotá (COP$20.000, 8 h) e Medellín (COP$35.000, 5 h).

I minibus diretti a Pereira (COP$10,500, 1 h 15 min) e Armenia (COP$17.000, 2 h 15 min) partono all'incirca ogni 15 minuti.

Trasporti locali

Gli autobus urbani attraversano tutta Manizales percorrendo Av Santander da **Cable Plaza** a Chipre con partenze ogni 30 secondi (sì, proprio così!).

Dintorni di Manizales

La lussureggiante campagna montuosa che circonda Manizales offre paesaggi tra i più belli della Colombia e numerose opportunità di avventura e relax. Nel raggio di un'ora d'auto dalla città potrete trovare sorgenti termali, crateri vulcanici, aziende produttrici di caffè e riserve naturali popolate da una ricca avifauna.

Che cosa vedere

Hacienda Guayabal PIANTAGIONE

(☎317-280-4899, 314-772-4856; www.haciendaguayabal.com; Km 3 Vía Peaje Tarapacá, Chinchiná; visite guidate in spagnolo/inglese COP$35.000/40.000;

IL CAFFÈ COLOMBIANO

La Colombia è il terzo maggior esportatore di caffè del mondo e l'unico grande paese produttore che coltivi esclusivamente la varietà arabica. I semi del caffè giunsero in Colombia dal Venezuela all'inizio del XVIII secolo grazie ai gesuiti. In un primo tempo il caffè era coltivato nella zona oggi chiamata Norte de Santander, da dove la coltura si è estesa in tutto il paese.

Le condizioni climatiche risultarono particolarmente adatte alla coltivazione della varietà arabica grazie alla vicinanza della Colombia all'Equatore, una posizione che permette al caffè di crescere ad alta quota, dove i chicchi maturano più lentamente. In questo modo è possibile ottenere chicchi più scuri, dal profumo più forte e che – al momento della torrefazione – sviluppano un aroma molto più intenso. Le frequenti piogge che cadono su questa regione fanno sì che le piante fioriscano in continuazione, permettendo di effettuare due raccolti all'anno, mentre il suolo vulcanico della zona – che contiene una grande quantità di materiale organico – nutre al meglio gli arbusti.

Le varietà di arabica coltivate in Colombia sono la Tipica, la Bourbon, la Maragogipe, la Tabi, la Caturra e la Colombia. Dal momento che i chicchi di queste diverse piante maturano in periodi differenti, il caffè colombiano deve essere raccolto rigorosamente a mano. Questo lavoro viene svolto da piccoli eserciti di *recolectores* (raccoglitori), che si spostano da una regione all'altra a seconda dei periodi.

In questa regione il caffè non può essere lasciato seccare all'aperto – come invece avviene in altre aree di produzione – a causa del clima caratterizzato da forti piogge. I frutti del caffè colombiano devono quindi essere 'lavati' prima di estrarne i semi da essiccare. Questo procedimento elimina la maggior parte dell'acidità e conferisce al prodotto finale un aroma più ricco.

Se il paese è uno dei principali produttori di caffè del mondo, al di fuori della Zona Cafetera i colombiani non sono grandi consumatori di questa bevanda, al punto che quasi tutto il raccolto viene destinato all'esportazione. La situazione, però, sta cambiando perché la cultura internazionale del caffè sta conquistando le maggiori città colombiane, dove oggi si possono trovare caffetterie alla moda che preparano buone bevande a base di caffè utilizzando chicchi pregiati provenienti da piantagioni di tutto il paese. Se volete acquistare del caffè da portare a casa, vi conviene visitare qualche piantagione e comprare caffè monorigine direttamente dai produttori.

visite guidate 8-17) Situata nei pressi di Chinchiná, questa piantagione di caffè dai ritmi di lavoro tranquilli costituisce il posto ideale per chi desidera rilassarsi e conoscere la cultura *cafetera*. I proprietari organizzano eccellenti visite guidate che consentono di seguire il processo di produzione del caffè dalla pianta alla tazzina, con tanto di degustazione finale. Si tratta di tour leggermente più personalizzati rispetto a quelli proposti dalle *haciendas* più grandi, e le guide sembrano davvero desiderose di trasmettere le loro conoscenze. Come souvenir è possibile acquistare un pacchetto di caffè.

Non perdetevi poi il pranzo, perché le specialità della cucina tradizionale proposte in loco sono veramente deliziose, e anche i vegetariani troveranno diversi piatti adatti alle loro esigenze. Dopo aver smaltito il pranzo, chi lo desidera potrà utilizzare la piscina.

L'azienda offre anche splendide possibilità per dedicarsi al birdwatching, in quanto all'interno della piantagione è stata accertata la presenza di oltre 160 specie di uccelli, di cui tre endemiche. Se desiderate fermarvi più a lungo, trovate anche sistemazioni semplici e funzionali (camere con prima colazione COP$70.000 per persona) ospitate all'interno di un edificio moderno situato su una collina dalla quale è possibile ammirare uno splendido panorama sulle piantagioni circostanti. Se preferite godere di una maggiore privacy, prenotate una delle cinque belle *cabañas* (con prima colazione da COP$100.000 a COP$140.000 per persona) disposte lungo il pendio, che vantano balconi privati con panorami mozzafiato. Particolarmente bella è la suite ampia e luminosa, dotata di grandi finestre e un magnifico bagno interno ed esterno.

Per arrivarci, prendete uno qualsiasi degli autobus in servizio da Manizales a Chinchiná (COP$3400, 30 minuti), poi proseguite con l'autobus indicato come 'Guayabal Peaje'

(COP$1300, 10 minuti, ogni 15-30 minuti) dalla piazza principale di Chinchiná. Chiedete al conducente di farvi scendere prima del casello alla 'Tienda Guayabal'; da qui si prosegue a piedi per 1 km lungo una stradina che corre in mezzo alle case. La corsa in taxi da Chinchiná fino all'ingresso della *hacienda* costa COP$90.000.

Hacienda Venecia PIANTAGIONE

(☎320-636-5719; www.haciendavenecia.com; Vereda el Rosario, San Peregrino; visite guidate COP$50.000; ⏲visite guidate 9.30) Questa *hacienda* ha ricevuto numerosi riconoscimenti di prestigio per il suo eccellente caffè. Offre tour in inglese che comprendono una presentazione sul caffè colombiano, un'introduzione alla degustazione, una lezione sulla preparazione del caffè e una passeggiata nella piantagione. Dopo la visita, gli ospiti possono utilizzare la piscina e pranzare con piatti tipici (COP$15.000). La tariffa comprende anche il viaggio di andata e ritorno dal vostro albergo di Manizales.

La piantagione si sviluppa intorno a una splendida fattoria *paisa* situata in posizione panoramica, che è stata riconvertita in un delizioso boutique hotel (camere con/senza bagno a partire da COP$350.000/305.000). I giardini sono tenuti con grande cura e ospitano un laghetto di ninfee e una piscina rotonda azzurra. Le camere sono piene di libri, oggetti d'antiquariato e fotografie d'epoca, mentre nella veranda che corre intorno a tutto l'edificio troverete alcune amache e sedie a dondolo che vi consentiranno di trascorrere la serata in assoluta tranquillità.

Sull'altra riva del fiume rispetto all'edificio principale sorge una nuova struttura – il Coffee Lodge (camere da COP$180.000 a COP$200.000) – che offre sistemazioni più economiche ma un po' meno suggestive ed è dotata anch'essa di piscina. A breve distanza a piedi si trova un nuovo ostello (letti in camerata da COP$30.000 a COP$35.000) dotato di cucina a disposizione degli ospiti. Tutte le sistemazioni includono il consumo illimitato di caffè fresco dell'azienda.

Recinto del Pensamiento RISERVA NATURALE

(☎6-889-7073; www.recintodelpensamiento.com; Km 11 Vía al Magdalena; COP$16.000; ⏲9-16 mar-dom) Situato nella foresta nebulare che si estende a 11 km da Manizales, questo parco naturalistico include un grazioso *mariposario* (recinto delle farfalle), diversi brevi sentieri escursionistici che si inoltrano in una foresta piena di orchidee e un giardino di erbe officinali. Potrete inoltre vedere piantagioni di *guadua* e *chusqué* (due specie di bambù colombiano). C'è anche una *telesilla*, una specie di seggiovia che conduce sulla cima del pendio montuoso dove si estende il parco.

Il biglietto d'ingresso comprende il compenso della guida (obbligatoria) che vi accompagnerà in una visita della durata di due ore e 30 minuti; un paio di guide parlano un po' d'inglese. Dal momento che questo parco nazionale ospita un'incredibile varietà di uccelli, prenotate in anticipo l'uscita di birdwatching che si effettua solo su richiesta dalle 6 alle 9. Indossate abiti dai colori mimetici, come marrone o verde, e portatevi un binocolo.

Per raggiungere il parco, prendete l'autobus con l'indicazione Sera Maltería da Cable Plaza a Manizales o un taxi (COP$10.000).

Attività

Ecotermales El Otoño BAGNI TERMALI

(☎6-874-0280; Km 5 Antigua Vía al Nevado; interi/bambini COP$25.000/15.000; ⏲13-24 mar e ven, fino alle 23 mer e gio, 10-24 sab e dom) Tre piscine termali con un'incantevole vista sulle montagne all'esterno del principale complesso alberghiero Termales El Otoño. Le piscine sono circondate da ariose tettoie di legno, e c'è anche un caffè che serve pasti e bevande alcoliche. Queste piscine sono un po' meno cementificate rispetto al complesso principale, quindi danno la sensazione di essere più vicini alla natura. Il rovescio della medaglia è che durante i periodi di punta sono invase da una marea di visitatori.

La piscina più calda è quella più vicina all'ingresso. Il martedì e il giovedì si paga metà prezzo.

Termales El Otoño BAGNI TERMALI

(☎6-874-0280; www.termaleselotono.com; Km 5 Antigua Viía al Nevado; COP$40.000 al giorno; ⏲7-24) Questo resort di fascia alta situato a 5 km da Manizales dispone di grandi piscine di acqua termale ed è circondato da imponenti montagne. Per utilizzare le piscine non è necessario essere ospiti dell'hotel – pagando l'ingresso giornaliero si può accedere alle due piscine situate vicino alla reception. Il martedì viene praticata l'offerta due per uno.

L'hotel interno dispone di sistemazioni che vanno dalle normali camere d'albergo ai cottage di lusso con soffitti in legno, caminetto e idromassaggio termale privato (singole/doppie con prima colazione a partire da COP$231.000/302.000).

VALE IL VIAGGIO

RESERVA ECOLÓGICA RÍO BLANCO

Circa 3 km a nord-est di Manizales si trova questa riserva naturale costituita da una fitta foresta nebulare che si estende su una superficie di 3600 ettari a un'altitudine compresa tra i 2150 e i 3700 m. Questa zona è caratterizzata da un elevato tasso di biodiversità e offre rifugio a numerose specie a rischio di estinzione, tra cui l'orso andino (orso dagli occhiali). Qui vivono 362 specie di uccelli, tra cui 13 endemiche della Colombia. La riserva attira un gran numero di appassionati di birdwatching da ogni parte del mondo, ma anche chi non si intende troppo di uccelli rimarrà sicuramente deliziato dal gran numero di colibrì, farfalle e orchidee. Si tratta di una magnifica escursione della durata di mezza giornata che è meglio effettuare al mattino, visto che spesso al pomeriggio piove.

La riserva è uno dei tratti di foresta più belli e incontaminati della regione, ma purtroppo la visita è tutt'altro che semplice. È necessario richiedere un permesso (gratuito) con almeno due giorni di anticipo all'ufficio turistico di **Aguas de Manizales** (☎6-887-9770; reservarioblanco@aguasdemanizales.com.co; Av Kevin Ángel n. 59-181; ⏲8-12 e 14-17 lun-ven), il cui personale è notoriamente riluttante a rispondere alle email; potreste essere costretti a presentarvi all'ufficio e insistere affinché vi venga rilasciato il permesso.

Una corsa in taxi da Manizales fino all'ingresso principale del parco vi costerà circa COP$30.000. Ricordate di chiedere il numero telefonico del taxi per organizzare il viaggio di ritorno, perché da queste parti il traffico è pressoché inesistente.

Nonostante la struttura sia un po' troppo sviluppata per offrire una vera esperienza nella natura, rimane comunque un bel posto per trascorrere una giornata di relax lontano dalla città.

Termales Tierra Viva BAGNI TERMALI

(☎6-874-3089; www.termalestierraviva.com; Km 2 Vía Enea-Gallinazo; COP$18.000-20.000; ⏲9-23.30) Questo complesso di bagni termali situato vicino al Río Chinchiná, appena fuori da Manizales, comprende tre piscine costruite nella roccia in un bel giardino che pullula di colibrì e farfalle. Il Tierra Viva comprende anche un ristorante all'aperto in posizione sopraelevata e una piccola spa che offre un'ampia gamma di massaggi. I bagni sono tranquilli durante la settimana ma piuttosto affollati nei weekend.

Presso le terme si trova anche un hotel con un buon rapporto qualità-prezzo che dispone di quattro camere spaziose e moderne (singole/doppie a partire da COP$170.000/190.000) con finestre a tutta altezza affacciate su un corso d'acqua. La domenica la tariffa d'ingresso viene spesso scontata.

Pernottamento

Nei dintorni di Manizales ci sono numerose aziende produttrici di caffè che dispongono di sistemazioni per i visitatori che desiderano pernottare. Anche tutti i complessi termali includono strutture ricettive.

★ **Termales del Ruiz** HOTEL CON SPA $$$

(☎310-455-3588; www.hoteltermalesdelruiz.com; Paraje de Termales, Villa Maria, Caldas; singole/doppie con prima colazione a partire da COP$185.000/220.000) Questo complesso di bagni termali, che occupa un sanatorio ristrutturato immerso in un magnifico paesaggio appena fuori dai confini del PNN Los Nevados a quota 3500 m, è il posto giusto per godersi un totale relax. Le camere sono simili a quelle di un classico lodge alpino e sono confortevoli, anche se non molto ampie. All'esterno ci sono due piscine circondate dalle piante del *páramo* e i dintorni offrono eccellenti opportunità di birdwatching.

Su una collina che domina il complesso c'è una tettoria per osservare l'avifauna accanto a un torrente scrosciante frequentato da 17 specie di colibrì in cerca di cibo. Nella zona si snodano brevi sentieri escursionistici.

I pasti sono serviti in un'elegante sala da pranzo con caminetto e ampie finestre che regalano una bella vista sulle montagne – nelle giornate limpide si scorge persino Manizales. I bagni termali sono gli unici nei pressi di Manizales costruiti proprio sulla sorgente – subito dietro l'hotel si possono vedere le acque gorgoglianti ricche di zolfo che sgorgano dal pendio della montagna.

Gli escursionisti che vengono in giornata possono utilizzare una delle piscine al costo di COP$27.000, ma per arrivarci è necessario disporre di un veicolo privato. Per gli ospiti dell'hotel si può organizzare il trasporto da Manizales, che costa COP$40.000 per persona per sola andata.

Per/dai dintorni di Manizales

Quasi tutte le principali attrattive situate nei dintorni di Manizales sono abbastanza vicine da poter essere raggiunte con un taxi o un autobus urbano.

Per raggiungere **Termales El Otoño** o **Termales Tierra Viva**, prendete l'autobus bianco Metropolitano con l'indicazione Gallinazo (COP$1950, 30 min) da Av Kevin Ángel, sotto Cable Plaza, o da Carrera 20, nel centro di Manizales. L'ultimo autobus per rientrare in città parte da El Otoño verso le 20.30. La corsa in taxi da Cable Plaza costa circa COP$15.000.

Parque Nacional Natural Los Nevados

ALT. 2600-5325 M

Situato lungo una catena di vette vulcaniche innevate, questo **parco nazionale** (☎6-887-1611; www.parquesnacionales.gov.co; ingresso alla zona nord colombiani/stranieri COP$22.000/40.500, zona sud COP$10.000/28.500; ⏲8-15.30) consente di accedere ad alcune delle zone più spettacolari delle Ande colombiane. Le sue altitudini variabili comprendono habitat molto differenti, dalle umide foreste nebulari al *páramo* e ai ghiacciai delle cime più elevate.

Da queste montagne nascono 37 fiumi, che forniscono acqua a 3,5 milioni di persone residenti in quattro dipartimenti del paese. Tuttavia i ghiacciai si stanno lentamente ritirando e sono in corso ricerche per valutare l'impatto dello scioglimento dei ghiacciai sull'ambiente naturale.

I mesi migliori per vedere la neve nel parco di Los Nevados sono ottobre, novembre, marzo, aprile e maggio. Al di fuori di questi periodi è probabile che troverete un clima secco e ventoso, favorevole agli appassionati di trekking e a chi desidera ammirare i panorami più limpidi.

Tour

Per entrare nel parco a piedi è obbligatorio assumere una guida registrata presso i Parques Nacionales. Per conoscere l'elenco delle guide certificate, rivolgetevi all'**ufficio** (☎6-887-1611; www.parquesnacionales.gov.co; Calle 69A n. 24-69; ⏲8-17 lun-ven) di Manizales.

I mezzi pubblici per arrivare al parco sono praticamente inesistenti. È possibile entrare nel parco a piedi sia dal Parque Ucumarí sia dalla Valle de Cocora, ma in genere conviene optare per un pacchetto comprensivo del compenso delle guide e di tutti i trasporti con partenza da Manizales o da Salento.

Ecosistemas (p225) a Manizales offre escursioni in giornata al Nevado del Ruiz e al Nevado de Santa Isabel, nonché trekking di più giorni nel parco e salite a diverse vette. È possibile organizzare un tour escursionistico con partenza da Manizales e arrivo a Pereira o nella Valle de Cocora, vicino a Salento. Ricordatevi di chiedere all'agenzia di trasportare i vostri bagagli, in modo da non dover tornare al punto di partenza. Un altro operatore valido per trekking di più giorni è Kumanday Adventures (p225), sempre con sede a Manizales.

A Salento, **Paramo Trek** (☎311-745-3761; www.paramotrek.com; Carrera 5 n. 9-33) offre varie escursioni nel parco con accesso dalla Valle de Cocora.

Se desiderate esplorare Los Nevados in bicicletta dovrete richiedere un permesso in anticipo all'ufficio dei Parques Nacionales a Manizales. Le aree del parco aperte ai ciclisti sono limitate, e le zone designate vengono riviste continuamente.

Nevado del Ruiz

Il Nevado del Ruiz è il vulcano più alto della catena. La sua eruzione del 13 novembre 1985 causò la morte di oltre 20.000 persone e spazzò via la città di Armero, che sorgeva sul Río Lagunillas. Il Nevado del Ruiz aveva già eruttato nel 1845, ma gli effetti erano stati decisamente meno catastrofici; oggi il vulcano continua a brontolare, causando divieti allo svolgimento di diverse attività in questa zona del parco.

La principale via di accesso al parco è quella proveniente da nord, che si dirama dalla strada principale tra Manizales e Bogotá all'altezza di La Esperanza, località situata 31 km a est di Manizales. L'ingresso del parco si trova a Las Brisas (4050 m), dove è necessario registrarsi all'ufficio dei guardaparchi.

L'accesso è consentito solo dalle 8 alle 14, e tutti i visitatori devono lasciare il parco entro le 15.30. Al momento delle ricerche compiute per questa guida, gli escursionisti erano autorizzati a percorrere solo un tratto di 5 km attraverso il *páramo* fino a **Valle de las Tumbas** (4350 m). Le agenzie locali organizzano ancora uscite in questa zona del parco (COP$130.000), ma si tratta di tour orientati più verso gli appassionati di fotografia e i turisti dei viaggi organizzati che verso gli amanti della natura. I visitatori trascorrono

Parque Nacional Natural Los Nevados

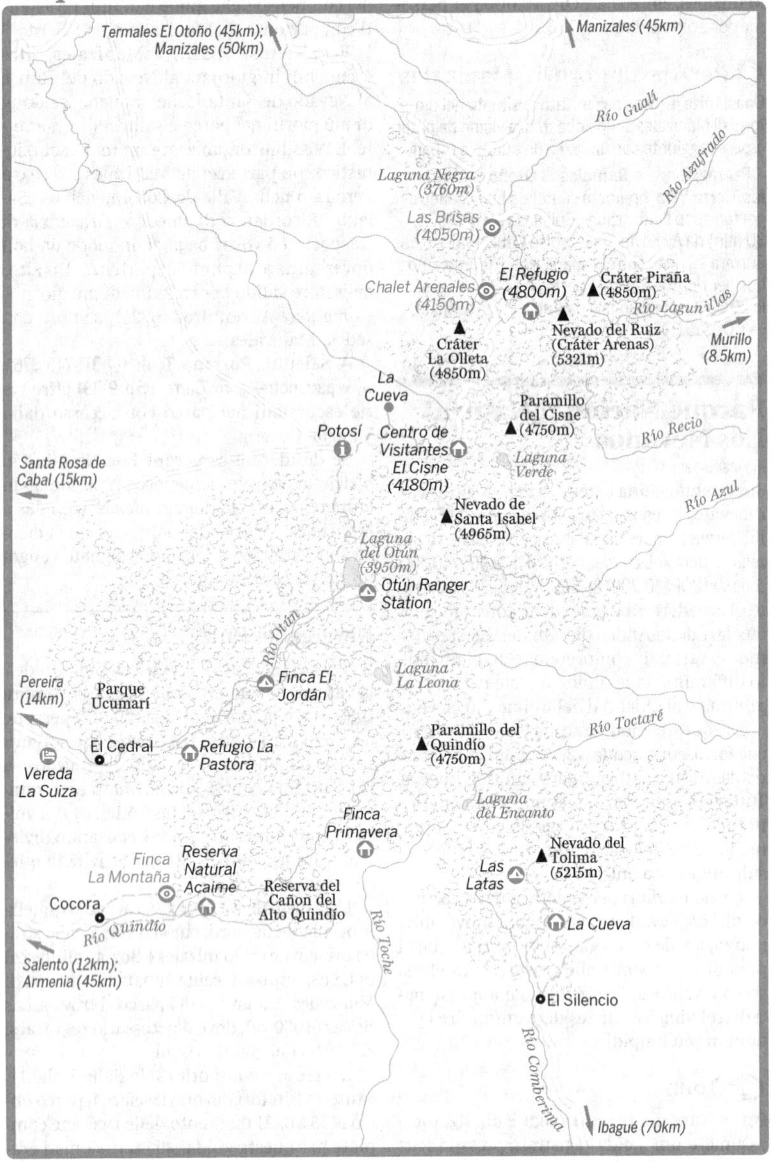

quasi tutto il tempo a bordo dei veicoli ed è rigorosamente vietato scendere e fare anche solo una breve passeggiata.

Quando le restrizioni verranno revocate, sarà possibile esplorare questa parte del parco nazionale in maniera più ampia. Il vulcano ha tre crateri: **Arenas**, **La Olleta** e **Piraña**. È possibile salire sul cratere principale, Arenas (5321 m). Il cratere spento di La Olleta (4850 m), situato sul lato opposto della strada, è coperto da strati di terreno sabbioso multicolore e in genere non è innevato.

Nevado de Santa Isabel

Situato a cavallo dei dipartimenti di Caldas, Risaralda e Tolima, questo vulcano inattivo è sormontato da formazioni cupola e da un ghiacciaio esteso su una superficie di 2 kmq, dal quale sgorga il Río Otún. Si tratta del ghiacciaio colombiano situato alla quota più bassa ed è quello che si sta ritirando più rapidamente.

Si accede al vulcano passando dal villaggio di Potosí, nei pressi di Santa Rosa de Cabal. È possibile raggiungere i margini del ghiacciaio con un'escursione in giornata, che parte da Manizales ed è piuttosto faticosa: si viaggia a bordo di un veicolo per circa tre ore lungo una strada sterrata fino a raggiungere l'altitudine di 4050 m, poi comincia l'escursione vera e propria, che richiede tre ore di salita attraverso il *páramo* fino al limite della neve. Le escursioni di solito partono da Manizales verso le 5 e non fanno ritorno prima delle 19. Calcolate di spendere circa COP$160.000 per persona, compresi prima colazione e pranzo.

Se decidete di raggiungere il ghiacciaio con un'uscita in giornata, è importante che siate consapevoli degli effetti del cambiamento di altitudine sulla vostra resistenza fisica. Per questo motivo, vi consigliamo di prestare grande attenzione alle raccomandazioni che vi fornirà la vostra guida.

Sebbene la salita alla vetta (4965 m) non richieda una particolare abilità tecnica, vi suggeriamo di ingaggiare una guida esperta e di trascorrere uno o due giorni in quota prima di affrontare la salita.

Laguna del Otún

Questo spettacolare lago posto a un'altitudine di 3950 m è circondato dal magnifico paesaggio del *páramo* sotto lo splendido Nevado de Santa Isabel. Sulla sponda orientale del lago c'è una stazione dei guardaparchi dove è possibile piantare la tenda (COP$10.000 per persona). La Laguna del Otún si può raggiungere a piedi da nord attraverso l'ingresso del parco di Potosí o da sud passando dal Refugio La Pastora. Il percorso da Potosí è considerato più facile in quanto è più breve e inizia a una quota superiore, ma la difficile camminata in salita da La Pastora regala panorami più belli. Se scegliete quest'ultimo itinerario, dovrete pagare la tariffa di ingresso al parco al vostro arrivo alla Laguna del Otún perché in questo settore non c'è un punto di accesso.

A metà strada lungo il cammino da La Pastora incontrerete la **Finca El Jordán**, di proprietà della famiglia Machete, che offre sistemazioni spartane (COP$15.000) e servizi di guida.

È possibile percorrere un tragitto all'andata, trascorrere la notte presso il lago e poi tornare indietro lungo l'altro itinerario. Tenete presente che non ci sono mezzi pubblici per Potosí, e che da La Pastora c'è una camminata in discesa di 5 km fino a El Cedral, da dove partono a intervalli irregolari *chivas* diretti a Pereira.

Nevado del Tolima

Il Nevado del Tolima (5215 m), secondo vulcano in ordine di altezza di questo gruppo montuoso, con la sua forma perfettamente conica è la vetta più suggestiva della catena. Nelle giornate limpide può essere visto addirittura da Bogotá. La sua ultima eruzione ha avuto luogo nel 1943.

Agli alpinisti alle prime armi consigliamo di raggiungere il vulcano attraverso la Valle de Cocora, mentre i rocciatori più esperti potranno affrontare il versante meridionale, accessibile da Ibagué, il capoluogo del dipartimento di Tolima. Tenete presente che lungo questo sentiero non si incontrano case né fattorie, quindi dovrete essere completamente autosufficienti.

In entrambi i casi, la salita al Nevado del Tolima è un trekking molto impegnativo, che richiede più di un giorno. A causa delle condizioni dei ghiacciai, si tratta di un'ascensione più tecnica di quelle delle altre vette del PNN Los Nevados: è essenziale disporre di tutta l'attrezzatura alpinistica ed essere accompagnati da una guida esperta. Una guida consigliata è **German 'Mancho'** (☎312-211-7677, 313-675-1059; deltolima@gmail.com; La Primavera), che è cresciuto in questa zona e ha la sua base nel piccolo lodge situato presso La Primavera. A Ibagué potete rivolgervi a **David 'Truman' Bejarano** (☎313-219-3188, 315-292-7395; www.truman.com.co), una guida molto esperta che conduce escursioni anche su altre vette del paese.

Pereira

☎6 / POP. 474.335 / ALT. 1410 M

L'attivissima Pereira non è propriamente una destinazione turistica; anzi non lo è affatto. Quasi tutti i visitatori che si spingono fino a Pereira compiono questo viaggio per una sola ragione: fare affari. Fondata nel 1863, questa città è il capoluogo del dipartimento di Risaralda e il fulcro economico della Zona Cafetera, e si fa notare più che altro per l'attività commerciale e per la vivace vita notturna. Anche se Pereira non dispone di nessuna attrattiva turistica, se volete visitare una città colombiana frenetica ma accogliente, fuori dagli itinerari più battuti, questo è sicuramente il posto giusto. Inoltre Pereira è la porta di accesso al Parque Ucumarí e al Santuario Otún Quimbaya, due delle principali riserve naturali del paese, e alle sorgenti termali di Santa Rosa e San Vicente.

Attività

Finca Don Manolo VISITE GUIDATE
(☎313-655-0196; Vereda El Estanquillo; visite guidate COP$30.000; ⌚su appuntamento) Situata sul versante di una montagna a breve distanza da Pereira, questa azienda agricola a conduzione familiare organizza regolarmente interessanti visite guidate che prendono in esame tutto il processo di produzione del caffè, dalla semina fino al raccolto e alla torrefazione. Alla fine del tour potrete assaporarne una tazza, ammirando uno splendido panorama. Le visite vengono condotte dal proprietario Don Manolo, telefonate prima per assicurarvi che sia in casa.

La corsa in taxi dalla città costa circa COP$15.000; in alternativa si può prendere l'autobus (COP$1800) con l'indicazione 'Guadales' o 'Vereda El Estanquillo' all'autostazione. Chiedete all'autista di farvi scendere al Centro Logístico Eje Cafetero, da cui l'azienda dista 1 km a piedi.

Pernottamento

Kolibrí Hostel OSTELLO $
(☎6-331-3955; www.kolibrihostel.com; Calle 4 n. 16-35; letti in camerata a partire da COP$22.000, camere con/senza bagno COP$85.000/65.000; 📶) Situato in posizione eccellente a breve distanza dalla *zona rosa* principale, questo fantastico ostello soddisfa perfettamente le esigenze di chi viaggia con budget limitato. Al suo interno troverete infatti una buona scelta di camere confortevoli e una splendida terrazza affacciata sulle montagne. Il dinamico personale può aiutarvi a organizzare attività sia in città sia nei dintorni.

Hotel Condina HOTEL $$
(☎6-333-4225; Calle 18 n. 6-26; singole/doppie con aria condizionata COP$166.000/186.000, con ventilatore COP$112.000/149.000; P❄📶) In un'animata strada del centro chiusa al traffico sorge questo albergo di medie dimensioni, che offre un eccellente rapporto qualità-prezzo. Le camere luminose e moderne sono dotate di scrivania, e potrete addirittura scegliere il cuscino più adatto alle vostre esigenze. I comfort sono di livello decisamente superiore a ciò che ci si potrebbe aspettare in questa fascia di prezzi. Le tariffe includono la prima colazione. L'hotel è privo di accesso per i veicoli, il che potrebbe rappresentare un problema per chi viaggia con molti bagagli.

Hotel Abadia Plaza HOTEL $$$
(☎6-335-8398; www.hotelabadiaplaza.com; Carrera 8 n. 21-67; singole/doppie con prima colazione COP$210.000/249.000; ❄@📶) Questo elegante albergo situato in comoda posizione centrale costituisce un'eccellente opzione quanto a comfort e professionalità del servizio. Troverete opere d'arte originali appese alle pareti, una palestra completamente attrezzata e camere molto accoglienti dotate di finestre insonorizzate e bagni in marmo. Durante i weekend le tariffe vengono ribassate di circa un terzo.

Pasti

Grajales Autoservicios SELF SERVICE $
(☎6-335-6606; Carrera 8 n. 21-60; pasti COP$15.000; ⌚24 h) In questo grande ristorante self service con panetteria aperto 24 ore su 24 si possono consumare pranzi e cene a buffet. In alternativa, a metà giornata potete scegliere tra una selezione più limitata di piatti per il pranzo del giorno, che ha un buon rapporto qualità-prezzo (COP$10.000). È una buona scelta anche per la prima colazione.

Vineria San Martino ITALIANO $$
(☎6-346-2481; vineriasanmartinopereira@gmail.com; Carrera 12 n. 3-32, La Rebeca; portate principali COP$14.000-22.000; ⌚18-22 lun-gio, fino alle 23 ven e sab) Un ristorantino accogliente che serve ottima cucina tradizionale italiana accompagnata da vini d'importazione. Le porzioni non sono molto abbondanti e il servizio a volte è un po' lento, ma tutti i piatti sono assolutamente deliziosi. Difficilmente troverete una pizza o un piatto di pasta più buoni di questi nella Zona Cafetera.

Leños y Parilla GRILL $$
(☎6-331-4676; Carrera 12 n. 2-78; portate principali COP$21.000-29.000; ⌚12-22) Questa popolarissima steakhouse situata nelle immediate vicinanze della Circunvalar serve un ampio assortimento di bistecche, più o meno spesse, grigliate alla perfezione su braci ardenti. Nonostante sia molto spazioso, il ristorante è spesso al completo, quindi venite sul presto oppure prenotate un tavolo.

Locali e vita notturna

La zona della Circunvalar, piena di bar e piccole discoteche, è oggi il principale fulcro dei divertimenti a Pereira, mentre in centro ci sono numerosi bar frequentati soprattutto da una clientela alternativa. Per trovare i locali aperti fino alle ore piccole bisogna uscire dalla città e raggiungere la vicina La Badea.

★ Rincón Clásico BAR
(all'angolo tra Carrera 2 e Calle 22; ⏲16-23 lun-sab) Gli amanti della musica di ogni età frequentano questo piccolo bar d'angolo per bere e cantare insieme i tango, i bolero e altri classici della collezione di 7000 dischi dell'anziano proprietario. Don Olmedo sceglie la musica per il suo locale da oltre mezzo secolo e metterà qualunque cosa desideriate, purché sia un classico – non chiedetegli il reggaeton!

El Barista CAFFÈ
(☎6-341-3316; Carrera 15 n. 4-17; caffè COP$2900-6100; ⏲14-24) Questo caffè luminoso e invitante arredato con mobili in legno di pino prepara il miglior caffè della città in molti modi diversi. Offre anche un buon menu di spuntini e pasti leggeri e vende pacchetti di pregiati chicchi di caffè.

El Parnaso BAR
(Carrera 6 n. 23-35; ⏲14-24 lun-sab) Percorrete il lungo corridoio e vi ritroverete in questo bar con giardino dalle pretese artistiche dotato anche di caminetto. Il menu propone gustose pizze e hamburger su un sottofondo di musica indie-rock a volume abbastanza basso da consentire la conversazione.

Informazioni

Ci sono numerosi sportelli bancomat presso la **stazione degli autobus**, nei dintorni di Plaza de Bolívar e lungo la Av Circunvalar.

4-72 (Carrera 9 n. 21-33; ⏲8-12 e 14-18 lun-ven, 9-12 sab) Ufficio postale.

Bancolombia (Av Circunvalar n. 4-48) Sportello bancomat nella *zona rosa*.

Ufficio turistico (all'angolo tra Carrera 10 e Calle 17; ⏲8-12 e 14-18 lun-ven, 9-15 sab) Nel Centro Cultural Lucy Tejada.

Per/da Pereira e trasporti locali

L'**Aeropuerto Matecaña** (☎6-314-8151), servito anche da voli internazionali, si trova 5 km a ovest del centro città ed è raggiungibile in 20 minuti con l'autobus urbano; la corsa in taxi costa COP$15.000. Da qui partono voli diretti per Bogotá, Cartagena e Medellín. Copa (www.copaair.com) opera voli diretti per Panamá.

La **stazione degli autobus** (☎6-321-5834; Calle 17 n. 23-157) si trova 1,5 km a sud del centro città. Molti autobus urbani consentono di arrivarci in meno di 10 minuti. Da Pereira partono regolarmente autobus diretti a Bogotá (COP$52.000, 9 h) e numerose corse per Medellín (COP$43.000, 6 h) e Cali (COP$27.000, 4 h). Ogni 15 minuti partono minibus per Armenia (COP$7000, 1 h) e Manizales (COP$10.500, 1 h 15 min).

Il sistema **Megabús** di Pereira (www.megabus.gov.co; biglietto di corsa semplice COP$1800) attraversa la città e si spinge fino a Dosquebradas. Questa rete di trasporti è molto simile al TransMilenio di Bogotá e al Mio di Cali, ma in scala ridotta.

La tariffa minima applicata dai taxi è pari a COP$4200, cifra a cui dopo le 19 viene aggiunto un supplemento di COP$800.

Termales de Santa Rosa

☎6 / ALT. 1950 M

In posizione dominante sopra la città di Santa Rosa de Cabal, immersi in un magnifico paesaggio montano, si trovano due bagni termali che costituiscono una meta fantastica per una gita in giornata nella Zona Cafetera: **Termales de Santa Rosa** (☎6-365-5237, 320-680-3615; www.termales.com.co; interi/bambini sab e dom COP$52.000/26.000, lun-ven COP$34.000/17.000; ⏲9-22) e **Termales Balneario** (☎314-701-9361; www.termales.com.co; interi/bambini sab e dom COP$38.000/19.000, lun-ven COP$23.000/11.500; ⏲9-22). Entrambi i complessi sono situati ai piedi di imponenti cascate e offrono piscine termali di varie dimensioni e temperature, oltre a una varietà di trattamenti. Nei weekend sono piuttosto affollati, ma durante la settimana sono abbastanza tranquilli.

Pernottamento e pasti

Mamatina HOTEL $$
(☎311-762-7624; mamatina.src@hotmail.com; La Leona Km 1 Vía Termales; singole/doppie/suite con prima colazione COP$46.000/92.000/140.000) Questo hotel dall'eccellente rapporto qualità-prezzo, situato appena fuori da Santa Rosa lungo la strada che conduce ai bagni termali, offre sistemazioni moderne e confortevoli con vista sulle coltivazioni circostanti. Al suo interno c'è anche un popolare ristorante specializzato in grigliate.

Hotel Termales HOTEL $$$
(☎6-365-5500, 321-799-8186; www.termales.com.co; camere di lusso con prima colazione a partire da

COP$190.000 per persona; P) Situato presso Termales de Santa Rosa, l'Hotel Termales offre sistemazioni in una vecchia e ampia dimora e in due ali più recenti. Le tariffe includono l'accesso a quattro piscine termali. Spesso vengono praticati sconti durante la settimana.

Per/da Termales de Santa Rosa

Le terme si trovano 9 km a est di Santa Rosa de Cabal, nei pressi della strada Pereira–Manizales. Gli autobus urbani (COP$1400, 45 min) partono ogni due ore dalle 6 alle 18 dalla piazza principale di Santa Rosa e fanno ritorno un'ora dopo dall'**Hotel Termales**. La corsa in taxi o in jeep da Santa Rosa a ciascuno dei complessi termali costa circa COP$22.000.

Durante il giorno Santa Rosa e Pereira sono collegate da un frequente servizio di autobus (COP$2200, 45 min). Gli autobus per Manizales (COP$7000, 1 h) fermano alla stazione di servizio situata lungo la strada Pereria–Chinchiná, a quattro isolati dalla piazza.

Termales San Vicente

6 / ALT. 2250 M

Situate all'inizio di una ripida valle boscosa e a cavallo di un fresco torrente, queste **piscine termali** (www.sanvicente.com.co; interi/bambini COP$45.000/22.000; 8-24) si trovano appena 18 km a est di Santa Rosa de Cabal, ma sembrano appartenere a un altro mondo.

Il complesso comprende sette piscine, una delle quali riservata agli ospiti dell'hotel, e una spa che offre una gamma completa di servizi, tra cui fanghi, trattamenti al viso, peeling e massaggi. La maggior parte dei visitatori sceglie le piscine principali situate presso l'edificio del ristorante, ma la vasca naturale della **Piscina de las Burbujas**, immersa nel verde vicino all'ingresso principale, merita sicuramente una visita. Percorrendo a piedi un breve tratto della valle si può raggiungere il **Rio Termal**, dove le acque termali si mescolano a quelle del corso d'acqua, creando straordinari idromassaggi naturali circondati dal folto della foresta. Il complesso dispone anche di saune naturali costruite sopra sorgenti con acque a 80-90°C. L'offerta include inoltre attività avventurose, tra cui un canopy tour sopra la valle (COP$25.000) e discesa in corda doppia lungo una cascata (COP$25.000).

Il complesso offre un'ampia gamma di sistemazioni (singole/doppie con prima colazione a partire da COP$200.000/288.000). In particolare, i bungalow spaziano dalle rustiche capanne di tronchi d'albero agli alloggi in stile minimalista con caminetto e piscina termale privata. Quasi tutti sono dotati di docce elettriche. Sopra la reception ci sono sistemazioni meno suggestive simili a quelle di un albergo e alcune camere economiche. Le tariffe comprendono anche l'ingresso e la prima colazione.

I bagni termali sono gestiti dall'**ufficio prenotazioni** (6-333-6157; Av Circunvalar n. 15-62; 8-17 lun-ven, fino alle 15 sab) di Pereira, dove potrete richiedere informazioni. Il pacchetto per una visita in giornata (interi/bambini COP$75.000/55.000) proposto il venerdì e nei weekend include il trasporto di andata e ritorno da Pereira, l'ingresso, il pranzo e uno spuntino. L'autobus parte davanti all'ufficio alle 9 e rientra alle 18.30.

Se non disponete di un mezzo privato e non volete acquistare il pacchetto, potete noleggiare una jeep al mercato – *la galería* – di Santa Rosa de Cabal (COP$60.000 sola andata fino a sei passeggeri).

Santuario Otún Quimbaya

Questa riserva naturale situata 18 km a sud-est di Pereira copre una superficie di 489 ettari caratterizzata da un'altissima biodiversità, che si estende lungo il Río Otún a un'altitudine compresa tra i 1800 e i 2400 m. La riserva offre rifugio a oltre 200 specie di uccelli e di farfalle, a due rare specie di scimmie e a un gran numero di altri animali selvatici. Lungo il corso d'acqua e all'interno della foresta si snodano molti sentieri escursionistici, ma i visitatori non possono esplorarli per conto proprio. Le escursioni guidate (COP$7500) partono alle 9, 11.30 e 15. Purtroppo la Cascada Los Frailes – un'imponente cascata che si getta da una montagna ricoperta di vegetazione – è chiusa al pubblico.

La tariffa di ingresso (COP$6000) si paga presso il **centro visitatori** (Vereda La Suiza; letti in camerata/singole/doppie COP$40.000/60.000/90.000). Per le visite in giornata è disponibile un pacchetto a COP$29.000 che include l'ingresso, il pranzo e un'escursione guidata lungo uno dei sentieri.

Le prenotazioni si possono effettuare tramite l'efficiente organizzazione turistica della comunità locale, **Yarumo Blanco** (310-363-5001, 310-379-7719, 314-674-9248; www.yarumoblanco.co).

Il centro visitatori a La Suiza include due piani di camere. Le docce sono riscaldate elettricamente 24 ore su 24, ma il centro è privo di riscaldamento centralizzato e non è consentito accendere fuochi. Inoltre è proibito bere bevande alcoliche. Se possibile, cercate di farvi dare una delle camere del secondo piano, che dispongono di un piccolo balcone affacciato sulla foresta, dove risuona il canto degli uccelli.

Presso il centro visitatori si trova anche un ristorante che serve pasti economici (da COP$10.000 a COP$16.000).

Per/dal Santuario Otún Quimbaya

Transporte Florida (6-334-2721; Calle 12 n. 9-40, La Galería) opera un servizio giornaliero di *chivas* (COP$4000, 1 h 30 min) con partenza alle 9 e alle 15 da Pereira per il **centro visitatori** del Santuario Otún Quimbaya, nel piccolo villaggio di Vereda La Suiza. I *chivas* proseguono oltre il centro visitatori per un'altra mezz'ora fino a El Cedral (COP$5100), dove fanno immediatamente dietrofront per tornare al punto di partenza. Nei weekend vengono effettuate corse supplementari alle 7 e alle 12, ma quella del mattino non prosegue fino a El Cedral.

La stazione dei *chivas* a Pereira si trova in una zona pericolosa della città: per non correre rischi inutili vi consigliamo di chiedere al conducente del vostro taxi di accompagnarvi all'interno dell'area di parcheggio, oppure prendete il *chiva* a Plaza Victoria.

Parque Ucumarí

Istituita nel 1984 accanto ai confini occidentali del Parque Nacional Natural Los Nevados, questa riserva naturale estesa su una superficie di 42 kmq protegge un territorio aspro e ammantato di boschi intorno al medio corso del Río Otún, circa 30 km a sud-est di Pereira. All'interno di quest'area protetta sono state individuate oltre 185 specie di uccelli.

Nella riserva sono stati tracciati diversi sentieri naturalistici che si snodano tra le verdi alture circostanti, lungo i quali è possibile ammirare la rigogliosa vegetazione e dedicarsi all'osservazione di qualche esemplare della ricca fauna selvatica. Con una passeggiata di circa 30 minuti dalla base di La Pastora si può inoltre raggiungere una grande cascata.

All'interno del parco nazionale non c'è campo per i telefoni cellulari, per cui vi consigliamo di chiamare in anticipo Yarumo Blanco per effettuare le prenotazioni per il *refugio* e ingaggiare le guide per il trekking. Tramite la stessa organizzazione è possibile noleggiare le tende e ingaggiare le guide (COP$180.000 al giorno) anche per le escursioni alla Laguna del Otún e nella zona circostante.

Da La Pastora si può risalire il Río Otún, passando attraverso una gola che conduce al PNN Los Nevados. Si può anche raggiungere la Laguna del Otún (3950 m), dove ci sono un piccolo ufficio dei guardaparchi e un'area per piantare la tenda (COP$10.000 per persona). Si tratta di un tragitto di 12 km che richiede da sei a otto ore di cammino in salita, ma sono disponibili dei muli per il trasporto dell'attrezzatura.

È preferibile suddividere il trekking in due giornate pernottando in tenda oppure a El Jordán nella semplice casa dei 'Los Machetes', una famiglia locale rinomata per la sua ospitalità. A El Jordán è anche possibile noleggiare dei cavalli (COP$120.000) per proseguire fino al lago.

Se vi fermate per qualche giorno a El Jordán, potrete anche compiere brevi passeggiate nel *páramo*. Tenete presente che da queste parti le condizioni sono molto ardue e che avrete bisogno di una guida che vi indichi la strada.

Situati nel cuore del parco a 2500 m di altitudine, i bungalow del **Refugio La Pastora** (312-200-7711; letti in camerata/piazzole COP$28.000/8000 per persona) offrono semplici sistemazioni in camerata. L'ambiente è particolarmente informale: chiedete al gestore di accendervi un falò e portatevi vino e marshmallow.

Per/dal Parque Ucumarí

Per raggiungere il parco da Pereira, prendete il *chiva* di **Transporte Florida** per El Cedral (COP$5100, 2 h). Da El Cedral ci sono 5 km per raggiungere **La Pastora**: se non volete camminare per due ore e 30 minuti potete noleggiare un cavallo (COP$35.000 solo andata).

Armenia

6 / POP. 299.712 / ALT. 1640 M

Molto più tranquilla delle rivali Manizales e Pereira, Armenia sembra più una grande città che un capoluogo di provincia, ma non possiede molte attrattive di interesse per i visitatori. Distrutta nel 1999 da un terremoto che ha raso al suolo gran parte del centro, la città non si è mai ripresa del tutto. Oggi il centro presenta ancora un aspetto piuttosto precario – ve ne potrete facilmente rendere conto osservando la cattedrale, ricostruita in fretta e furia con lastre di cemento prefabbricate – mentre il centro vero e proprio si è spostato a nord di quello storico, lungo Av Bolívar.

Nella maggior parte dei casi, i viaggiatori si fermano ad Armenia il tempo strettamente necessario per cambiare autobus. Nonostante tutto, però, la città possiede qualche elemento d'interesse sufficiente per giustificare almeno un'escursione in giornata, tra cui un bel museo e splendidi giardini botanici.

Che cosa vedere

Jardín Botánico del Quindío GIARDINI

(☎ 6-742-7254; www.jardinbotanicoquindio.org; Km 3 Vía al Valle, Calarcá; interi/bambini COP$30.000/15.000; ⏲ 9-16) L'eccellente giardino botanico di Armenia occupa una superficie di 15 ettari e vanta il *mariposario* più bello di tutta la Zona Cafetera. Estesa su una superficie di 680 mq, la casa delle farfalle ha la forma di una farfalla gigante e ospita fino a 2000 esemplari All'interno del giardino botanico troverete anche una torre panoramica alta 22 m, oltre a felci, orchidee, una foresta di *guadua* (bambù) e una vasta collezione di palme. Per arrivarci, prendete l'autobus con l'indicazione 'Mariposario' (COP$2000, 40 minuti) da Plaza de la Constitución nel centro di Armenia o lungo Av Bolívar. La corsa in taxi costa circa COP$22.000.

Il biglietto d'ingresso comprende i servizi di una guida – per averne una che parli inglese dovrete prenotarla. Il momento migliore per la visita è il mattino, quando le farfalle sono più attive.

Museo del Oro Quimbaya MUSEO

(☎ 6-749-8169; museoquimbaya@banrep.gov.co; Av Bolívar 40N-80; ⏲ 10-17 mar-dom) FREE In questo eccellente museo potrete ammirare alcuni splendidi capolavori di oreficeria della civiltà precolombiana dei quimbaya e una pregevole collezione di ceramiche. Il museo è ospitato nel Centro Cultural, 5 km a nord-est del centro città. Prendete l'autobus n. 8 o 12 in direzione nord su Av Bolívar.

Pernottamento

Hotel Jardín Cafetero HOTEL $

(☎ 6-735-8575; hoteljardincafctero@gmail.com; Calle 19 n. 19-44; singole/doppie con prima colazione COP$45.000/70.000; 📶) Questo hotel nuovissimo vicino al cuore della zona centrale offre un buon rapporto qualità-prezzo. Le camere, pur essendo piuttosto anonime e non particolarmente ampie, sono comunque confortevoli, pulitissime e ben attrezzate. Il personale è cordiale.

Wanderlust Hostel OSTELLO $$

(☎ 6-735-8686, 314-588-0182; www.wanderlusttrips.com; Carrera 14 n. 1-24; letti in camerata COP$25.000-30.000, camere COP$90.000) Un accogliente ostello di nuova apertura dotato di strutture eccellenti e un ottimo servizio. Le camerate, luminose e confortevoli, hanno lenzuola nuovissime, ma l'elemento migliore della struttura sono le belle aree comuni, tra cui il grande cortile attrezzato con amache, che dispone anche di una moderna zona lounge e da lavoro. Le camere private situate nella parte anteriore dell'edificio sono raggiunte dai rumori della strada.

LE JEEP WILLYS, UN'ICONA LOCALE

Durante il vostro soggiorno nella Zona Cafetera, è molto probabile che vi troviate almeno un paio di volte a bordo di una classica jeep Willys risalente alla seconda guerra mondiale.

Questi mezzi d'epoca non sono solo uno spettacolo per gli occhi quando sono parcheggiati in formazione nella piazza principale, ma continuano a essere ancora oggi il mezzo di trasporto più usato nelle aree rurali della Zona Cafetera. Le jeep Willys trasportano di tutto, dai passeggeri ai maiali, dai *plátanos* ai mobili, oltre naturalmente al caffè. A differenza degli autobus, una jeep Willys non è mai veramente al completo – non sorprendetevi se il vostro autista riesce a caricare 16 o più passeggeri.

Le prime jeep che arrivarono in Colombia erano modelli dell'esercito in eccedenza inviati dagli Stati Uniti nel 1950. Per venderle agli agricoltori della Zona Cafetera fu organizzato un vero e proprio spettacolo itinerante, con esperti conducenti che manovravano i mezzi su e giù dagli scalini delle chiese e trasportavano carichi lungo percorsi a ostacoli allestiti nelle piazze. Gli abitanti locali ne furono immediatamente conquistati, e da allora ebbe inizio una storia d'amore che dura ancora oggi.

Le jeep Willys sono ormai parte integrante della cultura rurale colombiana, al punto che l'*yipao* – termine che indica il carico trasportato da una di queste jeep – è un'unità di misura per i prodotti agricoli colombiani (corrisponde a circa 20-25 sacchi di arance).

Armenia Hotel HOTEL $$$

(☎6-746-0099; www.armeniahotelsa.com; Av Bolívar n. 8N-67; singole/doppie/triple COP$239.000/295.000/364.000; ❄@📶🏊) Il migliore hotel della città si sviluppa su nove piani intorno a un atrio interno con soffitto a volta di vetro. Le camere sono spaziose e arredate con eleganti mobili in *guadua* (bambù); in molti casi offrono una magnifica vista sulla Cordillera Central o sulla città. L'hotel include una piscina riscaldata all'aperto e un ristorante che serve tutti i pasti.

Pasti

El Solar COLOMBIANO $$

(☎6-749-3990; restaurante-elsolar@hotmail.com; Km2 Vía Circasia; portate principali COP$21.000-36.000; ⏲12-24 lun-sab, fino alle 17 dom) A poche centinaia di metri dalla *zona rosa* si trova questo eccellente ristorante specializzato in grigliate. Arredato in modo originale, presenta biciclette per bambini, ombrelli e bottiglie di vino vuote appesi al soffitto, mentre dall'esterno si insinuano germogli di bambù. Il venerdì è la serata più animata.

La Fogata COLOMBIANO $$$

(☎6-749-5501; Carrera 13 n. 14N-47; portate principali COP$31.000-52.000; ⏲12-23 lun-gio, fino alle 24 ven e sab, fino alle 17 dom) Questo bel ristorante è, a ragione, uno dei più rinomati di Armenia. Serve eccellenti bistecche e piatti di pesce, oltre alla *vuelve a la vida* (COP$23.000), una zuppa di pesce a cui si attribuiscono virtù afrodisiache. Vi troverete anche una buona selezione di vini e un'eccellente scelta di caffè proveniente da coltivazioni locali.

Locali e vita notturna

★ **La Fonda Floresta** BAR

(Av Centenario n. 29N-1762; ⏲20-3 ven e sab) Addobbato come un villaggio tradizionale di Antioquia con pezzi d'antiquariato appesi al soffitto e luci colorate dappertutto, questo bar rinomato è frequentato da una clientela estremamente eterogenea, che si siede ai tavolini per bere qualcosa e poi – una volta ingerita una buona quantità di alcol – trasforma il locale in una grande pista da ballo. È raggiungibile dal centro con una corsa in taxi di 10 minuti.

Café Jesús Martín CAFFÈ

(www.cafejesusmartin.com; Calle 15N n. 12-57; caffè a partire da COP$2500; ⏲10-19 lun-ven) Come la sede principale situata a **Salento** (www.cafejesusmartin.com; Carrera 6 n. 6-14; ⏲8-20), questo piccolo locale serve ottimo caffè proveniente da coltivazioni locali.

> DA NON PERDERE
>
> **DESFILE DE YIPAO**
>
> Ricordatevi di ricaricare le batterie della macchina fotografica, perché qui potrete scattare fotografie memorabili. L'**Yipao** (⏲ott), che costituisce un elemento importante delle celebrazioni che si tengono ogni anno in corrispondenza della data di fondazione di Armenia, è una fantastica parata in cui le jeep locali sfilano per tutta la città cariche di tonnellate di *plátanos*, caffè e molti altri prodotti, a volte correndo su due ruote.

Informazioni

4-72 (Carrera 15 n. 22-38; ⏲8-18 lun-ven, 9-12 sab) Ufficio postale situato in centro.

Banco AV Villas (all'angolo tra Carrera 14 e Calle 15N) Sportello bancomat nella zona settentrionale della città.

Banco de Bogotá (all'angolo tra Calle 21 e Carrera 14) Sportello bancomat in Plaza de Bolívar, in centro.

Punto de Información Turística (Corporación de Cultura y Turismo; Plaza de Bolívar; ⏲9-12 e 14-17 lun-ven) Fuori dall'edificio della Gobernación del Quindío, in centro.

Per/da Armenia e trasporti locali

L'**Aeropuerto Internacional El Edén** (AXM; ☎6-747-9400; www.aeropuertoeleden.com; La Tebaida) si trova 15 km a sud-ovest di Armenia, nei pressi della città di La Tebaida. La corsa in taxi costa circa COP$26.000. Spirit (www.spirit.com) opera voli diretti per Fort Lauderdale, in Florida.

La **stazione degli autobus** (www.terminalarmenia.com; Calle 35 n. 20-68) è situata 1,5 km a sud-ovest del centro e si può raggiungere con i frequenti autobus urbani che percorrono Carrera 19 (COP$1800).

L'autostazione è servita da numerosi autobus per Bogotá (COP$60.000, 8 h), Medellín (COP$45.000, 6 h) e Cali (COP$22.000, 3 h 30 min). I minibus effettuano partenze regolari per Pereira (COP$8000, 1 h) e Manizales (COP$17.000, 2 h 30 min).

Nelle ore diurne il centro di Armenia è pieno di commercianti e gente impegnata a fare acquisti, ma dopo il tramonto la sicurezza è un problema; è consigliabile ricorrere ai taxi, che sono un mezzo economico e sicuro. La tariffa minima è COP$4200.

Dintorni di Armenia

Il minuscolo dipartimento di Quindío ospita all'interno dei suoi confini alcune incantevoli aziende produttrici di caffè, panorami sensazionali e divertenti parchi a tema apprezzati da visitatori di ogni età.

Il turismo nelle piantagioni di caffè è nato proprio in questa zona, dove si trovano centinaia di *fincas* che risultano di grande interesse per molti visitatori, soprattutto colombiani. In commercio sono disponibili numerose pubblicazioni che descrivono queste strutture, con recensioni e prezzi. L'ufficio turistico di Armenia dispone di un lungo elenco di sistemazioni. Date anche un'occhiata a **Haciendas del Café** (www.clubhaciendasdelcafe.com), che prenota le sistemazioni nelle aziende agricole nei dintorni di Quindío.

Che cosa vedere e fare

Recuca PIANTAGIONE

(☎310-830-3779; www.recuca.com; Vereda Callelarga, Calarcá; visite guidate COP$21.000; ⏲9-15) Questa piantagione di caffè orientata al turismo propone visite guidate grazie alle quali ci si può fare un'idea molto precisa della vita quotidiana che si conduce all'interno di una *finca*. I visitatori devono indossare abiti tradizionali, caricarsi sulla schiena un cesto fissandolo al corpo con una cinghia e addentrarsi nella piantagione per raccogliere alcuni frutti del caffè, poi fare ritorno all'*hacienda* per apprendere tutti i segreti della produzione. Chi lo desidera, potrà anche imparare a ballare alcune danze tradizionali. La proposta ha un che di kitsch, ma è anche divertente.

Per pranzare presso l'*hacienda* è preferibile prenotare (COP$17.000).

Da Armenia, prendete qualsiasi autobus (COP$2100) per Río Verde dall'autostazione e chiedete al conducente di farvi scendere all'ingresso dell'*hacienda*. Da questo punto bisogna ancora camminare per 2 km tra le coltivazioni di *plátanos* o chiedere al guardiano di telefonare per farvi venire a prendere da una jeep (COP$8000 per veicolo). La corsa in taxi da Armenia costa circa COP$30.000.

Caficultur PIANTAGIONE

(Hane Coffee; ☎314-761-0199; www.hanecoffee.com; Finca La Alsacia, Buenavista; visite guidate COP$30.000; ⏲8-20) Don Leo gestisce uno dei tour incentrati sul caffè più interessanti del Quindío nella sua azienda di famiglia situata appena fuori dalla cittadina di Buenavista. Padrone di casa affabile ed entusiasta, Don Leo è animato da un amore per il caffè addirittura leggendario. La visita guidata dura circa tre ore e include la prima colazione o il pranzo tradizionali, a seconda dell'orario di arrivo.

Chiamate in anticipo per prenotarvi e Don Leo verrà a prendervi nella piazza cittadina.

Pernottamento

Finca Villa Nora AGRITURISMO $$$

(☎311-389-1806, 310-422-6335; www.quindiofincavillanora.com; Vereda la Granja, Quimbaya; singole/doppie con prima colazione e cena COP$300.000/400.000;) Situata tra Armenia e Pereira, questa azienda agricola specializzata nella coltivazione del caffè, dell'avocado e della guava alloggia i propri ospiti all'interno di una bella casa tradizionale bianca e rossa circondata da un'ampia veranda. I proprietari gestiscono sia la struttura ricettiva sia la fattoria, riservando a ogni ospite un'attenzione particolare. Si tratta di una struttura tranquilla e ricca di personalità. Il personale può organizzare i trasferimenti privati sia dall'aeroporto di Armenia sia da quello di Pereira. La corsa in taxi da Quimbaya costa COP$6000.

Hacienda Combia AGRITURISMO $$$

(☎310-250-9719, 314-682-5396; www.combia.com.co; singole/doppie con prima colazione a partire da COP$196.000/244.000; @) Questo hotel situato in un'azienda produttrice di caffè nei pressi del Jardín Botánico del Quindío offre uno splendido panorama sulle montagne e strutture di alto livello, tra cui una infinity pool e una spa. Non ha la stessa intimità di alcune aziende agricole più piccole, ma a queste tariffe non troverete nulla di più confortevole, e poi il vero protagonista della Hacienda Combia è il caffè, che viene prodotto dalla stessa famiglia da quattro generazioni.

Le camere ospitate all'interno della vecchia casa colonica sono più particolari di quelle situate nell'ala più recente. All'interno dell'*hacienda* troverete inoltre un grande ristorante all'aperto che serve pasti tradizionali. Anche se non intendete soggiornare qui, la Combia merita una visita per il suo tour molto interessante ed esclusivo (ospiti/non ospiti COP$93.000/115.000). La corsa in taxi da Armenia costa circa COP$35.000.

Per/dal Quindío e trasporti locali

Il Quindío è servito da un'ampia rete di autobus. Quasi tutte le attrazioni locali possono essere raggiunte da Armenia con i mezzi pubblici.

Salento

6 / POP. 4000 / ALT. 1900 M

Immersa tra splendide montagne verdi, 24 km a nord-est di Armenia, questa cittadina basa la propria economia sulla produzione del caffè, sull'allevamento delle trote e – in misura crescente – sui turisti sempre più numerosi che arrivano fin qui, attirati dalle sue belle strade fiancheggiate dalle costruzioni tradizionali *paisa* e dalla vicinanza alla spettacolare Valle de Cocora. Fondata nel 1850, Salento è una delle cittadine più antiche del Quindío.

La via principale è Calle Real (Carrera 6), sulla quale si affacciano numerose botteghe di *artesanías* (artigianato locale) e ristoranti. Al termine di questa strada si trova una scalinata che conduce ad Alto de la Cruz, una collina sormontata da una croce dalla quale si può vedere la rigogliosa Valle de Cocora e le montagne che la circondano. Se il cielo è limpido – di solito nelle prime ore del mattino – è possibile scorgere all'orizzonte le vette innevate dei vulcani.

Attività

★ Salento Cycling MOUNTAIN BIKE

(316-535-1792, 311-333-5936; www.salentocycling.com; Calle 7 n. 1-04, Plantation House; escursioni COP$120.000-180.000) Offre eccellenti escursioni in mountain bike di una giornata intera, salendo fino allo spartiacque andino per poi scendere lungo il versante opposto fino alla foresta di palme della cera più grande della regione. I partecipanti vengono poi portati nuovamente sulla vetta con un camion per la discesa fino a Salento. L'escursione include anche un pranzo al sacco in uno straordinario punto panoramico.

I più esperti possono tornare in città lungo un emozionante percorso single-track che attraversa la Valle de Cocora. L'affabile direttore dell'agenzia sembra uscito da una commedia di sballati degli ultimi anni '90, ma è estremamente serio quando si tratta di organizzazione e sicurezza.

Kasaguadua Natural Reserve ESCURSIONISMO

(313-889-8273; www.kasaguaduanaturalreserve.org; Vía Vereda Palestina) Raggiungibile dalla città con una passeggiata di circa 30 minuti, questa riserva naturale privata tutela 14 ettari di foresta nebulare nella regione tropicale andina. Gli entusiasti proprietari conducono escursioni guidate lungo diversi sentieri – ai partecipanti viene richiesta una donazione. Per chi desidera trascorrere la notte in mezzo alla natura sono disponibili sistemazioni in camerate (COP$33.000) e in innovative *cabañas* sopraelevate (COP$82.000) immerse nella foresta. Una jeep privata costa circa COP$15.000.

Ecologic Horse Riding EQUITAZIONE

(Marisela e Paola; 320-688-3112, 321-382-1886) Gestita da una dinamica coppia di sorelle che conoscono in dettaglio la zona, questa agenzia ben organizzata offre escursioni a cavallo alle cascate e alle aziende produttrici di caffè.

Los Amigos TEJO

(Carrera 4 No 3-32; 15-23) Se siete dell'umore giusto per bere birra e lanciare pietre su sacchetti pieni di esplosivo, fate come la gente del posto e recatevi in questo pittoresco locale di *tejo*, se possibile sfoggiando il vostro migliore paio di baffi!

Tour

Numerose piantagioni di caffè di questa zona propongono interessanti visite guidate per i viaggiatori desiderosi di apprendere tutti i segreti della produzione. Le aziende agricole che vi consigliamo di visitare si trovano nella zona rurale che si estende nei pressi di Vereda Palestina, raggiungibile dalla città con una passeggiata di 45 minuti in gran parte in discesa. Dal parco centrale di Salento camminate per un isolato verso nord, poi prendete a ovest attraverso il ponte di colore giallo e quindi proseguite diritto lungo la strada principale.

Da Vereda Palestina è possibile scendere nella valle fino a Boquia, a 30 minuti di cammino lungo la strada Armenia–Salento, e da lì rientrare a Salento con l'autobus di linea.

Oggi i visitatori delle aziende di caffè possono utilizzare le jeep in partenza ogni ora dalla piazza di Salento (COP$3000) dalle 9.30 alle 15.30. Tenete presente che se non avete già prenotato una visita guidata, gli autisti potrebbero tentare di convincervi a visitare la loro azienda preferita. Mostratevi risoluti e insistete per raggiungere la meta che ave-

Salento

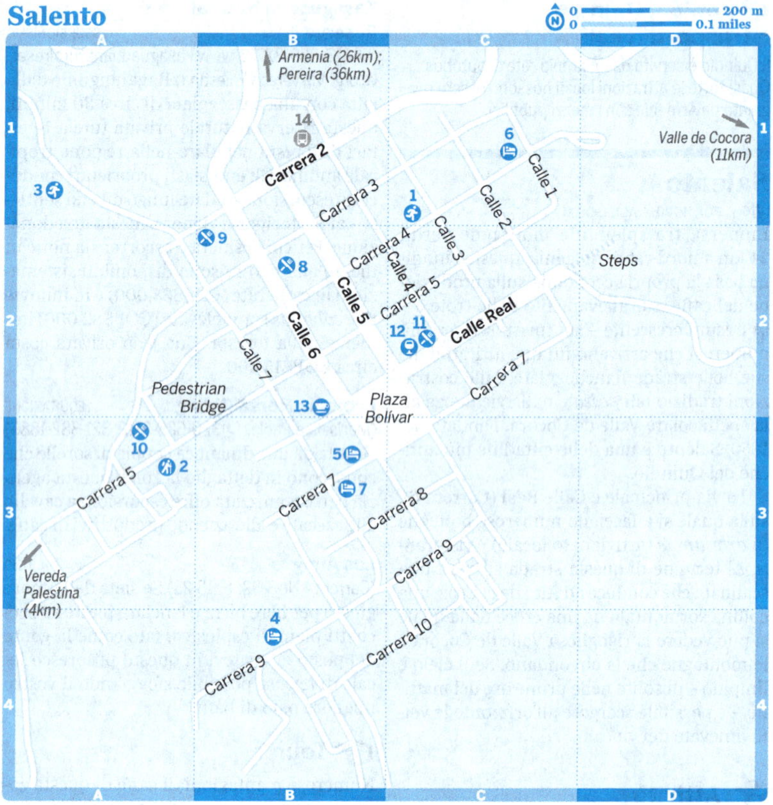

te prescelto. In alternativa potete utilizzare il servizio pubblico di jeep che ogni due ore circa raggiunge Armenia da Salento lungo la via secondaria che passa da Vereda Palestina. Queste jeep vi faranno scendere davanti all'azienda agricola che volete visitare.

Una jeep privata da Salento alle aziende nei pressi di Vereda Palestina costa circa COP$27.000.

★ El Ocaso VISITE GUIDATE

(☎310-451-7194, 310-451-7329; www.fincaelocasosalento.com; Vereda Palestina; visite guidate COP$15.000) La visita guidata più raffinata alla scoperta delle piantagioni di caffè situate nei pressi di Salento si svolge in questa grande fattoria dotata di splendidi arbusti di caffè e di una bella casa colonica. Dopo aver visitato la piantagione, si assiste al processo di produzione a partire dalla raccolta dei chicchi del caffè fino all'arrivo sul mercato. I tour durano circa 90 minuti e iniziano ogni ora dalle 9 alle 16. Sono condotti tutti in inglese tranne quelli delle 10 e delle 15, che sono in spagnolo.

Se siete grandi appassionati di caffè, potreste preferire il tour lungo di tre ore (COP$55.000).

Pernottamento

Tralala OSTELLO $

(☎314-850-5543; www.hosteltralalasalento.com; Carrera 7 n. 6-45; letti in camerata COP$25.000-30.000, camere COP$70.000-80.000, senza bagno COP$60.000, appartamenti COP$100.000;) Ospitato all'interno di una residenza coloniale magnificamente ristrutturata, questo piccolo ostello gestito con cura è stato aperto da qualcuno che sa esattamente come soddisfare le esigenze dei viaggiatori. Offre infatti materassi confortevoli, docce con acqua molto calda, due cucine comuni, un'ampia scelta di DVD e una connessione wi-fi veloce. Chi lo desidera può anche noleggiare un paio di

Salento

Attività, corsi e tour

Pernottamento

Pasti

Locali e vita notturna

Trasporti

stivali di gomma per fare trekking sui sentieri fangosi! È un posto accogliente, pulitissimo e ben organizzato.

Coffee Tree Hostel OSTELLO **$$**
(☎318-390-4415; Carrera 9 n. 9-06; letti in camerata COP$35.000, camere a partire da COP$130.000) Il Coffee Tree, l'ostello più elegante della città, merita decisamente la definizione di 'boutique hostel' grazie ai suoi tre piani di camere spaziose e ben rifinite che offrono una splendida vista e alla vivace e graziosa area comune dai soffitti alti. Aggiungeteci il servizio di alto livello e l'incantevole giardino e il risultato è una combinazione davvero vincente.

Hotel Salento Plaza HOTEL **$$**
(☎6-759-3066; www.salentoplaza.com; Carrera 7 n. 6-27; camere COP$130.000-180.000) Questo piccolo hotel situato a solo mezzo isolato dalla piazza centrale occupa un incantevole edificio tradizionale a forma di L con rifiniture giallo pallido affacciato su un giardino molto curato. Grazie ai pavimenti in legno pregiato, ai letti king size e ai bagni invitanti è un'opzione con un eccellente rapporto qualità-prezzo.

Las Terrazas de Salento BOUTIQUE HOTEL **$$$**
(☎317-430-4637; cim@une.net.co; Carrera 4 n. 1-30; camere COP$185.000-195.000) Arroccato sulla cima di una collina che domina la città, questo hotel di nuova apertura presenta camere eleganti con pavimenti in legno lucido e balconi privati. Anche se il trambusto della città sembra lontano, basta una breve passeggiata in discesa per raggiungere la zona più animata. Al piano inferiore c'è una bella area open space.

Pasti e locali

Brunch AMERICANO **$**
(☎311-757-8082; Calle 6 n. 3-25; portate principali COP$9500-19.500; ⏲6.30-21) Questo popolarissimo diner all'americana serve porzioni abbondanti di piatti classici ai viaggiatori americani che hanno nostalgia di casa. La scelta include eccellenti hamburger, ali di pollo, burritos e nachos, oltre ai brownie al burro di arachidi per i quali il locale è famoso e agli ottimi milkshake. Un posto fantastico per tirarsi su dopo un lungo trekking.

Rincón del Lucy COLOMBIANO **$**
(Carrera 6 n. 4-02; prima colazione/pranzo COP$6000/8000; ⏲7-16) Sedetevi accanto a perfetti sconosciuti ai tavoli affollati di questo locale per consumare il pasto dal miglior rapporto qualità-prezzo della città: pesce, manzo o pollo serviti con riso, fagioli, *plátanos* e zuppa. È anche un buon posto per consumare una sostanziosa colazione prima di mettersi in marcia.

Luciernaga BISTRÒ **$$**
(☎311-438-4281; www.luciernaga.com.co; Carrera 3 n. 9-19; portate principali COP$15.000-28.000; ⏲7-fino a tardi ven e sab, fino alle 23 dom-mar) Gustate la deliziosa cucina internazionale di questo fantastico bistrò moderno nel dehors o davanti al caminetto nella sala interna. Il menu è vario e offre sia hamburger, ali di pollo e classico comfort food, sia proposte gourmet e opzioni vegane. Dopo cena il bar ben fornito, gli ottimi cocktail e la musica live invitano a trascorrere qui anche il resto della serata.

Al piano superiore c'è un ostello con camere piuttosto piccole (letti in camerata da COP$25.000 a COP$28.000, camere da COP$75.000 a COP$80.000) dotate di materassi e cuscini di ottima qualità. Le camere sul lato opposto offrono una bella vista sulle montagne.

La Eliana INTERNAZIONALE **$$**
(Carrera 2 n. 6-65; portate principali COP$15.000-20.000; ⏲13-21) Serve pizze gourmet, pasta e, per chi desidera un gusto diverso, autentici curry indiani. Le porzioni sono genero-

se e i prezzi molto ragionevoli per la qualità del cibo. I tavoli sono disposti su una terrazza affacciata sul giardino. Sul retro ci sono un paio di camere con un buon rapporto qualità-prezzo.

Billar Danubio Hall BAR
(Carrera 6 n. 4-30; ⌚8-24 lun-ven, fino alle 2 sab e dom) Il Billar Danubio Hall può essere considerato l'incarnazione ideale del tipico bar di una piccola città sudamericana. Al suo interno troverete anziani in poncho e cappello da cowboy che sorseggiano *aguardiente* (liquore all'anice) e giocano a domino, sempre pronti a mettersi a cantare in coro alle prime note di qualche straziante canzone tradizionale. Trattandosi di una roccaforte maschile, le donne potrebbero essere guardate con curiosità, ma sempre trattate con rispetto.

Informazioni

Sulla piazza principale ci sono un paio di sportelli bancomat.

Banco Agrario de Colombia (Carrera 7)

Bancolombia (Carrera 6)

La Esquina Net (all'angolo tra Calle 5 e Carrera 4; COP$1400 l'ora; ⌚9.30-22) A un isolato dalla piazza.

Per/da Salento

Salento è servita ogni 20 minuti da minibus per/da Armenia (COP$4200, 45 min, dalle 6 alle 20). Gli autobus per Armenia seguono un tragitto attraverso la città e transitano dalla piazza centrale prima di partire dall'**ufficio della compagnia degli autobus** (Carrera 2 n. 4-30) in Carrera 2. Nei weekend dovrete andare direttamente all'ufficio della compagnia. In alternativa si può prendere un taxi da Armenia (30 min, COP$60.000).

L'autostazione di Pereira è servita da autobus diretti per Salento (COP$7000, 1 h 30 min) in partenza nei giorni feriali alle 6.30, 8.40, 10, 11.40, 13.40, 15.10, 16.40 e 18.40. Gli autobus diretti a Pereira da Salento partono davanti all'ufficio dei trasporti alle 7.50, 10, 11.30, 13, 14.50, 16.30, 17.50 e 20. Nei weekend vengono effettuate partenze ogni ora. Chi arriva da Pereira può prendere anche un autobus per Armenia fino a Los Flores e poi attraversare la strada per salire sull'autobus per Salento proveniente da Armenia.

Flota Occidental (☎321-760-6629; Carrera 2 n. 4-40) opera ogni giorno furgoni diretti express tra Medellín e Salento (COP$45.000, 7 h). I mezzi partono dal Terminal Sur di Medellín alle 9, 11 e 13, mentre da Salento partono davanti all'ufficio dei trasporti alle 10, 12 e 16. Acquistate i biglietti in anticipo per essere sicuri di trovare posto.

Filandia

☎6 / POP. 13.520

Poco distante da Salento, la tranquilla Filandia è una tradizionale cittadina dedita alla coltivazione del caffè, affascinante quanto la sua rinomata vicina ma molto meno visitata. Filandia vanta alcuni edifici storici davvero ben conservati, un punto panoramico, un pregevole artigianato e riserve naturali che pullulano di animali selvatici.

Che cosa vedere

Colina Iluminada PUNTO PANORAMICO
(Km 1 Vía Quimbaya; COP$8000; ⌚9-18 lun-ven, fino alle 21 sab e dom) Questa imponente struttura in legno alta 19 m, costruita sulla cima di una collina fuori città, offre una vista mozzafiato sui tre dipartimenti e, nelle giornate limpide, anche sul PNN Los Nevados.

Centro de Interpretación de la Cestería de Bejucos MUSEO
(☎310-380-8247; cesteriacafetera@hotmail.com; all'angolo tra Carrera 5 e Calle 6, Casa del Artesano; ⌚9-18) FREE Filandia è famosa per i suoi cesti intrecciati, un'arte strettamente legata alla produzione del caffè: erano proprio i raccoglitori di caffè a farne uso. Il museo, gestito da una cooperativa di artigiani locali, offre una panoramica su questa attività tradizionale, dalle materie prime alla tecnica di produzione. Ci sono anche cesti in vendita.

Se volete cimentarvi in prima persona, prenotatevi in anticipo per uno dei laboratori (a partire da COP$20.000).

Tour

Turaco ESCURSIONI
(☎315-328-0558; turaco@hotmail.es; Calle 7 n. 4-51; ⌚9-12 e 14-17, chiuso mar) Questo operatore locale pieno di entusiasmo conduce escursioni a piedi guidate nel Cañón del Río Barbas e nella Reserva Natural Bremen–La Popa, nonché gite alle cascate e visite alle aziende locali che producono caffè. Calcolate una spesa di circa COP$100.000 per un gruppo fino a cinque persone, a cui si aggiunge il costo del trasporto in jeep (COP$20.000).

Pernottamento e pasti

Hostal Colina de Lluvia OSTELLO $
(☎321-715-6245; aguadelluvia@outlook.com; Calle 5 n. 4-08; letti in camerata COP$25.000, singole COP$40.000-60.000, doppie COP$60.000-80.000; 📶) Questo ostello ben rifinito, situato a un paio di isolati dal parco, offre camere lumi-

nose con pavimenti in legno e un bel cortile. Tutte le tariffe includono la prima colazione.

La Posada del Compadre GUESTHOUSE **$$**
(☎316-629-2804; info@laposadadelcompadre.com; Carrera 6 n. 8-06; camere/suite con prima colazione COP$90.000/180.000; 📶) Ubicato in una residenza coloniale accuratamente restaurata disposta intorno a un elegante giardino interno, questo tranquillo hotel offre un eccellente rapporto qualità-prezzo. Lo spazio aperto sul retro offre una vista spettacolare sulla montagne circostanti. Alle coppie consigliamo di concedersi la spaziosa suite al secondo piano, che consente di ammirare un panorama incredibile stando distesi a letto.

★ **Helena Adentro** COLOMBIANO **$$**
(Carrera 7 n. 8-01; portate principali COP$23.000-34.000; ⏲12-22 dom-gio, fino alle 23 ven e sab) Gestito da una giovane e talentuosa chef locale e dal suo compagno neozelandese, questo ristorante alla moda serve una delle migliori cucine della Zona Cafetera, con versioni innovative dei piatti tradizionali colombiani preparate con ingredienti freschi provenienti dalle aziende agricole della zona. Il menu cambia continuamente, ma è sempre tutto delizioso, di qualità e a buon prezzo.

ℹ Per/da Filandia

Gli autobus per/da Armenia (COP$5400, 45 min) partono ogni 20 minuti fino alle 20. C'è anche un servizio diretto per Pereira (COP$6300, 1 h) con partenze ogni ora fino alle 19. Arrivando da Salento, potete prendere un autobus a Las Flores, località situata nel punto in cui la strada di Salento confluisce nella statale principale.

Valle de Cocora

In un paese pieno di paesaggi incantevoli, quello che si può ammirare a Cocora è senza dubbio uno dei più straordinari. Questa valle si estende a est di Salento fino alle pendici inferiori del PNN Los Nevados e vanta un ampio fondovalle incorniciato da vette aguzze. Ovunque svettano esemplari di *palma de cera* (palma della cera), la palma più alta del mondo (fino a 60 m d'altezza) e albero nazionale della Colombia. Nella foschia delle verdi alture, questi alberi creano un paesaggio dalla bellezza mozzafiato.

L'escursione più popolare è quella di due ore e 30 minuti che conduce dal villaggio di Cocora alla **Reserva Natural Acaime** (ingresso con spuntino COP$6000). Per chi arriva a Cocora ed entra nella valle, questo sentiero si trova sulla destra allontanandosi da Salento. All'ingresso del sentiero, agli escursionisti potrebbe essere richiesto (non sempre) il pagamento di una tassa ambientale di COP$2000.

Il primo tratto dell'itinerario si sviluppa tra i prati, mentre il secondo attraversa una fitta foresta nebulare. Ad Acaime potrete gustare una cioccolata calda (con formaggio) e ammirare un gran numero di colibrì. Sono disponibili anche sistemazioni spartane.

Circa 1 km prima di raggiungere Acaime c'è un bivio che conduce alla **Finca La Montaña**, una faticosa camminata di un'ora lungo un ripido versante, da dove potrete però scendere agevolmente per far ritorno a Cocora (un'ora e 30 minuti). Invece di ripercorrere il tracciato seguito all'andata, vi consigliamo di faticare un po' di più per seguire questo itinerario, che offre la possibilità di ammirare uno spettacolare panorama sulla valle sottostante e conduce direttamente nella foresta di palme della cera.

🛏 Pernottamento

★ **Reserva El Cairo** BOUTIQUE HOTEL **$$$**
(☎321-649-3439; www.reservaelcairo.com; Km 3 Vía Cocora, Vereda La Playa; singole/doppie a partire da COP$184.000/216.000) Forse la migliore sistemazione di tutta la Zona Cafetera: camere eleganti ubicate in un'incantevole fattoria tradizionale immersa in giardini rigogliosi, all'interno di una riserva naturale che include alcuni degli ultimi tratti di foresta primaria della valle. Un posto fantastico per il birdwatching e per le attività avventurose.

ℹ Per/dalla Valle de Cocora

Le jeep per Cocora (COP$3800, 30 min) partono dalla piazza principale di Salento alle 6.10, 7.30 e poi ogni ora fino alle 17.30, e fanno ritorno un'ora dopo. Nei weekend vengono effettuate corse supplementari. Una jeep privata costa COP$31.000.

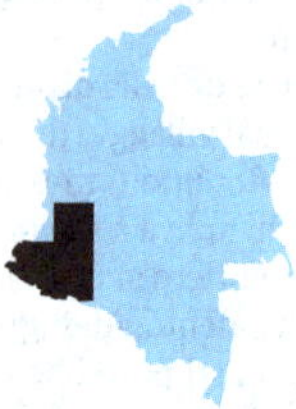

Cali e Colombia sud-occidentale

Include ➡

Il meglio – Ristoranti

- Platillos Voladores (p253)
- Donde Richard (p269)
- Mora Castilla (p262)
- Zea Maiz (p252)
- Carmina (p262)

Il meglio – Hotel

- Hotel Casa Lopez (p277)
- Casa de François (p268)
- Jardín Azul (p251)
- Hotel Los Balcones (p262)
- Casa de Alférez (p252)

Perché andare

Remota e spesso trascurata dai viaggiatori che la considerano poco sicura, la Colombia sud-occidentale è molto affascinante e merita di essere visitata. Al tempo stesso andina e africana, moderna e precolombiana, è una terra dai forti contrasti in grado di stimolare tutti i sensi. I più intrepidi potranno tornare a casa con molte storie da raccontare.

Questa regione è molto più sicura di un tempo e alcune località che fino a poco tempo fa erano off limits sono di nuovo accessibili grazie all'opera di avventurosi pionieri. In questa parte del paese troverete straordinari siti archeologici e splendidi edifici di epoca coloniale, oltre a una notevole biodiversità: in una sola giornata, infatti, potrete passare dall'ecosistema del deserto a quello della giungla e a quello del *páramo*. Gli amanti della natura troveranno vulcani in attività, sorgenti termali e spettacolari catene montuose, tutti facilmente raggiungibili da centri urbani famosi per la loro vivace cultura.

Quando andare

Cali

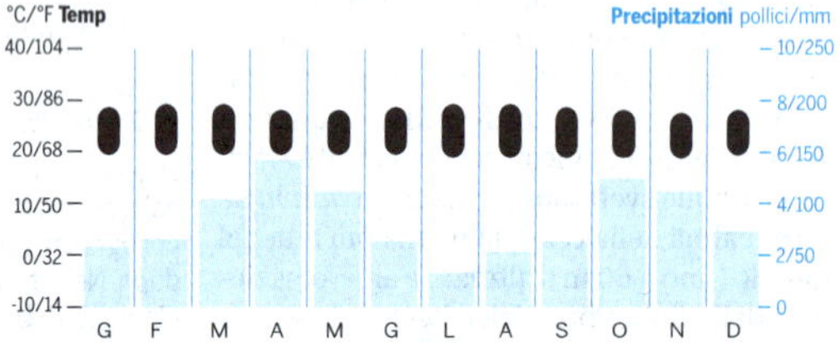

Agosto A Cali si svolge il Festival Petronio Álvarez, dominato da ritmi afrocolombiani.

Lug-set I venti propizi rendono assolutamente imperdibile il kitesurf sul Lago Calima.

Dic e gen I cieli limpidi consentono di fare escursioni nel Parque Nacional Natural Puracé.

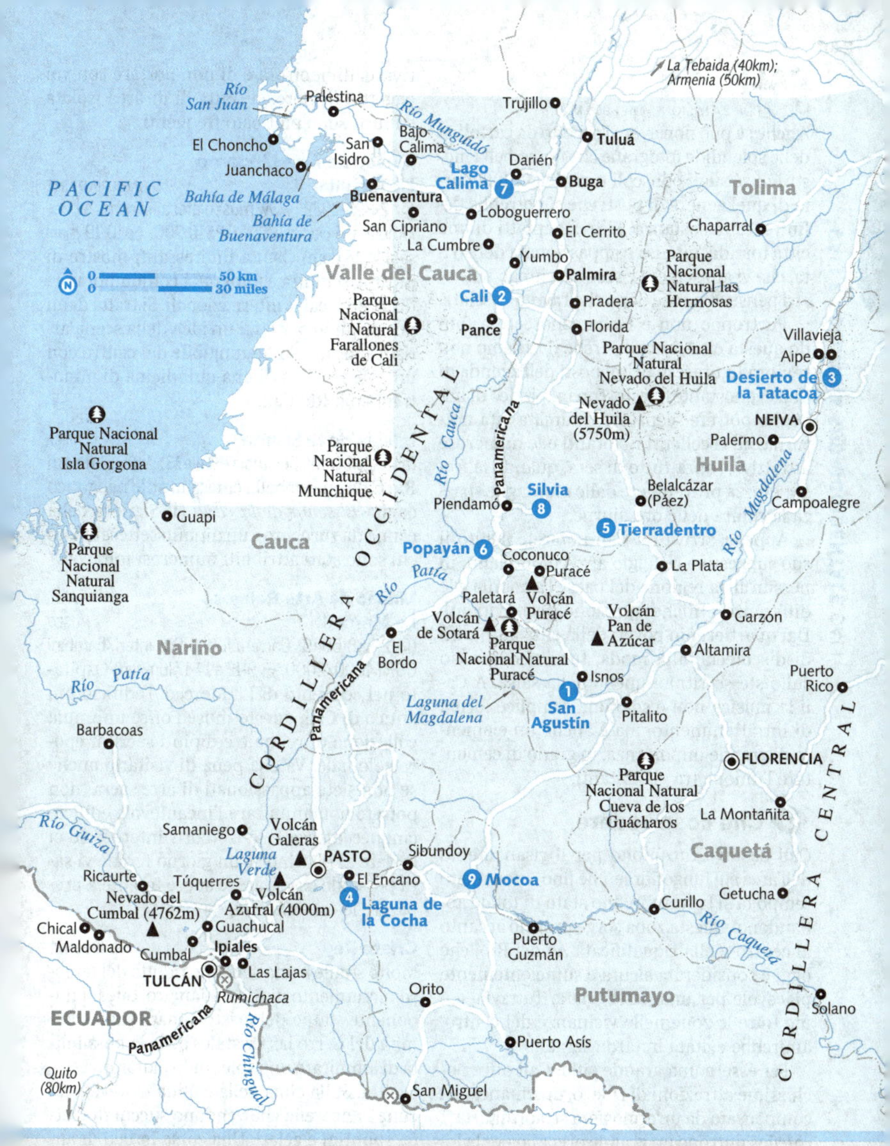

Il meglio di Cali e della Colombia sud-occidentale

1 **San Agustín** (p265) Le gigantesche sculture precolombiane immerse in una natura mozzafiato.

2 **Cali** Una serata in uno dei torridi locali della città per ballare la salsa.

3 **Desierto de la Tatacoa** (p274) Una notte tra i cactus a guardare le stelle nel deserto più piccolo della Colombia.

4 **Laguna de la Cocha** (p280) Un'escursione in barca fino alla Isla Corota.

5 **Tierradentro** (p270) Un'escursione tra le colline per vedere le sepolture ipogee.

6 **Popayán** (p258) Un giro nelle vie eleganti tra imponenti dimore coloniali.

7 **Lago Calima** (p257) Il kitesurf favorito da venti caldi.

8 **Silvia** (p264) Una visita al mercato per conoscere la cultura guambiana.

9 **Mocoa** (p272) Un bagno nelle acque cristalline dei laghetti balneabili circondati dalla foresta tropicale.

CALI

☎2 / POP 2,4 MILIONI / ALT 969 M

Anche se può non avere l'aspetto da cartolina delle splendide fotografie che fanno bella mostra di sé sugli opuscoli turistici, Cali fa parte di quel genere di posti che si potrebbe definire 'tutta sostanza'. Si tratta infatti di una città torrida, intensa e appassionata della vita, che vi affascinerà e resterà a lungo nei vostri pensieri, anche dopo che l'avrete lasciata.

Purtroppo non è facile conoscere a fondo questa città, anche perché il turismo non sembra figurare ai primi posti dell'agenda di Cali. Nonostante questo, con un pizzico di impegno potrete scoprirne l'animata vita notturna, gli eccellenti ristoranti e le numerose attrattive, soprattutto di sera, quando la fresca brezza proveniente dalle montagne spazza la calura delle ore diurne.

Appena arrivati a Cali noterete subito il suo suggestivo retaggio afro-colombiano; in nessun'altra regione del paese l'armonia e le differenze etniche appaiono così evidenti. Dai quartieri più poveri della città alle grandi discoteche alla moda, tutti si muovono sullo stesso ritmo: quello della salsa. A Cali la musica non è solo una semplice forma di intrattenimento, ma è anche un elemento di grande importanza, in grado di cementare l'unione tra gli abitanti.

Che cosa vedere

Cali ha investito molto per il risanamento dell'area sul lungofiume, che fino a non molto tempo fa si trovava in uno stato di totale abbandono. Questa zona sorge proprio accanto al centro e alla riqualificata Av del Río, che oggi è considerata sicura e sufficientemente piacevole per una passeggiata. Tuttavia, come tutte le zone nelle vicinanze del centro, andrebbe evitata in tarda serata.

Per essere una grande città, Cali offre pochissime attrazioni di rilievo, una mancanza compensata da un'atmosfera straordinaria. I *caleños* nutrono un grande orgoglio per la loro cultura e hanno un atteggiamento ribelle riassunto dal motto: '*Cali es Cali y lo demás es loma, ¿oís?*' (Cali è Cali, il resto [della Colombia] sono solo montagne, capito?).

Cerro de las Tres Cruces — BELVEDERE

In cima a questa altura sono disposte tre croci che dominano dall'alto la città. La vista è spettacolare e l'escursione per arrivarci è una delle attività preferite dai *caleños* più attenti alla salute. Nel fine settimana è particolarmente affollata, pertanto consigliamo di arrivarci di buon'ora e di non portare con voi oggetti di valore: si tratta di un'area isolata e i furti sono piuttosto frequenti.

Museo de Arte Moderno La Tertulia — GALLERIA D'ARTE

(☎2-893-2939; www.museolatertulia.com; Av Colombia n. 5 Oeste-105; COP$10.000; ⏲10-19 mar-sab, 14-18 dom) Ospita interessanti mostre di pittura, scultura e fotografia contemporanea di artisti locali e internazionali. Si tratta di un posto valido per farsi un'idea della scena artistica locale. È raggiungibile dal centro con una passeggiata di una quindicina di minuti lungo il Río Cali.

Iglesia de la Ermita — CHIESA

(all'angolo tra Av Colombia e Calle 13) Affacciata sul Río Cali, questa bella chiesa in stile neogotico ospita *El señor de la caña* (Il Signore della canna da zucchero), un dipinto settecentesco cui sono stati attribuiti numerosi miracoli.

Museo de Arte Religoso La Merced — MUSEO

(☎2-888-0646; Carrera 4 n. 6-60; interi/bambini COP$4000/2000; ⏲9-12 e 14-17 lun-ven) Ospitato nel convento di La Merced, l'edificio più antico di Cali, questo museo offre un'ampia collezione di reliquie e dipinti sacri di epoca coloniale. Vale la pena di visitarlo anche se non siete appassionati di arte sacra: non potrete non ammirare l'incantevole edificio cinquecentesco e le tre corti interne. Se ci andate al mattino di un giorno feriale vi sarà possibile osservare le suore intente a preparare le ostie (*hostia*).

Cristo Rey — MONUMENTO

Molto simile a una versione ridotta del famoso monumento di Rio de Janeiro, questa imponente statua del Cristo situata sulla sommità del Cerro las Cristales offre la possibilità di ammirare uno splendido panorama sulla città. Sulla cima della collina troverete alcune bancarelle che vendono succhi di frutta, spuntini e gelati. Una corsa in taxi di andata e ritorno vi costerà circa COP$50.000. Vi sconsigliamo di andarci a piedi perché la strada isolata potrebbe non essere sicura.

Museo Arqueológico la Merced — MUSEO

(☎2-885-4665; Carrera 4 n. 6-59; interi/bambini COP$4000/2000; ⏲9-13 e 14-18 lun-sab) Ospitato in un edificio del XVIII secolo annesso al convento di La Merced, questo interessante museo custodisce una collezione di ceramiche precolombiane, attribuibili per la maggior parte alle principali culture della Colombia centrale e meridionale. Tra i pezzi di maggior pregio ricordiamo le statuette tumaco e i vasi quimbaya decorati con intricati motivi.

Attività

Pacific Diving Company IMMERSIONI
(☎2-554-2619; www.pacificdivingcompany.com; Calle 4a n. 36-41) Organizza uscite all'Isla Gorgona, all'Isla Malpelo e in alcune parti del Chocó a bordo dell'imbarcazione *Sea Wolf*, che parte da Buenaventura.

Ecoaventura SPORT AVVENTURA
(☎304-571-5693; ecoaventuracali@gmail.com; Carrera 12 n. 1-31 Oeste) Un ente no profit che organizza interessanti attività a tema ecologista nei dintorni di Cali, comprese escursioni notturne e discese in corda doppia.

Valley Adventours VISITE GUIDATE
(☎301-754-9188; www.valleyadventours.com; Carrera 6 n. 4-26; visite guidate COP$60.000-170.000) Offre visite guidate della città sia a piedi sia con mezzi di trasporto e organizza uscite a San Cipriano e al Lago Calima. Tra le altre attività offerte vi sono escursioni al Pico de Loro nel PNN Farallones de Cali e passeggiate a cavallo nella campagna.

Escursionismo

Una visita di Cali non potrebbe dirsi completa senza un'escursione al Cerro de las Tres Cruces, un'altura dove sono disposte tre croci che dominano la città e dalla quale è possibile ammirare un panorama veramente spettacolare. Questa altura può essere raggiunta a piedi con una faticosa camminata della durata di due o tre ore (andata e ritorno) partendo da Granada in direzione nord-ovest – ricordate di portarvi dietro un'abbondante scorta di acqua potabile. Tenete presente che il sentiero che conduce alla cima non è propriamente sicuro, specialmente nei giorni feriali, quando è praticamente deserto, pertanto vi consigliamo di muovervi sempre in gruppo e di non portare con voi oggetti di valore.

Circa 18 km a ovest della città si trova il **Km 18**, nei pressi del quale sono stati aperti numerosi bar e ristoranti. A 1800 m di altitudine l'aria è gradevolmente fresca e la vicina foresta nebulare è stata dichiarata Área Importante para la Conservación de Aves (per avere ulteriori informazioni sulle specie di uccelli che vivono al suo interno, visitate il sito www.mapalina.com) ed è caratterizzata da un'eccezionale biodiversità. Il percorso che conduce dall'area protetta alla piccola località di **Dapa** – situata nei pressi della strada che collega Cali a Yumbo – è una piacevole passeggiata di circa quattro ore. Tenete presente che si incontrano diversi bivi, dove bisogna sempre tenere la sinistra.

La pietra miliare del Km 18 è collegata alla città da frequenti autobus di linea (COP$2000, 45 min). Da Sameco, cittadina situata a nord di Cali, partono ogni mezz'ora autobus e jeep diretti a Dapa (COP$3500, 30 min).

Corsi

Molti stranieri decidono di recarsi a Cali per imparare a ballare la salsa, sia la versione più movimentata tipica della città sia quella tradizionale. Qui troverete molte scuole che propongono corsi professionali di salsa, ognuna caratterizzata da una propria filosofia e da un proprio metodo di insegnamento. Per le lezioni private mettete in preventivo di spendere da COP$40.000 a COP$85.000 all'ora, tenendo comunque presente che sono previsti sconti per chi acquista un pacchetto di lezioni in anticipo.

Alcuni visitatori ne approfittano per imparare anche lo spagnolo, alternando lezioni di ballo e di lingua. A Cali i corsi per stranieri sono organizzati dai grandi istituti, ma anche da piccoli centri di lingua privati.

Lingua Viva LINGUA
(☎323-587-1623, 316-442-8158; www.eslinguaviva.com; Calle 1 n. 4B-46; lezioni private a partire da COP$45.000 l'ora) Scuola di spagnolo a San Antonio che offre lezioni individuali e di gruppo per i visitatori stranieri. Gli insegnanti sono esperti ed entusiasti.

Salsa Pura DANZA
(☎2-484-2769; www.salsapura.co; Calle 4 n. 6-61) Scuola di salsa nel cuore di San Antonio con istruttori capaci e appassionati che offrono lezioni individuali e di gruppo per ballerini di ogni livello. Lo staff è molto disponibile e riscuote grande successo tra i viaggiatori.

Feste ed eventi

★**Festival de Música del Pacífico Petronio Álvarez** MUSICA
(www.cali.gov.co/petronio; ⊙agosto) Questo festival musicale propone soprattutto i ritmi africani giunti in questa parte della Colombia con i numerosi schiavi che erano stati deportati lungo la costa del Pacifico. I *caleños* accorrono in massa per ballare ininterrottamente e bere fiumi di *arrechón* (un liquore dolce di produzione artigianale).

Cali

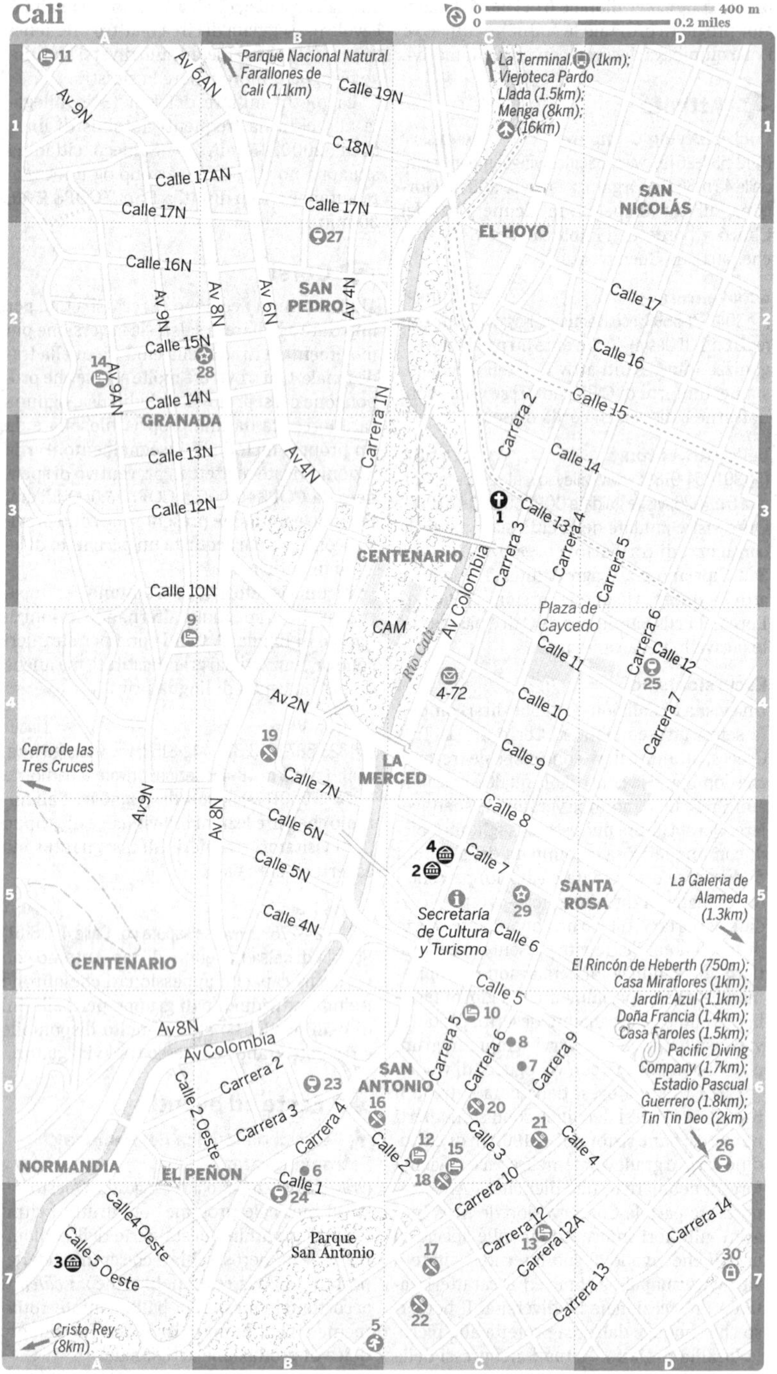

0 400 m
0 0.2 miles
A
B
C
D
1
2
3
4
5
6
7
11
Av 6AN
Parque Nacional Natural Farallones de Cali (1.1km)
La Terminal (1km); Viejoteca Pardo Llada (1.5km); Menga (8km); (16km)
Av 9N
Calle 19N
C 18N
Calle 17AN
Calle 17N
Calle 17N
27
SAN NICOLÁS
EL HOYO
Calle 16N
SAN PEDRO
Av 9N
Av 8N
Av 6N
Av 4N
Calle 17
Calle 15N
28
14
Av 9AN
Calle 16
Calle 14N
GRANADA
Carrera 1N
Calle 15
Carrera 2
Calle 13N
Av 4N
Calle 14
Calle 12N
1
Calle 13
Carrera 3
Carrera 4
Carrera 5
CENTENARIO
Av Colombia
Calle 10N
Plaza de Caycedo
9
CAM
Carrera 6
Calle 11
Calle 12
Río Cali
25
4-72
Av 2N
Calle 10
Carrera 7
19
Calle 9
Cerro de las Tres Cruces
LA MERCED
Calle 7N
Av9N
Av 8N
Calle 8
Calle 6N
4
Calle 7
2
Calle 5N
SANTA ROSA
29
La Galeria de Alameda (1.3km)
Calle 4N
Secretaría de Cultura y Turismo
Calle 6
CENTENARIO
El Rincón de Heberth (750m); Casa Miraflores (1km); Jardín Azul (1.1km); Doña Francia (1.4km); Casa Faroles (1.5km); Pacific Diving Company (1.7km); Estadio Pascual Guerrero (1.8km); Tin Tin Deo (2km)
Calle 5
10
Av8N
Av Colombia
Carrera 5
Carrera 6
8
Carrera 9
7
Carrera 2
Calle 2 Oeste
23
SAN ANTONIO
16
20
Carrera 3
Carrera 4
Calle 2
12
Calle 3
21
Calle 4
26
15
NORMANDIA
EL PEÑON
6
Calle 1
18
24
Carrera 10
Calle4 Oeste
Carrera 12
Carrera 14
Parque San Antonio
13
Carrera 12A
Calle 5 Oeste
3
17
30
Carrera 13
22
5
Cristo Rey (8km)

Cali

Che cosa vedere

1 Iglesia de la Ermita ... C3
2 Museo Arqueológico la Merced ... C5
3 Museo de Arte Moderno La Tertulia ... A7
4 Museo de Arte Religoso La Merced ... C5

Attività, corsi e tour

5 Ecoaventura ... B7
6 Lingua Viva ... B6
7 Salsa Pura ... C6
8 Valley Adventours ... C6

Pernottamento

9 Casa de Alférez ... A4
10 El Viajero ... C6
11 Guest House Iguana ... A1
12 La Casa Café ... C6
13 La Maison Violette ... C7
14 La Sucursal Hostel ... A2
15 Ruta Sur ... C6

Pasti

16 El Buen Alimento ... B6
17 El Zaguán de San Antonio ... C7
18 Pargo Rojo ... C6
19 Platillos Voladores ... B4
20 Trilogia ... C6
21 Zahavi ... C6
22 Zea Maiz ... C7

Locali e vita notturna

23 El Faro ... B6
24 La Colina ... B7
25 Pérgola Clandestina ... D4
26 Topa Tolondra ... D6
27 Zaperoco ... B2

Divertimenti

Cinemateca La Tertulia ... (v. 3)
28 Lugar a Dudas ... B2
29 Teatro Municipal ... C5

Shopping

30 Parque Artesanías ... D7

Festival Mundial de Salsa DANZA
(2-880-9188; mundialdesalsa@cali.gov.co; set) Straordinari ballerini provenienti da Cali e dintorni si esibiscono in pittoreschi costumi durante questa entusiasmante gara di salsa.

Pernottamento

Se desiderate immergervi nell'atmosfera coloniale di Cali, vi consigliamo di dirigervi verso la tranquilla zona di San Antonio; la vicina zona residenziale di Miraflores è ancora più calma, ma comunque a pochi passi dal centro. Se invece cercate una sistemazione di lusso e amate la vita notturna, vi conviene soggiornare a Granada.

Guest House Iguana OSTELLO $
(2-382-5364; www.iguana.com.co; Av 9N n. 22N-46; letti in camerata/singole/doppie con prima colazione COP$24.000/50.000/65.000; @) Questo ostello è una piccola oasi di tranquillità a nord del centro, da cui è possibile raggiungere facilmente a piedi molti buoni ristoranti e locali notturni. Offre un'ampia scelta di sistemazioni confortevoli e dal buon rapporto qualità-prezzo, un gradevole giardino e molte informazioni sulle attività che si svolgono nei dintorni della città. Diverse volte a settimana sono in programma lezioni gratuite di salsa.

La Maison Violette OSTELLO $
(2-371-9837; www.maisonviolettehostel.com; Carrera 12A n. 2A-117; letti in camerata/singole/doppie/suite COP$23.000/65.000/75.000/85.000;) Questo ostello molto colorato alla periferia di San Antonio offre camere arredate con molto buon gusto, suite spaziose e una terrazza sul tetto, dalla quale è possibile ammirare uno splendido panorama sulla città.

La Casa Café OSTELLO $
(2-893-7011; lacasacafecali@gmail.com; Carrera 6 n. 2-13; letti in camerata COP$25.000; singole/doppie 50.000/80.000, senza bagno COP$40.000/60.000; @) Se cercate una sistemazione da backpacker vecchia maniera e senza troppi fronzoli, vi consigliamo di prendere in considerazione questo bar-caffè di tendenza, che dispone di camerate e di camere private dall'eccellente rapporto qualità-prezzo situate al secondo piano di un edificio coloniale. L'edificio adiacente dispone di camere con bagno privato. La caffetteria serve caffè coltivato nelle piccole aziende agricole nei dintorni della Valle de Cauca.

★ **Jardín Azul** GUESTHOUSE $$
(2-556-8380; www.jardinazul.com; Carrera 24A n. 2A-59; camere COP$96.000-150.000;) Ospitato all'interno di una casa riconvertita situata su una collina nei pressi del quar-

tiere coloniale che si estende a est del centro, questo immacolato alberghetto dispone di camere ampie, luminose e dotate di letti grandi e di biancheria di cotone d'importazione. Alcune delle camere più belle hanno balconi privati e offrono la possibilità di ammirare splendidi scorci della città. Nel grazioso giardino c'è una piccola piscina che attira un gran numero di uccellini.

Casa Faroles HOTEL $$
(☎2-376-5381; www.casafaroles.com; Carrera 24B n. 2-48 Oeste; camere COP$82.000-99.000) Riceverete una calorosa accoglienza in questo piccolo albergo dall'ottimo rapporto qualità-prezzo gestito da un affabile ex poliziotto di New York insieme alla moglie *caleña*. Offre camere spaziose, immacolate e ben attrezzate e una bella terrazza da cui si gode un ampio panorama. L'albergo si trova su un'altura in una zona tranquilla della città, a pochi passi da San Antonio e dal Parque del Perro.

Ruta Sur OSTELLO $$
(☎2-893-6946; www.hostalrutasur.com; Carrera 9 n. 2-41; singole/doppie/a 2 letti/triple COP$88.000/118.000/130.000/150.000) Questo accogliente ostello situato in una casa coloniale nel cuore di San Antonio è frequentato soprattutto dai viaggiatori che desiderano pernottare in una struttura tranquilla situata in comoda posizione centrale. Le camere sono confortevoli e decorate con molto buon gusto. Cercate di farvi assegnare una di quelle più moderne e spaziose che circondano il cortile posteriore.

La Sucursal Hostel OSTELLO $$
(☎2-383-7518; Av 9AN n. 14-61; singole/doppie COP$80.000/160.000) Questo grande ostello ha di recente arricchito l'offerta delle strutture ricettive di Granada. Troverete una grande zona bar all'aperto con amache e lounge e una scelta di camere ordinate e dipinte a colori vivaci distribuite su più piani. La terrazza all'ultimo piano è perfetta per godersi la brezza della sera e lo splendido panorama. Alcune camere sono piuttosto buie, pertanto vi consigliamo di farvene mostrare alcune.

Casa Miraflores OSTELLO $$
(☎2-377-8177; www.casamirafloresca li.com; Carrera 24B n. 2a-136; letti in camerata COP$25.000-32.000, camere COP$95.000) Questo tranquillissimo ostello situato in una via residenziale, che dista 15 minuti a piedi da San Antonio, dispone di camere luminose e confortevoli e di belle zone comuni. L'atmosfera tranquilla ne fa un posto perfetto per chi viaggia per lavoro.

El Viajero OSTELLO $$
(☎2-893-8342; Carrera 5 n. 4-56; letti in camerata COP$31.000-39.000, singole/doppie a partire da COP$93.000/115.000, senza bagno a partire da COP$68.000/96.000; 📶 🏊) Ospitato in una casa coloniale ristrutturata, l'El Viajero è frequentato soprattutto da giovani desiderosi di socializzare. Le camere private sono piuttosto piccole, ma la grande piscina nel cortile dietro l'edificio offre un piacevole refrigerio nelle ore più calde, mentre l'adiacente zona bar si anima di sera. Si tengono regolarmente lezioni gratuite di ballo. I prezzi salgono nel fine settimana.

Casa de Alférez HOTEL $$$
(☎2-393-3030; www.movichhotels.com; Av 9N n. 9-24; camere COP$249.000-295.000; ❄ @) Questa struttura extralusso dispone di camere eleganti e dotate di letti king size, bagni spaziosi e porte finestre che si aprono su piccoli balconi affacciati su una graziosa strada alberata. Nella struttura troverete anche due ristoranti.

Pasti

Zea Maiz COLOMBIANO $
(Arepas Cuadradas; ☎311-8462-224; Carrera 12 n. 1-21 Oeste; arepas COP$1500-9000; ⊙17.30-22.30, chiuso lun; 🖉) Questo colorato ristorante situato in un seminterrato di San Antonio serve deliziose *arepas* (focaccine di mais) fatte in casa farcite con ogni genere di golosità. Troverete 17 proposte vegetariane e nove varietà a base di carne, tutte servite con quattro tipi di salse. Si dice che molte persone contrarie alle *arepas* abbiano cambiato idea dopo aver mangiato qui.

La Galería de Alameda MERCATO $
(all'angolo tra Calle 8 e Carrera 26; pasti a partire da COP$6000; ⊙7-15) Questo mercato alimentare popolare serve economici classici della cucina colombiana, tra cui moltissimi piatti a base di pesce preparati sotto i vostri occhi presso diverse piccole bancarelle. Lungo le strade che circondando il mercato ci sono numerosi ristoranti di pesce dal buon rapporto qualità-prezzo.

Pargo Rojo CUCINA DI MARE $
(Carrera 9 n. 2-09; pasti a prezzo fisso COP$12.000, portate principali a partire da COP$18.000; ⊙12-15) Questo semplice ristorantino dispone di una mezza dozzina di tavoli e prepara ottimi piatti a base di pesce. Il pranzo a prezzo fisso comprende una gustosa zuppa di pesce e una grossa brocca di limonata.

El Buen Alimento VEGETARIANO $
(☎2-375-5738; Calle 2 n. 4-53; pasti a prezzo fisso COP$10.000, portate principali COP$14.000-22.000; ⌚11.30-22 mar-sab, fino alle 17 dom; ✎) Questo animato ristorante vegetariano propone fantasiose reinterpretazioni senza carne di molti piatti della cucina tradizionale colombiana, alcuni creativi piatti fusion, come le lasagne alla messicana, e ottimi succhi di frutta fresca.

Doña Francia GELATI $
(Carrera 27 n. 3-100; spuntini COP$2000-5000; ⌚8-19) Dopo esservi accomodati su una delle panche collocate all'esterno di questa frequentatissima gelateria di Cali potrete assaporare i suoi sensazionali succhi di frutta, i sorbetti o la *salpicón* (macedonia), che molti considerano la migliore di tutta la Colombia. Si trova un isolato a est del Parque del Perro.

Zahavi PANETTERIA $
(☎2-893-8797; www.zahavigourmet.com; Carrera 10 n. 3-81; prima colazione COP$6900-11.000, panini COP$9600-21.000; ⌚8-19.30, fino alle 18 dom) Questa elegante panetteria di San Antonio serve un ottimo caffè, dolcissimi brownies e panini veramente deliziosi. Propone anche un ampio menu per la prima colazione.

El Zaguán de San Antonio COLOMBIANO $$
(Carrera 12 n. 1-29; portate principali COP$28.000-30.000; ⌚12-24) Questa vera e propria istituzione gastronomica di San Antonio serve abbondanti porzioni delle specialità della cucina tradizionale *vallecaucana* e ottimi succhi di frutta fresca. La cucina è veramente fantastica, ma la vera ragione che spinge molti a frequentare questo locale è lo straordinario panorama che si può ammirare dalla terrazza sul tetto, che rappresenta anche il posto ideale per chi desidera bere un drink in compagnia. La domenica vengono preparati il *sancocho de gallina* e il *sancocho de cola* (COP$26.000), due varietà della tradizionale minestra.

★ **Platillos Voladores** FUSION $$$
(☎2-668-7750; www.platillosvoladores.com.co; Av 3N n. 7-19; portate principali COP$30.000-62.000; ⌚12-15 e 19-23 lun-ven, 13-16 sab) Il Platillos Voladores è unanimemente considerato il ristorante migliore di Cali. Il suo menu vario e molto interessante propone piatti da gourmet presentati con grande eleganza, che riescono a far coesistere armoniosamente elementi delle cucine asiatica, europea e afro-colombiana. Il pesce la fa da padrone e molti piatti deliziosi sono accompagnati da salse preparate con frutta esotica locale.

I pasti sono serviti nel giardino o in una delle sale dotate di aria condizionata. A seconda dei vostri gusti, potrete accompagnare il vostro piatto con una buona bottiglia scelta dall'impressionante carta dei vini. È indispensabile prenotare.

Trilogia INTERNAZIONALE $$$
(☎2-379-9606; www.trilogia.net; Carrera 6 n. 2-130; portate principali COP$26.000-69.000; ⌚12-24) Ristorante di lusso molto apprezzato con sedie colorate dipinte a mano disposte attorno a tavoli sistemati in un atrio coperto affacciato su una cucina a vista. Il menu, molto vario, comprende diver si piatti a base di carne di manzo e un'ampia scelta di specialità di pesce oltre a piatti di pasta e risotti. Assai limitata, invece, è la scelta per i vegetariani. La ricca carta dei vini è una delle migliori della città.

Locali e vita notturna

Molti *caleños* non escono la sera per bere un drink in compagnia, ma per andare a ballare. Se preferite trascorrere la serata in un locale tranquillo, vi consigliamo di andare a Parque del Perro, dove è possibile scegliere tra diversi piccoli bar. A nord di Cali si trova Menga, dove ci sono numerose grandi discoteche. Proseguendo ancora si raggiunge Juanchito, dove si concentrano diverse *salsatecas* (locali dove si balla la salsa), anche se questo quartiere leggendario è decisamente meno frequentato rispetto a un tempo.

★ **Zaperoco** SALSA
(Av 5N n. 16-46; ⌚21-fino a tardi gio-sab) Se avete intenzione di visitare un solo salsa bar a Cali, vi consigliamo caldamente di optare per il Zaperoco. Il suo esperto DJ mette sul piatto pura *salsa con golpe* (salsa con colpo) pescandola da vecchi vinili, mentre batterie di ventilatori industriali si sforzano invano di

LA LEGGE DELLA CAROTA

Gli abitanti di Cali hanno definito l'orario di chiusura dei locali con la fantasiosa espressione *ley zanahoria* (legge della carota), perché a loro modo di vedere bisogna essere noiosi come una carota per andare a casa così presto (ora che attualmente è fissata alle 3 del mattino durante i weekend).

rinfrescare l'aria. Da qualche parte sotto i piedi della gente che affolla in maniera inverosimile questo locale c'è la pista da ballo – ma non abbiamo mai capito dove si trovi esattamente. Il giovedì c'è spesso una band live.

Pérgola Clandestina CLUB
(www.lapergola.co; Carrera 6 n. 11-48; ⏲ 21-fino a tardi ven-sab) Situato all'ultimo piano di un alto edificio del centro, questo bar all'aperto ospita DJ che mixano pezzi crossover di buon livello. I cocktail sono ottimi e c'è anche una piscina. È sicuramente il locale più frequentato del momento, il che significa purtroppo che spesso ci sono lunghe code e che il personale all'ingresso non è particolarmente amichevole.

Topa Tolondra BAR
(Calle 5 n. 13-27; ⏲ 18-fino a tardi gio-lun) Frequentato sia dalla gente del posto sia dai viaggiatori, questo grande bar di salsa nei pressi di Loma de la Cruz è sempre molto animato. I tavoli sono tutti addossati alle pareti, per lasciare il pavimento a disposizione di chi desidera cimentarsi nel ballo.

La Colina BAR
(Calle 2 Oeste n. 4-83; ⏲ 12-fino a tardi) Questo accogliente bar-negozio di quartiere di San Antonio serve birra economica e propone i grandi classici della salsa e del bolero.

El Faro BAR
(www.elfaropizzabar.com; Carrera 3 n. 2-09; portate principali COP$16.000-28.000) Il ballo non è esattamente il vostro forte? Sedete a uno dei tavoli di questo animato rock bar di El Peñón apprezzato dalla gente del posto per le band che suonano dal vivo, il servizio cordiale e la buona cucina internazionale.

Viejoteca Pardo Llada SALSA
(Av 2N n. 32-05; ingresso COP$6000; ⏲ 14-19 dom) Ospitato nell'incantevole sala da ballo all'aperto situata al piano superiore dell'associazione degli anziani, questo locale è la più bella e originale tra le *viejotecas* (discoteche per anziani) di Cali, dove gli anziani della città indossano i loro abiti migliori e fanno sfoggio di tutto il loro talento di ballerini. Vale la pena di visitare questo locale anche solo per godersi lo spettacolo sorseggiando una birra fresca. La Viejoteca Pardo Llada si trova nei pressi del Parque del Avión. Non è consentito l'accesso agli uomini in pantaloncini.

El Rincón de Heberth BAR
(Carrera 24 n. 5-32; ⏲ 20-3 gio-sab) Situato in un centro commerciale all'aperto, questo modesto bar affacciato su una via commerciale non è particolarmente attraente, ma è sempre affollato di persone, che dimostrano di apprezzarne molto l'ottima musica e l'atmosfera piacevolmente rilassata. Quasi tutti preferiscono accomodarsi a uno dei tavoli collocati lungo la strada dove si sta più freschi, fino a quando una certa canzone non li ispira a dirigersi verso l'umida sala da ballo. In genere non si paga l'ingresso.

Tin Tin Deo SALSA
(www.tintindeocali.com; Calle 5 n. 38-71; ⏲ 20-fino a tardi gio-sab) Questo locale di salsa ricco di atmosfera ma senza troppe pretese, situato al secondo piano, dispone di un'ampia pista da ballo, intorno alla quale sono appesi poster di famosi cantanti di salsa. Sebbene a volte dia l'impressione di essere il luogo di ritrovo preferito dai residenti stranieri in città (specialmente il giovedì), il Tin Tin Deo costituisce il posto ideale per i ballerini principianti desiderosi di muovere i primi passi. Non c'è alcun bisogno che vi portiate dietro un compagno di ballo, perché tra i frequentatori regolari di questo locale troverete moltissimi volontari.

☆ Divertimenti

Se volete sapere quali eventi sono previsti in città, date un'occhiata alla rubrica degli spettacoli del quotidiano di Cali, *El País* (www.elpais.com.co).

Cinema

Se desiderate trascorrere una serata intellettuale, vi consigliamo di dare un'occhiata al programma della **Cinemateca La Tertulia** (☎ 2-893-2939; www.museolatertulia.com/cinemateca; Av Colombia n. 5 Oeste-105; ingresso COP$7000), che in genere propone due spettacoli al giorno dal martedì alla domenica. Il **Lugar a Dudas** (☎ 2-668-2335; www.lugaradudas.org; Calle 15N n. 8N-41; ⏲ 14-20 mar-sab) attira folle di appassionati del cinema d'essai.

Calcio

Cali ha due squadre di *fútbol* entrambe ai vertici del campionato colombiano. I giocatori del **Deportivo Cali** (www.deportivocali.co) indossano la casacca verde e disputano le partite casalinghe a Palmaseca nei pressi di Palmira. Lo stadio di casa dell'**America de Cali** (www.americadecali.co), i cui giocatori indossano la maglia rossa, è invece l'**Estadio Pascual Guerrero** (all'angolo tra Calle 5 e Carrera 34; MIO Estadio) di Cali. Quest'ultima squadra un tempo godeva di una cattiva reputazione per via dei legami con i narcotrafficanti locali.

Teatro

Teatro Municipal TEATRO
(☎2-881-3131; www.teatromunicipal.gov.co; Carrera 5 n. 6-64) Inaugurato nel 1918, il decano dei teatri della città ospita eventi artistici di vario genere, tra cui concerti, rappresentazioni teatrali e balletti. Se non ci fosse nulla in cartellone, potrete chiedere al personale della sicurezza di farvi visitare l'interno riccamente decorato: da notare in particolare il soffitto finemente affrescato e gli elaborati palchi distribuiti su cinque livelli.

Delirio ARTI DELLO SPETTACOLO
(☎2-893-7610; www.delirio.com.co; Carrera 26 n. 12-328; biglietti COP$190.000-200.000) Per assistere a uno spettacolo del leggendario circo di salsa di Cali è necessario prenotare con largo anticipo, ma ne vale davvero la pena. Questa esplosiva celebrazione della cultura *caleña* può essere definita come una sorta di via di mezzo tra un circo di strada e una discoteca chiassosa e si svolge una volta al mese su una grande altura lungo la statale Cali-Yumbo. Tenete però presente che l'ingresso è riservato ai soli adulti.

Shopping

Parque Artesanías MERCATO
(Loma de la Cruz; ⌚10-20) Situato nella Loma de la Cruz, il Parque de Artesanías è considerato uno dei mercati di artigianato migliori di tutta la Colombia. Sulle sue bancarelle troverete autentici oggetti realizzati a mano e provenienti dall'area amazzonica, dalla costa del Pacifico, dalle Ande meridionali e anche da Los Llanos.

Informazioni

ASSISTENZA SANITARIA

Centro Medico Imbanaco (☎2-382-1000, 682-1000; www.imbanaco.com; Carrera 38Bis n. 5B2-04) Affidabile struttura sanitaria privata.

BANCHE

La maggior parte delle banche presenti in città dispone di uffici situati nei dintorni di Plaza Caycedo, nel centro e in Av Sexta (Av 6N). Di sera vi consigliamo di evitare le banche del centro.

Banco de Bogotá (Calle 6N n. 25N-47).
Banco de Bogotá (Carrera 5 n. 10-39).
Banco de Occidente (Av Colombia 2-72).
Bancolombia (Av 6N n. 20-72).

INFORMAZIONI TURISTICHE

Secretaría de Cultura y Turísmo (☎2-885-6173; www.cali.gov.co/turista; all'angolo tra Calle 6 e Carrera 4; ⌚8-12 e 14-17 lun-ven, 10-14 sab) Utile ufficio turistico.

PERICOLI E CONTRATTEMPI

Durante il giorno, l'affollato centro di Cali è sempre pieno di venditori ambulanti, mentre dopo l'imbrunire e di domenica può diventare poco raccomandabile. Nelle ore notturne conviene evitare anche la zona che si estende a est di Calle 5 e le sponde del Río Cali. Se dovete spostarvi in queste zone, vi consigliamo caldamente di prendere un taxi e di tenere d'occhio i vostri averi.

POSTA

4-72 (Carrera 3 n. 10-49; ⌚8-12 e 14-18 lun-ven, 9-12 sab) Posta centrale.

VISTI

Migración Colombia (☎2-397-3510; www.migracioncolombia.gov.co; Av 3N 50N-20, La Flora; ⌚8-16 lun-ven) Questo ufficio si occupa di rilasciare le estensioni dei visti.

Per/da Cali

L'**Aeroporto Alfonso Bonilla Aragón** (Aeropuerto Palmaseca; www.aerocali.com.co; Palmira) si trova 16 km a nord-est della città, a breve distanza dalla strada che conduce a Palmira. I minibus che collegano l'aeroporto e la stazione degli autobus partono ogni 10 minuti fino alle 20 circa (COP$6500, 45 min); in alternativa si può prendere un taxi (circa COP$55.000). Questo aeroporto serve voli diretti internazionali per Miami, Madrid e altre città dell'America centrale e meridionale.

La stazione degli autobus **La Terminal** (La Terminal; www.terminalcali.com; Calle 30N n. 2AN-29), si trova 2 km a nord del centro. A causa dell'intensa calura vi consigliamo di prendere un taxi (COP$8000).

Da Cali partono autobus regolari per Bogotá (COP$65.000, 12 h), Medellín (COP$55.000, 9 h) e Pasto (COP$40.000, 9 h) e minibus frequenti per Popayán (COP$17.000, 3 h). Da Cali partono anche regolarmente mezzi diretti ad Armenia (COP$22.000, 4 h), a Pereira (COP$27.000, 4 h) e a Manizales (COP$40.000, 5 h).

Trasporti locali

La rete di autobus elettrici con aria condizionata **MIO** (www.mio.com.co; COP$1900 a corsa; 📶) ricorderà a molti il TransMilenio di Bogotá. La linea principale parte a nord della stazione degli autobus, costeggia le sponde del fiume, attraversa il centro e percorre l'Av Quinta (Av 5) per tutta la sua lunghezza. Altre zone della città sono servite da altre linee.

I taxi di Cali sono piuttosto economici. La tariffa minima ammonta a COP$4700 e per le corse notturne viene applicato un supplemento di COP$1100.

DINTORNI DI CALI

Cali è indubbiamente una grande metropoli, eppure non serve allontanarsi troppo per ritrovarsi immersi nella natura. Il Río Pance, appena a sud della città, è uno dei posti preferiti dai *caleños* per sfuggire alla calura della città. Alle spalle di Pance si estende il Parque Nacional Natural Farallones, il parco nazionale più vicino a una grande città di tutto il paese.

Uscendo da Cali nella direzione opposta, si incontra il Lago Calima, un tranquillo bacino artificiale di montagna circondato da fattorie e molto apprezzato dagli appassionati di sport avventurosi per i suoi venti caldi.

Pance

☎2 / POP. 2000 / ALT. 1550 M

Questa piccola località di villeggiatura sorge tra le montagne orientali del Parque Nacional Natural Farallones ed è punteggiata di *fincas* e frequentata da un gran numero di *caleños* desiderosi di rinfrescarsi nelle acque cristalline del fiume. Il clima è gradevolmente fresco e rappresenta un piacevole cambiamento rispetto al caldo soffocante di Cali. Durante i weekend la sua unica via prende vita e i suoi bar e ristoranti si riempiono di gente. Nei giorni feriali è invece tutto deserto e vi sarà quasi impossibile trovare un locale aperto.

Che cosa vedere

Parque Nacional Natural Farallones de Cali PARCO NAZIONALE
(www.parquesnacionales.gov.co) Questo parco nazionale esteso su una superficie di 1500 kmq protegge un'area caratterizzata dalla presenza di vette rocciose situata nelle vicinanze di Cali. Nel periodo più sanguinoso del conflitto armato il parco venne chiuso al pubblico e non è ancora stato ufficialmente riaperto ai visitatori. In alcune zone la sicurezza rimane un problema molto serio e sono state adottate anche diverse misure a tutela del delicato ecosistema, chiudendo al pubblico gran parte dell'area. L'unico sentiero percorribile è quello che conduce al Pico de Loro; si tratta di un'escursione in giornata, per effettuare la quale è necessario ingaggiare una guida presso la comunità di Pance.

Le autorità stanno valutando la possibilità di riaprire il sentiero che nel giro di cinque giorni conduce al Pico de Pance, la vetta più emblematica del Parque Nacional Natural Farallones; prima di mettervi in cammino, vi consigliamo di rivolgervi all'ufficio del parco di Cali, dove il personale potrà fornirvi informazioni aggiornate.

All'epoca delle ricerche compiute per questa guida, in questo parco nazionale non veniva fatta pagare alcuna tariffa d'ingresso, una situazione che però è destinata a cambiare nel momento in cui verrà ufficialmente riaperto.

Attività

Oltre a nuotare nel fiume o in uno dei ruscelli, è anche possibile fare un'escursione in giornata fino alle vicine cascate o organizzare trekking più lunghi nel Parque Nacional Natural Farallones de Cali.

Escursionismo

Tra andata e ritorno, il Pico de Loro richiede una camminata di sette ore in direzione ovest rispetto a Pance. Per ingaggiare una guida locale che vi accompagni mostrandovi il percorso mettete in preventivo di spendere circa COP$80.000 per gruppo. Dal momento che per affrontare questa escursione è necessario entrare nel parco prima delle 10, la soluzione migliore è quella di trascorrere la notte precedente a Pance.

Per visitare le cascate che sorgono nelle vicinanze, da Pueblo Pance si deve percorrere un sentiero in discesa di 1 km fino al ponte, dove bisogna svoltare a destra e poi proseguire in salita per 2 km fino a El Topacio, dove troverete un centro visitatori e sarete accolti da una guida. Vengono ammessi al massimo 40 visitatori al giorno: chi volesse prenotare può acquistare l'ingresso presso l'ufficio di Cali della Corporación Autónoma Regional del Valle de Cauca prima di mettersi in cammino.

In questa zona è possibile percorrere due brevi sentieri: il Barranquero, che conduce a una cascata alta ben 40 m, e il Naturaleza, che termina di fronte a una cataratta di 130 m. Chiedete poi alla gente del posto la strada che si deve percorrere per raggiungere La Nevera (il Frigorifero), un laghetto balneabile alimentato da fresche acque di montagna.

Pernottamento e pasti

Diversi alberghetti rurali costeggiano le strade che conducono a Pueblo Pance e quelle che dal villaggio salgono al Parque Nacional Natural Farallones.

Nel fine settimana i ristoranti lungo la strada servono specialità tipiche – per lo più carne alla griglia, trota e zuppe – ma durante la settimana dovrete organizzare i pasti con il vostro albergo.

La Fonda Pance OSTELLO $
(☎ 317-664-3004, 2-558-1818; www.lafondapance.com; contiguo al Finca Nilo; piazzole COP$10.000 per persona, letti in camerata COP$20.000, camere con/senza bagno COP$80.000/50.000; P @ ☎ ☒) Unanimemente considerata la struttura ricettiva migliore di questa zona, La Fonda Pance è un ostello pervaso da un'atmosfera rilassata e dotato di camere moderne e confortevoli, dalle quali è possibile ammirare uno splendido panorama sulle montagne, e di un grandissimo giardino diviso in due da un corso d'acqua gorgogliante. La Fonda Pance possiede anche una vasca con idromassaggio all'aperto, dove potrete immergervi dopo aver fatto una lunga escursione, e un rinfrescante laghetto naturale alimentato dalle acque che scendono dalle vette circostanti.

Il cordiale personale di questo ostello può anche servirvi i pasti e aiutarvi a ingaggiare una guida per fare un trekking nei dintorni. Questa struttura si trova 200 m prima del bivio che conduce a Topacio.

Per/da Pance

Dalle 5 alle 20 dalla stazione degli autobus di Cali partono più o meno ogni ora minibus diretti a Pueblo Pance (COP$2300, 1 h 30 min). Questi mezzi possono essere riconosciuti facilmente dalle indicazioni 'Recreativo 1A' e 'Pueblo Pance'.

Il MIO raggiunge alcune località lungo il fiume ma non arriva fino a Pueblo Pance.

Lago Calima

Questo bacino artificiale costruito nel 1965 attira un gran numero di appassionati di kitesurf e di windsurf da ogni parte del mondo, grazie ai suoi venti costanti presenti per tutto l'arco dell'anno. Le acque di questo lago nascondono la Valle di Darién, creata dal Río Calima. Situata circa 86 km a nord di Cali, questa zona gode di un clima gradevolmente temperato, che durante i weekend attira anche i *caleños* in cerca di refrigerio. Le verdi alture che circondano il lago sono punteggiate di *fincas* per la villeggiatura.

Nella maggior parte dei casi, le attività sportive si svolgono lungo la sponda settentrionale del lago, dalla cittadina di Darién, situata nell'estremità orientale del lago, fino alla diga, a ovest. Tenete presente che in questa zona non c'è nessuna spiaggia, ma si parte da pendii erbosi che conducono all'acqua.

Dal momento che questa zona è servita con scarsa frequenza dai mezzi pubblici, il Lago Calima costituisce una meta piuttosto difficile da visitare in giornata. Per questo motivo, vi consigliamo di dedicargli almeno un paio di giorni, soprattutto durante i weekend, quando la presenza di un gran numero di visitatori conferisce a questa zona un'atmosfera piacevolmente festosa.

Attività

Escuela Pescao Windsurf y Kitesurf WINDSURF, KITESURF
(☎ 300-230-6097, 311-352-3293; www.pescaokitesurf.com) Questa scuola ben organizzata è ospitata in un grande deposito in disuso situato sulla sponda del lago. L'ex campione di kitesurf che la gestisce – purtroppo costretto su una sedia a rotelle – impartisce lezioni sulla riva prima di mandare i suoi allievi in acqua con un istruttore. Chi lo desidera, può pernottare (da COP$30.000 a COP$60.000) nel magazzino, in tende con materassi e sacchi a pelo.

Pernottamento e pasti

Hostería Los Veleros HOTEL $$$
(☎ 2-684-1000; www.comfandi.com.co; Complejo Comfandi, Vía Madroñal; singole/doppie/triple con 2 pasti COP$214.000/234.000/280.000; ☒) L'albergo migliore affacciato sul lago fa parte del complesso Comfandi e le sue tariffe comprendono anche due pasti e l'ingresso al centro ricreativo e alle piscine. Alcune camere sono dotate di balcone, dal quale è possibile ammirare uno spettacolare panorama sul lago. Durante i weekend questo albergo è sempre molto affollato, mentre nei giorni feriali lo potrete avere tutto per voi.

Meson Ilama COLOMBIANO $$
(☎ 318-415-3681; www.mesonilama.com; portate principali COP$26.000-40.000, pizza COP$19.000-35.000; ⊙ 7.30-19 lun-ven, fino alle 21 sab e dom) A circa 10 km da Darién sorge questo ampio ristorante in legno, dal quale è possibile ammirare un magnifico panorama sul lago.

La cucina sforna semplici piatti tradizionali preparati a regola d'arte, tra i quali meritano di essere citati il *sancocho* (tipico stufato colombiano), il *churrasco* (grigliata di carne), il vitello e la trota. Prepara anche buone pizze e offre alcune camere molto confortevoli (a partire da COP$130.000) situate sulla sponda del lago.

Per/dal Lago Calima

Diversi minibus fanno la spola dalle 7 alle 19 tra Darién e la diga del Lago Calima (COP$2200) e le scuole di kitesurf. In alternativa si può prendere un autobus per Buga/Cali, in questo caso bisogna accertarsi che imbocchi l'uscita per il lago.

Darién

2 / POP. 15.824 / ALT. 1800 M

In questa piacevola cittadina troverete alcuni alberghi economici, qualche sportello bancomat, un paio di supermercati, qualche internet bar e – durante i weekend – diverse discoteche animate. Queste attrattive si trovano quasi tutte a due o tre isolati di distanza dal Parque Los Fundadores, la piazza principale della cittadina, anche se l'escursione principale è quella al Lago Calima.

Che cosa vedere

Museo Arqueológico Calima MUSEO
(2-253-3496, 321-831-4780; www.inciva.org; Calle 10 n. 12-50; interi/bambini COP$4000/3000; 8-12.30 e 13.30-17 lun-ven, 10-18 sab e dom) Allestito all'interno di uno spazioso e curatissimo giardino in cima a un'altura partendo dalla piazza, questo museo ospita una suggestiva collezione di ceramiche precolombiane e alcune riproduzioni di abitazioni indigene originali.

Cogua Kiteboarding KITESURF
(318-608-3932, 2-253-3524; www.coguakiteboarding.com; Calle 10 n. 4-51) Oltre a impartire lezioni di kitesurf, il giovane proprietario di questo tranquillo centro gestisce anche una piccola fabbrica in cui produce tavole su richiesta utilizzando fibra di cocco e *guadua* (una varietà di bambù). Chi lo desidera può visitare la fabbrica per osservare i processi produttivi o farsi costruire la propria tavola.

Ai clienti del Cogua Kiteboarding vengono offerte alcune sistemazioni molto economiche e la possibilità di noleggiare stand-up paddle (SUP).

Per/da Darién e trasporti locali

Durante il giorno Darién è servita da parecchi autobus per/da Cali (COP$14.500, 2 h 30 min). L'ultimo autobus per tornare a Cali parte da Darién alle 18.30.

Chi arriva da nord, deve scendere a Buga e prendere uno degli autobus che raggiungono Darién ogni 30 minuti (COP$7500, 1 h 30 min). L'ultimo autobus per tornare a Cali parte da Darién alle 18.30.

Tenete presente che per raggiungere il Lago Calima e Darién gli autobus seguono due itinerari diversi, applicando comunque la stessa tariffa. Se volete andare direttamente a Darién, vi consigliamo di chiedere un biglietto per l'autobus che passa da Jiguales, mentre chi è diretto alle scuole di kitesurf e di windsurf dovrà prendere l'autobus '*por el lago*' ('per il lago').

A Darién non sono presenti taxi. Tuttavia, troverete una flotta di *tuk-tuk* disponibili a portarvi in giro per la città a un prezzo ragionevole. Nella piazza principale troverete invece qualche jeep disponibile a portarvi in giro per la città o lungo la sponda del lago, ma si tratta di un servizio piuttosto costoso (corsa per Comfandi circa COP$15.000).

CAUCA E HUILA

In questi due dipartimenti ci sono Popayán – una delle città coloniali più incantevoli della Colombia – e i due siti archeologici più importanti del paese, quelli di San Agustín e di Tierradentro. In questa regione troverete anche il Desierto de la Tatacoa, una sbalorditiva anomalia geografica situata nei pressi di Neiva, a metà strada tra Bogotá e San Agustín.

All'epoca in cui il fiume veniva utilizzato come via di comunicazione, sia Cauca sia Huila erano due centri di grande importanza commerciale, ma nei primi anni del XX secolo l'arrivo della ferrovia e delle strade ne arrestò la crescita e oggi queste cittadine sono pervase da un sonnolento languore.

Popayán

2 / POP. 282.453 / ALT. 1760 M

Famosa per le facciate bianco gesso delle sue case (che le sono valse il soprannome di 'Ciudad Blanca', 'Città bianca'), Popayán è seconda solo a Cartagena nella classifica delle città coloniali più belle della Colombia. Sorge nella Valle de Pubenza dominata da cime svettanti e, per diversi secoli, è stata il capoluogo della Colombia meridionale, prima di essere messa in ombra da Cali.

Fondata nel 1537 da Sebastián de Belalcázar, Popayán divenne il punto di sosta più importante per chi affrontava il lungo viaggio da Cartagena a Quito. Il suo clima mite attirò le facoltose famiglie proprietarie delle haciendas di canna da zucchero della calda regione della Valle de Cauca, che nel corso del XVII secolo iniziarono a farvi costruire case, scuole, chiese e monasteri.

Nel marzo del 1983, pochi minuti prima dell'inizio della processione del Giovedì Santo, la città venne sconvolta da un violento terremoto, che fece crollare il tetto della cattedrale e causò la morte di centinaia di persone, un terribile disastro, di cui sono però rimaste pochissime testimonianze.

Popayán ospita numerose facoltà universitarie e durante il giorno le strade della città vecchia sono sempre affollate di studenti.

Che cosa vedere

L'ultimo venerdì del mese a Popayán si svolge la Noche de Museos (Notte dei musei) in occasione della quale vengono allestite bancarelle di prodotti gastronomici e artigianali ai lati delle strade e il centro storico viene chiuso al traffico. Numerosi musei cittadini restano aperti fino a tardi e possono essere visitati gratuitamente.

Dalla **Capilla de Belén**, una graziosa cappella situata su una collina che si erge pochi passi a est del centro, è possibile ammirare uno splendido panorama su tutta la città; trattandosi, tuttavia, di un luogo piuttosto isolato, vi consigliamo di non portare con voi oggetti di valore. Da **El Morro de Tulcán**, un'altura sormontata da una statua equestre dedicata al fondatore della città, si apre un panorama addirittura più bello. Si dice che in passato in questo luogo sorgesse una piramide precolombiana e oggi è il posto ideale per ammirare il tramonto.

Un altro punto panoramico molto frequentato è il **Tres Cruces**, un'altura boscosa sormontata da tre croci. La passeggiata lungo il sentiero costeggiato da alberi che conduce al monumento è un modo piacevole per allontanarsi dalla città; nei weekend è particolarmente apprezzato dalla gente del posto, che viene qui per tenersi in forma. Dal momento che sono state segnalate rapine lungo il sentiero, vi consigliamo caldamente di lasciare gli oggetti di valore in albergo e di muovervi in gruppo.

Iglesia de San Francisco — CHIESA

(all'angolo tra Carrera 9 e Calle 4) La chiesa coloniale più grande della città è anche la più bella. Al suo interno è possibile ammirare uno splendido altare maggiore e sette magnifici altari laterali. Il terremoto del 1983 ha squarciato l'ossario, riportando alla luce sei mummie non identificate. Due di esse si trovano ancora sul posto, anche se l'accesso al sito è spesso limitato. Per informazioni sulle visite guidate, vi consigliamo di rivolgervi all'ufficio situato a destra dell'ingresso.

Museo Arquidiocesano de Arte Religioso — MUSEO

(☎2-824-2759; Calle 4 n. 4-56; COP$6000; ⏲9-12.30 e 14-18 lun-ven, 9-14 sab) Non occorre essere esperti di arte sacra per restare colpiti da questa meravigliosa collezione di dipinti, statue, pale d'altare, reperti in argento e oggetti liturgici, la maggior parte dei quali risale a un periodo compreso tra il XVII e il XIX secolo. Nella cripta della chiesa sono custodite alcune reliquie preziose, che però è possibile ammirare solo durante la Settimana Santa.

Puente del Humilladero — PONTE

Emblematico punto di riferimento di Popayán, questo ponte di mattoni a 11 arcate lungo 240 m fu costruito verso la metà del XIX secolo per facilitare l'accesso al centro cittadino dai miseri sobborghi settentrionali. Nel corso degli anni ha messo in ombra il vicino Puente de la Custodia, un grazioso ponte di pietra costruito nel 1713 allo scopo di consentire ai sacerdoti di attraversare il Río Molino per portare i sacramenti ai malati.

Casa Museo Mosquera — MUSEO

(Calle 3 n. 5-38; ⏲8-11.30 e 14-17) FREE Questo interessante museo è ospitato all'interno di un suggestivo edificio settecentesco un tempo residenza del generale Tomás Cipriano de Mosquera, che tra il 1845 e il 1867 ricoprì per ben quattro volte la carica di presidente della Colombia. L'originale lampadario di cristallo francese che si può vedere nella sala da pranzo fu trasportato dai Caraibi a Popayán a dorso di mulo. Non mancate di dare un'occhiata all'urna incastonata in un muro, che contiene il suo cuore.

Iglesia La Ermita — CHIESA

(all'angolo tra Calle 5 e Carrera 2) Costruita nel 1546, la chiesa più antica di Popayán merita una visita per ammirare lo splendido retroaltare e i frammenti di antichi affreschi che sono stati riportati alla luce dal terremoto.

Museo Guillermo Valencia — MUSEO

(Carrera 6 n. 2-69; ⏲10-12 e 14-17 mar-dom) FREE Questo edificio costruito negli ultimi anni del

Popayán

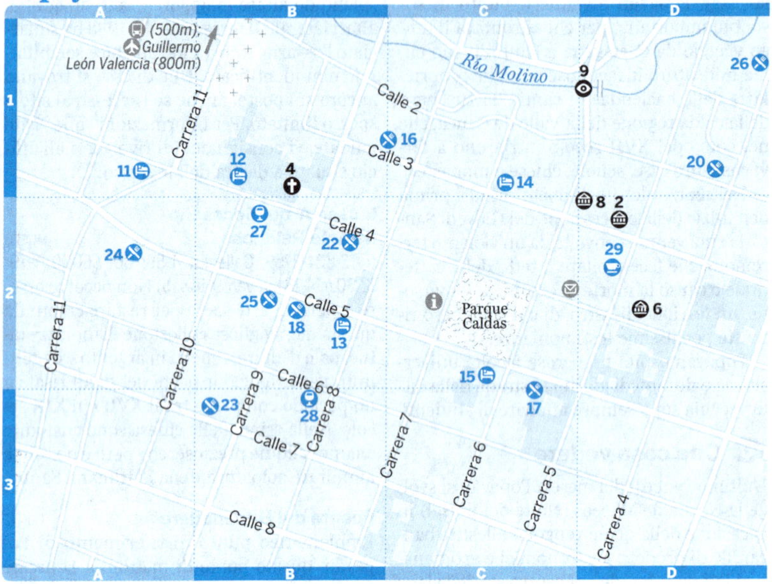

XVIII secolo custodisce una vasta collezione di mobili d'epoca, dipinti, vecchie fotografie e documenti appartenuti al poeta più famoso di Popayán, che visse in questa casa. Tutto è stato lasciato più o meno com'era al momento della morte di Valencia, che spirò in una delle camere da letto situate al piano superiore.

Museo de Historia Natural MUSEO
(www.unicauca.edu.co/museonatural; Carrera 2 n. 1A-25; COP$3000; ⏲9-12 e 14-16) Questo museo – considerato da molti uno dei migliori nel suo genere di tutta la Colombia – sorge sui terreni dell'università e gode di una meritata fama per la sua straordinaria collezione di insetti, farfalle e uccelli impagliati.

Attività

Popayán Tours SPORT AVVENTURA
(☎831-7871; www.popayantours.com) Un'agenzia gestita con grande professionalità che propone un ampio ventaglio di tour avventurosi nelle campagne attorno a Popayán, tra cui una corsa in discesa in mountain bike con partenza dalle sorgenti termali di Coconuco e alcune escursioni a piedi nel Parque Nacional Natural Puracé. I viaggiatori più intrepidi farebbero bene a informarsi sul trekking alla cima del Volcan Puracé con ritorno a Popayán in bicicletta.

Get up and Go Colombia PASSEGGIATA
(☎321-533-2633, 312-779-5749; getupandgocolombia@gmail.com) FREE Visita guidata gratuita del centro storico gestita da studenti universitari pieni di entusiasmo. Il tour parte dal Parque Caldas di fronte all'ufficio turistico alle 10 e alle 16. Le mance sono ben accette. La domenica viene organizzata un'escursione guidata al belvedere delle Tres Cruces sopra la città.

Feste ed eventi

Semana Santa FESTA RELIGIOSA
(Settimana Santa; ⏲Pasqua) Le celebrazioni pasquali di Popayán sono famose in tutto il mondo, soprattutto le processioni notturne del Giovedì e del Venerdì Santo. In questo periodo migliaia di fedeli e di turisti arrivano in città da tutte le regioni del paese per prendere parte alle cerimonie religiose e al festival di musica sacra. In questi giorni i prezzi degli alberghi schizzano alle stelle ed è necessario prenotare la propria sistemazione con largo anticipo.

Congreso Nacional Gastronómico GASTRONOMIA
(www.gastronomicopopayan.org; ⏲set) Nella prima settimana di settembre di ogni anno, i cuochi migliori della Colombia e di un

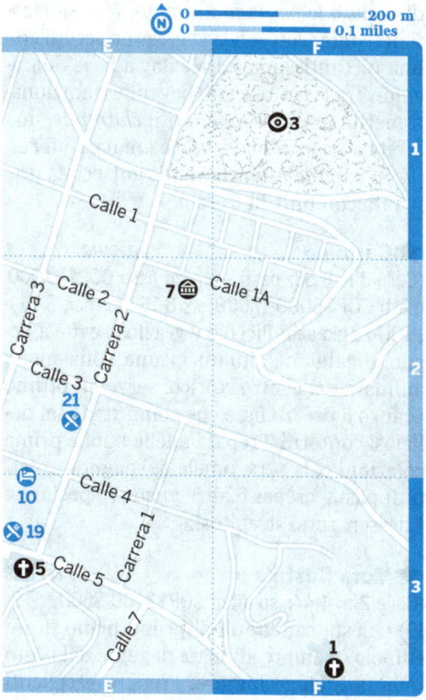

Popayán

Che cosa vedere

- **1** Capilla de Belén F3
- **2** Casa Museo Mosquera D2
- **3** El Morro de Tulcán F1
- **4** Iglesia de San Francisco B1
- **5** Iglesia La Ermita E3
- **6** Museo Arquidiocesano de Arte Religioso D2
- **7** Museo de Historia Natural E2
- **8** Museo Guillermo Valencia D2
- **9** Puente del Humilladero D1

Pernottamento

- **10** Hostel Caracol E3
- **11** Hosteltrail A1
- **12** Hotel Dann Monasterio B1
- **13** Hotel La Plazuela B2
- **14** Hotel Los Balcones C1
- **15** Parklife Hostel C2

Pasti

- **16** Carmina C1
- **17** Hotel Camino Real C3
- **18** La Fresa B2
- **19** La Semilla Escondida E3
- **20** Mora Castilla D1
- **21** Pita E2
- **22** Restaurante Italiano B2
- **23** Restaurante Vegetariano Maná B3
- **24** Sabores del Mar A2
- **25** Tequila's B2
- **26** Tienda Regional del Macizo D1

Locali e vita notturna

- **27** Bar La Iguana B2
- **28** El Sotareño B3
- **29** Oromo Café Ritual D2

paese ospite vengono invitati a sbizzarrirsi ai fornelli. Oltre al programma principale sono previsti numerosi eventi gratuiti in giro per la città.

Pernottamento

Parklife Hostel OSTELLO $

(300-249-6240; www.parklifehostel.com; Calle 5 n. 6-19; letti in camerata COP$25.000-28.000, singole/doppie COP$54.000/64.000, senza bagno a partire da COP$45.000/55.000; @) Non è affatto facile trovare un ostello in posizione più comoda del Parklife Hostel, situato accanto alle mura della cattedrale. L'edificio ha conservato molto del suo stile originale, con pavimenti in legno, lampadari e mobili d'epoca. Si tratta di una struttura ricca di atmosfera, dove potrà capitarvi di ascoltare il coro della chiesa dall'atrio comune. Le camere che si affacciano sul lato anteriore dell'edificio consentono di ammirare uno splendido panorama sul Parque Caldas.

Hostel Caracol OSTELLO $

(2-820-7335; www.hostelcaracol.com; Calle 4 n. 2-21; letti in camerata COP$27.000, singole/doppie COP$55.000/75.000, senza bagno COP$45.000/62.000; @) Ospitato all'interno di una casa coloniale ristrutturata, questo ostello accogliente e pervaso da un'atmosfera piacevolmente rilassata è frequentato da un gran numero di viaggiatori indipendenti. Al suo interno troverete camere piuttosto piccole ma molto confortevoli, sistemate intorno a un cortile comune, e personale sempre pronto a fornire informazioni sulle attrattive e sui divertimenti in programma in città.

Hosteltrail OSTELLO $

(2-831-7871; www.hosteltrailpopayan.com; Carrera 11 n. 4-16; letti in camerata COP$27.000, singole/doppie COP$55.000/75.000, senza bagno COP$45.000/62.000; @) La struttura economica più apprezzata di Popayán è questo ostello moderno e molto accogliente, situato ai margini del centro coloniale e dotato di tutto ciò che potrebbe essere utile ai suoi ospiti, tra cui una connessione veloce a internet, un servizio di lavanderia espresso, una cucina completamente attrezzata e personale efficiente e molto competente.

★Hotel Los Balcones HOTEL **$$**
(☎2-824-2030; www.hotellosbalconespopayan.com; Carrera 7 n. 2-75; singole/doppie COP$93.000/173.000, appartamenti COP$215.000-256.000; @ 📶) Salendo una scalinata in pietra risalente a due secoli fa raggiungerete la vostra camera in questo maestoso palazzo settecentesco. Questa struttura è pervasa da un'atmosfera quasi medievale, che viene ulteriormente enfatizzata dagli antichi mobili in legno, dalle aquile impagliate e dal labirinto di corridoi. Nella lobby potrete ammirare un'opera di Maurits Cornelis Escher appesa accanto a uno scaffale di ceramiche antiche e a comodi divani in cuoio.

Hotel La Plazuela HOTEL **$$**
(☎2-824-1084; www.hotellaplazuela.com.co; Calle 5 n. 8-13; camere con prima colazione COP$150.000; 📶) Ospitato in una splendida casa imbiancata a calce con un incantevole cortile interno, questo elegante albergo è stato sottoposto di recente a vasti lavori di ristrutturazione, pur mantenendo quasi tutto l'arredamento originale. Le camere nel lato anteriore dell'edificio sono dotate di finestre insonorizzate, dalle quali è possibile ammirare splendidi scorci della Iglesia San José.

Hotel Dann Monasterio HOTEL **$$$**
(☎2-824 2191; www.hotelesdann.com; Calle 4 n. 10-14; singole/doppie COP$295.000/365.000, suite COP$400.000-540.000; @ 📶 🏊) Questo ex monastero francescano trasformato in albergo possiede ampie camere eleganti anche se non particolarmente lussuose e disposte intorno a un vasto cortile porticato. L'edificio è molto bello e ricco di personalità, mentre le camere sono di qualità variabile, per cui prima di decidere vi consigliamo di farvene vedere più di una. È stato installato un nuovo sistema wi-fi in grado di penetrare gli spessi muri di adobe.

Il ristorante, situato sul retro dell'edificio e affacciato sul giardino, serve ottime specialità europee e latinoamericane (da COP$28.000 a COP$42.500).

Pasti

Popayán è famosa in tutta la Colombia per la sua gustosa cucina tradizionale. Durante il vostro soggiorno in città, assicuratevi di assaggiare le *carantantas*, una specie di chips di mais, e le *empanadas de pipián*, formati di patate fritte, che vi verranno serviti con una piccantissima salsa satay a base di arachidi. Tra le rinfrescanti bevande tradizionali meritano di essere citati il *champus*, una bibita a base di mais, *lulo* e ananas, e il *salpicón payanese*, una bevanda ghiacciata preparata con mirtilli freschi.

★Carmina INTERNAZIONALE **$**
(Calle 3 n. 8-58; pasti a prezzo fisso COP$10.000, piatti COP$6000-17.000; ⏱8-15 lun-mer, 8-15 e 18.30-22 gio-sab) Piccolo e grazioso caffè a gestione catalana situato in una zona meno animata del centro storico, serve un ottimo pranzo a prezzo fisso che comprende sei deliziosi contorni. Prepara anche buone prime colazioni e, la sera, omelette spagnole, piatti di pasta, crêpes e altre gustose specialità. I dessert sono strepitosi.

★Mora Castilla CAFFÈ **$**
(Calle 2 n. 4-44; spuntini COP$2000-3600; ⏱9-19) Questa caffetteria al primo piano di un edificio è sempre affollata di gente del posto intenta a chiacchierare. Prepara eccellenti spuntini della cucina tradizionale tra cui *salpicón payanese*, *champus*, *tamales* e *carantantas*. Se tutto questo non è stato sufficiente a saziarvi, vi consigliamo di entrare nel locale adiacente, dove potrete assaporare i famosi *aplanchados* (sfogliatine) di Doña Chepa.

Pita LIBANESE **$**
(☎300-662-7867; pitaartesenal@gmail.com; Carrera 2 n. 3-58; spuntini a partire da COP$2000; ⏱16.30-22 mar-sab) Vivace ristorante gestito da una squadra giovane e cordiale che prepara un'ottima pita casalinga servita con una varietà di deliziosi condimenti. Vi verrà dato un foglietto da cui potrete scegliere tra gustosi formaggi locali, carni gourmet, verdure in salamoia o essiccate al sole e varie salse.

Tienda Regional del Macizo COLOMBIANO **$**
(Carrera 4 n. 0-42; pasti COP$5000; ⏱8-16) Questo piccolo locale fa parte di un'organizzazione che opera per la creazione di nuovi mercati per i contadini del Macizo Colombiano. Inutile dire che i gustosissimi pranzi offerti a prezzi stracciati vengono preparati con ingredienti freschissimi.

Tequila's MESSICANO **$**
(Calle 5 n. 9-25; portate principali COP$13.000-20.000; ⏱15-22 lun-sab) Gestito da un immigrato messicano e da sua moglie, originaria di questa zona, questo ristorantino situato in comoda posizione centrale serve tipici piat-

ti della cucina messicana dal buon rapporto qualità-prezzo. C'è un'altra sede nella zona nord della città.

Sabores del Mar CUCINA DI MARE **$**
(Calle 5 n. 5-9; pranzo a prezzo fisso COP$8000, portate principali COP$12.000-35.000; ⌚7-20) Gestito da una carismatica famiglia originaria di Tumaco, questo minuscolo locale arredato in tema nautico serve buone specialità a base di pesce dall'eccellente rapporto qualità-prezzo. Vi consigliamo di non perdervi il *toyo* (una specie di squalo).

La Fresa CAFFÈ **$**
(Calle 5 n. 8-89; spuntini COP$ 200-3000; ⌚7-19) Questo localino d'angolo dotato di un paio di tavolini di plastica è apprezzato da tutti gli abitanti di Popayán per le sue deliziose *empanadas de pipián*. La gente del posto le accompagna con *malta* (bevanda frizzante a base di malto).

Restaurante Vegetariano Maná VEGETARIANO **$**
(☎310-890-5748; Calle 7 n. 9-56; pasti COP$4700; ⌚8-20; 🖉) Questo popolare locale vegetariano serve pasti gustosi ed economici che comprendono una varietà di portate principali tra cui specialità a base di soia, lenticchie e tofu oltre a numerosi contorni di verdure.

La Semilla Escondida FRANCESE **$$**
(☎2-820-0857; Calle 9N n. 10-29; crêpes COP$6500-24.000, portate principali COP$10.000-33.000; ⌚11.30-23 lun-sab, 12-17 dom) Questo luminoso bistrò situato a nord della stazione degli autobus prepara irresistibili crêpes dolci e salate e gustosi piatti di pasta. Lo squisito pranzo a prezzo fisso (COP$10.000) offre un eccellente rapporto qualità-prezzo mentre la domenica prepara uno speciale 'menu emblematico' che comprende i piatti tipici di un determinato paese. I dessert sono ottimi.

Restaurante Italiano ITALIANO **$$**
(Calle 4 n. 8-83; portate principali COP$21.000-36.000; ⌚12-22.30) Spalancando le porte da saloon di questo locale italiano gestito da svizzeri, troverete ottime pizze, deliziosi piatti di pasta e un'autentica *fondue*, che sembra fatta apposta per le fredde serate in montagna. Serve le bistecche più buone della città e il pasto a prezzo fisso (COP$11.000) è considerato uno dei migliori di tutta la Colombia.

Hotel Camino Real FRANCESE, COLOMBIANO **$$**
(☎2-824-1254; Calle 5 n. 5-59; portate principali COP$25.000-40.000; ⌚12-15 e 18-22) I proprietari di questo albergo sono tra i protagonisti del Congreso Nacional Gastronómico e la loro passione per la cucina appare subito evidente nell'invitante menu, che propone specialità molto invitanti nelle quali coesistono armoniosamente influssi francesi e colombiani. Scegliete uno degli eccellenti menu a prezzo fisso (COP$55.000), che comprendono due antipasti, una portata principale e una mousse di frutta. Si consiglia di prenotare.

🍷 Locali e vita notturna

Verso sera gli studenti più squattrinati scendono verso il Pueblito Patojo, una città modello all'aperto situata sotto El Morro de Tulcán, per godersi la brezza e bere le bevande alcoliche che si sono portati dietro. Recentemente, tuttavia, la polizia ha inasprito i controlli sul consumo di alcol per strada. La maggior parte dei locali notturni di Popayán si concentra intorno alla statale fuori città.

Oromo Café Ritual CAFFÈ
(☎310-257-1219; Carrera 5 n. 3-34; ⌚8-19.30) Considerata una tra le migliori caffetterie della città, Oromo propone un'ampia varietà di bevande calde e fredde a base di caffè preparate con le migliori varietà di chicchi selezionate in tutto il paese. La scelta è talmente ampia che è quasi impossibile ordinare due volte la stessa bevanda.

New York SALSA
(contiguo Salon Communal, Barrio Pueblillo; ⌚21-3 gio-dom) Situata alla periferia della città, questa vivace discoteca di salsa è pervasa da un'autentica atmosfera di quartiere. Al suo interno potrete accomodarvi in uno dei séparé vintage, sotto centinaia di vecchi dischi in vinile, giocattoli di plastica e ritratti di protagonisti della salsa che ricoprono le pareti e il soffitto. Dal momento che il New York si trova in una zona piuttosto malfamata, per raggiungerlo vi consigliamo di prendere un taxi (COP$8000) e scendere proprio davanti alla porta.

Bar La Iguana BAR
(Calle 4 n. 9-67; ⌚12-fino a tardi) Questo locale del centro costituisce il posto ideale per chi desidera provare qualche passo di salsa. Di tanto in tanto ospita band che si esibiscono dal vivo.

El Sotareño BAR
(Calle 6 n. 8-05; ⌚16-1 lun-gio, fino alle 3 ven e sab) Situato in una zona animata del centro, questo accogliente bar di quartiere consente di

VALE IL VIAGGIO

SILVIA

Pittoresca cittadina di montagna situata 53 km a nord-est di Popayán, Silvia costituisce il centro principale della zona abitata dalla comunità indigena guambia. I guambianos non vivono nel centro urbano, ma nei piccoli villaggi di montagna di Pueblito, La Campana, Guambia e Caciques. L'intera comunità conta circa 12.000 persone.

I guambianos sono considerati uno dei gruppi etnici più tradizionali della Colombia, come dimostra il fatto che parlano una propria lingua, vestono gli abiti della tradizione e praticano l'agricoltura ricorrendo a tecniche arcaiche. Sono anche eccellenti tessitori.

Ogni martedì – giorno di mercato – i guambianos si recano a Silvia per vendere frutta, verdura e oggetti artigianali. Questo è il giorno migliore per visitare la cittadina. Quasi tutti i guambianos sono abbigliati con i vestiti tradizionali: gli uomini indossano gonne azzurre con frange rosa e portano una bombetta in testa, mentre le donne filano alacremente la lana con i loro vestiti tessuti a mano e le collane di perline colorate. I guambianos arrivano a bordo di *chivas* (autobus coloratissimi) e in genere si radunano intorno alla piazza principale. Tenete presente che non amano essere fotografati e potrebbero offendersi se lo fate senza avere ottenuto il permesso; per questo motivo, vi consigliamo di rispettare la loro cultura.

Il mercato ha inizio all'alba e prosegue fino al primo pomeriggio. Non si tratta di un mercato destinato ai turisti di passaggio, in quanto tra i prodotti in vendita ci sono frutta e verdura, carni crude, capi d'abbigliamento e calzature di scarso valore, ma potreste trovare un poncho o un maglione di vostro gradimento.

Con una passeggiata in salita dalla piazza principale è possibile raggiungere la chiesa, dalla quale si può ammirare un fantastico panorama a 360° sulla campagna circostante. Sulle sponde del fiume potrete noleggiare un cavallo per fare il giro di un laghetto o raggiungere la sommità della montagna, dove si trova un altro lago immerso nelle nuvole.

Più o meno ogni ora da Popayán partono autobus diretti a Silvia (COP$7000, un'ora e 30 minuti), ma all'alba del martedì il servizio viene sensibilmente rinforzato. Da Cali dovete prendere un autobus per Popayán e scendere a Piendamó (COP$15.000, due ore), dove si deve cambiare mezzo per raggiungere Silvia (COP$3000, 30 minuti).

ascoltare i grandi classici del tango, del bolero e della ranchera da vecchi dischi rigati.

Informazioni

Nella zona di Parque Caldas si trovano numerosi sportelli bancomat.

4-72 (Calle 4 n. 5-74; ⏲9-17 lun-ven, 9-12 sab) Ufficio postale.

Banco de Bogotá (Parque Caldas)

Banco de Occidente (Parque Caldas)

Clinica Salud Proteción (☎2-822-8800; Carrera 11 n. 5-41, Barrio Valencia; ⏲8-18 lun-sab) Clinica privata di buon livello per patologie non urgenti.

Migración Colombia (☎2-823-1027; Calle 4N n. 10B-66; ⏲9-12 e 14-17) Questo ufficio immigrazione rilascia le estensioni dei visti.

Policía de Turismo (☎2-822-0916; Carrera 7 n. 4-36; ⏲9-18) Questo ufficio turistico si trova nella piazza principale vicino a un'utile stazione della polizia locale.

Per/da Popayán e trasporti locali

AEREO

L'**Aeropuerto Guillermo León Valencia** (PPN) si trova alle spalle della stazione degli autobus, 1 km a nord del centro. Le compagnie Avianca (www.avianca.com) e EasyFly (www.easyfly.com.co) effettuano voli diretti per Bogotá.

AUTOBUS

La **stazione degli autobus** (Panamericana) è situata 1 km a nord del centro. Ci sono corse frequenti per Cali (COP$17.000, 3 h). Gli autobus diretti per Bogotá (COP$100.000, 12 h) e Medellín (COP$91.000, 11 h) partono la sera.

Da Popayán partono minibus regolari per San Agustín (COP$35.000, 5 h); con la maggior parte delle compagnie è necessario cambiare veicolo; l'unico servizio diretto è offerto da **Sotracauca** (☎319-7170-503).

Gli autobus diretti a Tierradentro (COP$25.000, 5 h) partono alle 5, alle 8, alle 10.30, alle 13 e alle 15. Il minibus delle 10.30 vi condurrà direttamente all'ingresso del Museo Arqueológico.

Ogni ora partono mezzi diretti a Pasto (COP$35.000, 6 h) e Ipiales (COP$40.000, 8 h). Nel corso degli ultimi tempi, la strada che da Popayán conduce al confine ecuadoriano è diventata più sicura e le rapine si verificano con minore frequenza, ma, se possibile, vi consigliamo di viaggiare nelle ore diurne, quando avrete anche l'opportunità di ammirare uno spettacolare panorama.

BICICLETTA

Bici Publica Popayán (Carrera 6 & Calle 3; ⌚8.30-17) Sistema di noleggio gratuito delle biciclette gestito dal governo locale.

Coconuco

Due sorgenti termali si trovano nei pressi della cittadina di Coconuco (2360 m), situata sulle montagne fuori da Popayán, lungo la strada che conduce a San Agustín. Il fatto che il clima sia decisamente fresco contribuisce a rendere queste sorgenti ancora più piacevoli.

Durante i weekend vi troverete gomito a gomito con bambini schiamazzanti e genitori che bevono rum, mentre nei giorni feriali potreste anche essere gli unici visitatori.

Attività

Termales Aguatibia BAGNI TERMALI
(☎315-578-6111; www.termalesaguatibia.com; Km 4 Vía Paletará; interi/bambini COP$18.000/8000; ⌚8-18) Immerso in uno splendido paesaggio montano, Termales Aguatibia dispone di sei piscine termali, una fonte di fango termale e un 'toboggan', uno scivolo di cemento lungo 53 m, che non vi risparmierà qualche ammaccatura. Nella maggior parte delle piscine l'acqua non è bollente ma appena tiepida. Troverete anche un bel laghetto con barche a remi, un bagno di fango e un ristorante (portate principali da COP$14.000 a COP$20.000).

All'epoca delle nostre ricerche, si era aperto un contenzioso tra i proprietari e la comunità indigena locale e l'accesso al sito era stato chiuso al pubblico. Vi consigliamo di chiedere informazioni a Popayán prima di mettervi in marcia.

Agua Hirviendo BAGNI TERMALI
(☎321-852-2694; COP$10.000; ⌚24 h) Gestito dalla comunità indigena locale, questo centro dispone di due grandi piscine termali, di diverse vasche più piccole e di una sauna. C'è un po' troppo cemento ma l'acqua è bollente al punto giusto. Il ristorante vicino serve pasti fino a sera. Mette a disposizione anche alcune camere molto spartane, ma alloggiare a Coconuco è di gran lunga più confortevole.

Per/da Coconuco

Nei giorni feriali un autobus percorre ogni ora il tragitto tra Popayán e Coconuco (COP$5000, 1 h, 31 km), mentre durante i weekend il servizio viene sensibilmente potenziato. I due centri termali distano 45 minuti a piedi dalla fermata dell'autobus, ma tenete presente che la strada che porta all'Agua Hirviendo è piuttosto ripida. In alternativa potete noleggiare una jeep o prendere un mototaxi.

San Agustín

☎8 / POP. 33.517 / ALT. 1695 M

Circa cinque millenni fa, due civiltà primitive dimoravano nelle valli adiacenti dei fiumi Magdalena e Cauca. Divise da picchi invalicabili, queste comunità si spostavano soprattutto su questi fiumi, le cui sorgenti si trovavano nei pressi di San Agustín, a diversi giorni di marcia l'una dall'altra. Le due civiltà si incontravano regolarmente in questa zona per mercanteggiare, pregare e seppellire i propri defunti.

Le rocce vulcaniche scagliate a grandi distanze dai vulcani – oggi estinti – di questa zona si rivelarono una tentazione irresistibile per gli scultori locali, che ne trassero grandiosi monumenti. Di questi suggestivi capolavori ci sono pervenute oltre 500 statue – la più alta delle quali raggiunge i 7 m – sparse in un'area molto vasta, tra le verdi e rigogliose colline che circondano San Agustín. Molte di esse ritraggono figure antropomorfe, alcune realistiche, altre più simili a mostri mascherati. Tra queste sculture è possibile riconoscere anche animali come l'aquila, il giaguaro e la rana. Nel corso delle loro ricerche, gli archeologi hanno riportato alla luce un gran numero di reperti in ceramica.

Fino a questo momento, non si è scoperto molto altro delle comunità di San Agustín, un mistero che si spiega anche con il fatto che non possedevano un linguaggio scritto e che scomparvero molti secoli prima dell'arrivo degli europei. In ogni caso, i reperti che ci sono pervenuti sono considerati tra le meraviglie archeologiche più importanti del continente, un luogo mistico immerso in un paesaggio di spettacolare bellezza, che merita certamente una deviazione.

Che cosa vedere

Al momento del pagamento del biglietto d'ingresso al Parque Arqueológico o all'Alto de Los Ídolos vi verrà rilasciato un 'passaporto', valido per l'ingresso ai due siti archeologici per due giorni consecutivi.

San Agustín

Se avete abbastanza tempo a disposizione, ci sono molti altri siti archeologici che vale la pena di visitare, tra cui **La Parada**, **Quinchana**, **El Jabón**, **Naranjos** e **Quebradillas**. Oltre che per le sue straordinarie ricchezze archeologiche, questa regione gode di una meritata fama anche per le sue attrattive naturali e vanta due splendide cascate, il **Salto de Bordones** e il **Salto de Mortiño**. Vale anche la pena di fare una passeggiata (o un'escursione a cavallo) fino a **El Estrecho**, dove il Río Magdalena scorre in strettoie di appena 2,2 m. Tutti i siti archeologici di questa zona possono essere raggiunti sia a piedi sia a cavallo.

Vi consigliamo caldamente di visitare i luoghi più isolati in compagnia di una guida locale, perché al di fuori del Parque Arqueológico, le indicazioni e i pannelli informativi sono decisamente scarsi e alcuni siti non sono molto sicuri. La tariffa per un'escursione di mezza giornata in compagnia di una guida certificata è di COP$70.000; per una guida in grado di esprimersi in inglese si spende qualcosa in più. Chi lo desidera può noleggiare un cavallo per mezza giornata a COP$35.000, cifra a cui bisogna ancora aggiungere il costo della guida (per questa ragione è più economico aggregarsi a un gruppo).

Per un'escursione in jeep ai siti archeologici più remoti si spendono circa COP$25.000 per persona su un circuito standard oppure COP$250.000 se si intende seguire un percorso personalizzato. I prezzi non comprendono l'onorario della guida specializzata.

Per visitare i siti archeologici più importanti di questa zona occorrono due giorni – anche se sarebbe meglio averne a disposizione tre –, il primo dedicato al parco archeologico e per visitare a cavallo El Tablón, La Chaquira, La Pelota ed El Purutal (andata e ritorno 4 h), e il secondo per fare un'uscita in jeep a El Estrecho, Alto de los Ídolos, Alto de las Piedras, Salto de Bordones e Salto de Mortiño (6 h).

★ **Parque Arqueológico** SITO ARCHEOLOGICO
(☎1-444-0544; www.icanh.gov.co; interi/studenti COP$20.000/10.000; ⌚8-16; controllate il sito per chiusure infrasettimanali previste nell'anno) Questo parco archeologico esteso su una superficie di 78 ettari si trova 2,5 km a ovest della città di San Agustín. All'interno del parco ci sono circa 130 statue, rinvenute in questo luogo o provenienti da altre zone, tra le quali spiccano alcuni dei capolavori più rappresentativi dell'arte scultorea di San Agustín. Per questa visita, vi consigliamo di mettere in preventivo non meno di tre ore. Le guide professioniste si radunano nei dintorni del museo.

All'ingresso del parco si trova il **Museo Arqueológico**, al cui interno è esposta una vasta collezione di statue di dimensioni minori, ceramiche, utensili quotidiani, gioielli e oggetti di altro genere, dove potrete avere un gran numero di informazioni molto interessanti sulla cultura di San Agustín.

Accanto ai gruppi di statue (chiamate *mesitas*) si trova la **Fuente de Lavapatas**, un labirintico complesso di canali e di piccole vasche terrazzate scavate nel letto roccioso del torrente e decorate con immagini di serpenti, lucertole e figure umane. Gli archeologi ritengono che queste vasche fossero utilizzate per le abluzioni rituali e per il culto di divinità acquatiche.

Da questo punto il sentiero serpeggia in salita verso l'**Alto de Lavapatas**, il sito archeologico più antico di San Agustín, dove è possibile ammirare alcune sepolture sorvegliate da statue e un magnifico panorama sulla campagna circostante.

Alto de los Ídolos SITO ARCHEOLOGICO
(interi/studenti COP$25.000/10.000; ⏲8-16) Situato oltre il Río Magdalena, 4 km a sud-ovest di San José de Isnos (un gruppetto di case che sorge 26 km a nord-est della città di San Agustín), l'Alto de los Ídolos è il secondo parco archeologico in ordine di importanza di questa regione. Al suo interno si trova la statua più alta della zona di San Agustín (7 m, sebbene la parte visibile sia di soli 4 m).

Alto de las Piedras SITO ARCHEOLOGICO
Questo sito ubicato 7 km a nord di Isnos ospita sepolture delineate da lastre di pietra, alcune delle quali mostrano ancora traccia dei colori in cui erano dipinte: rosso, nero e giallo. All'Alto de las Piedras si trova una delle statue più famose di questa zona, nota con il soprannome di Doble Yo; guardandola con attenzione, potrete rendervi conto che in realtà le figure scolpite sono quattro. In questo sito si trova anche un'affascinante statua di una donna in avanzato stato di gravidanza.

El Tablón, La Chaquira, La Pelota ed El Purutal SITO ARCHEOLOGICO
Questi quattro siti si trovano relativamente vicini l'uno all'altro; nella maggior parte dei casi i viaggiatori preferiscono visitarli con un'escursione a cavallo, ma potete anche arrivarci a piedi dalla città. Non dimenticate di visitare La Chaquira, le cui rocce scolpite raffigurano numerose divinità e da dove è possibile ammirare uno straordinario panorama sulla spettacolare gola del Río Magdalena.

I proprietari di La Pelota ed El Purutal fanno pagare un ingresso di COP$4000 per accedere ai siti.

Attività

Il cavallo costituisce uno dei mezzi migliori per esplorare le montagne che circondano San Agustín. A differenza di quanto accade in altre regioni del paese, i cavalli che vengono noleggiati a scopo turistico sono spesso in condizioni eccellenti. A seconda dei vostri gusti, potrete raggiungere a cavallo alcuni dei siti archeologici situati nei dintorni della città o affrontare un'epica avventura della durata di diversi giorni.

Francisco 'Pacho' Muñoz EQUITAZIONE
(☎311-827-7972) Guida affidabile che potrà accompagnarvi ai siti archeologici e anche oltre. Offre un'escursione di più giorni alla Laguna del Magdalena –, in alto tra le montagne sopra San Agustín, là dove nasce il possente Río Magdalena – a Tierradentro, e, se siete disposti ad acquistare un cavallo, addirittura fino in Ecuador. In genere lo trovate nei dintorni della Finca El Maco.

Laguna del Magdalena EQUITAZIONE
L'uscita a cavallo fino alla Laguna del Magdalena (3327 m), il luogo dove nasce il Río Magdalena, situata a 60 km da San Agustín nel Macizo Colombiano, è particolarmente piacevole e interessante e può essere organizzata con una guida locale. In passato, questa zona era teatro di accese guerriglie, ma oggi è ritenuta del tutto sicura. Questa escursione può durare da tre a cinque giorni a seconda dell'itinerario scelto e vi costerà circa COP$150.000 per persona al giorno (la cifra varia in base al numero dei componenti del gruppo).

Magdalena Rafting RAFTING
(☎311 271 5333; www.magdalenarafting.com; Calle 5 n. 15-237) Il Río Magdalena offre agli appassionati di rafting la possibilità di affrontare discese molto impegnative attraverso un paesaggio veramente incantevole. L'agenzia Magdalena Rafting propone tour della durata di un'ora e 30 minuti con rapide di II e III grado (COP$58.000 per persona), adatti ai principianti, e uscite di una giornata intera con rapide di V grado, per gli appassionati più esperti. Tenete presente che ogni gruppo deve essere composto da almeno quattro persone. Questa agenzia impartisce anche lezioni di kayak.

Pernottamento

Nel centro cittadino si trovano parecchi alberghi economici. In ogni caso, apprezzerete sicuramente di più il vostro soggiorno a San Agustín se alloggerete in una delle numerose incantevoli strutture ricettive rurali fuori città.

Casa de Nelly OSTELLO $
(☎310-215-9067; www.hotelcasadenelly.co; Vereda La Estrella; letti in camerata COP$23.000, singole/doppie senza bagno COP$50.000/60.000, camere COP$90.000; P 📶) Il decano degli ostelli di San Agustín è gestito da personale molto disponibile e possiede una vasta scelta di sistemazioni confortevoli, che si affacciano sui giardini più belli della città. In questa struttura troverete anche una spaziosa zona comune con caminetto e un'area esterna attrezzata per il barbecue. Troverete anche una cucina per gli ospiti e il cuoco prepara i pasti per chi non se la sente di affrontare la scarpinata fino in città.

Finca El Maco OSTELLO $
(☎320-375-5982; www.elmaco.ch; Vereda El Tablón Vía Parque Arqueológico; letti in camerata COP$25.000, singole/doppie/suite a partire da COP$65.000/90.000/385.000; P @ 📶) Questo tranquillo ostello dispone di una buona scelta di bungalow sistemati in un grazioso giardino, tutti dotati di acqua calda e comodi letti. La lussuosa suite ecologica è un autentico gioiellino con due camere da letto, una zona lounge con caminetto e un grande bagno luminoso. Il ristorante serve, tra le altre cose, uno squisito yogurt biologico preparato sul posto e un curry veramente eccellente.

Il proprietario organizza escursioni in tutta la regione. Per raggiungere questo ostello, bisogna imboccare la strada per il Parque Arqueológico e svoltare a destra all'altezza dell'Hotel Yalconia. Da questo punto si deve ancora proseguire a piedi in salita per 400 m. Se avete bagaglio, vi consigliamo di prendere un taxi (COP$7000).

Casa de François OSTELLO $
(☎8-837-3847; www.lacasadefrancois.com; Vía El Tablón; piazzole COP$13.000 per persona, letti in camerata COP$25.000, singole/doppie senza bagno COP$60.000/65.000, camere COP$70.000, cabañas COP$100.000-140.000; 📶) 🍃 Immerso in un incantevole giardino che domina la città e consente di ammirare uno splendido panorama sulle colline circostanti, questo ostello ecologico e molto creativo presenta bottiglie di vetro inglobate nelle pareti di argilla. Il ventilato dormitorio situato in posizione sopraelevata gode di un fantastico panorama e mette a disposizione degli ospiti un'ampia cucina comune. Le splendide *cabañas* private, con pavimento in legno, ampio bagno e porticato, sono sparse in tutta la proprietà e affacciano su uno splendido panorama alpino.

Il piccolo ristorante serve un buon assortimento di gustosi pasti e spuntini preparati utilizzando i prodotti freschi coltivati nella proprietà.

Finca El Cielo HOTEL $$
(☎313-493-7446; www.fincaelcielo.com; Vía al Estrecho; camere con prima colazione COP$70.000-90.000 per persona) Questa graziosa posada, costruita in *guadua* e situata lungo la strada che conduce a El Estrecho, offre la possibilità di ammirare uno splendido panorama sulle verdi e nebbiose colline circostanti. Cercate di farvi assegnare una delle sistemazioni più caratteristiche della struttura: la spaziosa suite con due divani, un balcone in bambù dotato di sedie a dondolo e un grande bagno luminoso o la vicina casa sull'albero con i rami contorti che crescono attraverso le pareti.

I socievoli proprietari vivono al piano terra e – se avvisati con sufficiente anticipo – preparano deliziosi pasti casalinghi.

Hacienda Anacaona HOTEL $$
(☎311-231-7128; www.anacaona-colombia.com; Vía El Estrecho; singole/doppie/triple COP$75.000/140.000/180.000; 📶) Situato in un giardino ben tenuto, questo tranquillo e confortevole albergo in stile coloniale offre camere spaziose e con un buon rapporto qualità-prezzo, anche se i bagni sono un po' piccoli. Dalla proprietà si gode una splendida vista e i prezzi comprendono anche un'abbondante prima colazione.

Hostal Huaka-Yo HOTEL $$
(☎320-846-9763, 310-244-4841; www.huaka-yo.com; singole/doppie/triple con prima colazione COP$60.000/150.000/180.000) Situato circa duecento metri oltre il Parque Arqueológico, questo grande albergo è circondato dalla foresta e da splendidi e curatissimi giardini. Le camere, con un buon rapporto qualità-prezzo, sono moderne, pulite e spaziose. In genere è una sistemazione molto tranquilla, tranne quando viene presa d'assalto dai gruppi dei viaggi organizzati. I prezzi salgono nei periodi di alta stagione.

Hotel Monasterio BOUTIQUE HOTEL **$$$**
(☎311-277-5901, 316-271-7961; reservasmonasteriosanagustin@gmail.com; Vereda La Cuchilla; camere/suite COP$280.000/400.000; P ❄ ☎) La sistemazione più lussuosa di San Agustín è questo complesso fuori città ispirato a un monastero. Le camere spaziose e dotate di splendidi bagni offrono portici con amache e una suggestiva vista sulle piantagioni di caffè. All'interno di ogni camera c'è anche un caminetto: di sera si presenterà un addetto ad accendere il fuoco. Il servizio è di ottimo livello.

Le aree comuni sono state progettate con una grande cura per i dettagli; le scale illuminate dalla luce delle candele e la piccola cappella contribuiscono all'atmosfera classicheggiante. Dalla reception e dal ristorante si apre una splendida vista sulla valle e sulle montagne. Per arrivarci bisogna percorrere un lungo tratto della strada sterrata che si diparte da El Estrecho; vi consigliamo di prendere un taxi a San Agustín (COP$8000).

Akawanka Lodge HOTEL **$$$**
(☎320-392-9160, 321-450-1377; www.hotelakawankalodge.com; Vereda El Tablón vía Parque Arqueológico; singole/doppie a partire da COP$220.000/270.000) Situato su una collina da cui si apre un'ampia vista sulla città e sulle montagne che si innalzano alle sue spalle, questo albergo di livello elevato ha una spiccata personalità. Le camere sono spaziose, dotate di letti king size, travi in legno a vista, stoffe tessute a mano e tocchi artistici qua e là. Le migliori hanno il balcone privato. L'incantevole ristorante dell'albergo è riscaldato da un caminetto.

Pasti e locali

★ **Donde Richard** COLOMBIANO **$$**
(☎312-432-6399; Vía Parque Arqueológico; portate principali COP$25.000; ⏲8-18 mer-lun) Situato lungo la strada che conduce al Parque Arqueológico, questo ristorante specializzato in grigliate è considerato da molti il migliore della città. Il Donde Richard serve abbondanti porzioni di deliziose carni arrostite, bistecche e un vasto assortimento di piatti a base di pesce preparati nella cucina a vista. Questo ristorante costituisce la tappa ideale per chi desidera concedersi un buon pranzo dopo aver visitato il parco archeologico.

Altos de Yerba Buena COLOMBIANO **$$**
(☎310 370 3777; Km 1 Vía Parque Arqueológico; portate principali COP$28.000-40.000) Situato sul fianco della collina lungo la strada che porta al Parque Arqueológico, questo grazioso ristorantino utilizza i prodotti del proprio orto biologico per preparare ottimi piatti colombiani e internazionali accompagnati da deliziosi contorni. La minuscola sala da pranzo è graziosissima.

El Fogón COLOMBIANO **$$**
(☎320-834-5860; Calle 5 n. 14-30; portate principali COP$21.000-23.000; ⏲7-21) Questa vera e propria istituzione locale serve abbondanti porzioni di piatti tradizionali colombiani e un pranzo a prezzo fisso (COP$8000) dall'eccellente rapporto qualità-prezzo, tutti preparati su una griglia alimentata a legna nella cucina a vista. Questo ristorante dispone di un altro locale situato nei pressi del Parque Arqueológico.

Restaurante Italiano ITALIANO **$$**
(☎314-375-8086; Vereda El Tablón; portate principlai COP$16.000-23.000; ⏲19-22) Situato pochi passi fuori città, questo ristorante senza troppe pretese serve autentiche specialità della cucina italiana, tra cui una scelta di piatti a base di pasta fatta in casa. Una corsa in taxi fin qui costa circa COP$4000. Il proprietario talvolta si trova fuori città, pertanto prima di venirci vi consigliamo di telefonare per assicurarvi che il ristorante sia aperto.

Macizo Coffee CAFFÈ
(Calle 2 n. 13-17; caffè COP$3000-6000; ⏲8.30-20) Situato in comoda posizione nella piazza centrale, questo caffè sempre molto frequentato propone un'ampia scelta di bevande preparate con caffè certificato proveniente dalle coltivazioni locali e serve gustosi pasti leggeri. Questo caffè ha altri due locali all'interno del Parque Arqueológico.

El Faro CAFFÈ
(Ambrosia; Carrera 13 n. 6-50; cocktail COP$10.000-17.000; ⏲17-23.30 mar-dom) Questo bar pervaso da un'atmosfera piacevolmente rilassata e vagamente artistoide costituisce il posto ideale per chi desidera conversare sorseggiando una birra o un cocktail. L'El Faro serve anche le pizze migliori di San Agustín (da COP$12.000 a COP$19.000), che vengono cotte nel forno a legna in cortile.

Shopping

Al mercato di San Agustín, che si tiene ogni lunedì presso **La Galeria** (all'angolo tra Calle 2 e Carrera 11; ⏲5-16), è possibile assistere alle vivaci contrattazioni dei coltivatori locali. Si tratta di un ambiente rumoroso e frequentato da pochissimi viaggiatori stranieri. Se non avete la possibilità di recarvi qui di lunedì, potete comunque visitare il mercato che si tiene tutti i giorni della settimana, ma è ridotto e meno tipico.

Informazioni

Nelle vie del centro verrete abbordati da un gran numero di procacciatori d'affari, che cercheranno in ogni modo di vendervi soggiorni in albergo e tour 'economici'. Lo stesso vi accadrà al momento di scendere dagli autobus provenienti da altre città. Per evitare spiacevoli inconvenienti, vi consigliamo di ingaggiare sempre guide professioniste e conducenti di jeep tramite il vostro albergo, l'ufficio turistico o il parco archeologico.

Banco de Bogotá (Calle 3 n. 10-61) Sportello bancomat affidabile vicino agli uffici delle compagnie di autobus.

Ufficio turistico (all'angolo tra Calle 3 e Carrera 12; ⌚8-12 e 14-17 lun-ven) Ufficio informazioni ufficiale per i visitatori.

Per/da San Agustín

Gli uffici delle compagnie di autobus si trovano all'angolo tra Calle 3 e Carrera 11 (meglio conosciuto con l'appellativo di Cuatro Vientos). Da San Agustín partono minibus regolari per Popayán (COP$30.000, 5 h) e Cali (COP$40.000, 8 h). Per chi deve raggiungere Popayán il servizio migliore è fornito da **Sotracauca** (☎314-721-2243; Cuatro Vientos; COP$30.000); la corsa parte da San Agustín anziché da Pitalito e non è necessario cambiare mezzo al bivio.

La strada per Popayán attraversa lo spettacolare *páramo* del Parque Nacional Puracé. Vi consigliamo caldamente di non percorrere questo itinerario di notte, dal momento che la sicurezza è ancora un problema nelle remote zone di montagna.

Coomotor (☎315-885-8563; Cuatro Vientos) e **Taxis Verdes** (☎314-330-0518; Cuatro Vientos) mettono a disposizione diversi autobus che partono al mattino presto e la sera per Bogotá (da COP$60.000 a COP$83.000, 11 h) e che fermano tutti a Neiva (da COP$30.000 a COP$43.000, 4 h). Coomotor offre anche una corsa diretta per Medellín (da COP$97.000 a COP$109.000, 17 h) a bordo di autobus confortevoli con partenza alle 15.

Per corse più frequenti, vi consigliamo di recarvi presso il grande terminal nella vicina Pitalito. Pick-up (COP$5000, 1 h) e furgoni (COP$6000, 45 min) percorrono regolarmente il breve tragitto che collega San Agustín a Pitalito.

Per arrivare a Tierradentro occorre raggiungere Pitalito (COP$6000, 45 min) e cambiare mezzo per La Plata (COP$25.000, 2 h 30 min), dove troverete un autobus o un *colectivo* per San Andrés (COP$13.000, 1 h 45 min). Se non riuscite a trovare un autobus per La Plata – talvolta sono inaffidabili – potrete prendere un autobus diretto a Neiva da San Agustín o Pitalito per Garzon, dove potrete salire su un mezzo diretto a La Plata.

C'è anche un servizio regolare di furgoncini da Pitalito a Mocoa (COP$22.000, 3 h).

Arrivando da Popayán, gli autobus con pochi passeggeri vi faranno scendere all'incrocio situato a 5 km dalla città, pagandovi la corsa in taxi fino a San Agustín. In questo caso, prestate sempre molta attenzione, perché parecchi conducenti dei taxi portano i viaggiatori stranieri all'albergo per il quale lavorano – per evitare spiacevoli contrattempi, siate sempre inflessibili sulla vostra destinazione.

Trasporti locali

A San Agustín circolano una decina di taxi, che possono portarvi in giro per la città e – soprattutto – accompagnarvi alle strutture ricettive situate fuori dal centro abitato. Sebbene i taxi applichino tariffe fisse, prima di salire a bordo chiedete conferma della cifra che dovrete pagare.

Un autobus percorre ogni 15 minuti i 2 km che separano la città dal parco archeologico (COP$1200) partendo dall'angolo tra Calle 5 e Carrera 14. Un altro autobus si arrampica sulla collina fino a 'La Y' passando davanti a El Tablón e La Chaquira.

I *colectivos* servono le strade fuori città e raggiungono alcuni alberghi rurali anche se sono molto sporadici e poco affidabili.

Tierradentro

☎2 / ALT. 1750 M

Sebbene sia il secondo sito archeologico più importante della Colombia dopo quello di San Agustín, curiosamente Tierradentro viene visitato da pochissimi viaggiatori stranieri. Situato a grande distanza dai percorsi più battuti del turismo di massa e raggiungibile solo attraverso strade sterrate, questo luogo silenzioso è abitato da gente molto socievole e possiede numerosi e interessanti siti archeologici. Se San Agustín è conosciuta soprattutto per le sculture, Tierradentro deve la sua fama alle elaborate tombe sotterranee. Fino a questo momento, gli archeologi hanno scoperto un centinaio di questi insoliti templi funerari, unici esempi nel loro genere presenti in tutto il continente americano. A Tierradentro potrete fare una favolosa passeggiata immersi in un meraviglioso paesaggio montano, visitando tutte le tombe di maggiore interesse.

Tierradentro

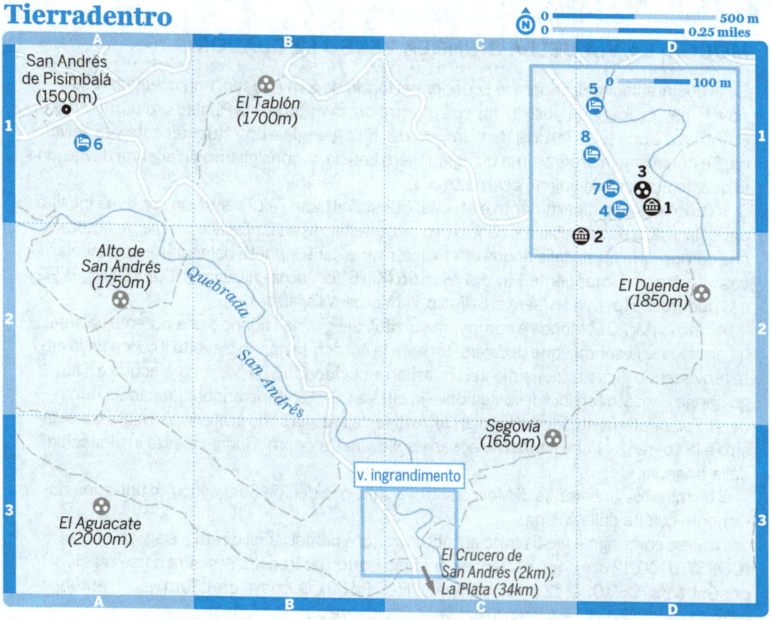

Che cosa vedere

Situata tra le alture che circondano la cittadina di **San Andrés de Pisimbalá**, Tierradentro è composta da cinque siti archeologici separati, quattro dei quali con sepolture e uno con statue in superficie, e da due musei.

Caratterizzate da un diametro compreso tra i 2 e i 7 m, le tombe sono state scavate nella tenera roccia vulcanica che costituisce la struttura degli ondulati rilievi di questa zona. Le sepolture si trovano a diverse profondità: alcune sono situate appena sotto la superficie, mentre altre raggiungono addirittura i 9 m sotto il livello del suolo. I soffitti a cupola delle tombe più grandi sono sorretti da poderosi pilastri. Molte tombe sono decorate con disegni geometrici rossi e neri, realizzati su sfondo bianco.

Purtroppo, fino a questo momento gli studiosi sono riusciti a scoprire molto poco del popolo che realizzò queste tombe e queste statue e la comunità indigena dei páez (o nasa), che vive oggi in questa zona, non sembra essere collegata in alcun modo alle rovine. Con ogni probabilità, si trattò di civiltà differenti e il popolo a cui si devono le tombe precedette quello che scolpì le statue. Alcuni ricercatori hanno collocato la 'civiltà delle tombe' tra il VII e il IX secolo d.C., mentre la 'civiltà delle statue' potrebbe essere fiorita nell'ultima fase dello sviluppo di San Agustín, che avrebbe avuto luogo circa cinque secoli più tardi.

Tierradentro

Che cosa vedere

1 Museo Arqueológico D1
2 Museo Etnográfico D2
3 Parque Arqueológico D1

Pernottamento

4 Hospedaje Tierradentro D1
5 Hotel El Refugio D1
6 La Portada A1
7 Mi Casita D1
8 Residencias y Restaurante Pisimbalá D1

Alla biglietteria del **Parque Arqueológico** (Parco Archeologico; ☎311-390-0324; www.icanh.gov.co; interi/studenti/bambini COP$25.000/10.000/gratuito; ⌚8-16; chiuso per manutenzione ogni primo martedì del mese), situata all'interno del complesso museale, a 25 minuti a piedi dalla città, vi verrà dato un 'passaporto' valido per due giorni, che consente l'accesso a entrambi i musei e alle tombe. Se possibile, vi consigliamo di visitare i musei prima di raggiungere le tombe, dal momento che nel sito i pannelli illustrativi sono decisamente scarsi.

DESTINAZIONI INSOLITE

MOCOA: LA VIA DELLA GIUNGLA VERSO L'ECUADOR

Se avete intenzione di andare in Ecuador partendo da San Agustín, non dovete fare ritorno a Popayán. Raggiungibile in appena quattro ore di autobus da Pitalito, il dipartimento di Putumayo è una terra fatta di fiumi impetuosi, fitte giungle e una stupefacente vita selvatica. Se non avete in programma di raggiungere Leticia, vi consigliamo di fare una deviazione in questo accessibile angolo di Amazzonia.

Il capoluogo del dipartimento è Mocoa. Questa cittadina è di per sé un'anonima località agricola, ma, a pochi passi dal centro urbano, si estende un fantastico ambiente naturale, che comprende fiumi dalle acque cristalline, rinfrescanti laghetti balneabili e spettacolari cascate, tra cui l'imponente **Fin del Mundo** (Km 6 Vía Mocoa–Villagarzón; COP$3000; ⏲7-12) e la poderosa **Hornyaco** (Vereda Caliyaco, Vía Mocoa–Villagarzón).

All'inizio del 2017 Mocoa è comparsa sui titoli dei giornali quando una potente valanga ha provocato l'esondazione di diversi torrenti le cui acque hanno travolto il cuore della città provocando la distruzione di interi quartieri e uccidendo 329 persone. L'acqua e il fango hanno causato terribili devastazioni e la città e i suoi abitanti ancora faticano a riprendersi. Fortunatamente le spettacolari attrattive della zona sono state risparmiate dal disastro e la speranza è che il turismo possa risollevare l'economia locale messa in ginocchio dalla tragedia.

Il terminal degli autobus di Mocoa si trova sulle rive del Río Sangoyaco, in una zona duramente colpita dalla valanga.

Diverse compagnie gestiscono autobus grandi e confortevoli diretti a Bogotá (COP$75.000, 12 ore), con partenze per lo più notturne. Transipiales offre corse regolari per Cali (COP$60.000, 12 ore) via Popayán (COP$50.000, nove ore). Tutti questi autobus fermano a Pitalito, dove partono regolari coincidenze per San Agustín.

Un servizio regolare di minivan garantisce collegamenti per San Miguel e fino al confine con l'Ecuador (COP$35.000, sei ore) con partenze dalle 4 alle 18. Vi consigliamo di partire da Mocoa entro le 13 in modo da arrivare prima della chiusura del confine. Da Nueva Loja (Lago Agrio), sul lato ecuadoriano del confine, troverete voli e autobus per Quito. La sicurezza rimane un problema aperto, pertanto vi consigliamo di verificare la situazione prima di mettervi in viaggio.

Pick-up e piccoli autobus fanno la spola tra Mocoa e Pasto (COP$35.000, sei ore) dalle 4 alle 19 percorrendo il Trampolin del Muerte (Trampolino della Morte), una vertiginosa strada di montagna a carreggiata unica che costeggia un pauroso dirupo. Si tratta di uno dei percorsi più spettacolari – e pericolosi – di tutto il continente. Quando si incontra un veicolo che procede nel senso opposto occorre spesso fare retromarcia fino alla prima piazzola! Molti considerano più sicuro percorrere questa strada a bordo di un pick-up piuttosto che in autobus, completando il tragitto prima che venga buio.

Siti di sepoltura e statue

I siti funerari di Tierradentro possono essere visitati nell'arco di una sola giornata, con una camminata di 14 km. Dal momento che questo itinerario si inoltra in un paesaggio spettacolare, vi consigliamo caldamente di fare il giro completo (circa sette ore). Il sentiero circolare può essere percorso in entrambe le direzioni, ma è preferibile procedere in senso antiorario, altrimenti all'inizio del percorso vi troverete ad affrontare una faticosa salita. Il biglietto d'ingresso va pagato all'entrata del Parque Arqueológico prima di mettersi in marcia.

Dal momento che solo alcune tombe dispongono dell'illuminazione elettrica, ricordate di portare una torcia. Le tombe sono aperte dalle 8 alle 16.

Percorrendo l'itinerario in senso antiorario, dopo una salita di 20 minuti dai musei si incontrano le tombe di **Segovia** (⏲8-16) (1650 m), l'attrattiva più importante del sito, che vanta ben 28 tombe, alcune con decorazioni ben conservate. Dodici di queste tombe dispongono dell'illuminazione elettrica e sono aperte ai visitatori. Gli archeologi ritengono che da qualche parte nei dintorni ci sia ancora un'altra trentina di tombe.

Proseguendo in salita per 15 minuti da Segovia si raggiunge **El Duende** (⏲8-16) (1850 m), che conta 12 sepolture, quattro delle quali aperte al pubblico, le cui decorazioni non si sono conservate molto bene. Altri 25 minuti di cammino lungo la strada statale conducono a **El Tablón** (⏲8-16), a 1700 m, dove si trovano nove statue di pietra consumate dagli agenti atmosferici e simili a quelle di San Agustín, riportate alla luce in questa zona e ora conservate tutte insieme. Purtroppo questo sito è segnalato in maniera molto precaria e si trova dietro una casa di adobe con il tetto di lamiera appollaiata su un'altura, sul lato sinistro della strada. Il sito di El Tablón può essere raggiunto anche dalla strada principale di San Andrés.

A questo punto bisogna proseguire in città. Accanto alla guesthouse e al ristorante La Portada si trova il sentiero che conduce ad **Alto de San Andrés** (⌚8-16), a 1750 m, dove sono situate sei grandi tombe; la Tomba n. 5 presenta pitture molto ben conservate ed è considerata una delle migliori del parco. Purtroppo, una tomba è stata chiusa a causa dell'instabilità strutturale e dell'umidità, mentre un'altra è crollata.

El Aguacate (⌚8-16) (2000 m) è il sito di sepoltura più isolato e quello che offre la possibilità di ammirare il panorama più bello. Per tornare ai musei da Alto de San Andrés si deve proseguire in salita per un'ora e 30 minuti e poi scendere per un'altra ora e 30 minuti. In questo sito ci sono decine di tombe, nella maggior parte dei casi distrutte dai *guaqueros* (tombaroli). Ne sono state aperte al pubblico 17, anche se solo alcune conservano ancora tracce delle decorazioni originarie. La migliore è la Tomba n. 1, chiamata anche la Salamandra. Poco distante sorgono altre sepolture sommerse dalla vegetazione che piaceranno soprattutto agli appassionati di archeologia.

Musei

Museo Arqueológico MUSEO
(Parque Arqueológico; interi/studenti/bambini COP$25.000/10.000/gratuito; ⌚8-16; chiuso per manutenzione il primo martedì del mese) Dedicato alla civiltà che realizzò i siti di sepoltura, questo museo ospita al suo interno diverse urne in ceramica utilizzate per conservare le ceneri dei defunti e alcune ricostruzioni in scala, che consentono di farsi un'idea dell'aspetto che queste tombe dovevano avere all'epoca della loro realizzazione.

Museo Etnográfico MUSEO
(Parque Arqueológico; interi/studenti/bambini COP$25.000/10.000/gratuito; ⌚8-16; chiuso per manutenzione il primo martedì del mese) Dedicato soprattutto alle comunità indigene stabilitesi nella zona di Tierradentro in epoca successiva a quella dei ritrovamenti archeologici, il Museo Etnográfico espone utensili e manufatti dei popoli páez e oggetti di epoca coloniale, tra cui un *trapiche* (macina per la canna da zucchero), *bodoqueras* (cerbottane) e capi d'abbigliamento tradizionali degli indigeni.

Pernottamento

Lungo il breve tratto in salita che parte dai musei (500 m) sorge una mezza dozzina di sistemazioni spartane. Molte sono gestite da amabili vecchietti; in effetti, per i giovani non c'è molto da fare da queste parti. In tutte le sistemazioni economiche la tariffa oscilla tra COP$15.000 e COP$25.000 per persona.

Se avete intenzione di soggiornare per qualche tempo in questa zona, potreste prendere in considerazione una delle strutture ricettive di San Andrés de Pisimbalá, raggiungibile a piedi in 25 minuti lungo la strada in salita che si diparte dall'ingresso del parco.

★ **La Portada** GUESTHOUSE $
(☎311-601-7884, 310-405-8560; laportadatierradentro@hotmail.com; San Andrés de Pisimbalá; singole/doppie COP$45.000/60.000, senza bagno COP$35.000/50.000; wi-fi) Situato accanto alla fermata degli autobus, questo lodge in bambù semplice ma elegante dispone di camere grandi, pulite e dotate di bagni con acqua calda al piano terra e di camere più economiche con bagni in comune con sola acqua fredda al primo piano. All'interno di questa struttura troverete anche un arioso ristorante che serve la cucina migliore di tutta la cittadina; vi consigliamo di non perdervi lo squisito gelato fatto in casa. Si tratta dell'unico albergo locale dotato di connessione wi-fi.

I cordiali proprietari possono aiutarvi a ingaggiare una guida e sono un'inesauribile fonte di informazioni.

Mi Casita GUESTHOUSE $
(☎312-764-1333; Tierradentro; camere COP$18.000-20.000 per persona) Una delle sistemazioni migliori nei pressi del museo, questa struttura molto frequentata è gestita da proprietari estremamente cordiali e dispone di un grazioso giardino con vista sulle montagne. Alcune camere sono dotate di bagno privato e sul retro c'è una cucina a disposizione degli ospiti (COP$5000).

Hospedaje Tierradentro GUESTHOUSE $
(☎313-651-3713; alorqui@hotmail.com; Tierradentro; camere COP$25.000 per persona) Questa guesthouse offre più privacy della maggior parte delle altre strutture economiche e dispone di camere pulitissime e tinteggiate di

fresco, ospitate all'interno di un edificio nuovo situato nel giardino della casa principale.

Hotel El Refugio HOTEL $
(☎321-811-2395; hotelalbergueelrefugio@gmail.com; Tierradentro; singole/doppie/triple COP$60.000/80.000/96.000;) Gestito dalla comunità locale, l'albergo più confortevole di questa zona dispone di una grande piscina e di camere ordinate, anche se dall'aspetto piuttosto anonimo, affacciate sulle montagne e dotate di TV via cavo. Non c'è la connessione wi-fi ma potete osservare i cavalli che vagano liberi nel giardino.

Residencias y Restaurante Pisimbalá GUESTHOUSE $
(☎311-605-4835, 321-263-2334; Tierradentro; camere con/senza bagno COP$20.000/15.000 per persona) All'interno della casa in cui vive la famiglia dei proprietari, le camere di questa guesthouse sono tutte dotate di bagno privato. Vengono serviti anche pasti economici (da COP$7000 a COP$15.000), compresi alcuni piatti vegetariani.

Informazioni

Nei dintorni di Tierradentro non esistono banche – portate con voi sufficiente contante.

La **Puerta Virtual** (Vía Sta Rosa, San Andres de Pisimbalá; COP$1500 l'ora; 9-19 lun-sab) di San Andrés dispone di una connessione sorprendentemente veloce.

Per/da Tierradentro

Una volta arrivati a Tierradentro, la maggior parte degli autobus vi farà scendere presso El Crucero de San Andrés, situato a 20 minuti di cammino in salita dai musei di Tierradentro e ad altri 25 minuti da San Andrés. Questo tragitto è servito da *colectivos* (COP$1500) che osservano orari molto irregolari. I mototaxi sono difficili da trovare, ma se siete così fortunati sappiate che per una corsa spenderete COP$3000.

Alle 6 da San Andrés de Pisimbalá parte un autobus diretto per Popayán (COP$25.000, 4 h), che passa di fronte ai musei. Altri autobus per Popayán partono da El Crucero de San Andrés alle 8, alle 13 e alle 16. La strada è in cattive condizioni; frane e guasti ai mezzi sono eventi abbastanza frequenti, pertanto vi sconsigliamo di prendere l'ultimo autobus della giornata.

Alle 6, alle 7, alle 8, alle 11.30 e alle 15 da San Andrés de Pisimbalá partono autobus e pick-up per La Plata (COP$13.000, 2 h), dove è possibile prendere altri mezzi per Bogotá, Neiva (per il Desierto de la Tatacoa) e Pitalito (per San Agustín). Il prezzo è lo stesso, che si viaggi all'interno del mezzo o sul retro; potete prenotare un posto in anticipo presso la casa arancione di fronte a La Portada.

Desierto de la Tatacoa

A metà strada tra Bogotá e San Agustín si estende il Desierto de la Tatacoa. Si tratta di un paesaggio sorprendente, fatto di canaloni e di pareti rocciose erose dagli agenti atmosferici e scolpite dalle rare piogge.

Per la verità, la zona di Tatacoa non è propriamente desertica, anche se il termometro sembra pensarla diversamente, come dimostra il fatto che talvolta si registrano temperature anche di 50°C. Di fatto, si tratta di un'area di foresta tropicale secca semiarida, che riceve ogni anno una media di 1070 mm di pioggia. Circondata da montagne in ogni direzione, la zona di Tatacoa è arida anche a causa del fatto che le alture del Nevado de Huila (5750 m) intercettano la maggior parte delle precipitazioni, che in questo modo non riescono a raggiungere i suoi 330 kmq. Da questo è derivato un ecosistema assolutamente unico per la Colombia, in cui vivono scorpioni, donnole, varie specie di cactus che producono frutti edibili e almeno 72 specie di uccelli.

Per raggiungere questa zona occorre passare da **Neiva**, il torrido capoluogo del dipartimento di Huila e porto sul Río Magdalena. Da Neiva si può prendere un *colectivo*, che con un viaggio di circa un'ora in direzione nord-ovest vi condurrà a Villavieja. Potete trascorrere la notte a Villavieja o – meglio ancora – nel deserto.

Non dimenticate di portare un paio di calzature robuste, visto che il terreno è cosparso di spine di cactus, e una torcia.

★ **Observatorio Astronomico Astrosur** OSSERVATORIO
(☎310-465-6765; www.tatacoa-astronomia.com; Tigre de Marte, Tatacoa; osservazione del cielo COP$10.000; 19-21) L'astronomo Javier Rua Restrepo, ex collaboratore del Tatacoa Observatory, adesso gestisce un osservatorio tutto suo situato a circa 1 km dalla città. Restrepo è un insegnante dinamico che svolge il suo lavoro con grande passione; i visitatori potranno osservare il cielo stellato utilizzando i telescopi di elevata qualità messi a loro disposizione. Tenete presente che le spiegazioni sono solo in spagnolo.

Nel deserto quasi tutte le sistemazioni sono costituite da quattro pareti in cemento con un tetto di lamiera ondulata, e le tariffe sono di circa COP$30.000 per perso-

PARQUE NACIONAL NATURAL PURACÉ

Circa 45 km a est di Popayán, lungo la strada sterrata che conduce a La Plata, si trova questo parco nazionale, che si estende su una superficie di 830 kmq. La maggior parte del parco sorge all'interno del *resguardo* (territorio ufficiale) degli indigeni puracé.

All'epoca delle ricerche compiute per questa guida, la comunità indigena aveva assunto il controllo del parco in seguito a una controversia con il governo nazionale in merito alla sua gestione. Se lo domanderete a qualsiasi ufficio turistico statale o del parco nazionale vi sentirete rispondere che il parco è chiuso, ma la comunità continua ad accogliere i visitatori e a dedicarsi all'espansione del neonato progetto di ecoturismo. Oltre al pagamento di una tariffa d'ingresso, ogni gruppo di visitatori è tenuto a ingaggiare una guida indigena (COP$35.000 per gruppo) per esplorare il parco.

Per raggiungerlo, prendete qualunque autobus diretto a La Plata da Popayán fino a Cruce de la Mina (COP$15.000, un'ora e 15 minuti). Se avete intenzione di visitarlo in giornata, vi consigliamo di prendere il primo autobus in partenza alle 4.30 o – al più tardi – quello delle 6.45.

Da Cruce de la Mina occorre poi camminare per 1,5 km in salita fino a Cruce de Pilimbalá. Si svolta quindi a sinistra per il centro visitatori (1 km). Presso la fermata degli autobus si trova spesso una guida in attesa pronta a indicarvi la strada.

L'ultimo autobus che fa ritorno a Popayán passa da Cruce de la Mina verso le 16.30.

na. C'è anche un **resort di lusso** (322-365-5610; www.betheltatacoaoficial.com; Sector Los Hoyos, Desierto de la Tatacoa; camere COP$510.000; P ☎ ≋) oltre a un paio di posti dove è possibile accamparsi.

Nel deserto troverete solo un paio di locali. Comunque, tutti gli alberghi preparano pasti semplici per i loro ospiti, in genere a base di carne, riso e insalata.

Per/dal Desierto de la Tatacoa

I mototaxi di Villavieja chiedono COP$15.000 per portare al massimo tre persone fino all'**osservatorio principale** (312-411-8166; El Cusco; osservazione del cielo COP$10.000; centro visitatori 10-21) e alle guesthouse che sorgono nelle vicinanze. In città c'è un posto che **noleggia biciclette** (316-748-2213; Calle 7 n. 2-59; noleggio COP$10.000 l'ora); in alternativa dovrete camminare per 4 km, ma tenete presente che lungo il tragitto non troverete ripari, zone ombreggiate o acqua.

Villavieja

8 / POP. 7308 / ALT. 440 M

Questa piccola cittadina immersa nel deserto è la porta d'accesso al Desierto de la Tatacoa. Fu fondata nel 1550 e, da allora, è stata del tutto dimenticata. Alcune famiglie locali continuano a sbarcare il lunario allevando bestiame e portando al pascolo le capre, ma la maggior parte dei residenti si è data al settore turistico.

Nei weekend e durante le festività i *bogotanos* (abitanti di Bogotá) la raggiungono a frotte, mentre negli altri periodi potrete averla tutta per voi.

Che cosa vedere

Questa zona era un fondale marino, un fatto che spiega la presenza di un gran numero di fossili risalenti al Miocene; ancora oggi i paleontologi sono impegnati nel sito di La Venta, un'isolata zona desertica. Chi lo desidera potrà ammirare alcuni reperti di grande interesse – tra cui le ossa di un armadillo gigante, delle dimensioni di un trattore – nel **Museo Paleontológico** (314-347-6812, 8-879-7744; Plaza Principal; COP$2500; 7.30-12 e 14-17.30) situato nella piazza principale. Il personale è preparato e disponibile e di fatto funge anche da ufficio turistico.

Pernottamento e pasti

In città ci sono molti alberghi dignitosi, ma nella maggior parte dei casi i viaggiatori stranieri preferiscono trascorrere la notte nel deserto.

Hotel Diana Luz HOTEL $
(312-802-0236; Calle 4 n. 5-31; singole/doppie COP$50.000/80.000, con ventilatore COP$40.000/70.000, senza bagno COP$30.000/60.000; ❄ ☎) Sistemazione economica di buon livello situata in città, a un isolato e mezzo dal parco. Questo piccolo albergo offre camere immacolate, dotate di aria condizionata, materassi di buona qualità e bagni privati; nella parte

posteriore dell'edificio si trovano alcune camere più economiche con bagno in comune.

Hotel Yararaka HOTEL **$$**
(313-247-0165; www.yararaka.com; Carrera 4 n. 4-43; camere COP$80.000 per persona;) Questo edificio in stile coloniale rappresenta una buona alternativa alle camere d'albergo un po' anonime che si trovano altrove. Mette a disposizione camere ben attrezzate sotto un grande tetto di paglia, disposte attorno a un cortile con piscina. L'unico aspetto negativo è rappresentato dalla mancanza di soffitti: godrete di ambienti più freschi, è vero, ma la vostra privacy ne risentirà e i rumori potrebbero essere un problema.

Villa Paraíso HOTEL **$$**
(321-234-5424; hotelvillaparaisovillavieja@gmail.com; Calle 4 n. 7-69, Villavieja; singole/doppie con ventilatore COP$60.000/110.000, con aria condizionata COP$70.000/130.000;) Unanimemente considerata la struttura ricettiva migliore della cittadina, Villa Paraíso, ristrutturata di recente, dispone di camere piccole ma ordinate con bagni privati, aria condizionata, TV via cavo e una decorosa piscina sul retro.

Restaurante Monterrey COLOMBIANO **$**
(310-344-6788; Calle 4 n. 4-55; pasti COP$7000; 7-21) Uno dei pochi ristoranti in città che servono i pasti a tutte le ore. I menu a prezzo fisso comprendono piatti standard ma economici.

Informazioni

Banco Agrario (Calle 4 n. 4-30) L'unico sportello bancomat presente in città.

Per/da Villavieja

Dalle 5 alle 19 alcuni furgoncini percorrono i 37 km che separano Neiva da Villavieja (COP$7000, 1 h) e la maggior parte prosegue fino alla zona di Cusco nel Desierto de la Tatacoa (COP$15.000). I furgoncini partono solo con un minimo di cinque passeggeri. Al mattino presto e nel tardo pomeriggio questi mezzi passano con una certa frequenza, mentre negli altri momenti della giornata potreste essere costretti ad aspettare una o addirittura due ore.

Da Neiva partono autobus frequenti per Bogotá (COP$45.000, 6 h), ai quali si aggiungono diversi autobus diretti per San Agustín (COP$30.000, 4 h). Tenete presente che per raggiungere Tierradentro bisogna cambiare mezzo a La Plata (COP$15.000, 2 h).

NARIÑO

Benvenuti in Ecuador – o quasi. Il dipartimento di Nariño si trova infatti nell'estremità sud-occidentale della Colombia, dove l'influenza ecuadoriana è molto evidente.

Nel loro snodarsi verso sud, qui le Ande diventano sempre più alte e inospitali. In questa regione della Colombia ha infatti inizio il 'corridoio vulcanico' che percorre l'Ecuador per tutta la sua lunghezza. La gradevole Pasto, capoluogo di questo dipartimento, sorge a soli 8 km da un vulcano attivo, letteralmente ricoperto da un mosaico di campi coltivati.

Nella maggior parte dei casi, i turisti attraversano questa regione senza fermarsi durante il viaggio verso il confine, ma vi consigliamo invece di trascorrervi qualche giorno. In particolare, Pasto possiede un bellissimo centro storico che merita una passeggiata, mentre la Laguna de la Cocha è incantevole e il torreggiante Santuario de Las Lajas, situato nelle vicinanze di Ipiales, una meraviglia assolutamente indimenticabile.

Pasto

2 / POP. 450.645 / ALT. 2551 M

Situata a sole due ore di viaggio dall'Ecuador, Pasto è il capoluogo del dipartimento e il punto di passaggio più comodo per chi deve raggiungere il confine. Questa gradevole città non ospita solo diversi pregevoli edifici risalenti all'epoca coloniale, ma possiede anche un centro molto animato, sebbene dal punto di vista turistico non ci sia un numero di attrattive tali da giustificare una permanenza più lunga di un paio di giorni.

Nonostante ciò, gli amanti della natura potrebbero prendere in considerazione la possibilità di fermarsi più a lungo, dal momento che Pasto è circondata da una campagna spettacolare e costituisce un valido punto di partenza per visitare la Laguna de la Cocha, la Laguna Verde e l'irrequieto Volcán Galeras.

Il clima è freddo – molto freddo, al punto che il *helado de paíla*, gelato tradizionale del luogo, viene preparato sul momento, per strada, in un contenitore di rame appoggiato su una piattaforma di ghiaccio.

Che cosa vedere

Museo del Oro MUSEO
(2-721-3001; Calle 19 n. 21-27; 10-17 mar-sab) FREE Se desiderate conoscere da vicino le civiltà precolombiane fiorite nel dipartimento di Nariño, vi consigliamo di visitare la piccola ma interessante collezione di reperti in oro e

di ceramiche custodita all'interno di questo museo. Tra i pezzi più interessanti segnaliamo i diademi d'oro indossati dai capi indigeni e i dischi rotanti usati durante cerimonie ed eventi, una sorta di palla stroboscopica pre-colombiana.

Museo Taminango de Artes y Tradiciones MUSEO
(☎2-723-5539; museotaminango@gmail.com; Calle 13 n. 27-67; interi COP$3000; ⌚8-12 e 14-18 lun-ven, 9-13 sab) Questo museo custodisce al suo interno interessanti oggetti dedicati alle tecniche di tessitura degli indigeni e al *barniz de Pasto* insieme a un vero e proprio guazzabuglio di oggetti antichi. Merita di essere visitato per ammirare la *casona* del 1623 meticolosamente restaurata, considerata da molti la casa a due piani più antica di tutta la Colombia.

Feste ed eventi

Carnaval de Blancos y Negros CULTURA
(www.carnavaldepasto.org; ⌚gen) L'evento più importante del calendario annuale di Pasto si tiene il 5 e il 6 gennaio. Le sue origini risalgono all'epoca del dominio spagnolo, quando agli schiavi veniva concesso di festeggiare il 5 gennaio e i padroni dimostravano il loro consenso dipingendosi il volto di nero. Il giorno successivo erano gli schiavi a dipingersi il volto di bianco.

In questi due giorni gli abitanti della cittadina si scatenano, dipingendosi o impolverandosi con grasso, gesso, talco, farina o qualunque altra sostanza disponibile che sia vagamente bianca o nera. Dal momento che si tratta di una faccenda seria, dovrete indossare i vostri indumenti peggiori e acquistare un *antifaz*, una specie di maschera per proteggervi il viso, in vendita ovunque per l'occasione. Chi soffre d'asma non dovrebbe partecipare, per non correre il rischio di tossire polvere di talco per giorni.

Pernottamento

★**Hotel Casa Lopez** HOTEL $$
(☎2-720 8172; hcasalopez@gmail.com; Calle 18 n. 21B-07; singole/doppie/triple a partire da COP$147.000/190.000/235.000; 📶) Situato all'interno di un edificio coloniale del centro perfettamente restaurato, questo albergo a conduzione familiare fa parte di una categoria a sé in termini di comfort, servizio e attenzione ai dettagli. Affacciate su un grazioso cortile pieno di fiori, le sue incantevoli camere sfoggiano lustri pavimenti in legno e sono arredate con pregevoli mobili d'epoca. Gli affabili proprietari sono tra i più gentili della zona, per cui non sorprendetevi se una sera dovessero comparirvi davanti con una borsa dell'acqua calda o una tazza di cioccolata bollente. Al piano inferiore c'è un raffinato ristorante che serve piatti tipici.

Hotel Casa Madrigal HOTEL $$
(☎2-723-4592; http://hotelcasamadrigal.blogspot.com; Carrera 26 n. 15-37; singole/doppie con prima

VOLCÁN GALERAS

Situato a soli 8 km dal centro di Pasto, il Volcán Galeras (4267 m), uno dei vulcani più attivi della Colombia, continua a borbottare, minacciando i dintorni. La parte più alta di questo vulcano è stata trasformata in **parco nazionale** (COP$2000; ⌚8-12), mentre le pendici inferiori sono un mosaico di fattorie e di pascoli verdeggianti.

Sebbene la maggior parte di questo parco nazionale sia stata chiusa da tempo al pubblico a causa dell'attività vulcanica, la zona intorno a Telpis è aperta ai visitatori. A più di 3000 m di altitudine si trova la Laguna de Telpis, un lago dall'aspetto mistico circondato dal *páramo*.

Per raggiungere questo parco nazionale da Pasto, dal parcheggio situato di fronte alla stazione degli autobus si può prendere un taxi per Yacuanquer (COP$3500) e poi proseguire a bordo di un mototaxi o di un *colectivo* (entrambi COP$2000) fino al villaggio di San Felipe, dove dovrete ingaggiare una guida (COP$30.000 per gruppi fino a 10 persone) per compiere l'escursione della durata di tre ore fino al *mirador* (punto panoramico). Il modo più facile per organizzare questa escursione consiste nel rivolgersi al **Parques Nacionales** (☎2-732-0493; galeras@parquesnacionales.gov.co; Carrera 41 n. 16B-17, Barrio El Dorado) di Pasto prima di mettersi in cammino.

Vi consigliamo di arrivare al parco prima di mezzogiorno o rischiate di non poter entrare. Tenete presente che per compiere questa escursione è indispensabile disporre di un paio di scarpe robuste e di abiti pesanti.

Pasto

Pasto

Che cosa vedere

1 Museo del Oro D4
2 Museo Taminango de Artes y Tradiciones A2

Pernottamento

3 Hotel Casa Lopez C4
4 Hotel Casa Madrigal B2

Pasti

5 Caffeto C2
6 Salón Guadalquivir C2

Locali e vita notturna

7 Cafe La Catedral B2
8 Cola de Gallo C1

Shopping

9 Barniz de Pasto Obando A3

colazione COP$135.000/170.000) Particolarmente apprezzato da una clientela in viaggio d'affari, questo albergo ben attrezzato offre camere spaziose dotate di letti king size, scrivanie e di tutti i comfort moderni. Gli ampi bagni scintillanti dispongono di splendide docce. Al piano inferiore c'è un buon ristorante.

Pasti e locali

Se desiderate gustare le specialità fast food del Nariño, vi consigliamo di visitare una *picanteria*, nome con cui vengono definite le frequentatissime tavole calde che servono *lapingachos* (tortini di patate grigliate serviti con diversi tipi di carne).

Per una cena elegante, nella zona attorno a Palermo troverete molti ristoranti raffinati che servono sia specialità locali sia piatti internazionali.

VALE IL VIAGGIO

LAGUNA VERDE

In tutte le località del Nariño vedrete le fotografie di questo lago andino verde smeraldo. Questo specchio d'acqua occupa il cratere del Volcán Azufral (4000 m), il vulcano estinto nei pressi di **Túquerres** (3070 m) – la cittadina della Colombia situata all'altitudine più elevata – che può essere visitato con un'escursione in giornata da Pasto o da Ipiales, a patto di partire al mattino prestissimo.

Davanti all'ingresso troverete alcuni bagni e un negozietto dove dovrete pagare un modesto biglietto. Per raggiungere da qui il punto panoramico affacciato sul bordo del cratere bisogna ancora camminare lungo un dolce pendio per 6 km (da un'ora e 30 minuti a due ore). Se volete avvicinarvi maggiormente, un ripido sentiero scende per 700 m all'interno del cratere, fino alle sponde del lago. Tenete presente, tuttavia, che spesso è molto fangoso e che la risalita fino al bordo del cratere è parecchio stancante. Sebbene questa escursione non sia particolarmente lunga, l'altitudine elevata la rende piuttosto impegnativa, soprattutto l'ascesa per tornare dalla sponda del lago al punto panoramico. Per il viaggio di andata e ritorno da La Cabaña mettete in preventivo di impiegare circa cinque ore. Portate abiti pesanti e vestitevi a strati. Mentre camminate potrebbe cominciare a fare caldo, ma tenete presente che il tempo cambia rapidamente e che i venti sono spesso gelidi. È importante avere anche una buona crema solare, spalmatevela anche quando il sole è coperto.

Gli autobus diretti a Túquerres partono sia da Pasto (COP$6000, un'ora e 45 minuti) sia da Ipiales (COP$7000, un'ora e 30 minuti).

Una volta arrivati a Túquerres, dovrete noleggiare un taxi (andata e ritorno da COP$40.000 a COP$50.000) per compiere il tragitto di 30 minuti che conduce a 'La Cabaña' (3600 m) dove ha inizio il sentiero. Vi consigliamo di prendere accordi in anticipo con l'autista per il viaggio di ritorno. Chi viaggia da solo può anche prendere un mototaxi (andata e ritorno COP$20.000 circa). Un'alternativa più economica consiste nel prendere un autobus da Túquerres al villaggio di San Roque Alto, dove si può proseguire a piedi lungo la strada in salita che porta a La Cabaña, anche se così facendo il viaggio si allunga di tre ore. Che scegliate l'una o l'altra opzione, fate in modo di arrivare prima delle 13 o i ranger potrebbero non consentirvi di accedere al sentiero.

Salón Guadalquivir CAFFÈ $
(Calle 19 n. 24-84; spuntini COP$900-9000, portate principali COP$10.500-22.000; ⏲8-12.30 e 14.30-19.30 lun-sab) Questo accogliente caffè serve le tipiche specialità della cucina *pastuso*, tra cui *empanadas de anejo* (pasticcini fritti), *quimbilitos* (pasticcini a base di uva passa, vaniglia e mais dolce) e *envueltas de chocolo* (involtini dolci di mais), oltre a pasti tradizionali.

Caffeto CAFFÈ $
(www.krkcaffeto.com; Calle 19 n. 25-62; portate principali COP$11.000-24.000; ⏲8-22 lun-sab) Questo fantastico caffè-panetteria prepara sandwich gourmet, crêpes, lasagne e insalate. I dolci sono semplicemente sensazionali, ma nel locale troverete anche grandi coppe di gelato e un vero caffè espresso che sapranno soddisfare anche i viaggiatori più esigenti.

Asadero de Cuyes Pinzón COLOMBIANO $$
(☎2-731-3228; Carrera 40 n. 19B-76, Palermo; cuy COP$39.000; ⏲12-21 lun-sab, fino alle 14 dom) I *pastusos* (termine con cui vengono definiti gli abitanti di Pasto) si mettono sempre in ghingheri per venire a cenare in questo locale situato circa 1,5 km a nord del centro cittadino. Il menu comprende una sola portata, vale a dire l'*asado de cuy* (porcellino d'India alla griglia). Il modo migliore per staccare la carne dall'osso consiste nel mangiare con le mani e per farlo vi verranno consegnati appositi guanti di gomma. Un *cuy* è sufficiente per due persone.

Cola de Gallo BAR
(☎2-722-6194; Calle 18 n. 27-47; ⏲15-20 lun-mer, fino all'1 gio-sab) In questo elegante caffè-lounge potrete scegliere da una lista comprendente ben 80 cocktail oppure ordinare un tazzone fumante di caffè di provenienza locale ascoltando un brano di jazz, blues o world music.

Cafe La Catedral CAFFÈ
(☎2-729-8584; www.cafelacatedral.com; Carrera 26 n. 16-37; ⏲8.30-21 lun-sab) I *pastusos* adorano scambiare due chiacchiere davanti a una buona tazza di caffè e questa caffetteria, a mezzo isolato dalla cattedrale, è uno dei locali più frequentati. Offre un'ampia scelta di

bevande a base di caffè anche se la vera ragione per venire qui sono le splendide torte e i golosi pasticcini.

Shopping

Questa cittadina è famosa per il *barniz de Pasto*, una resina vegetale originaria dell'Amazzonia utilizzata per decorare coloratissimi oggetti in legno. Questi articoli possono essere acquistati presso la **Barniz de Pasto Obando** (2-722-4045, 301-350-0030; Carrera 25 n. 13-04; 8.30-12.30 e 14.30-18.30 lun-ven, 9-12.30 e 15-18.30 sab), dove ci si può anche mettere d'accordo per vedere gli artigiani all'opera.

Informazioni

La maggior parte delle banche si trova nei dintorni di Plaza de Nariño.

4-72 (Calle 15 n. 22-05; 8-18 lun-ven, 9-12 sab) Ufficio postale.

Banco de Bogotá (Calle 19 n. 24-68)

Banco Popular (Carrera 24 n. 18-80)

Ufficio turistico del Nariño (Oficina Departmental de Turismo; 2-723-4962; http://narino.gov.co/turismo; Calle 18 n. 25-25; 8-12 e 14-18 lun-ven) Offre informazioni utili sulle attrattive di interesse turistico situate nel dipartimento del Nariño.

Ufficio turistico di Pasto (Punto Información Turistica; 2-733-4765; www.turismopasto.gov.co; all'angolo tra Calle 19 e Carrera 25; 8-12 e 14-18) Questo ufficio turistico fornisce informazioni utili sulle attrattive turistiche presenti in città.

Per/da Pasto

L'aeroporto si trova 33 km a nord della città, lungo la strada che conduce a Cali. I *colectivos* (COP$10.000, 45 min) per l'aeroporto partono da Plaza de Nariño all'angolo tra Calle 18 e Carrera 25. Una corsa in taxi vi costerà una cifra compresa tra COP$35.000 e COP$40.000.

La **stazione degli autobus** (2-730-8955; www.terminaldepasto.com; Carrera 6) si trova 2 km a sud del centro. Da questa stazione partono con frequenza autobus, minibus e *colectivos* diretti a Ipiales (COP$8000, da 1 h 30 min a 2 h); se possibile, cercate di prendere posto sulla sinistra del veicolo, da dove è possibile ammirare i panorami più belli. Molti autobus percorrono la spettacolare strada per Cali (COP$40.000, 9 h) e fermano anche a Popayán (COP$30.000, 6 h). Tutti i giorni più di una decina di autobus diretti collega la cittadina a Bogotá (COP$90.000, 20 h).

Laguna de la Cocha

2 / ALT. 2760 M

Immerso tra verdi colline ondulate e spesso avvolto nella foschia, questo lago spettacolare costituisce la meta di un'escursione in giornata che deve assolutamente far parte della vostra visita a Pasto. Potete fare un giro sul lago in barca, sostando lungo il percorso all'Isla Corota. Questa piccola **isola** (corota@parquesnacionales.gov.co; colombiani/stranieri COP$4000/6500) è stata dichiarata parco nazionale e – trovandosi a 2830 m di altitudine – offre la rara possibilità di ammirare una rigogliosa foresta nebulare sempreverde. Su quest'isola si trovano una piccola cappella, una stazione di ricerca biologica e una passerella di 550 m, che attraversa tutta l'isola fino a un *mirador* (punto panoramico). Il tragitto in barca fino all'Isla Corota per gruppi composti da non più di 10 persone costa COP$30.000; si parte dal villaggio di Puerto El Encano sulla sponda del lago.

Pernottamento

Hotel Sindamanoy HOTEL $$

(2-721-8222; reservas@hotelsindamanoy.com; singole/doppie/triple/suite con prima colazione COP$130.000/190.000/233.000/235.000;) Chalet un po' vecchiotto, ma sempre elegante, dal quale è possibile ammirare uno spettacolare panorama sull'Isla Corota. Le camere, purtroppo, sono un po' logore, pertanto vi consigliamo di farvene mostrare qualcuna prima di scegliere. L'elegante ristorante (portate principali da COP$23.000 a COP$30.000) costituisce invece il posto ideale per mangiare qualcosa godendosi un bel panorama.

Chalet Guamuez HOTEL $$$

(2-721-9308; www.chaletguamuez.com; camere con caminetto/termosifone COP$252.000/181.000, cabañas a partire da COP$255.000;) Questo resort in stile chalet svizzero offre camere ordinate affacciate su un giardino pieno di fiori che digrada fino al lago. Le camere standard non sono male, ma quelle più costose sono decisamente migliori, dotate di piccoli balconi e di un caminetto privato. Chiedetene una di quelle con vista sul lago, che hanno lo stesso prezzo di quelle affacciate sul giardino.

Coerentemente con l'atmosfera un po' appartata, non c'è la TV in camera, ma troverete una sauna e potrete anche noleggiare un cavallo. Il ristorante (portate principali da COP$22.000 a COP$32.000) serve piatti vegetariani e *fondue* oltre alle specialità tipiche.

Per/dalla Laguna de la Cocha

I taxi collettivi per Río Encano (COP$5000, 40 min), località situata nei pressi del lago, partono da Plaza de Carnaval, nel centro di Pasto, e alle spalle dell'Hospital Departmental (all'angolo tra Calle 22 e Carrera 7). Possono trasportare fino a quattro persone ma, se avete fretta, pagando per i quattro posti disponibili partirete subito.

Gli alberghi che sorgono sulla riva del lago possono essere raggiunti in taxi da El Encano (da COP$8000 a COP$10.000) oppure in barca dal porto (COP$30.000 circa).

Ipiales

2 / POP. 145.073 / ALT. 2900 M

Situata a soli 7 km dal confine con l'Ecuador, Ipiales è un'anonima città commerciale che vive grazie agli scambi di frontiera. Qui troverete ben poco da vedere o da fare, in quanto l'attrattiva principale di questa zona è costituita dalla breve deviazione che conduce al Santuario de Las Lajas, ma anche il tratto della Panamericana proveniente da Pasto è di per sé un percorso emozionante.

Pernottamento e pasti

Come ogni animata cittadina di frontiera che si rispetti, anche Ipiales offre discrete sistemazioni adatte a tutte le tasche, anche se non esistono ragioni particolari per trascorrervi la notte. Pasto è infatti una cittadina molto più graziosa, che sorge poco distante lungo la Panamericana.

Se desiderate gustare la cucina tipica di questa zona, vi consigliamo di dirigervi verso Barrio El Charco, dove troverete almeno una decina di locali che propongono il *cuy* allo spiedo: il porcellino d'India viene schiacciato e cucinato su una griglia aperta per mezzo di uno spiedo meccanico che assomiglia a una macabra ruota per criceti.

Hotel Casa Vieja HOTEL $

(2-773-3939, 320-263-7537; hotelcasaviejaipiales37@gmail.com; Calle 13 n. 5-73; singole/doppie COP$30.000/50.000) Ricavato in una casa coloniale ristrutturata, situata in Plaza la Pola, questo albergo spartano offre le sistemazioni con il miglior rapporto qualità-prezzo della città. Le camere sono spaziose, con pavimenti in legno e grandi finestre affacciate sulla piazza e dotate di scuri in legno per tenere lontano il rumore. Se si aggiungono i letti confortevoli e l'acqua calda, si comprende che è un ottimo affare.

Gran Hotel HOTEL $

(2-773-2131; granhotel_ipiales@hotmail.com; Carrera 5 n. 21-100; singole/doppie COP$60.00/100.000;) Situato in un quartiere commerciale a pochi passi dal centro, questo accogliente albergo offre camere ordinate e confortevoli dotate di TV al plasma e di acqua calda. Dal momento che alcune camere sono piuttosto rumorose, prima di decidere vi consigliamo di farvene mostrare più di una.

Torre de Cristal HOTEL $$

(2-725-5808; www.hoteltorredecristal.com; Carrera 5 n. 14-134; singole/doppie COP$50.000/100.000; P) Questo scintillante albergo ad appena un isolato dalla piazza offre un ottimo rapporto qualità-prezzo. Tra i servizi offerti: camere moderne e ordinate, una bella vista, bagni spaziosi, riscaldamento a gas, TV HD e perfino un ascensore per autoveicoli nel garage.

Informazioni

Troverete numerosi sportelli bancomat nei dintorni di Plaza la Pola.

Artesys (Calle 12 n. 6-16; COP$1300 l'ora; 8.30-20.30) Accesso a internet veloce.

Banco de Bogotá (Carrera 6 n. 13-55) Ha uno sportello bancomat.

Ecuadorian Consulate (2-773-2292; Carrera 7 n. 14-10; 8.30-17 lun-ven)

Per/da Ipiales

L'**aeroporto** (IPI) si trova 7 km a nord-ovest di Ipiales, lungo la strada che conduce a Cumbal, e può essere raggiunto con una corsa in taxi (COP$15.000). La compagnia **Satena** (1-8000-91-2034, 1-605-2222; www.satena.com) effettua cinque voli a settimana per Bogotá; prenotando con un buon anticipo è possibile ottenere tariffe molto convenienti.

Ipiales dispone di una grande **stazione degli autobus** (Carrera 2) dipinta a colori vivaci, situata circa 1 km a nord-est del centro. Gli autobus urbani consentono di raggiungere il centro (COP$1200), ma è possibile arrivarci anche in taxi (COP$3800).

Diverse compagnie hanno in operativo autobus diretti a Bogotá (COP$100.000, 22 h) e Cali (COP$50.000, 11 h), che fermano anche a Popayán (COP$35.000, 8 h).

Dalla stazione degli autobus di Ipiales partono anche molti autobus, minibus e *colectivos* per Pasto (da COP$8000 a COP$10.000, da 1 h 30 min a 2 h). Accomodandovi nella parte destra di questi mezzi avrete la possibilità di ammirare splendidi panorami durante il viaggio.

ANDARE IN ECUADOR

Il controllo dei passaporti viene effettuato a Rumichaca, località situata nella parte ecuadoriana del confine tra Ipiales e Tulcán. La frontiera è sempre aperta e le procedure vengono effettuate con rapidità.

Dalle 5 alle 20 circa i taxi collettivi (COP$2000) percorrono con frequenza i 2,5 km che separano Ipiales da Rumichaca, partendo dalla stazione degli autobus e dal mercato situato nei pressi dell'angolo tra Calle 14 e Carrera 8. Per una corsa su un taxi privato si spendono COP$8000. Dopo aver attraversato il confine a piedi, dovrete prendere un altro *colectivo* (minibus o taxi collettivo) per raggiungere Tulcán (6 km). Su entrambi i tragitti vengono accettate sia la valuta colombiana sia quella ecuadoriana.

Purtroppo, da Ipiales non partono voli diretti per l'Ecuador, ma non è difficile raggiungere Tulcán, da dove partono tutti i giorni voli della compagnia Tame per Quito. Arrivando a Tulcán dal confine, troverete l'aeroporto 2 km prima di raggiungere la città.

Santuario de Las Lajas

ALT. 2600 M

Costruito su un ponte in pietra a cavallo di una profonda gola rocciosa nel villaggio di Las Lajas, il neogotico **Santuario de Las Lajas** (⌚6-18) costituisce una visione al tempo stesso bizzarra e spettacolare. Di domenica questo santuario si riempie di pellegrini e di venditori di gelati e souvenir, mentre durante i giorni feriali i visitatori sono pochissimi. I pellegrini ripongono tutta la loro fede nella Vergine Maria, che sarebbe apparsa verso la metà del XVIII secolo su un'imponente roccia verticale situata 45 m sopra il fiume. Le pareti della gola sono letteralmente tappezzate di ex voto, molti dei quali sono stati lasciati da uomini politici colombiani.

Questa chiesa è stata eretta a ridosso della parete rocciosa della gola, nel punto in cui si dice che sia apparsa la Madonna. Un dipinto dorato della Vergine, accompagnata da san Domenico e da san Francesco, è stato realizzato direttamente sulle rocce per indicare il punto esatto dell'apparizione. La prima cappella venne portata a termine nel 1803, mentre la chiesa che si può vedere oggi fu progettata dall'architetto originario del Nariño Lucindo Espinoza e costruita tra il 1926 e il 1944. Questa chiesa si può ammirare in tutta la sua bellezza dalle cascate situate all'estremità della gola.

Il Santuario de Las Lajas può essere raggiunto senza alcun problema da Ipiales, ma se desiderate pernottare in questa zona, nelle vicinanze, lungo la strada che porta alla chiesa, troverete diversi alberghi spartani.

Per/dal Santuario de Las Lajas

Questo santuario è situato 7 km a sud-est di Ipiales. Dall'angolo tra Carrera 6 e Calle 4 a Ipiales (COP$2500, 20 min) e dalla **stazione degli autobus** (COP$2500, 15 min) partono regolarmente taxi collettivi e furgoncini diretti al santuario. Se avete particolarmente fretta, vi consigliamo di pagare per tutti i quattro posti; in alternativa una corsa su un taxi normale da qualunque punto di Ipiales vi costerà circa COP$11.000. Di domenica partono taxi collettivi diretti anche da Pasto, che potrebbero rivelarsi molto utili se per il vostro soggiorno preferite i comfort che questa città è in grado di offrire.

Costa del Pacifico

Include ➡

Il meglio – Whale-watching

- Parque Nacional Natural Ensenada de Utría (p290)
- El Valle (p289)
- Parque Nacional Natural Isla Gorgona (p296)
- Guachalito (p294)

Il meglio – Hotel

- Morromico (p293)
- El Cantil Ecolodge (p294)
- El Almejal (p289)
- Pijibá Lodge (p294)
- Choibana (p288)

Perché andare

Nel mondo esistono pochi luoghi selvaggi e spettacolari come la costa del Pacifico della Colombia. In questa regione sembra che la giungla si tuffi in mare, le cascate si gettano da promontori coperti di foreste per raggiungere straordinarie spiagge di sabbia grigia, pozze termali si nascondono nella densa vegetazione e minuscoli villaggi indigeni stanno abbarbicati sulle sponde di fiumi impetuosi. Le balene e i delfini si avvicinano così tanto a questo tratto di costa che si riesce ad avvistarli addirittura dalla propria amaca, mentre maestose tartarughe marine arrivano ancora più vicino. In questa regione troverete un gran numero di ecoresort confortevoli e di guesthouse economiche situate nei territori nelle comunità di origine africana, i cui abitanti si guadagnano da vivere con la pesca e l'agricoltura.

Finora, le difficoltà di accesso e la carenza di infrastrutture hanno limitato il flusso di visitatori in questa zona. Cercate di visitarla prima che sia preda del turismo di massa.

Quando andare

Buenaventura

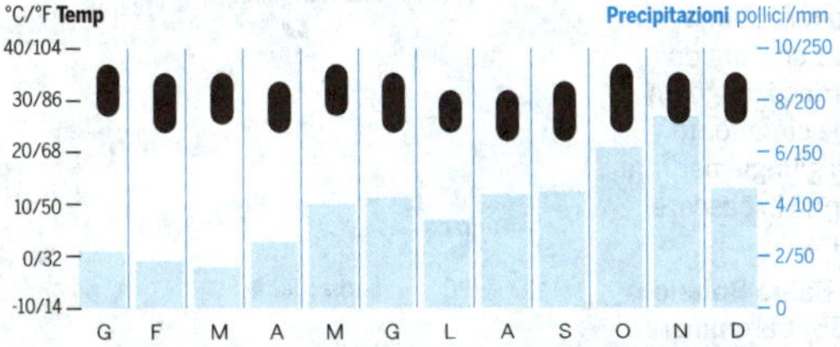

Gen-marzo Con le piogge meno frequenti è possibile dedicarsi all'escursionismo e ad altre attività.

Lug-ott Su questo tratto di costa arrivano le megattere dopo un epico viaggio dall'Antartide.

Set-dic Le tartarughe marine raggiungono le spiagge dove sono nate per deporre le uova.

Il meglio della costa del Pacifico

1 Guachalito (p294) Rilassarsi tra i giardini tropicali a ridosso delle spiagge di sabbia grigia, nell'affascinante area del Chocó con i suoi sobri resort.

2 Parque Nacional Natural Ensenada de Utría (p290) Avvistare le megattere mentre giocano con i loro piccoli a largo della costa.

3 El Valle (p289) Fare surf sulle onde del Pacifico alte 2 m con la rigogliosa giungla sullo sfondo, a Playa Almejal.

4 Isla Malpelo (p295) Fare immersioni tra centinaia di squali martello nel sito subacqueo più remoto del paese.

5 Jurubidá (p293) Immergersi in piscine termali incontaminate nel cuore della giungla, vicino a questa cittadina piccola e accogliente.

6 Joví (p293) Viaggiare in una canoa scavata da un tronco lungo un fiume circondato dalla giungla per fare il bagno in cascate isolate.

7 Bahía Solano (p285) Camminare fino a laghetti balneabili ammantati di foresta vergine.

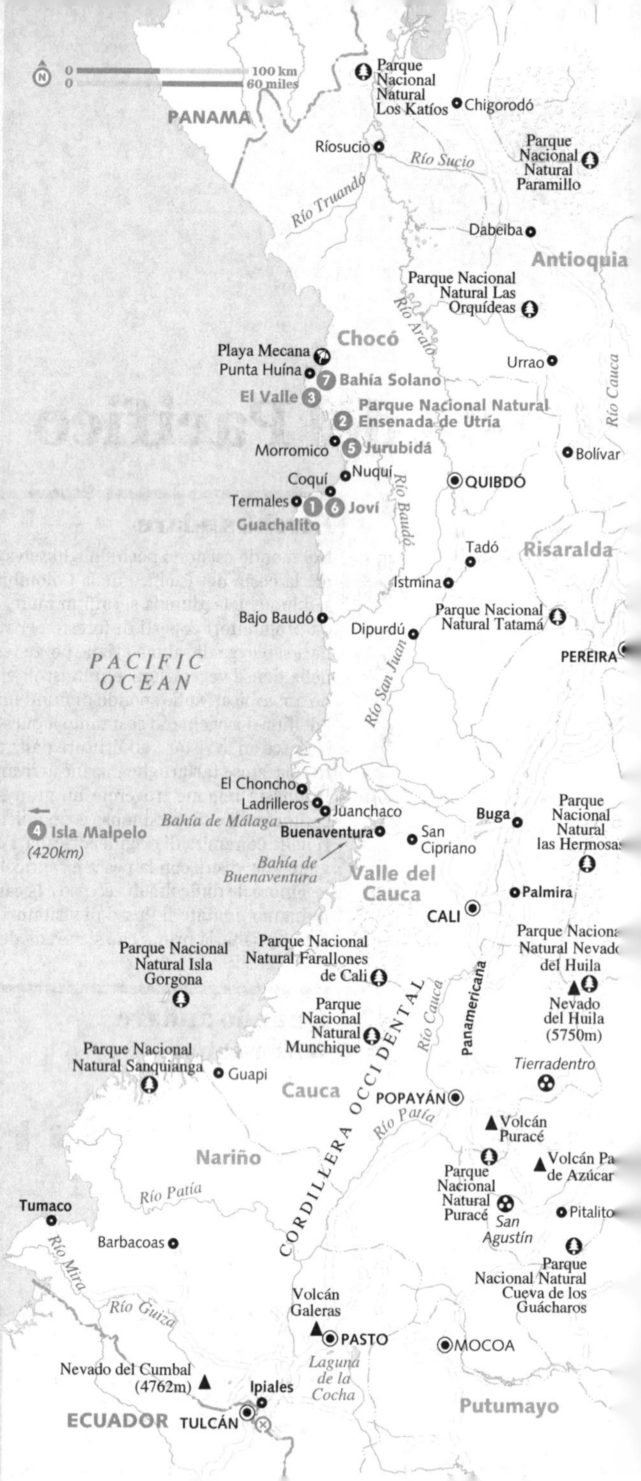

Parchi nazionali, statali e regionali

Il Parque Nacional Natural Isla Gorgona (p296) e il Santuario de Flora y Fauna Malpelo (p295) sono aree marine protette nelle quali è possibile fare splendide immersioni. Situato a metà strada tra El Valle e Nuquí, il Parque Nacional Natural Ensenada de Utría (p290) è frequentato da banchi di balene che, durante la stagione della riproduzione, saltano tra le onde in una stretta baia a poche centinaia di metri a largo della costa.

Pericoli e contrattempi

La sicurezza è ancora un problema in tutta la regione e, sebbene i visitatori non dovrebbero incorrere in nessun pericolo, è bene tenere a mente la presenza attiva di gruppi guerriglieri, sia paramilitari che dissidenti, nelle aree più remote – soprattutto presso Tumaco, vicino al confine con l'Ecuador, e ai margini settentrionali del dipartimento di Chocó, vicino a Panamá. Inoltre, la presenza paramilitare nei luoghi più isolati attorno a Nuquí e Bahía Solano è aumentata, ma grazie all'intervento dell'esercito colombiano la zona sembra aver riacquistato la calma.

All'epoca delle ricerche compiute per questa guida la situazione era tranquilla, ma prima di pianificare la vostra visita vi consigliamo caldamente di procurarvi informazioni aggiornate.

Per/dalla costa del Pacifico e trasporti locali

La superstrada Cali–Buenaventura è l'unica arteria stradale che collega la costa del Pacifico con le altre regioni della Colombia. Da Buenaventura partono imbarcazioni che fanno la spola tra le località situate lungo la costa, anche se la maggior parte dei viaggiatori arriva nel Chocó dall'aeroporto di Medellín, a bordo di un velivolo leggero. In alternativa, è possibile raggiungere questa regione con una nave proveniente da Panamá, tenendo comunque presente che si tratta di un servizio alquanto irregolare.

Lungo la costa del Pacifico passa una sola strada, che si interrompe dopo un breve tratto. Quasi tutti gli spostamenti locali avvengono a bordo di piccole imbarcazioni che collegano i villaggi ai principali snodi dei trasporti. Consigliamo caldamente di avvolgere i vostri bagagli in sacchi dell'immondizia, per evitare che si inzuppino durante il viaggio, e di indossare pantaloncini corti e sandali, dal momento che è molto probabile che vi bagnerete un po' all'arrivo – molti villaggi e resort non dispongono di moli.

CHOCÓ

Il dipartimento di Chocó è ricoperto da una fitta giungla ed è una delle zone più umide al mondo, poiché riceve in media da 16.000 a 18.000 mm di pioggia ogni anno. Queste condizioni determinano il carattere della regione, dei suoi abitanti e della cultura locale. Infatti, quando splende il sole fa troppo caldo per muoversi in fretta, mentre quando piove – quasi tutti i giorni – nessuno vuole uscire e bagnarsi. Non stupisce quindi che, scherzando, si parli di una *hora chocoana*: il ritmo della vita qui è davvero più lento.

Tenete presente che non si tratta di una meta economica. Innanzitutto, ci si sposta soprattutto a bordo di piccole imbarcazioni, che – a parità di itinerario – sono molto più costose degli autobus. Inoltre, le strutture ricettive della zona sono più care rispetto a sistemazioni simili in altre parti del paese. Ciononostante, chi viaggia con un budget limitato non deve scoraggiarsi: pianificando attentamente un itinerario flessibile e preparando autonomamente i propri pasti, è possibile visitare questa regione senza dar fondo al portafogli.

Bahía Solano

☎4 / POP 9375

La cittadina più grande della costa del Chocó, Bahía Solano, è famosa per le sue zone di pesca d'altura – considerate tra le migliori del mondo – e come punto di partenza per le uscite di whale-watching. Il centro abitato si trova alla foce del Río Jella e si affaccia a nord sull'oceano. Qui non troverete nessuna spiaggia, ma è possibile raggiungere il litorale dall'altra parte della baia a piedi durante la bassa marea, o altri tratti sabbiosi di costa con un breve viaggio in barca.

Che cosa vedere e fare

All'estremità meridionale della città, vicino al lungomare, un sentiero pieno di vegetazione conduce a una piccola cappella dedicata alla Vergine Maria, da cui si gode di un bel panorama.

I tour alla scoperta delle rane che abitano la giungla attorno alla città sono sempre più richiesti. Inoltre, la zona è ottima per la pesca, il birdwatching e soprattutto per le immersioni nelle sue acque, profonde oltre 150 m. Sul fondale marino troverete la *Sebastián de Belalcázar*, una nave da guerra sopravvissuta all'attacco di Pearl Harbor e affondata di proposito vicino a Playa Huína per creare una barriera corallina artificiale (Buqué Hundido). Chi preferisce invece le immersioni nelle grotte si divertirà molto a esplorare quelle situate nei pressi di Cabo Marzo. In città ci sono due centri di immersioni (non sempre operativi) che per due immersioni vi chiederanno circa COP$280.000. Gestita da proprietari molto entusiasti, la **Posada del Mar** (☎314-630-6723; posadadelmarbahiasolano@yahoo.es; Barrio El Carmen) propone pacchetti che includono immersioni e pernottamento; vicino al ponte sul fiume, **Cabo Marzo** (☎311-753-2880; blackmarlin19@hotmail.com; Donde Elvis) offre immersioni simili ma è meno organizzata.

La costa colombiana del Pacifico è una delle migliori zone del Sud America dove pescare enormi marlin blu e pesci vela. Per un'uscita di quattro o cinque pescatori si spendono circa COP$1.800.000 al giorno. **Vicente Gonzalez** (☎320-694-5256; Carrera 4) è uno skipper particolarmente consigliato.

Cascada Chocolatal CASCATA

Vicino al margine meridionale della cittadina troverete questa impressionante cascata che finisce in una pozza d'acqua gelida. La giungla si estende maestosa attorno a voi, su entrambe le sponde del fiume, in un trionfo di fiori e canti di uccelli.

Salto del Aeropuerto CASCATA

A pochi passi dall'aeroporto, questa imponente cascata si riversa in pozze profonde e cristalline, dove è possibile nuotare e avvistare gamberoni giganti d'acqua dolce.

Wildlife Pacific WHALE-WATCHING

(☎310-525-0023; escursione di mezza/intera giornata COP$100.000/145.000; ⏲8:30-6) Gestito da biologi marini, questo centro offre le migliori escursioni dedicate al whale-watching della zona. Nel corso di un'intera giornata riceverete molte informazioni e potrete usare attrezzature per l'ascolto subacqueo degli enormi mammiferi. Il tour comprende un pasto in una comunità locale e l'opportunità di rilassarsi su una spiaggia deserta e nuotare in una piscina naturale.

SI DICE SUL POSTO

I BREAK MIGLIORI

Nel Chocó trovate gli spot per surf migliori del paese. Sono difficili da raggiungere... quindi potrete averli tutti per voi!

- Pico de Loro, Cabo Corrientes nei pressi di Arusí – reef break sinistro
- Bananal, a nord di El Valle – reef break sinistro
- Playa Almejal, El Valle – beach break
- Juna, a nord di El Valle – reef break destro

Pernottamento e pasti

Tutti gli alberghi presenti in città si trovano sul lungomare, nel Barrio El Carmen. Se siete in cerca di piatti locali a buon prezzo, dirigetevi verso le baracche vicino all'ospedale, che servono pesce fritto e *patacones* (*plátanos* fritti).

★ **Posada del Mar** GUESTHOUSE $$

(☎314-630-6723; posadadelmarbahiasolano@yahoo.es; camere per persona con/senza bagno COP$43.000/35.000; 📶) L'opzione migliore in città tra le strutture a buon prezzo dispone di parecchi capanni in legno dai colori vivaci, che si affacciano intorno a un gradevole giardino, e di più economiche camere con bagno in comune situate sopra la reception. I cordialissimi proprietari organizzano uscite di whale-watching (COP$80.000) e altre attività nella natura, e sono in grado di fornire un gran numero di informazioni sulle attrazioni dei dintorni. Una buona colazione è disponibile per COP$10.000.

Hotel Balboa Plaza HOTEL $$

(☎310-422-3377, 323-318-4887; www.hotelbalboainn.com; Carrera 2 n. 6-73; singole/doppie con prima colazione a partire da COP$91.000/115.000; 📶🏊) Fatto costruire nientemeno che da Pablo Escobar, l'Hotel Balboa Plaza continua a essere l'albergo più grande della città e il più confortevole, nonostante sia un po' trasandato (mantenere in efficienza l'hotel non è facile per via del clima). Le sue camere ampie e luminose sono dotate di aria condizionata e TV satellitare; molte dispongono anche di un balcone privato ma purtroppo la vista mare è bloccata dal nuovo edificio costruito di fronte. La terrazza sul tetto, invece, regala ancora una bella veduta e la grande piscina nel cortile interno è usufruibile anche da chi non alloggia nell'albergo, pagando una tariffa giornaliera di COP$5000. Infine, il servizio di noleggio biciclette (COP$5000 l'ora) vi permetterà di esplorare la città e raggiungere le cascate.

La Casa Negra CUCINA DI MARE $$

(Calle 2; portate principali COP$16.000-25.000; ⏲7-8.30) Una casa in legno di fronte al parco giochi e a un isolato dalla baia ospita un ristorante privo di insegne molto amato dalla gente del posto per i suoi gustosi piatti di pesce e le portate a base di carne, tipiche colombiane. È il locale più affidabile della città.

El Pailón Solaneño CUCINA DI MARE **$$**
(Donde Doña Haydee; ☎320-736-9454; Carrera 5, Chocolatal; portate principali COP$16.000-22.000; ⏲8-15) Doña Haydee, una signora di una certa età ben nota tra gli abitanti, prepara ricette a base di pesce molto tradizionali, in questo nuovo ristorante sull'altra sponda del fiume. Il locale è un po' difficile da trovare ed è meglio raggiungerlo con un mototaxi. Chiamando in anticipo, la proprietaria aprirà il ristorante anche di sera.

Restaurante Cazuela CUCINA DI MARE **$$**
(Carrera 3; portate principali COP$20.000-30.000; ⏲8-21) Per quanto non sembri particolarmente invitante da fuori, questo minuscolo ristorante dotato di una manciata di tavoli di plastica serve un vasto assortimento di eccellenti piatti a base di pesce, tra cui *ollitas en salsa* (buccini in salsa) e tranci di tonno. Non aspettatevi, però, molte verdure come contorno. Il locale si trova di fronte al Banco Agrario.

Informazioni

4-72 (Calle 4; ⏲8-12 e 14-18 lun-ven) Servizi di posta

Banco Agrario de Colombia (all'angolo tra Carrera 3 e Calle 2; ⏲8-11.30 e 14-16.30 lun-ven) L'unico sportello bancomat della regione.

Internet Doña Olga (Carrera 3; COP$2200 l'ora; ⏲8-20) Offre una connessione internet piuttosto lenta ma è l'unica in città.

Super Giros (Calle 3; ⏲7.30-20 lun-sab, 9-12 dom) Ufficio di cambio e per bonifici nazionali.

Per/da Bahía Solano

AEREO

L'Aeropuerto José Celestino Mutis è servito dagli aerei delle compagnie **Satena** e **ADA** (www.ada-aero.com), sebbene entrambe abbiano sospeso i voli di tanto in tanto a causa delle pessime condizioni della pista. Quando ciò accade, il loro posto viene preso da minuscoli aerei a elica charter.

Questo aeroporto è stato scherzosamente soprannominato 'Sal Si Puedes' ('Andatevene, se ci riuscite'), perché a causa delle piogge torrenziali a volte gli aerei non riescono a decollare. Per questo motivo, se dovete imbarcarvi su voli internazionali, vi consigliamo di non prenotarli nella stessa giornata in cui partite da Bahía Solano.

Una corsa in mototaxi per/dall'aeroporto vi costerà COP$3000 per persona.

IMBARCAZIONI

Buenaventura può essere raggiunta prendendo una delle numerose navi mercantili che portano approvvigionamenti in città. Il viaggio dura circa 24 ore e in genere si parte il pomeriggio (in entrambe le direzioni), a seconda della marea. Prima di partire controllate la situazione relativa alla sicurezza a Buenaventura.

La linea più affidabile è la *Bahía Cupica*, gestita dalla compagnia **Transportes Renacer** (☎2-242-518, 315-402-1563; Muelle El Piñal, Buenaventura), che parte da Buenaventura il martedì pomeriggio e ritorna da Bahía Solano il sabato intorno a mezzogiorno. La tariffa per una *camarote* (cuccetta) è pari a COP$150.000, cifra che comprende anche tutti i pasti. Ricordatevi di chiamare in anticipo per confermare la partenza, se non volete rimanere a Buenaventura.

Da Bahía Solano potrete anche raggiungere via mare la città di Jaqué, a Panamá (in 6-8 ore). Tuttavia le piccole imbarcazioni partono di rado, appena una volta al mese. La traversata costa circa US$100 a persona. Tra i capitani che fanno regolarmente questo viaggio si consiglia **'Profesor' Justino** (☎313-789-0635; Barrio Nuevo), un conoscitore esperto della tratta, che preferisce procedere lentamente ma con cautela. Data l'età che avanza, adesso 'il professore' viene solitamente assistito da un capitano più giovane.

Inoltre, se lasciate il paese, prima di partire dovete ricordarvi di far apporre il timbro di uscita dalla Colombia presso l'ufficio **Migración Colombia** (☎321-271-7745; www.migracioncolombia.gov.co; Calle 3; ⏲24 h) di Bahía Solano. Tenete presente che per entrare a Panamá occorre essere vaccinati contro la febbre gialla e avere con sé abbastanza denaro in contanti, per dimostrare la propria capacità di proseguire il viaggio (minimo US$500). Arrivati a Jaqué e ottenuto il visto d'ingresso per Panamá, potrete prendere uno dei due voli settimanali diretti a Panamá città (US$90) con Air Panamá. Si può raggiungere la capitale anche via mare, con imbarcazioni in partenza ogni settimana (US$20).

TAXI E MOTOTAXI

Chi intende muoversi per/da El Valle può prendere uno dei taxi collettivi (COP$10.000, 1 h), che partono di fronte alla scuola quando sono al completo. Per un viaggio espresso in mototaxi si spendono COP$30.000.

Dintorni di Bahía Solano

Non è necessario allontanarsi molto da Bahía Solano per trovare le fantastiche spiagge circondate dalla giungla che adornano le brochure turistiche del Chocó. Un breve viaggio in barca dalla città vi condurrà a fantastiche e remote spiagge di sabbia, perfette per nuotare, camminare e ammirare gli animali selvatici.

Punta Huína

Con un viaggio in barca di 20 minuti da Bahía Solano raggiungete questa graziosa spiaggia, dove la sabbia dorata si mescola a quella nera. Fiancheggiata da palme da cocco e da alcuni modesti resort, questo è il miglior litorale della zona dove fare il bagno.

Punta Huína è abitata da una piccola comunità indigena e da afrocolombiani. Sebbene da queste parti i telefoni cellulari non abbiano copertura, il chiosco **Vive Digital** (tessera telefonica COP$3000; ⌚8-20) dispone di telefoni satellitari, utilizzabili acquistando una tessera telefonica prepagata.

La zona offre diversi percorsi per escursioni a piedi nella giungla, tra cui quelli diretti a **Playa de los Deseos**, **Cascada El Tigre** e **Playa Cocalito**.

Pernottamento

Los Guásimos CASA IN AFFITTO $
(Donde Pambelé; ☎320-796-6664; camere COP$35.000 per persona) Una delle sistemazioni più convenienti di tutta la costa del Pacifico della Colombia, questa piccola casa si erge solitaria su una collina situata dalla parte opposta del fiume, all'estremità della spiaggia. La struttura offre una grande terrazza panoramica, una piccola cucina e fino a 10 posti letto, ma se siete in sei o più persone l'intera proprietà sarà a vostra disposizione. Se chiedete indicazioni, tenete a mente che sono pochi gli abitanti che sanno il nome della struttura ma tutti conoscono il proprietario, Pambelé, il quale gestisce anche un bar sul fiume.

Pacific Sailfish GUESTHOUSE $$
(☎322-442-0386; pacificsailfish@gmail.com; camere con prima colazione COP$90.000 per persona; 📶) Nonostante la nuova gestione, questo lodge rimane un'opzione attraente nel villaggio, grazie alle molte camere in legno, ordinate e dotate di piccoli bagni privati, e all'organizzazione di battute di pesca sportiva in tutta la regione. Il prezzo della camera include il trasporto da Bahía Solano.

★ **Choibana** LODGE $$$
(☎310-878-1214; www.choibana.com; camere con prima colazione COP$110.000 per persona) Situato su una collina e affacciato su una spiaggia privata sullo sfondo di una fitta giungla, questo caratteristico lodge in legno è un posto perfetto per rilassarsi. L'edificio comprende solo tre camere – ognuna con bagno privato – e una veranda con amache che regala una fantastica vista sulla baia di Playa Mecana. Spazio, natura e tranquillità in abbondanza.

Posizionata dal lato opposto del promontorio all'estremità di Playa Huína, la struttura offre collegamenti con Bahía Solano a COP$30.000 per non più di tre ospiti. Durante la bassa marea il villaggio è raggiungibile a piedi.

Per/da Punta Huína

Non ci sono mezzi pubblici che raggiungono Punta Huína, ma molti hotel della zona offrono collegamenti. In alternativa, al pontile di Bahía Solano all'ora di pranzo probabilmente troverete un abitante del villaggio disposto a darvi un passaggio (COP$10.000). Un'altra soluzione è noleggiare una barca diretta privata (COP$100.000).

Playa Mecana

Con un viaggio in barca di 25 minuti da Bahía Solano è possibile raggiungere Playa Mecana, un'incantevole distesa sabbiosa disseminata di palme da cocco. Risalendo il fiume dalla spiaggia, si giunge in poco tempo alla piccola comunità afro-colombiana e indigena di Mecana e si trova una bella piscina naturale dall'acqua cristallina.

Jardín Botánico del Pacífico (☎31-759-9012; www.jardinbotanicodelpacifico.org; camere con prima colazione e trasporti COP$195.000-250.000 per persona) è una riserva naturale di 170 ettari che si estende lungo Río Mecana ed è costituita da mangrovie, tratti di foresta tropicale vergine e un giardino botanico con alberi e piante autoctone. In questa riserva lavorano membri della tribù indigena degli emberá, che potranno accompagnarvi in fantastici percorsi a piedi, uscite in barca sul fiume ed escursioni di whale-watching. Vicino alla struttura c'è anche un luogo ideale per il birdwatching.

Da Bahía Solano, Playa Mecana si può raggiungere a piedi in un'ora, ma tenete presente che bisogna partire prima o in coincidenza con la bassa marea (*mareada baja*). Altrimenti, potreste chiedere un passaggio a un abitante del villaggio presso il molo Esso di Bahía Solano (COP$10.000). Oppure, prendete una barca privata, fino a otto passeggeri costerà COP$60.000 circa.

El Valle

☎4 / POP 3500

Sul lato meridionale della penisola rispetto a Bahía Solano, sorge il piccolo centro di El Valle. All'estremità occidentale del paese si estende la graziosa **Playa Almejal**, un'ampia spiaggia di sabbia nera perfetta per fare surf e con sistemazioni discrete. El Valle è la meta ideale per chi desidera osservare le tartarughe marine durante la stagione della riproduzione (da settembre a dicembre) e avvistare le balene a breve distanza dalla costa, ma è soprattutto una base molto comoda per visitare il Parque Nacional Natural Ensenada de Utría.

Che cosa vedere e fare

Estación Septiembre RISERVA NATURALE

(☎314-677-2488; Playa Cuevita) A Playa Cuevita, località situata lungo la costa 5 km a sud di El Valle, ha sede la stazione per la protezione e lo studio delle tartarughe marine di Estación Septiembre, che da giugno a dicembre arrivano qui a deporre le uova; il momento migliore per osservarle è di notte. Il progetto di tutela è gestito dall'associazione locale Caguama e le visite costituiscono una fonte essenziale per la sua sopravvivenza. Per l'ingresso è richiesta un'offerta.

All'interno della riserva ci sono alcuni bungalow (con/senza pasti COP$80.000/40.000 per persona), ideali per chi desidera trascorrere qualche giorno da queste parti.

È possibile raggiungere la riserva naturale a piedi da El Valle (in due ore), ma si consiglia di impiegare una guida locale per trovare la strada. Il personale di Caguama organizza anche escursioni notturne in partenza da El Valle per ammirare le tartarughe.

Cascada del Tigre ATTIVITÀ ALL'APERTO

(COP$5000) Un'impegnativa escursione della durata di quattro ore a nord di El Valle nella giungla e lungo il fiume consente di raggiungere la Cascada del Tigre, un'imponente cascata che crea una piscina naturale. Guide locali richiedono circa COP$50.000 a persona per accompagnarvi in questa escursione, che è particolarmente faticosa e vi impegnerà per un'intera giornata se decidete di procedere solo a piedi. Come alternativa, potreste fare il viaggio di ritorno in barca (COP$50.000 per passeggero, 30 minuti).

Accanto alla cascata potrete mangiare un pranzo tipico (COP$15.000) e trascorrere la notte nella capanna di paglia a cielo aperto con amache in affitto (COP$20.000) oppure montare una tenda. Gli ospiti hanno anche accesso a un cucinotto. Svegliarsi la mattina presto con il suono della cascata e il canto degli uccelli è un'esperienza unica. Natura allo stato puro.

Balmes BIRDWATCHING

(☎313-517-5691) Una guida locale molto raccomandata per uscite di birdwatching, dedicate sia a specie acquatiche sia agli uccelli che abitano la giungla. Per contattarlo rivolgetevi all'ostello Humpback Turtle.

SCACCIARE IL MALOCCHIO

La *cabalonga* è una noce originaria del Chocó, che viene portata come ciondolo dai bambini indigeni per tenere lontano il *mal de ojo* (malocchio), che molti ritengono venga trasmesso da alcune donne anziane.

Pernottamento

Posada El Nativo GUESTHOUSE $

(☎311-639-1015; camere COP$40.000 per persona) Una struttura economica dal forte sapore locale composta da un paio di *cabañas* di paglia immerse in un giardino rigoglioso, a soli 100 m dalla spiaggia, e gestita da una leggenda locale del turismo, 'El Nativo', e sua moglie. Per arrivarci, dopo l'ufficio Telecom attraversate il ponte sulla sinistra e seguite la strada.

Humpback Turtle OSTELLO $$

(☎314-538-9792; www.humpbackturtle.com; amache COP$25.000, letti in camerata COP$35.000, camere COP$60.000 per persona) Questa struttura alla moda, considerata uno dei più remoti ostelli della Colombia, si trova al fondo della Playa Almejal, direttamente sulla spiaggia e vicino a una coppia di cascate. Dispone di alcuni bungalow di legno circondati da un orto e dotati di bagni in comune e di un bar dal tetto in paglia, dove rilassarsi quando piove.

El Almejal HOTEL $$$

(☎4-412-5050, 320-624-6023; www.almejal.com.co; cabañas COP$184.000-265.000 per persona) Immerso all'interno di una riserva naturale di 8 ettari, situata a metà strada su Playa Almejal, El Almejal è il resort più lussuoso della zona di Bahía Solano. Le sue *cabañas* hanno un design ingegnoso che permette alle pareti del soggiorno di aprirsi completamente e lasciar entrare una piacevole brezza. I pasti vengono serviti in una spaziosa sala da pranzo all'aperto.

Pasti e locali

Rosa del Mar COLOMBIANO $

(portate principali COP$13.000-15.000; ⌚7-20) Nella strada davanti alla chiesa, Doña Rosalia prepara i migliori pasti in città. Accomodatevi nel suo salotto reinventato, davanti alla TV, e assaporate ottimi piatti a base di pesce fresco.

El Mirador BAR

(⌚10-18 ven-dom) Sulla sommità di uno sperone roccioso che si erge nel bel mezzo di Playa Almejal si trova El Mirador, uno dei bar più spettacolari di tutta la Colombia. Qui potrete sedervi a un tavolino malandato e tracannare rum, mentre dallo stereo arriva musica vallenato e reggaeton a tutto volume e le onde si infrangono davanti a voi.

Informazioni

Sebbene in città non ci sia più un ufficio turistico, è possibile che il personale del Parques Nacionales possa rispondere a domande sulla zona.

Lo sportello bancomat più vicino è a Bahía Solano.

Internet Martín Alonso (Salida Bahía Solano; COP$2000 l'ora; ⌚8-12 e 14.30-17) Offre noleggio computer e accesso wi-fi per cellulari e portatili a pagamento.

Per/da El Valle

Davanti alla sala da biliardo di El Valle partono i taxi collettivi per Bahía Solano (COP$10.000, 1 h). Questi mezzi partono solo quando sono al completo e sono più frequenti al mattino. Un viaggio in mototaxi tra le città costa COP$30.000.

Ogni lunedì e venerdì pomeriggio alcune piccole imbarcazioni partono per Nuquí (COP$70.000, 1 h 30 min). L'orario di partenza dipende dall'andamento delle maree.

Taxi e jeep collegano la città con Playa Almejal, viaggiando lungo una spiaggia dove le tartarughe depongono le uova. Fate un favore alla tartarughe e andate a piedi, non è così lontano.

Parque Nacional Natural Ensenada de Utría

Questo **parco nazionale** (colombiani/stranieri COP$17.000/44.500) è uno dei luoghi migliori per osservare le balene dalla terraferma. Se avete le risorse economiche e sufficiente tempo, Utría è un posto magnifico per lasciarsi tutto alle spalle e contemplare alcuni dei paesaggi naturali della Colombia più impressionanti.

Tuttavia, visitare la zona implica una spesa economica considerevole che non tutti giudicano proporzionata all'offerta. Infatti, sebbene sia un'area incredibilmente bella, non c'è molto che i turisti possano fare in autonomia, dovendo invece partecipare ad attività organizzate, con costi aggiuntivi.

Un perfetto esempio sono le escursioni in giornata tra le mangrovie, che data l'aggiunta dei costi di trasporto e d'ingresso possono diventare molto dispendiose. Il modo migliore per ridurre la spesa è di radunare un gruppo per la visita del parco, cosa che certi alberghi di Nuquí ed El Valle possono organizzare.

VALE IL VIAGGIO

DORMIRE NELLA GIUNGLA

Situato su una penisola coperta da una fitta giungla, dall'altro lato del promontorio rispetto alle cittadine di Termales e Arusí, e in una posizione isolata, **Punta Brava** (☎310-296-8926, 313-768-0804; www.puntabravachoco.co; Cabo Corrientes, Arusí; camere con pasti inclusi COP$230.000 per persona) è un luogo ideale per gli amanti della natura e per chi è in cerca di completo relax. Questo lodge di legno non offre camere lussuose ma un'enorme terrazza comune con una fantastica vista mare dove trascorrerete la maggior parte della vostra permanenza.

Qui, direttamente dalla vostra amaca, potrete avvistare giocose balene durante la stagione dell'accoppiamento e mangiare gli squisiti pasti collettivi serviti sul grande tavolo da pranzo. La struttura è meravigliosamente priva di TV e wi-fi, ma il personale ha una connessione internet e una linea telefonica che gli ospiti possono utilizzare se ne hanno davvero bisogno. Gli ospiti possono inoltre partecipare ad escursioni avventurose e altre attività, o semplicemente rilassarsi sulla bella distesa di sabbia distante solo pochi minuti a piedi. Arrivare in questo luogo è un po' come venir trasportati in un altro mondo: una piccola imbarcazione scivola sulle onde fino a un porticciolo nascosto, dove un fiume dall'acqua cristallina emerge dalla giungla selvaggia e sfocia in mare.

L'unica opzione per il pernottamento all'interno del parco è il **Centro de Visitantes Jaibaná** (singole/doppie COP$179.000/299.000), sulla sponda orientale dell'*ensenada* (insenatura), una struttura dotata di una serie di bungalow accuratamente ristrutturati, in grado di ospitare fino a 30 persone.

Per gli ospiti, il costo aggiuntivo dei pasti è un impressionante COP$111.000 per persona.

Per/dal Parque Nacional Natural Ensenada de Utría

Se hanno sufficiente posto, le imbarcazioni pubbliche che prestano servizio tra Nuquí ed El Valle/Bahía Solano possono portarvi davanti all'ingresso del parco per COP$70.000, ma è importante notare che queste operano solo due volte alla settimana e che quindi dovrete necessariamente trascorrere un paio di notti nel parco.

Se siete in gruppo, un trasporto privato da Nuquí vi costerà COP$521.000 fino a quattro passeggeri o COP$600.000 fino a sette. Se chiedete in giro per la città, probabilmente troverete un passaggio a meno. Il prezzo ufficiale di un viaggio da El Valle si aggira attorno ai COP$302.000.

In alternativa, potete ingaggiare una guida che vi accompagni a piedi da El Valle a Lachunga (COP$50.000, 4 h), località situata all'altezza della foce del Río Tundo, nell'angolo nord-occidentale dell'*ensenada*. Da qui il personale del parco potrà venire a prendervi in barca e portarvi al centro visitatori.

Nuquí

☎4 / POP. 8000

A metà della costa del Chocó trovate la piccola città di Nuquí, che vanta un'ampia spiaggia di fronte al centro abitato e una brulla striscia di sabbia dall'altro lato del fiume. Un breve tragitto in barca la collega alla remota spiaggia di Guachalito, dove sorgono alcuni dei resort migliori di questo tratto di costa. Lungo il fiume Nuquí vivono numerose comunità indigene, che però non sono organizzate per ricevere visitatori.

La città di per sé presenta strade in cemento e ghiaia, senza traffico: non è un centro particolarmente pittoresco, ma rappresenta un buon punto di partenza per esplorare la stupenda zona circostante.

Che cosa vedere e fare

Playa Olímpica SPIAGGIA

Situata pochi passi a sud della foce del Río Nuquí, Playa Olímpica è una spiaggia incontaminata che si estende a perdita d'occhio. Il señor Pastrana, un abitante del posto, può portarvi dall'altro lato del fiume con la sua canoa ricavata dal tronco di un albero (COP$6000). Per trovarlo, percorrete la strada principale lungo la spiaggia in direzione sud e superate la chiesa: abita in una casa in legno a un isolato dal fiume.

Transporte Ecce Homo GITE IN BARCA

(☎320-771-8865, 314-449-4446; Contiguo a Hospital) Situata nei pressi del parco, l'agenzia Transporte Ecce Homo organizza escursioni in barca in tutta la regione. Le mete più richieste includono il Parque Nacional Natural Utría, che si raggiunge passando da Playa Blanca e da Morromico (COP$90.000), la giungla di mangrovie e le piscine termali naturali di Jurubidá (COP$50.000), e Guachalito, con la Cascada de Amor e Las Termales (COP$60.000). Durante la stagione dell'accoppiamento delle balene tutte le escursioni comprendono il whale-watching.

Le tariffe si intendono per persona considerando un gruppo di sei partecipanti e possono variare a seconda del numero di persone e del costo della benzina. L'agenzia organizza anche trasporti 'express' e dispone di alcune semplici camere con cucina comune a pagamento: chiedete in ufficio.

Pernottamento e pasti

Quasi tutti gli alberghi sono concentrati nell'estremità settentrionale della città, vicino alla spiaggia, dove soffia una piacevole brezza. In centro troverete parecchie semplici *posadas*.

La maggior parte degli hotel offre anche pasti. In alternativa ci sono solo due ristoranti, entrambi offrono piatti di ottima qualità.

All'aeroporto talvolta alcune donne del posto vendono *mecocadas*, deliziosi dolci locali a base di cocco e pasta di guava.

Hotel Palmas del Pacifico GUESTHOUSE $

(☎314-753-4228; camere COP$35.000 per persona) La migliore sistemazione economica della città si trova a un isolato dalla spiaggia e dispone di semplici camere in legno dotate di ventilatore a soffitto, TV via cavo, bagno privato e una terrazza comune con amache e vista sul mare. Non è di certo lussuoso ed è possibile che manchino i soffioni alla doccia, ma è pulito e tranquillo.

Hotel Delfin Real HOTEL $$

(☎310-209-4699; Barrio La Union; singole/doppie COP$65.000/80.000; 📶) Una nuova struttura ricettiva con un buon rapporto qualità-prezzo, il Delfin Real offre camere in legno piuttosto piccole ma confortevoli, con lenzuola di buona fattura e bagni moderni. Le camere al pianterreno possono essere un po' rumorose, conviene quindi richiedere una di quelle al secondo piano.

Hotel Nuquí Mar HOTEL **$$$**
(☎317-843-7354; www.hotelnuquimar.com; camere con 3 pasti inclusi COP$145.000 per persona) Situato sulla spiaggia, oltre il campo da calcio, questo albergo dispone di camere in legno molto invitanti, dotate di finestre con imposte e di scintillanti bagni piastrellati. La suite dell'ultimo piano ha un grande balcone privato. Dista solo pochi minuti a piedi dalla città ma è abbastanza lontano da essere tranquillo. Il personale si impegna a pulire la spiaggia di fronte da immondizia e detriti provenienti dal mare.

Aqui es Chirringa COLOMBIANO **$**
(pasti COP$13.000; ⊙7-20) Nella cucina di questo semplice locale all'aperto situato dietro l'aeroporto sembra lavorare un'intera famiglia. Il ristorante propone abbondanti porzioni di deliziosi piatti colombiani e tipici della regione, che vi verranno serviti con una scodella di zuppa di pesce.

Doña Pola COLOMBIANO **$**
(☎4-683-6254; pasti COP$15.000; ⊙7-21) Situato al fondo di una strada laterale, tra l'ospedale e il campo di calcio, il Doña Pola serve sostanziosi piatti della cucina casalinga.

Shopping

Artesanías Margot ARTIGIANATO
(Accanto all'aeroporto; ⊙8-17) Situato accanto all'aeroporto, questo piccolo negozio di *artesanías* dispone di un vasto assortimento di sculture in legno e di altri prodotti artigianali locali, tra cui potreste scorgere autentiche cerbottane.

Informazioni

Nel parco di fronte alla stazione di polizia c'è una rete wi-fi gratuita, che ha trasformato uno spazio pubblico quasi abbandonato in un luogo molto frequentato.

Al momento della stesura di questa guida un chiosco Vive Digital, destinato a offrire diversi computer con accesso a internet, era appena stato inaugurato.

A Nuquí non ci sono né banche né sportelli bancomat, vi consigliamo quindi di portarvi dietro una scorta sufficiente di denaro in contanti.

Super Giros (☎4-683-6067; ⊙8-12 e 14-18) Agenzia di cambio dove è possibile ricevere bonifici bancari domestici e acquistare ricariche per cellulari di compagnie locali.

Mano Cambiada (☎318-432-0163; www.manocambiada.org; dentro l'ufficio di Satena; ⊙orari variabili) Un'associazione turistica gestita dalla comunità locale che si occupa delle strutture ricettive e i servizi del Parque Nacional Natural Ensenada de Utría. Offre anche informazioni turistiche di carattere generale sulla regione e organizza, su richiesta, tour in molte comunità indigene. Non possiede un ufficio indipendente ma opera invece dall'edificio della compagnia aerea, Satena.

Per/da Nuquí

L'**Aeropuerto Reyes Murillo** (☎4-683-6001) è servito da **Satena** (☎1-800 091 2034, 4-683-6550; www.satena.com) e numerose compagnie di voli charter con voli diretti per Medellín e Quibdó. All'arrivo a Nuquí, a tutti i visitatori è richiesto il pagamento di una tassa sul turismo del valore di COP$9000.

Transporte Yiliana (Donde Sapi; ☎314-764-9308, 311-337-2839) effettua ogni lunedì e venerdì collegamenti in barca per El Valle (COP$70.000, 1 h 30 min). Le partenze avvengono solitamente la mattina presto. Assicuratevi di prenotare il vostro posto in anticipo. A seconda della richiesta, l'imbarcazione può fermarsi anche a Jurubidá e Utría.

Da Nuquí salpano diverse navi mercantili dirette a Buenaventura. La *Valois Mar* – che molti considerano la più affidabile – parte da Nuquí ogni 10 giorni. Se siete interessati, chiedete in giro di **Gigo** (☎312-747-8374; pasti inclusi COP$120.000), il proprietario. Il viaggio dura 16 ore. Controllate quale sia la situazione relativa alla sicurezza a Buenaventura prima di imbarcarvi.

Dintorni di Nuquí

Non sono molti i visitatori che giungono a Nuquí per vedere la città. Le vere attrazioni della zona sono le spiagge incontaminate a sud e a nord della città, raggiungibili con un breve viaggio in barca.

Procedendo verso sud, troverete una serie di interessanti comunità afro-colombiane inframmezzata da gradevoli hotel ecocompatibili. La spiaggia più conosciuta della zona corre da Guachalito fino alla città di Termales ed è un vero e proprio parco giochi naturale, con tanto di giardini rigogliosi, cascate, sorgenti termali e fiumi.

A nord della città, si trovano l'accogliente villaggio di Jurubidá, situato tra due fiumi e affacciato su impressionanti formazioni rocciose e, poco più avanti, la tranquilla e appartata baia di Morromico, con alle spalle una fitta giungla.

Tra Nuquí e Arusí, a ovest di Termales, esiste un collegamento via mare giornaliero (COP$30.000, un'ora), che consente di sbarcare dovunque lungo la tratta. L'imbarcazione salpa da Arusí verso le 6 dal lunedì al sabato, raggiunge il molo Muelle Turistíca di Nuquí e torna in città poco dopo le 13.

Jurubidá

Questo pittoresco villaggio punteggiato di case dai colori vivaci e raggiungibile da Nuquí con un viaggio in barca di 45 minuti possiede parecchie attrazioni ma è ancora poco frequentato dai turisti. La baia che si estende di fronte al villaggio è dominata dall'**Archipelago de Jurubidá**, un gruppo di spettacolari formazioni rocciose ammantate da foreste. Con la bassa marea, su una delle isole si forma una piscina naturale tra le rocce. Jurubidá è il villaggio più vicino al Parque Nacional Natural Ensenada de Utría. Sebbene la città e la spiaggia adiacente non siano tra le più pulite, è comunque un buon punto di partenza da dove organizzare un'escursione per esplorare la zona e dove assaporare la vita da villaggio.

Tour

Grupo Los Termales AVVENTURA

(Termales de Jurubidá COP$10.000, uscite in canoa COP$10.000-20.000, whale-watching/visite villaggi COP$120.000/150.000 per imbarcazione) Una cooperativa locale che propone visite guidate a Termales de Jurubidá, due vasche termali circondate da una fitta giungla. Questa escursione prevede un breve tratto in canoa e una bella camminata lungo un fiume dalle acque cristalline. Vengono inoltre organizzati giri in canoa tra le mangrovie, uscite di whale-watching e visite in barca alle comunità indigene lungo il fiume. La cooperativa non ha un ufficio né un numero di telefono, chiedete al vostro albergo o in giro in città come contattarla.

Pernottamento

Cabaña Brisa del Mar CABAÑAS $

(Donde Tita; ☎312-688-7863, 314-684-9401; camere con/senza pasti COP$75.000/35.000 per persona) Gestita da una famiglia del posto che non teme di lavorare duramente, e situata in una posizione tranquilla vicino al fiume, questa struttura offre sei semplici camere ospitate in un'accogliente *cabaña* col tetto di paglia e con un piccolo balcone, completo di amaca e vista sulla spiaggia. I proprietari sanno come fare felice chi viaggia al risparmio: preparano pasti usando i prodotti della loro fattoria e organizzano moltissime escursioni nella zona.

Ecohotel Yubarta GUESTHOUSE $$

(Donde Luciano; ☎316-779-5124, 316-242-8558; a lado de los termales; tende/camere COP$25.000/50.000 per persona) Posto sul fianco di una collina appena fuori da Jurubidá con una maestosa vista dall'alto sulla baia, questo nuovo lodge per turisti con finanze limitate è un bel posto dove rilassarsi mentre si esplora la zona. Le sistemazioni sono spartane ma ben ventilate e si possono avvistare balene direttamente dalla terrazza.

★ **Morromico** LODGE $$$

(☎312-795-6321; www.morromico.com; camere con pasti inclusi COP$387.500 per persona) Situato su una magnifica spiaggia privata protetta da promontori ammantati di foresta, il Morromico è un piccolo e suggestivo ecoresort a gestione familiare circondato dalla giungla. Questo albergo è immerso in lussureggianti giardini incorniciati da due cascate, ai piedi delle quali è possibile fare il bagno in acque cristalline. Il lodge in legno di recente costruzione non è solo elegante e confortevole ma anche in armonia con l'ambiente circostante.

VALE IL VIAGGIO

COQUÍ E JOVÍ

Come tanti altri centri abitati della regione, questi due accoglienti villaggi, raggiungibili via mare da Nuquí in 25 minuti, sono piccoli insediamenti incastrati tra la giungla e il mare. Le cittadine di per sé non sono particolarmente interessanti ma entrambe possono contare su efficienti associazioni turistiche locali. A Coquí, il **Grupo de Ecoguias** (☎310-544-8904; Coquí; COP$70.000 a barca) organizza giri in barca tra le mangrovie, mentre a Joví, il **Grupo de Guias Pichinde** (☎321-731-1092; Joví) propone giri in canoe scavate da tronchi lungo il Río Joví e, su richiesta, visite di villaggi indigeni lungo il fiume.

Gli abitanti affittano camere nelle loro case a un prezzo che varia da COP$25.000 a COP$30.000. Le camere sono spartane: assicuratevi che ci sia una zanzariera.

Le camere semiaperte, alimentate da un piccolo impianto idroelettrico, dispongono di balconi affacciati sulla spiaggia e di grosse finestre, che lasciano entrare i suoni provenienti dalla giungla. I proprietari organizzano uscite in barca e fantastici trekking tra le montagne per fare visita alle comunità indigene locali. Le tariffe comprendono anche tre pasti sostanziosi ed è indispensabile prenotare.

Morromico è raggiungibile da Jurubidá con un viaggio in barca di circa 15 minuti.

Da/per Jurubidá

Non ci sono trasporti pubblici per Jurubidá ma ci sono quasi sempre abitanti del posto che viaggiano per/da Nuquí. A Nuquí, la maggior parte delle imbarcazioni attraccano al molo dell'Almacén Wilmer Torres, un bar/alimentari nel centro città. Solitamente vengono richiesti COP$20.000 a persona per un viaggio di 45 minuti. In alternativa potete richiedere una barca privata per circa COP$200.000.

Guachalito

Raggiungibile da Nuquí con un viaggio in barca di circa mezz'ora in direzione ovest, Guachalito è una lunga spiaggia del tutto priva dei detriti che vengono di solito trasportati dalla corrente. Dovunque ci sono orchidee ed eliconie, la giungla si spinge fino al litorale, grandi funghi crescono sugli alberi e palme da cocco svettano sopra la sabbia grigia. La famiglia Gonzalez vive nell'estremità orientale della spiaggia, che può diventare un po' affollata nei momenti di picco. Altri alberghi sono sparpagliati lungo gli 8 km della spiaggia che si spinge fino a Las Termales. Durante il percorso passerete accanto a **El Terco** e a **El Terquito**, due penisole che costituiscono utilissimi punti di riferimento. Potete percorrere tutta la spiaggia in circa un'ora e 30 minuti e conviene mettersi in marcia durante la bassa marea.

A 1 km di distanza (20 minuti) dalla casa della famiglia Gonzalez e 200 m nell'entroterra rispetto alla spiaggia si trova la **Cascada de Amor**, una graziosa cascata circondata dalla giungla che forma una piscina rocciosa naturale. Proseguendo in salita per altri 10 minuti, raggiungerete una cascata ancora più grande e suggestiva, che prima di riempire una pozza d'acqua balneabile si divide in due corsi d'acqua.

Attività

Paraisurf SURF
(☎321-515-8362; noleggio tavola COP$25.000 l'ora) Questo piccolo negozio di attrezzature sportive, vicino alla penisola di El Terquito, affitta tavole da surf e kayak.

Pernottamento e pasti

In origine il nome Guachalito si riferiva solo all'insediamento della famiglia Gonzalez, situato nell'estremità orientale della spiaggia. Oggi questa struttura è abitata da quattro generazioni della famiglia e le loro quattro *posadas* – gestite da fratelli in concorrenza tra loro – offrono tipi di sistemazioni diverse sia per fascia di prezzo sia per livello di comfort. A ovest dell'insediamento di Guachalito si trovano numerosi ecohotel e resort, che offrono quasi tutti pacchetti comprensivi del trasporto per/dall'aeroporto, del pernottamento e dei pasti.

Brisas del Mar GUESTHOUSE $$
(☎311-602-3742, 314-431-2125; camere con/senza pasti COP$130.000/70.000 per persona) La sistemazione economica migliore della zona, Brisas del Mar offre una manciata di camere spartane ospitate in un edificio di nuova costruzione vicino all'acqua. Gli ospiti possono usare la cucina comune al piano inferiore, quindi portatevi provviste da Nuquí. Le camere all'ultimo piano sono le migliori e alcune danno su un balcone ventilato. I proprietari gestiscono il molo turistico di Nuquí.

★ **El Cantil Ecolodge** HOTEL $$$
(☎4-448-0767; www.elcantil.com; singole/doppie con pasti inclusi COP$369.000/612.000) L'albergo più lussuoso della spiaggia dispone di sei bungalow bifamiliari ed è circondato da piante di papaya e palme da cocco. Il suo rinomato ristorante è abbarbicato su una collina e offre la possibilità di ammirare un panorama veramente incantevole. Un piccolo impianto idroelettrico produce l'energia per il ristorante, mentre i bungalow sono illuminati dalle candele. Le tariffe comprendono anche i pasti e il trasporto per/da Nuquí.

Su richiesta vengono anche organizzate uscite di whale-watching e guide per i migliori punti dove fare surf.

Pijibá Lodge HOTEL $$$
(☎311-762-3763; www.pijibalodge.com; camere con pasti inclusi COP$235.000 per persona) Immersi in un giardino lussureggiante, i tre bungalow bifamiliari del Pijibá Lodge sono costruiti interamente con materiali naturali e godono

di un'eccellente ventilazione. Un posto senza pretese dove rilassarsi a pochi passi dalla sabbia o fare yoga nella capanna apposita. La cucina gode di un'ottima reputazione.

Mar y Río GUESTHOUSE **$$$**
(☎316-426-1009; elmardeldiego@gmail.com; camere a partire da COP$130.000 per persona) Questa pacifica pensione a conduzione familiare si trova in un angolo tranquillo della spiaggia accanto a un piccolo corso d'acqua e sembra lontana anni luce dagli hotel ammassati l'uno sull'altro dietro l'angolo. Offre una bella vista sulla costa e un grazioso tratto di spiaggia dove fare il bagno. La struttura dispone di due camere sopra il ristorante e di due *cabañas* indipendenti nel giardino.

La Cabaña de Beto y Marta HOTEL **$$$**
(☎311-775-9912; betoymarta@hotmail.com; camere con pasti inclusi COP$250.000 per persona) Questo delizioso albergo gestito da due *paisas* (termine con cui vengono definite le persone originarie del dipartimento di Antioquia) comprende quattro bungalow appartati e dotati di terrazze in legno con amache e sedie, dalle quali è possibile ammirare il tramonto. Questo complesso è immerso in un magnifico giardino, dal quale proviene la maggior parte della frutta e degli ortaggi che troverete nei vostri piatti a cena.

Per/da Guachalito

L'imbarcazione che fa la spola tra Nuquí e Arusí su richiesta ferma anche a Guachalito – ricordatevi di dire al capitano dove intendete soggiornare, per essere lasciati nel posto giusto. Tenete presente che al momento dello sbarco sulla spiaggia dovrete probabilmente camminare un po' nell'acqua: vestitevi di conseguenza.

Termales

Il piccolo villaggio di Termales vanta una larga spiaggia di sabbia grigia, un paio di strutture ricettive perfette per chi desidera conoscere la cultura locale e un gruppo di rilassanti piscine termali circondate dalla giungla. Al calare del sole, i bambini giocano a calcio sulla spiaggia, mentre i polli attraversano il campo sfrecciando a tutta velocità e – in lontananza – ragazzi più grandicelli cavalcano le onde su tavole fornite da un progetto per il surf senza fini di lucro.

DESTINAZIONI INSOLITE

ISLA MALPELO

Questa minuscola e remota isola colombiana possiede alcuni dei siti di immersione migliori del mondo. Inserita dall'UNESCO nella lista dei siti Patrimonio dell'Umanità, l'Isla Malpelo si trova a 378 km dal continente ed è lunga appena 1643 m e larga 727 m. Quest'isola è il cuore pulsante del vasto **Santuario de Flora y Fauna Malpelo** (www.parquesnacionales.gov.co/portal/es/ecoturismo/region-pacifico/santuario-de-flora-y-fauna-malpelo; tariffa d'ingresso con immersioni per colombiani/stranieri COP$103.000/193.500 al giorno), la più ampia zona con divieto di pesca del Pacifico tropicale orientale, diventata habitat di importanza fondamentale per molte specie marine a rischio di estinzione.

La varietà e – soprattutto – la ricchezza della fauna marina sono veramente straordinarie. In particolare, è possibile osservare banchi composti da oltre 200 squali martello e 1000 squali seta. Il Santuario è anche uno dei pochi luoghi in cui sono stati confermati avvistamenti dello squalo cagnaccio (*Odontaspis ferox*), una rarissima specie che vive in acque molto profonde. L'isola di origine vulcanica è caratterizzata dalla presenza di ripide scogliere e grotte imponenti.

Le condizioni per le immersioni possono essere pericolose e gli incidenti qualche volta capitano. Si consiglia di affrontare questa impresa solo a sommozzatori molto esperti.

L'isola di Malpelo è sorvegliata da un contingente di soldati e a nessuno è concesso di mettervi piede. Secondo una nuova legge, solo imbarcazioni provenienti da porti colombiani possono offrire viaggi per l'Isla Malpelo. Di conseguenza, le navi per l'isola salpano da Buenaventura, ma sappiate che molte imbarcano un gran numero di sommozzatori e la maggior parte non dispone di nitrox a bordo.

Un'imbarcazione affidabile è la *Sea Wolf* del gruppo Pacific Diving Company (p249) di Cali. La tariffa per un'escursione di tre giorni di immersioni è pari a circa COP$7.000.000 per sommozzatore, mentre per otto giorni in acqua si arrivano a pagare COP$9.200.000. Se si condivide una cabina sulla nave i prezzi sono leggermente inferiori.

A Termales non c'è ricezione telefonica, ma i gestori delle attività si spostano per controllare il cellulare, quindi potete lasciare un messaggio.

Attività

Da Termales potete risalire la spiaggia in entrambe le direzioni: verso nord in direzione Guachalito o verso sud fino ad Arusí, ma è necessario attendere la bassa marea perché ci sono parecchi corsi d'acqua da attraversare lungo la strada.

Surf House SURF
(☎320-708-1421; lezioni COP$35.000 l'ora) Il simpatico istruttore Nestor offre sia lezioni di surf saltuarie sia corsi per principianti di otto ore complessive (COP$250.000). Questa specie di celebrità locale organizza anche escursioni per le migliori mete per il surf della regione e noleggia tavole.

Las Termales BAGNI TERMALI
(interi/bambini COP$12.000/5000, massaggi COP$60.000 l'ora; ⏲8-17) Dall'unica strada del villaggio un sentiero di ghiaia si inoltra nell'entroterra per 500 m fino a Las Termales, un paio di vasche termali situate accanto a un fiume impetuoso e circondate dalla giungla. Questo luogo è stato costruito dalla comunità locale con molto buon gusto e comprende un ristorante e un'area spa. Acquistate il biglietto d'ingresso presso l'ufficio sulla strada prima di incamminarvi.

Cocoter ESCURSIONISMO
(Oficina Corporación Comunitario) Un'associazione della comunità locale che organizza escursioni a piedi per la **Cascada Cuatro Encantos** – una serie di imponenti cascate che si riversano in graziose pozze balneabili, circondate dalla giungla rigogliosa. Le tariffe per l'escursione vanno da COP$25.000 a COP$30.000 per partecipante. L'ufficio si trova vicino al Refugio Salomon – non hanno una connessione telefonica.

Pernottamento e pasti

Refugio Salomon GUESTHOUSE $$$
(☎314-333-4411; camere con pasti inclusi COP$120.000 per persona) Questa accogliente struttura dispone di una grande terrazza affacciata sulla spiaggia e di semplici camere con bagno privato. Il ristorante annesso serve gustosi piatti casalinghi ed è un ottimo posto dove mangiare.

La Sazón de Yuli CUCINA DI MARE $
(Arusí; portate principali COP$15.000; ⏲7-21) Se dopo aver camminato lungo la spiaggia fino ad Arusí vi viene fame, fermatevi in questo eccellente piccolo ristorante che serve ottimo pesce fresco.

Per/da Termales

L'imbarcazione che percorre la tratta tra Nuquí e Arusí su richiesta si ferma anche a Termales. Non c'è un molo e quindi per sbarcare e imbarcarsi dovrete probabilmente camminare con l'acqua alle ginocchia per un breve tratto. Indossate pantaloncini corti e sandali.

COSTA MERIDIONALE

La costa pacifica meridionale, che si estende tra i dipartimenti di Valle del Cauca, Cauca e Nariño, è un'area poco visitata composta da isole coperte da giungla, villaggi tradizionali afro-colombiani e alcuni dei siti di immersione più belli del paese.

Tuttavia, il livello di sicurezza nella zona rimane precario e molte parti della regione sono precluse ai turisti. L'eccezione è il Parque Nacional Natural Isla Gorgona, da poco riaperto, che offre ai visitatori l'opportunità di carpire ciò che questa affascinante regione ha da offrire.

Al momento delle ricerche per questa guida, Buenaventura e i suoi dintorni e l'area di Tumaco, nell'estremità meridionale del paese, erano considerate zone a rischio per i viaggiatori.

Parque Nacional Natural Isla Gorgona

Dopo essere rimasto chiuso per due anni a causa di un attacco senza precedenti all'isola da parte delle FARC, il **Parque Nacional Natural Isla Gorgona** (colombiani/stranieri COP$19.000/45.500) ha recentemente riaperto le porte ai visitatori, guidato da una nuova gestione. Esso ricopre l'intera Isla Gorgona – lunga 11 km, larga 2,3 km e situata 38 km al largo della costa – e, data anche la scarsità di turisti, costituisce una destinazione remota perfetta per chi ama la natura. Infatti, l'isola, che un tempo ospitava una prigione, è oggi un rifugio naturale esclusivo. Le due attrattive principali dell'isola sono le immersioni e il whale-watching, da compiere preferibilmente in contemporanea. Gorgona si trova lontano dalle principali rotte marittime e quindi le balene continuano a recarvisi ogni anno per partorire e prendersi cura dei loro piccoli. A parte nuotare e fare brevi camminate, il parco non offre molte altre attività; è quindi una meta dove andare a rilassarsi piuttosto che a ricercare l'avventura.

L'isola è ammantata da una giovane foresta pluviale secondaria (i detenuti hanno abbattuto la maggior parte degli alberi per ricavarne il combustibile necessario per cucinare), che brulica di serpenti velenosi e di numerose specie endemiche. Qui vedrete molte scimmie, lucertole, pipistrelli, uccelli e, durante il periodo dell'accoppiamento, tartarughe marine che depositano le uova sulle spiagge.

L'unico hotel di Gorgona si trova nel vecchio edificio della prigione, vicino alla sede centrale del parco, che oggi è stato restaurato e può accogliere fino a 120 persone.

La maggior parte dei visitatori raggiunge l'isola acquistando un pacchetto offerto dall'agenzia **Vive Gorgona** (☎321-768-0539; www.vivegorgona.com; camere con pasti inclusi COP$280.000 per persona), che comprende il viaggio di andata e ritorno in barca da Guapi, il pernottamento, le escursioni a piedi e i pasti. Le tariffe per un pacchetto base della durata di tre giorni e due notti vanno da COP$750.000 a COP$815.000 circa per persona.

Per gli appassionati di immersioni che preferiscono non fermarsi sull'isola, imbarcazioni provenienti da Buenaventura offrono viaggi dedicati alle immersioni a cavallo del weekend con pernottamento a bordo. Ci si imbarca presso il *muelle turístico* di Isla Gorgona il venerdì sera e si ritorna il lunedì mattina. Il *Sea Wolf*, gestito dal gruppo Pacific Diving Company di Cali, offre pacchetti di due giorni al costo di COP$1.700.000 per sommozzatore. Anche chi non fa immersioni può esplorare l'isola dalla loro imbarcazione a un prezzo ridotto, a partire da COP$1.350.000 per lo stesso viaggio.

I visitatori con prenotazione vengono portati sull'isola da barche veloci in partenza da Guapi (un'ora e 15 minuti).

Los Llanos

Include ➡

Il meglio – Ristoranti

- El Caporal (p304)
- Nomada (p302)
- Cafeteria el Piel Roja (p303)
- Dulima (p301)

Il meglio – Hotel

- Hotel Colombia (p302)
- Estelar Villavicencio Hotel (p301)
- Hotel Punto Verde (p304)
- Hotel La Fuente (p304)

Perché andare

A sud-est di Bogotá, l'aspro e montuoso terreno andino diventa all'improvviso basso e pianeggiante, rivelando uno sconfinato orizzonte di verdi praterie: Los Llanos ('le pianure'). Questa regione pullula di animali selvatici, con oltre 100 specie di mammiferi e più di 700 specie di uccelli, tra cui alcune di quelle più minacciate del pianeta.

Fino a una decina di anni fa gran parte di questa regione era sostanzialmente off limits per i viaggiatori stranieri, ma oggi, grazie alla resa delle FARC (Fuerzas Armadas Revolucionarias de Colombia) e al ritiro dei trafficanti di droga e delle formazioni paramilitari, l'area è in gran parte sicura e si sta rapidamente aprendo al turismo. La sua maggiore attrattiva è Caño Cristales, gli straordinari fiumi variopinti all'interno del Parque Nacional Natural Sierra de la Macarena, ma nel resto della regione troverete affascinanti siti archeologici e grandi bellezze naturali, oltre al grande calore e all'umorismo semplice degli *llaneros*.

Quando andare

Villavicencio

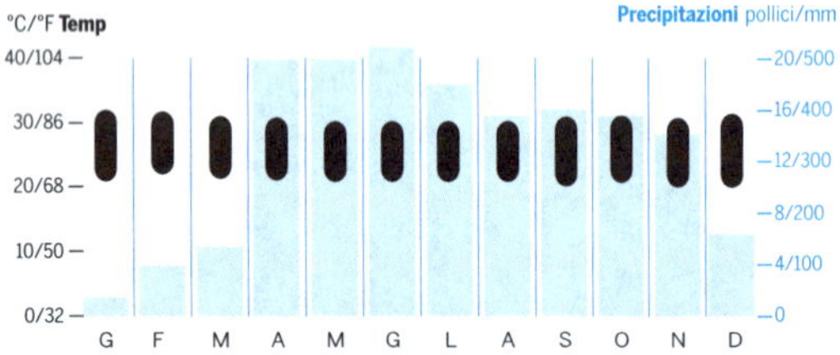

Apr Il culmine della stagione secca; fa molto caldo, ma è il periodo migliore per avvistare gli animali.

Giu Villavicencio ospita l'annuale Torneo Internacional del Joropo.

Lug-nov Caño Cristales assume il suo famoso colore rosso mentre prendono vita le sue piante uniche.

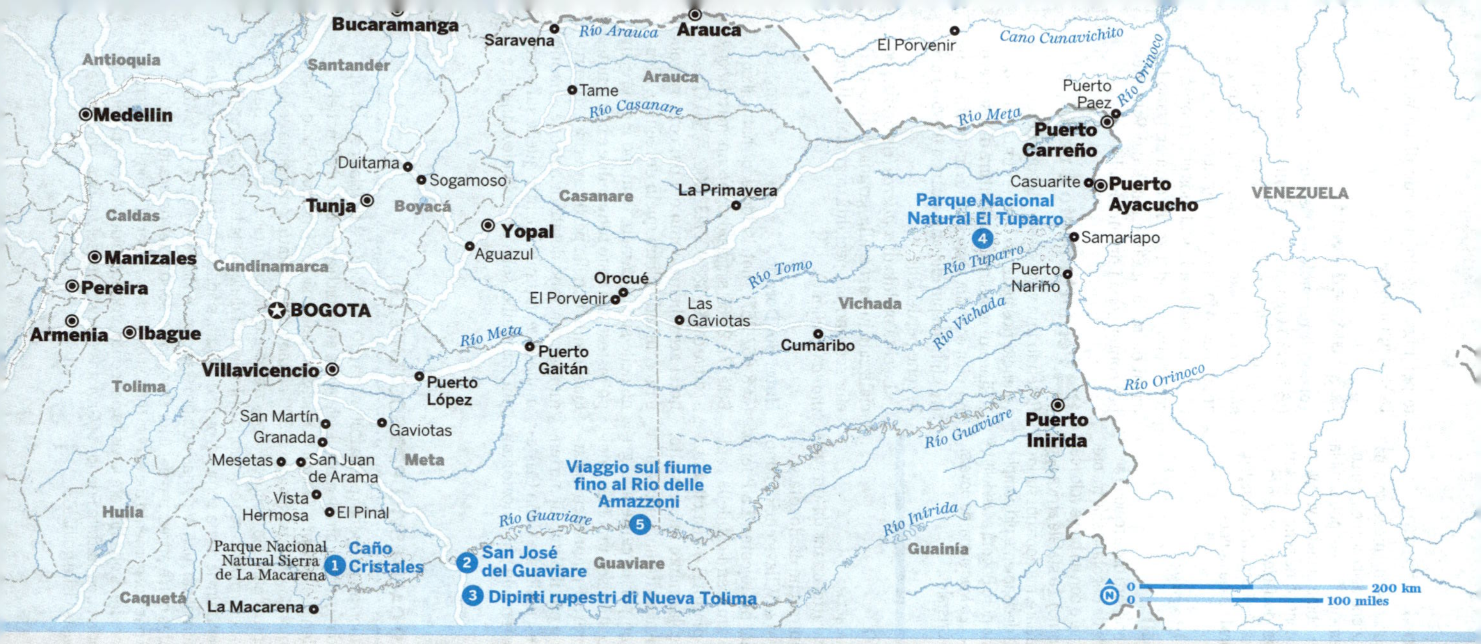

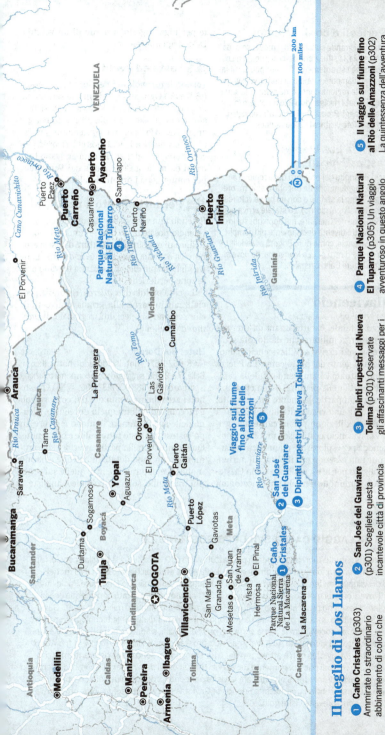

Il meglio di Los Llanos

1 Caño Cristales (p303) Ammirate lo straordinario abbinamento di colori che esplode per pochi mesi all'anno in questi fiumi remoti.

2 San José del Guaviare (p301) Scegliete questa incantevole città di provincia come base per esplorare la campagna circostante.

3 Dipinti rupestri di Nueva Tolima (p301) Osservate gli affascinanti messaggi per i posteri lasciati da popolazioni indigene scomparse da lungo tempo.

4 Parque Nacional Natural El Tuparro (p305) Un viaggio avventuroso in questo angolo davvero remoto di Los Llanos.

5 Il viaggio sul fiume fino al Rio delle Amazzoni (p302) La quintessenza dell'avventura colombiana: sul fiume due settimane attraverso Los Llanos fino al Rio delle Amazzoni.

Pericoli e contrattempi

Nonostante il grande successo del processo di pace in Colombia, la situazione della sicurezza a Los Llanos rimane estremamente fluida e può cambiare molto rapidamente – prima di mettervi in viaggio per questa regione controllate sempre la situazione aggiornata rivolgendovi alle autorità e/o alle agenzie di viaggi. Procuratevi accurati consigli di viaggio se volete visitare le zone remote.

Per/da Los Llanos e trasporti locali

Il principale snodo dei trasporti della regione è Villavicencio, raggiungibile da Bogotá in sole tre ore di viaggio lungo la statale o con un breve volo (ce ne sono diversi ogni giorno). La statale arriva oggi fino a San José del Guaviare, ma dopo questa località il tragitto diventa decisamente più complicato. Villavicencio, come pure Bogotá e Medellín, è servita da voli diretti per La Macarena, da dove si può raggiungere Caño Cristales.

Villavicencio

☎8 / POP. 495.000 / ALT. 467 M

La strada statale, caratterizzata da una pesante presenza militare, che da Bogotá si dirige verso sud arriva a Villavicencio, conosciuta dalla gente del posto come 'La Puerta al Llano'. Situata 75 km a sud-est della capitale, 'la porta della pianura' è una città animata ma non particolarmente interessante, che presenta una vivace vita notturna e una spiccata predilezione per la carne alla griglia. Villavicencio costituisce una base molto comoda per esplorare le pianure circostanti e, pur non essendo più il punto di partenza obbligato per le escursioni a Caño Cristales, offre comunque il modo più emozionante per raggiungerlo, a bordo di un vecchio DC-3 degli anni '40.

Feste ed eventi

Torneo Internacional del Joropo DANZA

(⏲fine giu) Ogni anno, nell'ultima settimana di giugno, le strade di Villavicencio si trasformano in piste da ballo all'aperto per gli amanti dello joropo, una danza molto apprezzata e praticata a Los Llanos che ricorda per certi versi il fandango. In città arrivano ballerini da tutta la Colombia e dal Venezuela per contendersi i premi in palio.

Pernottamento e pasti

Essendo una vivace sede di commerci, Villavicencio possiede un buon numero di hotel. In linea di massima, le strutture di fascia economica e media sono situate in centro, mentre gli hotel più eleganti e cari si trovano nelle zone periferiche.

La città pullula di *asaderos* (ristoranti specializzati in carne alla griglia o arrostita), che servono la specialità regionale, la *mamona* (vitellone).

Hotel Sol Dorado HOTEL **$$**

(☎8-662-3671; hotelsoldorado@hotmail.com; Calle 37 n. 29-66; singole/doppie con prima colazione a partire da COP$88.000/132.000; ❄📶) Questo hotel accogliente è uno dei più confortevoli e raccomandabili tra quelli del centro. Alcune delle sue 31 camere tendono a essere un po' vistose, ma sono tutte pulite e ben tenute. Quelle situate nella parte anteriore sono rumorose, ma sono dotate di balcone e hanno molta luce naturale, mentre quelle sul retro, più tranquille, sono un po' buie e anguste.

DESTINAZIONI INSOLITE

UN VILLAGGIO DALLO SVILUPPO SOSTENIBILE

Gaviotas, situato fuori dagli itinerari più battuti, circa 100 km a sud-est di Villavicencio, rappresenta un grande successo ambientale. Il villaggio è stato dichiarato dall'ONU modello di sviluppo sostenibile, e Gabriel García Márquez ha definito il suo fondatore Paolo Lugari 'l'inventore del mondo'. Questo villaggio di 200 abitanti è alimentato con energia eolica e solare. I residenti praticano l'agricoltura biologica e hanno piantato milioni di alberi. Gaviotas è diventato un centro di ricerca e sviluppo di livello mondiale per le tecnologie verdi e presenta una società simile a una comune, priva di polizia, sindaco e armi. Il villaggio è stato descritto dal giornalista Alan Weisman nel libro *Gaviotas: A Village to Reinvent the World*.

Tuttavia, Gaviotas non è attrezzato per il turismo: non ci sono hotel, ristoranti, mezzi pubblici o metodi per il pagamento dei servizi (non si usa il denaro per gli scambi di merci e servizi), per cui cercare di organizzare la visita per conto proprio è piuttosto complicato. Se siete curiosi di andarci, contattate Friends of Gaviotas (www.friendsofgaviotas.org) per vedere se sono previste visite guidate.

Estelar Villavicencio Hotel BUSINESS HOTEL $$$
(☎8-663-1000; www.hotelesestelar.com; all'angolo tra Av 40 e Calle 11, Costado Norte Metro Kia; camere con prima colazione a partire da COP$255.000;) Sì, si trova fuori dal centro, ma se cercate un ambiente confortevole e moderno e un buon servizio, questo è il posto giusto per concedersi una spesa folle. Le camere sono immense, immacolate e dotate di letti comodi e bagni magnifici. Vi trovate anche una piscina a corsie e una zona bar, oltre a un ristorante dove si mangia bene.

Dulima COLOMBIANO $
(Carrera 30A n. 38-46; pasti a prezzo fisso COP$10.000-15.000; 7-20 lun-sab, 8-18 dom) In attività dal 1967, questo popolare ristorante del centro serve la tradizionale *comida corriente* (pranzo a prezzo fisso) e un'eccellente prima colazione. Nei giorni festivi le cordiali cameriere indossano abiti da cowgirl.

Informazioni

Turismo Villavicencio (☎8-673-1313; www.turismovillavicencio.gov.co; Calle 41 n. 31-42; 9-17 lun-ven)

Per/da Villavicencio

Il viaggio da Bogotá è un'esperienza da non perdere: la spettacolare strada statale sale tra le vallate montane e poi scende verso Los Llanos. Dal trafficato **Terminal de Transportes** (☎8-660-6535; www.terminalvillavicencio.gov.co; Av Los Maracos) di Villavicencio partono ogni giorno numerosi autobus per Bogotá (COP$25.000, 3 h) e San José del Guaviare (COP$47.500, 6 h). Gli autobus per **La Macarena** (COP$97.000, 24 h) effettuano tre partenze alla settimana e impiegano una vita per arrivare a destinazione, poiché la strada corre intorno al parco nazionale.

L'**Aeropuerto de la Vanguardia** di Villavicencio (☎321-762-2520; Carrera 19) è servito da voli giornalieri per La Macarena (COP$450.000) operati da **Satena** (☎8-664-8512; www.satena.com; Carrera 19, Aeropuerto de la Vanguardia) Da qui partono Cessna da sei posti e il sabato viene utilizzato un grosso DC-3 degli anni '40. Ogni giorno partono inoltre diversi voli per Bogotá gestiti da Avianca.

San José del Guaviare

☎8 / POP. 65.600 / ALT. 185 M

La gradevole San José del Guaviare sarà anche il capoluogo del dipartimento di Guaviare, ma sembra una qualsiasi città di provincia colombiana. È un'accogliente località dedita al commercio situata sulla riva meridionale del Río Guaviare, caratterizzata da strade polverose e una griglia di animate vie commerciali. Ora che Los Llanos si stanno aprendo sempre più al turismo, San José mira a diventare il principale punto di riferimento della regione.

La città in sé non è una grande attrattiva per i turisti, ma nelle sue vicinanze si trovano numerosi luoghi interessanti nei quali vale la pena di trascorrere un giorno o due. Tra questi figurano diversi siti archeologici, grandi bellezze naturali e la posizione strategica della zona tra Bogotá e il Rio delle Amazzoni, che si può raggiungere con un duro ma esaltante viaggio in barca di due settimane lungo i fiumi Guaviare, Orinoco e Yaví.

Che cosa vedere

A San José non c'è molto da vedere a parte il bel ***mirador*** (Calle 7 e Carrera 23), da cui si può osservare l'ansa del possente fiume Guaviare lungo la quale è costruita la città. I principali luoghi di interesse fuori città si trovano lungo la polverosa strada che porta a Nueva Tolima, una posizione che li rende perfetti per un'escursione in giornata.

Pozos Naturales PISCINE NATURALI
(COP$3000; 9-17) Queste incantevoli piscine naturali scavate nel letto roccioso del fiume sono un posto magnifico per rinfrescarsi e riposarsi dopo la visita agli altri luoghi di interesse lungo la strada per Nueva Tolima. Camminando per cinque minuti lungo una serie di sentieri segnalati che scendono al fiume potrete raggiungere numerosi specchi d'acqua davvero splendidi, alcuni dei quali profondi fino a 8 m, perfetti per un bagno in tutto relax.

L'organizzazione è però alquanto bizzarra. Dalla strada principale ci sono due ingressi alle piscine: al primo che si incontra provenendo da San José spesso non c'è nessun addetto, per cui capita di dover proseguire fino al secondo ingresso (1 km più avanti) per pagare e poi tornare indietro fino al primo ingresso, che offre la via di accesso più facile per le piscine.

Dipinti rupestri di Nueva Tolima SITO ARCHEOLOGICO
(Nueva Tolima) FREE Questo affascinante sito di dipinti rupestri, ubicato a 22 km da San José, è il più facilmente accessibile tra quelli del dipartimento di Guaviare, ma è comunque impegnativo da trovare. Lasciate la strada sterrata all'altezza del cartello per la Finca

Villa Nueva, poi camminate attraverso i campi coltivati (è consigliabile salutare gli agricoltori e chiedere il permesso di attraversare le loro terre) e salite lungo la collina. Arrivati in cima troverete i dipinti rupestri delle popolazioni indigene straordinariamente ben conservati nonostante siano esposti agli elementi atmosferici.

Ciudad de Piedra CARATTERISTICA NATURALE
FREE Situata a 17 km da San José del Guaviare, lungo una strada sterrata ma che in condizioni normali si può percorrere agevolmente, la cosiddetta 'Città di pietra' è una caratteristica naturale molto insolita che richiama un flusso costante di visitatori. Si tratta di un gruppo di grandi monoliti la cui disposizione, nonostante sia puramente frutto di fenomeni geologici, fa pensare a vie e costruzioni realizzate dall'uomo. Passeggiare in questo sito quasi sempre deserto è un'esperienza insolita e molto piacevole.

Pernottamento e pasti

Hotel Colombia BOUTIQUE HOTEL $
(☎8-584-0823; hotelcolombiabiaggd@hotmail.com; Carrera 23 n. 7-96; doppie/triple COP$60.000/80.000; ❄📶) Situata sopra la popolare *heladería* (gelateria) omonima, questa struttura dal design curioso offre camere tra le più pulite ed eleganti della città. È un posto molto confortevole, anche se l'arte popolare colombiana che lo contraddistingue può essere incantevole o terribile, a seconda dei casi. Sicuramente è l'unico posto della città che dispone di chaise longue come standard. L'accoglienza è calorosa.

Hotel Yuruparí HOTEL $
(☎313-263-2695, 8-584-0096; www.hotelyurupari.com; Calle 8 n. 22-87; singole/doppie senza aria condizionata COP$45.000/70.000, con aria condizionata COP$60.000/90.000; ❄📶) Questo hotel di fascia media accogliente e centralissimo è il nostro preferito. La famiglia multigenerazionale che lo gestisce è deliziosa, e le camere, per quanto semplici e piuttosto ordinarie, sono pulitissime e hanno un eccellente rapporto qualità-prezzo.

Hotel El Jardín HOTEL $
(☎313-322-1120, 8-584-9158; Calle 9 n. 24-34; singole/doppie/triple COP$40.000/45.000/85.000; ❄📶) Sebbene il giardino che dà il nome all'hotel sia in realtà solo una fila di piante lungo un corridoio lastricato, per il momento questa è la migliore struttura economica di San José. La camere sono semplici e pulite nonché dotate di frigorifero. Per la prima colazione, invece, dovrete rivolgervi altrove.

Nomada HAMBURGER $
(all'angolo tra Calle 10 e Carrera 23; portate principali COP$10.000-20.000; ⏲12-23; 📶) Con i suoi tavoli sulla strada sotto il tendone del merca-

DESTINAZIONI INSOLITE

LUNGO IL FIUME FINO AL RIO DELLE AMAZZONI

La Colombia offre molte opportunità di vivere grandi avventure, dall'alpinismo agli sport estremi fino alle immersioni nel Mar dei Caraibi, ma se desiderate fare un'esperienza unica, l'epico viaggio fluviale da Los Llanos al Rio delle Amazzoni è quanto di più emozionante e impegnativo si possa immaginare. È un viaggio che si svolge in mezzo a una natura quasi completamente selvaggia, in cui gli insediamenti umani più grandi sono remoti villaggi indigeni immersi in una fitta giungla che si estende su centinaia di migliaia di chilometri quadrati, lungo fiumi dalle acque marroni che scorrono veloci, in un ambiente carico di umidità. Questa avventura è diventata possibile solo negli ultimi anni, quando i campi dei guerriglieri e delle formazioni paramilitari sono stati gradualmente abbandonati per effetto del processo di pace.

Tuttavia, il fatto che oggi il viaggio sia possibile non significa affatto che sia facile o confortevole. Per raggiungere Leticia da San José del Guaviare servono almeno due settimane, senza contare tutto il tempo necessario per organizzare i trasporti tramite un'agenzia di viaggi. Tentare l'impresa senza il supporto logistico di un operatore esperto sarebbe estremamente pericoloso.

Contattate le agenzie di viaggi di Leticia per chiedere informazioni sull'itinerario. In alternativa, rivolgetevi al personale degli hotel di San José del Guaviare per sapere se conoscono i nomi di guide affidabili. In ogni caso, tutta l'organizzazione va pianificata diversi mesi prima del periodo in cui intendete effettuare il viaggio; dovrete poi seguire i consigli delle agenzie di viaggi in materia di sicurezza riguardo eventuali variazioni della situazione.

REGOLAMENTO DEL PARCO NAZIONALE

L'accesso al PNN Sierra de la Macarena è strettamente controllato dalle autorità del parco e tutti i visitatori devono seguire regole insolitamente severe. La più importante tra queste è che prima di entrare nel parco è vietato applicare sulla pelle crema solare o repellente per le zanzare, poiché l'introduzione di sostanze chimiche potrebbe inquinare queste acque incontaminate e avere conseguenze negative sull'ecosistema davvero unico che produce gli straordinari colori dei fiumi. Inoltre, i visitatori non possono portare bottiglie di plastica, camminare con i sandali e indossare pantaloncini. I guardaparchi effettuano controlli all'ingresso per accertarsi che queste regole vengano rispettate.

Cosa portare

Dal momento che non potrete usare la crema solare né il repellente per le zanzare, è importante indossare un cappello, pantaloni lunghi e maniche lunghe per evitare di scottarvi – tenete presente che all'interno del parco nazionale l'ombra è praticamente inesistente. Portate un grande thermos di acqua con una scorta sufficiente per la giornata, perché l'acqua del fiume non è potabile. È consigliabile anche avere gli occhiali da sole e un paio di scarpe comode perché bisogna camminare parecchio e ci sono numerosi tratti in cui ci si deve arrampicare su rocce irregolari. Poiché nella zona è presente la febbre gialla, è essenziale disporre del certificato di vaccinazione nel caso vi venga richiesto.

Tasse e tariffe di ingresso

All'arrivo all'**aeroporto di La Macarena** (p305) dovrete pagare diverse tasse locali e tariffe di ingresso, fra cui la tassa municipale (COP$37.000), la tassa aeroportuale (COP$6000) e la tariffa di ingresso al parco (COP$87.000).

to, il Nomada sembra a prima vista uno dei tanti ristorantini da *comida corriente*, ma basta un'occhiata al menu per capire che non è così. La scelta include hamburger, carni alla griglia, involtini e perfino pancake. Il servizio è estremamente cordiale e il locale è piuttosto elegante.

Cafeteria el Piel Roja CAFFÈ $
(Calle 8 n. 23-96; 7-19 lun-sab;) Questo accogliente caffè a conduzione familiare serve buon caffè, dolci e prime colazioni.

Informazioni

Informazioni turistiche (314-281-8830; Calle 7 n. 23-07; 8-18 lun-ven)

Per/da San José del Guaviare

Flota La Macarena (321-205-5270; Carrera 20 n. 12A-10) collega San José con Villavicencio (COP$47.500, 6 h) e Bogotá (COP$63.000, 9 h) dalla sua minuscola stazione degli autobus ai margini del centro.

Da qui si può prendere anche un autobus per La Macarena (COP$80.000, 7 h); le partenze si effettuano il martedì, venerdì e sabato. Per prenotare un posto rivolgetevi a **Constrans Guaviare** (321-205-5270; Carrera 20 n. 12A-10).

Immediatamente a nord del centro città c'è un piccolo **aeroporto** (Calle 10 e Carrera 25) servito da qualche volo alla settimana per Bogotá gestito da **Satena** (311-236-2988; www.satena.com; Carrera 23 n. 7-85).

Caño Cristales

8 / POP. 33.000 / ALT. 233 M

Caño Cristales, una serie di fiumi, cascate e corsi d'acqua remoti immersi nella natura selvaggia del **Parque Nacional Natural Sierra de la Macarena** (www.parquesnacionales.gov.co; COP$87.000), è stato definito nel corso del tempo in molti modi, da 'fiume dei cinque colori' ad 'arcobaleno liquido'. Ciò è dovuto a un fenomeno biologico unico nel suo genere che si verifica per un paio di mesi tra luglio e novembre, quando il proliferare di piante acquatiche forma un tappeto rosso brillante, trasformando le acque cristalline in quello che sembra un fiume di vino, in stridente contrasto con il paesaggio lunare delle antiche rocce scavate dal fiume e con lo scenario circostante della savana.

Le principali cascate e piscine naturali sono la **Piscina del Turista**, la **Piscina de Carol Cristal**, la **Cascada del Aguila**, la **Cascada de Piedra Negra** e **Caño la Virgen**. Si accede al parco solo dalla città di La Macarena, che sorge immediatamente a sud sulla riva opposta del Río Guayabero. I visitatori vengono suddivisi in piccoli gruppi e condotti dalle guide in aree diverse per mantenere basso l'impatto del turismo.

La visita a Caño Cristales implica una certa spesa, molte camminate impegnative e qualche pasto poco invitante nella città di La Macarena, ma questi svantaggi sono più che ampiamente ricompensati, come avrete modo di scoprire quando vi immergerete in una delle numerose pozze d'acqua, cascate e piscine naturali che si formano lungo il fiume, o quando avrete un incontro ravvicinato con gli straordinari animali selvatici che popolano il parco.

Caño Cristales non è affatto un luogo segreto, in quanto i colombiani ci vanno durante i weekend lunghi (*puentes*), quando il limite giornaliero di 180 visitatori non viene sempre fatto rispettare. Vi consigliamo pertanto di evitare i weekend prefestivi e, se vi è possibile, di venirci durante la settimana.

Tour

Non è possibile visitare Caño Cristales per conto proprio – per entrare nel parco nazionale dovrete essere accompagnati da una delle guide ufficiali locali, anche se riuscite a raggiungere La Macarena con i vostri mezzi. Quasi tutti i tour includono il trasporto in aereo fino a La Macarena, i pernottamenti, il vitto e l'assistenza di una guida autorizzata. In genere, ogni gruppo è formato al massimo da 12 persone con un paio di guide locali; si trascorre la notte a La Macarena e le giornate all'interno del parco nazionale.

★ Cristales Aventura Tours TOUR
(☎313-294-9452, 300-693-9988; www.cano-cristales.com; Calle 5 n. 7-35, La Macarena) I cordiali ed esperti professionisti di Cristales Aventura Tours, che parlano inglese e sono abituati a trattare con i visitatori stranieri, offrono una gamma flessibile di pacchetti in grado di soddisfare tutti gli interessi. Potete scegliere di raggiungere La Macarena per conto vostro oppure acquistare un pacchetto tutto compreso a Bogotá, Medellín o Villavicencio.

Cristales Macarena ESCURSIONI
(☎313-499-6038; www.viajescristalesmacarena.com; Carrera 3 n. 8-50, Hotel La Fuente, La Macarena) L'agenzia di viaggi di Doris Mora organizza escursioni a Caño Cristales dalla sua sede all'interno dell'Hotel La Fuente. Oltre a proporre i consueti itinerari a Caño Cristales e il viaggio da altre zone della Colombia, Doris può organizzare anche il pernottamento in tenda ed escursioni a cavallo all'interno del parco nazionale.

Ecoturismo Sierra de la Macarena TOUR
(☎311-202-0044, 8-664-8400; www.ecoturismomacarena.com; Aeropuerto Vanguardia, Villavicencio) Questa agenzia di viaggi con sede a Villavicencio organizza i mezzi di trasporto e i tour a Caño Cristales. Durante la stagione turistica gestisce anche il miglior hotel di La Macarena, l'Hotel Punto Verde.

Macarena Travels TOUR
(☎312-884-9153; www.macarenatravels.com) Questa agenzia non ha un ufficio ma può organizzare tutto per telefono o via email. Offre una gamma di itinerari diversi con partenza da Bogotá e da Villavicencio.

Pernottamento e pasti

Hotel Antony's HOTEL $
(☎321-846-4402; Calle 8A n. 3-71, La Macarena; camere COP$40.000) Questo hotel semplice ma pulito che dà proprio sul Parque Central offre perfino alcune camere dotate di luce naturale (una vera rarità da queste parti!). Non ha un ristorante interno, ma nei dintorni ce ne sono parecchi dove poter fare colazione.

Hotel Punto Verde HOTEL $$
(☎310-341-8899; Carrera 9 n. 4-12, La Macarena; con ventilatore/aria condizionata COP$50.000/70.000 per persona; ❄📶🏊) Questo è il miglior hotel della città, ma per pernottare qui dovrete viaggiare con Ecoturismo Sierra de la Macarena, perché durante la stagione turistica (da giugno a novembre) tutta la proprietà è gestita da questa agenzia. L'Hotel Punto Verde include una grande piscina, un favoloso giardino tropicale e un bel caffè.

Hotel La Fuente HOTEL $$
(☎312-365-5107, 313-496-7701; hotelafuentejn@hotmail.com; Carrera 3 n. 8-50, La Macarena; COP$80.000 per persona; ❄📶) Questo hotel nuovissimo è uno dei più confortevoli della città, con camere luminose e ariose disposte intorno a un giardino con piscina (di recente realizzazione). Da segnalare anche la presenza di un bar e di un ristorante interni. L'hotel ha personale affabile e presenta qualche piacevole tocco di design.

El Caporal GRILL $$
(Carrera 9 n. 4-66, La Macarena; portate principali COP$12.000-25.000; ⏰6-21) Questo è l'unico ristorante della città che si distingue veramente, e nonostante sia un grande locale che si rivolge soprattutto alle comitive di turisti, è di gran lunga il più elegante di La Macarena. Offre un lungo menu di piatti di car-

ne (ma ci sono anche proposte per i vegetariani), un animato bar, un ampio palcoscenico per esibizioni musicali e un grande caminetto centrale.

Informazioni

A La Macarena ci sono due sportelli bancomat e diversi uffici cambiavalute, ma è sempre preferibile portarsi una scorta sufficiente di contanti e non fare troppo affidamento sulla possibilità di poter prelevare denaro in una cittadina isolata.

Per/da La Macarena

Quasi tutti i pacchetti includono il trasporto all'**aeroporto di La Macarena** con un volo charter o di linea da Bogotá, Medellín o Villavicencio, ma potete anche prenotare il trasporto per conto vostro e scegliere di far partire il vostro tour all'aeroporto.

Easy Fly (☎ Bogotá 1-414-8111; www.easyfly.com.co) offre voli diretti da Bogotá tre volte alla settimana (COP$495.000) in alta stagione (da luglio a novembre). In alternativa potete raggiungere Villavicencio (un facile viaggio in autobus da Bogotá) e da lì prendere uno dei voli giornalieri per La Macarena (COP$250.000).

Ecoturismo Sierra de la Macarena (p304) organizza voli charter da Villavicencio, tra cui quelli piuttosto avventurosi del sabato a bordo di un vecchio DC-3.

Se volete raggiungere La Macarena via terra, rivolgetevi a **Constrans Guaviare** (Carrera 7 n. 4-26), che gestisce tre autobus alla settimana per/da San José del Guaviare (COP$80.000, 7 h).

Parque Nacional Natural El Tuparro

Il **Parque Nacional Natural El Tuparro** (www.parquesnacionales.gov.co; colombiani/stranieri COP$12.000/35.000) è una riserva naturale che si estende su una superficie di 548.000 ettari al confine con il Venezuela. In questa biosfera di spiagge fluviali sabbiose e rigogliose praterie vivono circa 320 specie di uccelli, oltre a giaguari, tapiri e lontre. Raggiungere il parco non è facile e le infrastrutture turistiche sono praticamente assenti, ma i viaggiatori che dispongono di tempo e denaro lo troveranno sicuramente molto gratificante.

Bacino amazzonico

Include ➡

Il meglio – Ristoranti

- El Santo Angel (p313)
- El Cielo (p313)
- Tierras Amazónicas (p313)
- Las Margaritas (p317)
- Gael Pizzeria Gourmet (p313)

Il meglio – Hotel

- Calanoa Amazonas (p312)
- Maloca Napü (p316)
- Amazon B&B (p311)
- Waira Suites Hotel (p312)
- Casa Gregorio (p312)

Perché andare

Amazzonia. Basta pronunciare questo nome per evocare le immagini di una giungla incontaminata, di una fauna selvatica incredibile e, naturalmente, di un fiume unico al mondo. La zona, che i colombiani chiamano Amazonia, è una porzione di 643.000 kmq di foresta pluviale, un terzo dell'intera superficie del paese – più del doppio dell'Italia – e si allarga in otto dei *departamentos* nazionali. Qui non ci sono strade, solo vie d'acqua che scorrono rapide in mezzo a una natura lussureggiante su cui, almeno fino a ora, gli uomini hanno lasciato poche tracce e che ha permesso alle comunità che vivono nella giungla di conservare pressoché intatta la loro cultura.

Il turismo è relativamente poco sviluppato, a parte la zona di Leticia, al confine con Brasile e Perú. Eppure, malgrado la mancanza di strutture, una vacanza qui diventa un'esperienza al di là dell'usuale, che spazia da entusiasmanti trekking nella foresta alla siesta su un'amaca cullati dai rumori della giungla.

Quando andare

Leticia

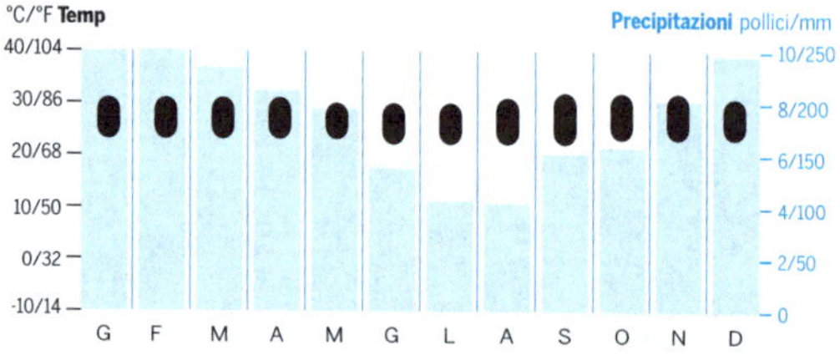

Set-nov Il basso livello dell'acqua consente escursioni e rivela le sabbie bianche del Río Yavarí.

Marzo-mag Nella stagione umida, avvicinandosi alla volta arborea, si osservano uccelli e altri animali.

Lug e agosto Detestate le zanzare? Si ritirano per lo più tra le fronde in cima agli alberi.

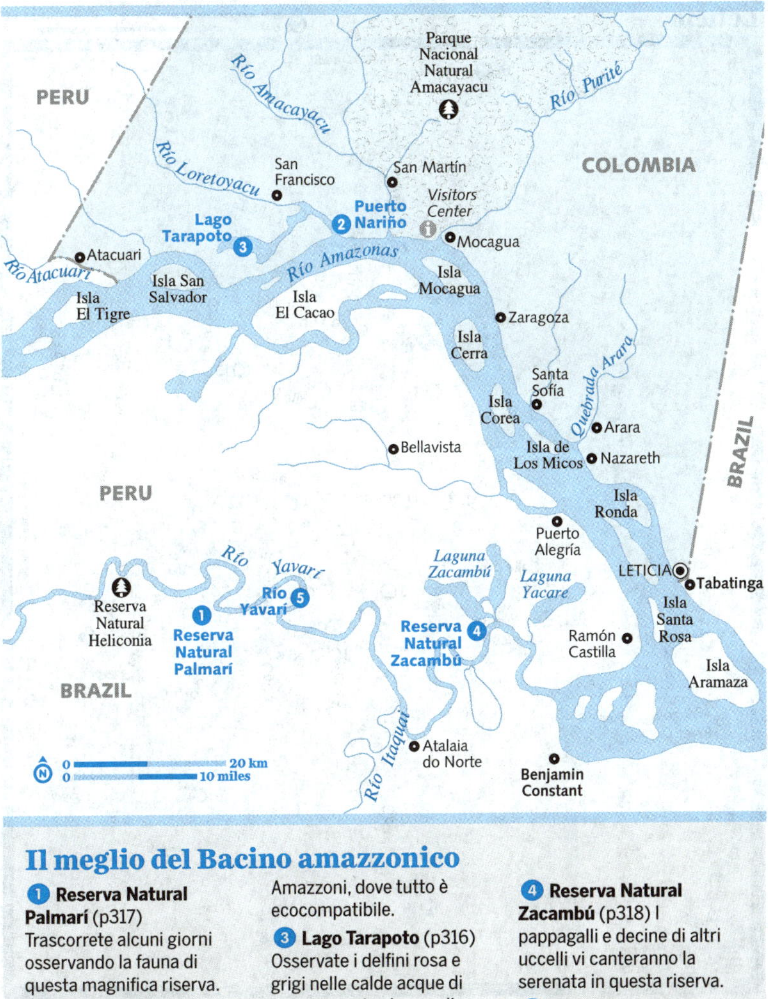

Il meglio del Bacino amazzonico

1 **Reserva Natural Palmarí** (p317) Trascorrete alcuni giorni osservando la fauna di questa magnifica riserva.

2 **Puerto Nariño** (p315) Rilassatevi in questo delizioso villaggio senza auto sulle rive del Río delle Amazzoni, dove tutto è ecocompatibile.

3 **Lago Tarapoto** (p316) Osservate i delfini rosa e grigi nelle calde acque di questo magico lago nella giungla.

4 **Reserva Natural Zacambú** (p318) I pappagalli e decine di altri uccelli vi canteranno la serenata in questa riserva.

5 **Río Yavarí** (p317) Pagaiate silenziosamente nella giungla su uno degli affluenti del grande fiume.

Leticia

☎8 / POP. 42.200 / ALT: 95 M

Pur essendo la città più grande nel raggio di centinaia di chilometri, Leticia, capoluogo del dipartimento di Amazonas, mantiene l'aspetto di un piccolo centro di frontiera. Collocata sul Rio delle Amazzoni, nel punto in cui si incontrano Colombia, Brasile e Perú, Leticia è lontana più di 800 km dall'autostrada colombiana più vicina. Cionondimeno, è un centro animato d'impronta colombiana, anche se per alcuni aspetti Brasile e Perú fanno sentire la loro presenza.

Se non contate il caldo opprimente, l'umidità soffocante e le feroci zanzare, Leticia è una piacevole città in cui far base mentre si esplora il bacino amazzonico, anche se occorre ribadire che di per sé non sarebbe una destinazione di viaggio.

Leticia

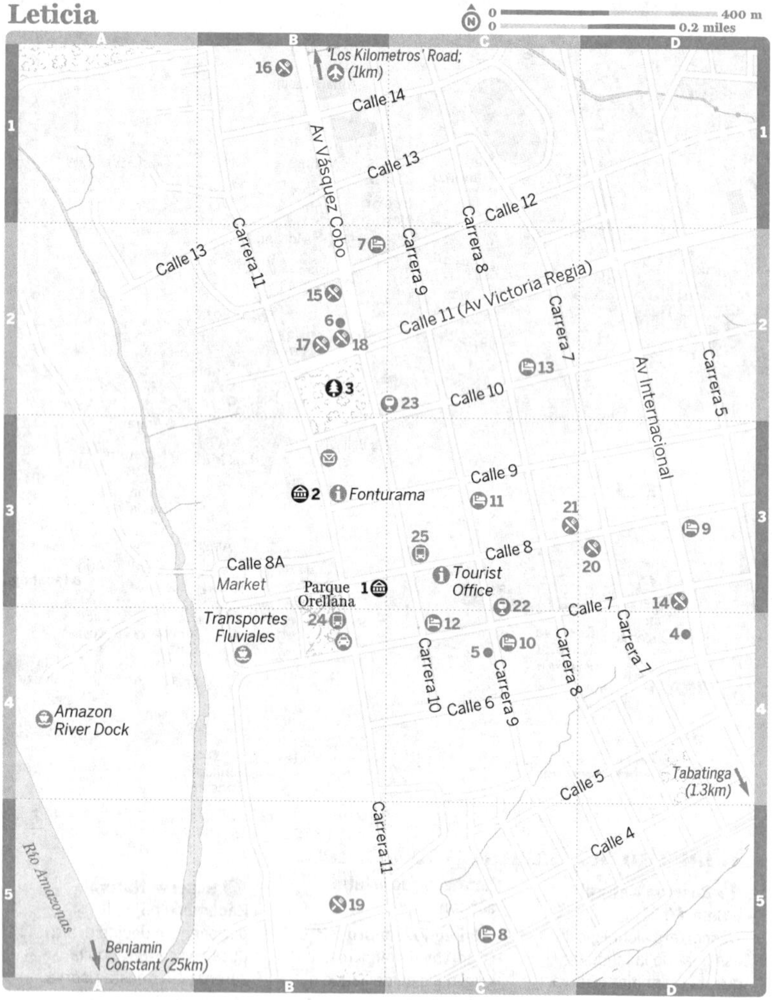

In genere la si gira volentieri tra una puntata nella giungla e un trekking, ma venire fino a Leticia senza spingersi oltre è un errore: usatela come punto di partenza per le esplorazioni nella magica foresta pluviale che la circonda.

Storia

Fondata nel 1867 con il nome di San Antonio, nel corso della storia la città acquisì, non si sa come, il nome odierno. Si sa comunque che fece parte del Perú fino al 1922, anno in cui entrambi i paesi firmarono un controverso accordo che prevedeva la cessione della città alla Colombia. Nel 1932 ebbe inizio una serie di sanguinosi conflitti territoriali tra la Colombia e il Perú, giunta a conclusione l'anno successivo, quando la Società delle Nazioni negoziò un cessate il fuoco tra le parti e poi assegnò definitivamente Leticia alla Colombia. Nel corso degli anni '70 la città cadde in preda all'anarchia e divenne un importante snodo per i narcotrafficanti, fino a quando l'esercito colombiano non intervenne per risolvere la situazione.

Leticia

Che cosa vedere e fare

★ Mundo Amazónico GIARDINI
(☎321-472-4346, 8-592-6087; www.mundoamazonico.com; Km 7,7, Vía Tarapacá; tour COP$10.000; ⊙8-15 lun-sab) Questa riserva di 29 ettari opera come centro di educazione ambientale ed è perfetta per imparare qualcosa sulla flora e sugli abitanti della giungla prima di partire per una spedizione. Gli ampi giardini botanici ospitano circa 700 specie vegetali, che possono essere osservate nell'ambito di quattro diverse visite guidate a tema (il giardino botanico, i processi sostenibili, gli scenari culturali e l'acquario), ognuna delle quali dura dai 30 ai 45 minuti e parte ogni ora fino alle 14.

Potete combinare tutti i tour che volete e, se desiderate fermarvi tutto il giorno, vi verrà servito anche il pranzo a COP$20.000 per persona. Se non conoscete lo spagnolo, prenotate il tour con anticipo perché ci sono soltanto due guide che parlano anche l'inglese. Per raggiungere i giardini da Leticia prendete qualunque autobus fino al Km 7,7 e poi seguite per 10 minuti i cartelli lungo la pista che si diparte dalla strada principale.

Museo Etnográfico Amazónico MUSEO
(☎8-592-7783; Carrera 11 n. 9-43; ⊙8.30-18 lun-ven, 9-13 sab) FREE Questo piccolo museo, situato all'interno e all'esterno dell'edificio rosa della Biblioteca del Banco de la República, espone una limitata collezione di manufatti autoctoni, tra cui strumenti musicali, tessuti, utensili, ceramiche, armi e numerose maschere cerimoniali. Gli oggetti esposti sono accompagnati da didascalie in inglese e, nel complesso, il museo costituisce un'ottima introduzione alle culture indigene della regione.

Galería Arte Uirapuru GALLERIA D'ARTE
(Calle 8 n. 10-35; ⊙8.30-12 e 15-19 lun-sab, 8.30-12 dom) Il negozio di artigianato più grande di Leticia vende manufatti prodotti da gruppi indigeni locali, nonché i preparati di una farmacia naturale amazzonica. Sul retro, il Museo Alfonso Galindo, scarsamente illuminato, potrebbe benissimo far parte di un romanzo di Graham Greene: possiede una collezione di artigianato di Ticuna e di oggetti riservati al culto insieme ad altre curiosità, come un delfino rosa impagliato. Nessuno degli articoli è in vendita ma è interessante dare un'occhiata in giro.

Parque Santander PARCO
La visita alla piazza centrale di Leticia, piena di bizzarre opere d'arte e sculture pubbliche, regala uno spettacolo straordinario poco prima del tramonto, quando migliaia di chiassosi *pericos* (pappagallini) arrivano per trascorrere la notte tra i rami degli alberi.

Reserva Tanimboca ATTIVITÀ ALL'APERTO
(☎310-791-7470, 321-207-9909; www.tanimboca.com; Km 11 Vía Tarapacá; pass giornaliero COP$120.000, zip-line COP$65.000, kayak COP$40.000; ⊙8-16; 👪) Tanimboca organizza viaggi di più giorni nella giungla che partono dal suo ufficio a

Leticia, ma possiede anche una riserva propria, 11 km fuori città, dove gli ospiti si trovano circondati dalla giungla dal momento in cui arrivano, invece che pernottare in un albergo cittadino. I visitatori possono arrampicarsi come scimmie su alberi alti fino a 35 m e poi scivolare per 80 m da un albero all'altro lungo una zip-line all'altezza della chioma.

Tour

La vera giungla comincia ben lontano dal Rio delle Amazzoni vero e proprio, lungo i suoi piccoli affluenti. Man mano che vi addentrate nel fitto della foresta, aumentano le occasioni di osservare gli animali selvatici in un habitat relativamente incontaminato e di visitare i villaggi indigeni. Occorrono tempo e denaro, ma si tratta di un'esperienza estremamente suggestiva. Un'escursione della durata di tre o quattro giorni dovrebbe permettervi di trovare il giusto equilibrio tra la spesa del viaggio e il contatto ravvicinato con la giungla, anche se va detto che non tutte le vostre aspettative verranno soddisfatte. Nel bacino amazzonico, infatti, gli avvistamenti di fauna selvatica degni di nota sono molto rari: gli animali rimangono spesso ben nascosti tra la vegetazione e gli abusi provocati dal turismo, dalle consuetudini locali e dalle attività industriali hanno ridotto in maniera preoccupante la popolazione di diverse specie. Avrete una ragionevole possibilità di avvistare pappagalli ara, scimmie e delfini rosa o grigi, oltre a numerosi volatili e a qualche altro animale, ma ciò che conta veramente è godersi anche lo spettacolo dei suoni e dei colori offerto da uno dei luoghi più affascinanti e misteriosi del mondo.

Numerose agenzie organizzano escursioni della durata di diversi giorni nelle piccole riserve naturali che si estendono lungo il Río Yavarí, al confine tra Brasile e Perú. Prima di partire, accordatevi sempre sul prezzo, sulle attività da compiere e sulla durata del tour. Tenetevi alla larga dalle guide turistiche senza scrupoli che spesso fermano i viaggiatori all'aeroporto o lungo la strada. Un buon modo per valutare la loro professionalità è sincerarsi che siano membri di **Fonturama** (Fondo de Promoción y Desarrollo Turístico del Amazonas; ☎8-592-4162; www.fonturamazonas.org; Carrera 11 n. 9-04; ⏲9-12 e 14-19 lun-sab), un'associazione locale che promuove un turismo responsabile, legale e sostenibile. Fonturama può aiutarvi a trovare un tour operator se non ne avete prenotato uno in anticipo.

Per le escursioni più impegnative, le infrastrutture sono di vitale importanza, quindi le agenzie che gestiscono una riserva sono avvantaggiate rispetto a quelle che organizzano solo gite in giornata o che per il pernottamento si fermano nei villaggi.

Amazon Jungle Trips TOUR

(☎321-426-7757; www.amazonjungletrips.com.co; Av Internacional n. 6-25) Potendo vantare al suo attivo un'esperienza di oltre 25 anni, la Amazon Jungle Trips è uno dei tour operator più esperti e affidabili di Leticia. Il suo proprietario, Antonio Cruz Pérez, parla fluentemente inglese e organizza tour personalizzati, tra cui quelli nelle due riserve gestite dalla sua agenzia, la Reserva Natural Zacambú (p318) e **Tupana Arü Ü** (☎321-426-7757; www.amazonjungletrips.com.co).

Zacambú è sul Río Yavarí in Perú, mentre Tupana Arü Ü è 60 km a monte sul Rio delle Amazzoni, nel cuore della giungla. Entrambi i lodge possono essere raggiunti da Leticia con un viaggio in barca di un'ora, ma per raggiungere Tupana Arü Ü, dopo essere arrivati all'insediamento sul fiume di La Libertad, bisogna ancora camminare per circa 45 minuti. Un tour che includa una o due notti in entrambe le riserve è la scelta ottimale ed è anche sorprendentemente abbordabile: costa infatti COP$290.000 per persona al giorno, tutto compreso. I servizi offerti sono spartani ma comprendono acqua corrente e zanzariere, il cibo è buono, le guide sono professionali e l'accoglienza molto calorosa.

Colombia Remote Adventures AVVENTURA

(☎321-412-8372; www.colombiaremoteadventures.com) Eliceo Matapi Yucuna, un veterano tra le guide in Amazzonia, parla un inglese fluente e oggi gestisce una propria agenzia offrendo una serie di avventure amazzoniche che coniugano le esplorazioni nel folto della foresta con lo scambio culturale con la popolazione indigena. Al momento non ha un ufficio a Leticia; parlate al telefono direttamente con Eliceo e spiegategli quello che desiderate fare.

Tanimboca Tours TOUR

(☎310-791-7470; www.tanimboca.org; Carrera 10 n. 11-69) Oltre alle attività all'interno della Reserva Tanimboca a nord di Leticia, il cordiale staff di questa agenzia propone escursioni in barca o a piedi nella giungla, con partenza da Leticia; è compresa anche la visita di alcuni villaggi. Il proprietario parla tedesco e inglese e diverse guide parlano inglese.

Selvaventura TOUR
(☎311-287-1307, 8-592-3977; www.selvaventura.org; Carrera 9 n. 6-85) Il proprietario Felipe Ulloa parla inglese, spagnolo e portoghese e può organizzare un ampio ventaglio di escursioni nella giungla – sia nella foresta asciutta sia nell'*igapó* (foresta inondata). Vende inoltre i biglietti per viaggi in barca fino al Perú e al Brasile. L'agenzia utilizza il campo nella giungla di Maloka e il meno remoto Agape (al Km 10).

Pernottamento

A Leticia non mancano certo gli hotel e gli ostelli, ma la qualità è estremamente variabile e i prezzi possono salire alle stelle in alta stagione, soprattutto intorno a Natale e Pasqua, quando i colombiani giungono a frotte per esplorare la giungla. Tenete conto che molti hotel sono situati fuori città, sulla strada per l'aeroporto. Se questo può essere un problema nel cercare posti in cui mangiare, è anche vero che gli hotel si trovano praticamente sotto la canopea della foresta, perfetto se volete evitare i rumori del centro cittadino.

Omshanty Jungle Lodge LODGE $
(☎311-489-8985; www.omshanty.com; Km 11 Vía Tarapacá; letti in camerata/singole/doppie/triple/quadruple COP$15.000/40.000/60.000/80.000/95.000) Nel fitto della giungla, quindi non strettamente appartenente a Leticia, Omshanty è comunque un'opzione da considerare se volete trascorrere nella giungla tutto il tempo della vostra permanenza in Amazzonia. I bungalow ospitano fino a quattro persone e dispongono di angolo cucina. Il cordiale proprietario Kike parla inglese e organizza spedizioni nella giungla.

La Casa del Kurupira OSTELLO $
(☎8-592-6160, 313-468-0808; www.lacasadelkurupira.com; Carrera 9 n. 6-100; letti in camerata COP$25.000, singole/doppie COP$60.000/70.000, senza bagno COP$50.000/60.000; 📶) Gestita dai proprietari dell'agenzia Selvaventura, sul lato opposto della strada (i cui uffici fungono anche da bar e da punto d'incontro per l'ostello), La Casa del Kurupira è molto pulita, luminosa e moderna, ha ventilatori a soffitto che rinfrescano le camere, una grande cucina comune e una terrazza con alcune amache per rilassarsi. La lavanderia costa COP$10.000 e la prima colazione COP$8000.

La Jangada GUESTHOUSE $
(☎311-582-7158, 312-451-0758; lajangadaleticia@gmail.com; Carrera 9 n. 8-106; letti in camerata COP$27.000, singole/doppie COP$50.000/60.000, senza bagno COP$35.000/50.000; 📶) Questa guesthouse centrale, semplice ma con un buon rapporto qualità-prezzo (e per questo molto popolare), può organizzare ogni genere di spedizione sul fiume e nella giungla, tra cui escursioni su una ecologica barca a pedali. C'è una camerata da cinque posti letto, con un balcone ventilato e un'amaca, e alcune camere private dotate di ventilatore. La prima colazione è compresa in tutte le categorie di prezzo.

Ayahuasca Amazonas Hotel HOTEL $$
(☎8-592-4356, 311-811-9716; ayahuascaamazonashotel@yahoo.es; Carrera 10 n. 3-28; camere/bungalow a partire da COP$120.000/145.000; ❄📶) Nonostante il nome (che è quello della bevanda indigena allucinogena), non è un rifugio dove indulgere nell'autocoscienza, ma solo un hotel a gestione familiare accogliente e assolutamente immacolato in un animato quartiere residenziale vicino al confine brasiliano. I proprietari non parlano inglese, ma si prendono molta cura dei loro ospiti, organizzando anche tour e spedizioni nella foresta pluviale.

Hotel Malokamazonas BOUTIQUE HOTEL $$
(☎313-822-7527, 8-592-6642; www.hotelmalokamazonas.es.tl; Calle 8 n. 5-49; singole/doppie/a 2 letti/triple con prima colazione COP$85.000/150.000/165.000/225.000; ❄📶) Quest'hotel affascinante è stato progettato tenendo conto di tutti i dettagli e offre nove camere belle e confortevoli immerse in un giardino traboccante di orchidee e di alberi da frutto. Troverete un gran numero di mobili in legno naturale e di opere d'artigianato indigeno, un caldo benvenuto e molta professionalità.

★Amazon B&B B&B $$$
(☎8-592-4981; www.amazonbb.com; Calle 12 n. 9-30; singole/doppie con prima colazione COP$185.000/225.000, singole/doppie/triple in cabañas COP$250.000/280.000/325.000; ❄📶) La più affascinante ed elegante struttura ricettiva di Leticia è questo alberghetto con sei *cabañas* e quattro camere circondate da un lussureggiante giardino tropicale. Le *cabañas* sono spaziose e hanno soffitti alti, minibar ben forniti e piccole terrazze recintate con amache. Fuori stagione ci sono sconti notevoli, ma tenete presente che solo due camere hanno l'aria condizionata, le altre, per motivi ambientali, sono rinfrescate da ventilatori.

Zuruma Hotel HOTEL $$$
(☎311-262-5273, 8-592-6760; www.zurumahotel.com; Calle 10 n. 7-62; con prima colazione COP$105.000/164.000/228.000; ❄📶🏊) Con i suoi edifici a due piani vagamente modernisti sul retro di un ampio cortile, che vanta una piscina (così rinfrescante dopo una gornata nel caldo costante di Leticia!), lo Zuruma ha camere spaziose e molto pulite, anche se un po' troppo minimaliste. I proprietari non sono forse albergatori di professione, ma l'accoglienza è calorosa.

Waira Suites Hotel HOTEL $$$
(☎8-592-4428; www.wairahotel.com.co; Carrera 10 n. 7-36; singole/doppie con prima colazione COP$192.000/296.000; ❄📶🏊) L'elegante edificio bianco differenzia il Waira Suites Hotel dai soliti polverosi hotel dell'Amazzonia, ma anche se è decisamente confortevole ha alcune camere troppo piccole e le tariffe sono un po' esagerate. Detto ciò, la piscina, immersa in un giardino fiorito, è una delle migliori della città e il personale è professionale e cortese.

Pasti

Esistono diversi buoni ristoranti a Leticia, anche se la maggior parte apre solo per cena. La specialità è il pesce, tra cui i deliziosi *gamitana* e *pirarucú*, che è però meglio evitare fuori stagione per non invogliare i pescatori locali a ignorare i regolamenti che ne vietano la pesca nel periodo di deposizione delle uova. I prezzi possono essere più cari rispetto al resto del paese, ma molti ristoranti servono convenienti menu a prezzo fisso.

The Donut Company CAFFÈ $
(Calle 8 n. 7-35; donut COP$2000-3500; ⏲13-21 lun-sab) Questo meraviglioso piccolo caffè è praticamente l'unico locale dove troverete un buon caffè e donut ancora più buoni, freschi ogni giorno. Gestito da una coppia di americani evangelici, il caffè dona i profitti a un orfanatrofio di Benjamin Constant, una cittadina amazzonica brasiliana.

Govindas VEGETARIANO $
(☎320-487-4066; Calle 11A n. 10-56; pasti a prezzo fisso COP$10.000; ⏲12-21; 🌿) Un'ancora di salvezza per i vegetariani in questa parte del mondo: Govindas serve pranzi e cene con menu a prezzo fisso nella terrazza davanti alla sua palestra di yoga su un lato di Parque Santander. Il cibo è mediocre, ma salutare e privo di carne.

IMMERSIONE NELLA GIUNGLA

Uscire dai percorsi più battuti nell'Amazzonia colombiana può essere problematico, soprattutto se all'immersione nella natura volete associare un assaggio della vita quotidiana dei popoli indigeni della regione. La soluzione migliore è la visita a uno dei lodge recintati nella giungla, che vi consente di passare un po' di tempo direttamente nella foresta senza rinunciare a servizi essenziali come elettricità, pasti caldi e guide del posto.

Con soltanto sei camere, splendidamente arredate, il piccolo lodge di **Calanoa Amazonas** (☎350-316-7210; www.calanoaamazonas.com; da COP$445.000 per persona per notte) è una fetta di paradiso, e uno dei pochi nel bacino amazzonico che consente agli ospiti di rilassarsi con stile. Incluse nella tariffa ci sono due attività ogni giorno, da lunghe scarpinate nella giungla a escursioni notturne, uscite in canoa e visite a un vicino villaggio indigeno sostenuto economicamente dal lodge. Per chi non parla spagnolo, un interprete costa un extra di COP$200.000 per gruppo al giorno, mentre il viaggio di andata e ritorno con la barca da Leticia costa COP$90.000 per ogni ospite e comprende il trasferimento dall'aeroporto.

La piccola **Casa Gregorio** (☎311 201 8222, 310 279 8147; casagregorio@outlook.com; San Martin de Amacayacu; pensione completa a partire da COP$180.000 per persona), molto rustica e a gestione familiare, nella comunità indigena tikuna di San Martin de Amacayacu, è circondata da fiumi possenti e da un'impressionante foresta pluviale. Possiede solo due camere doppie nell'edificio principale e un bungalow separato con cinque posti letto, ed essendo completamente integrata nella comunità non vi dà quella sensazione di essere isolata. Nelle tariffe è compresa la pensione completa, stivali di gomma, attrezzatura da pioggia, acqua potabile e tutte le attività, i laboratori e gli spostamenti via fiume. Dovete prenotare per tempo, perché il personale di Casa Gregorio deve venirvi a prendere al molo di Bocana Amacayacu sul Rio delle Amazzoni (COP$30.000 per persona).

La Casa del Pan PANETTERIA $
(Calle 11 n. 10-20; prima colazione COP$5000-8000; ⏲7-12 e 13-20) Affacciata su Parque Santander, questa panetteria simpatica, perfetta per una prima colazione che sazia con uova, pane e caffè, è uno dei locali preferiti dai viaggiatori con pochi soldi.

★ **El Santo Angel** INTERNAZIONALE $$
(Carrera 10 n. 11-119; portate principali COP$12.000-35.000; ⏲17-24 mar-sab, dalle 12 dom; 📶) Con uno dei menu più diversificati e interessanti della città, El Santo Angel è giustamente uno dei ristoranti preferiti per un pasto serale. I commensali si riversano per strada (forse per evitare gli interni, un po' sterili) e spesso ci sono spettacoli musicali live ma non assordanti. Il menu comprende wrap, nachos, insalate, grigliate, pane pita, hamburger e pizze.

Gael Pizzeria Gourmet PIZZA $$
(Carrera 10 n. 14-1; pizze COP$12.000-30.000; ⏲18-22 mer-lun) Bastano l'illuminazione tenue e i graziosi tavoli in legno per dirvi che questa pizzeria lungo la strada è diversa dagli altri locali in città. Gael prepara pizze e calzoni da far venire l'acquolina in bocca, oltre a piatti di pasta e lasagne al forno – probabilmente le migliori di Leticia!

Numae Bistró COLOMBIANO $$
(☎320-839-5856; Carrera 11 n. 4A-39; portate principali COP$15.000-35.000; ⏲12-22) Situato praticamente al confine brasiliano, Numae si fa notare per la sua sala da pranzo all'aperto sopraelevata che guarda verso il Rio delle Amazzoni, in posizione perfetta perché gli ospiti possano osservare il tramonto. Anche la cucina è di alto livello, con trote e salmoni freschi e una serie di bistecche, ma la maggior parte degli ospiti spunta qui intorno alle 17 per farsi qualche birra.

El Cielo AMAZZONICO $$
(☎8-592-3723; Av Internacional n. 6-11; portate principali COP$15.000-30.000; ⏲17.30-23; 📶) Si presenta come il futuro della cucina locale: questo ristorante alla moda e innovativo serve *casabes* (mini pizze preparate con yucca, anziché farina di frumento) con guarnizioni fantasiose, tra cui *pirarucú*, il pesce molto amato dalla gente del posto, e *tucupi* (estratto di cassava). Nonostante la sua posizione, sulla trafficata strada principale, il giardino con fondo in ghiaia piacevolmente illuminato crea una bella oasi.

Tierras Amazónicas AMAZZONICO $$
(Calle 8 n. 7-50; portate principali COP$17.000-32.000; ⏲19-22 mar-dom; 📶) A prima vista, questo ristorante potrebbe sembrare la classica trappola per turisti, con le sue pareti letteralmente tappezzate di cianfrusaglie amazzoniche e artigianato popolare. Invece è un bel locale per una cena divertente, e uno dei pochi di buona qualità anche all'ora di pranzo. La specialità è il pesce – *dorado*, *gamitana*, piranha e *tucanare* – ed è quello che dovreste ordinare.

🍷 Locali e vita notturna

Leticia ritorna alla vita dopo il tramonto, alle 18. Quando l'umidità e la temperatura calano (almeno un po'!), gli abitanti spesso siedono lungo le strade e l'intera città sembra abbandonarsi a divertimenti estremi. Il che non è sempre positivo: droga e prostituzione prosperano e quando si fa buio sarebbe poco saggio avventurarsi lontano dal centro.

Mossh Bar BAR
(Carrera 10 n. 10-08; ⏲16-2 mar-gio, 16-4 ven e sab) Questo locale affacciato su Parque Santander sorprendentemente alla moda ha interni rossi, bianchi, neri e cromati e cattura una clientela un po' più sofisticata del resto dei bar in città.

Kawanna Bar BAR
(all'angolo tra Carrera 9 e Calle 7; ⏲18-24 dom-gio, 18-2 ven e sab) Un buon posto per una birra in tutto relax sul terrazzo, guardando il sole che tramonta; nei weekend a sera tarda si balla.

ℹ Orientamento

Leticia sorge sulle sponde del Rio delle Amazzoni, al confine tra la Colombia e il Brasile. Pochi passi oltre la frontiera si trova Tabatinga, una città brasiliana grande più o meno quanto Leticia e dotata di un aeroporto e di un porto, che rappresenta lo scalo più importante per le imbarcazioni che scendono verso Manaus. I viaggiatori stranieri possono spostarsi liberamente tra Leticia, Tabatinga, la città brasiliana di Benjamin Constant (situata circa 25 km più a valle) e l'isola peruviana di Santa Rosa, situata di fronte a Leticia e Tabatinga. Chi vuole addentrarsi ulteriormente in Brasile e in Perú dovrà invece avere i documenti necessari.

ℹ Informazioni

ACCESSO A INTERNET

La lentezza della connessione internet è una maledizione a Leticia, anche se praticamente ogni hotel e la maggior parte dei ristoranti offre wi-fi gratuito ai propri ospiti. Claro e Movistar hanno entrambi uffici sulla Carrera 11 vicino al **Museo Etnográfico Amazónico** (p309) dove potrete acquistare una SIM card locale per il traffico dati, anche se la velocità è davvero molto inferiore a quella di qualsiasi altra regione del paese.

ASSISTENZA SANITARIA

La principale struttura sanitaria della città è l'**Hospital San Rafael de Leticia** (☎8-592-7826; www.esehospitalsanrafael-leticia-amazonas.gov.co; Carrera 10 n. 13-78).

BANCA

Ci sono sportelli bancomat in centro e *casas de cambio* sulla Calle 8 tra Carrera 11 e il mercato. Fate un giro per vedere dove vi conviene di più perché i tassi cambiano molto.

EMERGENZE

Il **posto di polizia** principale (☎8-592-5060; Carrera 11 n. 12-32) si trova in Carrera 11.

INFORMAZIONI TURISTICHE

Il piccolo **ufficio turistico** (Secretaría de Turismo y Fronteras; ☎8–592–7569; Calle 8 n. 9-75; ⏲7-12 e 14-17 lun-sab, 7-12 dom) è utile e con personale cordiale.

PERICOLI E CONTRATTEMPI

Un nutrito presidio militare tenta da molto tempo di mantenere al sicuro la zona di Leticia/Tabatinga, ma persistono comunque problemi. Ex narcotrafficanti, guerriglieri, paramilitari e *raspachines* (raccoglitori di coca), che sono stati reinseriti nella società e ora vivono alla periferia di Leticia e di Puerto Nariño, gestiscono infatti case da gioco, bar di dubbia reputazione e altre attività quanto meno discutibili per la città. Non girovagate da soli di notte al di fuori delle aree urbane e soprattutto state alla larga dalla malfamata strada di Leticia nota come 'Los Kilometros'. Per quanto riguarda il Perú, i narcotrafficanti continuano a fare affari in questo angolo remoto del paese e tentano di scoraggiare in ogni modo i viaggiatori stranieri che si allontanano dagli itinerari più battuti. I tour operator e i proprietari dei lodge della regione sono stati messi in guardia dal portare i turisti in determinate zone, quindi non girate per contro vostro al di fuori delle zone in cui operano normalmente le guide turistiche locali.

POSTA

Per tutti i servizi di posta andate al **4-72** (Carrera 11 n. 10-44; ⏲8-12 e 14-17 lun-ven).

VISTI

Residenti e stranieri possono oltrepassare liberamente il confine all'interno di un raggio di 80 km da Leticia, ma al di fuori è richiesto il passaporto.

Se pianificate di spingervi più nell'interno, fatevi timbrare il passaporto all'ufficio del Ministero degli Affari Esteri all'aeroporto di Leticia. Attenzione però: dovrete avere un secondo timbro (dalle autorità brasiliane o peruviane, a seconda) entro le 24 ore dal primo, quindi programmate attentamente i vostri spostamenti. Se contate di partire da Leticia la mattina presto con un'imbarcazione, dovrete andare all'aeroporto per farvi fare il timbro il giorno prima. I cittadini di alcuni paesi, tra cui gli USA, il Canada, l'Australia e la Nuova Zelanda, per entrare in Brasile hanno bisogno di un visto e questo può es-

PER/DAL PERÚ

Le compagnie **Transtur** (☎a Iquitos 51-65-29-1324; www.transtursa.com; Jirón Raymondi 384) e **Transportes Golfinho** (☎a Iquitos 51-65-225-118; www.transportegolfinho.com; Rua Marechal Mallet 306, Tabatinga) assicurano i collegamenti passeggeri tra Tabatinga e la città peruviana di Iquitos con imbarcazioni veloci. I battelli partono dalla Isla Santa Rosa tutti i giorni tranne il lunedì intorno alle 5 e arrivano a Iquitos circa 10 ore più tardi. Il giorno prima della partenza, non dimenticate di farvi apporre il timbro di uscita all'ufficio di **Migración Colombia** (p315). Esiste un altro ufficio di **Migración Colombia** (Calle 9 n. 9-62; ⏲7.30-12 e 14-18 lun-sab, 7.30-12 e 14-16 dom) anche in città, ma servitevene solo per avere un'estensione del visto o permessi di residenza. I biglietti per i battelli si possono comprare da **Selvaventura** (p311) a Leticia: nessuna delle compagnie di navigazione, infatti, ha uffici in città.

Il viaggio costa US$70 in entrambe le direzioni e la tariffa comprende anche la prima colazione e il pranzo (solo banconote nuove; oppure COP$200.000). Durante la stagione secca a volte capita che si possa raggiungere l'Isla Santa Rosa solo da Porta da Feira, a Tabatinga, dove il livello delle acque è sempre alto. Informatevi per tempo. In realtà, in piena notte è sempre più facile arrivare da Tabatinga, ma una corsa in taxi da Leticia può costare la ragguardevole cifra di COP$30.000.

Anche imbarcazioni più lente ed economiche raggiungono Iquitos, ma non sono confortevoli e spesso assai poco affidabili nella navigazione: meglio evitarle.

Tenete presente che da Iquitos non esiste una strada che si inoltri in Perú. Dovete prendere un aereo o continuare lungo il fiume fino a Pucallpa (da cinque a sette giorni); da lì potete proseguire via terra per Lima.

sere costoso. Per evitare stress e grattacapi, consigliamo caldamente di procurarvi il visto prima di entrare in Amazzonia. Ma se non potete fare diversamente, portate una foto in formato passaporto e il certificato di vaccinazione contro la febbre gialla al **Consolato brasiliano** (p353). La pratica prende da uno a tre giorni. Se arrivate da Iquitos o state andando lì, potrete ottenere il timbro di entrata o di uscita all'ufficio della **Policía Internacional Peruviano (PIP)** (☎8-592-7755; Calle 11 n. 5-32; ⌚8-12 e 14-16 lun-ven) sull'Isla Santa Rosa, l'isola peruviana di fronte a Leticia. I viaggiatori che arrivano dal Brasile e hanno bisogno di un visto colombiano possono ottenerne uno al consolato della Colombia a Tabatinga.

Se avete bisogno dell'estensione del vostro visto in Colombia, non c'è bisogno che paghiate la tariffa prevista. Fatevi fare il timbro d'uscita e andate per una giornata in Brasile o in Perú; quando rientrate vi faranno un nuovo timbro d'entrata che vale per un soggiorno di 60 giorni.

Per/da Leticia

Leticia può essere raggiunta esclusivamente in barca o in aereo, perché non ci sono strade che la colleghino alla Colombia, al Brasile o al Perú.

AEREO

Tutti i viaggiatori stranieri devono pagare la tassa turistica di COP$30.000 al loro arrivo all'**Aeropuerto Internacional Alfredo Vásquez Cobo**, a nord della città.

Avianca (☎8-592-6021; www.avianca.com; Alfredo Vásquez Cobo Airport) e **Latam** (www.latam.com; Alfredo Vásquez Cobo Airport) hanno diversi voli giornalieri per Bogotá.

L'aeroporto internazionale di Tabatinga ha voli per Manaus ogni giorno. Situato 4 km a sud di Tabatinga, è collegato a Leticia con *colectivos* (taxi condivisi, minivan o autobus di medie dimensioni) indicati come 'Comara' che vi faranno scendere nelle vicinanze. Prima della partenza ricordate di farvi apporre il timbro di uscita all'aeroporto di Leticia e – se occorre – procuratevi il visto per il Brasile.

Al momento della partenza dall'aeroporto di Leticia, tutti i viaggiatori stranieri devono effettuare il check-in al **Migración Colombia** (☎8-592-7189; www.migracioncolombia.gov.co; Aeropuerto Internacional Alfredo Vásquez Cobo; ⌚7-18 lun-ven, 7-16 e 19-22 sab e dom) prima di procedere con i controlli di sicurezza dell'aeroporto, a prescindere dal fatto che si lasci o meno la Colombia; se non l'avete ancora fatto, sarete indirizzati al Migración Colombia dopo il check-in – una procedura estremamente rapida e priva di problemi, che richiede pochi secondi.

IMBARCAZIONI

Comprate i biglietti per Puerto Nariño e altri punti del fiume a monte da **Transportes Fluviales** (☎311-532-0633, 311-486-9464; Malecón Plaza, Carrera 12 n. 7-36). Le imbarcazioni per Puerto Nariño partono dal **molo sul Rio delle Amazzoni** di Leticia alle 8, alle 10 e alle 13 ogni giorno (COP$30.000, 2 h). Arrivate con parecchio anticipo sull'orario previsto, soprattutto perché l'approdo non è così facile da individuare. Per comprare i biglietti avrete bisogno di mostrare il passaporto.

Se partite da Tabatinga (Brasile), ricordate che è un'ora avanti rispetto alla Colombia, altrimenti correte il rischio di perdere la barca!

Trasporti locali

Il principale mezzo di trasporto pubblico per i visitatori è il mototaxi: cercate uno dei tanti motociclisti che sfrecciano in giro con un casco in più sul manubrio. La tariffa base è di COP$2000. Frequenti *colectivos* (da COP$2000 a COP$6000) collegano Leticia con Tabatinga e i villaggi di 'Los Kilometros' a nord dell'aeroporto di Leticia. I **minibus per Tabatinga** (all'angolo tra Carrera 10 e Calle 8) partono dall'angolo tra Carrera 10 e Calle 8, mentre i ***colectivos* per l'aeroporto di Leticia** (Parque Orellana) partono dalle vicinanze di Parque Orellana.

I taxi normali costano di più che in altre regioni della Colombia; il breve tragitto dall'aeroporto alla città costa COP$8000, per l'aeroporto di Tabatinga COP$15.000 e per Porto Bras a Tabatinga COP$10.000. Trovate un **parcheggio di taxi** (Parque Orellana) su un lato di Parque Orellana.

Parque Nacional Natural Amacayacu

Esteso su una superficie di quasi 300.000 ettari, il **PNN Amacayacu** (☎8-520-8654; www.parquesnacionales.gov.co; interi/studenti e under 26 COP$38.000/7000) costituisce il luogo ideale per chi desidera osservare da vicino la foresta pluviale amazzonica, grazie alla straordinaria biodiversità e a una gran quantità di fauna selvatica. Purtroppo, a causa di una catastrofica inondazione le strutture del parco sono state chiuse e pare che lo rimarranno nel prossimo futuro, anche se è sempre possibile entrare nel parco e organizzare un tour con guide locali. Contattate un tour operator a Leticia per pianificare la visita.

Puerto Nariño

☎8 / POP. 6000 / ALT. 110 M

Il villaggio amazzonico di Puerto Nariño, 75 km a monte da Leticia, è un esempio di coesistenza tra uomo e natura a cui ispirarsi. Qui le auto sono vietate (gli unici due veicoli a motore sono l'ambulanza e il camion per la racolta dei rifiuti riciclabili), l'acqua piovana è raccolta in cisterne e utilizzata per lavare e per innaffiare i giardini e l'elettricità proviene dall'efficiente generatore locale, ma è disponibile solo fino a mezzanotte. Ogni mattina, gruppi di cittadini si sparpagliano in giro per ripulire i marciapiedi e le aiuole e l'ambizioso programma di gestione dei rifiuti riciclabili e di quelli organici farebbe arrossire di vergogna la maggior parte delle città del mondo. Il contrasto tra Puerto Nariño e la sporca e inquinata Leticia non potrebbe essere più eclatante.

La popolazione di Puerto Nariño è costituita per la maggior parte da tikuna, cocoma e yagua. L'esperimento a livello comunitario di un modo di vita sostenibile ha reso l'ecoturismo un'importante fonte di reddito. Questo tranquillo villaggio rappresenta una base ideale per visitare il magnifico Lago Tarapoto e l'Amazzonia in generale.

Che cosa vedere

Mirador PUNTO PANORAMICO
(Calle 4; interi/bambini COP$5000/3000; 7-17.45 lun-ven, 8-17 sab-dom) Per un bel panorama a volo d'uccello sul villaggio, la giungla circostante e il Rio delle Amazzoni, arrampicatevi su questa impressionante torre di legno sulla sommità di una collina al centro del paese.

Centro de Interpretación Natütama MUSEO
(313-4568-657; www.natutama.org; COP$5000; 9-17 mer-lun) Questo affascinante museo naturale ha quasi un centinaio di sculture in legno a grandezza reale di flora e fauna amazzonica. Al suo esterno troverete un piccolo allevamento di tartarughe.

★ Lago Tarapoto LAGO
Il Lago Tarapoto, 10 km a ovest di Puerto Nariño, è uno splendido specchio d'acqua immerso nella giungla, popolato da delfini, manati e una quantità di ninfee. La gita al lago di mezza giornata da Puerto Nariño con un *peque-peque*, una barca in legno molto bassa (COP$50.000 fino a 4 passeggeri), è ciò che attira i visitatori, pronti a fare un tuffo nelle acque limpide del lago.

Casa Museo Etnocultural MUSEO
(all'angolo tra Carrera 7 e Calle 5; 8-12 e 14-17 lun-ven) FREE Questo mini museo nell'*alcaldía* (l'edificio del municipio cittadino) espone manufatti della popolazione indigena della regione.

Pernottamento

Avrete da scegliere tra una ventina di opzioni di pernottamento, quindi non dovreste avere nessun problema a trovare una camera libera. I proprietari di alcuni alberghi stazionano al molo per ricevere i viaggiatori stranieri in arrivo da Leticia.

Maloca Napü GUESTHOUSE $
(315-607-4044, 311-523-3409; www.malocanapu.com; Calle 4 n. 5-72; camera con/senza balcone COP$30.000/25.000 per persona; @) Forse la guesthouse più affascinante della città, Maloca Napü ha l'aspetto e l'atmosfera di un fortino abbarbicato su un albero, circondato com'è da un giardino folto e lussureggiante. Le camere sono spartane ma confortevoli, con un mobilio essenziale, ventilatori e bagni comuni con docce a pioggia molto rinfrescanti. Tutti quelli che lavorano qui sono amichevoli al massimo.

Cabañas del Fraile CABAÑAS $
(311-502-8592, 314-201-3154; altodelaguila@hotmail.com; letti in camerata COP$20.000, camere con/senza bagno COP$30.000/25.000 per persona) Nella giungla appena fuori dal villaggio, frate Hector José Rivera e le sue deliziose scimmie gestiscono quest'oasi in cima a una collina affacciata sul Rio delle Amazzoni. Il complesso comprende diverse semplici capanne, servizi in comune e una torretta di avvistamento. Tra le scimmie, i tacchini, i cani e i pappagalli ara che scorrazzano in giro, il senso di completo isolamento e l'uso gratuito delle canoe sul fiume, avrete da divertirvi!

Per raggiungere Alto del Aguila, prendete la strada principale (parallela al Rio delle Amazzoni, due isolati più nell'interno) che esce dalla città a ovest attraversando un grande ponte fino al marciapiede ben tenuto; al cimitero tenetevi a sinistra e camminate attraverso il campus della scuola superiore (affascinante di per sé), poi svoltate a destra immediatamente dopo il campo di calcio della scuola.

Hotel Lomas del Paiyü HOTEL $
(313-268-4400, 313-871-1743; hotellomasdelpaiyu@yahoo.com; Calle 7 n. 2-26; singole COP$30.000-45.000, doppie COP$60.000-90.000) Questo albergo dal tetto di lamiera con 22 camere è una scelta affidabile non priva di un suo rustico charme. Alcuni bagni sono grandi quasi quanto le camere, rinfrescate dai ventilatori, e se le stanze più economiche sono in rustiche *cabañas* con amache in comune, la

doppia più bella ha uno splendido balcone con vista sulla città. L'hotel pianta un albero per ogni ospite.

Waira Selva Hotel HOTEL **$$**
(☎8-592-4428; www.wairahotel.com.co; Carrera 2 n. 6-72; singole/doppie/triple/con prima colazione COP$98.000/140.000/198.000) L'hotel più raffinato in città vi permette un soggiorno nella giungla con tutti i comfort, grazie a 13 camere ampie e molto comode che sfoggiano legno scuro, ventilatori a soffitto e balconi e condividono l'accesso a una piattaforma panoramica sul villaggio che sembra una bizzarra casa sull'albero. Le prenotazioni sono gestite dall'altro hotel della proprietà (p312) a Leticia.

Pasti e locali

La 'vita notturna' della gente del posto si limita in genere a una bevuta in uno dei minuscoli bar davanti ai campi di basket. A differenza di Leticia, questo villaggio sicuro e amichevole non è pericoloso di notte.

Restaurante El Calvo COLOMBIANO **$**
(Carrera 1 n. 6-10; pasti COP$7000-10.000; ⏲7-22) Di fronte ai campi sportivi sulla via principale di Puerto Nariño, questo locale accogliente è uno dei migliori per un semplice pasto di carne grigliata, un hamburger o un hot dog. Si può scegliere anche uno dei deliziosi succhi di frutta.

Las Margaritas COLOMBIANO **$$**
(Calle 6 n. 6-80; pasti a prezzo fisso COP$15.000; ⏲12-15) Sotto un grande *palapa* (tetto di foglie di palma) proprio dietro il campo di calcio, Las Margaritas (aperto solo a pranzo) è il miglior ristorante della città, anche se è un po' caro per gli standard locali: i suoi clienti, infatti, sono per lo più gruppi in viaggio organizzato. I pasti a buffet sono deliziosi, ma arrivate per tempo perché può essere molto affollato se in città c'è un gruppo di turisti numeroso.

Informazioni

A Puerto Nariño non ci sono né banche né sportelli bancomat e le carte di credito non vengono accettate ovunque, quindi portatevi da Leticia tutto il contante che vi può servire se pianificate da qui escursioni nella giungla, perché i prezzi possono salire all'improvviso.

C'è un piccolo **ufficio turistico** (☎313-235-3687; all'angolo tra Carrera 1 e Calle 5; ⏲9-12 e 14-17 lun-sab) nel municipio.

Puerto Nariño ha anche un piccolo **ospedale** (all'angolo tra Carrera 4 e Calle 4), ma per qualsiasi problema medico serio occorre tornare a Leticia.

Per/da Puerto Nariño

Tutti i giorni alle 8, alle 10 e alle 13 dal molo di Leticia salpano imbarcazioni veloci dirette a Puerto Nariño (COP$30.000, 2 h), mentre le barche che coprono il tragitto inverso partono per Leticia alle 7.30, alle 11 e alle 15.30.

Potete comprare i biglietti da **Transportes Fluviales** (☎8-592-6752; Muelle Turistico) vicino al lungofiume di Leticia. Le barche sono spesso al completo, quindi è consigliabile acquistare i biglietti presto o, meglio ancora, il giorno prima.

Río Yavarí

A breve distanza da vaste distese di foresta vergine, il sinuoso Río Yavarí offre alcune delle migliori opportunità per ammirare da vicino e in tutta tranquillità la natura amazzonica. Due riserve private forniscono sistemazioni spartane e organizzano visite guidate e attività come uscite in kayak, birdwatching, avvistamento dei delfini, trekking nella giungla e visite a villaggi di indigeni. Sono tra le destinazioni della foresta pluviale più accessibili e relativamente confortevoli e le consigliamo caldamente.

Quando pianificate il viaggio, tenete presente che i costi variano in base al numero dei partecipanti, alla durata del soggiorno, alla stagione e al numero di tour guidati; mettete in preventivo di spendere una cifra compresa tra COP$180.000 e COP$350.000 per persona al giorno, ma dappertutto vale la regola che più siete e meno spendete.

Reserva Natural Palmarí

A circa 105 km lungo il fiume da Leticia, la **Reserva Natural Palmarí** (☎310-786-2770; www.palmari.org) si trova sull'alta sponda meridionale (brasiliana) del Río Yavarí e domina un'ampia ansa, nelle cui acque si radunano spesso delfini rosa e grigi. È l'unico lodge che dà l'accesso a tutti e tre gli ecosistemi della foresta amazzonica: la *terra firme* (foresta secca), la *várzea* (foresta parzialmente inondata) e l'*igapó* (foresta inondata).

Il lodge è rustico ed è stato in gran parte ricostruito dopo un incendio causato da piromani nel 2010. Le volonterose guide che impiega vengono dalle comunità circostanti, quindi non aspettatevi nessuna spiegazione in inglese ma molta autenticità e conoscenza dei luoghi. Le attività sono di vario tipo: escursioni a piedi, trekking notturni, uscite in kayak e in barca. La riserva di Palmarí offre le migliori opportunità per dedicarsi all'escursionismo di tutta la regione e l'unica occasione per conoscere la foresta di *terra firme*, oltre a essere il posto migliore della zona per avvistare gli animali selvatici, tra cui i tapiri e – con una grande dose di fortuna – i giaguari.

Si arriva alla riserva esclusivamente con una lancia privata da Tabatinga (COP$100.000 per persona). Il viaggio dura da 45 minuti a due ore, a seconda del livello dell'acqua del fiume. Per organizzare il trasferimento dovete parlare con il proprietario **Axel Antoine-Feill** (☎310-786-2770, 1-610-3514), anche in inglese. La sua rappresentante a Leticia è **Claudia Rodriguez** (☎318-362-0610, 322-557-7161).

Reserva Natural Zacambú

La Reserva Natural Zacambú è una delle riserve nella giungla più vicine a Leticia, da cui dista 70 km lungo il fiume. Il suo **lodge** (☎321-426-7757; www.amazonjungletrips.com.co; COP$290.000 per persona al giorno tutto compreso) si trova sul Río Zacambú, un affluente del Río Yavarí, sul lato peruviano del fiume. Zacambú sorge in una foresta inondata che ospita molte specie di farfalle, e purtroppo anche miliardi di zanzare. A causa della vicinanza alle comunità peruviane, Zacambú non costituisce il posto ideale per osservare la fauna selvatica, anche se non è difficile avvistare delfini, piranha e caimani nel fiume e una ricca avifauna nella giungla. Sia il lodge sia le escursioni sono gestite dall'agenzia Amazon Jungle Trips (p310) a Leticia e la riserva è una delle più accessibili tra quelle che consentono di esplorare il mondo naturale amazzonico.

Conoscere la Colombia

Colombia oggi

Forse la Colombia è ancora lontana dalla meta, ma i progressi compiuti negli ultimi 20 anni sono stati straordinari. La resa delle armi da parte delle FARC (Fuerzas Armadas Revolucionarias de Colombia) e la loro conversione al processo democratico ha lasciato l'amaro in bocca a molti colombiani, ma è difficile immaginare un altro modo in cui il paese avrebbe potuto iniziare a guarire le proprie ferite, dopo così tanti anni di guerra continua. C'è ancora molta strada da fare, ma forse la Colombia ha davvero imboccato il cammino verso una pace duratura.

Sullo schermo

Maria Full of Grace di Joshua Marston (2008) Un'adolescente incinta e il traffico di droga.
Todos tus muertos di Carlos Moreno (2011) Pesante critica della corruzione e dell'apatia.
Chocó di Jhonny Hendrix Hinestroza (2012) Immagini rigorose per raccontare una drammatica realtà.
El Abrazo de la Serpiente di Ciro Guerra (2015) Bellissimo bianco e nero su un ecosistema in pericolo.
Un mondo fragile di César Augusto Acevedo (2015) Tematiche ambientali e sociali in un film commovente.
Amazona di Clare Weiskopf (2016) Film documentario su un viaggio nella giungla colombiana.

In libreria

Cent'anni di solitudine di Gabriel García Márquez (1967) Capolavoro del realismo magico.
Il rumore delle cose che cadono di Juan Gabriel Vásquez (2011) Thriller che coinvolge ippopotami fuggiti dallo zoo di Escobar.
Delirio di Laura Restrepo (2004) Follia personale e politica nella Bogotá della metà degli anni '80.
L'oblio che saremo di Héctor Abad Faciolince (2006) Toccante memoir familiare ambientato a Medellín durante gli anni '80.

Un accordo controverso

Quando il presidente Juan Manuel Santos, laureato ad Harvard, iniziò a sovrintendere i controversi negoziati all'Avana con i rappresentanti delle FARC nel 2012, la società colombiana reagì con sgomento: si sentiva oltraggiata. Santos, che aveva impostato tutta la campagna presidenziale del 2010 su un'appassionata opposizione alle FARC, fu pesantemente criticato per la mossa azzardata, non da ultimo proprio dal suo mentore e predecessore, Álvaro Uribe, che negli anni successivi divenne il più accanito avversario politico del presidente.

Nonostante la decisa opposizione popolare ai colloqui di pace, Santos guadagnò un secondo mandato nelle presidenziali del 2014, che evidenziarono le profonde spaccature della società colombiana. Santos perse infatti il primo turno, ma riuscì ad aggiudicarsi il ballottaggio con il 51% delle preferenze. Il voto si trasformò quasi in un referendum sulla continuazione o meno dei negoziati con i ribelli, e la campagna elettorale non risparmiò niente e nessuno.

Santos, pur massacrato dalle critiche, ritenne comunque di aver ottenuto un mandato per continuare i colloqui e nel 2016 l'accordo finale – dopo quattro anni di faticose trattative – venne presentato al popolo colombiano perché venisse ratificato da un referendum. Le aspettative erano che la maggioranza dei votanti avrebbe approvato l'accordo, ma con un colpo di scena inaspettato il risultato fu negativo, seppure con un margine minimo: il 50,2% dei colombiani votò 'no', contro il 49,8% a favore dell'accordo.

La normalizzazione delle FARC

Indomito, nonostante l'insuccesso nel referendum, Santos tornò al tavolo delle trattative e attuò una cinquantina di emendamenti che avrebbero consentito all'accordo di passare direttamente all'approvazione del Parlamento. Il che avvenne il 30 novembre 2016, quando sia la Camera sia il Senato approvarono all'unanimità la legge. Un paio di mesi prima, Santos aveva ricevuto il premio Nobel per la pace proprio per aver forgiato quell'accordo: più tardi il presidente stesso ammise che il riconoscimento internazionale aveva contribuito all'approvazione della legge da parte del Parlamento, dopo che il risultato catastrofico del referendum aveva messo in pericolo l'intero processo di pace. Santos donò conseguentemente il milione di dollari assegnato dal Nobel alle vittime delle FARC.

Secondo i termini sottoscritti dall'accordo, le FARC deposero le armi in un processo che ha visto la fine nell'agosto del 2017. In cambio – e questo era il punto criticato dalla maggioranza della gente – i leader delle FARC ebbero l'autorizzazione a formare un partito politico con lo stesso nome. A quasi tutti i membri delle FARC fu garantita l'amnistia per i reati commessi, e il partito ha annunciato la sua intenzione di presentare propri candidati alle elezioni parlamentari e di diventare un partito 'rispettabile', suscitando il raccapriccio delle centinaia di migliaia di persone che sono riuscite a sopravvivere alle loro violenze. Visto però che i partiti tradizionali non godono di grande popolarità attualmente, è altamente probabile che le FARC possano ricevere, come voto di protesta, una fetta significativa del sostegno popolare.

Una nazione divisa

La Colombia rimane comunque una nazione divisa al suo interno, e non solo per il controverso accordo di pace. La corruzione e le sacche di povertà dominano ogni strato della società e sono pochi a intravvedere i modi per ridurle, dal momento che entrambe sembrano permeare la società colombiana. Nel 2017 viveva al di sotto della soglia di povertà ben il 28% della popolazione.

Nel 2018 il candidato del Centro Democrático Iván Duque Marquéz ha prestato giuramento come presidente, ponendo la prima grande prova dell'accordo di pace nel momento in cui Juan Manuel Santos, presidente per due mandati, lasciava il suo incarico. Duque ha manifestato la volontà di rivedere alcuni aspetti degli accordi del 2016 e ora molti si interrogano sul futuro della pace tra il governo e le FARC.

Un altro tema importante che la Colombia deve affrontare oggi è l'ingente immigrazione di venezuelani che attraversano il confine cercando di fuggire da una situazione di carenza di cibo e dal giro di vite operato dal governo, nonché dalle conseguenze catastrofiche della massiccia frana di fango che nell'aprile del 2017 ha causato più di 250 vittime nel dipartimento di Putomayo.

Anche le esportazioni colombiane rimangono ovviamente problematiche; il paese continua a produrre ogni anno circa 866 tonnellate di cocaina: questa cifra è cresciuta enormemente negli ultimi anni e ha raggiunto di nuovo il livello del 2001, prima dell'intro-

POPOLAZIONE: **48.650.000**

SUPERFICIE: **1.141.748 KMQ**

CRESCITA DEL PIL: **2%**

DISOCCUPAZIONE: **9,1%**

ASPETTATIVA DI VITA:
73 ANNI (UOMINI),
79 ANNI (DONNE)

su 100 abitanti in Colombia

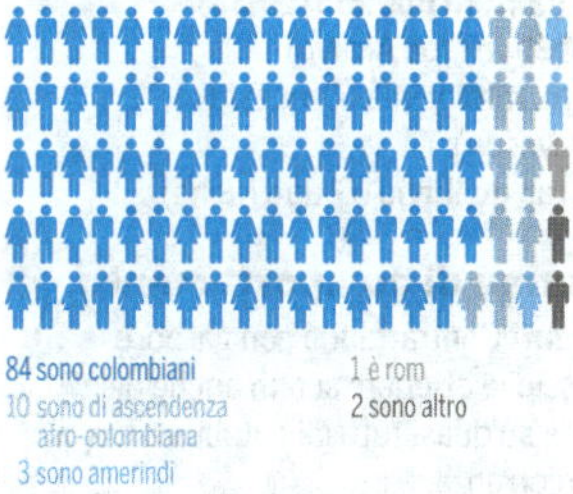

religione
(% della popolazione)

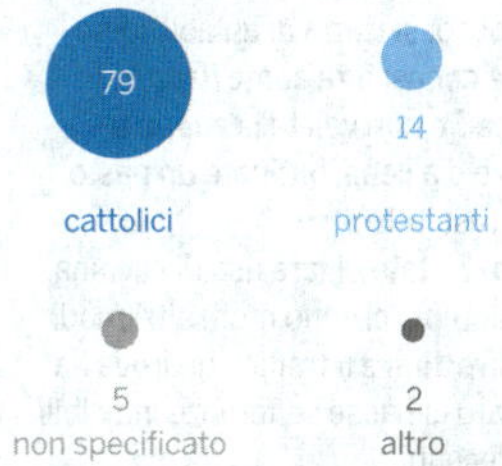

popolazione per kmq

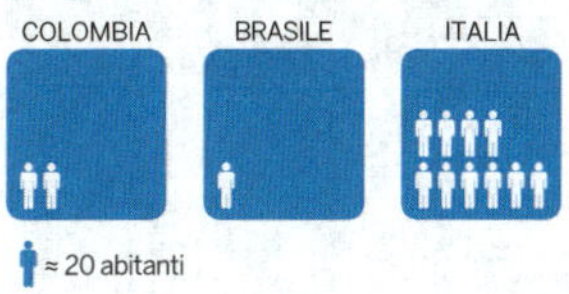

I blog migliori

Colombia Travel Blog www.seecolombia.travel/blog
Colombia Calling Radio www.richardmccoll.com/colombia-calling
Banana Skin Flip Flops www.bananaskinflipflops.com
How to Bogotá www.howtobogota.com
Two Wandering Soles www.twowanderingsoles.com/colombia
Sarepa www.sarepa.com

Il meglio della salsa colombiana

El preso (Fruko Y Sus Tesos)
La pantera mambo (La-33)
Rebelion (Joe Arroyo)
Oiga, mire y vea (Orquesta Guayacán)
Gotas de lluvia (Grupo Niche)

Norme di comportamento

Sconti Contrattando con garbo, è possibile ottenere sconti anche del 20% su quasi tutti gli autobus a lunga percorrenza.
Autobus Non sentitevi obbligati ad acquistare i gingilli che gli ambulanti vendono sugli autobus.
Succhi di frutta Quando acquistate un succo in strada, aspettatevi un rabbocco: si tratta di un'abitudine locale conosciuta come *ñapa*.
Zuppa Se non volete la zuppa a pranzo o a cena, ordinate un pasto *seco* (asciutto).
Droga Evitate di fare uso di cocaina. In Colombia ci sono molti altri modi per divertirsi e il traffico di droga ha causato al paese sofferenze indicibili per decenni.

duzione del Plan Colombia. Un'altra macchia sulla reputazione internazionale del paese.

Un paese in crescita

Dopo avere quasi superato l'instabilità politica e le violenze che hanno caratterizzato la sua storia a partire dalla metà del XX secolo, oggi la Colombia è una delle economie latinoamericane più dinamiche e in rapida crescita. Risparmiata dalla recessione che ha colpito negli ultimi anni quasi tutti i paesi dell'America Latina, anche grazie ai prezzi elevati delle sue principali risorse naturali (petrolio e carbone), la Colombia sembra avviata nell'immediato futuro a una crescita stabile e straordinariamente veloce.

Sebbene non si possa negare che per molte popolazioni rurali le condizioni di vita non sono affatto migliorate, oggi la Colombia sta diventando una delle mete più interessanti dell'America Latina e in questo quadro il turismo svolge un ruolo sempre più importante. La Colombia non è mai stata così sicura di se stessa – per lo meno a memoria d'uomo – e i viaggiatori stranieri non tarderanno a scoprire che questo stato d'animo è contagioso.

Ovviamente, il viaggio verso il progresso è stato molto arduo e oggi la Colombia continua a essere assediata dai demoni del suo passato, e i ricordi delle violenze delle FARC, dei gruppi paramilitari e degli spietati cartelli della droga sono ancora ben vivi nella memoria della gente. Ma mentre comincia il processo di guarigione e il governo colombiano continua a impegnarsi per garantire al paese una pace duratura, la Colombia gode di una fase di ottimismo che non si era mai data nella sua storia.

Storia

La Colombia ha una lunga storia di conflitti sanguinosi: la crudele conquista coloniale, la lotta per l'indipendenza contro la Spagna, il mezzo secolo di scontri tra i guerriglieri delle FARC (Fuerzas Armadas Revolucionarias de Colombia) e i paramilitari nonché il caos del narcotraffico degli anni '80 e '90 l'hanno resa tristemente nota per la sua violenza. La situazione è però drasticamente cambiata e oggi la Colombia è molto più sicura di quanto non sia stata per decenni.

La Colombia prima di Colombo

Situata nella zona in cui il Sud America incontra la parte centrale del continente, l'odierna Colombia ebbe i primi insediamenti umani tra 70.000 e 12.500 anni fa. Quasi tutte queste popolazioni – tra cui gli antenati degli inca –, che stavano migrando da nord, passarono oltre e oggi si conosce molto poco dei gruppi che decisero invece di stabilirsi in queste terre, tra cui i calima, i muisca, i nariño, i quimbaya, i tayrona, i tolima e i tumaco. All'arrivo degli spagnoli, i primi abitanti della Colombia vivevano in piccole comunità sparse e traevano il proprio sostentamento dall'agricoltura e dai commerci, ma non potevano di certo competere con le grandi civiltà fiorite in Messico e Perú.

I più importanti siti precolombiani presenti in zona (San Agustín, Tierradentro e Ciudad Perdida) erano stati abbandonati molto prima dell'arrivo degli spagnoli, nel 1500. Ciudad Perdida, la capitale dei tayrona, era stata costruita nella giungla verso il 700 d.C. con centinaia di terrazzamenti in pietra collegati tra loro da scalinate. I muisca – uno dei principali gruppi indigeni del paese – occupavano le odierne Boyacá e Cundinamarca, vicino a Bogotá (il cui nome deriva proprio da un termine della lingua muisca) e quando giunsero gli spagnoli potevano contare su una popolazione di circa 600.000 persone.

Uno dei migliori libri sulla storia della Colombia è *The Making of Modern Colombia: A Nation in Spite of Itself* (1993) di David Bushnell, che segue la colonizzazione, i conflitti interni fino all'indipendenza e l'emergere delle politiche legate alla cocaina negli anni '80.

La conquista spagnola

La Colombia deve il suo nome a Cristoforo Colombo, anche se il famoso esploratore non vi mise mai piede. Fu Alonso de Ojeda, imbarcatosi con Colombo nella seconda spedizione, il primo europeo di cui si sia registra-

CRONOLOGIA

5500 a.C.

I primi gruppi di antenati dei muisca si insediano nell'odierna Colombia, dove vivono di agricoltura di sussistenza in piccole comunità, mentre nascono gli imperi azteco e inca.

700 d.C.

I tayrona iniziano a costruire nella lussureggiante foresta pluviale la loro città più importante, la leggendaria Ciudad Perdida (Città Perduta), che verrà 'riscoperta' solo nel 1972.

I muisca, che con i maya e gli inca erano il gruppo indigeno più numeroso all'epoca della conquista spagnola, fecero nascere con i loro *tujos* (offerte) d'oro il mito dell'El Dorado, mentre la *chicha* (birra di mais fermentato) ubriaca ancora oggi i colombiani.

to l'arrivo in zona, nel 1499. De Ojeda esplorò sommariamente la Sierra Nevada de Santa Marta e rimase profondamente colpito dalla ricchezza degli indigeni. Le coste dell'odierna Colombia divennero così meta di numerose spedizioni degli spagnoli, che fondarono diversi insediamenti lungo la costa, destinati però ad avere vita molto breve. Nel 1525 Rodrigo de Bastidas pose la prima pietra di Santa Marta, il più antico insediamento europeo in Sud America tuttora esistente, e nel 1533 Pedro de Heredia fondò Cartagena, che grazie alla sua posizione strategica e al suo florido porto conobbe un rapidissimo sviluppo, diventando nel giro di pochi anni il principale centro di commerci della costa colombiana.

Nel 1536 tre spedizioni indipendenti partirono alla scoperta dell'entroterra colombiano, guidate rispettivamente da Gonzalo Jiménez de Quesada (da Santa Marta), Sebastián de Belalcázar, chiamato anche Benalcázar (dall'odierno Ecuador), e Nikolaus Federmann (dal Venezuela). Tutti riuscirono nel loro intento di conquistare vaste porzioni del territorio e fondarono diverse città, prima di incontrarsi nel 1539 nel territorio dei muisca.

Il primo ad arrivare fu Quesada, che nel 1537 attraversò la Valle del Magdalena e la Cordillera Oriental. In quel periodo i muisca erano divisi in due clan – uno capeggiato dallo Zipa di Bacatá (città situata nel luogo in cui sorge l'attuale Bogotá) e l'altro dallo Zaque di Hunza (oggi chiamata Tunja) – la cui rivalità permise a Quesada di sconfiggere entrambi con un esercito composto da appena 200 uomini. Belalcázar – un disertore dell'esercito di Francisco Pizarro, lanciato alla conquista dell'impero inca – assoggettò la parte meridionale della Colombia, dove fondò Popayán e Cali. Dopo aver attraversato Los Llanos e le Ande, Federmann arrivò a Bogotá poco dopo Belalcázar. I tre gruppi di coloni si contesero la supremazia sulla regione, fino a quando nel 1550 il re di Spagna Carlo V istituì un tribunale a Bogotá e pose la nuova colonia sotto il controllo del vicereame del Perú.

La Corona spagnola premiò il *conquistador* Sebastián de Belalcázar per aver ucciso migliaia di indigeni, ma nel 1546 lo condannò a morte per aver fatto assassinare il rivale Jorge Robledo.

Il periodo coloniale

Nel 1564 la Corona spagnola istituì la Real Audiencia del Nuevo Reino de Granada, un organo dotato di ampia autonomia in ambito sia militare sia civile, retto da un governatore nominato direttamente dal re di Spagna. A quei tempi il Nuevo Reino comprendeva l'odierno Panamá, il Venezuela (esclusa Caracas) e tutta la Colombia, fatta eccezione per gli attuali territori di Nariño, Cauca e Valle del Cauca, che erano invece sotto la giurisdizione della Presidencia de Quito (attuale Ecuador).

La popolazione della colonia – che in un primo tempo era formata da comunità di indigeni e dagli invasori spagnoli – iniziò a diversificarsi con l'arrivo degli schiavi africani a Cartagena, il principale porto della tratta dei neri nel Sud America. Nel corso del XVI e del XVII secolo gli spa-

1499
Durante il suo secondo viaggio nel Nuovo Mondo, Alonso de Ojeda sbarca a Cabo de la Vela e uno scienziato presente a bordo sorprende la ciurma affermando che in realtà non si tratta dell'Asia.

1564
La Corona spagnola istituisce la Real Audiencia del Nuevo Reino de Granada a Bogotá, soggetta al viceré del Perú, insediato a Lima.

1717
Bogotá diventa la capitale del Virreinato (vicereame) de la Nueva Granada, comprendente gli attuali stati della Colombia, dell'Ecuador, del Venezuela e di Panamá.

gnoli importarono un numero di africani tale da superare addirittura la popolazione di indigeni. A questo quadro etnico si aggiunsero in seguito i *criollos*, termine con cui venivano definiti i bianchi nati nelle colonie.

Con l'espansione dell'impero spagnolo nel Nuovo Mondo s'impose un'ulteriore divisione territoriale e nel 1717 Bogotá divenne la capitale del Virreinato de la Nueva Granada, che comprendeva i territori dei moderni stati della Colombia, di Panamá, dell'Ecuador e del Venezuela.

Nel periodo coloniale il quadro demografico colombiano divenne sempre più complesso, in seguito alla mescolanza dei tre gruppi razziali del paese – *mestizos* (di sangue misto indigeno ed europeo), *mulatos* (di ascendenza europea e africana) e *zambos* (nati dalle unioni tra africani e indigeni).

L'indipendenza dalla Spagna

In seguito al consolidarsi del dominio spagnolo, nei paesi del Sud America aumentò anche l'insofferenza degli abitanti, soprattutto riguardo ai monopoli sul commercio e alle nuove imposte. La prima importante rivolta contro il dominio coloniale fu la Revolución Comunera di Socorro (Santander) del 1781; scatenata in un primo tempo dall'aumento delle tasse imposte dalla Corona spagnola, questa sollevazione finì per assumere connotazioni indipendentiste (gli insorti riuscirono quasi a conquistare Bogotá), prima che i suoi leader fossero catturati e giustiziati. Quando nel 1808 Napoleone Bonaparte insediò suo fratello sul trono spagnolo, le colonie si rifiutarono di riconoscere il nuovo monarca e, una dopo l'altra, le città colombiane proclamarono la propria indipendenza.

Nel 1812 fece la sua comparsa Simón Bolívar – futuro eroe della lotta per l'indipendenza – che vinse sei battaglie contro l'esercito spagnolo, venendo però sconfitto l'anno successivo. Dopo la caduta di Napoleone,

ORO!

I racconti sull'oro della Colombia divennero il chiodo fisso per i *conquistadores* spagnoli sin dal loro primo sbarco sulle coste del paese. La fugace visione di alcuni oggetti di questo metallo e i favolosi racconti sulle miniere situate nell'entroterra diedero origine al mito di El Dorado, un misterioso regno immerso nella giungla dove l'oro abbondava e che – secondo altre versioni – era circondato da montagne d'oro e di smeraldi. Per buona parte del periodo coloniale l'economia del bellicoso vicereame di Nueva Granada si basò unicamente su un prodotto: l'oro.

La leggenda dell'oro venne poi collegata ai muisca e alla famosa Laguna de Guatavita, che fu scavata in lungo e in largo alla ricerca di ricchezze che avrebbero dovuto cambiare il corso del mondo, senza peraltro ottenere grandi risultati. L'affascinante saggio di Hugh Thomas *I fiumi dell'oro* (Mondadori, 2006) soddisferà la vostra curiosità in merito.

In una sorprendente convergenza storica, durante gli ultimi anni nella giungla, le FARC abbandonarono in effetti l'oro bianco – la cocaina – in favore del tradizionale minerale giallo, che è divenuto più remunerativo per via dello straordinario aumento del suo prezzo a seguito della crisi finanziaria globale.

1808

Napoleone sconfigge il sovrano spagnolo Ferdinando VII e insedia al suo posto il proprio fratello, facendo credere ai patrioti delle colonie sudamericane di poter ottenere l'indipendenza.

1819

Dopo aver attraversato Los Llanos con un esercito di soldati del Venezuela e della Nueva Granada partendo dall'odierna Colombia, Simón Bolívar sconfigge gli spagnoli a Boyacá e fonda la Repubblica della Grande Colombia.

1830

La Grande Colombia si divide in Colombia (compreso l'attuale Panamá), Ecuador e Venezuela; Bolívar si ritira in esilio e morirà a Santa Marta.

la Spagna diede inizio alla riconquista delle colonie, che venne portata a termine nel 1817. Due anni prima Bolívar si era rifugiato in Giamaica e aveva nuovamente imbracciato le armi. Tornato in Venezuela, Bolívar rinunciò ad affrontare il soverchiante esercito spagnolo a Caracas e si diresse verso sud, marciando con le sue truppe attraverso le Ande e raggiungendo la Colombia, dove si fece largo a suon di vittorie.

Il saggio *La schiavitù nera nell'America spagnola* di Sandro Sessarego (Marietti, 2018) analizza la schiavitù nera nel Chocó colombiano del XVIII secolo, colonia spagnola allora appartenente al Virreinato de la Nueva Granada.

La battaglia decisiva venne combattuta il 7 agosto 1819 a Boyacá. Tre giorni dopo Bolívar entrò trionfalmente a Bogotá. Anche se ci sarebbero stati ancora scontri a fuoco (tra cui quello a Cartagena nel 1821, vinto dai ribelli), subito dopo la battaglia di Boyacá venne convocato un congresso che dichiarò l'indipendenza della Repubblica della Colombia – comprendente gli attuali Venezuela, Colombia e Panamá.

La formazione dei partiti politici

Dopo la proclamazione dell'indipendenza, nel 1819 si tenne il rivoluzionario Congresso di Angostura, l'odierna Ciudad Bolívar venezuelana. Ancora euforici per la vittoria, i delegati proclamarono la nascita di un nuovo stato, la Grande Colombia, che comprendeva i territori degli attuali stati del Venezuela, della Colombia, di Panamá e dell'Ecuador – sebbene quest'ultimo paese e alcune regioni del Venezuela fossero ancora sotto il dominio spagnolo.

Al Congresso di Angostura ne fece seguito un altro nel 1821 a Villa del Rosario, nei pressi di Cúcuta, nel corso del quale emersero forti contrasti tra le opposte fazioni dei centralisti e dei federalisti. Queste correnti caratterizzarono anche l'amministrazione di Bolívar, che durò fino al 1830, e culminarono nell'ennesima – e purtroppo non ultima – pagina ingloriosa della storia della Colombia. La scissione tra le due fazioni fu formalizzata nel 1849 con la fondazione di altrettanti partiti politici: i conservatori (dalle aspirazioni centraliste) e i liberali (che propendevano invece per il federalismo), la cui profonda rivalità provocò una serie di insurrezioni e di guerre civili. Nel corso del XIX secolo la Colombia fu teatro di almeno otto guerre civili e tra il 1863 e il 1885 scoppiarono oltre cinquanta insurrezioni contro il governo.

Nel capolavoro di 'realismo magico' *Cent'anni di solitudine* (Mondadori, 2017), Gabriel García Márquez descrive la brutalità del conflitto tra liberali e conservatori e le vendette personali poste in atto dal 1885 al 1902 nel villaggio immaginario di Macondo.

Nel 1899 una rivolta liberale degenerò nella cosiddetta 'Guerra dei mille giorni', un sanguinoso conflitto che causò la morte di oltre 100.000 persone e si concluse con la vittoria dei conservatori. Nel 1903 gli Stati Uniti approfittarono delle lotte intestine per fomentare un movimento secessionista a Panamá, il cui territorio allora apparteneva alla Colombia. Promuovendo la fondazione di una repubblica indipendente nella regione, gli Stati Uniti si assicurarono la possibilità di costruire e controllare un canale nell'America centrale. La Colombia riconobbe la sovranità di Panamá e risolse la disputa con gli Stati Uniti solo nel 1921.

1880

La Colombia elegge presidente il dottor Rafael Núñez, che contribuisce ad allentare le tensioni tra stato e Chiesa con la politica di 'rigenerazione' delineata nella Costituzione, che resterà in vigore per più di un secolo.

1903

Per molto tempo isolata dal resto della Colombia, Panamá dichiara la secessione.

1948

Il leader populista Jorge Eliécer Gaitán, probabile candidato liberale alla presidenza, viene assassinato; a Bogotá e in tutto il paese si scatenano violenti scontri, ma i colpevoli non verranno mai identificati.

Il XX secolo: i semi del presente

All'inizio del XX secolo Panamá si staccò dalla Grande Colombia, un fatto che comunque non turbò la pace del paese, che poteva contare sullo sviluppo dell'economia (determinato soprattutto dalle esportazioni di caffè) e sul miglioramento delle infrastrutture verificatosi durante l'amministrazione del generale Rafael Reyes, che si prodigò per disinnescare le lotte partigiane. Purtroppo, questa felice parentesi era destinata a durare ben poco. Nel 1928 uno sciopero dei lavoratori delle piantagioni di banane portò a galla un forte malcontento e nel 1946 i dissidi tra liberali e conservatori esplosero con La Violencia, la più cruenta tra le numerose guerre civili che avevano fino a quel momento insanguinato la Colombia e che causò la morte di circa 200.000 persone. In seguito all'assassinio di Jorge Eliécer Gaitán, il carismatico leader populista dei liberali, scoppiarono disordini in tutto il paese (a Bogotá – dove Gaitán era stato ucciso – verranno chiamati El Bogotazo, mentre altrove passeranno alla storia con il nome di El Nueve de Abril) e ben presto i liberali ricorsero alle armi.

Un eccellente sguardo sulla vita contemporanea in Colombia? Cercate il podcast *Colombia Calling*, realizzato ogni settimana in inglese dallo scrittore britannico Richard McColl che discute tutti gli aspetti della vita quotidiana nel paese.

Generazioni di colombiani si divisero, schierandosi al fianco di una delle due fazioni politiche, profondamente ostili l'una nei confronti dell'altra. Molti ritengono che questo 'odio atavico' abbia contribuito ad alimentare la sete di vendetta e sia stato la causa delle innumerevoli atro-

LA CADUTA DI SIMÓN BOLÍVAR

Chiamato 'El Libertador,' Simón Bolívar guidò il suo esercito contro gli spagnoli in molti paesi del Sud America settentrionale, fu eletto presidente della Colombia e oggi è considerato uno degli eroi di questo paese. Date queste premesse, la sua fine appare del tutto sorprendente, in quanto venne umiliato, lasciato solo e senza lavoro e ridotto in miseria. Poco prima di morire di tubercolosi nel 1830 dichiarò: "La storia ha avuto tre grandi sciocchi: Gesù Cristo, Don Chisciotte e me stesso".

Che cosa era successo? Sostenitore di una repubblica centralizzata, Bolívar rimase assente – perché impegnato a combattere gli spagnoli in Perú e in Bolivia – per gran parte del suo mandato e lasciò le redini del governo al suo vicepresidente e rivale, il giovane federalista Francisco de Paula Santander, che di fronte alle aspirazioni di Bolívar per la presidenza a vita lo accusò di velleità monarchiche.

Nel 1828 Bolívar divenne infine dittatore di una repubblica sulla quale non esercitava però un controllo totale e reintrodusse le tasse coloniali (una mossa assolutamente impopolare). Poco dopo scampò per un soffio a un attentato – secondo alcuni storici ordito da Santander – al quale fece seguito la secessione lungamente ventilata del Venezuela. Nel 1830 Bolívar abbandonò la presidenza e perse i propri averi con il gioco d'azzardo, morendo qualche mese più tardi a Santa Marta.

1964

I militari bombardano con il napalm le zone dove si nascondono i guerriglieri: nascono le Fuerzas Armadas Revolucionarias de Colombia (FARC), cui seguiranno l'Ejército de Liberación Nacional (ELN) e l'M-19.

1974

Cessa di esistere il Fronte Nazionale. Il neoeletto presidente Alfonso López Michelsen lancia la prima grande offensiva contro i tre principali gruppi di guerriglieri.

1982

Pablo Escobar è eletto membro del Congresso; il presidente Belisario Betancur garantisce l'amnistia ai guerriglieri e libera centinaia di prigionieri. La Colombia vede sfumare il sogno di vincere i Mondiali di calcio.

cità – compresi stupri e omicidi – che vennero perpetrate nel corso del decennio successivo soprattutto nelle zone rurali.

Il colpo di stato messo a segno nel 1953 dal generale Gustavo Rojas Pinilla fu l'unico attuato dai militari in Colombia nel corso del XX secolo, ma ebbe vita breve. Nel 1957 i leader dei due partiti politici firmarono un accordo, in base al quale si sarebbero divisi il potere per i successivi 16 anni. Questo accordo, in seguito approvato da un plebiscito (nel quale ebbero diritto al voto per la prima volta anche le donne), venne chiamato Frente Nacional (Fronte Nazionale) e, fino a quando esso rimase in vigore, i due partiti si avvicendarono pacificamente alla presidenza ogni quattro anni. In questo modo, nonostante l'enorme numero di vite perdute nel corso dei disordini, il potere rimase nelle mani degli stessi uomini che li avevano scatenati. Inoltre – fatto altrettanto significativo – l'accordo proibiva ogni attività politica estranea a quella dei due partiti al governo, cosa che costrinse le opposizioni a operare clandestinamente e al di fuori del sistema politico, ponendo le basi per la nascita dei movimenti di guerriglia.

In Colombia i casi di censura pubblica si verificano molto raramente, ma secondo Reporters Without Borders molti giornalisti – temendo di diventare il bersaglio di atti violenti nell'ambito del conflitto civile in corso – avrebbero preso l'abitudine di autocensurarsi. Nell'indagine sulla libertà di stampa effettuata dallo stesso gruppo nel 2018, la Colombia risultava il 130° su 179 paesi.

La nascita delle FARC e i gruppi paramilitari

Se il Frente Nacional aveva placato le tensioni tra conservatori e liberali, nuovi conflitti si fecero strada tra i ricchi proprietari terrieri, i *mestizos* delle zone rurali e gli indigeni della classe più povera, due terzi dei quali al termine del periodo della Violencia erano caduti in condizioni di estrema indigenza. In questo periodo si misero in luce anche fazioni politiche di sinistra che si battevano per la riforma agraria e la scena politica colombiana divenne presto un brutale pantano di violenza, intimidazione e rapimenti; dagli eventi che ne seguirono la società civile colombiana emerse decimata. Molti avvenimenti di quegli anni sono stati documentati da gruppi internazionali di attivisti dei diritti umani come Human Rights Watch.

Nel maggio del 1964 il governo manifestò la sua preoccupazione per la creazione di nuove enclave controllate dai comunisti nella zona di Sumapáz, a sud di Bogotá, giungendo al punto di bombardare la regione. Questo intervento armato segnò la nascita delle Fuerzas Armadas Revolucionarias de Colombia (FARC), guidate da Manuel Marulanda e da Jacobo Arenas, quest'ultimo più incline all'azione militare. I due leader promisero di rovesciare lo stato e di redistribuire la terra e le ricchezze, strappandole dalle mani dell'élite colombiana.

Tra gli altri gruppi di guerriglieri figuravano il marxista Ejército de Liberación Nacional (ELN), il cui esponente più noto fu padre Camilo Torres, un sacerdote di ideologie radicali rimasto ucciso nel corso del suo

1984

Il ministro della Giustizia Rodrigo Lara Bonilla viene assassinato per aver approvato un trattato di estradizione con gli Stati Uniti.

1990

L'M-19 depone le armi; i cartelli della droga dichiarano guerra al governo e al trattato di estradizione e un edificio governativo situato nei pressi del mercato Paloquemao di Bogotá viene sventrato da una bomba.

1993

L'ex parlamentare e signore della droga Pablo Escobar viene ucciso il giorno dopo il suo 44° compleanno su un tetto di Medellín dalla polizia colombiana, aiutata dagli Stati Uniti.

primo scontro a fuoco, e l'M-19 (Movimiento 19 de Abril, il cui nome fa riferimento alle controverse elezioni presidenziali del 1970), un gruppo di guerriglieri urbani che si fecero notare per azioni spettacolari come il furto della spada di Simón Bolívar e l'occupazione del Palacio de Justicia di Bogotá nel 1985. Nel corso di quest'ultima azione, la riconquista del tribunale da parte dell'esercito provocò la morte di 115 persone e di conseguenza la graduale dissoluzione del gruppo.

La popolarità delle FARC continuò invece a rafforzarsi, soprattutto negli anni '80, quando il presidente Belisario Betancur decise di avviare negoziati con i ribelli. Per difendere le loro terre dagli interventi delle FARC, i ricchi proprietari terrieri fondarono le AUC (Autodefensas Unidas de Colombia) e diedero origine a gruppi paramilitari. Formazioni di questo genere – quasi tutte nate in seno all'esercito – esistevano fin dagli anni '60, ma nel corso degli anni '80 intensificarono la loro attività.

The Explorers of South America (1972), di Edward J. Goodman, riporta in vita le più incredibili esplorazioni del continente, dai viaggi di Colombo a Humboldt, alcune delle quali riguardano la Colombia.

La cocaina e i cartelli della droga

La Colombia è il principale produttore mondiale di cocaina, nonostante l'impegno profuso nel catturare i leader dei cartelli della droga, nell'irrorare di diserbanti i campi dove si coltiva la coca e nell'organizzare interventi militari di vario genere. Tutto questo per la piccola foglia della *Erythroxylum coca*, che può essere acquistata – non ancora lavorata – in alcuni mercati della Colombia. I primi europei giunti in questa regione guardarono perplessi gli indigeni che masticavano le foglie di coca, ma quando la produttività della manodopera (forzata) iniziò a calare, ne autorizzarono l'utilizzo e in seguito l'usanza prese piede anche tra gli europei. Nei secoli successivi la coca andina si diffuse in tutto il globo, in forma sia di medicinale sia di stupefacente.

IL CAFFÈ COLOMBIANO

Il boom del caffè colombiano ebbe inizio nei primi anni del XX secolo e culminò nel 1959, quando il personaggio fittizio di Juan Valdez e la sua mula divennero l'icona della Federazione Colombiana del Caffè (giudicata nel 2005 migliore immagine pubblicitaria del mondo). Nel 2004 la Valdez ha aperto oltre 60 caffetterie in Colombia, negli Stati Uniti e in Spagna ed è oggi di gran lunga la più importante catena del paese.

Nonostante la concorrenza di chicchi meno costosi e di qualità inferiore provenienti dal Vietnam, l'industria colombiana del caffè di alta qualità fornisce ancora il 12% di tutta la varietà arabica del mondo, dando lavoro a circa 600.000 persone e procurando ogni anno al paese introiti di miliardi di dollari. È quindi paradossale il fatto che il caffè che si beve in Colombia sia ancora di qualità piuttosto scadente, per cui al di fuori delle grandi città dovrete scordarvi un bell'espresso forte e accontentarvi dell'acquoso *tinto* amato dai colombiani.

1995

Le cittadine di San Agustín e Tierradentro, situate nella parte sud-occidentale della Colombia, sono dichiarate Patrimonio dell'Umanità dall'Unesco per le loro statue, sculture e tombe tuttora avvolte nel mistero.

2000

La Colombia e gli Stati Uniti firmano il Plan Colombia per sradicare la coltivazione di coca entro il 2005; gli Stati Uniti investono oltre sei miliardi di dollari, ma nel decennio successivo la situazione non cambia.

2002

Il presidente Álvaro Uribe viene eletto grazie al suo inflessibile programma di lotta alle FARC, contro le quali avvia immediatamente dure misure repressive.

Per un resoconto indipendente e di facile lettura su origini, obiettivi e ideologia delle FARC, vi consigliamo *The FARC: The Longest Insurgency* di Gary Leech (2011). Leggete anche un documento storico-politico delle FARC nel libro *Repubbliche sorelle* di James Petras (Zambon, 2015).

L'industria della cocaina conobbe il boom all'inizio degli anni '80, quando il cartello di Medellín, capeggiato dall'ex ladro di automobili (e futura star di *Narcos*) Pablo Escobar, prese il sopravvento sugli altri gruppi di trafficanti. I boss del cartello fondarono un partito politico e due quotidiani e finanziarono importanti opere pubbliche e progetti di edilizia popolare. Escobar arrivò persino a coltivare ideali secessionisti per la regione di Medellín e nel 1983 era uno degli uomini più ricchi del mondo (il settimo, secondo la rivista *Forbes*), con un patrimonio personale stimato in oltre 20 miliardi di dollari.

Quando il governo lanciò una campagna contro il traffico di droga, i boss dei cartelli sparirono dalla scena pubblica e proposero un singolare 'trattato di pace' al presidente Betancur. Secondo un articolo pubblicato dal *New York Times*, nel 1988 i narcotrafficanti si offrirono di investire i loro capitali per lo sviluppo nazionale e di pagare l'intero debito estero della Colombia (che ammontava a ben 13 miliardi di dollari). Il netto rifiuto opposto dal governo scatenò un'escalation di violenza.

La situazione degenerò ulteriormente nell'agosto del 1989, quando i signori della coca fecero assassinare il candidato alla presidenza del partito liberale, Luis Carlos Galán, e il governo confiscò quasi un migliaio di proprietà dei narcotrafficanti e firmò un nuovo trattato di estradizione con gli Stati Uniti. I cartelli reagirono con una vera e propria campagna del

GLI SFOLLATI

Nel fuoco incrociato tra paramilitari e guerriglieri e talvolta bersaglio stesso di quella che l'ONU ha definito 'strategia di guerra', un colombiano su 20 – per un totale di circa quattro milioni di persone, secondo le stime dell'Internal Displacement Monitoring Centre – è diventato uno sfollato a partire dagli anni '80, dando alla Colombia a un certo punto il triste primato mondiale, dopo il Sudan, per il numero di persone sfollate.

Per decenni centinaia di persone furono costrette ogni giorno, sotto la minaccia delle armi, ad abbandonare le loro case – in genere sequestrate per la terra, il bestiame o semplicemente per la loro posizione lungo le strade del narcotraffico – talvolta dopo l'uccisione di un loro caro. La maggior parte di queste persone, abbandonate a loro stesse, finiva nelle baraccopoli alla periferia delle grandi città. Chi era in grado di ottenere nuove terre, spesso si ritrovava a vivere in zone prive di infrastrutture, scuole o ospedali e molti bambini finivano nel giro della droga e della criminalità.

L'introduzione nel 2011 della Legge sulle Vittime, che mirava a risarcire gli sfollati ridando loro le terre sottratte, fu il primo passo di un lungo processo di restituzione delle proprietà. Gli effetti di questa manovra sono inevitabilmente lenti, perché viene data priorità alla sicurezza delle persone più che al numero delle cause. C'è ancora tantissimo da fare in questo campo, ma l'impressione è che su questo fronte il paese si stia muovendo nella giusta direzione.

2006

Uribe ottiene il secondo mandato grazie alle condizioni di stabilità e prosperità assicurate a molti colombiani dalla sua politica di 'sicurezza democratica'.

2006

Quasi 20.000 paramilitari delle Autodefensas Unidas de Colombia (AUC) depongono le armi in cambio di pene clementi per i massacri e le violazioni dei diritti umani.

2008

Le FARC consegnano all'esercito colombiano il loro ostaggio più famoso, la franco-colombiana Ingrid Betancourt, candidata alla presidenza.

PLAN COLOMBIA

Nel 2000 gli Stati Uniti dichiararono guerra ai cartelli della droga con il controverso 'Plan Colombia', ideato dalle amministrazioni di Bill Clinton e di Andrés Pastrana per ridurre la produzione di coca del 50% nell'arco di cinque anni. Scaduto questo termine e nonostante i sei miliardi di dollari spesi, persino la International Trade Commission, un'istituzione americana nota per il suo atteggiamento invariabilmente positivo, ha definito 'limitata' l'efficacia del programma. Infatti, il prezzo della cocaina colombiana non è variato sui mercati mondiali – prova inconfutabile del fatto che la droga non scarseggia affatto – e, nonostante i pesticidi irrorati per anni sulle coltivazioni, nel 2007 un rapporto delle Nazioni Unite ha dimostrato che la produzione di cocaina era aumentata in quel solo anno del 27%, ritornando di fatto ai livelli del 1998.

Sorti durante il primo decennio del secolo, i nuovi *cartelitos* della droga, più piccoli e difficili da individuare, hanno rimpiazzato i grandi cartelli, messi in difficoltà nel 2008 dall'estradizione negli Stati Uniti del leader dei narcotrafficanti di Medellín, Don Berna. I *cartelitos* hanno trasferito le coltivazioni nelle vallate più difficili da raggiungere (soprattutto nei pressi della costa del Pacifico), spesso legandosi alle FARC, che imponevano una tassa ai produttori di coca, guadagnando in questo modo (secondo le stime del *New York Times*) una cifra compresa tra i 200 e i 300 milioni di dollari all'anno. Altri *cartelitos* erano invece collegati a gruppi paramilitari.

Nonostante tutto il denaro investito per risolvere il problema, ancora oggi la Colombia fornisce circa il 90% di tutta la coca venduta negli Stati Uniti, che in gran parte viene trasportata via terra tramite i cartelli messicani.

terrore, facendo saltare in aria banche, case e sedi dei quotidiani; inoltre nel novembre del 1989 un aereo Avianca in viaggio tra Bogotá e Cali venne fatto esplodere in volo, causando la morte di tutti i 107 passeggeri.

Nel 1990 l'elezione a presidente del liberale César Gaviria determinò un breve periodo di calma, durante il quale le leggi sull'estradizione vennero mitigate ed Escobar trattò la resa per conto di molti boss. Tuttavia, lo stesso Escobar fuggì dalla sua lussuosa villa, dove si trovava agli arresti domiciliari, e per 499 giorni un'unità speciale composta da 1500 uomini e finanziata dagli Stati Uniti gli diede la caccia fino a che, nel 1993, riuscì a colpirlo a morte su un tetto di Medellín.

Nonostante la spirale di violenza connessa, il commercio della droga non è mai diminuito. I nuovi cartelli hanno imparato a evitare le luci della ribalta e verso la metà degli anni '90 anche i guerriglieri e le forze paramilitari sono entrati nel giro per soddisfare la crescente domanda di droga nel mondo.

Killing Pablo. Ascesa e caduta del re della cocaina di Mark Bowden (BUR Rizzoli, 2018) approfondisce la vita e l'epoca di Pablo Escobar e le vicende che portarono alla sua uccisione. Nonostante alcune imprecisioni, è una lettura avvincente.

2008

Le FARC annunciano che il loro fondatore, Manuel 'Tirofijo' (tiro preciso) Marulanda, è morto d'infarto nella giungla all'età di 78 anni.

2009

I servizi segreti colombiani sono accusati dal pubblico ministero di aver intercettato le telefonate di migliaia di giornalisti, politici, attivisti e collaboratori di ONG allo scopo di molestarli e minacciarli.

2010

Juan Manuel Santos, membro di una famiglia molto influente ed ex ministro della Difesa del governo Uribe, viene eletto presidente con una maggioranza schiacciante.

Paramilitari e guerriglieri

Di fronte al crollo dei regimi comunisti in tutto il mondo alla fine degli anni '80, il panorama politico dei guerriglieri colombiani andò progressivamente nella direzione del narcotraffico e dei sequestri di persona (secondo alcune stime, i soli rapimenti hanno fruttato alle FARC qualcosa come 200 milioni di dollari l'anno) mentre i gruppi paramilitari si allinearono ai cartelli della droga e continuarono a dar la caccia ai guerriglieri con la benedizione dei trafficanti.

Un sindaco fuori del comune di Sandro Bozzolo (EMI, 2012) narra l'esperienza di Antanas Mockus, che è stato sindaco di Bogotá per due mandati tra il 1995 e il 2003. Ha guidato la difficile metropoli, povera e violenta e dal traffico disordinato, con il metodo della democrazia partecipativa, risposta alternativa alla repressione.

Dopo l'11 settembre 2001 il termine 'terrorismo' fu adottato per indicare anche la *guerrilla* e le azioni di alcuni gruppi paramilitari. Nell'elenco dei terroristi internazionali stilato dagli Stati Uniti comparvero, per esempio, le AUC (Autodefensas Unidas de Colombia), un gruppo paramilitare tristemente noto per la sua efferata brutalità, che aveva ricevuto un finanziamento di 1,7 milioni di dollari dalla società agroalimentare Chiquita. Nel 2007 la multinazionale dovette pagare alla giustizia americana una multa di 25 milioni di dollari per le sue ripetute operazioni di finanziamento nei confronti delle AUC.

Collegate ai cartelli della cocaina sin dal 1997, le AUC si ispirarono a gruppi paramilitari controllati inizialmente dal leader del cartello di Medellín, Rodríguez Gacha, e dopo il suo assassinio dai fratelli Fidel e Carlos Castaño, decisi a vendicare l'uccisione del padre da parte dei guerriglieri. Con un esercito di 10.000 uomini, le AUC seminarono i terrore tra i *campesinos* (contadini) ritenuti simpatizzati dei guerriglieri. Per tutta risposta, questi ultimi si accanirono contro i *campesinos* considerati sostenitori delle AUC.

La serie *Narcos* su Netflix è una drammatizzazione dell'ascesa e della caduta dei cartelli della droga colombiani molto ben recitata (per lo più in spagnolo) e con una produzione dal budget stratosferico.

In seguito all'offerta da parte dell'amministrazione di Álvaro Uribe di sentenze clementi per i paramilitari e i guerriglieri smobilitati, nel 2006 le AUC decisero di deporre le armi.

Il regno di Uribe

Stanca di violenze, rapimenti e strade troppo pericolose, la Colombia decise di scegliere come presidente un intransigente uomo di destra: Álvaro Uribe Vélez, un politico originario di Medellín il cui padre era stato ucciso dalle FARC. Durante la combattuta campagna elettorale del 2002, Uribe delineò ai colombiani la propria politica antiguerriglia: mentre il suo predecessore Andrés Pastrana aveva cercato di negoziare con le FARC e l'ELN, il neopresidente non esitò a mettere immediatamente in atto due programmi paralleli, ovvero una decisa lotta militare contro i gruppi come le FARC e l'offerta di smobilitazione a entrambe le parti.

Persino i critici più severi di Uribe sono stati costretti a riconoscere che la maggior parte dei progressi intrapresi dalla Colombia è avvenuta sotto la sua guida. In particolare, dal 2002 al 2008 si registrò una dimi-

2011

Dopo anni di dibattiti e rinvii causati dalle preoccupazioni dei democratici sulle violazioni dei diritti umani, viene avviato un trattato di libero commercio tra gli Stati Uniti e la Colombia.

2012

Iniziano all'Avana (Cuba) i negoziati tra il governo colombiano e le FARC, volti a instaurare una pace duratura in Colombia.

2014

Juan Manuel Santos viene eletto presidente del paese per la seconda volta, sconfiggendo il suo rivale con appena il 51% dei voti.

nuzione degli omicidi pari al 40% e le strade del paese vennero liberate dai blocchi presidiati con le armi dalle FARC.

Nel marzo del 2008 Uribe approvò una rischiosa missione militare che prevedeva il lancio di bombe oltre il confine con l'Ecuador e che portò all'uccisione del leader delle FARC Raúl Reyes. Va però detto che questa operazione rischiò di trascinare il paese in guerra, in quanto il presidente venezuelano Hugo Chávez rispose immediatamente inviando carri armati al confine colombiano; per fortuna, la situazione non tardò a normalizzarsi e il livello di popolarità di Uribe salì al 90%.

La presidenza di Uribe fu comunque macchiata da una serie di scandali e nel 2008, in seguito ai contenziosi della sua amministrazione nei confronti della Corte Suprema colombiana, 60 membri del Congresso furono arrestati o interrogati per presunti legami 'parapolitici' con i paramilitari.

Inoltre, lo scandalo dei *falsos positivos* (falsi positivi) – giovani civili uccisi dall'esercito e spacciati per guerriglieri caduti in combattimento –, emerso da un dettagliato rapporto delle Nazioni Unite pubblicato nel 2010, rivelò come l'esercito colombiano venisse incentivato ad aumentare il numero di vittime durante gli scontri. A partire dal 2004, questi episodi erano diventati sempre più frequenti e lo scandalo cominciò a dilagare, al punto che nel novembre del 2008 Uribe destituì 27 funzionari e il comandante in capo, il generale Mario Montoya, rassegnò le dimissioni.

Loris Zanatta nel suo lavoro *Storia dell'America Latina contemporanea* (Laterza, 2018) tratta il periodo storico che va da inizio Ottocento a oggi della Colombia e di diversi altri paesi dell'area, mediante l'analisi di tematiche quali la politica, la cultura, la religione e gli affari esteri.

Le FARC sulla difensiva

Dopo il rifiuto opposto nel 2010 dalla Corte Costituzionale a un referendum che avrebbe consentito a Uribe di correre per il suo terzo mandato presidenziale, venne eletto capo dello stato con una maggioranza schiacciante il ministro della Difesa Juan Manuel Santos, che nel giro di poco tempo avrebbe messo a segno la più grande vittoria mai registrata contro le FARC, vale a dire l'uccisione del loro nuovo leader, Alfonso Cano.

Pochi giorni dopo, il controllo della guerriglia venne assunto da un nuovo leader, Rodrigo Londoño Echeverri (alias Timochenko), sul quale gli Stati Uniti misero una taglia di cinque milioni di dollari. Noto come una delle menti più bellicose dell'organizzazione, Timochenko stupì la nazione proponendo colloqui di pace con il governo.

Stanco della guerra ma comprensibilmente sospettoso, il governo colombiano non si convinse subito della sincerità dell'offerta di una pace duratura. Quando nel 2012 furono finalmente avviati i colloqui con i rappresentanti delle FARC all'Avana, buona parte dell'opinione pubblica li considerò un tradimento nei confronti delle vittime del conflitto. Questa presa di posizione si è riflessa nelle elezioni presidenziali, dividendo il paese tra i fautori e gli oppositori delle trattative.

2014
Le FARC annunciano un cessate il fuoco a tempo indeterminato nei confronti dell'esercito colombiano dopo due anni di negoziati di pace a Cuba.

2016
In un referendum popolare i colombiani respingono con un margine risicato il controverso accordo di pace tra il governo e le FARC.

2016
Il Parlamento colombiano ratifica una versione modificata dell'accordo di pace con le FARC, senza indire un secondo referendum.

Vita in Colombia

I colombiani sono una delle popolazioni più cordiali, amichevoli e disponibili del Sud America e affrontano la vita con un umorismo e una spensieratezza contagiosi. Le peculiarità geografiche del paese – montagne e mare – hanno avuto una notevole influenza sulla psiche nazionale: infatti, le città andine di Bogotá, Medellín e Cali sono operose e i loro abitanti parlano uno spagnolo incisivo e curato, mentre i *costeños* (abitanti della costa) hanno un ritmo di vita più rilassato e strascicano un po' le parole.

Stile di vita e comportamento

Nelle città colombiane i benestanti conducono una vita completamente diversa rispetto a quella dei loro concittadini poveri: iscrivono i loro figli a costose scuole private, per spostarsi da una città all'altra utilizzano aerei come se fossero taxi e schizzano tra le strade cittadine sui loro SUV incollati allo smartphone. Nei weekend giocano spesso a golf in circoli d'élite e molti possiedono una piccola *finca* (tenuta) privata, dove di tanto in tanto si abbandonano all'idillio bucolico.

I matrimoni tra persone dello stesso sesso hanno iniziato a celebrarsi in Colombia nel 2013, anche se fino al 2016 non esisteva una procedura legale adeguata. Da allora, comunque, i matrimoni sono diventati non solo legali ma privi di complicazioni.

I colombiani meno abbienti utilizzano i telefoni pubblici, restano bloccati nei terribili ingorghi che si formano spesso lungo le strade urbane e provinciali e sognano di mandare i propri figli a scuola – una qualsiasi. Le popolazioni indigene e gli abitanti delle comunità rurali più isolate – colpite dalla guerra civile – devono invece spesso far fronte al problema di procurarsi cibo a sufficienza per sopravvivere e per molti aspetti vivono totalmente al di fuori del resto della società.

Tra questi due estremi si inserisce la classe media, una delle più numerose dell'America Latina: infatti, mentre molti paesi del continente presentano gravi disparità in tema di benessere, in Colombia la classe media ha saputo trarre vantaggio dalle politiche di libero mercato applicate dal governo e dal livello relativamente contenuto della corruzione.

In linea generale, i colombiani mantengono forti legami familiari, non solo con i parenti stretti ma anche con la famiglia allargata, e spesso i viaggiatori stranieri di età superiore ai 21 anni e senza figli vengono letteralmente subissati di domande sui loro progetti di costruire una famiglia. Benché la Colombia sia una nazione cattolica, solo una piccola parte della popolazione di ogni ceto sociale frequenta regolarmente le funzioni religiose.

Le donne costituiscono da sempre il cuore della famiglia. Tuttavia, anche se il machismo continua a essere vivo, le donne comandano sia in casa sia in altri ambiti, come si può facilmente notare dalla loro nutrita presenza nel panorama politico nazionale e nella diplomazia ad alti livelli. Questo fatto va attribuito in larga misura alla legge sulle quote rosa approvata nel 2000, in base alla quale almeno il 30% dei posti dirigenziali deve essere riservato alle donne.

Se un colombiano si presenta in ritardo (anche di 45 minuti) a un appuntamento, non prendetela come un'offesa personale, ma cercate piuttosto di adeguarvi ai ritmi di una cultura profondamente convinta del fatto che siano davvero poche le cose per cui vale la pena di affannarsi. In particolare, gli orari degli autobus sono una divertente farsa.

LE POPOLAZIONI INDIGENE DELLA COLOMBIA

Sebbene il panorama etnico della Colombia possa fare certamente invidia a molte altre nazioni, le popolazioni indigene – un elemento di questo mosaico che non mancherà di affascinare i viaggiatori stranieri – restano sotto molti aspetti una sorta di nazione indipendente, spesso in parte o del tutto estranea al resto della società colombiana. Con circa 1,4 milioni di persone suddivise in 87 diverse tribù – alcune delle quali ancora praticamente sconosciute – queste popolazioni rappresentano l'affascinante altra faccia della medaglia della società colombiana.

Tra i gruppi indigeni avrete maggiori probabilità di incontrare i ticuna in Amazzonia, i wiwa, i kogui e gli arhuaco nella Sierra Nevada, i waayu a La Guajira e i muisca nei pressi di Bogotá. Le riserve indigene coprono addirittura un terzo della superficie della Colombia, e in esse la terra appartiene alle comunità che le abitano. Nonostante siano protetti dalla legge, nel corso degli ultimi decenni i gruppi indigeni sono stati spesso vittime di violenze, perché le loro vaste riserve hanno offerto un rifugio sicuro ai guerriglieri, ai gruppi paramilitari e alle piantagioni di coca. Questa situazione è stata ulteriormente peggiorata dall'irrorazione di pesticidi in molte zone rurali da parte dell'esercito americano: la misura prevista dal Plan Colombia per distruggere le piantagioni di coca ha finito per danneggiare anche altre colture totalmente innocue, che rappresentavano da secoli la fonte di sostentamento delle comunità indigene.

La stragrande maggioranza dei colombiani non fa uso di droga e scoprirete che, vista la storia di violenza legata ai cartelli, tutto quello che riguarda l'uso della cocaina è tabù (e spesso non consentono neanche che se ne parli). Accade che i più giovani in città assumano droghe, ma è molto più diffuso l'alcol – eccome! Il Carnaval de Barranquilla è un inno alla sregolatezza e alla baldoria annaffiata da fiumi di rum e non è un'esagerazione considerarlo la risposta colombiana al carnevale di Rio de Janeiro.

I custodi del sapere mitico di Pio Emilio Cucchiella (EMI, 2004) è un buon testo per avvicinarsi alla cultura del popolo kogi (o kogui) della Colombia.

Popoli e luoghi: un *sancocho* culturale

Con 48,6 milioni di abitanti, la Colombia è il terzo paese dell'America Latina per popolazione dopo il Brasile e il Messico, e la cifra aumenta rapidamente: il tasso di crescita demografica nel 2017 era attestato all'1%.

Ogni città possiede un proprio crogiolo di culture, una caratteristica che dona ai viaggi in questo paese il sapore ricco e variegato di un *sancocho* (zuppa tradizionale). A Medellín vivono molti immigrati europei, mentre la maggior parte degli abitanti di Cali discende da ex schiavi. La popolazione di Bogotá e dei suoi dintorni è prevalentemente il risultato dell'unione tra coloni europei e popolazioni indigene, mentre Cali e le coste caraibica e pacifica registrano un'alta percentuale di afro-colombiani.

La schiavitù fu abolita nel 1821 e oggi il paese ospita la popolazione di neri più numerosa del Sud America, dopo il Brasile, e una fetta consistente della società deriva dai matrimoni misti degli ultimi quattro secoli: non esiste, tutto sommato, un colombiano che appaia 'tipico'.

Calcio e corrida

I colombiani amano moltissimo il *fútbol* (calcio). Alla massima divisione del campionato nazionale partecipano 18 squadre, che nelle due stagioni di gioco (da febbraio a giugno e da agosto a dicembre) richiamano una chiassosa folla di tifosi. Il livello di gioco non è eccelso, tanto che gli incontri sono spesso un concentrato di errori piuttosto comici.

Dopo il calcio, il secondo sport di squadra più popolare tra i colombiani è il baseball. Anche il ciclismo è praticato e seguito e la Ciclovía domenicale di Bogotá richiama migliaia di appassionati ciclisti e di skater nelle vie della città, molte delle quali sono spesso chiuse per tutto l'arco della giornata.

James Rodríguez – che in Colombia chiamano semplicemente *James* – è il calciatore più famoso del paese nonché una delle giovani promesse a livello internazionale ed è stato capocannoniere ai Mondiali del 2014.

Gli amanti degli animali non saranno lieti di sapere che la corrida è molto diffusa in Colombia, sotto forma sia di grande evento sia di *corraleja*, la variante piuttosto selvaggia che vede un gran numero di dilettanti misurarsi con la carica di un toro, con conseguenze inevitabilmente cruente. La stagione ufficiale della corrida culmina durante il periodo di vacanza compreso tra la metà di dicembre e la metà di gennaio e richiama alcuni dei *matadores* più famosi del mondo. Nel mese di gennaio si tiene la Feria de Manizales, un evento che gode di una grandissima fama tra tutti gli appassionati. Nelle zone rurali è molto diffuso anche il combattimento tra galli.

Arti

Se chiedete ai colombiani quali sono gli artisti più famosi del loro paese, quasi tutti vi risponderanno Gabriel García Márquez, lo scultore Fernando Botero e forse Shakira. Ma questo paese ha molto da offrire oltre al realismo magico, a sculture prosperose e agli ancheggiamenti della musica pop.

Musica

La Colombia è famosa per la sua musica: in tutto il paese il silenzio è una vera rarità. In realtà, quando sentirete a quale volume sparano la musica nei bar e nei nightclub colombiani, vi troverete ad apprezzare di più il silenzio e gli auricolari.

Il vallenato è un genere nato un secolo fa sulla costa caraibica, che vede grande protagonista la fisarmonica. Carlos Vives, uno dei musicisti latinoamericani più famosi dei giorni nostri, lo ha rivisitato in chiave moderna, diventando l'emblema di questo genere musicale. La patria spirituale del vallenato è Valledupar. Si tratta di uno stile musicale molto particolare che può non piacere a tutti, ma chiunque visiti la Colombia non dovrebbe andarsene prima di aver ballato su questi ritmi almeno una decina di volte.

La cumbia – un effervescente stile musicale in ritmo binario suonato da ensemble composti da chitarra, fisarmonica, basso, percussioni e in alcuni casi anche dalla cornetta – è di gran lunga il genere popolare colombiano più conosciuto all'estero. Alcuni gruppi come i Pernett & the Caribbean Ravers hanno reinterpretato queste sonorità secondo i gusti moderni, come hanno fatto anche i Bomba Estéreo. Nel corso degli ultimi anni il gruppo più in voga per quanto riguarda la cumbia è stato quello degli ChocQuibTown, una band di artisti hip-hop provenienti dalla costa pacifica che mescola ritmi martellanti a incisive critiche sociali.

Molto popolare in tutta la regione caraibica, la salsa è arrivata in Colombia alla fine degli anni '60 e da allora il paese l'ha adottata e fatta propria. Cali e Barranquilla ne sono diventate in breve tempo le roccaforti principali, ma si tratta di un genere musicale amato un po' ovunque. Nel 2011 sul paese è sceso il lutto nazionale quando è scomparso Joe Arroyo, meglio conosciuto con il soprannome di El Joe. La salsa moderna, scandita da forti ritmi in stile urban, ha trovato la sua massima espressione negli album dei LA 33 di Bogotá.

Lo *joropo*, la musica degli Llanos, è di solito accompagnata dall'arpa, dal *cuatro* (una chitarra a quattro corde) e dalle maracas. Questo genere (simile a un valzer) presenta numerose analogie con la musica degli *llaneros* venezuelani e il suo esponente più noto, il Grupo Cimarrón, vi lascerà letteralmente senza fiato grazie al virtuosismo e alla rapidità del movimento delle gambe. Chi visita La Macarena o Villavicencio avrà l'opportunità di assistere a qualche spettacolo di joropo.

La Colombia ha anche dato i natali a molti ritmi originali, frutto dell'incontro tra influenze afro-caraibiche ed elementi spagnoli, tra cui il *porro*, il *currulao*, il *merecumbe*, il *mapalé* e la *gaita*. La *champeta* è uno stile musicale, nato a Cartagena, che mescola brillantemente ritmi africani a

Evento più grande al mondo nel suo genere, il Festival Iberoamericano de Teatro di Bogotá è nato nel 1976 su iniziativa dell'attrice più famosa che la Colombia abbia mai avuto, Fanny Mikey (1930-2008). Per avere ulteriori informazioni in merito, visitate il sito www.festivaldeteatro.com.co.

La Mano Negra in Colombia di Chao Ramón (Theoria, 2000) è l'ironico diario di viaggio di una band multietnica attraverso suoni e colori dei paesaggi colombiani.

sonorità martellanti piuttosto rozze e a 'block party', che potrete ascoltare nei locali notturni meno turistici di Cartagena, come il Bazurto Social Club (p144). Sostenuto dai timbri martellanti del basso, il reggaeton gode di una vastissima popolarità, paragonabile a quella del merengue, dal ritmo frenetico e dagli attacchi incisivi.

Bogotá è la capitale culturale della Colombia. Per avere una panoramica degli eventi in programma, consultate www.culturarecreacionydeporte.gov.co.

La musica delle Ande colombiane è stata profondamente influenzata dai ritmi e dagli strumenti spagnoli e si distingue in maniera molto netta dalla musica suonata dagli indigeni degli altopiani peruviani e boliviani. Tra gli stili tradizionali più caratteristici meritano di essere ricordati il *bambuco*, il *pasillo* e il *torbellino*, generi prevalentemente strumentali, che vedono protagonisti soprattutto gli strumenti a corda.

Nelle discoteche delle grandi città dominano la techno e la house, come si può notare soprattutto a Bogotá e Medellín, dove di tanto in tanto si esibiscono DJ di fama internazionale.

La letteratura colombiana

La lunga – sebbene modesta – tradizione letteraria della Colombia iniziò a formarsi poco tempo dopo la proclamazione dell'indipendenza dalla Spagna avvenuta nel 1819 e gravitò nella maggior parte dei casi intorno al romanticismo europeo. Rafael Pombo (1833-1912) è considerato da molti il padre della poesia romantica colombiana, mentre Jorge Isaacs (1837-95), un altro celebre autore del periodo, è noto soprattutto per il suo romanzo romantico *María* (1867), che continua a essere letto nei caffè e nelle scuole di tutto il paese.

IL NOBEL COLOMBIANO GABRIEL GARCÍA MÁRQUEZ

Gabriel García Márquez, scomparso nel 2014, è ancora oggi il protagonista principale della letteratura colombiana. Nato nel 1928 ad Aracataca, nel dipartimento di Magdalena, García Márquez ha scritto soprattutto opere ambientate nel suo paese natale, pur avendo trascorso gran parte della vita in Messico e in Europa.

Negli anni '50 García Márquez iniziò la carriera di giornalista e lavorò come corrispondente estero, condannandosi praticamente all'esilio a causa delle sue critiche al governo colombiano. La fama gli giunse nel 1967 con la pubblicazione del romanzo *Cent'anni di solitudine*, in cui fece coesistere i miti, il sogno e la realtà, dando origine a un nuovo genere letterario chiamato 'realismo magico'.

Nel 1982 García Márquez vinse il Nobel per la letteratura. Negli anni successivi scrisse altre opere straordinarie, tra cui *L'amore ai tempi del colera* (1985), forse ispirato alla storia dei suoi genitori, *Il generale nel suo labirinto* (1989), che narra gli ultimi tragici mesi della vita di Simón Bolívar, *Dodici racconti raminghi* (1992), una raccolta di 12 storie brevi scritte nell'arco di 18 anni, e *Dell'amore e di altri demoni* (1992), storia di una ragazzina allevata dagli schiavi dei suoi genitori sullo sfondo di Cartagena nel periodo dell'Inquisizione.

Nel 2012 il fratello di García Márquez rivelò che Gabo – come lo chiamano affettuosamente i colombiani – soffriva di demenza senile, una malattia il cui decorso si stava aggravando a causa della chemioterapia per un cancro al sistema linfatico. Dopo la sua morte, avvenuta nel 2014, lo scrittore è stato sepolto a Città del Messico, davanti ai presidenti della Colombia e del Messico. Ad Aracataca, sua città natale e fonte di ispirazione per la Macondo di *Cent'anni di solitudine*, si è svolto un altro funerale simbolico.

Le opere di García Márquez in lingua originale si trovano facilmente in vendita in tutta la Colombia (ma potrete procurarvele in italiano prima della partenza) e la casa della sua famiglia è stata fedelmente ricostruita come sede di un museo ad Aracataca, luogo imperdibile per chi voglia contestualizzare geograficamente le opere dell'autore. Se desiderate immergervi ulteriormente nell'atmosfera dei romanzi di Gabo, vi consigliamo di visitare Cartagena o – meglio ancora – la remota cittadina coloniale di Mompós, una Macondo dei giorni nostri, che delizierà sicuramente i fan di *Cent'anni di solitudine*.

LO STRARIPANTE SUCCESSO DI FERNANDO BOTERO

Fernando Botero è il pittore e scultore colombiano più noto a livello internazionale. Nato a Medellín nel 1932, tenne la sua prima mostra personale a Bogotá a 19 anni ed elaborò gradualmente uno stile inconfondibile, caratterizzato dall'anormale – e quasi oscena – corpulenza dei protagonisti. Nel 1972 Botero si stabilì a Parigi e iniziò a cimentarsi con la scultura, realizzando la serie di opere chiamate affettuosamente dai colombiani *gordas* e *gordos* ('ciccione' e 'ciccioni').

Oggi i suoi dipinti sono esposti nei musei più prestigiosi, mentre le sue monumentali sculture pubbliche ornano le piazze e i parchi delle città di tutto il mondo, come Parigi, Madrid, Lisbona, Firenze e New York. In Italia potrete ammirare *Il guerriero* di Botero in Toscana, a Pietrasanta.

Nel 2004 l'artista stupì il pubblico della Colombia staccandosi dai suoi abituali soggetti innocui e realizzando una serie di opere ispirate alla guerra civile che stava infuriando nel paese, mentre nel 2005 produsse una serie di immagini controverse che divisero l'opinione pubblica, come le scene raffiguranti la prigione irachena di Abu Ghraib, dove i soldati americani avevano torturato e umiliato i detenuti. L'interesse di Botero verso tematiche di contenuto politico fu applaudito da alcuni critici, mentre altri lo ritennero un cambiamento limitato e tardivo e altri ancora giudicarono la trasformazione del campo d'interesse dell'artista del tutto inappropriata. Dopo di allora Botero è ritornato alle nature morte molto più consone al suo stile.

José Asunción Silva (1865-96), uno dei poeti più importanti del paese, è considerato il precursore del modernismo in America Latina; il suo lavoro pionieristico venne in seguito sviluppato dal poeta nicaraguense Rubén Darío. Un altro grande talento letterario fu Porfirio Barba Jacob (1883-1942), chiamato 'il poeta della morte', che introdusse nelle sue opere il concetto di irrazionalismo e il linguaggio delle avanguardie.

Tra i contemporanei di spicco del premio Nobel Gabriel García Márquez meritano di essere citati il poeta, romanziere e pittore Héctor Rojas Herazo (1920-2002) e il suo amico Álvaro Mutis (1923-2013), di cui ricordiamo – reperibili nel catalogo Einaudi – *La neve dell'ammiraglio* (2016), *Ilona arriva con la pioggia* (2016) e *Abdul Bashur, sognatore di navi* (2014), tutti incentrati sulle vicende di Maqroll il Gabbiere, protagonista della serie di romanzi che Mutis gli ha dedicato a partire dal 1986. Prima, si era dedicato esclusivamente alla poesia: *Gli elementi del disastro* (1953; Le Lettere, 2014) è la prima raccolta poetica dove si incontra Maqroll nella sua originale dimensione. Degna di nota è l'imponente produzione di aforismi dello scrittore e moralista Nicolás Gómez Dávila (1913-94), di cui citiamo *Pensieri antimoderni* (Edizioni di AR, 2008) e i due volumi delle edizioni Adelphi (*In margine a un testo implicito*, 2001, e *Tra poche parole*, 2007), raccolte di selezioni dei cinque tomi degli *Escolios a un texto implícito*, scritti tra il 1977 e il 1992.

Le *telenovelas* sono il barometro culturale della Colombia. Pur non trattandosi di capolavori dal punto di vista artistico, questi programmi riflettono però fedelmente i timori e le passioni del paese, come un documentario. Una delle più popolari è *Chepe Fortuna* (A pesca di fortuna), un'improbabile storia d'amore, politica, ecologia e... sirene.

Tra gli scrittori contemporanei di rilievo internazionale ricordiamo Jorge Franco Ramos, che ha scritto *Melodramma* (Giunti, 2009), *Donna in rosso* (Guanda, 2002) e *Paraíso Travel* (stesso editore, 2005), da cui è stato tratto uno dei film di maggiore successo in Colombia; Héctor Abad Faciolince, autore di *Scarti* (Bollati Boringhieri, 2008) e del *Trattato di culinaria per donne tristi* (Sellerio Editore Palermo, 2012); e Germán Santamaría, romanziere che è stato reporter di guerra (*Ho giurato di ucciderti*, Tranchida, 2004). Juan Gabriel Vásquez (*Le reputazioni*, Feltrinelli, 2014; *Il rumore delle cose che cadono*, Ponte alle Grazie, 2012) è autore di romanzi che hanno vinto numerosi premi sia nazionali che internazionali.

Ancora, ricordiamo Fernando Vallejo, noto iconoclasta (*La puttana di Babilonia*, Nuovi Mondi, 2012) che, nel corso di un'intervista, ha affermato che García Márquez manca di originalità e che la sua scrittura è scadente; anche Efraim Medina Reyes ha dichiarato di non apprezzare la produzione di García Márquez (tra i romanzi, dai titoli bizzarri, *Quello che ancora non sai del Pesce Ghiaccio* e *C'era una volta l'amore ma ho dovuto ammazzarlo*, entrambi Feltrinelli, 2013). Il noto scrittore espatriato Santiago Gamboa ha scritto libri di viaggio e romanzi (*Ritorno alla buia valle* e *Una casa a Bogotá*, entrambi E/O, 2018 e 2016); Mario Mendoza scrive graffianti opere moderne di urban fiction (*Satana*, Einaudi, 2003); e Laura Restrepo si concentra sugli effetti della violenza sugli individui e sulla società nel suo insieme (*Delirio*, Feltrinelli, 2005, e *L'oscura sposa*, Frassinelli, 2004) – molto prolifici tutti, hanno prodotto negli ultimi anni numerose opere di rilievo.

Arte e astrazione

Fernando Botero sta alla pittura e alla scultura colombiane come Gabriel García Márquez sta alla letteratura del paese, al punto che il suo nome ha oscurato quello di tutti gli altri. Altri due famosi pittori colombiani, spesso trascurati, sono Omar Rayo (1928-2010), noto per i suoi disegni geometrici, e Alejandro Obregón (1920-92), artista originario di Cartagena celebre per i suoi dipinti astratti.

La Colombia vanta anche un ricco repertorio di arte sacra di epoca coloniale. Il pittore più conosciuto in questo ambito è Gregorio Vásquez de Arce y Ceballos (1638-1711), che visse e lavorò a Bogotá realizzando oltre 500 opere, oggi conservate in diverse chiese e musei in tutta la nazione.

Tra gli artisti colombiani che si sono maggiormente distinti a partire dalla seconda guerra mondiale meritano di essere citati Pedro Nel Gómez (1899-1984), noto soprattutto per i suoi dipinti murali, gli acquerelli, gli oli e le sculture, Luis Alberto Acuña (1904-94), pittore e scultore che utilizza soprattutto motivi tratti dall'arte precolombiana, Guillermo Wiedemann (1905-69), un pittore tedesco che ha trascorso la maggior parte della sua carriera artistica in Colombia, traendo ispirazione dalla realtà locale prima di votarsi all'arte astratta, Édgar Negret (1920-2012), uno scultore astratto, Eduardo Ramírez Villamizar (1992-2004), che si è espresso prevalentemente tramite le forme geometriche, e Rodrigo Arenas Betancourt (1919-95), l'ideatore di monumenti più famoso della Colombia.

A questa generazione di maestri ne è seguita una di poco più giovane, nata nel corso degli anni '30. Tra i suoi maggiori esponenti meritano di essere ricordati Armando Villegas (1926-2013), un peruviano residente in Colombia, le cui influenze spaziano dai motivi precolombiani al surrealismo, Leonel Góngora (1932-1999), famoso per i suoi disegni a soggetto erotico, e infine Fernando Botero, nato nel 1932, l'artista colombiano più noto a livello internazionale.

Nel corso degli ultimi anni nel panorama artistico colombiano hanno fatto la loro comparsa stili, scuole e tecniche molto innovative. Tra i nomi degni di nota citiamo Bernardo Salcedo (1939-2007; scultura e fotografia concettuale), Miguel Ángel Rojas (nato nel 1946; pittura e installazioni), Lorenzo Jaramillo (1955-92; pittura espressionista), María de la Paz Jaramillo (nata nel 1948; pittura), María Fernanda Cardoso (nata nel 1963; installazioni), Catalina Mejía (nata nel 1962; pittura astratta) e Doris Salcedo (nata nel 1958; scultura e installazioni).

La settima arte

Numerosi film e documentari colombiani realizzati negli anni a cavallo fra fine e inizio millennio hanno riscosso apprezzamenti e riconoscimenti nei festival internazionali.

Apaporis *di Antonio Dorado (2010)*

Los Colores de la Montaña *di Carlos César Arbeláez (2010).*

Rosario Tijeras *di Emilio Maillé (2004)*

La Ciénaga entre el mar y la tierra *di Carlos del Castillo (2016).*

Natura

Dalle impervie vette andine incappucciate di neve alle vaste pianure di Los Llanos, dalle lussureggianti foreste tropicali del bacino amazzonico alle verdi valli ondulate coltivate a caffè, la Colombia è un paese molto vario e di straordinaria bellezza. L'aspetto più incredibile è proprio la biodiversità: dopo il vicino Brasile, è il paese al mondo che ospita la maggior varietà di specie animali e vegetali.

Territorio

La Colombia si estende su una superficie di 1.141.748 kmq, che corrisponde più o meno alla somma dei territori della California e del Texas (o a quella della Francia, della Spagna e del Portogallo), ed è il 26° paese più grande del mondo, nonché il quarto del Sud America dopo il Brasile, l'Argentina e il Perú.

Gaviotas: A Village to Reinvent the World di Alan Weisman (1998) narra la storia dei contadini che hanno trasformato il loro desolato villaggio situato a Los Llanos in un modello globale di comunità sostenibile. Consultate il sito www.friendsofgaviotas.org per saperne di più.

Sebbene sia spesso considerata un paese tropicale, in realtà la Colombia vanta una geografia fisica sorprendentemente variegata. L'ambiente è generalmente suddiviso in cinque categorie di habitat: le foreste tropicali umide, le foreste tropicali secche, le praterie tropicali, le praterie montane e infine i deserti e la boscaglia.

La parte montuosa occidentale – che corrisponde quasi alla metà dell'estensione totale della nazione – è attraversata da tre catene andine, la Cordillera Occidental, la Cordillera Central e la Cordillera Oriental, che procedono parallele in direzione nord-sud per buona parte del territorio. Diverse vette superano i 5000 m e le montagne racchiudono due valli, la Valle del Cauca e la Valle del Magdalena, attraversate dai fiumi omonimi, che scorrono in direzione nord fino a confluire prima di gettarsi nel Mar dei Caraibi nei pressi di Barranquilla.

A parte le tre catene andine, la Colombia possiede un altro complesso di rilievi montuosi, indipendente e di dimensioni relativamente modeste: la Sierra Nevada de Santa Marta, che si eleva dalla costa caraibica fino a vette innevate. È in effetti la catena montuosa costiera più alta del mondo, che culmina nelle due vette gemelle del Simón Bolívar e del Cristóbal Colón (entrambe di 5775 m).

Più della metà del territorio che si estende a est delle Ande è formato da una vasta pianura, che viene generalmente suddivisa in due regioni: Los Llanos a nord e il bacino amazzonico a sud. Estesa su una superficie di circa 250.000 kmq, la regione di Los Llanos è una sconfinata prateria in cui scorre il Río Orinoco, che molti colombiani considerano alla stregua di un immenso mare interno di colore verde. Con i suoi oltre 400.000 kmq, la regione amazzonica occupa l'intera porzione sud-orientale della Colombia e rientra nel bacino del Rio delle Amazzoni. La maggior parte di questo territorio è ricoperta da una fitta foresta pluviale solcata in tutti i sensi da numerosi corsi d'acqua ed è tagliata fuori dal resto del paese a causa della carenza di strade, il che, purtroppo, non impedisce le attività di disboscamento illegali.

In Colombia si trovano anche diverse isole. Le più importanti sono quelle dell'arcipelago di San Andrés e Providencia (situate nel Mar dei Caraibi, 750 km a nord-ovest della terraferma), le Islas del Rosario e San

Bernardo (situate lungo la costa caraibica) e Gorgona e Malpelo (lungo la costa del Pacifico).

Ambiente naturale

La varietà di zone climatiche e geografiche, nonché dei microclimi della Colombia, si traduce in una straordinaria serie di ecosistemi, che ha consentito alla flora e alla fauna di evolvere in maniera indipendente, al punto che questo paese vanta il numero più elevato di specie di piante e animali per chilometro quadrato rispetto a ogni altro paese al mondo ed è secondo solo al Brasile per quanto riguarda la varietà, pur essendo sette volte più piccolo.

La Colombia è l'unica nazione del Sud America ad affacciarsi sia sull'Oceano Pacifico sia sul Mar dei Caraibi.

Fauna

Dai delfini rosa ai pappagalli variopinti, da minuscoli gatti a topi giganteschi, la Colombia ha alcune delle specie animali più insolite del pianeta. Sono state registrate quasi 1700 specie di uccelli – 74 delle quali endemiche – che rappresentano circa il 19% di tutte le specie di avifauna del mondo, quasi 450 specie di mammiferi (tra cui il 15% dei primati presenti nel mondo), 600 di anfibi, 500 di rettili e 3200 di pesci.

Tra i mammiferi più interessanti meritano di essere citati alcuni eleganti felini come il giaguaro e l'ocelot, la scimmia urlatrice rossa, la scimmia ragno, il bradipo tridattilo, il formichiere gigante, il goffo pecari e il tapiro (due animali simili al maiale), e infine il tutt'altro che affascinante capibara, chiamato anche *chiguiro*, il più grande roditore esistente, che può raggiungere un'altezza di 48 cm e un peso di 55 kg.

I corsi d'acqua del bacino amazzonico colombiano sono popolati dal *boto* (delfino amazzonico o inia) dal caratteristico colore rosa, dal manato del Rio delle Amazzoni e da uno dei serpenti più temibili del mondo, l'anaconda (*Eunectes murinus*), che può raggiungere i 6 m di lunghezza.

La ricchissima avifauna della Colombia comprende 132 specie di colibrì, 24 di tucani, 57 di pappagalli colorati e di are, oltre a martin pescatori, trogoni, parulidi e a sei delle sette specie di avvoltoi presenti al mondo, tra cui il condor andino – animale simbolo della Colombia.

Anche la vasta rete fluviale del paese e i mari che lambiscono i litorali pullulano di fauna acquatica. Le isole di San Andrés e di Providencia vantano alcune tra le barriere coralline più vaste e vitali delle Americhe, che l'UNESCO ha riconosciuto come Riserva della Biosfera Seaflower per proteggerne il delicato ecosistema. Le barriere coralline colombiane – considerate tra le più intatte dei Caraibi – svolgono un ruolo di grande importanza dal punto di vista ecologico, offrendo nutrimento e siti di nidificazione a quattro specie di tartarughe marine a rischio

LA GRANDE MIGRAZIONE DEI GRANCHI DI PROVIDENCIA

È davvero qualcosa che probabilmente non avete mai visto prima: nel mese di aprile, per un'intera settimana, il granchio nero di Providencia, una specie esclusivamente terricola, scende dalle montagne e caracolla goffamente fino al mare, dove le femmine depongono le uova e i maschi le fecondano, per poi tornare subito a terra. In questo periodo l'unica strada che percorre il litorale di questa minuscola isoletta caraibica viene chiusa al traffico e per gli isolani – che possono spostarsi solo a piedi – la vita quotidiana scorre a un ritmo particolarmente tranquillo.

Qualche mese più tardi – di solito in luglio – le uova si schiudono e i piccolissimi granchi escono dal mare per dirigersi verso le montagne. Durante questa seconda migrazione la strada viene nuovamente chiusa e giorno e notte si sente il fruscio di milioni di animaletti che risalgono sgraziati la collina. Se siete abbastanza fortunati da visitare Providencia durante una di queste migrazioni, vivrete un'esperienza veramente indimenticabile, un'atmosfera alla Hitchcock.

di estinzione e a un incredibile numero di pesci e di aragoste. Di recente alcuni studiosi hanno accertato che la salute di alcuni banchi di pesci nelle acque delle Florida Keys è direttamente proporzionale alla loro capacità di riprodursi nelle barriere coralline della Colombia. Nell'isola di Providencia vive l'omonimo granchio nero (*Gecarcinus ruricola*), una specie endemica terricola, che compie una straordinaria migrazione annuale in mare per deporre e fecondare le uova.

Il famoso geografo e botanico tedesco Alexander von Humboldt tra il 1799 e il 1804 esplorò e studiò alcune regioni della Colombia, che descrisse poi in maniera straordinariamente dettagliata nell'opera *Viaggio alle regioni equinoziali del nuovo continente* (Quodlibet, 2014).

Specie a rischio di estinzione

Le vaste savane di Los Llanos ospitano alcune delle specie colombiane a maggior rischio di estinzione, tra cui il coccodrillo dell'Orinoco, che può raggiungere una lunghezza di sette metri. Secondo la Wildlife Conservation Society, in natura ne rimangono soltanto 200 esemplari, un fatto che la rende una delle specie di rettili più cacciate del mondo, soprattutto a causa della loro pelle preziosa. Si è però registrato un fatto positivo: tra il 2015 e il 2016, grazie al programma conservazionista della regione di Los Llanos, Proyecto Vida Silvestre, oltre 40 cuccioli di coccodrillo dell'Orinoco sono stati rilasciati nel parco nazionale di Tuparro. Altre creature a rischio che vivono nella stessa regione sono la tartaruga dell'Orinoco, l'armadillo gigante, la lontra gigante e l'aquila nerocastana.

Secondo la Red List of Threatened Species stilata nel 2014 dall'Unione Internazionale per la Conservazione della Natura (IUNC), il tamarino edipo, una minuscola scimmia del peso di appena 500 grammi, e il suo cugino più robusto, la scimmia ragno marrone, sarebbero due dei primati a maggior rischio di estinzione del mondo. Nell'elenco della IUNC figurano anche l'opossum di Handley, la gracula montana e il tapiro delle Ande. Infine, sono considerati vulnerabili anche due dei più celebri abitanti del bacino amazzonico, ovvero l'inia (delfino rosa) e il manato dell'Amazzonia.

Purtroppo, nelle zone più remote del paese, alcuni bar e ristoranti servono uova di tartaruga, iguana e altre specie a rischio di estinzione. Va poi segnalato che il *pirarucú* (un pesce molto diffuso nella regione amazzonica nei pressi di Leticia) di recente è stato vittima di pesca eccessiva, in quanto gli abitanti di questa zona tendono a ignorare le norme che tutelano la specie nel periodo della fecondazione. Tutti questi animali sono in pericolo e mangiarli potrebbe favorirne l'estinzione, quindi pensateci bene prima di ordinare la cena in un ristorante dell'Amazzonia colombiana: ci sono in zona molti altri tipi di pesce commestibile.

La Colombia è il secondo esportatore al mondo di fiori recisi, dopo i Paesi Bassi. Il valore dell'esportazione annuale (soprattutto verso gli Stati Uniti) è di circa un miliardo di dollari. A San Valentino gli americani acquistano 300 milioni di rose colombiane, dal momento che, essendo coltivate in un ambiente equatoriale, hanno uno stelo perfettamente diritto.

Flora

La flora della Colombia è ricca come la sua fauna e comprende oltre 130.000 specie di piante, un terzo delle quali endemiche. Pur essendo un dato stupefacente, non descrive tuttavia il quadro completo del patrimonio vegetale del paese, dal momento che in vaste zone – come le parti più inaccessibili della regione amazzonica – vivono specie ancora del tutto sconosciute. Si stima che esistano almeno 2000 specie vegetali tuttora da identificare e un numero ancora maggiore da analizzare, per accertarne le eventuali possibilità di utilizzo in campo farmaceutico.

In Colombia esistono circa 3500 specie di orchidee, più che in ogni altro paese del mondo, molte delle quali, come la *Cattleya trianae*, il fiore nazionale della Colombia, non sono presenti altrove. Le orchidee crescono praticamente in tutte le regioni e zone climatiche del paese, ma in modo particolare alle quote comprese tra i 1000 e i 2000 m, soprattutto nel dipartimento nord-occidentale di Antioquia.

Ad altitudini più elevate cresce il *frailejón*, un arbusto perenne con fiori gialli presente solo alle quote superiori ai 3000 m e di cui esistono ben 88 specie diverse, quasi tutte endemiche della Colombia. Questa pianta cresce in zone protette come la Sierra Nevada de Santa Marta, la Sierra Nevada del Cocuy e il Santuario de Iguaque.

Chi vuole darsi al birdwatching in Colombia deve avere con sé *A Guide to the Birds of Colombia* scritto da Stephen L. Hilty e William L. Brown (1986). Due eccellenti risorse online per i birdwatcher sono www.colombiabirding.com e www.proaves.org.

Parchi nazionali

La Colombia ospita sul suo territorio 59 parchi nazionali, riserve di flora e fauna e altre aree protette, tutte amministrate dall'ente statale **Parques Nacionales Naturales de Colombia** (cartina p50; ☎353-2400 int 138; www.parquesnacionales.gov.co; Calle 74 n. 11-81; ⏲8-17 lun-ven).

Purtroppo, il fatto che alcune zone siano state dichiarate parchi nazionali non è stato sufficiente a fermare le attività dei guerriglieri, la coltivazione di coca, l'allevamento illegale di bestiame, il disboscamento, le estrazioni minerarie e il bracconaggio. Quasi tutti i parchi del bacino amazzonico e quelli situati lungo il confine con l'Ecuador dovrebbero essere considerati off limits, mentre altri – come quello di Los Katios situato nei pressi della Regione del Darién e inserito dall'UNESCO nella lista dei siti Patrimonio dell'Umanità – sono aperti al pubblico, pur essendo aree rischiose e ad accesso limitato; prima di decidere quali parchi nazionali inserire nella vostra agenda di viaggio, vi consigliamo di chiedere informazioni aggiornate sulla sicurezza della zona in cui si trovano.

In ogni caso, va detto che nel corso degli ultimi anni sono stati riaperti al pubblico numerosi parchi chiusi per molto tempo, che sono quindi stati descritti in questa guida. Grazie al recente sviluppo del turismo e dell'ecoturismo, il governo colombiano ha finalmente iniziato a investire risorse nel sistema – a lungo trascurato – dei parchi nazionali. Ultimamente sono stati istituiti nuovi parchi e molti altri sono in fase di progettazione, mentre quelli aperti da più tempo si stanno finalmente dotando di strutture ricettive e di ristoranti, una vera rarità per la Colombia.

Non si tratta necessariamente di una buona notizia. Infatti, nel corso degli ultimi anni, il PNN ha iniziato a trattare con aziende private

FEBBRE VERDE

La Colombia è il maggiore produttore mondiale di smeraldi, con una quota pari al 50% (lo Zambia ha il 20% e il Brasile il 15%). Secondo alcune stime, i giacimenti colombiani conterrebbero quasi il 90% degli smeraldi presenti in tutto il pianeta, una notizia decisamente positiva per i cercatori, ma molto meno bella per gli ambienti interessati e forse anche per il resto della Colombia, visto che i conflitti e le devastazioni causati dall'estrazione di queste splendide gemme hanno avuto sul paese un effetto paragonabile a quello della cocaina e dell'eroina.

I giacimenti più importanti sono quelli di Muzo, Coscuez, La Pita e Chivor, tutti nel dipartimento di Boyacá. La popolazione muisca estraeva gli smeraldi già in epoca precolombiana, ma furono i colonizzatori spagnoli a perdere letteralmente la testa per queste pietre verdi e ad ampliarne a dismisura l'attività di estrazione. Gli spagnoli costrinsero dapprima gli indigeni a lavorare nelle miniere, per poi sostituirli con gli schiavi deportati dall'Africa; ancora oggi molti minatori sono i discendenti di quegli schiavi e vivono in condizioni solo di poco migliori rispetto a quelle dei loro avi.

I ricchi giacimenti hanno causato gravi problemi sia ambientali sia sociali. L'estrazione incontrollata ha devastato le campagne e – nel tentativo di trovare nuovi filoni o di migliorare le proprie condizioni di vita – i cercatori hanno continuato ad avanzare all'interno della foresta. Sono state combattute battaglie cruente tra gruppi di minatori rivali, che hanno causato numerose vittime e la devastazione dei giacimenti. Solo tra il 1984 e il 1990, durante una delle più sanguinose 'guerre degli smeraldi' della storia recente, a Muzo sono state uccise 3500 persone. Nonostante questo, la 'febbre verde' continua a contagiare un gran numero di avventurieri e di persone in cerca di fortuna provenienti da ogni angolo del pianeta e sicuramente non si placherà fino a quando non sarà stata trovata l'ultima ammaliante pietra verde.

per sviluppare e gestire le strutture turistiche di alcuni parchi nazionali, una decisione che per gli ambientalisti potrebbe portare a uno sviluppo sproporzionato nelle aree interessate. Esiste anche il timore che il conseguente aumento dei prezzi finisca per rendere i parchi inaccessibili alla maggior parte dei colombiani. Comunque, negli ultimi anni gli ambientalisti hanno seguito con successo alcuni di questi progetti di sviluppo.

I parchi nazionali più famosi della Colombia si trovano lungo le sue spiagge incontaminate. Il Parque Nacional Natural Tayrona è di gran lunga il più frequentato, seguito dal Parque Nacional Natural Corales del Rosario y San Bernardo e dal Parque Nacional Natural Isla Gorgona.

Molti altri parchi nazionali dispongono di sistemazioni molto semplici, tra cui bungalow spartani, camerate o campeggi. I viaggiatori che desiderano soggiornarvi devono prenotare tramite l'ufficio centrale del PNN di Bogotá. Inoltre, in quasi tutte le grandi città e nei parchi ci sono uffici regionali del PNN. Nella maggior parte dei casi, bisogna pagare un biglietto d'ingresso, direttamente al parco o in un ufficio regionale del PNN.

È sempre consigliabile chiedere informazioni aggiornate sulla sicurezza e sulle condizioni meteorologiche alle agenzie di viaggi e all'ente dei parchi prima di partire.

Parchi e riserve private

Nel corso degli ultimi anni è aumentato sensibilmente il numero delle riserve naturali di proprietà e a gestione privata: nella maggior parte dei casi si tratta di singoli individui, comunità rurali, fondazioni e organizzazioni non governative, che si occupano di piccole riserve a conduzione familiare e offrono talvolta anche i pasti e l'alloggio. Circa 230 di questi parchi privati sono affiliati all'**Asociación Red Colombiana de Reservas Naturales de la Sociedad Civil** (http://resnatur.org.co).

Un altro elemento comparso di recente nel panorama naturale della Colombia è costituito dalle imprese commerciali, che renderanno i futuri parchi molto simili al nuovo Parque Nacional del Chicamocha (p118), nei pressi di Bucaramanga. Inaugurato nel 2006 e costato (pare) 20 milioni di dollari, questo resort commerciale è un parco a tema che offre la possibilità di fare trekking e passeggiate e dispone di decine di ristoranti, caffè, giostre, uno zoo, funivie e un parco acquatico.

Conservación Internacional è uno dei gruppi ambientalisti più influenti della Colombia. Per ulteriori informazioni sulle sue attività, consultate il sito www.conservation.org.co.

Tutela dell'ambiente

Molte sono le sfide ambientali che rimangono da affrontare, non ultime quelle legate ai cambiamenti climatici e alla scomparsa di habitat naturali e della biodiversità provocata dall'agrobusiness internazionale, che trasforma tutto in megapiantagioni. Il ritmo rapido che ha assunto lo sviluppo di un'economia di mercato e la concorrenza globale hanno messo sotto pressione il paese, che è stato costretto a costruire nuovi insediamenti e a incrementare lo sfruttamento delle proprie risorse naturali: vale a dire la trasformazione in terreno agricolo, i disboscamenti (legali e illegali), le miniere e le prospezioni petrolifere. In particolare, il disboscamento ha aumentato il rischio di estinzione di molte specie di flora e di fauna e destabilizzato il suolo, provocando l'insabbiamento dei corsi d'acqua e danni a molte specie acquatiche.

Ancora più preoccupante è l'impatto ambientale del commercio di droga; coltivazioni illegali e molto redditizie sono quelle della marijuana e dei papaveri da oppio. Ogni tentativo di limitare la coltivazione della coca ha semplicemente spinto i coltivatori a trasferirsi in zone più remote ed elevate, nelle foreste vergini delle Ande (grazie all'incremento della coltivazione dell'oppio, favorita dall'altitudine) e all'interno dei parchi e del bacino amazzonico. Anche l'impegno del governo colombiano per debellare la produzione di droga – in gran parte finanziato dagli Stati Uniti – ha avuto ripercussioni sull'ambiente, in quanto il metodo usato più spesso per sradicare le coltivazioni illegali è l'irrorazione aerea dei campi di coca con erbicidi, che distruggono anche la vegetazione circostante e finiscono ovviamente nei bacini idrografici.

Purtroppo, al ritirarsi delle FARC da molte aree rurali è seguita un'accelerazione del processo di deforestazione, visto che i ribelli tendevano a mantenere sotto controllo l'industria del legname, non volendo che si scoprissero i loro covi nelle foreste. Lo smantellamento delle FARC in molte zone ha creato un vuoto di potere e nel 2016 la deforestazione era cresciuta a un rimo spaventoso: più del 44% rispetto all'anno precedente, equivalente a 178.597 ettari.

Guida pratica

Viaggiare in sicurezza

Pochi paesi dell'America Latina o di altri continenti si sono impegnati per cambiare la propria immagine come la Colombia, che negli anni '80 e '90 era diventata purtroppo un buco nero nel panorama turistico, mentre un insieme di guerra civile e conflitti militari associato alla lotta internazionale contro i cartelli della droga creava il caos nella vita quotidiana dei colombiani. Oggi la maggior parte dei viaggiatori troverà un paese più sicuro di tutte le nazioni confinanti – un capovolgimento di scena straordinario. Ciò non significa, tuttavia, che i problemi siano scomparsi. I reati nelle strade delle grandi città – tra cui Bogotá, Cali, Pereira e Medellín – continuano a essere un problema, quindi ovunque si deve stare attenti e affidarsi al buon senso. In alcune regioni del paese, si registra tuttora la presenza (sempre più circoscritta) di guerriglieri, paramilitari e narcotrafficanti, anche se l'accordo di pace con le FARC e le trattative con l'ELN potrebbero presto far diventare la guerriglia un fenomeno del passato. In ogni caso è necessario pianificare per tempo il viaggio se la vostra meta si trova in zone fuori mano.

Zone sicure

Lo storico accordo di pace firmato dal governo colombiano nel 2016 con le Fuerzas Armadas Revolucionarias de Colombia (FARC) – e il conseguente cessate il fuoco con l'Ejército de Liberación Nacional (ELN) nel 2017 – ha messo fine a 50 anni di guerra civile. Ne consegue

CONSIGLI AI VIAGGIATORI

Per le informazioni di viaggio più aggiornate consultate:

- **Italia Ministero degli Affari Esteri italiano in collaborazione con l'ACI** (☎06 491 115, numero attivo 24 h anche dall'estero; www.viaggiaresicuri.it; disponibile anche in versione app per smartphone).
- **Svizzera DFAE – Dipartimento Federale Affari Esteri della Svizzera** (www.eda.admin.ch/eda/it/home/travad.html), la pagina 'Consigli di viaggio'.
- Sul sito del ministero degli Affari Esteri italiano **Dove siamo nel mondo** (www.dovesiamonelmondo.it; disponibile anche in versione app per smartphone) i cittadini italiani che si recano temporaneamente all'estero possono, se lo desiderano, indicare i dati personali e dare informazioni sul soggiorno all'estero per consentire all'Unità di Crisi, in caso di grave emergenza (grandi calamità naturali, attentati terroristici, evacuazioni ecc.), di intervenire nel modo più efficace per portare soccorso. Queste informazioni sono automaticamente cancellate due giorni dopo la data di fine viaggio indicata e saranno utilizzate solo in caso di necessità.
- I cittadini svizzeri potranno accedere a un servizio simile collegandosi al portale **Itineris** (www.itineris.eda.admin.ch/home; disponibile anche in versione app per smartphone). In caso di emergenza all'estero, il servizio **Helpline EDA/DFAE** (☎0041-800 247 365; helpline@eda.admin.ch; skype: helpline-eda) assicura assistenza tutti i giorni dell'anno 24 ore su 24.

Un altro sito governativo preciso e aggiornato che vi consigliamo di consultare è quello del **British Foreign Office** (www.gov.uk/foreign-travel-advice).

che il paese è decisamente più sicuro di quanto non fosse qualche anno fa e molte zone un tempo off limits sono ora considerate prive di rischio per i viaggiatori (anche se gruppi paramilitari appena sorti, coinvolti nel traffico di droga, sono ancora presenti in molte aree del paese e in alcuni tratti della giungla ancora si incontrano dissidenti delle FARC). Tutte le destinazioni descritte in questa guida sono in genere sicure per chi viaggia e, a condizione che non vi allontaniate dai luoghi citati, è improbabile che vi troviate a dover affrontare dei problemi.

CONSIGLI PRATICI

Tenete i vostri effetti personali con voi, evitate zone poco sicure della città e siate molto vigili di notte; così la Colombia non vi offrirà altro che divertimento.

- Non allontanatevi dai luoghi frequentati, soprattutto se non conoscete la situazione relativa alla sicurezza.
- State attenti quando prelevate denaro al bancomat dopo il tramonto ed evitate di farlo nelle vie deserte.
- Tenete sempre a portata di mano un mazzetto di banconote di piccolo taglio, in caso di rapina.
- Non fatevi coinvolgere nel turismo della droga.
- Non accettate bevande o sigarette da sconosciuti o nuovi 'amici'.
- State in guardia dai criminali che si spacciano per poliziotti in borghese.

Guerriglieri e paramilitari

Nonostante l'accordo di pace tra il governo e le FARC, rimangono sacche isolate di guerriglia in alcune delle regioni più remote del paese, dove operano forze dissidenti delle FARC e membri dell'ELN – in questo momento ancora in trattativa con il governo – che non hanno ancora ceduto le armi.

Più preoccupanti appaiono i nuovi gruppi paramilitari invischiati nel traffico di droga, che hanno esteso il loro raggio d'azione nel paese al seguito del ritirarsi delle FARC: le loro aree di influenza sono infatti più difficili da identificare.

Bisognerebbe spingersi al di fuori delle zone battute solo con grande cautela, o evitarlo del tutto. In genere i gruppi armati non prendono più di mira il turismo, ma possono insospettirsi vedendo arrivare facce nuove in quello che considerano il loro territorio – ci sono stati anche casi di scambio di identità che hanno portato a rapimenti finiti tragicamente.

Ampie zone della superficie territoriale della Colombia non sono coperte da questa guida Lonely Planet perché perché le condizioni di sicurezza sono incerte e non esiste alcun tipo di infrastruttura turistica: parliamo di gran parte delle regioni occidentali, delle remote aree al confine con il Venezuela e dell'Amazzonia (mentre le destinazioni amazzoniche trattate in queste pagine sono molto sicure).

Furti e rapine

Il pericolo più frequente al quale i turisti vanno incontro in Colombia è costituito dai furti. In genere, il problema è più grave nelle grandi città e i metodi più diffusi sono lo scippo di zaini, cellulari, macchine fotografiche o portafogli, approfittando di un momento di distrazione.

Distrarre le vittime fa parte della strategia dei ladri, che tendono a lavorare in coppia o in gruppo, spesso in sella a una motocicletta; mentre uno o più attraggono l'attenzione della potenziale vittima, un complice compie il furto. Alcuni ladri fingono di voler fare amicizia, altri si spacciano per poliziotti e chiedono di controllare il bagaglio. Fate molta attenzione quando prelevate denaro ai bancomat e diffidate degli impostori che vi offrono aiuto fingendosi impiegati della banca – una tattica molto diffusa.

Se possibile, lasciate il denaro e gli oggetti di valore in un luogo sicuro. È una buona idea tenere a portata di mano un mazzo di banconote di piccolo taglio, al massimo COP$50.000 o COP$100.000, da consegnare in caso di aggressione; se vi trovassero senza soldi, i rapinatori potrebbero innervosirsi, con conseguenze imprevedibili.

In città le rapine a mano armata possono verificarsi anche in quartieri residenziali esclusivi. Se siete avvicinati dai rapinatori, la cosa migliore è dare loro ciò che vogliono, senza però privarvi frettolosamente di tutto, perché potrebbero accontentarsi delle banconote. Non tentate di scappare o di opporre resistenza: non avreste molte chance, ed è già successo che alcune persone abbiano perso la vita per sfuggire a un furto. Inutile, poi, contare sull'aiuto dei passanti.

Droghe

La cocaina e la marijuana sono droghe economiche e facilmente reperibili in Colombia. Acquistare droghe e farne uso, tuttavia, è una pessima idea. Il turismo della droga è percepito dalla maggior parte dei colombiani come una grave offesa, specialmente nelle cittadine più piccole. Va sottolineato che la

COCAINA IN VACANZA? PENSATE ALLE CONSEGUENZE

Purtroppo il turismo della droga è una realtà in Colombia. E perché no? La cocaina costa poco, no? *Non esattamente*.

Quello che può sembrare un innocuo momento di svago personale contribuisce direttamente alle violenze e ai disordini che ogni giorno si verificano nelle zone rurali della Colombia. La gente combatte e muore per il controllo del commercio di cocaina, perciò acquistando e consumando droga contribuirete a finanziare tali conflitti.

E, fatto ancora peggiore, i sottoprodotti della cocaina sono estremamente dannosi per l'ambiente. I procedimenti produttivi richiedono infatti l'utilizzo di agenti chimici tossici come il cherosene, l'acido solforico, l'acetone e il carburo, che vengono semplicemente dispersi e inquinano terreni, fiumi e torrenti. Inoltre, si calcola che ogni anno per produrre la coca vengano distrutti da 500 a 3000 kmq di foresta pluviale vergine.

La Colombia è uno dei paesi più belli del mondo, e la sua gente, la musica, le danze e il cibo saranno più che sufficienti per stimolare i vostri sensi.

maggioranza dei colombiani non fa uso di droghe; inoltre, molti ritengono che il traffico di droga internazionale sia il vero responsabile dei decennali conflitti nel paese. Sappiate, pertanto, che cercare di procurarsi droga o farne apertamente uso potrebbe procurarvi molti problemi; senza contare che l'acquisto, e la vendita di stupefacenti in qualsiasi quantità è illegale.

Recentemente sono aumentati i viaggiatori che vengono in Colombia per l'ayahuasca (o *yagé*, come è conosciuto in Colombia). Questo allucinogeno derivato da varie piante della foresta pluviale, e usato per secoli dalle popolazioni indigene nelle cerimonie, provoca dissenteria e vomito oltre a spaventose allucinazioni. Nel 2014 un diciannovenne britannico è morto nei pressi di Putumayo mentre ne faceva uso, perciò vi consigliamo assolutamente di evitarlo.

Non accettate mai sostanze stupefacenti offerte per strada, nei bar o nelle discoteche: gli spacciatori spesso sono d'accordo con la polizia, oppure hanno dei complici che vi seguiranno e fermeranno e, dopo avervi mostrato falsi tesserini della polizia, minacceranno di arrestarvi se non sarete disposti a pagare.

Vi sono stati casi di viaggiatori ai quali la droga è stata infilata di nascosto nel bagaglio, quindi tenete sempre gli occhi bene aperti. All'aeroporto non accettate in nessun caso di far imbarcare come vostro il bagaglio di qualcun altro.

Bevande drogate

Il burundanga è una droga, ottenuta da un albero molto diffuso in Colombia, che viene usata dai ladri per stordire le vittime. Essendo inodore e insapore può essere assimilata con caramelle, sigarette, gomme da masticare, liquori o birra – praticamente con qualsiasi tipo di cibo o bevanda.

L'effetto più evidente di una dose 'normale' è l'annullamento della volontà, anche se si rimane coscienti. A quel punto il ladro può farsi consegnare qualsiasi oggetto di valore dalla vittima, che obbedirà senza opporre resistenza. Sono stati denunciati anche casi di stupro avvenuti dopo la somministrazione del burundanga. Altri effetti sono perdita di memoria e sonnolenza, che durano da poche ore a qualche giorno. Un'overdose può essere fatale.

Interagire con polizia e militari

Mentre l'esercito colombiano è estremamente affidabile e la polizia federale ha una discreta reputazione, le forze di polizia locali non hanno una fama impeccabile. Gli stipendi sono modesti, e talvolta i poliziotti sono risultati implicati in episodi di corruzione e abuso di potere nei confronti dei turisti.

Portate sempre con voi una fotocopia del passaporto con il timbro di ingresso nel paese (*permiso de ingreso y permanencia*, PIP); se i vostri documenti sono in regola, eviterete probabilmente ogni falso pretesto. Inoltre, guardatevi bene dal trasportare sostanze stupefacenti di qualsiasi tipo, per strada e in viaggio.

In alcune zone esiste un corpo di polizia turistica e spesso gli agenti parlano un po' d'inglese. Indossano la divisa e sono riconoscibili dalla scritta Policía de Turismo intorno al braccio: in caso di necessità cercate di rivolgervi a loro.

Se vi rubassero il passaporto, gli oggetti di valore o altri effetti personali, recatevi a una stazione di polizia per sporgere denuncia. L'agente di turno stenderà un rapporto scritto sulla base del vostro racconto; è importante precisare come si è svolto il furto e fornire una lista degli oggetti rubati. Fate attenzione alle parole che usate, elencate tutti gli oggetti e i documenti che vi sono stati rubati e controllate accuratamente la dichiarazione prima di firmare. La copia della denuncia sostituirà temporaneamente il vostro documento di identità e sarà necessaria per presentare la richiesta di rimborso all'assicurazione.

Se vi capitasse di avere a che fare con la polizia, mantenete la calma, siate cortesi e usate sempre l''*usted*' formale, anziché il '*tu*'. Seguite con attenzione i movimenti degli agenti mentre controllano i vostri effetti personali.

Truffe

Non accettate per nessun motivo di essere perquisiti da poliziotti in borghese e non consegnate loro il passaporto o dei soldi: potrebbero infatti essere criminali e identificarsi con tesserini falsi, chiedendo di ispezionare i vostri documenti e il denaro. Un tipico caso di truffa è quello in cui questi 'agenti' sostengono che il vostro denaro sia falso e che quindi vada confiscato (potrebbe succedere anche con i gioielli). Gli agenti ufficiali della polizia colombiana non fanno mai richieste di tal genere. Se possibile chiamate un poliziotto in divisa, oppure un passante dall'aria affidabile che possa fare da testimone, e insistete per telefonare a una stazione di polizia. È probabile che a quel punto gli 'agenti' decidano prudentemente di dileguarsi.

Viaggiare via terra

In quasi tutte le regioni del paese viaggiare con i mezzi pubblici, soprattutto durante il giorno, non dovrebbe essere un problema per la sicurezza; l'unico dilemma sarà scegliere la playlist da ascoltare in modo da non essere costretti a sentire la musica di dubbio gusto proposta a tutto volume dal conducente. In passato, viaggiare su un autobus notturno comportava rischi effettivi – le FARC, infatti, controllavano molte delle statali più importanti –, ma non è più così. Quasi ovunque gli autobus notturni sono un modo confortevole per evitare di sprecare una giornata viaggiando, con il vantaggio aggiuntivo di farvi risparmiare un pernottamento.

Oggi tutte le arterie principali sono percorribili senza problemi di notte, ma rimangono alcune strade secondarie lungo le quali è consigliabile spostarsi di giorno, per esempio quella da Popayán a San Agustín e quella da Ocaña a Cúcuta.

Informazioni

Accessi a internet

- In Colombia il collegamento a internet è molto diffuso. Potrete connettervi alla rete praticamente ovunque e a prezzi modici, che raramente superano i COP$2500 all'ora.
- Nei piccoli centri e nelle zone più isolate, l'ambizioso progetto governativo Plan Vive Digital ha portato pressoché ovunque il wi-fi gratuito. In genere basta rivolgersi alla biblioteca, al parco o al centro culturale locale per procurarsi la password.
- Quasi tutti gli ostelli e alberghi offrono la connessione wi-fi. Spesso è possibile collegarsi a internet con modalità wi-fi anche nei centri commerciali (gratuitamente) così come in molti ristoranti e caffè. Anche i principali aeroporti offrono la connessione wi-fi, che però in genere non è molto affidabile.

Alloggio

La Colombia offre sistemazioni adatte a tutte le tasche e a tutte le esigenze, da alberghi eccellenti a eleganti boutique hotel a occasionali strutture mozzafiato abbarbicate alle scogliere o sospese sulle acque tempestose del mare. Vi consigliamo di prenotare in anticipo se intendete programmare il viaggio in coincidenza con alcune delle principale festività religiose come il Natale o la Settimana Santa.

Alberghi

- In Colombia le strutture ricettive vengono chiamate con diversi nomi, tra cui *residencias, hospedajes* o *posadas*. Il termine 'hotel' in genere indica un albergo di categoria superiore, o che comunque applica tariffe più elevate. Le sistemazioni più economiche di solito si concentrano intorno ai mercati, alle stazioni degli autobus e nelle strade secondarie del centro. Se parlate spagnolo e preferite evitare le strutture più turistiche, optate per una camera privata: quelle di categoria economica, con acqua calda, aria condizionata e TV via cavo costano tra COP$30.000 e COP$40.000 – meno che in ostello.
- In Colombia gli alberghi di categoria media sono piuttosto rari. Troverete poche vie di mezzo tra gli alberghi economici e i tre o quattro stelle più costosi. Esistono comunque alcuni alberghi che applicano tariffe comprese tra COP$80.000 e COP$180.000; sono rivolti soprattutto a colombiani in viaggio d'affari e si trovano generalmente in centro.
- Tutte le principali città offrono alberghi di categoria elevata, le cui tariffe partono da COP$185.000 per notte. Bogotá, Medellín e Cartagena offrono la scelta più vasta di alberghi di lusso.

Campeggi

Per molto tempo in Colombia il campeggio è stato vietato, ma gli accordi di pace del 2016 hanno posto fine a 52 anni di guerra civile, liberando alcune delle regioni più remote del paese. La conseguenza è che sempre più colombiani si mettono lo zaino in spalla e partono alla riscoperta del loro magnifico paese soggiornando in uno dei pochi (ma sempre più numerosi) campeggi o piantando la tenda nella natura selvaggia.

Ostelli

- I backpacker sono sempre più numerosi in Colombia. Tutti gli ostelli offrono letti in camerata a un prezzo che oscilla tra COP$20.000 e COP$40.000, e in genere affittano anche camere private, che vanno da COP$60.000 a COP$120.000.

GUIDA AI PREZZI – PERNOTTAMENTO

I prezzi che seguono si riferiscono a una camera doppia standard (senza sconti né tasse).

$	meno di COP$85.000
$$	COP$85.000 – 185.000
$$$	più di COP$185.000

- Molti degli ostelli più rinomati fanno parte della **Colombian Hostels Association** (www.colombianhostels.com.co). Troverete l'elenco completo degli ostelli sul sito www.hosteltrail.com.
- Alcuni sono affiliati alla **Hostelling International** (www.hihostels.com). Potrete procurarvi in Italia, prima della partenza, la tessera degli ostelli (AIG, che equivale alla HI), che ha un costo di €5 (tessera individuale valida solo in Italia) o di €10 (tessera valida anche all'estero) e una validità di un anno dalla data di emissione. È rilasciata dagli ostelli dell'associazione e da numerose organizzazioni e agenzie specializzate in turismo giovanile. Per informazioni potete rivolgervi all'**AIG – Associazione Italiana Alberghi per la Gioventù** (06 9826 1462; www.aighostels.it). In Svizzera la tessera viene rilasciata dalla **Swiss Youth Hostels** (www.youthhostel.ch) al costo di Sfr33/22 (adulti/ragazzi).

Resort

- Sulla costa caraibica e a San Andrés troverete alcuni resort che propongono pacchetti tutto compreso. In genere sono frequentati da colombiani più che da stranieri e offrono un eccellente rapporto qualità-prezzo.
- Anche la costa del Pacifico può vantare alcuni alberghi all-inclusive di buon livello, che però sono più adatti ai viaggiatori in cerca di avventura, in quanto la zona è piuttosto isolata e costantemente presidiata dall'esercito.
- Per una selezione dei migliori resort di piccole dimensioni e/o situati in zone rurali, consultate il sito www.colfincas.com (solo in spagnolo).
- Prenotando dall'estero un pacchetto tutto compreso in un resort colombiano potrete evitare di pagare l'IVA del 19% applicata dagli alberghi. I gestori di alcune strutture non sono al corrente di questa norma, perciò ricordate di specificarla.

Tasse e rimborsi

Nel 2016 è stata approvata una nuova legge che di fatto esenta gli stranieri dal pagamento delle tasse su alcuni servizi turistici (l'IVA al 19% o i tour guidati, per esempio) per cifre al di sopra dei COP$280.000, anche se la richiesta di rimborso è spesso estremamente macchinosa: prima di lasciare il paese è necessario presentare le ricevute all'ufficio del **Dipartimento Nazionale delle Imposte e delle Dogane** (DIAN; www.dian.gov.co), insieme a un modulo compilato, al passaporto e alla fotocopia del timbro d'ingresso (*permiso de ingreso y permanencia*, PIP) o del visto turistico valido.

Ambasciate e consolati

Ambasciate e consolati colombiani all'estero

Quello che trovate di seguito è un elenco di alcune rappresentanze diplomatiche colombiane in Italia e Svizzera.

Per un elenco completo di quelle presenti in Italia consultate il sito del **Ministero degli Affari Esteri** (www.esteri.it/mae/it/servizi/stranieri/rapprstraniere). Per conoscere i riferimenti delle rappresentanze con sede nella Confederazione Svizzera, visitate il sito del **Dipartimento Federale degli Affari Esteri** (www.eda.admin.ch/eda/it/home/reps.html), selezionate 'Rappresentanze estere in Svizzera' (in basso a destra) e cliccate il nome del paese di vostro interesse nell'elenco alfabetico.

Italia Ambasciata (06 361 2131; eitalia@cancilleria.gov.co; http://italia.embajada.gov.co; Via G. Pisanelli 4, 00196 Roma) Consolato di Roma (06 321 60 70, 06 322 27 47; croma@cancilleria.gov.co; http://roma.consulado.gov.co; Piazzale Flaminio 9, Scala A, 1° piano, Int 2, 00196 Roma; 8.30-13.30 lun-ven); Consolato di Milano (02 7200 3872, 02 805 17 65; cmilan@cancilleria.gov.co; http://milan.consulado.gov.co; Vía Tivoli 3, 20121 Milano; 9-13 lun-ven). Servizi consolari solo su appuntamento.

Svizzera Ambasciata e sezione consolare di Berna (031-350 1400, sezione consolare 031-350 1405; esuiza@cancilleria.gov.co; cberna@cancilleria.gov.co; http://suiza.embajada.gov.co; Zieglerstrasse 29, 3007 Berna). Servizi consolari solo su appuntamento.

Ambasciate e consolati stranieri in Colombia

Le ambasciate e i consolati della maggior parte dei paesi che intrattengono rapporti diplomatici con la Colombia si trovano a Bogotá. Alcuni paesi hanno consolati anche in altre città della Colombia.

Argentina Ambasciata (1-288-0900; www.ecolo.mrecic.gov.ar; Carrera 12 n. 97-80, Piso 5)

Brasile Ambasciata (1-635-1694; http://bogota.itamaraty.gov.br; Calle 93 n. 14-20, Piso 8) Leticia (320-846-0637; Calle 10 n. 9-104; 8-17 lun-ven).

Italia Ambasciata (1-218-7206; bogota.consolare@esteri.it; www.ambbogota.esteri.it; Calle 93B n. 9-92); Barranquilla (5-368-0172; barranquilla.onorario@esteri.it; Calle 79 n. 47-61, Local 7, Barranquilla; 8.30-13 mar-ven, 10-13 sab, previo appuntamento); Cali (2-668-1486; cali.onorario@esteri.it; Calle 36 Norte n. 6A-65, World Trade Center, Oficina 1709, Piso 17, Cali; 15-17 lun e mar; non è necessario l'appuntamento per i cittadini italiani, a cui è consentito l'accesso negli orari di apertura, su presentazione del passaporto); Cartagena (5-655-2846; cartagena.onorario@esteri.it; Carrera 3 n. 4-162, Piso 2, Bocagrande, Cartagena; 9-12.30 lun, mar e gio, solo su appuntamento) e Medellín (4-266-8434, cellulare 316

643-046; onorario.medellin@esteri.it; www.consolatoitaliano.co; Carrera 36 n. 10b-31 Oficina 202; ⏲8-12 lun e mer, solo su appuntamento da prendere sul sito o su facebook). Ulteriori riferimenti alle rappresentanze italiane in Colombia sono disponibili sul sito www.esteri.it/mae/it/servizi/italiani/rappresentanze.

Panamá Ambasciata (✆1-257-5067; www.embajadadepanama.com.co; Calle 92 n. 7A-40); Barranquilla (✆5-360-1870; Carrera 57 n. 72-25, Edificio Fincar 207-208); Cali (✆2-486-1116; Av 6 n. 25-58, Piso 3); Cartagena (✆5-655-1055; Carrera 1 n. 10-10, Bocagrande) e Medellín (✆4-312-4590; Calle 10 n. 42-45, Oficina 266; ⏲9.30-11.30 lun-ven).

Perú Ambasciata (✆1-746-2360; www.embajadadelperu.org.co; Calle 80A n. 6-50); Leticia (✆8-592-7755; Calle 11 n. 5-32; ⏲8-12 e 14-16 lun-ven).

Svizzera Ambasciata (✆1-349-7230; bogota@eda.admin.ch; www.eda.admin.ch/bogota; Carrera 9A n. 74-08, Piso 11, Edificio Profinanzas, Bogotá); Cali (✆2-668-6693; cali@honrep.ch; Av 6Bis n. 35N-100, Oficina 802, Edificio Centro Empresarial Chipichape, Cali); Cartagena (✆5-660 1631; cartagena@honrep.ch; Centro Histórico, Calle del Arsenal n. 8B-195, Callejón Vargas, Edificio Royal Sun Alliance, Oficina 201 Cartagena) e Medellín (✆4-366 1805; medellin@honrep.ch; Carrera 42 n. 3 Sur-81 Torre 2, Oficina 716, Medellín). Le rappresentanze diplomatiche svizzere all'estero sono disponibili sul sito www.eda.admin.ch/eda/it/home/reps.html, selezionando il nome del paese di vostro interesse dall'elenco alfabetico oppure dalla finestra di ricerca.

Venezuela Ambasciata (✆1-644-5555; http://colombia.embajada.gob.ve; Carrera 11 n. 87-51, Edificio Horizonte, Piso 5) Barranquilla (✆(5) 368-2207; www.barranquilla.consulado.gob.ve; Carrera 52 n. 69-96; ⏲8-12 e 13.30-16 lun-gio, 8-12 ven); Cartagena (✆5-665-0382; Edificio Centro Executivo, Carrera 3 n. 8-129, Piso 14); Cúcuta (✆7-579-1951; http://cucuta.consulado.gob.ve; all'angolo tra Av Camilo Daza e Calle 17; ⏲8-10 e 14-15 lun-gio, 8-10 ven) e Medellín (✆4-444-0359; www.consulvenemedellin.org; Calle 32B n. 69-59; ⏲8-11.30 lun-ven).

Assicurazione

➡ Tutti i viaggiatori dovrebbero stipulare una polizza di viaggio che copra eventuali spese mediche, nonché il furto o lo smarrimento di denaro o di effetti personali. Potrebbe sembrare un lusso, ma chi non può permettersi l'onere di un'assicurazione probabilmente non sarà nemmeno in grado di affrontare spese mediche di emergenza all'estero.

➡ Qualora dobbiate inoltrare una richiesta di rimborso alla vostra assicurazione, vi occorrerà un verbale della polizia in cui siano specificati gli oggetti persi o rubati. Dovrete inoltre certificare il valore di tali oggetti. A questo scopo tornano utili le ricevute e gli scontrini; se per esempio acquistate una macchina fotografica per il vostro viaggio, non buttate la ricevuta.

➡ La legge colombiana obbliga i medici ospedalieri a curare i pazienti, indipendentemente dal fatto che possano o non possano pagare. Se non ve la cavate abbastanza bene con lo spagnolo da insistere su questo punto, potreste avere difficoltà a ricevere l'assistenza necessaria.

➡ Se avete optato per un viaggio organizzato, l'assicurazione sarà senz'altro inclusa nel 'pacchetto', ma controllate bene che tipo di copertura contempla: potrebbe prevedere numerose esclusioni e avere massimali limitati. Se viaggiate per conto vostro potete provvedere voi stessi, rivolgendovi a un'assicurazione specializzata per il turismo.

➡ Per scegliere la polizza più adatta alle vostre esigenze consultate, fra le molte compagnie disponibili: **Allianz Global Assistance** (www.allianz-global-assistance.it); **Nobis – Filo diretto Assicurazioni** (www.nobis.it); **Europ Assistance** (www.europassistance.it); **Global Assistance** (www.globalassistance.it).

Bambini

➡ Come quasi tutti i popoli dell'America Latina, i colombiani adorano i bambini; a causa dell'alto tasso di natalità, questi rappresentano una percentuale significativa della popolazione, e sono praticamente onnipresenti.

➡ Pochi stranieri decidono di affrontare un viaggio in Colombia con i propri figli, ma se avete intenzione di partire con i bambini sappiate che sul posto troveranno molti compagni di gioco.

➡ Quasi tutti i luoghi di interesse in Colombia offrono ingressi scontati per i bambini.

➡ Informazioni e suggerimenti utili a chi viaggia in compagnia dei più piccoli possono essere reperiti nel volume Lonely Planet *Viaggiare con i bambini* (EDT, 2015).

Notizie utili

➡ Potrete acquistare pannolini usa e getta e alimenti per neonati nei supermercati e nelle farmacie.

➡ Esistono diversi negozi di abbigliamento, calzature e giocattoli per i bambini; vi consigliamo in particolare Pepeganga (www.pepeganga.com).

➡ Nella maggior parte dei ristoranti con menu, tranne quelli più economici che offrono pasti a prezzo fisso, troverete seggioloni per i bambini più piccoli.

➡ Non tutti i bagni pubblici sono dotati di fasciatoi, e nei bagni degli uomini sono una vera rarità.

ORIENTAMENTO

La topografia delle città e dei villaggi colombiani, in genere, segue una pianta a scacchiera. Le strade che corrono da nord a sud prendono il nome di Carreras, spesso abbreviato sulle cartine in Cra, Cr o K, mentre quelle che si snodano da est a ovest vengono chiamate Calles e sulle carte sono indicate con Cll, Cl o C. Questa semplice disposizione a volte può comprendere anche vie trasversali, chiamate Diagonales (in genere non molto discoste dall'asse est–ovest e quindi simili alle Calles) o Transversales (più simili alle Carreras).

Tutte le strade sono numerate e gli indirizzi seguono il sistema numerico. Ogni indirizzo è costituito da una serie di numeri, per esempio Calle 6 n. 12-35 (il che significa che il posto si trova in Calle 6, a 35 m dall'angolo con Carrera 12 andando verso Carrera 13), oppure Carrera 11A n. 7-17 (il posto si trova in Carrera 11A, a 17 m dall'angolo con Calle 7 andando verso Calle 8).

Questo sistema molto pratico è fra i più efficienti del mondo, e vi diventerà presto familiare; di solito permette di localizzare facilmente e con assoluta precisione un indirizzo.

Nelle grandi città, le vie principali sono chiamate Avenidas o Autopistas. Hanno un nome e un numero specifici, ma in genere sono conosciute semplicemente con il numero.

Nel centro storico di Cartagena, fatto unico in Colombia, gli antichi nomi delle vie hanno resistito al moderno sistema numerico. In altre città (per esempio Medellín) le vie hanno sia il nome sia il numero, altrove invece sono soltanto numerate.

- Allattare al seno in pubblico non è visto di buon occhio da tutti, anche se grazie ad alcuni programmi di sensibilizzazione la mentalità sta lentamente cambiando.

Cartine

- Al di fuori della Colombia non è facile reperire cartine dettagliate del paese. Negli Stati Uniti, Maps.com (www.maps.com) offre una vastissima scelta di mappe. Un assortimento altrettanto ricco è disponibile nel Regno Unito da Stanfords (www.stanfords.co.uk).
- In Colombia le carte stradali pieghevoli del paese sono realizzate da vari editori e distribuite dalle librerie. Particolarmente utile la *Guía de rutas* di Movistar, una guida della Colombia scritta in spagnolo, che comprende eccellenti cartine. La si può acquistare presso qualunque casello autostradale (chiedete all'autista del vostro autobus di farlo per voi) e in alcune delle migliori librerie.
- La più ampia selezione di cartine della Colombia è pubblicata e venduta dall'**Instituto Geográfico Agustín Codazzi** (IGAC; cartina p44; ☎1-369-4000; www.igac.gov.co; Carrera 30 n. 48-51), l'istituto cartografico statale, che ha una sede centrale a Bogotá e filiali nei capoluoghi di dipartimento.

Cartine disponibili in Italia

Se volete programmare nei minimi dettagli il vostro itinerario in Colombia, rivolgetevi alle librerie specializzate italiane per reperire i prodotti cartografici prima della partenza. Fra le carte generali segnaliamo *Sud America – Stati settentrionali* (1:4.000.000), edita da EDT-Marco Polo, che comprende anche la Colombia, e *Colombia/Ecuador* di Nelles (scala 1:2.500.000). Dedicate al paese trovate le cartine *Colombia* di ITM e di Cartur (entrambe 1:2.000.000), nonché le carte omonime di IGN, di IGAC e di Na Turismo (tutte in scala 1:1.500.000); segnaliamo poi quella di Reise Know-How (1:1.400.000). Il già citato istituto IGAC ha in catalogo le mappe dei vari dipartimenti in scale varie (da 1:600.000 a 1:100.000); copre inoltre il paese in 24 fogli (1:500.000), in 85 fogli (1:250.000) e in 570 fogli (1:100.000), ma in Italia non sono tutti disponibili (v. sopra

NOTIZIE UTILI

Fumo È vietato fumare sui mezzi di trasporto pubblico, negli spazi chiusi, compresi bar e ristoranti, e nei luoghi di lavoro. Alcuni alberghi dispongono di zone ventilate per fumatori, anche se nella maggior parte delle strutture vige il totale divieto di fumo.

Online Per notizie in inglese sulla Colombia e aggiornamenti sulla situazione attuale visitate il sito di Colombia Reports (www.colombiareports.com).

Pesi e misure In Colombia si utilizza il sistema metrico decimale per pesi e misure, fatta eccezione per la benzina, che viene misurata in galloni statunitensi. Il cibo è venduto spesso in *libras* (libbre), che equivalgono a 500 g circa.

Quotidiani Tutte le principali città hanno un proprio quotidiano. La testata più autorevole di Bogotá, *El Tiempo* (www.eltiempo.com), tratta in modo esauriente le notizie nazionali e internazionali, la cultura, lo sport e l'economia. Anche *El Espectador* (www.elespectador.com) è un ottimo quotidiano. Tra i più importanti quotidiani delle altre città figurano *El Colombiano* (www.elcolombiano.com) di Medellín ed *El País* (www.elpais.com.co) di Cali. *Semana* (www.semana.com) è il più diffuso settimanale nazionale.

TV In Colombia ci sono numerosi canali televisivi nazionali e locali. Ogni regione può vantare la propria rete televisiva; la televisione di Bogotá è dominata da City TV (www.citytv.com.co). Tra i canali nazionali ricordiamo Caracol TV (www.canalcaracol.com.co), RCN TV (www.canalrcn.com) e Señal Colombia (www.senalcolombia.tv), a gestione statale.

per sapere dove potete procurarveli in Colombia).

Per ulteriori informazioni su tutte le carte citate potete rivolgervi a: **VEL – La Libreria del Viaggiatore** (☎0342 21 89 52; www.vel.it; Sondrio).

Oppure, potete visitare una delle numerose librerie italiane specializzate in cartine, guide e narrativa di viaggio. Ne segnaliamo alcune situate nelle principali città italiane:

Gulliver (☎045 800 7234; info@gullivertravelbooks.it; www.gullivertravelbooks.it; Verona)

Il Giramondo (☎011 473 2815; www.ilgiramondo.it; Torino)

Libreria Stella Alpina (☎055 41 16 88; www.stella-alpina.com; libreria online con sede a Firenze)

Transalpina – Libreria Internazionale Editrice (☎040 66 22 97; www.transalpina.it; Trieste)

Libreria Editrice Odòs (☎0432 20 43 07; www.odos.it; Udine)

Pangea (☎049 876 4022; www.libreriapangea.com; Padova)

Corsi di lingua

Le università e le scuole di lingue presenti nelle grandi città organizzano corsi di spagnolo. In genere, però, è più conveniente contattare un insegnante e prendere lezioni private. Gli ostelli più frequentati dai viaggiatori sono i luoghi ideali per informarsi sugli insegnanti disponibili. Iscriversi a un corso universitario può rivelarsi utile se si intende prolungare il proprio soggiorno oltre il periodo consentito dal permesso d'ingresso o dal visto turistico.

Cucina

I colombiani hanno la fortuna di vivere in un paese fertile: le coste sono molto pescose e si prestano alla coltivazione delle banane, le montagne offrono caffè, cioccolato e latticini e i frutti tropicali sono presenti in una straordinaria varietà. Ovunque, inoltre, verdure fresche e carni sono in vendita a prezzi modici. La cucina colombiana viene definita *comida criolla* (pasto creolo).

La Colombia non ha una cucina riconosciuta a livello internazionale come il Perú né una cucina varia come il Brasile, ma è comunque un ottimo paese in cui mangiare.

Qui potrete gustare ottimi piatti sostanziosi a prezzi irrisori. Numerosi ristoranti economici propongono pasti a COP$12.000 o anche meno. Sicuramente a pranzo è più facile contenere le spese. Noto come *comida corriente* (letteralmente 'pasto veloce' ma usato nel senso di 'pranzo a prezzo fisso'), il pasto di mezzogiorno è generalmente composto da due portate: una minestra seguita da riso, fagioli, carne a scelta, insalata e un bicchiere di succo di frutta tropicale. I ristoranti di categoria media (da COP$20.000 a COP$40.000) di solito offrono una qualità e un servizio più elevati, mentre i ristoranti di lusso in genere costano oltre COP$40.000.

Non lasciatevi sfuggire la possibilità di assaggiare specialità tipicamente colombiane come l'*ajiaco*, uno stufato di pollo tipico della regione andina preparato con mais, diversi tipi di patate, panna e capperi, e la *bandeja pai-*

sa (vassoio *paisa*), un piatto sostanzioso a base di salsiccia, fagioli, riso, uova e *arepas* (focaccine di mais) – di fatto il piatto nazionale colombiano, pur essendo diffuso soprattutto nella zona di Antioquia. Sulle strade di tutta la nazione si trovano *arepas* salate di tutti i generi (con formaggio, con prosciutto e uova, con pollo), *mazamorra* (bevanda a base di mais), *empanadas*, succo d'arancia appena spremuto e macedonia. Tra le specialità regionali ricordiamo *llapingachos* (torte di patate fritte con carne) e *helado de paila* (gelato preparato al momento in un contenitore di rame) a Nariño, *ceviche* sulla costa caraibica e *tamales* a Tolima e Huila. C'è anche di che soddisfare la voglia di dolce: le *obleas con arequipe* sono sottili wafer inzuppati nel *dulce de leche*, mentre la *cuajada con melao* è un formaggio fresco mescolato con zucchero grezzo.

Per quanto riguarda la frutta ricordiamo: *zapote*, *níspero*, *lulo*, *uchuwa*, *borojo*, *curuba* e *mamoncillo*. Confusi? Niente di più facile. E non provate neanche a tradurre questi nomi o a cercare un corrispettivo italiano: si tratta di frutti originari della Colombia, che non troverete in molte altre parti del mondo.

Dogana

➡ In Colombia i funzionari della dogana effettuano controlli mirati a individuare ingenti somme di denaro contante (dirette in patria) e partite di droga (spedite all'estero). Se nutrono anche solo il minimo sospetto, compiono accurati controlli sugli effetti personali dei viaggiatori, o addirittura perquisizioni.

➡ A interrogarvi troverete presumibilmente un poliziotto esperto, che vi porrà domande in spagnolo o in inglese. Uno dei metodi di indagine è costituito da una radiografia dell'intestino: se il funzionario nota in voi qualcosa di insolito o se non date una risposta convincente alle sue domande, vi sottoporrà a questo esame per scoprire se siete un corriere della droga.

➡ Potete portare nel paese i vostri effetti personali ed eventuali regali per i vostri amici colombiani. La quantità, il tipo e il valore di questi oggetti non deve far nascere il sospetto che li stiate importando a scopo commerciale.

➡ Potete tranquillamente portare anche oggetti per uso personale come macchine fotografiche, attrezzatura da campeggio, articoli sportivi o computer portatili.

➡ Per informazioni dettagliate e per scaricare il modulo da compilare per ottenere il rimborso, digitate 'VAT Refund' nella banda di ricerca del sito web www.dian.gov.co.

➡ Per informazioni generali i cittadini italiani possono consultare la **Carta doganale del viaggiatore**, a cura dell'Agenzia delle Dogane e dei Monopoli (scaricate il PDF o l'app dal sito www.agenziadogane monopoli.gov.it, cliccando su 'Dogane/Il cittadino'). Questo documento contiene le disposizioni doganali generali per/dall'Italia, verso i paesi UE o al di fuori (non compaiono i singoli paesi) riguardo a importazione/esportazione di animali, beni culturali e specie protette (flora, fauna e materiali derivati). Per disposizioni più dettagliate è necessario rivolgersi prima della partenza all'ufficio doganale dell'aeroporto in Italia (v. elenco degli uffici al fondo della Carta).

➡ Se intendete viaggiare con il vostro animale da compagnia dovrete preparare per tempo tutta la documentazione. Per informazioni rivolgetevi al servizio veterinario della vostra ASL di competenza territoriale e visitate il sito www.poliziadistato.it, link 'Consigli' e alla voce 'Guide', 'Animali' e 'In viaggio insieme'. Per viaggiare più tranquilli, sappiate che esistono prodotti assicurativi specifici per i vostri amici animali.

➡ I cittadini svizzeri, collegandosi al sito dell'**AFD** (Amministrazione Federale delle Dogane; www.ezv.admin.ch), troveranno informazioni relative alle quantità ammesse in franchigia sulle importazioni/esportazioni al link 'Informazioni per privati' e a seguire 'Viaggiare e acquistare, in franchigie quantitative e franchigia valore'.

Donne in viaggio

➡ Le donne che viaggiano in Colombia incontrano raramente problemi.

➡ Adottate comunque le consuete precauzioni dettate dal buonsenso: indossate abiti non troppo vistosi, non girate da sole in quartieri poco raccomandabili dopo il tramonto e fate attenzione a cosa bevete.

➡ Le donne corrono maggiori rischi di essere scippate o rapinate, perché considerate più indifese.

➡ Pensateci due volte prima di prendere un taxi di notte: sono stati segnalati casi, per quanto rari, di taxisti che hanno stuprato le passeggere.

Elettricità

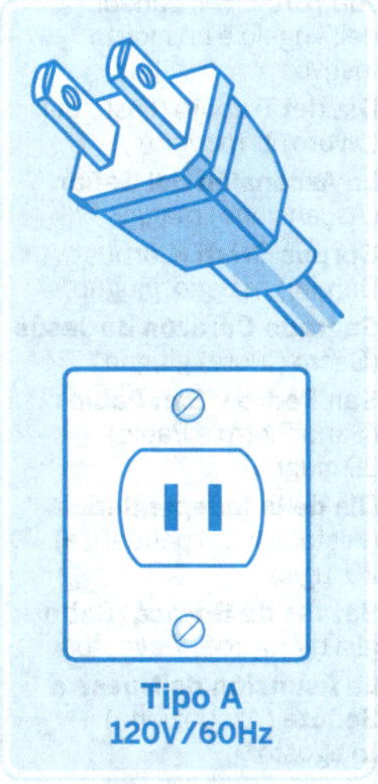

Tipo B
120V/60Hz

Festività

In Colombia vengono osservate come festività pubbliche le seguenti ricorrenze.

Año Nuevo (Capodanno) 1° gennaio

Los Reyes Magos (Epifania) 6 gennaio*

San José (San Giuseppe) 19 marzo*

Jueves Santo e Viernes Santo (Giovedì e Venerdì Santo) marzo/aprile (Pasqua). Anche il Lunedì dell'Angelo è un giorno festivo.

Día del Trabajo (Festa del Lavoro) 1° maggio

La Ascensión del Señor (Ascensione) maggio*

Corpus Cristi (Corpus Domini) maggio/giugno*

Sagrado Corazón de Jesús (Sacro Cuore) giugno*

San Pedro y San Pablo (Santi Pietro e Paolo) 29 giugno*

Día de la Independencia (Festa dell'Indipendenza) 20 luglio

Batalla de Boyacá (Battaglia di Boyacá) 7 agosto

La Asunción de Nuestra Señora (Assunzione) 15 agosto*

Día de la Raza (Scoperta dell'America) 12 ottobre*

Todos los Santos (Ognissanti) 1° novembre*

Independencia de Cartagena (Independenza di Cartagena) 11 novembre*

Inmaculada Concepción (Immacolata Concezione) 8 dicembre

Navidad (Natale) 25 dicembre

* Quando le ricorrenze indicate con l'asterisco non cadono di lunedì, la festività viene spostata al lunedì successivo, in modo da creare un lungo fine settimana di tre giorni chiamato *puente* (ponte).

Informazioni turistiche

➡ Quasi tutte le città frequentate da turisti dispongono di un Punto Información Turística (PIT) – un chiosco o ufficio informazioni identificabile dal logo rosso 'i'. Spesso si trovano nelle vicinanze della piazza centrale oltre che presso i terminal dei trasporti.

➡ Numerosi siti internet regionali e nazionali offrono utili informazioni (talvolta in inglese) sugli alloggi e le attività da praticare in Colombia.

➡ Il più importante portale del paese è l'eccellente www.colombia.travel.

Lavoro

➡ Per poter svolgere un lavoro retribuito in Colombia è necessario richiedere l'apposito visto tramite Migración Colombia; potrebbe essere necessario che il vostro datore di lavoro vi faccia da garante, specialmente se siete qualificati e se intendete sottoscrivere un contratto a lungo termine.

➡ In Colombia c'è una crescente richiesta di insegnanti di inglese qualificati. Alcune scuole sono disposte a pagare in contanti per un breve periodo di tempo, mentre per contratti di durata più lunga dovrete trovare un istituto disponibile a procurarvi un permesso di lavoro. Non aspettatevi di diventare ricchi insegnando inglese: è improbabile che possiate guadagnare più di qualche milione di pesos al mese, spesso anche molto meno.

➡ Come regola generale, più turistica è la città, più difficile sarà trovare lavoro.

Moneta

➡ La valuta ufficiale della Colombia è il peso colombiano (COP$).

➡ Esistono banconote da 1000, 2000, 5000, 10.000, 20.000 e 50.000 pesos. Le monete che userete più spesso sono quelle da 100, 200, 500 e 1000 pesos; quella da 50 pesos è poco diffusa fuori dai supermercati e alcuni colombiani potrebbero rifiutarsi di accettarla.

➡ Lo smercio di denaro falso è un problema molto diffuso in Colombia e vi accorgerete che i cassieri controllano con cura le banconote prima di accettarle. Per i visitatori è difficile identificare le banconote false, ma se vi viene rifilata una banconota vecchia, rovinata o che non vi convince rifiutatela e fatevene dare un'altra.

Bancomat

➡ Quasi tutte le principali banche sono dotate di sportelli bancomat, che in genere accettano senza problemi le carte emesse fuori dalla Colombia (l'unica eccezione è rappresentata da Bancolombia). Gli sportelli affiliati a Banco de Bogotá/ATH e BBVA sono i migliori.

➡ La maggior parte delle banche prevede un limite massimo di COP$300.000 per ogni transazione. Quasi tutte le filiali di Bancolombia, Davivienda e Citibank consentono di prelevare il doppio. Se avete bisogno di una somma maggiore di quella erogata, ripetete semplice-

SHOPPING A NON FINIRE

La Colombia è celebre per l'ampio assortimento di merci in vendita, dai grossi smeraldi alle amache colorate alle belle pentole in argilla nera di La Chamba. La lunga tradizione e i prezzi accessibili vi permetteranno di portarvi a casa souvenir bellissimi e di qualità elevata che non rischieranno di finire dimenticati in qualche armadio.

Smeraldi Estratte principalmente nella zona di Muzo, queste pietre preziose sono vendute in un mercato molto frequentato all'angolo sud-occidentale di Av Jiménez e Carrera 7 e nella vicina Plaza Rosario a Bogotá, dove decine di *negociantes* vendono e acquistano gemme, talvolta direttamente sui marciapiedi.

Artigianato Boyacá, il più grande centro manifatturiero artigianale, è nota per le splendide stoffe tessute a mano, gli oggetti di fibra intrecciata e le ceramiche. Anche sulla costa del Pacifico l'arte di intrecciare le fibre naturali raggiunge alti livelli, e in alcune località si fabbricano cerbottane. Guapi è celebre per i suoi strumenti musicali, soprattutto i tamburi fatti a mano, e i gioielli d'oro artigianali. Se non potete spingervi fino alla costa del Pacifico, il **Parque Artesanías** (cartina p250; Loma de la Cruz; ⌚10-20) di Cali è un ottimo posto per fare acquisti.

Oggetti in legno Pasto è famosa per gli oggetti decorativi in legno rivestiti con *barniz de Pasto*, una sorta di resina vegetale. Le riproduzioni in ceramica dei *chivas* (autobus tradizionali) sono divenute un souvenir molto apprezzato.

Terracotte Tipiche di Tolima, le ceramiche e le stoviglie della Chamba, realizzate con argilla nera, sono bellissime esposte sulla mensola del caminetto.

Amache Le amache sono disponibili in numerose varianti regionali, da quelle semplici e pratiche della zona di Los Llanos agli elaborati *chinchorros* degli indios wayuu.

Ruanas I *ruanas* (poncho di lana colombiani) sono diffusi nelle zone più fredde della regione andina. In molti villaggi vengono ancora realizzati a mano con motivi semplici e colori naturali. Bogotá e Villa de Leyva sono ottimi posti per acquistarli.

Mochilas Le *mochilas* (borsette intessute) più belle e alla moda sono quelle nelle calde tonalità della terra realizzate dagli arhuaco della Sierra Nevada de Santa Marta e quelle coloratissime dei wayuu della Guajira. Le borse autentiche non costano poco, ma sono davvero splendide e solitamente anche di buona qualità.

mente la procedura due volte. Tenete presente che gli sportelli bancomat non tollerano esitazioni – se impiegate un secondo di troppo a leggere il menu la transazione potrebbe essere annullata!

➡ Se avete bisogno di usare uno sportello bancomat dopo il tramonto, fatelo sempre all'interno di una stazione di servizio o in un centro commerciale. Se non avete una carta bancomat che funziona con chip e codice PIN, prelevare in alcuni sportelli potrebbe risultare macchinoso.

➡ Prima della partenza, consigliamo ai viaggiatori di verificare presso la propria banca se in Colombia può essere utilizzato lo stesso codice PIN usato in Italia per effettuare prelievi automatici con il bancomat (in alcuni paesi occorre digitare un numero in più o in meno, oppure firmare una ricevuta allo sportello bancario).

Bonifici internazionali

➡ Per farsi spedire rapidamente denaro la soluzione migliore è rivolgersi a **MoneyGram** (☎1-800-269-4556; www.moneygram.com.co; in Italia www.poste.it/prodotti/moneygram.html) o **Western Union** (www.westernunion.com). MoneyGram è molto più economica e la maggior parte dei colombiani residenti all'estero la utilizza per inviare rimesse alla famiglia.

➡ Chi vi manda il denaro dovrà consegnarlo alla più vicina filiale MoneyGram o Western Union del suo paese, pagando una commissione e specificando il nome del destinatario e il suo recapito all'estero. In questo modo potrete prelevare il denaro entro 15 minuti. Quando andate a ritirarlo portate con voi un documento provvisto di fotografia e la password numerica che è stata fornita a chi vi ha inviato la somma.

➡ Entrambe le organizzazioni hanno uffici in tutte le grandi città e in alcuni centri minori.

Cambio

➡ Per usufruire di un tasso di cambio decisamente più conveniente vi consigliamo di usare il bancomat durante il vostro soggiorno in Colombia.

➡ Il dollaro americano, comunque, è l'unica valuta straniera che valga la pena di cambiare: i tassi di cambio per euro, sterline e dollari australiani sono molto svantaggiosi.

➡ Molte banche cambiano denaro, ma non tutte; nelle grandi città e nelle regioni di confine in genere si trovano varie *casas de cambio*.

➡ Evitate di cambiare denaro per strada; la maggior parte dei cambiavalute non autorizzati sono truffatori rapidissimi e abilissimi e hanno spesso calcolatrici inaffidabili.

➡ La Colombia è considerata il paese in cui si produce la percentuale maggiore di banconote contraffatte, pertanto fate molta attenzione quando cambiate i pesos che vi sono rimasti alla fine del viaggio.

➡ Per compiere qualunque transazione bancaria dovrete esibire il passaporto e vi verrà richiesta l'impronta del pollice.

➡ Le operazioni di cambio prevedono numerosi moduli da compilare (per evitare il riciclaggio di denaro).

➡ Il pratico servizio offerto da **Forexchange** (www.forexchange.it, servizio online attivo 24 h; ☎800 305 357, ⏲9-19 lun-sab) consente di prenotare telefonicamente o tramite internet la valuta e di ritirarla comodamente, al momento della partenza, in uno degli sportelli Forexchange presenti negli aeroporti, nelle stazioni ferroviarie e nei centri storici delle maggiori città italiane (il pagamento verrà richiesto solo al momento del ritiro della valuta). Maggiori dettagli sono presenti sul sito.

Carte di credito

➡ Le carte di credito sono molto diffuse in Colombia e vengono ampiamente utilizzate nei grandi centri urbani. Quando pagherete con carta di credito vi verrà chiesto '*¿En cuantas cuotas?*' (quanti pagamenti?). I colombiani, infatti, possono scegliere di rateizzare il pagamento in un arco di tempo compreso tra uno e 24 mesi. In quanto turisti stranieri, limitatevi a rispondere 'uno'.

➡ La carta di credito più pratica per ottenere anticipi di denaro contante è la Visa, accettata in quasi tutte le banche. Un'altra carta utile, anche se accettata da poche banche, è la MasterCard. Altre carte hanno invece un utilizzo limitato.

➡ Per ottenere un anticipo di contante potete rivolgervi all'impiegato di uno sportello bancario o utilizzare uno sportello bancomat. In entrambi i casi dovrete digitare il vostro codice PIN.

➡ Informate del vostro viaggio in Colombia la banca/compagnia che ha emesso la vostra carta di debito/credito per evitare che il sistema antifrode blocchi la carta dopo il primo prelievo all'estero.

➡ Per informazioni sulle modalità e gli eventuali costi per ottenere anticipi di denaro contante con la vostra carta di credito, contattate uno dei seguenti recapiti in Italia: **Amex** (☎06 72 282), **Diners Club Italia** (☎800 39 39 39), **MasterCard** (☎800 870 866, e poi tasto '6' per italiano) e **Visa** (☎800 819 014).

➡ Per una panoramica dei circuiti e delle reti su cui operano le principali carte di pagamento, v. www.cartedipagamento.com/circuitinetwork.htm.

Carte di credito prepagate

Le carte di credito prepagate vi permettono di caricare tutta la valuta straniera che desiderate, senza la necessità di doverla prelevare da un bancomat collegato al circuito appropriato, oppure di effettuare acquisti direttamente così come fareste con una carta di credito Visa o MasterCard. La ricarica può essere effettuata online o telefonicamente. I vantaggi sono che si evitano i tassi di cambio, che si ha la possibilità di tenere sotto controllo le spese e, in caso di furto, che l'unica somma perduta sarà quella caricata sulla carta, che non è collegata in alcun modo al vostro conto corrente. Le commissioni applicate nel momento in cui si effettuano prelievi allo sportello sono inferiori. Tuttavia l'acquisto e le ricariche hanno un costo e vengono applicate delle commissioni sulla valuta inutilizzata. Perderete tutto ciò che non avrete speso al momento della data di scadenza. Come sempre, pro e contro vanno valutati alla luce delle vostre abitudini di spesa.

Mance

Ristorante Una disposizione governativa impone che nei ristoranti di categoria media ed elevata (e ovunque sia d'uso far pagare il servizio) il cameriere chieda se può aggiungere il 10% del servizio al conto. Nei locali della fascia media potete rifiutarvi di pagare questo extra dicendo educatamente '*sin servicio, por favor*', se non siete soddisfatti. Nei ristoranti di lusso, invece, un simile rifiuto spingerebbe il direttore a venirvi a chiedere se il pasto non è stato di vostro gradimento.

Taxi Dare la mancia all'autista del taxi non è una pratica comune, mentre invece è piuttosto frequente arrotondare a 500 o 1000 pesos.

Ora

Tutto il territorio colombiano rientra nello stesso fuso orario, cinque ore indietro rispetto al Greenwich Mean Time (GMT), quindi sei ore indietro rispetto all'Italia (sette ore indietro quando in Italia è in vigore l'ora legale). In Colombia non è in uso l'ora legale.

Orari di apertura

Banche Dalle 9 alle 16 da lunedì a venerdì, dalle 9 alle 12 sabato.

Bar Dalle 18 alle 3 circa.

Caffè Dalle 8 alle 22.

Locali notturni Dalle 21 fino a notte inoltrata dal giovedì al sabato.

Negozi Dalle 9 alle 17 da lunedì a venerdì, dalle 9 alle 12 o alle 17 sabato; alcuni negozi chiudono nella pausa pranzo.

Ristoranti Prima colazione a partire dalle 8, pranzo dalle 12, cena fino alle 21 o 22.

Posta

➡ Il servizio postale ufficiale è il **4-72** (www.4-72.com.co), che (malgrado il nome infelice) è riuscito a trasformare i pesanti passivi e le inefficienze del precedente servizio postale governativo – Adpostal, chiuso nel 2006 – in un'azienda redditizia ed efficiente.

➡ Esistono anche numerose compagnie private, tra cui **Avianca** (www.aviancaexpress.com), **Deprisa** (☎1-8000-519393; www.deprisa.com) e **Servientrega** (☎Bogotá 1-770-0200; www.servientrega.com).

➡ Se volete farvi inviare un pacco in Colombia, potete scegliere tra diverse opzioni. Il mittente può spedirlo tramite un corriere come DHL, che garantisce una consegna veloce e sicura, ma in questo caso la dogana colombiana aprirà la scatola facendovi pagare una tassa esorbitante. Per informazioni su eventuali spedizioni contattate il servizio clienti di **DHL** (☎199 199 345; www.dhl.it). Se non avete fretta, fatevi spedire il pacco per via aerea (da quattro a otto settimane).

➡ Per spedire pacchi o lettere dalla Colombia è necessario essere identificati, quindi recatevi all'ufficio postale muniti di documento di identità.

➡ Per conoscere le tariffe e le modalità di spedizione di lettere e pacchi dall'Italia, collegatevi al sito www.poste.it.

➡ I cittadini svizzeri troveranno informazioni sul sito www.posta.ch.

Questioni legali

In caso di arresto avrete diritto all'assistenza legale. Se non avete un avvocato ve ne verrà assegnato uno d'ufficio (pagato dal governo). Vale la presunzione di innocenza, e i processi in genere sono piuttosto rapidi.

I problemi giudiziari che la maggior parte dei viaggiatori incontra sono legati alle droghe. Nel 2012 la Corte Costituzionale colombiana ha depenalizzato il possesso di piccole quantità di cocaina (fino a 1 g) e di marijuana (fino a 20 g) per uso personale, ma questo non significa che farne uso sia una buona idea. Anche se non verrete perseguiti, la polizia potrebbe non farvela passare liscia e il giudice potrebbe ingiungervi di seguire un trattamento fisico o psicologico a seconda del vostro livello di intossicazione.

Servizi igienici

➡ In Colombia esistono pochi gabinetti pubblici. In caso di necessità, utilizzate i servizi igienici dei ristoranti. In genere i musei e i grandi centri commerciali, così come le stazioni degli autobus, gli aeroporti e alcuni supermercati dispongono di toilette.

➡ La carta igienica si trova spesso ma non sempre, perciò vi consigliamo di portarne con voi una scorta. I tubi sono stretti e la pressione dell'acqua debole, il che impedisce il deflusso della carta: non gettatela nel water, ma nel cestino dei rifiuti che normalmente è collocato proprio accanto.

➡ Il termine più diffuso per 'toilette' è *baño*. I gabinetti degli uomini in genere recano la scritta *señores*, *hombres* o *caballeros*, mentre quelli riservati alle donne sono contrassegnati dai termini *señoras*, *mujeres* o *damas*.

➡ Nei bagni dei terminal degli autobus di solito si deve pagare una cifra compresa fra COP$800 e COP$1000, più COP$200-300 per la carta igienica.

Telefono

Il sistema telefonico colombiano è moderno ed efficiente, sia per le chiamate nazionali sia per quelle internazionali. Le linee telefoniche fisse sono gestite da diverse compagnie presenti in varie città, molte delle quali ex compagnie statali oggi privatizzate.

I telefoni pubblici si trovano nei centri di grandi e medie dimensioni, ma sono pochi, molto distanti gli uni dagli altri e spesso guasti. Al loro posto troverete negozi, chioschi e venditori di strada che vendono '*minutos*' (minuti telefonici) per effettuare chiamate dai loro apparecchi mobili. Questi venditori acquistano minuti prepagati in blocco, ed è meno costoso fare chiamate con i loro telefoni anziché utilizzare il credito del proprio. Per questo motivo molti colombiani usano i loro cellulari solo per ricevere, mentre per chiamare si rivolgono ai venditori ambulanti. Le tariffe oscillano tra COP$150 e COP$400 al minuto per chiamare ovunque nel paese.

Quasi sempre gli internet bar dispongono di cabine telefoniche (*cabinas*) dove effettuare chiamate locali e internazionali spendendo poche centinaia di pesos al minuto.

Chiamate internazionali

➡ Per chiamare la Colombia dall'estero occorre digitare il prefisso di accesso internazionale del proprio paese (☎00 sia per l'Italia sia per la Svizzera), seguito dal prefisso della Colombia (☎57) e poi dal prefisso locale di una cifra e il numero desiderato.

➡ Per chiamare all'estero dalla Colombia digitate il prefisso di uscita internazionale ☎00, seguito dal prefisso della compagnia telefonica (5, 7 o 9, 456, 444, 414, tra gli altri), quindi quello del paese (39 per l'Italia, 41 per la Svizzera), quello della località (con lo 0 iniziale per l'Italia; senza lo 0 per la Svizzera e per molti altri paesi, se presente) e infine il numero dell'abbonato.

Telefoni cellulari

In Colombia la copertura della telefonia mobile è eccellente. La maggior parte dei telefoni cellulari dual-tri e quadri band non bloccati funziona con una SIM card locale. Potete quindi usare il vostro cellulare o smartphone nel paese.

I colombiani adorano il telefono cellulare, e nei centri urbani quasi tutti ne possiedono almeno uno. Le tre principali compagnie di telefonia mobile sono Claro (www.claro.com.co), Movistar (www.movistar.co) e Tigo (www.tigo.com.co). Claro ha la migliore copertura sul territorio nazionale, e quindi si rivela la più utile per i viaggiatori. I telefoni cellulari sono abbastanza economici e molti turisti finiscono per acquistarne uno; un modello semplice e funzionale costa intorno ai COP$130.000.

Se decidete di utilizzare il vostro telefono cellulare, prima della partenza chiedete al vostro operatore di rete se è abilitato al roaming internazionale (e se lo è anche il vostro piano telefonico), e quali sono i costi per le eventuali chiamate, l'invio di SMS e il traffico dati. In alternativa, potete utilizzare il vostro telefono cellulare con una SIM card colombiana, che in genere costa circa COP$5000. Per acquistare una SIM card presso la rispettiva compagnia telefonica dovrete esibire un documento di identità; le SIM possono essere acquistate anche presso venditori terzi, ma dovrete comunque registrarvi presso la compagnia telefonica se non volete rischiare di vedervi bloccato il telefono. Le compagnie di telefonia mobile colombiane non addebitano le chiamate in entrata, ma solo quelle in uscita.

Vi ricordiamo infine di portare con voi un adattatore per le prese di corrente.

Prefissi telefonici

All'interno della Colombia è possibile chiamare direttamente qualsiasi abbonato. Per chiamare un telefono di rete fissa da un telefono cellulare è invece necessario digitare il prefisso 03 seguito dal prefisso della località che intendete chiamare. Da alcuni telefoni fissi, tuttavia, non è possibile chiamare cellulari.

I numeri telefonici della rete fissa sono composti da sette cifre, mentre quelli dei cellulari da 10. I prefissi indicativi sono di una sola cifra.

Il prefisso indicativo della Colombia è 57. Se state chiamando un numero della telefonia fissa colombiano dall'estero, aggiungete il prefisso a una cifra della località seguito dal numero che intendete chiamare. Per chiamare un numero cellulare non è necessario digitare il prefisso della località; è sufficiente digitare il numero di cellulare subito dopo il prefisso indicativo della Colombia.

Viaggiare da soli

- È raro incontrare problemi particolari quando si viaggia da soli in Colombia. Potrete pernottare in ostello in tutte le principali città e in alcune località minori, e spesso vi ritroverete a viaggiare con altri stranieri incontrati lungo il cammino.
- Se siete diretti in regioni remote e poco o per nulla frequentate dai turisti stranieri, oppure se siete preoccupati per le condizioni di sicurezza del paese, ricordate che viaggiare con un amico aiuta a sentirsi più tranquilli e riduce la probabilità di subire furti e scippi.

Viaggiatori con disabilità

La Colombia sta facendo notevoli passi avanti in materia di accessibilità, tuttavia per i viaggiatori con disabilità soggiornare in questo paese comporta ancora notevoli difficoltà. Medellín è probabilmente la città più all'avanguardia, quella che offre la maggiore accessibilità ai viaggiatori con problemi di mobilità, insieme ad altre grandi città come Bogotá, Bucaramanga e Cali.

I marciapiedi sono spesso sconnessi e, nonostante ogni giorno vengano aggiunte nuove rampe, sono ancora moltissimi i luoghi che ne sono sprovvisti. Gli automobilisti inoltre hanno l'abitudine di svoltare l'angolo rapidamente senza preoccuparsi di fermarsi per fare passare chi deve attraversare la strada.

Sono ancora molti i ristoranti e gli alberghi sprovvisti di rampe per i visitatori con disabilità motorie. In genere i grandi alberghi di catena garantiscono la presenza di camere – solitamente un paio – e di aree pubbliche accessibili. Anche i centri commerciali più grandi dispongono in genere di rampe e ascensori.

La maggior parte dei principali sistemi di trasporto integrato, tra cui il TransMilenio di Bogotá e la metropolitana di Medellín, è dotata di stazioni e vetture accessibili, anche se il sovraffollamento può rendere il viaggio difficoltoso e spiacevole. I taxi colombiani sono per lo più piccole vetture a cinque porte da cui non è facile salire o scendere e spesso hanno poco spazio per le sedie a rotelle o gli oggetti ingombranti.

Viaggiare senza barriere di Lonely Planet è un PDF scaricabile gratuitamente dal sito shop.lonelyplanetitalia.it/prodotto/accessible-travel, che raccoglie numerose fonti online, utili per pianificare e organizzare il vostro viaggio e il vostro soggiorno in tutto il mondo.

In Italia **LP Tour** (☎02 8353 5342; www.lptour.it) e **AccessiblEurope** (info@accessibleurope.com; www.accessibleurope.com) si occupano di turismo accessibile per i disabili. Potete contattare anche il **Centro Documentazione Handicap** (www.accaparlante.it). Anche se le suddette associazioni non avessero in programma viaggi verso la Colombia, disporranno forse di materiali dedicati specificamente ai viaggi (ad esempio testi utili quali le guide agli accessi) o potranno mettervi in contatto con le agenzie specializzate in viaggi per disabili. Segnaliamo il sito web italiano **Disabili.com** (www.disabili.com), la prima testata italiana online interamente dedicata alla disabilità; numerose le informazioni e i consigli utili per organizzare e intraprendere viaggi senza barriere. Il portale **NoLimit** (www.nolimit.it) è interamente dedicato al mondo della disabilità. Suddiviso per aree tematiche, consente di accedere a numerose informazioni e aggiornamenti su normative e disposizioni di legge. Nella sezione 'Muoversi – Viaggiare' troverete notizie utili per chi intende spostarsi in aereo, auto e treno.

I viaggiatori svizzeri troveranno moltissime informazioni utili sul sito di **Procap** (www.procap.ch), la più grande associazione svizzera di autoaiuto per persone con handicap.

Viaggiatori LGBTI

- Rispetto ad altri paesi latinoamericani, la Colombia è piuttosto tollerante nei confronti dell'omosessualità (a Bogotá nel 1981 l'omosessualità è stata dichiarata legale dal governo).
- Nei principali centri del paese vi sono nutrite comunità gay e, a meno che non esibiate le vostre preferenze sessuali in pubblico, è improbabile che sarete oggetto di discriminazioni.
- Grazie a popolari app, come Grindr per gli uomini, oggi molti contatti si stabiliscono online.
- Nel 2011 la Corte Costituzionale colombiana ha ingiunto al Congresso di legiferare sui matrimoni omosessuali entro il giugno del 2013; dopo quella data alle coppie omosessuali sarebbero stati automaticamente riconosciuti tutti i diritti propri di un matrimonio tradizionale. Il Congresso non è intervenuto con la tempestività richiesta e il 24 luglio 2013 è stato celebrato il primo matrimonio gay della Colombia. Nel 2016 la Corte Costituzionale del paese ha confermato la piena legalità di questa unione ribadendo che la celebrazione e il riconoscimento delle unioni omosessuali è un diritto sancito dalla Costituzione.
- Per maggiori informazioni consultate il sito www.guiagaycolombia.com.
- Prima di partire, potete consultare il sito del tour operator specializzato **Quiiky** (www.quiiky.com) e i portali **Gay.it** (www.gay.it) e **Gay.ch** (www.gay.ch).

Visti

- I cittadini di Italia e Svizzera che si recano in Colombia per motivi turistici non hanno bisogno di visto per una permanenza massima di 90 giorni. Al momento dell'arrivo nel paese viene apposto un timbro d'ingresso sul passaporto (*permiso de ingreso y permanencia*, PIP), che dovrà avere una validità residua di almeno sei mesi. Le formalità d'ingresso prevedono inoltre che ogni visitatore in arrivo mostri un biglietto aereo di andata e ritorno o di proseguimento del viaggio.
- Anche i cittadini di molti altri paesi dell'Europa occidentale, America (settentrionale e meridionale), Giappone, Australia, Nuova Zelanda e Sudafrica non necessitano del visto per entrare in Colombia (per gli altri il visto ha comunque un costo contenuto).

Estensioni del visto

Migración Colombia (Centro Facilitador de Servicios Migratorios; www.migracioncolombia.gov.co; Calle 100 n. 11B-27; ⌚8-16 lun-ven) gestisce le richieste di estensione dei visti turistici tramite gli uffici Centros Facilitadores de Servicios Migratorios sparsi per il paese. I visti turistici in genere possono essere prolungati per un massimo di 90 giorni, a discrezione del funzionario. Per richiedere un'estensione, nota come '*permiso temporal de permanencia*', dovrete presentare il passaporto, due copie dello stesso (la pagina con la fotografia e quella con il timbro di entrata o il visto), due fotografie formato tessera e, nella maggior parte dei casi, un biglietto del viaggio di uscita dal paese. La tariffa di COP$92.000 può essere pagata con carta di credito o di debito presso gli uffici del Migración Colombia.

Se pagate in contanti dovrete versare la cifra sul conto della banca governativa,

AVVERTENZA

Le informazioni riportate riguardo alle formalità per l'ingresso in Colombia sono quelle valide al momento della stesura della guida; trattandosi tuttavia di una materia particolarmente soggetta a modifiche e variazioni, tali informazioni andrebbero sempre e comunque verificate prima della partenza, al fine di evitare spiacevoli inconvenienti.

che in genere è il Banco de Occidente, anche se dipende dalla città in cui si sta presentando la domanda. Presentatevi all'ufficio per compilare i moduli e vi indicheranno la banca più vicina per effettuare il versamento.

Potete anche compilare i moduli e pagare online e, una volta ottenuta l'estensione, presentarvi in un ufficio della Migración Colombia per farvi apporre il timbro.

Se decidete di presentare la domanda direttamente in un ufficio, ricordate che il procedimento potrebbe durare anche mezza giornata. Può essere svolto in uno qualunque degli uffici Centros Facilitadores de Servicios Migratorios in Colombia, presenti in tutte le grandi città e in alcuni centri minori (troverete un elenco sul sito di Migración Colombia). In genere si riesce a ottenere l'estensione seduta stante.

Le multe per chi rimane nel paese dopo la scadenza del visto vanno da metà a sette volte il salario minimo colombiano (fissato a COP$781.242 nel 2018), a seconda del periodo di permanenza non autorizzato.

Volontariato

La Colombia offre una discreta gamma di possibilità di volontariato nei settori dell'istruzione, dell'ambiente e del servizio civile. La maggior parte degli enti internazionali di volontariato ha elenchi locali.

Un'organizzazione locale che vale la pena di prendere in considerazione è Goals for Peace (www.goalsforpeace.com), con sede a Bucaramanga, dove i volontari possono dare una mano con le lezioni di inglese, gli allenamenti sportivi, i laboratori di arte e artigianato o con l'assistenza domiciliare.

Alcuni ostelli offrono ai viaggiatori 'volontari' la possibilità di svolgere qualche lavoretto in cambio di vitto e alloggio. Tenete presente che si tratta di una pratica illegale in quanto sottrae lavoro ai colombiani.

Let's Go Volunteer (☎310-884-8041, 301-600-6049; www.letsgovolunteer.info; Carrera 5 Sur n. 22-40, Ibagué) Piccola ONG colombiana che offre la possibilità di lavorare con bambini svantaggiati, donne desiderose di abbandonare il lavoro di prostituta, bambini malati di HIV e anziani. Le tariffe variano da una settimana (US$250) a un mese (US$500) fino a tre mesi (US$3500).

Techo (☎in Cile +56-2-838-7300; www.techo.org) Questa organizzazione con sede in Cile, guidata da giovani, opera per trasformare i quartieri più degradati in comunità autonome in 19 paesi dell'America Latina, compresa la Colombia. I volontari aiutano a costruire case per famiglie che vivono in estrema povertà.

Globalteer (☎nel Regno Unito 44-117-230-9998; www.globalteer.org) Organizzazione riconosciuta nel Regno Unito, propone esperienze di volontariato in Colombia per lavorare con i bambini. I prezzi partono da US$795.

Trasporti

IL VIAGGIO

Si può arrivare in Colombia in aereo, via terra, via fiume o via mare. La maggior parte dei turisti arriva in aereo atterrando nei principali aeroporti del paese, a Bogotá, Medellín, Cartagena e Cali.

La Colombia confina con Panamá, Venezuela, Brasile, Perú ed Ecuador, ma esistono collegamenti stradali solo con Venezuela ed Ecuador, dove si trovano anche i posti di confine più utilizzati. A causa della crisi politica del Venezuela, tuttavia, la situazione delle zone di confine con il paese è al momento molto incerta: i siti governativi di Italia e Svizzera sconsigliano di intraprendere viaggi nelle zone limitrofe alla frontiera venezuelana (v. p348).

Il confine può essere attraversato anche a Santa Rosa in Perú e a Tabatinga in Brasile, nel punto in cui i tre paesi si incontrano a Leticia. Alcuni yacht privati fanno servizio per/da Panamá ed esiste un servizio regolare di imbarcazioni locali che portano i viaggiatori fino in Ecuador da Tumaco.

Arrivo nel paese

La maggior parte dei turisti arriva in Colombia in aereo o via terra, dall'Ecuador, dal Venezuela (al momento della lavorazione della guida era sconsigliato) o, meno spesso, dal Brasile. Numerose barche a vela, poi, trasportano viaggiatori provenienti da Panamá passando per le Islas San Blas.

Per entrare in Colombia è necessario essere in possesso di un passaporto con una validità residua di almeno sei mesi; i cittadini di alcune nazioni devono procurarsi anche un visto. Alla maggior parte dei viaggiatori (fra i quali italiani e svizzeri) viene apposto sul passaporto un timbro d'ingresso (*permiso de ingreso y permanencia*, PIP) che consente una permanenza di 90 giorni e che può essere esteso per altri 90 giorni.

Se arrivate in aereo, dovrete compilare un modulo doganale da consegnare al funzionario dopo il ritiro dei bagagli. Se dovete prendere un volo interno in coincidenza è probabile che i bagagli vengano spediti direttamente da Bogotá alla vostra destinazione finale – cosa insolita in questa regione –, ma dovrete comunque compilare il modulo e passare la dogana prima di dirigervi al gate di partenza del volo interno.

CAMBIAMENTI CLIMATICI E VIAGGI AEREI

Qualsiasi mezzo di trasporto che funzioni con carburanti tradizionali produce anidride carbonica, la causa principale dei cambiamenti climatici indotti dall'uomo. Oggi i viaggi richiedono normalmente trasferimenti in aereo, un mezzo che usa sì, per chilometro percorso per persona, meno carburante rispetto alla maggior parte delle auto, ma che percorre distanze più lunghe e rilascia i gas responsabili dell'effetto serra nelle parti alte dell'atmosfera.

Molti siti web mettono a disposizione i 'carbon calculators' (misuratori di anidride carbonica), che consentono ai viaggiatori di calcolare le emissioni di anidride carbonica di cui sono responsabili viaggiando e, per chi lo desideri, la somma di denaro necessaria per compensare l'impatto di tali emissioni attraverso un contributo a iniziative in favore dell'ambiente in tutto il mondo. Lonely Planet provvede alla compensazione di tutti i viaggi effettuati dal suo staff e dagli autori.

Aereo

Aeroporti e compagnie aeree

Il più grande aeroporto internazionale della Colombia è l'**Aeropuerto Internacional El Dorado** (cartina p44; ☎1-266-2000; www.eldorado.aero; Av El Dorado) di Bogotá, recentemente rinnovato. È attualmente in corso la seconda fase dell'espansione.

Fra gli altri aeroporti serviti da voli internazionali segnaliamo:

Aeropuerto Internacional José María Cordova (www.aeropuertorionegro.co) Serve Medellín.

Aeropuerto Internacional Rafael Núñez (www.sacsa.com.co) A Cartagena.

Aeropuerto Internacional Alfonso Bonilla Aragón (www.aerocali.com.co) Serve Cali.

La compagnia di bandiera della Colombia è **Avianca** (☎1-8000-953434 da linea fissa, 031 401-3434 da cellulari in Colombia, 5-330-2030 Barranquilla; www.avianca.com), che è una delle migliori compagnie aeree della regione in termini sia di servizio sia di affidabilità.

Biglietti

Per entrare in Colombia, teoricamente, è necessario essere in possesso di un biglietto aereo di andata e ritorno o di proseguimento del viaggio. Questa regola viene osservata piuttosto rigorosamente dalle compagnie aeree e dalle agenzie di viaggi: nessuno sarà disposto a vendervi un biglietto di sola andata senza un biglietto che vi permetta di lasciare il paese. All'arrivo in Colombia, comunque, raramente i funzionari dell'immigrazione chiedono ai viaggiatori di esibirlo.

Un possibile escamotage consiste nell'acquistare un biglietto completamente rimborsabile con la carta di credito e chiedere il rimborso appena arrivati in Colombia. Se arrivate via terra, la stampata di una prenotazione non ancora pagata potrebbe essere sufficiente per superare i controlli della polizia di confine. I viaggiatori dall'aria trasandata hanno maggiori probabilità di sentirsi richiedere il biglietto di ritorno.

Per/dall'Italia

Attualmente la Colombia non è collegata da voli diretti con l'Italia.

➔ **Voli con scalo** L'aeroporto di Bogotá, principale scalo aereo del paese, è facilmente raggiungibile grazie ai numerosi voli **Air Canada** (www.aircanada.com) con cambio di aeromobile a Toronto, **Air Europa** (www.aireuropa.com) con cambio a Madrid, **Air France** (www.airfrance.it) con cambio a Parigi, **American Airlines** (www.americanairlines.it) con cambio a Miami, **Delta Air Lines** (www.delta.com) con cambio ad Atlanta, **Iberia** (www.iberia.com) con cambio a Madrid, **KLM Royal Dutch Airlines** (www.klm.com) con cambio ad Amsterdam, **Lufthansa** (www.lufthansa.com), con cambio a Francoforte e **United Airlines** (www.united.com) con cambio a New York, con buone coincidenze da tutti i principali scali italiani. In alternativa, potete utilizzare la compagnia di bandiera **Avianca** (www.avianca.com) con voli su Bogotá in partenza da Barcellona, Londra e Madrid.

➔ **Voli interni** Una volta giunti a Bogotá, potete proseguire con Avianca per diverse destinazioni colombiane: Armenia, Barrancabermeja, Barranquilla, Bucaramanga, Cali, Cartagena, Cúcuta, Florencia, Ibagué, Leticia, Isla de San Andrés, Manizales, Medellín, Montería, Neiva, Pasto, Pereira, Popayán, Riohacha, Santa Marta, Tumaco, Valledupar, Villavicencio e Yopal.

➔ **Voli con scalo in Canada** Se il volo prevede uno scalo in Canada i documenti di identità utilizzati per il viaggio dovranno essere conformi alle normative stabilite dal Canada; il passaporto dovrà essere elettronico, cioè dotato di microchip integrato su cui vengono immagazzinati tutti i dati del titolare che dovrà essere in possesso anche di un'**Electronic Travel Authorization** (**eTA**, 'autorizzazione di viaggio elettronica'; C$7). Questa va richiesta, anche online, prima del viaggio. Di solito bastano pochi minuti per ottenerla, ma talvolta possono essere necessari giorni. L'eTA è collegata elettronicamente al passaporto ed è valida per un periodo di cinque anni o fino alla scadenza del passaporto. Per maggiori informazioni, v. www.cic.gc.ca/english/visit/eta-start-it.asp e www.cic.gc.ca/english/visit/eta-facts-it.asp.

Per sapere con certezza se necessitate di un'eTA oppure di un visto ufficiale, collegatevi all'indirizzo www.cic.gc.ca/english/visit/visas.asp. In ogni caso, a tutti è richiesto un passaporto valido per la durata dell'intero soggiorno. Inoltre, un genitore che viaggia con figli minorenni deve essere in possesso di un'autorizzazione scritta da parte dell'altro coniuge.

➔ **Voli con scalo negli Stati Uniti** Se il volo prevede uno scalo negli Stati Uniti i documenti di identità utilizzati per il viaggio dovranno essere

LE COSE CAMBIANO...

Tariffe, orari e offerte speciali cambiano con una certa frequenza; le informazioni fornite in questo capitolo vanno quindi prese come indicazioni di massima da verificare con un'accurata ricerca personale presso gli uffici delle compagnie di trasporto o affidandosi a un'agenzia di viaggi di fiducia.

conformi alle normative stabilite dagli Stati Uniti; il passaporto dovrà essere elettronico, cioè dotato di microchip integrato su cui vengono immagazzinati tutti i dati del titolare e, almeno 72 ore prima della partenza, bisognerà effettuare online la registrazione ESTA (Electronic System for Travel Authorization; https://esta.cbp.dhs.gov), il sistema elettronico per l'autorizzazione al viaggio, al costo attuale di US$14. Per informazioni aggiornate visitate il sito https://it.usembassy.gov/it/.

➡ **Tariffe** Le tariffe possono variare a seconda della stagionalità o in occasione di particolari promozioni aeree in bassa stagione. La tariffa Air France, per esempio, parte attualmente da €383 (bassa stagione)/€803 (alta stagione) per un biglietto non modificabile con validità minima/massima di cinque giorni/tre mesi per arrivare, all'estremo opposto, a €3836 (stagionalità unica) per un biglietto in Business Class senza alcuna restrizione con validità massima di un anno. Buone tariffe si possono avere anche con le altre compagnie cui abbiamo fatto riferimento, a condizione di effettuare l'intero viaggio con lo stesso vettore aereo con un biglietto a date fisse non modificabili. Se desiderate muovervi all'interno della Colombia in aereo, potete contare sulle diverse tariffe promozionali Avianca (www.avianca.com/es-co/promociones/).

➡ **Informazioni** Per cercare la disponibilità di tariffe aeree convenienti consultate i siti delle compagnie aeree sia tradizionali sia low cost, oppure la vostra agenzia di viaggi di fiducia, o ancora uno dei numerosi motori di ricerca, fra i quali: www.edreams.it, www.expedia.it, www.kayak.it, www.opodo.it, www.skyscanner.it, www.it.lastminute.com, www.whichbudget.com/it/.

➡ **Per/dal Sud America** In Sud America i biglietti aerei sono molto cari. Se siete diretti in Ecuador, Venezuela o Brasile vi risulterà meno costoso arrivare fino ai posti di confine terrestri (rispettivamente Ipiales, Cúcuta o Leticia), attraversare il confine e prendere un altro volo interno per la vostra destinazione finale.

Detto questo, Bogotá è spesso la destinazione più economica per entrare in Sud America e numerosi voli intercontinentali partono dalla capitale, e alcuni da Cali e Medellín; potrete coprire per esempio le tratte Bogotá–Quito e Cali–Quito. A causa della crisi venezuelana, che ha indotto Avianca a sospendere i voli verso quel paese, è sempre più difficile trovare posto sulla tratta da/per Caracas.

TASSA D'IMBARCO

Sui voli internazionali è applicata una tassa aeroportuale di COP$111.500 o US$38. Un tempo era necessario versare questa cifra presso l'apposito sportello, mentre adesso l'importo è di solito compreso nel prezzo del biglietto.

In teoria i viaggiatori che soggiornano nel paese per un periodo di tempo inferiore ai 60 giorni sono esenti dal pagamento di questa tassa; i biglietti di andata e ritorno con validità inferiore emessi fuori dalla Colombia non comprendono la tassa d'imbarco.

Via mare

Esiste un servizio di imbarcazioni dalla Colombia verso Panamá e l'Ecuador.

Panamá

Numerose barche a vela prestano servizio tra i porti di Portobelo, Porvenir e Colón, a Panamá, e Cartagena, in Colombia. Si tratta di una forma di trasporto molto utilizzata, e in genere lungo il percorso è prevista una sosta presso le splendide Islas San Blas. Alcune imbarcazioni fanno servizio dagli yacht club di Cartagena a orari fissi, altre invece salpano solo quando sono al completo. Il viaggio Cartagena–San Blas–El Porvenir in barca a vela costa tra US$450 e US$650 all-inclusive; la maggior parte delle imbarcazioni chiede US$550. Da El Porvenir è necessario proseguire su un'imbarcazione veloce fino a Carti o Miramar, da dove si può continuare via terra verso Panamá città; in alternativa, è possibile prendere un volo da El Porvenir.

Lungo queste tratte i servizi non sono mai stati regolamentati e la sicurezza ha sempre rappresentato un problema. Le cose hanno cominciato a cambiare negli ultimi anni grazie a Blue Sailing (www.bluesailing.net), un'agenzia a gestione congiunta statunitense-colombiana con sede a Cartagena che, al momento delle nostre ricerche, contava 25 imbarcazioni e garantiva che tutte fossero dotate di dispositivi di sicurezza per la navigazione in mare aperto, monitorassero la propria posizione 24 ore su 24 e si avvalessero esclusivamente di comandanti autorizzati.

È possibile inoltre partire da Bahía Solano per raggiungere Jaqué, a Panamá, ma le partenze sono poco frequenti. Da qui potrete proseguire lungo la costa del Pacifico fino a Panamá città, oppure prendere un aereo.

Ai viaggiatori italiani segnaliamo che per entrare a Panamá non è necessario il visto per soggiorni fino a sei mesi. Sarà sufficiente presentare il passaporto con una validità residua di sei mesi e un biglietto di andata e ritorno; occorre inoltre la prenotazione di un albergo o l'indirizzo della struttura ospitante e dimostrare di avere sufficienti mezzi economici (minimo U$500). Per maggiori informazioni potete contattare l'**Ambasciata panamense** (☎06 4425 2173; fax 06 4425 2237; embpanamaitalia@mire.gob.pa). I viaggiatori svizzeri troveranno le informazioni relative ai contatti dell'Ambasciata e alle formalità d'ingresso sul sito https://www.mire.gob.pa/index.php/en/embajada-de-suiza. La guida Lonely Planet *Panamá* sarà un valido supporto per il vostro viaggio.

Ecuador

In teoria è possibile attraversare il confine con una barca a remi lungo la costa del Pacifico, vicino a Tumaco, ma la strada che conduce a Tumaco e la città stessa non sono un posto sicuro per i viaggiatori. I siti governativi di Italia e Svizzera sconsigliano i viaggi in questa zona; per informazioni aggiornate collegatevi a www.viaggiaresicuri.it e www.eda.admin.ch/eda/it/home/travad.htm.

Via terra

Posti di confine

Per informazioni sui visti, v. Visti (p363).

BRASILE E PERÚ

L'unico posto di confine tra questi due paesi e la Colombia è quello di Leticia, nell'angolo sud-orientale dell'Amazzonia colombiana. Leticia si può raggiungere da Iquitos (Perú) e Manaus (Brasile) con una barca fluviale. L'aereo è l'unico mezzo per raggiungere da Leticia le altre parti della Colombia.

Per l'ingresso in Brasile, se il soggiorno non supera i 90 giorni (da utilizzare nell'arco di 180 giorni), all'arrivo sarà sufficiente esibire il passaporto, con validità residua superiore a sei mesi e almeno due pagine libere e il biglietto aereo di andata e ritorno o di proseguimento del viaggio. Per informazioni potete rivolgervi al **Consolato generale del Brasile a Roma** (☎06 688 9661; http://cgroma.itamaraty.gov.br). I viaggiatori svizzeri troveranno le informazioni relative alle formalità d'ingresso e i contatti dell'Ambasciata collegandosi al sito http://berna.itamaraty.gov.br/pt-br/. La guida Lonely Planet *Brasile* vi fornirà preziosi dettagli per organizzare al meglio il vostro viaggio.

Per quanto riguarda il Perú, se il soggiorno non supera i 90 giorni non sarà necessario avere il visto; sarà sufficiente esibire il passaporto che dovrà avere una validità residua di sei mesi al momento dell'arrivo nel paese; è anche richiesto il biglietto di andata e ritorno o proseguimento del viaggio. Per informazioni potete rivolgervi all'**Ambasciata del Perú a Roma** (☎06 8069 1510; www.ambasciataperu.it). I viaggiatori svizzeri troveranno le informazioni e i contatti dell'Ambasciata collegandosi al sito www.embaperu.ch. La guida Lonely Planet *Perú* vi permetterà di organizzare questo viaggio nel dettaglio.

ECUADOR

Praticamente tutti i viaggiatori utilizzano il posto di confine situato lungo il tratto della Carretera Panamericana tra Tulcán (Ecuador) e Ipiales (Colombia). Il tratto della Panamericana tra Pasto e Popayán è migliorato, ma per evitare problemi e ammirare gli splendidi panorami che caratterizzano l'itinerario, vi consigliamo di percorrere questa strada durante il giorno.

Un'altra possibilità è quella di attraversare il confine a San Miguel, Putumayo, e arrivare a Nueva Loja, nell'Amazzonia ecuadoriana. Questa tratta è sempre più utilizzata dai backpacker, ma conviene verificare la situazione con il proprio albergo prima di mettervi in viaggio perché le condizioni dell'area, in genere accettabili, spesso diventano pericolose. Vi consigliamo comunque di percorrerla sempre di giorno.

I cittadini italiani possono soggiornare in Ecuador senza bisogno di visto fino a 90 giorni. Sarà sufficiente esibire il passaporto con una validità residua di almeno sei mesi al momento dell'ingresso nel paese, un biglietto aereo di andata e ritorno o di proseguimento del viaggio e un'assicurazione medica internazionale. Per informazioni potete rivolgervi all'**Ambasciata dell'Ecuador a Roma** (☎06 8967 2820; http://italia.embajada.gob.ec). Sul sito www.embajadaecuador.ch, i viaggiatori svizzeri troveranno informazioni relative alle formalità d'ingresso e i contatti dell'Ambasciata.

Informazioni dettagliate sono anche contenute nella guida Lonely Planet *Ecuador e Galapagos*.

VENEZUELA

Per via della crisi politica venezuelana i posti di confine con la Colombia funzionano irregolarmente. In alcuni periodi il governo di Caracas ha ordinato la totale chiusura dei posti di confine, mentre in altri momenti i confini sono stati chiusi solamente al traffico veicolare. Informatevi sulla situazione aggiornata prima di pianificare il viaggio via terra.

Ci sono quattro posti di confine tra Colombia e Venezuela. Il percorso di gran lunga più battuto dai viaggiatori è quello che passa da San Antonio del Táchira (Venezuela) e Cúcuta (Colombia), lungo la strada principale Caracas–Bogotá.

Un altro posto di confine abbastanza frequentato è quello di Paraguachón, sulla strada tra Maracaibo (Venezuela) e Maicao (Colombia). Vi consigliamo di scegliere questo se avete in progetto di dirigervi direttamente dal Venezuela alla costa caraibica della Colombia. Autobus e taxi collettivi collegano Maracaibo a Maicao; ci sono anche corse dirette da Caracas/Maracaibo a Santa Marta/Cartagena. Al confine il passaporto vi verrà timbrato sia dai funzionari venezuelani sia da quelli colombiani.

Meno frequentati sono i posti di confine di Puerto Carreño, in Colombia, e di Puerto Páez e Puerto Ayacucho (entrambi in Venezuela). Meno utile ancora è il valico tra El Amparo de Apure (Venezuela) e Arauca (Colombia), situato in una regione remota e piuttosto insicura.

I siti governativi di Italia e Svizzera sconsigliano di intraprendere viaggi lungo le zone di confine e, se non necessari, nell'intero paese.

A titolo informativo, i visitatori italiani che entrano in Venezuela non hanno bisogno del visto per permanenze fino a 90 giorni; è sufficiente il passaporto con una validità residua di almeno sei mesi. Per ulteriori dettagli contattate l'**Ambasciata venezuelana in Italia** (☎06 807 9797; italia.embajada.gob.ve). Per i requisiti d'ingresso i cittadini svizzeri possono collegarsi al sito http://suiza.embajada.gob.ve, dove troveranno i contatti dell'Ambasciata. Per informazioni utili collegatevi al sito www.lonelyplanetitalia.it/venezuela.

TRASPORTI INTERNI

Aereo

➡ L'aereo rappresenta il mezzo più comodo per coprire le enormi distanze che separano le grandi città della Colombia. Viaggiare in aereo è diventato più accessibile negli ultimi tempi grazie all'avvento delle compagnie low cost e, prenotando in anticipo, si possono ottenere delle tariffe ragionevoli. Gli aeroporti sono presenti in quasi tutte le grandi città, ma anche in molti centri più piccoli e remoti.

➡ Anche se le tariffe dei voli sono in genere più alte rispetto a quelle degli autobus lungo la stessa rotta, la differenza in realtà non è così grande, in particolare lungo i percorsi più lunghi e trafficati. Di sicuro non vale la pena di prendere un autobus per andare da Medellín alla Costa per risparmiare appena COP$30.000.

➡ Vi consigliamo di informarvi presso diverse compagnie aeree, dal momento che le tariffe possono variare notevolmente. Il prezzo dei biglietti per raggiungere alcune destinazioni in genere diminuisce notevolmente nella settimana (o nei 15 giorni) precedenti quella data; per altre destinazioni, invece, possono aumentare in maniera significativa.

➡ Acquistare i biglietti online è più economico che non rivolgendosi a un'agenzia o agli uffici della compagnia aerea.

➡ Alcune compagnie aeree offrono tariffe diverse a seconda della versione del sito che si consulta: per ottenere quelle migliori visitate la versione colombiana.

➡ Potrete prenotare e pagare online i biglietti aerei per i voli nazionali, utilizzando una carta di credito straniera, mentre per altri dovrete effettuare la prenotazione e poi pagare in contanti presso un'agenzia.

➡ Alcune compagnie aeree offrono pacchetti per le principali destinazioni turistiche (per esempio Cartagena e San Andrés), il cui costo è di poco superiore a quello del solo biglietto aereo. Acquistando questi pacchetti all'estero sarete esentati dall'IVA del 19% sulle vendite – ricordate di chiedere la riduzione, perché molti colombiani non ne sono a conoscenza.

Autobus

Gli autobus sono il mezzo di trasporto più usato per spostarsi da una città all'altra della Colombia e servono praticamente ogni località del paese. La scelta spazia dagli affollatissimi *colectivos* (minibus o taxi in comune) a confortevoli autobus a lunga percorrenza dotati di aria condizionata. Quasi tutti gli autobus intercity a lunga percorrenza sono più confortevoli dei posti di classe turistica degli aerei, e talvolta gli autobus notturni dispongono di sedili più grandi, in stile business class. Sugli autobus di classe più elevata il wi-fi è ormai quasi sempre presente (benché spesso funzioni a sprazzi o non funzioni affatto). Un avvertimento: i conducenti degli autobus colombiani tendono a impostare l'aria condizionata su temperature polari: indossate maglione, cappello e guanti o, meglio ancora, portate una coperta. Gli autisti, inoltre, amano accendere la radio e/o la televisione dell'autobus per proporre film d'azione (doppiati in spagnolo), anche nel cuore della notte. Viaggiare con i tappi per le orecchie potrebbe essere una buona idea.

COMPAGNIE AEREE IN COLOMBIA

La Colombia conta numerose compagnie aeree principali, alcune linee minori e vettori charter. Le rotte più battute sono servite da moderni jet, mentre le aree più remote spesso sono servite da aerei a tre posti a propulsione singola, jet sovietici e perfino DC-3 della seconda guerra mondiale!

Avianca (www.avianca.com)
Easy Fly (www.easyfly.com.co)
LATAM (www.latam.com)
Satena (www.satena.com)
Viva Colombia (www.vivacolombia.co)
Wingo (www.wingo.com)

Per gli autobus è normale fermarsi alle *requisas* (checkpoint militari), anche di notte. I soldati che presidiano i checkpoint chiedono a tutti i passeggeri di scendere e controllano i loro documenti prima di farli risalire. Talvolta ispezionano anche i bagagli e, più raramente, effettuano perquisizioni personali; capita che ignorino del tutto i turisti.

Gli autobus a lunga percorrenza effettuano fermate per i pasti, ma non necessariamente negli orari canonici; dipende dall'appetito dell'autista o dalla vicinanza dei ristoranti che hanno stretto accordi con l'autolinea.

Tutti gli autobus intercity partono e arrivano presso un *terminal de pasajeros* (autostazione). Ogni città dispone di un'autostazione, che talvolta si trova fuori dal centro, ma è collegata a esso dai mezzi di trasporto locali. Bogotá è il più importante snodo per gli autobus colombiani: da qui partono autobus diretti praticamente in ogni parte del paese.

Sulle autostrade colombiane il limite di velocità è di 80 km/h, e le compagnie degli autobus sono obbligate a collocare un grande tachimetro nella parte anteriore della cabina, in modo che i passeggeri sappiano a che velocità sta andando l'autista; di fatto, però, questi dispositivi sono spesso rotti o disabilitati. Le autolinee, inoltre, sono tenute per legge a pubblicare le statistiche degli incidenti e delle vittime presso le biglietterie, in modo che i passeggeri possano farsi un'idea dei loro standard di sicurezza.

Classi

La maggior parte degli autobus intercity è dotata di aria condizionata e ha abbastanza spazio per distendere le gambe. Le tratte più brevi (meno di quattro ore) sono effettuate da mezzi più piccoli, chiamati *busetas*. Talvolta vengono usati anche minibus, che sono più costosi ma anche più veloci. Nelle aree rurali più remote, dove le strade sono in pessime condizioni, i vecchi *chivas* (furgoni con carrozze in legno che al posto dei sedili hanno delle panche) servono i piccoli centri, facendo salire e scendere i passeggeri lungo il percorso. Il servizio più veloce è detto *Super Directo*.

Costi

Viaggiare in autobus in Colombia è abbastanza economico. Fuori dai periodi di punta legati alle vacanze le tariffe sono quasi sempre trattabili, anche se gli agenti spesso offrono già la tariffa scontata per battere la concorrenza; per questa ragione in genere è più conveniente acquistare i biglietti all'autostazione anziché online. Provate a iniziare con un educato '*Hay descuento?*' (C'è uno sconto?) o un '*Cual es el minimo*?' (Qual è la tariffa minima?), poi fate il giro degli sportelli. Vi consigliamo di scegliere il secondo tra gli autobus più economici: in genere i meno costosi di tutti hanno qualcosa che non va.

Quando si sale su un autobus lungo la strada si paga la tariffa all'*ayudante* (aiutante dell'autista). Gli *ayudantes* in genere sono onesti, ma vale la pena di conoscere la tariffa prima per evitare di pagare un prezzo gonfiato apposta per gli stranieri.

Prenotazioni

Al di fuori dei periodi di punta (come Natale e Pasqua) non è necessario prenotare. È sufficiente presentarsi in autostazione un'ora prima della partenza e prendere il primo autobus disponibile. Su alcune tratte secondarie, per le quali sono previste solo poche partenze al giorno, può valere la pena di acquistare il biglietto diverse ore prima della partenza.

Capita spesso, soprattutto con gli autobus più piccoli, che i conducenti mentano, dicendo che manca un solo passeggero alla partenza. Caricheranno il vostro bagaglio sul retro e vi ritroverete ad aspettare un'ora, vedendo altri autobus che partono prima del vostro. Ricordate, perciò, di non salire in autobus e di non pagare finché l'autista non accende il motore e si prepara a partire.

Automobile e motocicletta

➡ L'automobile può rivelarsi utile per viaggiare secondo i propri ritmi o per visitare le regioni in cui la disponibilità di trasporti pubblici è molto ridotta. Troverete autonoleggi in tutte le maggiori città, anche se le tariffe richieste in genere sono tutt'altro che economiche.

➡ Il livello di sicurezza, inoltre, rimane precario in alcune zone remote e rurali del paese, dove il rischio di furto di automobile è più elevato, facendo crescere di conseguenza i costi dell'assicurazione. Consultate sempre i siti governativi prima di mettervi in viaggio verso zone poco frequentate.

➡ Nelle città, d'altro canto, il traffico è intenso, caotico e frenetico. Lo stile di guida dei colombiani è sregolato e imprevedibile e vi occorrerà un po' di tempo per abituarvi. Questo, naturalmente, vale anche per chi viaggia in motocicletta.

➡ In Colombia la guida è a destra e la cintura di sicurezza è obbligatoria. Il limite di velocità è pari a 30 km/h nei centri abitati, 60 km/h in città e 80 km/h sulle autostrade. Il numero della polizia autostradale è ☎767.

➡ Se avete in programma di guidare in Colombia, non dimenticate di portare con voi la patente. Di solito è sufficiente la comune patente di guida, rilasciata dal paese di provenienza, tranne nei casi in cui sia scritta in alfabeti non latini. In questo caso è necessario procurarsi una patente di guida internazionale.

➡ Per guidare in Colombia i viaggiatori italiani devono

ufficialmente essere muniti della patente internazionale, modello Convenzione di Ginevra (con validità di un anno), che viene rilasciata dall'Ufficio provinciale della ex Motorizzazione Civile (oggi Unità di Gestione della Motorizzazione e della Sicurezza del Trasporto Terrestre). Per ottenerla ci si può rivolgere a una delle sedi ACI o a qualsiasi agenzia di pratiche automobilistiche.

Ai motociclisti raccomandiamo di controllare la data di emissione della patente e verificare se rientra tra quelle che abilitano a guidare anche all'estero oppure no; informatevi presso l'ACI oppure, in alternativa, rivolgetevi a un'autoscuola, dove potrete anche ottenere l'eventuale abilitazione alla guida all'estero, nel caso la vostra patente non la consenta.

Per informazioni in Italia contattate l'**ACI** (☎centralino 06 499 81, informazioni per l'estero 06 49 11 15, documenti doganali 06 4998 2496; www.aci.it), che potrà esservi utile per ragguagli circa documenti, norme sanitarie e di sicurezza; potete anche visitare il sito curato dall'ACI in collaborazione con il **Ministero degli Affari Esteri** (www.viaggiaresicuri.it).

Ai cittadini svizzeri viene vivamente raccomandata la patente internazionale.

Noleggio

Varie compagnie di autonoleggio internazionali, come **Avis** (☎1-8000-12-2847; www.avis.com.co) e **Hertz** (www.hertz.com) hanno uffici in Colombia. Per noleggiare un'automobile calcolate di spendere circa COP$170.000 al giorno (assicurazione compresa), più il costo del carburante. Come sempre, prenotando online le tariffe diminuiscono. Controllate attentamente le clausole relative all'assicurazione e alla responsabilità civile prima di firmare il contratto di noleggio. Prestate particolare attenzione alle clausole relative al furto, perché c'è il rischio che gran parte dell'eventuale danno venga addebitata al cliente. Se noleggiate un veicolo con vetri scuri, l'agenzia di noleggio dovrà rilasciarvi uno speciale documento da esibire in caso di controlli della polizia. Le agenzie in genere sono avare di informazioni, quindi ponete tutte le domande del caso.

Autostop

➡ L'autostop in Colombia è poco diffuso e difficoltoso. Data la complessa situazione interna del paese, i conducenti non vogliono correre rischi e non amano fermarsi lungo la strada per far salire sconosciuti.

➡ Fare l'autostop non è mai del tutto sicuro, ed è per questo che lo sconsigliamo. Se comunque decidete di spostarvi in questo modo, dovete essere consapevoli dei rischi potenzialmente seri cui andate incontro.

Bicicletta

➡ La Colombia non è un paese particolarmente adatto ai ciclisti, anche se in alcune regioni (per esempio il Boyacá) la bicicletta è estremamente popolare.

➡ Le norme di circolazione favoriscono le automobili e lungo le carreggiate principali i ciclisti si trovano a lottare con il traffico; è raro che gli automobilisti diano loro la precedenza.

➡ L'aspetto positivo è che quasi tutte le strade sono asfaltate e sempre più sicure. Anche nei centri più piccoli si trovano negozi in grado di riparare le biciclette facilmente e a prezzi modici.

➡ I noleggi di biciclette sono poco diffusi, ma quasi ovunque si trovano negozi che le vendono.

➡ Le città colombiane si stanno trasformando per rispondere sempre meglio alle esigenze di chi si sposta in bicicletta, con la creazione di nuove piste ciclabili e l'avvio di iniziative come Ciclovía (la chiusura al traffico automobilistico di alcune strade nel weekend, per trasformarle in piste per ciclisti e skater).

Imbarcazioni

➡ Alcuni motoscafi veloci collegano Turbo, nell'Antioquia settentrionale, alle città di Capurgana e Sapzurro sulla costa caraibica e pacifica tra le città di Bahía Solano e Nuquí.

➡ I mercantili navigano lungo la costa del Pacifico, e il loro principale punto di transito è il porto di Buenaventura. I viaggiatori che hanno tempo sufficiente a disposizione possono dormire in una cuccetta sotto coperta lungo il tragitto verso nord o verso sud, per raggiungere località come Nuquí e Bahía Solano.

➡ Prima della costruzione di ferrovie e autostrade le imbarcazioni che navigavano lungo i fiumi rappresentavano il principale mezzo di trasporto nelle regioni montuose della Colombia. Oggi i viaggi fluviali non sono così diffusi anche se restano l'unico modo di spostarsi in alcune zone dell'Amazzonia, tra cui quella che da Leticia porta a Puerto Nariño.

➡ Il Río Atrato e il Río San Juan, nel Chocó, sono serviti da imbarcazioni passeggeri; attualmente è meglio evitare entrambi a causa dell'intensa attività di guerriglia nella regione.

Trasporti locali

Autobus

Quasi tutti i centri urbani con più di 100.000 abitanti, così come molte cittadine minori, hanno una rete di autobus. La qualità del servizio, la velocità e l'efficienza variano da una località all'altra, ma nel complesso i mezzi sono lenti

IL *CHIVA*, UN AUTOBUS MOLTO SPECIALE

Il *chiva* è un veicolo che sembra uscito da Disneyland e che, fino a qualche decennio fa, rappresentava il principale mezzo di trasporto su strada della Colombia. Chiamato anche *bus de escalera* ('autobus di scale', in riferimento alle scale situate ai lati) in alcune regioni, è una sorta di opera d'arte pop su quattro ruote. Costruito quasi interamente in legno, al posto dei sedili ha delle panche, ognuna delle quali è accessibile dall'esterno. La carrozzeria è dipinta con motivi dai colori vivaci, tutti diversi, e ha un caratteristico disegno sul retro. Alcuni artisti locali sono addirittura specializzati nella decorazione dei *chivas*. In quasi tutti i negozi di artigianato del paese troverete in vendita modellini in ceramica.

Oggi i *chivas* sono praticamente scomparsi dalle strade principali, ma svolgono ancora un ruolo importante lungo le stradine secondarie che collegano i piccoli centri e i villaggi. Ne circolano ancora alcune migliaia, soprattutto nei dipartimenti di Antioquia, Cauca, Zona Cafetera, Huila, Nariño e sulla costa caraibica. I *chivas* trasportano passeggeri e merci di ogni tipo, animali compresi. I passeggeri e i bagagli che non trovano posto all'interno vengono caricati sul tetto.

In molte grandi città le agenzie di viaggi organizzano uscite notturne a bordo dei *chivas*, che sono diventati una popolare attrazione turistica. A bordo c'è quasi sempre un DJ, a volte persino un gruppo che suona musica a tutto volume e viene offerta un'abbondante dose di *aguardiente* (liquore al gusto di anice) per creare la giusta atmosfera. Di solito il tour prevede tappe in alcuni dei locali notturni più alla moda ed è molto divertente.

e affollati. La tariffa delle corse urbane è unica, indipendentemente dalla distanza che si percorre. Si entra dalla porta anteriore e si paga la corsa al conducente o al suo assistente. Non si riceve mai un biglietto.

In alcune città e lungo alcune strade ci sono vere e proprie fermate degli autobus (*paraderos* o *paradas*), ma il più delle volte è sufficiente fare cenno all'autista di fermarsi. Per far capire al conducente che si desidera scendere bisogna dire, o meglio gridare, '*por aquí, por favor*' (qui, per favore), '*en la esquina, por favor*' (all'angolo, per favore) o '*la parada, por favor*' (alla prossima fermata, per favore).

Esistono diversi tipi di autobus urbani, dai vecchi catorci ai moderni veicoli climatizzati. Molto diffusa è la *buseta* (piccolo autobus), uno dei principali mezzi di trasporto in città come Bogotá e Cartagena. La tariffa delle corse urbane oscilla tra COP$800 e COP$2200, a seconda della città e del tipo di autobus.

Una corsa in autobus o in *buseta*, soprattutto in grandi città come Bogotá o Barranquilla, non è un viaggio tranquillo e silenzioso ma una sorta di avventura mozzafiato, un'esperienza che permette di immergersi nel folklore locale. Avrete l'opportunità di farvi stordire da musica tropicale a tutto volume, di imparare il 'codice stradale' colombiano e di osservare come l'autista cerca disperatamente di farsi strada in mezzo a una marea di altri veicoli.

COLECTIVO

Il termine *colectivo* in Colombia può indicare un autobus di medie dimensioni, un taxi collettivo, un fuoristrada stracarico e tutte le soluzioni intermedie tra questi veicoli. Si tratta di mezzi utilizzati soprattutto per collegare tra loro città distanti non più di quattro ore. Essendo più piccoli dei normali autobus, risultano più veloci, e di conseguenza costano circa il 30% in più. Spesso non partono a orari prestabiliti, ma solo quando i posti sono tutti occupati.

In alcune città fanno capolinea presso le autostazioni, ma nei piccoli centri in genere si radunano sulla piazza principale. La frequenza del servizio varia notevolmente da un posto all'altro: in alcune località c'è un *colectivo* ogni cinque minuti, in altre bisogna aspettare un'ora o anche di più fino a che il mezzo non è al completo. Se avete fretta potete acquistare i posti ancora liberi: in quel caso l'autista partirà immediatamente.

Metropolitana

Le reti metropolitane stanno diventando sempre più diffuse in Colombia. Bogotá può vantare il TransMilenio, e Cali e Bucaramanga hanno avviato progetti simili, chiamati rispettivamente MIO e Metrolínea. A Medellín vi è il famoso Metro, l'unica linea ferroviaria per pendolari del paese. Pereira offre invece il sistema MegaBús.

Motocicletta

- In alcune città e centri più piccoli, soprattutto nel nord, circolano i 'mototaxi', che rappresentano un modo veloce di spostarsi per chi viaggia da solo. Non si tratta, tuttavia, di mezzi di trasporto particolarmente sicuri, tanto che sono stati dichiarati illegali in alcune zone, tra cui Cartagena (anche se nessuno pare volerli fermare).
- Le norme sull'uso del casco vengono fatte rispettare

in tutte le zone urbane del paese. Il vostro autista ne avrà sicuramente uno in più per voi, anche se il cinturino potrebbe essere danneggiato o potrebbe esserci qualche altro difetto che lo rende del tutto inutile in caso di incidente grave. Sperate, almeno, che il passeggero che vi ha preceduto non abbia sudato troppo.

Mototaxi a tre ruote

I *tuk-tuk* di fabbricazione cinese stanno diventando sempre più diffusi nei piccoli centri turistici. Questi mototaxi possono accogliere tre passeggeri, hanno un tettuccio e dispongono di un telone impermeabile che può essere abbassato ai lati in caso di pioggia. Vi capiterà di vedere questi veicoli a Barichara, Darién, Mompós, Santa Fe de Antioquia, nel Desierto de la Tatacoa e in numerose località minori sulla costa del Pacifico.

Taxi

I taxi sono economici, comodi e onnipresenti nelle grandi città e in quasi tutti i centri di medie dimensioni. Nella maggior parte delle città di grandi e medie dimensioni tutti i veicoli sono dotati di tassametro, ma in alcune zone della costa caraibica e nelle città più piccole i prezzi vengono fissati a seconda della destinazione. In teoria il listino prezzi dovrebbe essere affisso sul lato passeggero; in realtà, però, spesso non è presente e in questo caso dovrete accordarvi con l'autista su un prezzo prima di salire.

Quando i prezzi non sono esposti è necessario contrattare o pagare una tariffa più alta del dovuto e molti autisti (soprattutto a Cartagena) tendono ad approfittare dell'ingenuità dei turisti. Detto questo, una sorprendente percentuale di taxisti è onesta; meglio parlerete spagnolo, più potere contrattuale avrete, e minore sarà la probabilità che pagherete tariffe gonfiate.

Per quanto sia un'eventualità rara, può capitare che alcuni individui poco raccomandabili si spaccino per taxisti. Non accettate mai di salire su un taxi in cui sia presente un'altra persona oltre al conducente. A volte i taxisti caricano un amico per avere compagnia o per ragioni di sicurezza, ma questa situa-

FANTASTICI TOUR DELLA COLOMBIA

Numerose agenzie nazionali propongono interessanti tour del paese. Cercate di appoggiarvi agli operatori affiliati ad Acotur (www.acotur.co), l'associazione colombiana per il turismo responsabile. Tra i più affidabili segnaliamo:

Awake.travel (☎322-365-5135; www.awake.travel) Agenzia con sede a Bogotá, che offre escursioni in kayak nel bacino amazzonico, sul Río Magdalena e tante altre possibilità di avventura.

Aventure Colombia (cartina p46; ☎1-702-7069; www.aventurecolombia.com; Av Jiménez n. 4-49, oficina 204; ⌚8-17 lun-sab) Agenzia di grande esperienza gestita da un affascinante francese che propone tour in destinazioni isolate come Punta Gallinas, soggiorni presso villaggi indigeni nella Sierra Nevada de Santa Marta, visite all'incantevole Caño Cristales a Meta e altre avventure all'insegna del turismo sostenibile, dalla costa caraibica alla Zona Cafetera e dal Parque Nacional Natural Los Nevados alla costa del Pacifico.

Colombia 57 (☎6-886-8050; www.colombia57.com) Questo tour operator, di proprietà britannica, ha sede a Manizales ed è specializzato in escursioni personalizzate.

Colombian Highlands (☎8-732-1201, 310-552-9079; www.colombianhighlands.com; Av Carrera 10 n. 21-Finca Renacer) Apprezzato tour operator con sede a Villa de Leyva, si è affermato a livello nazionale e ora propone tour personalizzati in diverse località, tra cui Los Llanos, l'Amazzonia (compresa Vapués) e La Guajira.

Colombian Journeys (cartina p50; ☎1-618-0027; www.colombianjourneys.com; Carrera 13 n. 96-67, edificio Akori, oficina 406-407) Un'agenzia con sede a Bogotá che propone tour multilingue nel paese.

De Una Colombia Tours (cartina p44; ☎1-368-1915; www.deunacolombia.com; Carrera 24 n. 39B-25, oficina 501) Questa agenzia a gestione olandese presso Bogotá organizza escursioni in località remote, normalmente escluse dai circuiti turistici. È necessario prendere un appuntamento telefonico o via email (info@deunacolombia.com).

Mambe Travel (☎320-964-1846; www.mambe.org; Carrera 5 n. 117-25; ⌚9-17 lun-ven, 10-15 sab e dom) ONG con sede a Bogotá che propone tour all'insegna del turismo sostenibile in sei zone fuori dagli itinerari più battuti: l'Amazzonia, il Chocó, la Penisola di La Guajira, la Sierra Nevada de Santa Marta, il Vichada e Caño Cristales.

zione può risultare pericolosa per i passeggeri: potrebbe essere una tattica per rapinarvi. Se avete qualche sospetto, non salite e fermate un altro taxi. Meglio ancora, prenotate telefonicamente un taxi, pagando qualche centinaio di pesos in più.

App come Tappsi (www.tappsi.co) e Easy Taxi (www.easytaxi.com) hanno migliorato drasticamente gli standard di sicurezza nell'utilizzo dei taxi e le consigliamo caldamente a chiunque disponga di uno smartphone. Funzionano nella maggior parte delle grandi città colombiane.

Le tariffe si intendono sempre per taxi, non per numero di passeggeri. Molti veicoli hanno portiere poco robuste: abbiate l'accortezza di non sbatterle con eccessiva forza quando salite e scendete.

È possibile noleggiare un taxi anche per lunghe distanze. Si tratta di una soluzione comoda quando si vogliono visitare località limitrofe alle grandi città che non sono servite né dai mezzi di trasporto urbani, in quanto troppo distanti dal centro, né dagli autobus a lunga percorrenza, perché troppo vicine al centro. Nelle grandi città potrete inoltre noleggiare un taxi a ore, l'ideale per un tour improvvisato.

Treno

La Colombia ha una rete ferroviaria per lo più inutilizzata (o è invasa dalle erbacce o è stata smantellata e venduta). L'unico treno su cui avete qualche probabilità di salire è il **Turistren** (☎1-316-1300; www.turistren.com.co; Parque la Esperanza; andata e ritorno interi/bambini COP$58.000/50.000), che fa servizio nel weekend da Bogotá a Zipaquirá.

Chi ha intenzione di visitare San Cipriano, nei pressi dell'autostrada Cali–Buenaventura, potrà provare l'ebbrezza di viaggiare su un carrello ferroviario trainato da una motocicletta.

Salute

In genere, un viaggio in Colombia non comporta grossi rischi per la salute, ma ve ne sono alcuni di cui tener conto, così come diversi accorgimenti da adottare per prevenire le malattie. La maggior parte di esse è legata in larga misura alla posizione geografica della Colombia, che si trova nella fascia tropicale. Chi viaggia lungo la costa o nella giungla potrebbe accusare piccoli fastidi, come punture d'insetti, un'eruzione cutanea o un collasso da calore. Altre e più pericolose affezioni, come la malaria e la febbre gialla, possono colpire i viaggiatori che si avventurano in zone poco battute o che compiono trekking nei parchi nazionali. La dengue è un rischio nelle aree altamente popolate. La montagna comporta problemi di altro genere, tra cui il *soroche* (mal di montagna).

Tuttavia, la Colombia vanta alcune tra le migliori strutture sanitarie del Sud America. Di solito, i costi delle cure sono ragionevoli ed esiste una rete capillare di buone farmacie: si trovano *droguerías* (farmacie) anche nei piccoli centri e quelle delle grandi città sono ben fornite.

I consigli e le informazioni contenuti in queste pagine costituiscono un vademecum di carattere generale e non possono in alcun modo sostituire quelli di un medico esperto in medicina dei viaggi.

PRIMA DI PARTIRE

- Portate i farmaci nelle loro confezioni originali. Nel caso ne assumiate regolarmente, mettetene in valigia un quantitativo doppio rispetto ai vostri bisogni per premunirvi in caso di perdita o di furto.
- Portate una lettera firmata e datata del vostro medico curante, in cui vengano descritte le vostre condizioni di salute e le eventuali medicine da assumere, con l'indicazione precisa sia del principio attivo sia del nome commerciale del farmaco.
- Se portate con voi siringhe e aghi, ricordatevi di tenere a portata di mano una prescrizione medica che ne documenti la reale necessità dal punto di vista sanitario.
- Se avete disturbi di cuore, portate con voi una copia dell'ultimo elettrocardiogramma che avete effettuato prima di partire.
- Anche se in genere le farmacie colombiane sono ben fornite di siringhe sterili usa e getta, bende e antibiotici, vale la pena di mettere in valigia un kit di pronto soccorso sterilizzato, specialmente se avete intenzione di visitare zone lontane dagli itinerari turistici principali.

Assicurazione

- Anche se siete sani e in ottime condizioni fisiche, non viaggiate mai senza un'assicurazione sanitaria adeguata (c'è sempre il rischio di avere un incidente).
- Se viaggiate in paesi come la Colombia, che non hanno accordi con il servizio sanitario italiano, sarà opportuno ricorrere a un'assicurazione privata.
- Dichiarate le vostre reali condizioni di salute al momento della stipula: la compagnia assicurativa non mancherà di indagare sul vostro problema cercando di capire se sussisteva anche prima della vostra denuncia e non vi coprirà in caso di dichiarazione mendace.
- Per alcune attività considerate a rischio è opportuna una copertura assicurativa supplementare.
- Verificate se nella polizza della vostra assicurazione è previsto il pagamento diretto delle cure mediche oppure un rimborso delle spese sostenute all'estero. In molti paesi i medici si aspettano il pagamento in contanti. È di vitale importanza accertarsi che l'assicurazione di viaggio copra un eventuale ricovero nell'ospedale di una grande città o il rimpatrio in aereo e con un medico a bordo, in caso di emergenza; per questa necessità potreste spendere anche €100.000 e

FARMACIA DA VIAGGIO

È bene portare con sé una piccola ed essenziale scorta di medicinali, da conservare preferibilmente nel bagaglio a mano, se e per quanto permesso dalle normative di sicurezza. Ecco un elenco di ciò che potrebbe esservi utile:

➡ **Acido acetilsalicilico** (Aspirina®), **paracetamolo** (Tachipirina®) o **altri antinfiammatori** – per febbre, mal di denti e dolori.

➡ **Antistaminici** (Clever®, Zirtec®) – utili come decongestionanti per raffreddori allergici, orticaria e allergie. Possono indurre sonnolenza e interagire con l'alcol, quindi vanno usati con cautela; se possibile, prendetene uno che avete già usato.

➡ **Un prodotto tipo dimenidrinato** (Xamamina®) o **scopolamina** (Transcop®, cerotti) – per prevenire il mal d'aria, d'auto o di mare.

➡ **Antibiotici ad ampio spettro come amoxicillina/acido clavulanico** (Augmentin®), o **ciprofloxacina** (Ciproxin®) – utili se viaggiate al di fuori delle zone più battute.

➡ **Antidiarroici a base di loperamide** (Imodium®, Dissenten®) – per alleviare i sintomi della diarrea.

➡ **Antivomito a base di metoclopramide** (Plasil®) – contro la nausea e il vomito.

➡ **Un antispastico tipo ioscina-butilbromuro** (Buscopan®) – per eventuali coliche addominali.

➡ **Antiacido** – contro bruciore e iperacidità gastrica.

➡ **Antibiotici intestinali come rifaximina** (Normix®) o **ciprofloxacina** (Ciproxin®) – per curare forme serie di diarrea del viaggiatore.

➡ **Polvere per la preparazione di soluzioni reidratanti** – per il trattamento della diarrea grave, soprattutto nei bambini.

➡ **Disinfettante, garze e cerotti** – per ferite, tagli e graffi.

➡ **Una pomata antistaminica** (Fargan®, Polaramin®) o **cortisonica** (Nerisona®) – per calmare irritazioni e prurito dovuti a morsi o punture di insetti.

➡ **Forbici, pinzette e un termometro digitale o a cristalli liquidi** (i termometri a mercurio sono proibiti da alcune compagnie aeree e comunque in disuso per motivi di rispetto ambientale).

➡ **Repellenti per insetti** (Autan® 10% e 20% di KBR; OFF!® 7% e 15% di DEET) – per i bambini si consiglia il prodotto con concentrazione minore di KBR o DEET.

➡ **Creme solari ad alto fattore di protezione**

➡ **Compresse o soluzioni per sterilizzare l'acqua**

➡ **Siringhe sterili** – per qualsiasi emergenza.

non tutte le polizze coprono questa eventualità, quindi è importante accertarsene.

➡ Se vi serve assistenza medica, può darsi che la vostra compagnia di assicurazioni sia in grado di aiutarvi a localizzare l'ospedale o la clinica più vicina, oppure potete informarvi in albergo. In caso di emergenza, contattate l'ambasciata o il consolato del vostro paese.

➡ Per scegliere la polizza più adatta alle vostre esigenze consultate, fra le molte compagnie disponibili: **Allianz Global Assistance** (www.allianz-global-assistance.it); **Nobis – Filo diretto Assicurazioni** (www.nobis.it); **Europ Assistance** (www.europassistance.it); **Global Assistance** (www.globalassistance.it).

Libri

➡ *Viaggi e salute – America centrale e meridionale* di Lonely Planet (EDT, 2011) contiene, in formato tascabile, molte informazioni utili sulla pianificazione prima della partenza, sulle misure di pronto soccorso da usare in caso di emergenza, sulle vaccinazioni e sulle malattie, nonché su cosa fare se ci si ammala durante il viaggio.

➡ *Viaggiare con i bambini* (EDT, 2015), sempre di Lonely Planet, fornisce consigli di base per la salute dei bambini durante il viaggio.

➡ *Traveller's Health* del dottor Richard Dawood.

➡ *Travelling Well* (www.travellingwell.com.au) della dottoressa Deborah Mills.

Siti utili

Prima di partire può essere una buona idea consultare uno dei molti siti che si occupano nello specifico di viaggi e salute, così come il sito governativo del vostro paese.

Italia (www.salute.gov.it/, link 'Temi e professioni' e a seguire 'Prevenzione' e 'Malattie infettive e vaccinazioni'; www.viaggiaresicuri.it)

Svizzera (www.safetravel.ch; www.bag.admin.ch, link 'Temi' e a seguire 'Persone & salute', 'Malattie trasmissibili', 'Vaccinazioni e profilassi', 'Informazioni per i professionisti della sanità' e 'Medicina dei viaggi')

Centro di Medicina dei Viaggi dell'Ospedale Amedeo di Savoia di Torino (www.ilgirodelmondo.it) È disponibile anche l'app, scaricabile gratuitamente collegandosi alla home page del sito.

Portale Sanitario Pediatrico dell'Ospedale Bambin Gesù di Roma (www.ospedalebambinogesu.it/il-vademecum-del-piccolo-viaggiatore)

In lingua inglese:

Organizzazione Mondiale della Sanità (WHO; www.who.int/ith) pubblica un ottimo testo dal titolo *International Travel & Health*, che viene aggiornato ogni anno ed è in parte disponibile online.

MD Travel Health (www.mdtravelhealth.com) fornisce informazioni e consigli di carattere sanitario ai viaggiatori e viene aggiornato quotidianamente.

Centers for Disease Control and Prevention (CDC; www.cdc.gov) è un valido sito che fornisce informazioni di carattere generale, ma anche specifiche di ciascun paese.

Vaccinazioni consigliate

Pianificate le vaccinazioni e le profilassi e consultate un centro di medicina dei viaggi. Questi sono normalmente dislocati presso i Servizi di Igiene e Sanità Pubblica delle ASL o i reparti di Malattie Infettive degli ospedali e sono in grado di fornire tutti i consigli di comportamento utili, praticare le vaccinazioni indicate e prescrivere i farmaci opportuni per la profilassi e/o la terapia delle possibili infezioni.

La consulenza sarà fornita in modo personalizzato secondo la destinazione, il tipo di viaggio, l'itinerario, la durata, la stagione, l'età, le esigenze e le condizioni di salute del viaggiatore. Tutte le decisioni saranno prese dal medico sulla base di un accurato bilancio tra il rischio di contrarre un'eventuale infezione e i possibili effetti indesiderati da farmaco o vaccino.

La consulenza dovrà essere richiesta almeno un mese prima della partenza, per permettere la programmazione, la somministrazione e l'inizio dell'efficacia delle eventuali misure prese: molti vaccini infatti non garantiscono l'immunità fino ad almeno due settimane dopo che sono stati praticati. Per le vaccinazioni obbligatorie, previste dai regolamenti internazionali, chiedete un certificato di vaccinazione internazionale (altrimenti noto come 'libretto giallo'), sul quale verranno elencate tutte le vaccinazioni cui vi siete sottoposti.

In primo luogo è opportuno verificare l'aggiornamento delle vaccinazioni di routine, così come previste dal vigente Piano Nazionale di Prevenzione Vaccinale (www.salute.gov.it/imgs/C_17_pubblicazioni_2571_allegato.pdf), e in particolare le vaccinazioni contro:

➡ **Difterite/tetano/pertosse** in tutti i viaggiatori. Dopo il ciclo primario in età infantile si consiglia un richiamo ogni 10 anni. Prima della partenza è consigliato un richiamo nel caso in cui queste vaccinazioni siano scadute o prossime alla scadenza.

➡ **Epatite A e B, pneumococco meningococco, morbillo/parotite/rosolia, varicella, herpes zoster, influenza, Haemophilus influenzae tipo B** nei gruppi a rischio.

➡ **Influenza, pneumococco, herpes zoster** nei viaggiatori di età superiore ai 65 anni.

➡ **Morbillo/parotite/rosolia e varicella** nelle donne in età fertile.

➡ **Vaccinazioni dell'infanzia e dell'adolescenza.**

L'unico vaccino richiesto dai regolamenti internazionali è quello contro la febbre gialla, che in questo caso tuttavia non è obbligatorio, a meno che si provenga da un paese endemico (paesi dell'Africa tropicale e dell'America Latina; v. l'elenco sull'appendice dell'opuscolo *International Travel and Health*, scaricabile da www.who.int/ith/en/) nei sei giorni precedenti all'arrivo nel paese. È comunque raccomandato, e a volte obbligatoriamente richiesto, a coloro che intendono visitare i parchi nazionali che si trovano lungo la zona costiera. A coloro che invece visitano le città principali o le regioni montuose potrebbe non essere consigliata questa vaccinazione: verificate con attenzione prima della partenza.

Non sono obbligatorie altre vaccinazioni, tuttavia alcune autorità sanitarie (CDC americani) consigliano a tutti i viaggiatori, indipendentemente dalla destinazione:

➡ **Epatite virale A** Il vaccino (due dosi iniettate a distanza di 6-12 mesi) conferisce protezione contro il rischio di contrarre l'epatite A da alimenti e bevande contaminate. Dopo la prima dose vi è già una buona protezione e il richiamo conferisce protezione per almeno 30 anni.

SALUTE QUOTIDIANA

La normale temperatura corporea è di 37°C; un aumento di più di 2°C equivale a febbre alta. Ricordate di portare con voi un termometro digitale o a cristalli liquidi. Le pulsazioni normali di un adulto vanno da 60 a 100 battiti al minuto (per i bambini da 80 a 100 e per i neonati da 100 a 140). In linea di massima, le pulsazioni aumentano di circa 20 battiti al minuto per ogni grado di temperatura in più.

Anche la respirazione è un indicatore dello stato di salute. Contate il numero di respiri al minuto: tra 12 e 20 è normale per adulti e ragazzi (fino a 30 per i bambini e fino a 40 per i neonati). Chi ha la febbre alta o gravi malattie respiratorie respira più in fretta del normale. Fare più di 40 inspirazioni profonde al minuto può essere segno di polmonite o di insufficienza respiratoria.

➡ **Epatite virale B** Questo vaccino (due dosi iniettate a distanza di un mese, più un richiamo dopo sei mesi) è stato somministrato di routine in Italia ai nati dal 1980 in poi. È consigliato soprattutto a chi prevede di avere rapporti sessuali occasionali o di lavorare in ambito sanitario. Per avere un minimo di protezione occorrono almeno due dosi. È anche disponibile un vaccino bivalente, valido sia per l'epatite A sia per l'epatite B, da somministrare con lo stesso calendario.

➡ **Febbre gialla** È raccomandata, e talora è anche obbligatoria, per chi si reca nei paesi dell'Africa tropicale e dell'America del Sud (bacino amazzonico). La protezione dura a vita, ma alcuni paesi la riconoscono solo per 10 anni (anche questo dato può essere verificato su *International Travel and Health*). In Italia, la vaccinazione viene fatta solo in alcuni centri abilitati: informatevi presso l'ASL per sapere qual è il più vicino. È sconsigliata durante la gravidanza, ma qualora ci si debba recare in una zona ad alto rischio è comunque opportuno consultare un medico su questo argomento. È controindicata al di sotto dei nove mesi di età, in caso di immunodepressione o allergia alle proteine dell'uovo.

➡ **Febbre tifoide** La vaccinazione antitifica è consigliata a tutti i viaggiatori che si recano in aree dove l'igiene è scarsa. Esiste una forma per somministrazione orale (tre capsule, da assumere a giorni alterni) e una per iniezione intramuscolare (una sola dose); entrambe proteggono per tre anni.

➡ **Rabbia** Il vaccino contro la rabbia è consigliabile a coloro che prevedono di entrare in contatto con animali a rischio o in zone a rischio particolarmente elevato. Viene raccomandato anche se si praticano attività quali trekking, corsa, ciclismo o speleologia in aree remote. La vaccinazione consiste in tre iniezioni, che vengono praticate nell'arco di un mese. Anche se si è stati vaccinati, in caso di morso o di graffio da parte di un animale si dovranno fare due ulteriori dosi di richiamo.

IN COLOMBIA

Disponibilità dell'assistenza sanitaria

Nelle maggiori città ci sono buone strutture sanitarie, che però potrebbero essere difficili da trovare nelle aree rurali. Per una guida online a medici, dentisti, ospedali e farmacie in Colombia, visitate il sito dell'ambasciata statunitense all'indirizzo https://co.usembassy.gov/u-s-citizen-services/medical-assistance/. Probabilmente, in caso di una malattia grave, la soluzione migliore sarà raggiungere un paese con un'assistenza sanitaria più avanzata.

Durante il viaggio

Cinetosi (mal di movimento)

➡ Il mal di movimento è dovuto alle stimolazioni del labirinto (il sistema di regolazione dell'equilibrio) che si verificano durante i viaggi in auto, in aereo o per mare. Il dimenidrinato (Xamamina®) e la scopolamina (Transcop®, cerotti) sono adatti a prevenire e curare i sintomi del mal di movimento. Spesso risultano utili anche rimedi della medicina naturale (zenzero, menta piperita).

Jet lag

➡ La sindrome del jet lag (o sindrome da fusi orari) colpisce di norma chi si sposta in aereo attraverso più di cinque fusi orari. Ne risulta insonnia, spossatezza, malessere e nausea. Per evitare il jet lag bevete molti liquidi (non alcolici) e mangiate cibi leggeri.

➡ Una volta arrivati cercate di esporvi alla luce naturale e di riadattare il prima possibile il vostro ritmo biologico (per i pasti, il sonno e così via).

Trombosi venosa profonda (TVP)

➡ Stare seduti a lungo su qualunque mezzo di trasporto (autobus, treno o aereo), soprattutto in una posizione scomoda, aumenta la possibilità di fenomeni trombotici quali la trombosi venosa profonda (TVP).

➡ Si tratta della formazione di un coagulo 'improprio' (trombo) all'interno di un vaso sanguigno (di solito nelle vene degli arti inferiori) con occlusione del vaso stesso. È facilitata dal rallentato flusso di sangue dovuto alla prolungata posizione statica. Il trombo si può sciogliere da solo senza lasciare segni oppure provocare complicazioni varie, locali o a distanza.

➡ Per evitare di incorrere in questo problema, durante i viaggi lunghi dovrete muovervi il più possibile e, mentre siete seduti, fare periodicamente alcuni esercizi, come flettere i muscoli del polpaccio ruotando le caviglie.

➡ È consigliabile bere acqua o succhi di frutta durante il viaggio per prevenire la disidratazione e, per la stessa ragione, evitare di bere molti alcolici o bibite che contengano caffeina.

➡ Le persone anziane e coloro che soffrono di vene varicose dovrebbero indossare delle calze elastiche. Se siete in gravidanza dovreste prendere in esame con il vostro medico altre misure preventive prima della partenza.

Malattie infettive

Dengue

Questa malattia trasmessa dalle zanzare del genere *Aedes* sta diventando sempre più problematica nei paesi tropicali, specialmente nelle città. L'insetto vettore si riproduce soprattutto all'interno di cisterne d'acqua, per esempio vasche, barili, latte, contenitori di metallo e di plastica e pneumatici abbandonati. Il numero di casi segnalati in Colombia negli ultimi anni ha subìto una brusca impennata, soprattutto a Santander, Tolima, nella Valle del Cauca, Norte de Santander, Meta e Huila.

Sintomi: ricordano quelli dell'influenza: febbre elevata, intensi dolori muscolari e alle articolazioni (da cui il nome di 'febbre rompiossa'), cefalea, nausea e vomito, spesso seguiti dalla comparsa di eruzioni cutanee. Nella maggior parte dei casi i sintomi si risolvono da soli nel giro di qualche giorno. La forma più grave, la dengue emorragica o con shock, è molto rara, e colpisce più facilmente alla seconda infezione (con un sierotipo virale diverso).

Diagnosi: può essere fatta tramite un esame del sangue.

Terapia: non esistono cure specifiche, ma è utile il trattamento sintomatico con antinfiammatori. Usate il paracetamolo (Tachipirina®) e non l'acido acetilsalicilico (Aspirina®) perché quest'ultimo può favorire le emorragie.

Prevenzione: non esiste un vaccino contro la dengue e l'unica prevenzione è quella di evitare di farsi pungere dalle zanzare, ricordandosi che la *Aedes* punge soprattutto di giorno.

Diarrea del viaggiatore

La diarrea del viaggiatore è la più comune tra le malattie da viaggio e la Colombia è compresa nelle aree del globo considerate ad 'alto rischio', caratterizzate da una probabilità di contrarre l'infezione superiore al 20%. Può essere causata da diversi tipi di virus, batteri, protozoi o parassiti.

Sintomi: crampi, dolore addominale, gonfiore, nausea, vomito, a volte febbre.

Terapia: se venite colpiti da diarrea dovete bere molti liquidi, preferibilmente soluzioni reidratanti contenenti sali minerali, e bevande zuccherate per riattivare le funzioni di assorbimento dell'intestino. Qualche scarica diarroica al giorno non richiede alcuna cura particolare, ma se cominciate ad avere più di quattro o cinque scariche al giorno dovreste prendere un antidiarroico a base di loperamide (Imodium® e Dissenten®). Se la diarrea dura più di tre giorni o si accompagna a febbre, sangue o muco nelle feci, è bene assumere un antibiotico intestinale (rifaximina-Normix®, ciprofloxacina-Ciproxin®). Se i sintomi non migliorano rapidamente, è opportuno rivolgersi a un medico.

Prevenzione: alcune misure di igiene alimentare sono utili per prevenire la diarrea. Evitate di bere l'acqua corrente a meno che non sia stata bollita, filtrata o disinfettata con soluzioni chimiche (compresse di cloro o soluzioni a base di iodio); mangiate solo frutta e verdura cotte o sbucciate; state attenti ai prodotti caseari che possono contenere latte non pastorizzato; siate molto selettivi nell'acquisto di cibo dai venditori ambulanti. I cibi devono essere ben cotti, e cotti di recente; la frutta e la verdura devono essere sbucciate personalmente. Il vaccino anticolerico attualmente disponibile ha anche una limitata attività nel prevenire la diarrea del viaggiatore. Anche l'uso preventivo dei fermenti lattici fornisce una modesta protezione.

DISSENTERIA AMEBICA

La dissenteria amebica è un'infezione intestinale causata dal parassita *Entamoeba histolytica*, ha uno sviluppo graduale, senza febbre né vomito, ma può avere un decorso piuttosto grave. Non è una malattia che si autolimita: essa persiste finché non viene curata e può provocare ricadute, complicazioni e danni a lunga scadenza. Colpisce raramente i turisti.

Sintomi: diarrea sanguinolenta (non profusa come quella da batteri) con crampi.

Diagnosi: per diagnosticare questo tipo di malattia o eventuali altre forme di dissenteria è necessario far analizzare le feci (esame coprologico e/o parassitologico), pertanto bisogna cercare urgentemente l'aiuto di un medico.

Terapia: metronidazolo (Flagyl®), che però non dev'essere somministrato ai bambini piccoli e alle donne in gravidanza.

Prevenzione: le misure di igiene alimentare indicate nel paragrafo 'Diarrea del viaggiatore'.

GIARDIASI

Infezione intestinale causata da un parassita (*Giardia intestinalis*) normalmente trasmesso tramite cibo o acqua contaminati da feci umane o animali (è relativamente comune fra i viaggiatori).

Sintomi: dolori addominali, nausea, ventre gonfio, diarrea acquosa e maleodorante e flatulenze. La malattia può comparire diverse settimane dopo l'esposizione al parassita. I sintomi possono scomparire per alcuni giorni e poi manifestarsi di nuovo, e questa situazione può protrarsi per diverse settimane.

Diagnosi: la giardiasi è facilmente diagnosticabile con un esame delle feci.

Terapia: metronidazolo (Flagyl®), che però non dev'essere somministrato ai bambini piccoli e alle donne in gravidanza.

Prevenzione: evitare cibo e acqua potenzialmente contaminati da feci umane o animali. Se non si lavano bene le mani, l'infezione può essere trasmessa anche da persona a persona.

Epatite virale A

Questa malattia, dopo la diarrea del viaggiatore, è l'affezione che si contrae più facilmente viaggiando.

Sintomi: ittero (colorazione gialla della cute e degli occhi), nausea, a volte febbre; può provocare un lungo periodo di astenia con tempi di recupero molto lenti.

Diagnosi: esami di laboratorio.

Terapia: non esiste una terapia specifica.

Prevenzione: vaccinazione e profilassi comportamentale (evitare cibi e acqua potenzialmente contaminati, in particolare i molluschi). La vaccinazione consiste in due dosi iniettate a distanza di 6-12 mesi una dall'altra ed è consigliata ai viaggiatori in area tropicale; la prima dose fornisce già una buona protezione, ma il richiamo conferisce un'immunità duratura (30 anni almeno).

Febbre Chikungunya

Questa infezione virale, trasmessa dalle zanzare, è comparsa sulle coste della Colombia nel 2014 come parte dell'epidemia che ha colpito tutto il Centro e il Sud America.

Sintomi: dolori improvvisi alle articolazioni, febbre, mal di testa, nausea e prurito. Spesso causa un'eruzione cutanea. Raramente è fatale, anche se il dolore alle articolazioni può durare per settimane o mesi.

Diagnosi: esame del sangue specifico.

Terapia: non esiste un trattamento antivirale, ma possono essere necessari farmaci sintomatici per la febbre e i dolori articolari.

Prevenzione: attualmente non esiste alcun vaccino. Adottare tutte le precauzioni al fine di evitare le punture di zanzara.

Febbre gialla

La malattia è trasmessa dal soggetto malato alla persona sana tramite la puntura di una zanzara (la *Aedes* in Africa e la *Haemagogus* in Sud America). Ha un periodo di incubazione di tre-sei giorni. È una malattia rara ma spesso grave, con alta mortalità. In Colombia il rischio si manifesta nelle aree boscose, in particolare nel Parque Nacional Natural Tayrona e Ciudad Perdida. La vaccinazione contro la febbre gialla è raccomandata a tutti coloro che intendono visitare i parchi nazionali lungo la zona costiera.

Sintomi: febbre alta, nausea, vomito, colorazione gialla della cute ed emorragie.

Diagnosi: la diagnosi viene fatta in ospedale in base ai sintomi e alle ricerche del virus.

Terapia: non vi è una terapia specifica, ma solo misure di supporto.

Prevenzione: la vaccinazione è efficace e assicura protezione per tutta la vita; all'ingresso in alcuni dei paesi in cui la malattia è diffusa, o se si proviene da essi, può venirne richiesta documentazione (certificato di vaccinazione internazionale) o bisogna mostrare un certificato di esenzione. Per l'elenco completo dei paesi in cui è presente la febbre gialla, visitate il sito web della **World Health Organization** (Organizzazione Mondiale della Sanità, www.who.int/ith/en/) o quello dei **Centers for Disease Control & Prevention** (www.cdc.gov/travel/blusheet.htm). Inoltre, proteggetevi dalle punture di zanzare.

Febbre tifoide

La febbre tifoide è una malattia infettiva generalizzata di origine batterica trasmessa da cibo o acqua contaminati da feci umane. Se non curata può causare complicazioni a livello intestinale.

Sintomi: di solito il primo sintomo è la febbre oppure un'eruzione cutanea di colore rosa sull'addome.

Diagnosi: esame del sangue o delle feci.

Terapia: uso di antibiotici e ricovero ospedaliero.

Prevenzione: vaccinazione, raccomandata a tutti i viaggiatori che hanno in programma un soggiorno in Colombia. Esistono due vaccini di efficacia paragonabile: uno per via orale, composto da tre capsule da assumere a giorni alterni, e uno per via intramuscolare, iniettabile in una sola dose. Entrambi hanno validità triennale. Utile osservare anche tutte le regole di igiene alimentare.

HIV/AIDS

In Colombia è trasmesso principalmente per via eterosessuale, e le stime ufficiali ne indicano una prevalenza dello 0,6% nella popolazione adulta.

Come si trasmette: il virus HIV si trasmette attraverso il sangue e gli emoderivati infetti, e da una madre infetta ai propri figli durante la gravidanza e il parto, ma anche mediante scambi di sangue attraverso aghi o strumenti infetti durante cure mediche o dentistiche, l'agopuntura, le iniezioni endovena, i tatuaggi e i piercing. La via di trasmissione più frequente è costituita dai rapporti sessuali; il rischio di infezione è proporzionale, oltre che alla diffusione dell'infezione nel paese visitato (massima in Africa e Caraibi), al numero di rapporti, di partner diversi e di partner sconosciuti, al contatto con partner promiscui (in particolare le prostitute) e alla presenza nel partner di altre malattie a trasmissione sessuale.

Diagnosi: un esame del sangue permette di fare la diagnosi. È consigliato, anche in assenza di sintomi, se si sono avuti comportamenti a rischio.

Terapia: se il test risulta positivo è necessario rivolgersi a un centro specializzato, per valutare l'opportunità di un trattamento.

Prevenzione: la prevenzione del contagio per via sessuale è basata sull'uso di sistemi di barriera (profilattici) durante tutti i rapporti sessuali a rischio, completi e incompleti. Ci si protegge inoltre evitando tutti gli altri comportamenti a rischio sopra elencati.

Malaria

La malaria è causata da un parassita del sangue chiamato *plasmodio*. È l'infezione tropicale più diffusa nel mondo e può essere una malattia grave, in particolare quando assume la forma di malaria cerebrale, gravata anche da una certa mortalità. La malaria viene trasmessa da certe specie di zanzare (*anofeline*): soltanto gli insetti di sesso femminile possono trasmetterla, ma basta la puntura di un solo insetto portatore del parassita per contrarla. Le punture si verificano in prevalenza fra il tramonto e l'alba.

Il rischio di malaria è più elevato al di sotto degli 800 m di quota, nei dipartimenti di Amazonas, Chocó, Córdoba, Guainía, Guaviare, Putumayo e Vichada e, in generale, nelle aree lungo la costa del Pacifico. Nelle città più grandi non vi è il rischio di contrarla. Prima di partire rivolgetevi a un medico esperto di medicina dei viaggi per discutere l'opportunità di una profilassi e l'eventuale dosaggio adatto a voi.

SINTOMI E DIAGNOSI

Il principale sintomo della malaria è la febbre, cui possono associarsi sintomi generali come brividi, mal di testa, diarrea e tosse. La diagnosi può essere effettuata solo mediante un prelievo di sangue, seguito dall'osservazione del parassita al microscopio.

Chiunque abbia febbre durante un soggiorno in Colombia o nelle quattro settimane successive alla partenza da questo paese, anche avendo assunto farmaci antimalarici, dovrebbe prendere in considerazione l'ipotesi di aver contratto l'infezione, finché l'esame del sangue non ha dato esito negativo. Se la malattia non viene curata, può andare incontro a rapido aggravamento, soprattutto se il soggetto è stato colpito dal *Plasmodium falciparum*; segni di complicazioni possono essere itterizia e perdita di conoscenza fino al coma (si tratta allora di malaria cerebrale) o addirittura alla morte. È necessario un ricovero ospedaliero, ma nelle forme gravi la percentuale di decessi continua ad aggirarsi intorno al 10% anche nelle strutture che forniscono le cure migliori.

PREVENZIONE DELLA MALARIA

La prevenzione della malaria dovrebbe fondarsi su due strategie: proteggetevi dalle punture di zanzara e degli insetti in generale e sottoporsi a chemioprofilassi con farmaci antimalarici, se indicato. Prima di partire è essenziale consultare il servizio di Medicina dei Viaggi dell'ASL competente, che provvederà a valutare la necessità di una profilassi farmacologica e a prescrivere i farmaci e i dosaggi adeguati sia per gli adulti sia per i bambini. Ecco alcuni consigli utili per evitare le punture di zanzara:

- Applicate repellenti sulla pelle scoperta. Molto efficaci sono quelli a base di dietiltoluamide o DEET (OFF! Active® 15% di DEET), anche se da usare con cautela perché in alta quantità potrebbero essere tossici per i bambini. Ugualmente indicati sono quelli contenenti KBR/icaridina, ad alta concentrazione (Autan Protection Plus® 16% di KBR), anch'essi controindicati per i bambini piccoli.
- Dormite sotto una zanzariera, meglio se impregnata di permetrina (Biokill®).
- Scegliete una camera dotata di zanzariere e, in mancanza di aria condizionata, ventilatori.
- Spruzzate permetrina sugli abiti.
- Indossate abiti con maniche lunghe e pantaloni lunghi in colori chiari.
- Usate serpentine antizanzare.

CHEMIOPROFILASSI ANTIMALARICA

La chemioprofilassi consiste nell'assumere farmaci antimalarici per tutto il periodo di esposizione al rischio di infezione, in modo tale da impedire il manifestarsi della malattia se si viene a contatto con il parassita. Questa profilassi ha quindi efficacia solo per il periodo di assunzione.

L'opportunità di questa misura preventiva dovrà essere discussa con uno specialista di medicina dei viaggi: per valutare se è consigliabile, per la scelta del farmaco, i relativi dosaggi, i tempi, le modalità di assunzione e le controindicazioni, e per stabilire quale regime sia preferibile nel vostro caso, rivolgetevi almeno 15 giorni prima della partenza al servizio di medicina dei viaggi della vostra ASL.

Il mercato offre una buona scelta di farmaci antimalarici. Qui di seguito viene fornito l'elenco di quelli normalmente utilizzati in chemioprofilassi.

➔ **Associazione atovaquone/proguanil** (Malarone®)
È l'antimalarico di più recente introduzione in profilassi.
È il tipo di prevenzione più indicato per quanti soggiornano per poco tempo in aree a elevato rischio malarico. Il farmaco deve essere assunto quotidianamente a partire dal giorno prima dell'ingresso nella zona a rischio, durante tutto il periodo di soggiorno e per una settimana dopo avere lasciato la zona.

➔ **Dossiciclina** (Bassado®)
Da assumersi quotidianamente, è un antibiotico ad ampio spettro efficace anche sul parassita malarico. Dopo essere partiti dalla zona a rischio è necessario proseguire l'assunzione del farmaco per altre quattro settimane. Può causare una reazione allergica in caso di esposizione al sole ed è controindicato per i bambini e le donne in gravidanza.

➔ **Meflochina** (Lariam®)
È il farmaco che è stato maggiormente utilizzato; deve essere assunto in dosi di una compressa una volta alla settimana, iniziando il trattamento con almeno due dosi prima della partenza e continuandolo per tutta la durata del viaggio e per altre quattro settimane dopo il rientro. Gli effetti collaterali sono abbastanza rari e sono costituiti prevalentemente da sintomi neuropsichici, quali ansia, insonnia e vertigini. La meflochina è sconsigliata alle donne al primo trimestre di gravidanza, nei bambini al di sotto dei 5 kg di peso, in coloro che fanno immersioni subacquee e in coloro che fanno lavori di concentrazione, quali per esempio i piloti di aereo.

TRATTAMENTO PRESUNTIVO DI EMERGENZA

Nei casi in cui il medico del Centro di Medicina dei Viaggi valuti che il rischio di tossicità da farmaci è superiore al rischio di contrarre la malaria, si può decidere di non seguire alcuna misura di chemioprofilassi, limitandosi a portare una scorta di farmaci di emergenza, soprattutto se ci si reca in regioni remote. Questi farmaci sono da utilizzarsi nel caso in cui si manifestino i sintomi della malattia, cioè febbre superiore a 38°C senza altra causa nota e solo se siete opportunamente informati sulle caratteristiche della malaria e sul corretto utilizzo dei medicinali. I kit per l'autodiagnosi, che possono identificare la malaria con un semplice prelievo di sangue da un dito, sono disponibili ma richiedono un certo addestramento all'uso. Il trattamento dev'essere iniziato solo in caso non sia disponibile assistenza medica entro 24 ore e va considerato come misura di emergenza con il solo scopo di non rischiare la vita del paziente: non è un'automedicazione di routine. I farmaci usati in questo caso sono l'associazione di atovaquone e proguanil (Malarone®) o di artemisinina e piperachina (Eurartesim®), o ancora di artemether e lumefantrina (Coartem® o Riamet®): la scelta e la posologia vanno affidate al medico specialista. Se avete fatto ricorso a un'automedicazione di emergenza, rivolgetevi il prima possibile a un medico per avere conferma che la terapia sia stata efficace e che non siano necessari altri interventi.

Se dopo il rientro a casa e nei primi mesi successivi accusate un attacco febbrile, consultate immediatamente un medico, facendo menzione del viaggio fatto.

Malattia di Chagas

Malattia parassitaria presente nelle zone rurali isolate del Centro e Sud America, viene trasmessa da una piccola cimice che si nasconde nelle fessure dei muri, nei tetti di stoppie delle capanne di fango e nelle fronde delle palme. L'insetto colpisce di notte, e dopo una settimana compare una vescica dura e di colore viola. La malattia di Chagas dev'essere curata non appena si manifesta, perché le infezioni trascurate possono portare a gravi complicazioni, anche fatali nel giro di qualche anno. In Colombia il rischio è presente nelle aree rurali al di sotto dei 2500 m nei seguenti dipartimenti: Boyacà, Caquetà, Cesar, Cundinamarca, Guajira, Huila, Magdalena, Meta, Norte de Santander, Santander del Sur, Tolima, Valle de Cauca.

Sintomi: in fase acuta febbre elevata, tachicardia, ingrossamento dei linfonodi, anemia.

Diagnosi: esame del sangue specifico.

Terapia: antiparassitari specifici, da usare sotto controllo medico in ospedale.

Prevenzione: attualmente non esiste vaccino. La prevenzione consiste nell'adottare tutte le precauzioni al fine di evitare le punture di insetti.

Malattie sessualmente trasmissibili

Le malattie di questo tipo più diffuse sono l'herpes, i condilomi, la sifilide, la gonorrea e la clamidia, oltre all'infezione da HIV e all'epatite virale B (unica malattia a trasmissione sessuale per la quale esiste un vaccino efficace). Se durante il viaggio avete avuto rapporti sessuali, specie se non protetti, al ritorno a casa sottoponetevi comunque a esami specifici per la ricerca di eventuali malattie a trasmissione sessuale.

Sintomi: spesso le persone affette da queste malattie non mostrano alcun segno dell'infezione. I sintomi, quando presenti, sono specifici per ciascuna di esse e comprendono: eruzioni cutanee, gonfiori, perdite o dolore nell'urinare.

Diagnosi: normalmente la diagnosi viene fatta in base ai sintomi e ai segni obiettivi, ma talora sono necessari esami del sangue o delle secrezioni.

Terapia: ogni infezione ha la sua terapia. Per le forme virali (a eccezione dell'herpes) non sono disponibili farmaci specifici. I condilomi si curano con la chirurgia.

Prevenzione: comportamento sessuale responsabile: informazione, attenzione nelle pratiche sessuali con partner occasionali, uso di sistemi di barriera (profilattici).

Rabbia

La rabbia è un'infezione virale che colpisce il cervello e il midollo spinale ed è praticamente sempre fatale. Il virus della rabbia è trasmesso dalla saliva di animali infetti solitamente tramite il morso o più raramente attraverso abrasioni della pelle. Qualsiasi morso o graffio da parte di un animale deve essere pulito immediatamente e a fondo con abbondante acqua e sapone. Se poi esiste anche la minima possibilità che l'animale sia infetto, è necessario contattare le autorità sanitarie per verificare se occorre un ulteriore trattamento. In passato sono stati segnalati una ventina di casi di rabbia, tutti mortali, causati da morsi di pipistrelli a Birrinchao, lungo il fiume Purricha nella regione di Chocó, ma da allora non ci sono state ulteriori segnalazioni.

Sintomi: i sintomi iniziali sono quelli di una malattia virale aspecifica; seguono alterazioni cognitive, alterazioni della sensibilità e dolore nella sede della morsicatura, e successivamente segni neurologici di encefalite.

Diagnosi: per la diagnosi bisogna ricorrere all'ospedale.

Terapia: immunoglobuline specifiche, trattamento in terapia intensiva.

Prevenzione: vaccinazione preventiva (tre iniezioni, praticate nell'arco di un mese), più sicura del trattamento post-esposizione. Chi non si fosse sottoposto alla vaccinazione preventiva e sia stato morso da un animale sospetto, necessita di quattro iniezioni, la prima delle quali da praticare entro 24 ore dal morso o quanto prima, oltre alla somministrazione delle immunoglobuline specifiche e alla detersione accurata della ferita. In caso di morso o graffio da parte di un animale sospetto, anche le persone vaccinate si devono sottoporre a due ulteriori richiami.

Scabbia

La scabbia è una malattia infettiva provocata da minuscoli acari che vivono nella pelle, in particolare fra le dita, e causa un'eruzione cutanea molto pruriginosa.

Sintomi: prurito intenso.

Diagnosi: viene fatta mediante l'osservazione delle caratteristiche lesioni sulla pelle.

Terapia: consiste nell'applicazione di una lozione acaricida (Nix®, Mitigal®). Bisogna medicare tutto il corpo dopo aver fatto un bagno caldo (spesso sono necessari due trattamenti in 48 ore). L'igiene personale è fondamentale per sterminare gli acari. Durante la cura, dovete lavare tutti i vostri abiti e le lenzuola in acqua bollente (non dimenticate di disinfettare anche la valigia e qualsiasi altro oggetto dove potrebbero essersi annidati gli acari).

Prevenzione: igiene della persona e dell'ambiente.

Tifo esantematico o petecchiale

Questo tipo di tifo, detto anche endemico, è trasmesso dalle zecche, dagli acari e dai pidocchi, ma è molto raro tra i viaggiatori.

Sintomi: febbre, dolori muscolari, esantema.

Diagnosi: viene fatta tramite un esame del sangue.

Terapia: antibiotici, somministrati sotto controllo medico.

Prevenzione: proteggetevi dalle punture dei vettori della malattia mentre camminate nella macchia boschiva e controllare la presenza di eventuali punture dopo aver attraversato aree forestali.

Zika virus

Si tratta di un'infezione virale che si è diffusa in buona parte dell'America Latina a partire dal 2014 e in Colombia nel 2016. Viene trasmessa normalmente dalle zanzare del genere *Aedes*, che si riproducono soprattutto all'interno di raccolte d'acqua anche piccole, per esempio vasche, barili, latte, contenitori di metallo e di plastica e pneumatici abbandonati, ma può essere trasmessa anche per via sessuale. Pur non trattandosi in genere di una malattia grave, suscita preoccupazione perché può provocare malformazioni nel feto di donne che la contraggono durante la gravidanza e rare complicazioni neurologiche nell'adulto infettato.

Sintomi: febbre, eruzione cutanea, dolori muscolari e alle articolazioni, congiuntivite. Nella maggior parte dei casi i sintomi si risolvono da soli nel giro di qualche giorno.

Diagnosi: può essere fatta tramite un esame del sangue.

Terapia: non esistono cure specifiche, ma è utile il trattamento sintomatico con antinfiammatori.

Prevenzione: non esiste un vaccino e l'unica prevenzione è quella di evitare di farsi pungere dalle zanzare, ricordandosi che la *Aedes* punge soprattutto di giorno. A oggi il viaggio in aree di diffusione di questa infezione è sconsigliato alle donne in gravidanza.

Rischi ambientali

Acqua

➡ L'acqua del rubinetto a Bogotá e in altre grandi città è in genere considerata sicura da bere, ma se volete essere particolarmente prudenti, in particolare se siete in gravidanza, evitatela, privilegiando l'acqua in bottiglia. Per maggior tranquillità leggete i suggerimenti che seguono:

➡ L'acqua in bottiglia è generalmente sicura – all'acquisto verificate che la confezione sia ben sigillata.

➡ Evitate il ghiaccio.

➡ Evitate le spremute fresche – possono essere state diluite con acqua del rubinetto.

➡ Il modo migliore per sterilizzare l'acqua è farla bollire per almeno un minuto (3 min oltre i 2000 m).

➡ Le soluzioni iodate sono la sostanza chimica migliore per la purificazione dell'acqua ma ne è sconsigliato l'uso in gravidanza e alle persone con problemi alla tiroide; in alternativa si può utilizzare il cloro.

➡ Anche i filtri per l'acqua risultano efficaci nel tenere lontani i microbi. Assicuratevi che il vostro filtro sia dotato di una barriera chimica come lo iodio e abbia pori di dimensioni inferiori a 4 micron.

Calore

Cercate di non strafare appena arrivati. Piedi e caviglie gonfi sono disturbi frequenti, come i crampi muscolari provocati dalla sudorazione eccessiva. Potete prevenire questi disturbi evitando la disidratazione e un'eccessiva attività al caldo. Bevete soluzioni reidratanti e mangiate cibi salati.

➡ **Collasso da calore** La disidratazione è la causa principale del collasso da calore, i cui principali sintomi sono emicrania, capogiri e spossatezza. Nel momento in cui si avverte lo stimolo della sete, la disidratazione è già in atto: cercate di bere molta acqua in modo tale da produrre un'urina chiara e limpida. In caso di collasso da calore occorre reintegrare i liquidi persi con acqua e/o succhi di frutta. Le compresse di sali minerali reperibili in commercio possono essere di aiuto. È altrettanto importante riequilibrare la temperatura corporea con acqua fredda e ventilatori. La prevenzione consiste nell'evitare di compiere attività motoria nelle ore più calde in zone a elevata umidità ambientale.

➡ **Colpo di calore** Il collasso da calore è il precursore del più serio colpo di calore: in questo caso viene colpito il meccanismo della sudorazione, con un eccessivo innalzamento della temperatura corporea, comportamento irrazionale e convulsioni, ed eventualmente anche perdita di conoscenza e morte, per cui è essenziale il ricovero in ospedale. L'intervento d'urgenza consiste nello spostare all'ombra la persona colpita, coprirla con un lenzuolo e un asciugamano umido e farle vento continuamente. Se possibile, è consigliabile ricorrere con urgenza a fleboclisi di soluzioni elettrolitiche per reintegrare i liquidi perduti.

➡ **Miliaria rubra** La miliaria rubra è un'eruzione cutanea accompagnata da prurito, provocata dal sudore, che rimane sotto la pelle a causa di una sudorazione eccessiva. Solitamente colpisce le persone che sono appena arrivate in un clima caldo quando i pori non si sono ancora dilatati a sufficienza per far fronte alla maggiore sudorazione. Bagni frequenti e un talco mentolato possono alleviare il prurito. Se possibile è bene fare ricorso all'aria condizionata.

Cibo

La contaminazione del cibo da parte di microbi è un fatto possibile, e può essere causata dall'uomo (personale di cucina), dagli insetti (mosche) o dall'ambiente (terra e acqua). Inoltre la crescita batterica, favorita dal clima caldo, è rapida nel cibo anche dopo la preparazione. Sono pertanto necessarie alcune precauzioni per evitare l'ingestione di microbi che potrebbero causare dei disturbi.

➡ Mangiate solo carne e pesce ben cotti e cotti di recente, mai riscaldati.

➡ Mangiate frutta e verdura cotte o sbucciate personalmente; comunque lavatene la superficie prima di sbucciarle.

➡ Il cibo poco manipolato è più sicuro.

➡ Le uova, ben cotte, devono essere servite nel guscio.

➡ Scegliete latticini provenienti dalla grande distribuzione o latte bollito.

➡ Ponete attenzione al cibo venduto dalle bancarelle, se non caldo e ben cotto.

➡ Evitate cibo lasciato lungo tempo a temperatura ambiente (diffidare dei buffet).

➡ Ponete attenzione all'igiene delle mani e delle stoviglie.

➡ I pasti consumati al ristorante sono meno sicuri di quelli in case private.

➡ Immersioni

➡ Le persone che hanno intenzione di fare immersioni e surf prima della partenza dovrebbero consultare un medico specializzato per essere sicure di mettere in valigia i farmaci e i dispositivi medici adeguati per la cura di ferite e graffi causati da coralli e delle infezioni che possono colpire l'apparato uditivo.

➡ I sub devono verificare che la loro assicurazione li copra nell'eventualità che vengano colpiti da embolia; è possibile stipulare una polizza specifica tramite un'organizzazione come **Divers Alert Network** (DAN; Divers Alert Network Europe P.O. BOX DAN, Roseto degli Abruzzi; informazioni nazionali ☎085 893 0333; emergenze nazionali ☎800-279 802; emergenze internazionali ☎06 4211 8685; www.daneu rope.org).

➡ Prima della partenza sottoponetevi a una visita

CONSIGLI PER IMMERSIONI SICURE

Prima di cimentarvi in un'immersione subacquea, in una discesa in apnea o in un'uscita di snorkelling, prestate attenzione ai suggerimenti che seguono, che vi aiuteranno a rendere l'esperienza sicura e piacevole.

➡ Se fate immersioni è bene che siate in possesso di un brevetto valido, rilasciato da una scuola riconosciuta.

➡ Se non disponete dell'attrezzatura, prima di decidere quali articoli noleggiare chiedete di vedere il negozio e assicuratevi di trovarvi a vostro agio con il dive master: dopo tutto, è in gioco la vostra vita.

➡ Raccogliete informazioni da fonti attendibili sulle caratteristiche fisiche e ambientali del sito prescelto, rivolgendovi a un operatore locale del settore, e chiedete come si comportano i sub esperti del posto per le immersioni che avete in programma.

➡ Informatevi sulle leggi, i regolamenti e le norme di comportamento in uso localmente in materia di habitat e di flora e fauna sottomarina.

➡ Immergetevi solo in siti alla vostra portata; se possibile, ingaggiate un istruttore o un dive master competente e professionista.

➡ Assicuratevi che il diving center al quale vi rivolgete sia in possesso della certificazione aggiornata **PADI** (www.padi.com) e **NAUI** (www.naui.org).

➡ Informatevi sull'ubicazione delle più vicine camere di decompressione e annotatevi i numeri telefonici di emergenza.

di idoneità effettuata da un medico specialista. Determinati disturbi e patologie sono incompatibili con le immersioni, ma per i diving center meno seri il guadagno viene prima della sicurezza dei propri clienti.

➡ Ricordate inoltre che dopo un'immersione è necessario attendere un tempo adeguato prima di affrontare un volo aereo.

Infezioni cutanee

➡ Nei climi umidi si è facilmente soggetti alle infezioni micotiche.

➡ In particolare, i viaggiatori sono esposti a due tipi di funghi.

➡ Il primo (*tinea corporis*) può interessare le regioni corporee poco esposte all'aria, come inguine, ascelle e la pelle tra le dita dei piedi. Inizialmente si nota una chiazza rossa che si allarga lentamente e che di solito è accompagnata da prurito. Per combattere questo tipo di fungo occorre mantenere la cute asciutta, evitare gli indumenti stretti e applicare polveri antimicotiche, come il tolnaftato (Tinaderm®), il miconazolo (Daktarin®) o l'econazolo (Pevaryl®).

➡ La *tinea versicolor*, invece, si manifesta con piccole chiazze chiare che compaiono quasi sempre sulla schiena, sul torace e sulle spalle. In questo caso rivolgetevi a un medico.

➡ Dal momento che i tagli e i graffi si infettano facilmente nei climi umidi, è necessario medicare con cura qualsiasi ferita al fine di prevenire complicazioni: lavatela immediatamente con acqua pulita e disinfettatela con una soluzione antisettica o mercurocromo.

➡ In caso di infezione, che si manifesta con una sensazione di dolore crescente e arrossamento, non esitate a rivolgervi a un medico.

➡

MALATTIA DA DECOMPRESSIONE

➡ Si tratta di una condizione molto grave – di solito, ma non sempre, associata a un errore nell'immersione. I sintomi più comuni sono un insolito senso di fatica o di debolezza, prurito, dolore alle braccia, alle gambe o al torso, capogiri e vertigini, torpore, formicolio o paralisi e respiro corto. Tra gli altri segnali figurano anche un rash a chiazze, mancanza di equilibrio, spasmi di tosse, collasso o perdita dei sensi.

➡ Le cause più comuni della malattia da decompressione (o 'the bends' in inglese) sono le immersioni troppo in profondità, trattenendosi sott'acqua più tempo di quanto consentito, o una risalita troppo rapida. La conseguenza è l'eccessiva quantità di azoto nel sangue e la formazione di bolle, soprattutto nelle ossa e in particolare nelle articolazioni o in punti deboli come eventuali fratture rimarginate.

➡ L'unico trattamento per la malattia da decompressione è ricorrere alla camera iperbarica in modo da riassorbire le bolle di azoto.

Mal di montagna

➡ La mancanza di ossigeno ad altitudini oltre i 2500 m può provocare disturbi più o meno seri nella maggior parte delle persone, e tra queste sono da considerare coloro che raggiungono direttamente in aereo Bogotá, ma il mal di montagna vero e proprio si verifica normalmente a 3000-4000 m di quota ed è influenzato dalla rapidità dell'ascesa, dal grado di allenamento, dal dormire ad alta quota e da eventuali malattie preesistenti.

➡ In genere, i sintomi del mal di montagna si sviluppano durante le prime 24 ore trascorse in quota, ma possono manifestarsi anche successivamente, fino a un massimo di tre settimane dopo. Tra i sintomi più lievi si segnalano emicrania, letargia, capogiri, disturbi del sonno e mancanza di appetito. Quelli più gravi comprendono: affanno, tosse secca e irritativa (seguita da espettorato spumoso e rosato), forte cefalea, mancanza di coordinazione e di equilibrio, stato confusionale o di incoscienza, vomito, comportamento irrazionale e sonnolenza.

➡ Potete contrastare i sintomi più lievi riposandovi alla stessa altitudine finché il malessere non scompare, di solito entro uno o due giorni. Per combattere il mal di testa si possono prendere il paracetamolo o l'aspirina. Tuttavia, se i sintomi persistono o peggiorano è necessario discendere immediatamente; può giovare scendere anche di appena 500 m.

PREVENIRE IL MAL DI MONTAGNA

➡ Ponete attenzione a un'accurata acclimatazione: salite lentamente e concedetevi molti giorni di riposo, se possibile fermatevi ogni 1000 m di dislivello e seguite comunque la regola generale di non salire per oltre 600 m al giorno dopo aver superato i 2500 m di quota.

➡ Se è possibile, dormite a un'altitudine inferiore rispetto a quella massima raggiunta durante la giornata.

➡ Bevete molti liquidi e monitorate l'idratazione assicurandovi che l'urina sia limpida e abbondante.

➡ Consumate pasti leggeri e ricchi di carboidrati per immagazzinare più energie.

➡ Evitate le bevande alcoliche, i sedativi e il tabacco.

➡ La prevenzione del mal di montagna è inoltre basata, nelle spedizioni in alta quota, sull'uso di acetazolamide (Diamox®), da assumersi sotto diretto controllo medico.

Morsi di animali

➡ Evitate di toccare o di dar da mangiare ad animali, fatta eccezione per quelli domestici, avendo cura di accertarvi presso i padroni che non siano portatori di malattie infettive.

➡ In genere, le malattie trasmesse dagli animali sono una diretta conseguenza di comportamenti a rischio da parte dell'uomo.

➡ Qualsiasi morso o graffio da parte di un mammifero, compresi i pipistrelli, dovrebbe essere pulito prontamente e a fondo con abbondante acqua e sapone, avendo cura di applicare sulla parte interessata una soluzione antisettica come iodio o alcol. Bisognerebbe contattare immediatamente le autorità sanitarie locali per la somministrazione della profilassi post-esposizione contro la rabbia, anche se si è già stati vaccinati.

➡ Inoltre, sarà opportuno iniziare ad assumere un antibiotico, perché le ferite provocate dai morsi e dai graffi di animali si infettano facilmente.

Parassiti

➡ Le due regole fondamentali da seguire per evitare infezioni parassitarie sono indossare sempre le scarpe ed evitare di mangiare cibi crudi, soprattutto pesce, carne di maiale e verdure.

➡ Alcuni parassiti, tra cui lo *Strongyloides*, l'*Ancylostoma* e la *larva migrans cutanea*, penetrano attraverso la pelle e perciò si possono contrarre infezioni camminando a piedi scalzi.

Punture di insetti

➡ **Zanzare** Per prevenire le punture di zanzara v. Malaria.

➡ **Zecche** Lontano dalle aree urbane rappresentano sempre un rischio. Vanno rimosse con le pinzette, afferrandole per la testa e tirando delicatamente verso l'alto; evitate di afferrarle per la parte posteriore del corpo, altrimenti il contenuto dell'intestino potrebbe riversarsi nella vostra pelle, aumentando il rischio di infezione. Cospargere la zona colpita con sostanze chimiche è sconsigliato e non serve ad allontanare le zecche.

Scottature

Il sole rappresenta sempre un rischio: l'esposizione al sole può far consumare i fluidi corporei molto più rapidamente di quanto si possa immaginare e causare dolorose scottature, due prospettive tutt'altro che piacevoli. Ecco qualche consiglio per prevenire un'eccessiva esposizione al sole:

➡ Usate una crema solare ad alto fattore di protezione (SPF 30) e applicatela nuovamente dopo aver fatto il bagno. Fate molta attenzione a coprire le zone che normalmente non sono esposte al sole, per esempio i piedi.

➡ Indossate sempre un abbigliamento adeguato, un cappello a tesa larga e occhiali da sole di buona qualità.

➡ Evitate di prendere il sole durante le ore più calde (dalle 10 alle 16).

➡ Nei momenti di pausa di un'escursione sedetevi all'ombra.

➡ In caso di scottature, state all'ombra fino a quando il disturbo non è passato, applicate compresse fresche sulla parte dolorante e, se necessario, prendete un antidolorifico.

➡ Può essere efficace anche applicare due volte al giorno una crema di idrocortisone all'1%.

Serpenti

- Date per scontato che i serpenti siano tutti velenosi e non cercate mai di prenderli. Se attraversate a piedi aree note per la presenza di serpenti indossate scarponi e pantaloni lunghi.
- Se venite morsi da un serpente, non lasciatevi prendere dal panico. Immobilizzate l'arto colpito steccandolo e bendandolo – esercitando una forte pressione – come per una frattura.
- L'uso del laccio emostatico e la suzione del veleno sono pratiche ormai sconsigliate.
- Anche l'uso di sieri antiofidici può essere più pericoloso che benefico.
- Cercate subito l'aiuto di un medico e rimanete sotto osservazione.

Salute femminile

Articoli sanitari Nelle zone urbane della Colombia si trovano facilmente tutti gli articoli sanitari.

Candidosi vaginale Caldo, umidità e antibiotici possono contribuire all'insorgenza di questo disturbo, che si cura con creme oppure ovuli antimicotici, sul genere del clotrimazolo (Gyno-Canesten®). In alternativa si può assumere un'unica compressa di fluconazolo (Diflucan®).

Controllo delle nascite La disponibilità di anticoncezionali può essere limitata, pertanto è preferibile portare con sé una scorta del proprio metodo contraccettivo.

Gravidanza Normalmente è possibile viaggiare durante la gravidanza, tenendo presenti alcune precauzioni importanti.

- Prima di partire sarebbe meglio farsi visitare accuratamente. Il periodo migliore per mettersi in viaggio è quello tra la 16ª e la 28ª settimana, quando il rischio di problemi collegati alla gravidanza è minimo e le donne si sentono generalmente bene. I periodi più rischiosi per viaggiare sono le prime 12 settimane della gravidanza, quando maggiore è il pericolo di aborto, e le settimane successive alla 30ª, quando potrebbe verificarsi un innalzamento della pressione arteriosa con il conseguente rischio di parto prematuro. La maggior parte delle compagnie aeree non accetta a bordo le passeggere oltre la 38ª settimana ed effettivamente nelle ultime settimane di gravidanza i voli a lungo raggio possono essere molto faticosi. Prendete nota di alcune informazioni importanti, come il gruppo sanguigno, che potranno esservi utili qualora doveste essere sottoposte a trattamento sanitario mentre vi trovate all'estero.
- Controllate che la polizza di viaggio copra anche le spese per un eventuale parto e l'assistenza postnatale, ma ricordate sempre che un'assicurazione non può fare molto nei paesi dove le strutture sanitarie sono carenti.
- Evitate di viaggiare in zone rurali in cui trasporti e assistenza sanitaria siano carenti.
- La malaria è una malattia ad alto rischio di gravità in caso di gravidanza e nessun farmaco antimalarico assicura una protezione totale. L'Organizzazione Mondiale della Sanità raccomanda alle donne in stato di gravidanza di non mettersi in viaggio verso zone in cui la malaria sia resistente alla clorochina.
- La diarrea del viaggiatore può portare velocemente alla disidratazione e causare un inadeguato flusso di sangue alla placenta. Gran parte dei farmaci utilizzati per curare i diversi tipi di diarrea sono sconsigliati in gravidanza; l'unico considerato sicuro è l'azitromicina.
- Per quanto non si abbiano informazioni certe sugli eventuali effetti nocivi dell'altitudine sul feto, molti medici raccomandano di non viaggiare al di sopra dei 4000 m durante la gravidanza.

Infezioni delle vie urinarie Possono essere aggravate dalla disidratazione o da lunghi viaggi in autobus senza soste; bevete molto e portatevi un antibiotico per curarle (ciprofloxacina-Ciproxin®).

Viaggiare con i bambini

Tutti coloro che viaggiano con bambini dovrebbero avere qualche nozione su come curare i disturbi di minore entità, e anche sapere a chi rivolgersi per i trattamenti sanitari.

Animali Spiegate ai bambini che non devono avvicinarsi a cani o altri mammiferi, i cui morsi possono provocare la rabbia o altre malattie. Qualunque morso, graffio o leccatura di un animale dovrebbe essere immediatamente pulito a fondo; se c'è la possibilità che l'animale sia infetto dalla rabbia, rivolgetevi immediatamente a un medico.

Cibo e acqua Ricordate di evitare cibo e acqua a rischio di contaminazione. In caso di attacchi di vomito o diarrea, è particolarmente importante provvedere a reintegrare accuratamente i liquidi e i sali perduti. Potrebbe essere utile portare con sé delle sostanze per preparare soluzioni reidratanti da sciogliere nell'acqua dopo averla fatta bollire.

Farmaci I repellenti per insetti devono essere applicati in concentrazioni e quantità ridotte. Per qualunque farmaco assicuratevi che non sia controindicato per i bambini.

Problemi cutanei Nei climi caldi e umidi, qualunque ferita o irritazione della pelle può provocare un'infezione, perciò la parte colpita dovrebbe essere tenuta asciutta e pulita.

Vaccinazioni Controllate le vaccinazioni di routine e valutate la possibilità di effettuarne altre, considerato il fatto che alcuni vaccini non si possono somministrare ai bambini sotto l'anno di età.

Guida linguistica

Lo spagnolo è la lingua ufficiale della Colombia. La pronuncia dello spagnolo non presenta particolari difficoltà, in quanto molti suoni sono simili a quelli dell'italiano e quasi tutte le parole si leggono come si scrivono.

Queste le principali differenze di pronuncia dello spagnolo parlato in America Latina rispetto all'italiano: la g – quando seguita dalle lettere 'e' e 'i' – e la j hanno un suono gutturale, come una 'h' dura e aspirata; le consonanti v e b sono simili alle equivalenti italiane, ma più dolci (una via di mezzo tra la 'v' e la 'b'); la c – quando seguita da 'e' e 'i' – e la z si pronunciano 's' come in 'sera'; il gruppo ch si pronuncia come la c di 'cena'; ñ si pronuncia 'gn'; le sillabe qui e que si pronunciano 'chi' e 'che', gui e gue 'ghi' e 'ghe' (a meno che la 'u' abbia la dieresi). Esistono poi alcune differenze nelle diverse zone dell'America Latina, in particolare per quanto concerne le lettere ll e y, che potrebbero essere pronunciate come 'i' in 'ieri', oppure con un suono più simile a 'gl' in 'aglio', o alla 'j' di 'garage'. In Colombia vi potrebbe capitare anche di sentirle pronunciare come 'g' di 'gelato'.

Negli esempi di questo capitolo abbiamo utilizzato la forma di cortesia; nei casi in cui è indicata anche l'alternativa informale compaiono le abbreviazioni 'form.' e 'inf'. Ove necessario, abbiamo indicato sia la forma maschile sia quella femminile, separate da una barra, come per esempio *perdido/a*.

Se volete imparare qualche espressione in più per comunicare con la gente del posto, portate in viaggio il pratico frasario Lonely Planet *Capire e farsi capire in spagnolo latinoamericano*, che fornisce una serie di frasi utili per le varie situazioni in cui si può trovare un viaggiatore, oltre a una sezione sulla grammatica, la pronuncia e un ricco dizionario. Lo potete acquistare nelle migliori librerie e sul sito shop.lonelyplanetitalia.it/frasari.

SALUTI E CONVERSAZIONI DI BASE

Salve.	*Hola.*
Arrivederci.	*Adiós.*
Come stai?	*¿Qué tal?*
Bene, grazie.	*Bien, gracias.*
Scusi.	*Perdón.*
Mi spiace.	*Lo siento.*
Per favore.	*Por favor.*
Grazie.	*Gracias.*
Prego.	*De nada.*
Sì.	*Sí.*
No.	*No.*

Mi chiamo ...
Me llamo ...

Come si chiama/ti chiami?
¿Cómo se llama Usted?
¿Cómo te llamas? (inf)

Parla/parli inglese?
¿Habla inglés?
¿Hablas inglés? (inf)

Non capisco.
Yo no entiendo.

ALLOGGIO

Vorrei una camera...	*Quisiera una habitación ...*
singola	*individual*
doppia	*doble*

Quanto costa per notte/persona?
¿Cuánto cuesta por noche/persona?

Include la prima colazione?
¿Incluye el desayuno?

campeggio	*terreno de cámping*
guesthouse	*pensión*
hotel	*hotel*

ESPRESSIONI UTILI

Ecco qualche frase utile da usare in viaggio:

Quando parte (il prossimo volo)?
¿Cuándo sale (el próximo vuelo)?

Dov'è (la stazione)?
¿Dónde está (la estación)?

Dove posso (acquistare un biglietto)?
¿Dónde puedo (comprar un billete)?

Ha (una cartina)?
¿Tiene (un mapa)?

Ci sono (i servizi igienici)?
¿Hay (servicios)?

Vorrei (un caffè).
Quisiera (un café).

Vorrei (noleggiare un'automobile).
Quisiera (alquilar un coche).

Posso (entrare)?
¿Puedo (entrar)?

Per favore, può (aiutarmi)?
¿Puede (ayudarme), por favor?

Ho bisogno (di ottenere il visto).
Necesito (obtener un visado).

ostello della gioventù	*albergue juvenil*
aria condizionata	*aire acondicionado*
bagno	*baño*
finestra	*ventana*
letto	*cama*

CIBO E BEVANDE

Posso vedere il menu, per favore?
¿Puedo ver el menú, por favor?

Che cosa mi consiglia?
¿Qué recomienda?

Era delizioso!
¡Estaba buenísimo!

Salute!
¡Salud!

Il conto, per favore.
La cuenta, por favor.

Vorrei un tavolo per ...	*Quisiera una mesa para ...*
le (otto)	*las (ocho)*
(due) persone	*(dos) personas*

Quali sono gli ingredienti?
¿Cuáles son los ingredientes?

Non mangio (carne).
No como (carne).

Sono vegetariano/a
Soy vegetariano/a

Sono vegano/a
Soy vegano/a

Sono intollerante/ allergico/a a...	*Soy intolerante/ alérgico/a a...*
arachidi	*(al) maní*
crostacei	*(las) crustáceos*
fave	*(las) habas*
frutti di mare	*(los) mariscos*
grano	*(al) trigo*
lattosio	*(la) lactosa*
noci	*(las) nueces*
pesce	*(al) pescado*
senza glutine	*sin gluten*
senza lattosio	*sin lactosa*

Parole chiave

bicchiere	*vaso*
bottiglia	*botella*
caldo	*caliente*
cena	*cena*
coltello	*cuchillo*
cucchiaio	*cuchara*
dessert	*postre*
forchetta	*tenedor*
freddo	*frío*
piatto	*plato*
pranzo	*comida*
prima colazione	*desayuno*
ristorante	*restaurante*

Carne e pesce

agnello	*cordero*
anatra	*pato*
aragosta	*langosta*
cacciagione	*venado*
calamari	*calamares*
capra	*cabra*
gamberi	*camarones*
granchio	*cangrejo*
maiale	*cerdo*
manzo	*carne de vaca*
montone	*carnero*
ostriche	*ostras*
pancetta	*tocino*

DOMANDE

Come?	*¿Cómo?*
Che cosa?	*¿Qué?*
Quando?	*¿Cuándo?*
Dove?	*¿Dónde?*
Chi?	*¿Quién?*
Perché?	*¿Por qué?*

pollo	*pollo*
polpo	*pulpo*
prosciutto	*jamón*
tacchino	*pavo*
vitello	*ternera*

Frutta e verdura

albicocca	*albaricoque*
ananas	*piña*
anguria	*sandía*
arancia	*naranja*
banana	*plátano*
banana *plátano*	*plátano macho*
cactus (frutto)	*tuna*
carota	*zanahoria*
cavolo	*col*
cetriolo	*pepino*
ciliegia	*cereza*
cipolla	*cebolla*
fagioli	*frijoles*
fragola	*fresa*
funghi	*champiñónes*
lattuga	*lechuga*
lenticchie	*lentejas*
mais	*maíz*
mela	*manzana*
noci	*nueces*
pannocchia	*elote*
patata	*patata*
peperone	*pimiento*
pesca	*melocotón*
piselli	*guisantes*
pomodo (rosso)	*(ji)tomate*
pompelmo	*toronja*
prugna	*ciruela*
spinaci	*espinacas*
uva	*uvas*
zucca	*calabaza*

Altro

biscotto	*galleta*
burro	*mantequilla*
formaggio	*queso*
gelato	*helado*
insalata	*ensalada*
marmellata	*mermelada*
miele	*miel*
pane	*pan*
patatine fritte	*papas fritas*
pepe	*pimienta*
riso	*arroz*
sale	*sal*
torta	*pastel*
uova (fritte)	*huevos (fritos)*
zucchero	*azúcar*
zuppa	*caldo/sopa*

Bevande

acqua (minerale)	*agua (mineral)*
birra	*cerveza*
caffè	*café*
frullato	*licuado*

NUMERI

1	*uno*
2	*dos*
3	*tres*
4	*cuatro*
5	*cinco*
6	*seis*
7	*siete*
8	*ocho*
9	*nueve*
10	*diez*
20	*veinte*
30	*treinta*
40	*cuarenta*
50	*cincuenta*
60	*sesenta*
70	*setenta*
80	*ochenta*
90	*noventa*
100	*cien*
1000	*mil*

CARTELLI

Abierto	**Aperto**
Cerrado	**Chiuso**
Entrada	**Ingresso**
Hombres/Varones	**Uomini**
Mujeres/Damas	**Donne**
Prohibido	**Vietato**
Salida	**Uscita**
Servicios/Baños	**Servizi igienici**

latte *leche*
sorbetto *nieve*
succo di frutta *zumo*
tè nero *té (negro)*
vino (rosso/bianco) *vino (tinto/blanco)*

EMERGENZE

Aiuto! *¡Socorro!*
Vattene! *¡Vete!*
Chiami ...! *¡Llame a ...!*
un medico *un médico*
la polizia *la policía*

Mi sono perso/a.
Estoy perdido/a. (m/f)

Sto male.
Estoy enfermo/a. (m/f)

Mi fa male qui.
Me duele aquí.

Sono allergico/a a (antibiotici).
Soy alérgico/a a (los antibióticos). (m/f)

Dove sono i servizi igienici?
¿Dónde están los baños?

ORA E DATA

Che ora è? *¿Qué hora es?*
Sono le (10). *Son (las diez).*
È (l'una) e mezzo. *Es (la una) y media.*

mattino *mañana*
pomeriggio *tarde*
sera *noche*
ieri *ayer*
oggi *hoy*
domani *mañana*

lunedì *lunes*
martedì *martes*
mercoledì *miércoles*
giovedì *jueves*
venerdì *viernes*
sabato *sábado*
domenica *domingo*

gennaio *enero*
febbraio *febrero*
marzo *marzo*
aprile *abril*
maggio *mayo*
giugno *junio*
luglio *julio*
agosto *agosto*
settembre *septiembre*
ottobre *octubre*
novembre *noviembre*
dicembre *diciembre*

PER STRADA

Dove si trova ...?
¿Dónde está ...?

Qual è l'indirizzo?
¿Cuál es la dirección?

Può scrivermelo, per favore?
¿Puede escribirlo, por favor?

Può indicarmelo (sulla cartina)?
¿Me lo puede indicar (en el mapa)?

accanto a ... *al lado de ...*
al semaforo *en el semáforo*
all'incrocio *en la esquina*
davanti ... *enfrente de ...*
destra *derecha*
di fronte ... *frente a ...*
dietro ... *detrás de ...*
lontano *lejos*
sempre dritto *todo recto*
sinistra *izquierda*
vicino *cerca*

SHOPPING E SERVIZI

Vorrei acquistare ...
Quisiera comprar ...

Sto solo guardando.
Sólo estoy mirando.

Posso vederlo?
¿Puedo verlo?

Non mi piace.
No me gusta.

Quanto costa?
¿Cuánto cuesta?

È troppo caro.
Es demasiado caro.

Può abbassare un po' il prezzo?
¿Podría bajar un poco el precio?

C'è un errore nel conto.
Hay un error en la cuenta.

bancomat	*cajero automático*
carta di credito	*tarjeta de crédito*
internet bar	*cibercafé*
mercato	*mercado*
ufficio postale	*correos*
ufficio turistico	*oficina de turismo*

TRASPORTI

aereo	*avión*
autobus	*autobús*
barca	*barco*
treno	*tren*
primo	*primero*
prossimo	*próximo*
ultimo	*último*

Un biglietto di ..., per favore.	*Un billete de ..., por favor.*
prima classe	*primera clase*
seconda classe	*segunda clase*
sola andata	*ida*
andata e ritorno	*ida y vuelta*

Vorrei andare a ...
Quisiera ir a ...

Ferma a ...?
¿Para en ...?

Che fermata è questa?
¿Cuál es esta parada?

A che ora arriva/parte?
¿A qué hora llega/sale?

Può avvisarmi quando arriviamo a ...?
¿Puede avisarme cuando lleguemos a ...?

Voglio scendere qui.
Quiero bajarme aquí.

aeroporto	*aeropuerto*
biglietteria	*taquilla*
cancellato	*cancelado*
fermata degli autobus	*parada de autobuses*
in ritardo	*retrasado*
orario	*horario*
piattaforma	*andén*
stazione ferroviaria	*estación de trenes*
posto a sedere vicino al corridoio	*asiento de pasillo*
posto a sedere vicino al finestrino	*asiento junto a la ventana*

Vorrei noleggiare...	*Quisiera alquilar ...*
un'automobile	*un coche*
una bicicletta	*una bicicleta*
un fuoristrada	*un todo-terreno*
una moto	*una moto*
seggiolino per bambini	*asiento de seguridad para niños*

autostop	*hacer botella*
benzina	*gasolina*
camion	*camión*
casco	*casco*
diesel	*petróleo*
meccanico	*mecánico*
stazione di servizio	*gasolinera*

È questa la strada per ...?
¿Se va a ... por esta carretera/calle?

(Per quanto tempo) Posso parcheggiare qui?
¿(Por cuánto tiempo) Puedo aparcar aquí?

L'automobile si è rotta (a ...).
El coche se ha averiado (en ...).

Ho avuto un incidente.
He tenido un accidente.

Sono rimasto senza benzina.
Me he quedado sin gasolina.

Ho una gomma a terra.
Tengo un pinchazo.

GLOSSARIO

Chi parla spagnolo ed è in cerca di un testo dedicato al colombiano dovrebbe procurarsi una copia del *Diccionario de Colombiano Actual* (2005) di Francisco Celis Albán.

asadero – ristorante specializzato in carni arrosto o alla griglia
AUC – Autodefensas Unidas de Colombia; libera unione degli squadroni paramilitari noti come *autodefensas*
autodefensas – squadroni di destra creati per difendere i grandi proprietari terrieri dalla guerriglia; sono chiamate anche *paramilitares* o semplicemente *paras;* v. anche *AUC*
bogotano/a – abitante di Bogotá
buseta – piccolo autobus/furgoncino molto diffuso come mezzo di trasporto urbano
cabaña – capanno, bungalow o semplice riparo; costruzione diffusa sulle spiagge o in montagna
caleño/a – abitante di Cali
campesino/a – abitante delle zone rurali, solitamente di modeste condizioni economiche; contadino
casa de cambio – ufficio cambiavalute
chalupa – piccola imbarcazione con motore fuoribordo
chinchorro – amaca tipica di molti gruppi indigeni, tessuta con fili di cotone o fibre di palma come una rete da pesca; famose le elaborate amache di cotone dei guajiros
chiva – autobus tradizionale con la carrozzeria di legno dipinta a colori vivaci; è ancora usato nelle campagne
colectivo – taxi o minibus collettivo; mezzo di trasporto pubblico molto diffuso
comida corriente – pasto veloce, pranzo a menu fisso
costeño/a – abitante della costa caraibica
DAS – Departamento Administrativo de Seguridad; polizia di sicurezza, responsabile dell'immigrazione (sciolta nel 2011)
ELN – Ejército de Liberación Nacional; il gruppo più numeroso di guerriglieri dopo le FARC
FARC – Fuerzas Armadas Revolucionarias de Colombia; il più numeroso gruppo di guerriglieri del paese
finca – tenuta, piantagione: una qualsiasi proprietà immobiliare, da una casa in campagna con un piccolo giardino a un'immensa tenuta rurale
frailejón – *espeletia*, specie vegetale; arbusto perenne dai fiori gialli che cresce solo ad altitudini superiori ai 3000 m, tipico del *páramo*
gringo/a – straniero/a bianco/a; talvolta viene usato in senso dispregiativo
guadua – la varietà più grande di bambù, comune in molte regioni dal clima mite
hacienda – podere, tenuta, azienda agricola
hospedaje – alloggio (in generale); talvolta albergo economico o ostello
indígena – indigeno; usato anche come sostantivo per le persone di origine indigena
IVA – *impuesto de valor agregado*, imposta sul valore aggiunto
merengue – genere musicale originario della Repubblica Domenicana, oggi diffuso in tutta la regione caraibica e oltre
meseta – altopiano
mestizo/a – meticcio, persona di sangue misto europeo e indio
mirador – belvedere
muelle – molo, banchina
mulato/a – mulatto; persona di sangue misto europeo e africano
nevado – picco innevato
paisa – abitante del dipartimento di Antioquia
paradero – fermata dell'autobus; in alcune zone è chiamata *parada*
páramo – ecosistema mondano situato tra i 3500 m e i 4500 m, tipico della Colombia, del Venezuela e dell'Ecuador
piso – piano di un edificio; pavimento
poporo – recipiente ricavato da una piccola zucca, usato dagli arhuacos e altri gruppi indigeni per contenere la calce; gli indigeni ne aggiungono una piccola quantità alle foglie di coca che masticano per favorire il rilascio delle sostanze alcaloidi; rito sacro delle popolazioni indigene della costa caraibica
puente – letteralmente 'ponte'; indica anche un fine settimana di tre giorni (che comprende il lunedì)
refugio – rifugio spartano in una zona isolata, soprattutto in montagna
reggaetón – mix di hip-hop e ritmi latini dal gusto tipicamente urbano, con ritmi veloci e ballabili
salsa – genere di musica e danza caraibica di origine cubana, popolare in Colombia
salsateca – discoteca dove si suona e si balla salsa
Semana Santa – Settimana Santa, la settimana che precede la domenica di Pasqua
tagua – noce di una specie di palma, dura e color avorio; è usata nell'artigianato, soprattutto sulla costa del Pacifico
tejo – gioco tradizionale, diffuso nella regione andina; si gioca con un pesante disco metallico che viene lanciato per far esplodere la *mecha* (sorta di petardo)
Telecom – compagnia telefonica statale
vallenato – genere musicale tipico della regione caraibica, il cui strumento principale è la fisarmonica; oggi è diffuso in tutta la Colombia

Dietro le quinte

SCRIVETECI!

Le notizie che ci inviate sono per noi molto importanti e ci aiutano a rendere migliori le nostre guide. Ogni segnalazione (positiva o negativa) viene letta, valutata dalla Redazione e comunicata agli autori.

Mandate i vostri suggerimenti a **lettere@edt.it** e visitate periodicamente **lonelyplanetitalia.it** per leggere i consigli degli altri viaggiatori. Sul sito troverete anche spunti di viaggio degli autori e tutte le novità del catalogo.

N.B.: Se desiderate che le vostre informazioni restino esclusivamente in Redazione e non vengano utilizzate nei nostri prodotti – cartacei, digitali o web – ricordatevi di comunicarcelo. Per leggere la nostra politica sulla privacy, visitate il sito www.lonelyplanetitalia.it/legal/privacy.

I LETTORI

Ringraziamo i viaggiatori che hanno utilizzato la precedente edizione di questa guida e ci hanno scritto:

Ahmed Alhouti, Alex Meijer, Andrés Fernando, Beatriz Sersic, Camille Jaudeau, Carlotta de Caro, Christian Stenz, Christina Strauss, Clara Pasinetti, Daniel Gertsch, Danielle Wolbers, David Harrod, David Kretzer, Encarna Micó Amigo, Francesco Dragoni, Frederic Watson, Friederike Kosche, Geraldine Dufour, Giorgia Tonini, Graham Davis, Hennie Verheijen, Ian Szlazak, Irene Gashu, Jaka Oman, Jason White, Jasper Poortvliet, John Ide, Jose Maldonado, Julia Davenport, Julia Orkin, Juliana Zajicek, Kiki Bals, Kristjan Männik, Maria Straub, Maria Vittoria Calvi, Mark Esser, Mathilde Kettnaker, Matteo Eldi, Meghan Byrd, Michael Weber, Michele Faellini, Michelle Maier, Mike Torker, Nathaly Ramirez Silva, Rob Lentz, Sandra Restrepo, Sara Preißler, Serena Ragazzi, Sergio Gutierrez, Simone Signorelli, Sheila Rowe, Silvia Web, Stefano Cappai, Valeria Salvai, Valeria Soliano.

NOTA DEGLI AUTORI

Alex Egerton

Un grande grazie a chi mi ha aiutato durante le ricerche sul campo: Oscar 'El Chofer' Gilede, Carito, Jose, Rodrigo, Adriaan Alsema, Richard, Jorge, Nicolas Solorzano, Libertad, Jose Ivan, Alexa Juliana, Jose N, Melissa Montoya, Wilson, Tyler, Paty, Laura Cahnspeyer e tutti i generosi colombiani che mi hanno dato una mano con la logistica. A casa, grazie a Olga e Nick per la loro pazienza.

Tom Masters

Grazie a tutti coloro che rendono sempre divertenti i miei viaggi in Colombia; il mio ringraziamento particolare questa volta va a Andrés e Andrea di La Macarena, Ewa di Caño Cristales, Sandra Rodil di Santa Marta, David Salas di Expotur, Alejandro Dorante Zetans di Cartagena, Richard McColl di Mompós, Steeve Degroote di Aventure Colombia, ai miei colleghi Kevin Raub e Alex Egerton e alla mia intrepida mamma Rosemary Masters per avermi fatto compagnia durante le varie fasi della mia ricerca.

Kevin Raub

Ringrazio mia moglie, Adriana Schmidt Raub, MaSovaida Morgan e i miei complici, Tom Masters e Alex Egerton. Grazie a chi mi ha aiutato lungo il viaggio: Laura Cahnspeyer, Dipak Nayer, Camilo Rojas, Rodrigo Atuesta, Helena Davilá, German Escobar, Bogota&Beyond, Rodrigo Arais, Edgardo Areizaga, Diego Calderon e Lina Baldion.

RICONOSCIMENTI

Cartina climatica adattata da Peel MC, Finlayson BL & McMahon TA (2007) 'Updated World Map of the Köppen-Geiger Climate Classification', Hydrology and Earth System Sciences, 11, 163344.

QUESTA GUIDA

L'ottava edizione inglese della guida Lonely Planet *Colombia*, qui proposta in settima edizione italiana, è stata scritta da Alex Egerton, Tom Masters e Kevin Raub, che hanno anche condotto le ricerche, e curata da Jade Bremner. Gli autori dell'edizione precedente erano Alex Egerton, Tom Masters e Kevin Raub.

Traduzione Daniela Donato, Rosaria Fiore, Patrizia Maschio, Flavia Peinetti
coordinamento Paola Masi

Responsabile redazione guide Silvia Castelli
Coordinamento Angelica Taglia

Aggiornamenti e adattamenti Luciana Defedele
Editing Giacomo Felicioli, Fregi e Majuscole
Impaginazione Alessandro Pedarra

Rielaborazione copertina e pagine a colori Alessandro Pedarra
supervisione Sara Viola Cabras
Rielaborazione grafica cartine Guido Mittiga
Produzione Alberto Capano

Ringraziamo per la consulenza
Natura Luca Borghesio
Salute Dr. Guido Calleri
Viaggio aereo da/per l'Italia Alberto Fornelli
Cartine disponibili in Italia Ennio Vanzo

Indice

D

E

000 riferimenti cartine
000 riferimenti letture

N

O

P

Q

R

S

000 riferimenti cartine
000 riferimenti letture

Finito di stampare presso Stampatre, Torino
nel mese di gennaio 2019

Ristampa

0 1 2 3 4 5 6

Anno

2019 20 21 22 23 24

NOTE

NOTE

NOTE

Legenda delle cartine

Da vedere

- Bagni termali sento/onsen
- Castello/palazzo
- Chiesa
- Enoteca/vigneto
- Monumento
- Moschea
- Museo/galleria/edificio storico
- Riserva avicola
- Rovine
- Sinagoga
- Spiaggia
- Tempio buddhista
- Tempio confuciano
- Tempio giainista
- Tempio hindu
- Tempio shintoista
- Tempio sikh
- Tempio taoista
- Zoo/riserva naturale
- Altre cose da vedere

Attività, corsi e tour

- Bodysurfing
- Canoa/kayak
- Corsi/tour
- Immersioni/Snorkelling
- Nuoto/piscina
- Passeggiate/trekking
- Sci
- Snorkelling
- Surf
- Windsurf
- Altri sport e attività

Pernottamento

- Hotel
- Campeggio

Pasti

- Pasti

Locali e vita notturna

- Locali e vita notturna
- Caffè

Divertimenti

- Divertimenti

Shopping

- Shopping

Informazioni

- Ambasciata/consolato
- Banca
- Informazioni turistiche
- Internet
- Ospedale/presidio medico
- Polizia
- Servizi igienici
- Telefono
- Ufficio postale
- Altre informazioni

Geografia

- Area picnic
- Cascata
- Faro
- Monte/vulcano
- Oasi
- Parco
- Passo
- Punto panoramico
- Rifugio/capanno
- Spiaggia

Popolazione

- Capitale (nazione)
- Capitale/capoluogo (stato/provincia)
- Grande città
- Città/villaggio

Trasporti

- Aeroporto
- Autobus
- Bicicletta
- Funivia/funicolare
- Metropolitana
- Monorotaia
- Parcheggio
- Posto di confine
- S-Bahn/S-train/Subway
- Stazione dei treni/ferrovia
- Stazione di servizio
- T-bane/Tunnelbana
- Taxi
- Traghetto
- Tram
- Tube
- U-Bahn/Underground
- Altri trasporti

Nota: Non tutti i simboli della legenda sono utilizzati nelle cartine di questa guida

Strade

- Autostrada
- Superstrada
- Strada principale
- Strada secondaria
- Strada minore
- Vicolo
- Strada sterrata
- Strada in costruzione
- Area commerciale
- Scalinata
- Tunnel
- Ponte pedonale
- Itinerario a piedi
- Deviazione itinerario a piedi
- Sentiero

Confini

- Internazionale
- Stato/provincia
- Conteso
- Regionale/urbano
- Parco marino
- Scogliera/dirupo
- Muro

Idrografia

- Fiume, torrente
- Fiume intermittente
- Canale
- Acque
- Lago asciutto/salato/intermittente
- Barriera corallina

Territorio

- Aeroporto/pista d'atterraggio
- Campo sportivo
- Cimitero (cristiano)
- Cimitero (altro)
- Da vedere (edifici)
- Ghiacciaio
- Palude/mangrovia
- Parco/foresta
- Piana fangosa
- Spiaggia/deserto

Tom Masters

Costa caraibica; San Andrés e Providencia; Los Llanos; Bacino amazzonico
Fin da quando ha cominciato a muovere i primi passi Tom sogna di visitare i luoghi più misteriosi della terra, spinto da un'insopprimibile passione per l'ignoto. La scelta di diventare scrittore di professione lo ha condotto in tutto il mondo, anche in Corea del Nord, nell'Artico, in Congo e in Siberia. Dopo aver trascorso l'infanzia nella campagna inglese, ha scelto di vivere a Londra, Parigi e Berlino, dove risiede attualmente. Lo si può trovare anche online sul sito www.tommasters.net. Dopo essersi laureato con una tesi in letteratura russa presso la University of London, si è trasferito in Russia per lavorare nella redazione del *St Petersburg Times*. Grazie a questo primo incarico ha avuto la possibilità di lavorare presso il BBC World Service di Londra e di collaborare come giornalista freelance per giornali e riviste di tutto il mondo. Per diversi anni ha anche collaborato alla produzione di vari documentari per società televisive britanniche e statunitensi. Vista la sua passione per l'architettura di epoca comunista, non poteva che scegliere di risiedere in Karl-Marx-Allee nel quartiere Friedrichshain di Berlino e ancora oggi torna regolarmente nell'ex Unione Sovietica per lavoro. I suoi progetti più recenti comprendono le guide sull'Estremo Oriente russo, l'Africa centrale e la Colombia. Tom è anche autore del capitolo Conoscere la Colombia.

Kevin Raub

Bogotá Kevin Raub è cresciuto ad Atlanta e ha iniziato la sua carriera come giornalista musicale a New York, lavorando per *Men's Journal* e *Rolling Stone*. Ha abbandonato lo stile rock 'n' roll per scrivere libri di viaggio. Ha scritto quasi 50 guide Lonely Planet, dedicandosi per lo più al Brasile, al Cile, alla Colombia, agli Stati Uniti, all'India, ai Caraibi e al Portogallo. Raub ha collaborato anche con una serie di riviste di viaggio sia negli Stati Uniti sia nel Regno Unito. I viaggi sono anche una buona occasione per dedicarsi a un'altra sua passione, la birra, che lo porta alla costante ricerca di birre locali con un elevato tasso di IBU. Potete seguirlo su Twitter e Instagram (@RaubOnTheRoad). Ha trascorso sette anni in Brasile, eplorando il gigante sudamericano, una caipirinha alla volta, nel tentativo di conoscere tutti e 22 gli stati brasiliani. Grande esperto di Brasile, ha gestito le dirette Lonely Planet sui vari social media durante la Coppa del Mondo del 2014. Raub ha scritto per una serie di pubblicazioni tra cui *Travel+Leisure*, *Condé Nast Traveller* e *New York Times T Magazine*. Continua a viaggiare lungo le strade del mondo con un unico obiettivo, quello di essere accolto come membro del Traveler's Century Club prima di compiere 50 anni. Finora ha visitato 86 paesi. Ha scritto anche il capitolo Pianificare il viaggio.

LA NOSTRA STORIA

Un'auto vecchia e sgangherata, pochi dollari in tasca e tanta voglia di avventura. Questo è tutto ciò di cui Tony e Maureen Wheeler hanno avuto bisogno per il viaggio della loro vita – Europa e Asia via terra, destinazione Australia. Hanno viaggiato parecchi mesi, ma alla fine si sono seduti al tavolo della loro cucina e hanno scritto e confezionato la loro prima guida di viaggio, *Across Asia on the cheap*. In una settimana ne avevano vendute 1500 copie! Era il 1972, era nata Lonely Planet.

Oggi Lonely Planet ha uffici a Franklin, Londra, Melbourne, Oakland, Dublino, Beijing e Delhi, con più di seicento persone tra staff e autori, e ha partner in diverse nazioni, tra cui Italia, Francia, Germania e Spagna. Alla base del lavoro di tutti c'è ancora la convinzione di Tony che 'una grande guida deve fare tre cose: informare, istruire e divertire'.

I NOSTRI AUTORI

Jade Bremner

Curatrice Jade lavora come giornalista da oltre dieci anni. Ha scritto articoli su quattro diverse regioni (nelle quali ha anche vissuto). Ovunque vada trova sempre qualche sport a cui dedicarsi - più strano è meglio è - e non è certo un caso se molti dei suoi posti preferiti hanno le onde migliori del mondo. Jade ha fatto la revisione di riviste di viaggio e sezioni di *Time Out* e *Radio Times* e ha scritto articoli per il *Times*, la *CNN* e *The Independent*. Considera un privilegio poter raccontare le storie di questo pianeta meraviglioso, che tutti noi consideriamo casa nostra, ed è sempre in cerca di nuove avventure.

Alex Egerton

Boyacá, Santander e Norte de Santander; Medellín e Zona Cafetera; Cali e Colombia sud-occidentale, Costa del Pacifico Giornalista di professione, Alex ha lavorato per riviste, giornali e organi di stampa su tutti e cinque i continenti. Dopo aver fatto il pieno di redazioni stantie e di notizie superficiali, ha deciso di fare il grande salto e di dedicarsi alla scrittura di viaggio per sfuggire alla banalità del lavoro ordinario. Oggi trascorre gran parte del proprio tempo per strada a controllare cosa si nasconde sotto i materassi, ad assaggiare strani cibi e a chiacchierare con la gente del posto, tutto materiale utile per le guide e gli articoli di viaggio che scriverà. Amante dell'avventura, ha compiuto escursioni nelle remote giungle della Colombia, ha esplorato isolati affluenti del possente fiume Mekong e ha preso parte alle prime discese in kayak lungo una serie di remoti corsi d'acqua del Nicaragua. Quando non è in viaggio per condurre ricerche per le sue guide, lo si può trovare a casa sua, immerso nello splendore coloniale di Popayán, nella Colombia meridionale. Alex ha scritto anche il capitolo Guida Pratica.

PAGINA PRECEDENTE ALTRI AUTORI

Colombia
7ª edizione italiana – Gennaio 2019
Tradotto dall'edizione originale inglese:
Colombia (8th edition, August 2018)

ISBN 978-88-5924-620-6

Tradotto e pubblicato da EDT srl su licenza esclusiva di Lonely Planet Global Limited.
Per informazioni relative al contenuto di questa pubblicazione contattare EDT srl.

EDT srl
17 via Pianezza, 10149 Torino, Italia; ☎ (39) 011 5591 811 – fax (39) 011 2307 034; edt@edt.it, lonelyplanetitalia.it

In copertina foto di Watch_The_World/Shutterstock ©: Panni stesi, Guatapé.

Stampato da Stampatre, Torino (Italia)